ECRIRE, LIRE
et EN PARLER...

Dix années de littérature mondiale en 55 interviews publiées dans LIRE

ÉDITIONS ROBERT LAFFONT
PARIS

Maquette de couverture :
JEAN DENIS et YVES LE HOUERF

SOMMAIRE

UNE INTERVIEW À PROPOS DE ÉCRIRE, LIRE ET EN PARLER

par Bernard Pivot

— *Dans une préface, on affirme, on déclare, on présente avec autorité, on étale sa culture, on décerne des louanges, on se montre péremptoire, on accorde sa caution, et comme le ton en est assuré et protecteur, on ne pose pas de questions. Aussi ma première question est-elle celle-ci : pourquoi voulez-vous que je vous pose des questions ?*

— Pour trois raisons. Premièrement, parce qu'il me paraît naturel qu'un gros livre comme celui-ci, bourré jusqu'à la gueule de questions et de réponses, commence de même. Qu'il y ait unité la méthode du début à la fin. Deuxièmement, le signataire de cette préface, s'il adore poser des questions, tient en horreur celles qu'on s'avise parfois de lui poser sur la manière ou les raisons qu'il a précisément de les poser. Une exception cependant : quand, renouant avec l'examen de conscience des années de collège, c'est moi-même qui me pose les questions. Or, aujourd'hui, je suis dans cet agréable cas de figure.

— *Mais non, puisque c'est moi qui vous les pose, les questions !*

— Ne soyez pas un interviewer hypocrite et prétentieux. Les bons interviewers sont francs, directs et surtout modestes. Or vous savez bien que vous c'est moi.

— *Voilà qui, en effet, me rabaisse ! Mais ne me clouera pas le bec... A nous deux, nous avons déjà employé sept fois l'expression « poser des questions ». Même en tenant compte que c'est là la fonction essentielle des journalistes, tant de répétitions en si peu de lignes agacent...*

— Non, car j'en viens à la troisième raison qui m'a fait choisir l'entretien comme moyen d'expression pour cette préface : le ton y est vivant, détendu, sans contrainte, sans littérature, et si ce livre relève de la littérature, ce n'est évidemment pas pour le style de ceux qui s'y expriment, mais par le sujet de leurs conversations. Il arrive aux meilleurs écrivains de faire des répétitions dans leurs interviews : celles-ci n'en sont que plus vraies, plus crédibles. En adoptant d'emblée un langage spontané, où n'a pas été ébarbé tout ce qui dépasse, je mets à l'aise la cinquantaine de personnalités qui s'expriment dans les pages qui suivent.

– *Vous êtes bien bon. A propos, cette manie d'aller embêter chez eux des écrivains pour les bombarder de questions saugrenues sur leur vie et sur leurs livres date de quand?*

– De la fin du siècle dernier, quand les premières interviews ont fleuri dans les gazettes. Les journalistes, qui ne sont pas aussi sots que les hommes politiques le prétendent, ont très vite considéré que les écrivains et les artistes étaient au moins aussi intéressants à interroger que les hommes politiques précisément, les chefs militaires ou les dignitaires des Églises. Entre 1890 et 1905, mon confrère Jules Huret a rencontré et questionné toutes les vedettes de l'actualité politique, sociale, mondaine, etc. Mais si son nom nous est encore connu, si les éditions Thot ont récemment publié deux volumes de ses enquêtes et interviews, c'est parce qu'il a eu l'intelligence de faire la part belle aux écrivains. Et quels écrivains! Zola, Barrès, Tolstoï, Daudet, Rostand, Marc Twain, Kipling, D'Annunzio, Huysmans, Edmond de Goncourt, etc. Pas mal, non?

– *Et ils acceptent tous de recevoir Jules Huret?*

– Oui, sans problème. Même Tolstoï, au faîte de sa gloire, accueille le reporter du *Figaro* avec un plaisir évident. Il est caractéristique que, en dépit de ce qu'il pouvait y avoir de nouveau, d'incertain et de dérangeant dans cette forme d'expression inusitée, l'interview est très bien admise par les écrivains, même parmi les plus illustres du moment. Tout de suite, écrire, lire et en parler leur paraît être un enchaînement logique, une chose naturelle. Trois activités qui se complètent, qui se succèdent avec profit pour tout le monde et qui se renvoient l'une aux autres. Je pense même qu'ils sont flattés et amusés de pouvoir s'exprimer autrement que plume en main. Il est vrai que les écrivains de cette époque sont des habitués des cafés, des bavards de salons (les soirées de Médan) et qu'ils aiment à discourir sans fin sur la littérature, le théâtre, la politique et l'air du temps.

– *Aujourd'hui, c'est vrai, les écrivains se fréquentent moins, ils sont beaucoup plus solitaires.*

– On pourrait donc en conclure qu'ils ont besoin de parler, de s'expliquer, de se raconter, et que l'interview est une manière d'échapper à bon escient à leur solitude. Or, s'il est évident que certains écrivains sont devenus des artistes professionnels de l'entretien journalistique (hier Malraux, Mauriac, Sartre, etc., aujourd'hui Sagan, d'Ormesson, Robbe-Grillet, etc.), d'autres, en revanche, observent un mutisme presque total (Beckett, Cioran, Gracq, Char, Blanchot, etc.).

L'interview est un genre qui irrite même les écrivains qui s'y adonnent le plus volontiers, mais elle leur paraît irremplaçable pour communiquer avec les critiques, avec les lecteurs et, quelques-uns le reconnaissent, avec eux-mêmes. Ils voient bien que les journalistes les conduisent à se dévoyer sur le terrain de la parole, alors que leur métier est d'écrire. Roland Barthes l'a très bien expliqué dans un entretien accordé à Pierre Boncenne et qu'on lira plus loin : « Je suis toujours gêné quand la parole vient en quelque sorte doubler l'écriture parce que j'ai alors une impression d'inutilité : ce que je voulais dire je ne pouvais pas le dire mieux qu'en écrivant et le redire en parlant tend à le diminuer. »

— *Pourtant Barthes était ce que vous appelez « un artiste professionnel de l'interview »?*

— Il y excellait, il y était éblouissant de clarté et d'intelligence, au point que certaines pages un peu obscures de ses livres s'en trouvaient éclairées. Ainsi démontrait-il que, contrairement à ce qu'il craignait, la parole ne diminuait en rien son travail d'écriture. Mais, curieusement, et je le crois sincère, il redoutait le moment de s'entendre poser des questions par un journaliste. Parfois, il devait envier le silence de Beckett. Voici ce que là-dessus il a encore confié à Boncenne : « D'une manière générale les interviews me sont assez pénibles et à un moment j'ai voulu y renoncer. Je m'étais même fixé une sorte de " dernière interview ". Et puis j'ai compris qu'il s'agissait d'une attitude excessive : l'interview fait partie, pour le dire de façon désinvolte, d'un jeu social auquel on ne peut pas se dérober ou, pour le dire de façon plus sérieuse, d'une solidarité de travail intellectuel entre les écrivains, d'une part, et les médias, d'autre part. Il y a des engrenages qu'il faut accepter : à partir du moment où l'on écrit c'est finalement pour être publié et à partir du moment où l'on publie il faut accepter ce que la société demande aux livres et ce qu'elle en fait. » Roland Barthes n'a pas tort, me semble-t-il, d'appeler « engrenage » cet appel pressant de la société aux écrivains pour qu'ils s'expliquent. Ah, vous écrivez? Eh bien, parlez maintenant!

— *Mais ce sont les journaux, la radio, la télévision qui ont créé cet engrenage. Il satisfait un besoin des journalistes et du public et non pas un besoin des écrivains. D'ailleurs quand la grande presse n'existait pas, les écrivains ne commentaient pas leurs œuvres et ils n'en éprouvaient aucune frustration.*

— Erreur! Les écrivains ont toujours ressenti la nécessité d'expliquer le pourquoi et le comment de leurs œuvres. Mais comme l'interview n'avait pas encore été inventée, ils faisaient précéder leurs livres d'une préface, d'une sorte de mode d'emploi, qu'ils intitulaient, et ce n'est pas un hasard, « Au lecteur ». Ils s'adressaient directement « au lecteur »

pour lui confier deux ou trois choses qu'ils jugeaient indispensable qu'il
sût.

– *Par exemple?*

– Boileau. En 1666, il publie ses *Satires*. Dans une préface, il explique
pourquoi il se résout à publier des textes jusque-là divulgués sous forme
de « mauvaises copies ». Je m'imagine très bien, que ce soit dans *Lire* ou
à « Apostrophes », demandant à Boileau s'il ne craint pas de susciter
des satires à ses *Satires*. Il répond : « J'ai charge encore d'avertir ceux
qui voudront faire des satires contre les *Satires*, de ne se point cacher.
Je leur réponds que l'auteur ne les citera point devant d'autre tribunal
que celui des Muses : parce que, si ce sont des injures grossières, les
beurrières lui en feront raison, et, si c'est une raillerie délicate, il n'est
pas assez ignorant dans les lois pour ne pas savoir qu'il doit porter la
peine du talion. Qu'ils écrivent donc librement! »

– *Ses ennemis ont répondu à Boileau?*

– Bien sûr! D'où un nouveau « Au lecteur » pour l'édition des œuvres
de Boileau de 1694. Car entre-temps ses *Satires* ont été durement
attaquées par Perrault. Et comme aucun journaliste n'est venu lui
demander de répliquer, il le fait lui-même. Mais imaginons que ce
journaliste existe. Cela donnerait ceci : « Perrault vous dit, monsieur
Boileau, que vous avez eu tort de dire que Chapelain est un mauvais
poète et l'abbé Cotin un prédicateur exécrable. » Boileau : « Ce sont en
effet les deux grands crimes qu'il me reproche, jusqu'à me vouloir faire
comprendre que je ne dois jamais espérer la rémission du mal que j'ai
causé, etc. »

– *Si l'interview avait existé aux XVIIe et XVIIIe siècles...*

– Les journalistes littéraires se seraient régalés! Il y avait tant de
rivalités, de conflits, de polémiques entre les écrivains de ces époques!
Que de questions à poser à Corneille et à Racine dans leur admirable et
cruelle compétition! Prenez Racine. Il est clair que toutes ses préfaces à
ses pièces sont des explications et des justifications. « Beaucoup de
gens sont scandalisés, Jean Racine, que vous ayez choisi un homme
aussi jeune que Britannicus comme héros d'une tragédie... – Un jeune
prince de dix-sept ans, qui a beaucoup de cœur, beaucoup d'amour,
beaucoup de franchise et beaucoup de crédulité, qualités ordinaires
d'un jeune homme, m'a semblé très capable d'exciter la compassion. Je
n'en veux pas davantage. – Oui, mais le vrai Britannicus est mort à
quinze ans. Vous le faites vivre deux ans de plus. De quel droit? – Je
n'aurais point parlé de cette objection, si elle n'avait été faite avec
chaleur par un homme (Corneille) qui s'est donné la liberté de faire
régner vingt ans un empereur qui n'en a régné que huit... » Et ainsi
de suite...

– *Qu'en concluez--vous ?*

– Que les gens qui prétendent que l'interview littéraire est une invention artificielle et inutile d'un siècle vulgaire se trompent, et que « écrire, lire et en parler », même si les formes ont changé, a toujours été, pour reprendre le mot de Barthes, un « engrenage » naturel et souhaité de la majorité des lecteurs et de la plupart des écrivains. Depuis dix ans, *Lire* publie dans chaque numéro un long entretien avec des écrivains français et étrangers. En voici une sélection que je crois divertissante et instructive et propre à illustrer le mouvement de la littérature au cours de la dernière décennie. Je ne serais pas étonné que ces conversations inspirées par la lecture des livres, devenues elles-mêmes un livre, renvoient le lecteur... aux livres. C'est le vœu de tous les journalistes de *Lire.*

(Propos recueillis par Bernard Pivot.)

ÉCRIRE, LIRE ET EN PARLER MODE D'EMPLOI

par Pierre Boncenne

Comme vient de le rappeler Bernard Pivot, depuis sa création en septembre 1975, *Lire* a publié chaque mois une grande interview permettant de faire le point sur un auteur à l'occasion de la sortie de l'un de ses ouvrages. Ces articles restent liés à l'actualité, au sens journalistique du terme, la différence entre un mensuel et un quotidien étant de degré, non de nature. Il nous a pourtant semblé possible de marquer le dixième anniversaire de *Lire* en réunissant sous forme de livre une sélection de ces interviews (ou, si l'on préfère, « entretiens » : confessons qu'en l'occurrence, nous n'avons pas de religion). Non pas par narcissisme : même si la pléiade de noms alignés dans notre sommaire suffisait à le combler, nous mesurions d'emblée les manques évidents comme les défauts probables d'un tel recueil. Mais par rapport à d'autres volumes de ce type, on nous concédera qu'ici l'unité des personnalités interrogées, comme la diversité des journalistes interrogateurs, sans oublier un certain recul du temps pouvaient donner matière à un inventaire original d'une décennie littéraire et intellectuelle. Encore fallait-il ne pas céder à la facilité consistant par exemple à empiler de A comme Aron à Z comme Zinoviev un maximum de signatures. Pour tenter d'acquérir une cohérence et un sens, *Écrire, lire et en parler* a donc été construit en adoptant quatre critères :
– seules figurent dans *Écrire, lire et en parler* des interviews. *Lire* a toujours affectionné ce genre qui a ses lettres de noblesse, mais dont la presse magazine s'est un peu détournée, préférant le rapide questionnaire au dialogue approfondi s'étalant sur plusieurs pages. L'interview, qui suppose de l'abnégation chez l'interrogateur et un long travail de préparation comme de mise en forme finale, si elle ne saurait être perçue comme un substitut des livres de l'auteur, peut y conduire par des chemins assez originaux. Reste qu'à la différence de l'un de nos confrères très sophistiqué d'outre-Atlantique conçu par Andy Wahrol, *Lire* ne publie pas que des interviews, loin de là : la variété de présentation des livres et de leurs auteurs va aussi de la note de lecture jusqu'à l'enquête, en passant par l'extrait ou le commentaire. Outre les

écrivains refusant par principe l'interview, nous avons eu l'occasion de consacrer des dossiers à Georges Simenon, Fernand Braudel ou Georges Perec sans recourir à leur témoignage direct. Leur absence dans ce recueil a été compensée, ou plutôt tempérée par la présence d'une chronologie complétée dans chacune des principales parties avec un texte préliminaire rappelant les tendances majeures de la littérature, de l'histoire et des idées au cours de la période 1975-1985. Pour deux cas seulement, il nous a paru nécessaire de déroger à ce principe : d'une part, la brève interview de Marguerite Duras à propos du succès de _L'amant_ n'était pas compréhensible sans l'enquête préalable réalisée par Pierre Assouline; d'autre part, la place considérable occupée par l'œuvre de Soljenitsyne justifiait que l'on reproduise, ne serait-ce qu'à titre de repère, un reportage de Bernard Pivot suivi du point de vue d'un Russe d'origine, juge et partie, Henri Troyat.

– Si la littérature ne connaît pas d'autres frontières que celles de la censure – hélas en progression constante de l'Iran au Chili, de l'URSS à l'Afrique du Sud – _Écrire, lire et en parler_ rend compte de la décennie écoulée à partir de l'observatoire hexagonal. Par rapport aux auteurs de langue française, nos interviews d'« étrangers », comme on ne devrait pas dire, dépendaient souvent de circonstances éditoriales indépendantes de notre volonté, comme on dit, par exemple, de la présence ou non à Paris d'un auteur à la suite de l'une de ses traductions. Notre choix des dix écrivains venus d'ailleurs, tout en marquant des préférences, ne prétend pas, on l'aura compris, être un bilan. Nous avons aussi estimé nécessaire d'isoler la longue interview de Simon Leys : ne conçoit-il pas lui-même la civilisation chinoise, dont il se veut l'interprète modeste après avoir été le pourfendeur implacable des mythologies maoïstes occidentales, comme l'ailleurs absolu pour un Européen ?

– Depuis dix ans, et en incluant la série « Au peigne fin » (questionnaires imaginés par André Rollin pour inciter un romancier à justifier des détails d'apparence anodins : noms propres, noms de lieux, couleurs, etc.), _Lire_ a publié près de cent-soixante interviews dont le tiers juste se retrouve dans _Écrire, lire et en parler_. Plutôt que d'opérer des coupes aboutissant à un résumé insipide et de toutes les façons insuffisantes, nous avons en effet opté pour une sélection de textes complets. Et sans négliger, il va de soi, notoriété et popularité d'un auteur, nous leur avons parfois préféré la représentativité d'une sensibilité ou d'un courant de pensée. Un choix difficile réalisé en nous gardant d'oublier qu'à la bourse des valeurs littéraires, les œuvres authentiques cohabitent avec des impostures et vivent dans l'instabilité.

– A l'intérieur de chacune des parties d'_Écrire, lire et en parler_, les interviews sont classées par ordre chronologique et republiées telles quelles, ou presque. Impossible d'actualiser une interview comme pour figer des contingences : au contraire, nous avons souhaité donner à réécouter la voix d'un auteur au moment où il nous a parlé, sans essayer de corriger ni de gommer. Évoque-t-il un manuscrit en chantier n'ayant jamais vu le jour ? Avance-t-il des jugements démentis par les événements ? Tient-il des propos infirmés par des déclarations postérieures ? Se trompe-t-il manifestement ? Peu importe, les interviews restant d'abord des conversations où une forme de tonalité compte sans doute autant que le fond. En réalité, jamais nous n'avons retrouvé d'auteurs en contradiction criante, gênante, avec eux-mêmes. Nous nous sommes donc contentés de supprimer, à côté de quelques longueurs, des détails vraiment obsolètes ou incompréhensibles en dehors de leur contexte. Parions en revanche que les coupes eussent été meurtrières si *Lire* acceptait de publier ces fausses interviews très prisées des hommes politiques toutes tendances confondues, où l'heureux élu répond par écrit à un questionnaire soumis au préalable. Histoire de masquer l'irréalité du dialogue, la plume de service de notre élu glisse de ci, de là quelques interjections prises sur le vif, d'un naturel saisissant... Soit dit au passage, un point d'usage qu'il faut tout de même connaître : sauf accord préalable avec l'auteur, celui-ci ne relit pas son interview avant publication, et ses propos paraissent sous la responsabilité du journaliste. Cette règle du jeu claire et simple, qui doit être appliquée sans complaisance ni agressivité, gagnerait d'ailleurs à être rappelée périodiquement.

Ce mode d'emploi une fois donné, il serait vain de l'alourdir par le catalogue de bonnes ou mauvaises raisons motivant la composition de cette anthologie. Que l'on analyse l'interview comme un travail didactique ou qu'on la rêve comme un genre de fiction, ces rencontres et discussions, explications et confidences, mensonges et vérités visent à s'effacer pour laisser place à une passion infinie et sans finalité, à cette impossible quête que l'admirable sphinx érudit de Buenos Aires, Jorge Luis Borges, poursuit inlassablement : lire. Jusque dans la nuit de la cécité.

1975-1985
CHRONOLOGIE SOMMAIRE
D'UNE DÉCENNIE LITTÉRAIRE
INTELLECTUELLE ET ÉDITORIALE
établie par Pierre Boncenne
et Antoine de Gaudemar

1975

L'ÉVÉNEMENT : **En attribuant le prix Goncourt à Émile Ajar** pour *La vie devant soi* (Mercure de France), les jurés de chez Drouant célèbrent à leur manière la plus grosse mystification littéraire de l'après-guerre et couronnent sans le savoir un écrivain qui a déjà eu le prix dix-neuf ans plus tôt, Romain Gary. Car Ajar et Gary ne font qu'un et si certains s'en étaient doutés, il faudra attendre le testament de Gary rendu public après son suicide en décembre 1980 et la confession de son petit-neveu Paul Pavlovitch pour en avoir la certitude. Dans son testament, Romain Gary revendiquera la supercherie au nom du désir de recommencer une nouvelle vie littéraire et d'échapper aux enfermements d'un écrivain prisonnier de son image.
Œuvres d'Émile Ajar/Romain Gary : *Gros-câlin, La vie devant soi, Pseudo* et *L'angoisse du roi Salomon* (tous édités au Mercure de France).

ET AUSSI :

• Nos ancêtres en vitrine : *Montaillou, village occitan* d'Emmanuel Le Roy Ladurie (Gallimard) et *Le cheval d'orgueil* de Pierre Jakez Hélias (collection Terre Humaine, chez Plon) seront en quelques mois des classiques.
• Après *L'archipel du goulag*, les éditions du Seuil publient *Le chêne et le veau* d'Alexandre Soljenitsyne, tandis qu'André Glucksmann fait paraître *La cuisinière et le mangeur d'hommes* (Le Seuil), qui signe l'adieu d'une génération d'extrême gauche au marxisme.
• *Surveiller et punir* (Gallimard) est le titre du nouvel ouvrage de Michel Foucault dans lequel le philosophe démontre que la prison n'est qu'un reflet de notre société de surveillance et de quadrillage.
• 1975, année de la Femme : l'édition se met au diapason, avec *En vol*, l'autobiographie de Kate Millett (Stock), *Du côté des petites filles* de l'Italienne Elena Gianini Belotti (Éditions des Femmes) et *Ainsi soit-elle* de Benoîte Groult (Grasset).
• François Mitterrand à « Apostrophes » pour la sortie de *La paille et le grain* (Flammarion). La même année, paraissent *La parole et l'outil* de Jacques Attali (PUF), *L'indésirable*, le premier roman de Régis Debray (Le Seuil), et le premier volume de *La baie des Anges* de Max Gallo (Laffont).
• Un an après la sortie du film, l'édition de poche d'*Emmanuelle* (10/18) dépasse le million d'exemplaires vendus.

D'AUTRES LIVRES :

– Michel Tournier : *Les météores* (Gallimard)
– Antoine Blondin : *Quat'saisons* (La Table Ronde)
– Pierre Goldman : *Souvenirs obscurs d'un Juif polonais né en France* (Le Seuil)
– Jean Pasqualini : *Prisonnier de Mao* (Gallimard)
– Maurice Clavel : *Ce que je crois* (Grasset)
– Claire Bretécher : *Les frustrés,* premier album (Éditions du Square)
– Dominique Lapierre et Larry Collins : *Cette nuit la liberté* (Laffont).

PRIX :

– Nobel : Eugenio Montale (Italie)
– Goncourt : Émile Ajar pour *La vie devant soi* (Mercure de France)
– Grand Prix du roman de l'Académie française : Kléber Haedens pour *Adios* (Grasset).

1976

L'ÉVÉNEMENT : **La mort de Mao Tsé-toung** n'a pas eu seulement des conséquences politiques en Chine. Elle marque aussi le bien tardif réveil d'une intelligentsia qui, sans craindre parfois le ridicule ni la répétition d'erreurs commises par les ex-compagnons de route de l'URSS, avait imaginé la révolution culturelle comme la dernière porte avant le paradis. Seul ou presque, face aux délirantes chinoiseries, un sinologue d'origine belge, Simon Leys, qui en 1976 justement publiait *Image brisée* (Laffont) où il dénonçait le « caractère meurtrier de la pensée Mao Tsé-toung » et « l'incroyable degré de grossièreté atteint dans le mensonge par la propagande officielle ».

ET AUSSI :

• Entrée massive d'auteurs latino-américains dans le *Petit Larousse.* Parmi les élus : Gabriel Garcia Marquez, Alejo Carpentier, Octavio Paz, Carlos Fuentes, Julio Cortazar.
• Décès d'André Malraux.
• L'auteur de *Sexus,* Henry Miller, reçoit la Légion d'honneur.
• Deux succès politiques très hexagonaux : celui du président de la République Valéry Giscard d'Estaing avec *Démocratie française* (Fayard) et celui d'Alain Peyrefitte avec *Le mal français* (Plon).
• Engouement considérable pour l'autobiographie de Simone Signoret *La nostalgie n'est plus ce qu'elle était* (Seuil) dans laquelle la comédienne raconte avec gravité et humour ses batailles politiques de l'après-guerre.

D'AUTRES LIVRES :

– Jean-François Bizot : *Les déclassés* (Sagittaire).
– Jacques Lacarrière : *L'été grec* (Plon)
– Jacques Laurent : *Histoire égoïste* (La Table Ronde)

- Pierre Daix : *J'ai cru au matin* (Laffont)
- Jeanne Cordelier : *La dérobade* (Hachette)
- Philippe Curval : *Cette chère humanité* (Laffont)
- Léonardo Sciascia : *Todo modo* (Denoël)
- John Cowper Powys : *Les enchantements de Glastonbury* (Gallimard)
- Jean Baudrillard : *L'échange symbolique et la mort* (Gallimard).

PRIX :

- Nobel : Saul Bellow (USA)
- Goncourt : Patrick Grainville pour *Les flamboyants* (Seuil)
- Médicis : Marc Cholodenko pour *Les états du désert* (Flammarion).

1977

L'ÉVÉNEMENT : **De jeunes philosophes, qui s'appellent vite « nouveaux »,** remettent en cause, dans des essais audacieux, l'héritage des maîtres penseurs, notamment allemands, et rompent non sans fracas avec l'idéologie marxiste, jusque-là plutôt dominante chez les intellectuels. Après *L'ange* de Guy Lardreau et Christian Jambet (Grasset), voici *Les maîtres penseurs* d'André Glucksmann (Grasset) et *La barbarie à visage humain* de Bernard-Henri Lévy (Grasset). Le succès critique et de librairie de ces livres en fait un événement (émissions de télévision, dossiers de presse et même la une du magazine américain *Time* !) mais déchaîne les passions : Gilles Deleuze trouve ce mouvement de pensée « nul » tandis que François Aubral et Xavier Delcourt publient un violent pamphlet contre la « pub-philosophie ».

ET AUSSI :

• Après Soljenitsyne, la France découvre Alexandre Zinoviev et son livre *Les hauteurs béantes* (L'Âge d'Homme). Deux écrivains, deux visions « dissidentes » très différentes, sinon antagoniques, de l'Union soviétique.
• Roland Barthes qui entre au Collège de France publie *Fragments d'un discours amoureux* (Le Seuil), un inattendu éloge de l'amour ; de leur côté, deux jeunes essayistes, Pascal Bruckner et Alain Finkielkraut, publient *Le nouveau désordre amoureux* (Le Seuil).
• Un nouveau genre littéraire, la politique-fiction. Un an avant les législatives, où la gauche est donnée gagnante, un certain Philippe de Commines, alias André Bercoff et futur Caton, fait sensation avec son livre *Les 180 jours de Mitterrand* (Belfond).
• La mort à la une : on peut lire coup sur coup *L'Homme devant la mort* de l'historien Philippe Ariès (Le Seuil), *Changer la mort* (Albin Michel) du cancérologue Léon Schwartzenberg et du journaliste Pierre Viansson-Ponté et *La vie après la vie* du docteur Moody (Laffont).
• Percée d'un jeune éditeur dont on reparlera, Jean-Claude Lattès, et pour qui c'est l'année de tous les succès : *Racines* d'Alex Haley, *Louisiane* de Maurice Denuzière et *E=MC2 mon amour* de Patrick Cauvin.

D'AUTRES LIVRES :

- Marcel Pagnol : *Le temps des amours* (Presses-Pocket)
- Marguerite Yourcenar : *Archives du Nord* (Gallimard)
- Patrick Modiano : *Livret de famille* (Gallimard)
- Angelo Rinaldi : *Les dames de France* (Gallimard)
- Gabriel Garcia Marquez : *L'automne du patriarche* (Grasset)
- Doris Lessing : *Le carnet d'or* (Albin Michel)
- Raymond Aron : *Plaidoyer pour une Europe décadente* (Laffont)
- Henri Amouroux : *La grande histoire des Français sous l'Occupation* (tome 1, Laffont)

PRIX :

- Nobel : Vicente Aleixandre (Espagne)
- Goncourt : Didier Decoin pour *John l'Enfer* (Le Seuil)
- Renaudot : Alphonse Boudard pour *Les combattants du petit bonheur* (La Table Ronde)

1978

L'ÉVÉNEMENT : **L'introduction en France de la collection Harlequin,** qui passe peut-être inaperçue à l'époque mais dont on peut mesurer aujourd'hui toute l'importance. Alors qu'on le croyait moribond, le roman rose repart de plus belle, selon des règles quasi scientifiques établies outre-Atlantique : choix des titres, présentation des couvertures, scénarios construits à partir de schémas fixes, nombre limité de mots employés. La même année, l'Australienne Colleen Mac Cullough inaugure une nouvelle sorte de best-seller : la saga sentimentale et familiale. Son livre, *Les oiseaux se cachent pour mourir* (Belfond), qui va être un énorme succès mondial, sera par la suite souvent imité.

ET AUSSI :

• L'URSS sous les feux éditoriaux : Hélène Carrère d'Encausse analyse ce pays comme un « empire éclaté » (Flammarion) et deux anciens communistes français racontent leur vie à Moscou dans *La rue du prolétaire rouge* (Le Seuil). Côté dissidents, les témoignages continuent à affluer. Retenons *Et le vent reprend ses tours* de Vladimir Boukovsky (Laffont).
• Mai 68 – mai 78 : pour le dixième anniversaire des événements, beaucoup de livres et surtout *L'établi* de Robert Linhart (Minuit), un document autobiographique sur ces jeunes intellectuels diplômés partis travailler en usine après 1968.
• Avec Émilie Carles (*La soupe aux herbes sauvages,* Jean-Claude Simoën) et Henri Vincenot (*La billebaude,* Denoël), la mode écolo-France profonde a trouvé deux nouveaux chantres.
• Le mal judiciaire passé au crible des journalistes : Gilles Perrault publie *Le pull-over rouge* (Ramsay) et Jacques Derogy une *Enquête sur un juge assassiné* (Laffont).

• Comment peut-on être français ? s'interroge un professeur d'Oxford, Theodore Zeldin dont on traduit les deux premiers volumes de l'*Histoire des passions françaises* (Encre).
• Nos hérauts de la Nouvelle Histoire continuent d'explorer le Moyen Age : Georges Duby fait paraître *Les trois ordres ou l'imaginaire du féodalisme* (Gallimard) et Jacques Le Goff *Pour un autre Moyen Age* (Gallimard).
• Marcel Jouhandeau achève avec *La mort d'Élise* (Gallimard) la publication de ses *Journaliers* (26 tomes).

D'AUTRES LIVRES :

– Roger Caillois : *Le fleuve Alphée* (Gallimard)
– Louis Guilloux : *Coco perdu* (Gallimard)
– François Cavanna : *Les Ritals* (Belfond)
– Reiser : *Vive les femmes !* (Éditions du Square)
– André Lacaze : *Le tunnel* (Julliard)
– Herbert Lottman : *Albert Camus* (Le Seuil)
– Jorge Luis Borges : *Le livre de sable* (Gallimard)
– Anaïs Nin : *Venus erotica* (Stock)
   Charles Bukowski . *Mémoires d'un vieux dégueulasse* (Les Humanoïdes Associés)
   Evelyne Sullerot . *Le fait féminin* (Fayard)
– François Mitterrand : *L'abeille et l'architecte* (Flammarion)
– René Girard : *Des choses cachées depuis la fondation du monde* (Grasset)

PRIX :

– Nobel : Isaac Bashevis Singer (États-Unis)
– Goncourt : Patrick Modiano pour *Rue des boutiques obscures* (Gallimard)
– Médicis : Georges Perec pour *La vie mode d'emploi* (Hachette-POL)

1979

*L'ÉVÉNEMENT : ***Mars** de **Fritz Zorn** (Gallimard). Élu par la rédaction de *Lire* comme le « meilleur livre de l'année », cet implacable voyage au bout de soi-même d'un riche jeune homme suisse souffrant du cancer longtemps restera dans les mémoires. Pour deux raisons au moins : d'abord parce que cet ouvrage unique est un véritable joyau noir de la littérature où l'écriture colle à la mort; mais aussi parce que Fritz Zorn refuse d'interpréter son cas comme le fruit du hasard et se considère comme l'un des représentants du déclin de l'Occident.

ET AUSSI :

• Jean-Paul Sartre, Raymond Aron, André Glucksmann, et bien d'autres intellectuels venus d'horizons idéologiques antagonistes, se réunissent autour du comité « Un bateau pour le Viêt-nam ».
• Alors que l'adaptation cinématographique du *Tambour* par Volker Schlöndorff reçoit la palme d'or à Cannes, traduction en France du *Turbot* de Günter Grass (Seuil).

• Consécration publique pour le pape de la Nouvelle Histoire Fernand Braudel avec les trois volumes de *Civilisation matérielle, économies et capitalisme* (Colin) consacrés respectivement à la consommation (*Les structures du quotidien*), la circulation des biens (*Les jeux de l'échange*) et le pouvoir économique (*Le temps du monde*).

• Vogue sans précédent du roman historique avec notamment le succès de Jeanne Bourin pour *La chambre des dames* (La Table Ronde) et de Robert Merle pour *En nos vertes années* (Plon).

• Dans son essai pamphlétaire, *Le pouvoir intellectuel en France* (Ramsay), Régis Debray, après avoir dénoncé l'entreprise de décervelage de la télévision, la radio et la grande presse, prône une « stratégie de la désobéissance ». Pour lui, les médias à l'Ouest représentent l'équivalent de la « surveillance policière » mise en place à l'Est !

• Centième titre de San-Antonio : *Tire-m'en deux, c'est pour offrir* (Fleuve noir).

• A « Apostrophes », Valéry Giscard d'Estaing évoque son admiration pour Maupassant. L'auteur de *Bel ami* devient un best-seller de l'été.

D'AUTRES LIVRES :

– Vladimir Volkoff : *Le retournement* (Julliard/L'Âge d'Homme)
– Claude Michelet : *Des grives aux loups* (Laffont)
– François Nourissier : *Le musée de l'homme* (Grasset)
– Milan Kundera : *Le livre du rire et de l'oubli* (Gallimard)
– Carlos Fuentes : *Terra nostra* (Gallimard)
– Iouri Dombrovski : *La faculté de l'inutile* (Albin Michel)
– Philip José Farmer : *Le fleuve de l'éternité* (Laffont)
– Pierre Bourdieu : *La distinction* (Minuit)
– Karl Popper : *La société ouverte et ses ennemis* (Seuil)
– Stengers/Prigogine : *La nouvelle alliance* (Gallimard)
– Henri Kissinger : *A la Maison-Blanche* (Fayard)
– Joël et Stella de Rosnay : *La malbouffe* (Orban)

PRIX :

– Nobel : Odysseus Elytis (Grèce)
– Goncourt : Antonine Maillet pour *Pélagie-la-Charrette* (Gallimard)
– Interallié : Cavanna pour *Les Russkoffs* (Belfond).

1980

L'ÉVÉNEMENT : **Les obsèques de Jean-Paul Sartre** suivis spontanément par une foule de 50 000 personnes remettent, d'une certaine manière, en mémoire ces mots que l'auteur de *La nausée* écrivit précisément au lendemain de la mort de Gide : « On le croyait sacré et embaumé : il meurt et on découvre combien il restait vivant. » Il n'empêche que cette disparition, précédée quelques jours auparavant par celle de Roland Barthes qui à l'instar de tant d'intellectuels français eut sa période « sartrienne », entérine celle d'une époque marquée par les désillusions politiques et l'effondrement des mythes révolutionnaires. Quel que soit son destin posthume (dont il se moquait sincèrement), à Sartre pourtant on pardonnera beaucoup pour avoir tenté d'être vraiment « tout un homme, fait de tous les hommes et qui les vaut tous et que vaut n'importe qui ».

ET AUSSI :

• Prise de contrôle du groupe Hachette par Matra, prélude à la constitution de nouveaux empires de la communication multimédias.
• Suicide de Romain Gary qui laissera un testament révélant la supercherie Ajar.
• Les téléspectateurs d' « Apostrophes » découvrent un merveilleux professeur de philosophie, Vladimir Jankélévitch, et se précipitent sur la réédition de *Le je-ne-sais-quoi et le presque-rien* (Seuil).
• *Le chant du bourreau* de Norman Mailer (Laffont) élu « meilleur livre de l'année » par la rédaction de *Lire :* l'histoire authentique d'un condamné à mort pour deux assassinats préférant être fusillé que faire appel à la sentence.
• Le monde psychanalytique en émoi après la dissolution par Jacques Lacan de l'École freudienne de Paris. Mais dans la foulée, Lacan annonce aussi qu'il « père-sévère » avec celles de ses ouailles ayant fait acte d'allégeance et jugées dignes de sa parole.

D'AUTRES LIVRES :

– J.M.G. Le Clézio : *Désert* (Gallimard)
– Jorge Semprun · *Quel beau dimanche* (Grasset)
– Michel Tournier : *Gaspard, Melchior et Balthazar* (Gallimard)
– Angelo Rinaldi : *La dernière fête de l'Empire* (Gallimard)
– Antoine Sylvère : *Toinou* (Plon)
– Elias Canetti : *Histoire d'une jeunesse* (Albin Michel)
– John Le Carré : *Les gens de Smiley* (Laffont)
– Alvin Toffler : *La troisième vague* (Denoël)
– Hélène Carrère d'Encausse : *Le pouvoir confisqué* (Flammarion)
– Michael Voslensky : *La nomenklatura* (Belfond)

PRIX :

– Nobel : Czeslaw Milosz (Pologne et USA)
– Goncourt : Yves Navarre pour *Le jardin d'acclimatation* (Flammarion)
– Grand Prix du roman de l'Académie française : Louis Gardel pour *Fort Saganne* (Seuil).

1981

L'ÉVÉNEMENT : **La réception de Marguerite Yourcenar à l'Académie française** tient du folklore culturel comme du symbole. Les ethnologues du XXIe siècle arriveront-ils à expliquer l'agitation frénétique ayant saisi le Paris des arts et des lettres parce que, rompant avec le poids d'une tradition discriminatoire, une femme allait, pour la première fois, être admise à siéger sous la Coupole ? Ce qui est sûr tout de même : il faudra retenir cette date comme celle de l'ultime défaite du sexisme institutionnel.

ET AUSSI :

• A l'occasion de son changement de format, *Lire* présente une enquête réalisée auprès de centaines de personnalités pour déterminer quels sont les intellectuels français les plus influents. Tiercé gagnant : Claude Lévi-Strauss, Raymond Aron et Michel Foucault. Commentaire de Gilles Lapouge : « Si l'on voulait, en dépit de tout, débusquer un maître à penser dans nos années, ce maître ne serait pas un homme mais une institution, l'Université. Et dans cette Université, un temple : le Collège de France. »
• Succès mondial pour *Le choix de Sophie* de William Styron (Gallimard) qui relance le débat sur l'horreur des camps, le racisme et la fascination du mal.
• Instauration avec la loi Lang du prix unique du livre.
• Ouverture du premier Salon du livre de Paris.
• Plus de 500 000 exemplaires en quelques mois pour... les prédictions de *Nostradamus* (Le Rocher) commentées par Jean-Charles de Fontbrune.
• Mort du psychanalyste Jacques Lacan et de l'auteur de *Belle du Seigneur*, Albert Cohen.
• Comment les idées circulent-elles dans le monde de l'édition, des médias et de l'Université ? Réponse dans le reportage incisif de Hervé Hamon et Patrick Rotman *Les intellocrates* (Ramsay). On oubliera peut-être le scandale, pas l'expression « intellocrate ».

D'AUTRES LIVRES :

– Françoise Chandernagor : *L'allée du Roi* (Julliard)
– Alain Gerber : *Le jade et l'obsidienne* (Laffont)
– Georges Simenon : *Mémoires intimes* (Presses de la Cité)
– Julien Gracq : *En lisant, en écrivant* (Corti)
– Anthony Burgess : *La puissance des ténèbres* (Acropole)
– Juan Carlos Onetti : *Les bas-fonds du rêve* (Gallimard)
– J. M. Coetzee : *Au cœur de ce pays* (Nadeau)
– Bohumil Hrabal : *Moi qui ai servi le roi d'Angleterre* (Laffont)
– Hannah Arendt : *La vie de l'esprit* (PUF)
– Georges Duby : *Le chevalier, la femme et le prêtre* (Hachette)

PRIX :

– Nobel : Elias Canetti (Grande-Bretagne ; de langue allemande)
– Goncourt : Lucien Bodard pour *Anne-Marie* (Grasset)
– Renaudot : Michel del Castillo pour *La nuit du décret* (Seuil).

1982

L'ÉVÉNEMENT : **Le nom de la rose, d'Umberto Eco, un best-seller inattendu!**
Une sorte de Roland Barthes italien abandonne ses chères études philosophiques et sémiologiques pour écrire un roman « hénaurme », à base d'intrigue policière moyenâgeuse et métaphysique. Un livre inclassable, bourré d'érudition et d'humour, qui obtiendra le prix Médicis étranger avant d'entamer une carrière internationale

extraordinaire, notamment aux États-Unis où il figure en tête des best-sellers : du jamais-vu pour un roman européen dont on dit que les droits de reproduction en édition de poche se seraient négociés pour 500 000 dollars!

ET AUSSI :

• Grasset rafle six prix littéraires, et perd une directrice littéraire d'envergure, Françoise Verny, qui passe chez Gallimard. Autre transfert : celui de Philippe Sollers et de *Tel Quel* qui quittent Le Seuil pour Denoël.
• Début de la publication du *Grand Dictionnaire Encyclopédique Larousse* en 10 volumes : 122 millions de signes, 180 000 articles, 25 000 illustrations. Parallèlement à ce mastodonte, l'encyclopédique collection de poche *Que sais-je?* publie son 2 000e titre consacré... à l'encyclopédie.
• Bel anniversaire du centenaire de la naissance de James Joyce : un ingénieur, Philippe Lavergne, propose la première adaptation française de *Finnegans Wake* (Gallimard).
• Des écrivains disparaissent : Jean-Edern Hallier se fait « enlever » entre le 25 avril et le 4 mai et le dissident Virgil Tanase est « caché » par la DST par crainte de représailles des services secrets roumains.
• Deux poètes libérés de leur geôle grâce à l'intervention de la France : le Cubain Armando Valladares et le Sud-Africain Breyten Breytenbach.
• Régis Debray, conseiller du président de la République, s'en prend publiquement à la « dictature » médiatique exercée par Bernard Pivot. Celui-ci répond notamment qu'il trouve cette accusation aussi sérieuse que si on parlait « de la dictature du Crazy Horse Saloon sur les jolies filles ».
• Le chanteur Charles Trenet se présente à l'Académie française. Une candidature qui se soldera par un échec.

D'AUTRES LIVRES :

– François de Closets : *Toujours plus!* (Grasset)
– Régine Deforges : *La bicyclette bleue* (tome 1, Ramsay)
– Fanny Deschamps : *La Bougainvillée* (Albin Michel)
– Hector Bianciotti : *L'amour n'est pas aimé* (Gallimard)
– D. M. Thomas : *L'hôtel blanc* (Albin Michel)
– John Irving : *L'hôtel New Hampshire* (Seuil)
– Simone de Beauvoir : *La cérémonie des adieux* (Gallimard)
– Pierre Bourdieu : *Ce que parler veut dire* (Fayard)
– Paul Thorez : *Les enfants modèles* (Lieu Commun)
– Georges Pompidou : *Pour rétablir une vérité* (Flammarion)
– Luis Buñuel : *Mon dernier soupir* (Laffont)

PRIX :

– Nobel : Gabriel Garcia Marquez (Colombie)
– Goncourt : Dominique Fernandez pour *Dans la main de l'ange* (Grasset)
– Grand Prix du roman de l'Académie française : Vladimir Volkoff pour *Le montage* (Julliard/L'Âge d'Homme).

1983

L'ÉVÉNEMENT : **Tintin pleure Hergé qui meurt le 3 mars** et entre définitivement dans la légende. Avec lui disparaissent un graphisme apparemment maladroit mais devenu exemplaire (l'école de la « ligne claire »), une technique narrative d'aspect rudimentaire mais devenue synonyme d'efficacité, et un petit boy-scout créé dans les années vingt dans un modeste journal belge, aujourd'hui reproduit en albums à plus de 100 millions d'exemplaires dans le monde entier, y compris en chinois. Pour la première fois, la mort d'un dessinateur suscite une émotion comparable à celle d'un grand créateur. Suivie de peu par celle de Reiser, la disparition d'Hergé est la preuve *post mortem* de l'énorme influence de la B.D. dans notre univers culturel.

ET AUSSI :

• Retrouvailles en librairie des « petits camarades » de la rue d'Ulm : les *Mémoires* (Julliard) de Raymond Aron – qui disparait quelques semaines seulement après leur parution – voisinent avec *Les carnets de la drôle de guerre* et les *Lettres au Castor* de Jean-Paul Sartre (Gallimard).
• La CEP (Compagnie Européenne de Publication, en partie contrôlée par Havas) entre dans le capital de Larousse et devient par la même occasion le deuxième groupe d'édition français, derrière Hachette et devant les Presses de la Cité.
• Proust au cinéma : une gageure tenue par le cinéaste allemand Volker Schlöndorff qui propose une adaptation d'*Un amour de Swann*, avec Ornella Mutti et Alain Delon.
• Élu meilleur livre de l'année par la rédaction de *Lire*, *L'homme neuronal* de Jean-Pierre Changeux (Fayard) est un bilan impressionnant des connaissances acquises sur le cerveau humain grâce à la neurobiologie.
• Best-sellers : Régine Deforges réussit sa reconversion. L'ex-éditrice de livres érotiques qui a proposé un remake d'*Autant en emporte le vent* en 83 fait un malheur avec les deux et bientôt trois volumes de *La bicyclette bleue* (Ramsay). De son côté, François de Closets franchit le million d'exemplaires avec son désormais célèbre *Toujours plus!* (Grasset) et le baron Guy de Rothschild émeut la France socialiste avec *Contre bonne fortune* (Belfond).
• La francophonie africaine entre à l'Académie française avec Léopold Sedar Senghor. Autre élection chez les Immortels, celle de Jacques Soustelle.
• Philippe Sollers change de style et frappe un grand coup. Avec *Femmes* (Gallimard), il revient au roman classique : un livre à clés et à forte dose d'érotisme qui fera bruisser le Tout-Paris!
• Mini-scandale autour de l'essai de Jacques Attali, *Histoires du temps* (Fayard) : le conseiller de l'Élysée est accusé, preuves à l'appui, de plagiat, notamment d'Ernst Jünger, et se défend maladroitement.

D'AUTRES LIVRES :

– Nathalie Sarraute : *Enfance* (Gallimard)
– Elie Wiesel : *Le cinquième fils* (Grasset)
– Vassili Grossman : *Vie et destin* (Julliard/L'Âge d'Homme)
– John Le Carré : *La petite fille au tambour* (Laffont)
– Guy Sorman : *La révolution conservatrice américaine* (Fayard)
– Pascal Bruckner : *Le sanglot de l'homme blanc* (Seuil)
– Jean-François Revel : *Comment les démocraties finissent* (Grasset)

PRIX :

– Nobel : William Golding (Grande-Bretagne)
– Goncourt : Frédérick Tristan pour *Les égarés* (Balland)
– Renaudot : Jean-Marie Rouart pour *Avant-guerre* (Grasset).

1984

L'ÉVÉNEMENT : **Marguerite Duras devient best-seller.** Son livre, *L'Amant,* qui est peut-être le plus beau texte de littérature de l'année, reçoit le prix Goncourt (mieux vaut tard que jamais ?) et bat tous les records de vente : plus de 750 000 exemplaires vendus en librairie ! Belle revanche pour cette femme de lettres et d'images souvent considérée comme difficile et trop intellectuelle et qui réussit avec *L'Amant,* récit de son enfance indochinoise et de sa découverte du plaisir, à se concilier des lectorats tout à fait différents.

ET AUSSI :

• Par la force des dates, 1984 devient l'année Orwell : rééditions, colloques et spectacles se multiplient en hommage au célèbre écrivain anglais.
• Michel Foucault meurt alors qu'il vient de publier les volumes 2 et 3 de son *Histoire de la sexualité* (Gallimard). Au chapitre des disparitions, notons aussi celles d'Henri Michaux et de Julio Cortazar.
• La querelle autour des nouvelles lois sur l'école privée trouve son relais dans l'édition : après Jacqueline de Romilly et son livre *L'enseignement en détresse* (Julliard), voici *Tant qu'il y aura des profs* d'Hervé Hamon et Patrick Rotman (Le Seuil) et *De l'école* de Jean-Claude Milner (Le Seuil).
• Le cinéaste Roman Polanski raconte sa vie dans *Roman* (Laffont) tandis que le vieux seigneur d'Hollywood John Huston propose une adaptation du chef-d'œuvre de Malcolm Lowry, *Au-dessous du volcan,* avec Albert Finney et Jacqueline Bisset.
• Michel Serres entreprend la réhabilitation de la philosophie française en entamant la publication du *Corpus des œuvres de philosophie de langue française* (Fayard) tandis que Denis Huisman publie un très controversé *Dictionnaire des philosophes* (PUF).
• Biographies à la pelle : Jean Lacouture raconte *De Gaulle* (Le Seuil), Max Gallo *Jaurès* (Laffont) et tandis qu'Alain Decaux et Henri Troyat se penchent respective-ment sur *Victor Hugo* (Perrin) et sur *Tchekhov* (Flammarion), Pierre Assouline nous fait découvrir *Gaston Gallimard* (Balland).

D'AUTRES LIVRES :

– Pierre Schneider : *Matisse* (Flammarion)
– Annie Ernaux : *La place* (Gallimard)
– Françoise Sagan : *Avec mon meilleur souvenir* (Gallimard)
– Pierre Guyotat : *Le livre* (Gallimard)
– *Dictionnaire des littératures de langue française* en trois volumes (Bordas)
– Milan Kundera : *L'insoutenable légèreté de l'être* (Gallimard)
– Frederik Prokosch : *Voix dans la nuit* (Fayard)

- Witold Gombrowicz : *Souvenirs de Pologne* (Bourgois)
- Klaus Mann : *Le tournant* (Solin)
- Jean-Paul Aron : *Les modernes* (Gallimard)
- Catherine Nay : *Le Noir et le Rouge* (Grasset)
- Obalk, Soral, Pasche : *Les mouvements de mode expliqués aux parents* (Laffont)

PRIX :

- Nobel : Jaroslav Seifert (Tchécoslovaquie)
- Goncourt : Marguerite Duras pour *L'amant* (Minuit)
- Médicis : Bernard-Henri Lévy pour *Le diable en tête* (Grasset).

1.

LITTÉRATURE FRANÇAISE

Une grande période littéraire?
par Jacques Brenner

INTERWIEWS :

PATRICK MODIANO

ROBERT SABATIER

MARGUERITE YOURCENAR

LOUIS GUILLOUX

JACQUES LAURENT

J.M.G. LE CLÉZIO

JEAN D'ORMESSON

HERVÉ BAZIN

FRANÇOIS NOURISSIER

FRANÇOISE SAGAN

HENRI TROYAT

MICHEL BUTOR

ANGELO RINALDI

MICHEL TOURNIER

EUGÈNE IONESCO

AIMÉ CÉSAIRE

JEAN DUTOURD

MICHEL TREMBLAY

SAN-ANTONIO

NATHALIE SARRAUTE

DANIEL BOULANGER

FÉLICIEN MARCEAU

LÉO MALET

MARGUERITE DURAS

PHILIPPE SOLLERS

BERNARD FRANK

JULIEN GREEN

UNE GRANDE PÉRIODE LITTÉRAIRE?

par Jacques Brenner

Vivons-nous une grande période littéraire? Quand on pose cette question, j'ai toujours envie de demander ce qu'est une grande période littéraire.

A toute époque, on rencontre des passionnés de littérature satisfaits des œuvres des auteurs contemporains, et aussi des esprits critiques qui déclarent que les œuvres récentes ne sont pas à la hauteur des œuvres anciennes.

Quand, en 1975, je parlai de mon projet d'écrire une *Histoire de la littérature française depuis 1940*, on me dit : « Mais de qui donc allez-vous parler ? Il n'y a plus aujourd'hui de grands écrivains français. Nous traversons une basse époque dans le domaine de la littérature. » J'écoutais et je pensais au Gide de trente-cinq ans qui, dans son *Journal*, nous rapporte que Gaston Deschamps, le grand critique du *Temps* (*Le Monde* d'alors) se plaignait que l'époque manquât de jeunes talents. Gide s'exclama : « Et il n'a jamais parlé ni de Valéry, ni de Claudel, ni de Suarès, ni de James... ni de moi. » C'était en 1905. Soixante ans plus tard, Mauriac remarquait à son tour, dans *le Figaro*, que nous vivions une très pauvre période littéraire. Après Sartre, il ne voyait « aucun auteur dont l'œuvre émergeât nettement au-dessus de la mêlée littéraire ». Qu'aucune œuvre n'émerge, est-ce la preuve qu'aucune n'existe qui mériterait autant de considération que celle de Sartre... ou de Mauriac ?

Les livres que nous considérons comme les chefs-d'œuvre du passé furent-ils reconnus immédiatement comme des chefs-d'œuvre ? De son vivant, Balzac eut moins de lecteurs que Sue et Soulié, et Stendhal fut carrément boudé par le public. *L'éducation sentimentale* de Flaubert fut un échec commercial, après le succès de scandale de *Madame Bovary*. Du côté des poètes, la situation n'était pas meilleure. Baudelaire fut un peu tiré de l'ombre quand on le poursuivit en correctionnelle, mais Lautréamont et Rimbaud ne rencontrèrent qu'une parfaite indifférence.

Voilà tout juste cent ans, Zola se félicitait pourtant des progrès survenus au cours du XIXᵉ siècle dans la société littéraire française. Selon lui, deux événements principaux s'étaient produits : disparition des salons et accroissement du public des écrivains. Autrefois, assurait Zola, l'opinion était faite par de petits cénacles « poussant chacun son dieu ». « Aujourd'hui, l'œuvre naît de la foule et pour la foule. » Hier, les écrivains – comme tous les autres artistes : musiciens, peintres, etc. – devaient être soutenus par des mécènes pour pouvoir se consacrer à leur œuvre. Maintenant, un bon écrivain pouvait fort bien vivre, sinon de la vente de ses livres, du moins de sa collaboration aux journaux.

Quelle est la situation, cent ans après la publication de l'essai de Zola (intitulé *L'argent dans la littérature*) ? Eh bien, il est tout à fait vrai que l'on vend de plus en plus de livres. On n'en a jamais vendu autant qu'en 1985. Mais la conséquence en est-elle que tout écrivain se trouve récompensé suivant ses mérites ? Et qu'est-ce que le mérite ? Zola employait le mot « puissance » : « Désormais tout talent de quelque puissance finit par s'imposer. » Il oubliait de préciser : par s'imposer à qui ? Au bout de combien de temps ?

C'est pourtant la formule « l'œuvre naît de la foule et pour la foule » qui laisse rêveur. L'œuvre naît toujours d'une individualité. Sous l'Ancien Régime les écrivains (qui étaient pour la plupart des roturiers) ne s'adressaient pas spécialement à leurs mécènes (quand ils en avaient). Ils écrivaient pour des gens capables de les comprendre, en espérant que ces gens seraient aussi nombreux que possible.

La grande question – et qui n'a jamais été résolue – c'est de savoir comment une œuvre parvient à ceux qui pourront l'aimer. Qui furent réellement et qui sont les dispensateurs de la renommée ? Au siècle classique, tout était relativement simple, parce que tout se jouait dans une société très limitée. Dans le monde moderne, c'est différent : la plupart des citoyens savent lire, mais ils appartiennent à des milieux extrêmement divers et il paraît chaque année plus d'ouvrages que personne ne pourrait en lire. Certes, on comprend qu'un poète qui invente des images rares et s'exprime dans une langue ésotérique s'adresse à un public limité. Mais rares sont les romanciers qui écrivent pour le petit nombre. Pourquoi est-ce tel romancier qui connaît le succès et pas tel autre ?

Le roman devint le grand genre littéraire après 1836, grâce aux transformations de la presse. Non point grâce aux critiques de cette presse, mais parce que tout journal décida de publier des romans en feuilletons. Et ces feuilletons pouvaient être de Sue ou de Soulié, mais aussi de Hugo, de Balzac ou de Dumas. Le public – et même la foule – prit plaisir à de telles lectures. Le passage de la lecture d'un feuilleton publié par un journal à la lecture d'un volume se fit tout naturellement. En hommage à la presse d'autrefois, nous rappellerons aussi que Maupassant débuta par des nouvelles qu'accueillirent les journaux. Les lecteurs qui s'étaient passionnés pour les récits qu'ils avaient découverts dans des périodiques lui assurèrent d'immenses succès de librairie.

Les amateurs de littérature achetaient des revues spécialisées, lesquelles jouèrent un grand rôle dans le lancement de certains auteurs, à la fin du XIXᵉ siècle et au début du XXᵉ. On peut même prétendre que des revues telles que *Le Mercure de France* et *La Nouvelle Revue Française* tinrent une place

comparable à celle des salons de l'Ancien Régime. Des auteurs réputés
« difficiles », tels Gide, Proust et Valéry, furent imposés par de nouveaux
« arbitres du goût ». Mauriac a raconté comment les jeunes écrivains de sa
génération aspiraient tous à être « reconnus » par la *NRF* et, quand on disait
NRF, on pensait à la revue et non pas à la maison d'édition qu'elle s'était
adjointe. Son prestige dura jusqu'en 1940.

Naturellement, il y avait aussi les critiques des grands journaux et des
hebdomadaires. Au début du siècle, l'article d'un ténor de la presse pouvait
lancer un auteur. Enfin, les jurys littéraires prirent de plus en plus
d'importance. Ils détiennent encore de grands pouvoirs.

A bien y réfléchir, une grande époque littéraire n'est pas celle où il y a
beaucoup de bons auteurs (il y en a aujourd'hui comme hier), c'est une époque
où l'on se passionne pour la littérature et où l'on en parle beaucoup. Aussi
bien, on ne rend pas compte de la vie littéraire en se contentant d'énumérer les
livres publiés. Il faut examiner l'accueil qu'ils ont reçu, et se risquer à dire
lesquels ont une chance de durée.

Quand parut mon *Histoire de la littérature contemporaine,* les mêmes
personnes qui m'avaient demandé « Mais de qui donc allez-vous parler ? »,
changèrent d'attitude : « Pourquoi donc n'avez-vous rien dit de X et de Y ? »
s'écrièrent-elles. C'était reconnaître que ne manquions pas d'écrivains dont on
pouvait parler.

Vous allez lire vingt-sept interviews d'écrivains. Petit jeu : pouvez-vous
désigner les sept qui sont membres de l'Académie française ? les cinq qui
appartiennent à l'Académie Goncourt ? les six qui ont obtenu le prix
Goncourt ? (deux sur les six sont devenus académiciens français; un seul,
académicien Goncourt). Pouvez-vous désigner les trois lauréats du Renaudot
et les trois lauréats du Fémina ? Pouvez-vous dire quels écrivains n'ont jamais
obtenu de prix ? Bien entendu, notre liste n'est pas un palmarès : elle réunit
des auteurs qui ont joué un rôle important dans la vie littéraire de la décennie
75-85, mais il en est d'autres (auxquels *Lire* a consacré de nombreuses pages).
Premier exemple qui vienne à l'esprit : l'homme que l'on peut considérer
comme le plus grand romancier vivant. Comme vous savez, c'est un Belge qui
vit en Suisse. Il s'appelle Georges Simenon. Nous lui avons consacré un
dossier dans notre numéro de janvier 1982 à l'occasion de la sortie de ses
Mémoires intimes. Ah! ce romancier, dans la dernière décennie, n'a plus écrit
de romans ? Il a publié, outre ses souvenirs, de nombreux volumes de *Dictées*
– enregistrées au magnétophone – et qui relèvent du journal intime.
D'ailleurs dans la décennie, beaucoup d'écrivains qui s'étaient fait connaître
par des romans sont passés au récit autobiographique. Un historien de la
littérature pourrait reprendre une formule de Raphaël Sorin et parler d'un
« retour au je ». Occasion de grouper des écrivains aussi différents que Marcel
Arland et Jean Freustié, Alain Robbe-Grillet et Olivier Todd, Marie
Cardinal et Annie Ernaux.

La présence de Robbe-Grillet dans cette liste est la plus surprenante puisque,
à l'époque où il publiait des manifestes, il était hostile à la notion de
« personnage » et à tout regard complaisant sur soi-même. Mais Robbe-Grillet
ne s'est jamais senti lié par les règles qu'il avait édictées.

La décennie aura vu la disparition des écoles littéraires nées après la guerre et l'abandon de la notion d'*avant-garde* que la défunte revue *Tel Quel* avait envisagé de maintenir vivante. Le roman dit « expérimental » a connu son dernier éclat avec *La vie, mode d'emploi* de Georges Perec, disparu prématurément en 1982. Notons que Perec se situait dans la descendance de Queneau et qu'il appartenait à l'Oulipo (Ouvroir de Littérature Potentielle), un laboratoire de recherches formelles où l'on travaille et s'amuse sans vouloir instaurer une nouvelle « terreur dans les lettres » (ce qui est l'objectif·des écoles littéraires).

Nous ne voulons pas dire que nous manquons d'ouvrages où l'auteur expérimente de nouvelles formes romanesques. Mais ce sont des œuvres entreprises par des écrivains solitaires, sans souci de l'avant-gardisme. Nous pensons aussi bien à *Un déjeuner de soleil* de Michel Déon (par ailleurs auteur de best-sellers) qu'à *Bellevue* de Didier Martin (auteur qui figura l'an dernier dans les sélections de tous les jurys littéraires, mais n'obtint finalement aucun prix).

A partir des années soixante, les jeunes gens qui se prétendaient d'avant-garde avaient pour la plupart boudé la littérature au profit de ce que l'on appelle les sciences humaines. Beaucoup d'étudiants donnèrent à des professeurs, des universitaires diplômés, la place que leurs aînés accordaient à des écrivains, considérés alors comme des maîtres. La notion d'écrivain s'effaçait devant celle d'intellectuel. Or les intellectuels peuvent nous intéresser, voire nous passionner par leurs idées, mais peu d'entre eux nous enchantent par leur style. C'est par exception qu'un essai appartient à la littérature : Cioran et Revel, par exemple, sont des écrivains. Dans les nouvelles générations, François George, auteur de *Pour un ultime hommage au camarade Staline* et d'une *Histoire personnelle de la France* nous paraît mériter tous les éloges pour le sérieux de sa réflexion et l'enjouement de son écriture.

Revenons au roman. Parmi les écrivains révélés depuis la guerre, on en voit peu qui s'inscrivent dans la tradition des « tableaux de société », tels qu'en brossèrent les maîtres du XIXᵉ siècle et de la première moitié du XXᵉ siècle. Nous parlons de ces romanciers que Duhamel appelait les « historiens du présent ».

Parmi les débutants de l'immédiat après-guerre, Roger Martin du Gard ne voyait guère que Jean-Louis Curtis pour avoir des ambitions et des méthodes de travail comparables aux siennes. Avec un tempérament tout différent, et se laissant porter par ses indignations et sa générosité, Romain Gary entreprit de témoigner sur son temps. Pierre Gascar, José Cabanis, Roger Grenier, dans leurs œuvres romanesques, sont eux aussi, très souvent, des « historiens du présent ». Mais Gascar et Cabanis ont abandonné le roman pour se consacrer à des études historiques (sans toutefois devenir des « romanciers du passé » : c'est en historiens rigoureux qu'ils travaillent maintenant). Quant à Roger Grenier, s'il nous parle d'événements contemporains, ses récits sont toujours écrits sur le mode intimiste. Il n'a jamais entrepris de brosser une fresque historique. On pouvait croire que ce genre allait disparaître. Or, ces dernières années, nous avons vu de jeunes romanciers entreprendre de vastes constructions romanesques où ils tentent de décrire l'époque qui les a formés. Parmi les romanciers qui renouent avec cette grande tradition, citons Dominique

Fernandez, Gérard Guégan, Jean-Marie Rouart. Parallèlement se développe le courant de la « nouvelle fable ». Ce sont des critiques qui ont inventé l'appellation, pour désigner des écrivains indépendants rebelles à un réalisme photographique, car ils entendent nous dire ce que les choses leur sont, plutôt que ce qu'elles sont. Ce sont de vrais créateurs, des artistes. Ils ont souvent recours au merveilleux et même au fantastique. On qualifie de poètes Béatrix Beck quand elle nous raconte les aventures de son *Enfant-chat*, et Henri Auger quand il nous présente sa *Chatte allaitant un ourson*. On dit de René-Jean Clot qu'il est un visionnaire quand il invente, dans *Chahrouz le voyant*, des mille et une nuits contemporaines. Georges-Olivier Chateaurey-naud dans son *Congrès de fantômologie* termine un récit d'aventures par une embardée dans la science-fiction.

A moins de trente ans, Patrick Besson a abordé les genres romanesques les plus divers et il a fait jouer plusieurs pièces. Dans sa *Lettre à un ami perdu*, il traduit à merveille les sensibilités des garçons de sa génération. Son dernier roman *Dara* est une œuvre de maîtrise qui s'impose comme portrait de femme, fresque historique et peinture de l'immigration yougoslave en France. Et la composition du livre est d'une grande originalité.

Voilà, j'ai cité vingt-cinq noms d'écrivains qui à mon avis méritent tous votre attention, même si vous n'allez pas les entendre tout à l'heure. Mais comprenez bien que le point commun entre les écrivains que nous allons écouter, c'est qu'ils ont tous accepté de se prêter au jeu des questions et des réponses. Le genre de « l'entretien » ne date pas d'hier. Cependant sa forme journalistique, née à la fin du XIXe siècle, ne s'est développée qu'après la Première Guerre mondiale. Encore certains auteurs se refusèrent-ils toujours à donner des interviews; par exemple, Roger Martin du Gard et Henri Michaux. Quant à Gide, il préférait s'interroger lui-même. Il a publié, en 1942, des *Interviews imaginaires*, où il s'explique : « Je n'aime pas les interviewers. Bons pour ceux, de quelque profession que ce soit, qui peuvent avoir de grandes et fécondes idées, mais dont le métier n'est pas précisément de les dire. Nous, littérateurs, nous n'avons nul besoin, pour atteindre le public, d'un truchement qui, le plus souvent, travestit fâcheusement notre pensée, fût-ce avec la meilleure volonté du monde. »

Peut-être Gide, écrivain illustre et qui disposait quand il le désirait d'une tribune dans les grands journaux, n'avait-il pas besoin d'interviewer pour atteindre un vaste public. Mais il oubliait que d'autres auteurs trouvaient les interviews bien utiles pour se faire connaître de gens qui ne les avaient pas encore lus ou qui n'étaient pas au courant de leurs derniers travaux. Au demeurant, après la guerre, Gide ne dédaigna pas la radio (il enregistra une série d'entretiens avec Jean Amrouche) et il accepta que Marc Allégret lui consacrât un film. On ne peut douter qu'un peu plus tard il eût accepté de paraître à la télévision. Aujourd'hui on connaît des écrivains refusant par principe la télévision : Julien Gracq, ou ne l'aimant pas (ce qui est autre chose) : Jean Anouilh.

Parler à la radio et surtout paraître à la télévision c'est se transformer en acteur. A l'époque de l'audiovisuel triomphant, il est normal que certaines personnes imaginent qu'un auteur ne trouve un public que grâce à son talent de comédien et à son don de répartie. Il est exact que quelques écrivains ont acquis la notoriété par la télévision, de même que Léautaud était devenu une figure populaire après ses entretiens à la radio avec Robert Mallet. Mais enfin un auteur ne passe à la radio ou à la télé qu'après avoir intéressé par un livre le producteur d'une émission – et c'est quand même par son livre qu'il prendra place ou non dans la littérature.

PATRICK MODIANO

*« L'Occupation et la judéité
n'étaient que les oripeaux
dont je déguisais mon angoisse. »*

Octobre 1975

Villa triste est – déjà – son quatrième livre. Le premier, *La place de l'Étoile*, a paru, avec une superbe indifférence, au milieu des derniers grondements de l'orage, en juin 1968. Totalement étranger aux préoccupations et à la mode du moment, il n'en fut pas moins remarqué, et le fait en lui-même est assez remarquable. Ceux qui l'ont lu n'ont pu oublier l'étonnante « histoire juive » qui lui servait d'épigraphe : *« Au mois de juin 1942, un officier allemand s'avance vers un jeune homme et lui dit : " Pardon, monsieur, où se trouve la place de l'Étoile ? " Le jeune homme désigne le côté gauche de sa poitrine »*...
Villa triste n'est que son quatrième livre. Mais en quatre ans et trois romans – *La place de l'Étoile* (1968, prix Roger Nimier), *La ronde de nuit* (1970), *Les boulevards de ceinture* (1972, grand prix du roman de l'Académie française), Patrick Modiano s'était d'ores et déjà taillé une place à part entière qui était aussi une place entièrement à part dans la littérature romanesque contemporaine. S'il a semblé marquer un peu le pas avec *La polka*, pièce manquée, et piétiner des plates-bandes très fréquentées avec sa contribution au scénario de *Lacombe Lucien*, film aussi réussi que discuté, c'est que la vague d'un certain goût rétro avait rejoint et submergé un instant celui qui en fut sans l'avoir prémédité comme l'archange annonciateur.
Il ne s'agissait pas chez lui, comme chez tant d'autres, d'un jeu, d'un snobisme ou d'une nostalgie. Par un phénomène qu'on était presque tenté d'assimiler à une anomalie génétique, ce grand jeune homme aux allures solitaires et mélancoliques semblait porter, inscrit dans sa mémoire et sa sensibilité, le souvenir d'années noires que, né en 1947, il n'avait évidemment pas vécues. Tout concourait à auréoler d'un mystère sombre ce jeune romancier apparemment fermé sur d'indicibles secrets qui se promenait comme un chat dans la nuit de Paris où il paraissait poursuivre et retrouver indéfiniment les nuits plus obscures encore de l'Occupation.

Peut-être y avait-il là un malentendu, une erreur sur la fixation. On le comprendra en lisant cette interview où, pour la première fois, à vingt-huit ans, Patrick Modiano s'explique, longuement et clairement, sinon complètement, au moment où il publie *Villa triste*. Un roman qui, pour se situer au début des années soixante, n'en est pas moins un jeu fascinant avec le temps perdu, retrouvé, reconstruit, et rêvé en définitive, en même temps qu'une plainte qui dit l'inguérissable blessure de la vie qui s'écoule.

Ce grand jeune homme, aimable et même souriant, vêtu d'un ensemble en *jean* résolument moderne, qui m'ouvre la porte de son rez-de-chaussée, un ancien atelier de peintre devenu confortable duplex, qui donne sur une rue tranquille du XVIIe arrondissement, qu'il ressemble peu, au premier abord, à ce héros unique, à ce Je peu distinct de lui-même que Patrick Modiano promène de livre en livre dans un passé qu'il réinvente! Et comme il lui ressemble bientôt!

Difficile à faire parler? Non. Il est là, plein de bonne volonté, disposé à tout dire, tout faire, pour vous aider, jusqu'à tenir la lampe qui vous permettra de voir clair en lui-même, s'il se peut. Ce n'est certes pas la réticence du monsieur qui veut cacher des choses et moins encore le silence de qui n'a rien à dire. Mais je ne sais quel mystérieux barrage, quelle censure de l'inconscient bloque au dernier moment les confidences et les mots mêmes au bord des lèvres. Il n'est pas jusqu'aux intonations faubouriennes, à la façon comme dégoûtée dont il lâche ou fait traîner certaines syllabes, à la pauvreté même de ce vocabulaire, qui ne semblent comme autant de protections, de murailles contre sa propre indiscrétion. Quel contraste avec cette prose aisée et limpide qui court au long de ses livres!

Balzac n'aurait pas manqué de restituer avec ses hésitations, ses lapsus, ses repentirs, ses silences, ses redites, sans faire grâce d'un accent, d'une erreur, le parler de Modiano. En voici un échantillon, pour n'y plus revenir : *Bon... euh... c'est-à-dire... j'ai... non... mais je vais quand même essayer... stadire, enfin... euh... c'est plus facile... si ça vaut la peine... c'est plus facile pour moi d'écrire.* J'ai préféré condenser un peu.

Cette maladresse n'est pas au bout du compte sans étrangeté ni sans charme. Elle ralentit le rythme du dialogue. Il faut résister à la tentation d'aider, de suppléer, de bousculer cette pensée qui s'élabore et s'extériorise lentement, délicatement. Il faut arracher une à une ces phrases au silence comme des perles rares au fond de je ne sais quel océan. Ne pas le laisser se refermer sur lui-même. Patrick Modiano appelle des métaphores marines. Il y a en lui quelque chose de très doux, de très glauque et de très profond : des abysses.

Patrick Modiano. – C'est la difficulté d'élocution qui fait qu'on se rabat sur l'écriture.

Qu'on se « rabat »? Étrange expression. Imprécise, impropre ou voulue?

Dominique Jamet. – *D'élocution? Vous n'avez pas de défaut physique. Ne s'agit-il pas plutôt de difficulté d'expression, ou d'extériorisation, et en définitive de communication? Vos propres personnages ont souvent du mal à parler et,*

quand ils parlent, à être entendus...
P. M. – Toujours. Ça rejoint un univers, un espèce d'univers où rien n'est tout à fait sûr, où les gens ne finissent pas leurs phrases. Un univers inquiétant où les choses ne sont jamais claires. C'est une manière de parler *énervante*, les phrases restent en suspens, « ils » ne finissent pas leurs phrases...

Si proches de lui-même, ces personnages mous, flottant dans l'air comme des fumées, ces doubles émanés, évadés de lui-même, créatures de pénombre. Il en parle avec un tel détachement. Un peu comme si c'était des leurres, des ombres errantes créées pour tromper on ne sait quel destin.

D. J. – *Est-ce que vos héros ne reculent pas, finalement, devant la complexité de ce qu'ils auraient à dire ?*
P. M. – Oui, ce sont toujours des gens un peu troubles. Ça se traduit dans leur langage par quelque chose d'un peu douteux. Quand le héros interroge, personne ne lui répond jamais de façon claire.
D. J. – *Vous dites le « héros ». Vous parlez, je pense, de ce personnage principal, qui est aussi un personnage reparaissant, toujours le même...*
P. M. – Oui, c'est un peu un espèce de Je, un espèce de narrateur...

Ne pas l'interrompre. Le laisser se perdre dans la rêverie. Nous avons tous eu des camarades comme cela à l'école. Le ramener très doucement au sujet, ou attendre qu'il retouche terre, de lui-même.

– Il n'arrive jamais à parler, et les autres aussi d'ailleurs. C'est éprouvant pour les nerfs. C'est un peu comme dans les...

« Rêves ». Je suppose qu'il veut dire « rêves » ou « cauchemars ».

– C'est toujours des gens qui tâtonnent un peu dans leur manière de parler.

A vrai dire, le dialogue s'engage d'autant plus malaisément dans les romans de Modiano que, d'une phrase sur l'autre, on passe aisément d'une année à l'autre, ou d'une époque à l'autre. Les personnages n'évoluent pas dans le même temps, ce

qui n'a jamais facilité les rapports.
– Oui, il y a un espèce de voyage, de perpétuel aller et retour du passé au présent. Enfin, dans les premiers romans...
D. J. – *Vous semblez opposer vos premiers romans au quatrième. Quelque chose a changé ?*
P. M. – Oh ! ben non, non.

Il proteste, comme s'il avait lâché une énormité, bombe plutôt que bourde, une révélation incongrue.

D. J. – *Quand même, vous vous rapprochez de votre temps, et du nôtre, en prenant pour cadre les années soixante. Et vous vous rapprochez de la réalité. Vous avez, sinon vécu, au moins connu l'époque et les lieux où évoluent vos personnages.*
P. M. – Quand même, c'est encore le rêve. C'est moi, mais à travers une autobiographie complètement rêvée.
D. J. – *Complètement ?*
P. M. – Il y a un noyau qui est la réalité, mais complètement transformée.
D. J. – *Le « Je » a quand même des traits permanents dont certains vous appartiennent en propre...*
P. M. – Oui, oui, mais c'est complètement exagéré. Il y a des gens, dans leurs autobiographies romanesques, qui ne transposent pas du tout. Comme Miller. Là c'est plutôt une espèce de récit, où l'aventure personnelle est enrichie.
D. J. – *Quand même, on se sent dans un monde plus réel. Votre narration elle-même est plus réaliste.*
P. M. – Ah ! ben oui, si vous le dites.

Il rit comme soulagé qu'un autre que lui ait émis jugement ou diagnostic, prêt d'ailleurs, visiblement, à accepter, par esprit de conciliation, une affirmation qu'il n'approuve pas.

C'est Annecy, et c'est la vie, mais comme on voit dans les rêves une rue qu'on a habitée, avec une coloration un peu bizarre.

D. J. – *Vous avez vingt-huit ans. Vous paraissez plus que votre âge, et dans vos livres, et dans la vie.*
P. M. – Peut-être. C'est toujours comme ça, c'est le moment où on bascule, entre

vingt-cinq, trente ans, dans l'âge adulte. Enfin, on était déjà adulte, mais la notion du vieillissement, du temps qui passe, c'est un truc qu'on n'a pas jusqu'à vingt ans. Ou vingt-cinq. Jusqu'à vingt-cinq ans, personne n'est plus jeune que vous. Jusqu'à vingt-cinq ans, on est immortel, enfin on se croit immortel.

D. J. – *Vous dites cela comme si vous l'aviez déjà vécu.*

P. M. – Oui, c'est vrai, c'est normal quand on se dédouble, quand on est un peu le spectateur de soi-même, à partir du moment où on ne vit pas d'une manière spontanée. C'est le drame – enfin ce n'est pas un drame –, le problème de l'écrivain – non, c'est un mot grandiloquent. De celui qui écrit, et qui a toujours l'impression d'être plus vieux que le moment dans lequel il vit. Même à vingt ans je regardais déjà en arrière alors que d'habitude c'est l'époque où l'on regarde vers l'avant. D'habitude, à dix-huit ans, vingt ans, vingt-cinq ans, on ne se penche pas sur son passé. Moi j'avais la *manie* de regarder en arrière, toujours ce sentiment de quelque chose de perdu, pas comme le paradis, mais de perdu, oui.

D. J. – *Vous vous penchiez sur votre passé, et aussi sur un passé qui n'était pas le vôtre. Mais vous, quelle a été votre histoire, votre passé, jusqu'à dix-huit, vingt ans?*

P. M. – Vous voulez dire, dans la réalité?

> *Quel mot superbe, et quelle question révélatrice!*

D. J. – *Mais oui, jusqu'à ce que vous commenciez d'écrire.*

P. M. – C'était assez banal. J'ai fait des études jusqu'au bac, puis je n'ai plus rien fait.

D. J. – *Sauf écrire. Mais parlez-moi un peu de votre famille.*

P. M. – Si vous voulez. Mais ça vous ennuie pas?

D. J. – *Mais non, je vous assure.*

P. M. – Écoutez, c'est un mélange assez bizarre. Mes parents, je veux dire... Ce sont des gens qui se sont rencontrés dans une période trouble, comme on se rencontrait fortuitement, sous l'Occupation.

Mon père était... mais vous croyez vraiment... mon père... pour vous situer en gros... Il était... C'est de ces familles... Il était dans les ports méditerranéens... Des familles comme ça... Oui, Alexandrie... je veux dire dans Durrell... C'étaient des Juifs d'Alexandrie...

> *Cette confession qui sort, par bribes, hachée, cette lutte intérieure qui se dénoue en paroles, a quelque chose de fascinant.*

– Et de Salonique. Des gens qui s'expatriaient facilement. Des apatrides. Du côté de ma mère, au contraire, enfin, elle était moitié hongroise, moitié belge. Alors avant la guerre, elle avait dix-sept, dix-huit ans, elle faisait du cinéma pour la UFA, la compagnie allemande, avant que les nazis la contrôlent. Mais c'est pas intéressant. Elle travaillait pour des studios à Bruxelles, pour des espèces de comédies, mais tout ça a disparu. Elle est venue à Paris dans les années 40, ils se sont rencontrés dans un climat assez trouble, puisque mon père était obligé de se cacher, évidemment. Dans ce Paris de l'Occupation où les choses étaient beaucoup moins tranchées qu'on l'a dit. Il y avait des interpénétrations. Un type qui se cachait pouvait quand même survivre.

D. J. – *Que faisait votre père? Il ne vous en a jamais parlé?*

P. M. – En fait il est resté à Paris jusqu'à la fin de l'Occupation. Sous une fausse identité. C'était une vie clandestine. C'était peut-être plus facile pour un Juif qu'à la campagne, l'anonymat des grandes villes. D'une manière paradoxale les seuls endroits où l'on n'était pas traqué, c'est ceux où l'on côtoyait ses ennemis. Enfin ce n'étaient pas ses ennemis. Des gens qui voulaient votre perte. *Je me suis souvent mis à sa place.* C'était assez ambigu.

D. J. – *Dans vos livres, en effet, vous vous mettez beaucoup à sa place, et vous lui prêtez des activités, sinon inavouables, au moins indéfinissables. Mais pourquoi ne pas le lui avoir demandé, et que pense-t-il du portrait « rêvé » que vous faites de lui?*

P. M. – Il avait des activités d'ordre plus

ou moins financier, pas douteuses, chimériques plutôt. J'aimerais en savoir davantage, mais je ne l'ai pas revu depuis une dizaine d'années. Pour des raisons familiales.

Tout devient clair, c'est la grande lumière. La haine et l'amour. Le père, présent dans chaque roman, imaginé, poursuivi, protégé, caricaturé, tué. La mère présente dans la vie, invisible dans la fiction. L'obsession du temps de leur rencontre...

– C'est juste au moment où je ne l'ai plus vu que j'ai appris ce qu'était cette époque, et que je n'ai pas pu lui poser les questions. En fait il n'avait pas tellement de solutions pour subsister. Il a dû, comme il n'avait plus d'existence civile, plus ou moins se débrouiller, peut-être de manière pas très...

D. J. – *Vous avez pu questionner des personnes qui l'ont connu?*

P. M. – Je connais leurs noms, mais elles ont toutes disparu. Pas seulement les collaborateurs. Il a été plus ou moins en rapport pour des raisons assez bizarres avec Maurice Sachs qui faisait du trafic d'or. C'est un monde qui s'est écroulé, dispersé. J'ai toujours trouvé qu'il y avait quelque chose d'excitant dans cette époque, quelque chose de romantique, aussi, dans la rencontre de mes parents. Elle avait vingt-deux ans, elle était actrice, il se cachait... Ils se sont mariés après, évidemment, en 1946.

D. J. – *En fait, vous m'avez parlé là, encore une fois, de ce qui s'est passé avant votre naissance, et donc de l'Occupation. Mais vous, jusqu'à vos dix-sept, dix-huit ans?*

P. M. – Eh bien! pendant ma petite enfance, j'ai vécu avec mes parents. Puis, de onze à dix-sept ans, j'ai été au collège, dans diverses institutions, surtout en Haute-Savoie. Ma mère était souvent en tournée, dans des pays lointains. Mon père avait l'apparence d'être riche, mais il était un peu mythomane. En fait, il avait des problèmes financiers, dont il se tirait par des pirouettes. J'aimais la littérature, et tous les ans, depuis l'âge de quatorze ans, je commençais un livre et, au bout de vingt pages, je laissais tomber.

Je rôdais déjà autour de l'Occupation, de ce monde un peu glauque, mais je n'arrivais jamais à trouver un axe. Ça s'est déclenché à la suite d'un voyage que j'ai fait avec mon père, à Bordeaux, une des dernières fois que je l'ai vu. Mon père voulait m'inscrire de force dans un lycée, dans cette ville, qui est ce que la France a de plus français, une quintessence, la capitale de la France mauriacienne. Il ne voulait pas que je sois à Paris, pour des raisons familiales. Nous avons passé ensemble deux ou trois jours qui m'ont paru absurdes et, dès qu'il est parti, je me suis sauvé, je suis revenu à Paris. Cette situation m'a donné l'axe de mon premier livre.

D. J. – *Vous vous êtes documenté?*

P. M. – Non, tout est venu ensemble, le ton, l'axe, le sujet, comme en spirale. A la base, il y avait une volonté d'élucider ma propre origine, une quête de mon identité. Trop jeune, je ne comprenais pas qu'il s'agissait d'une angoisse générale. J'ai axé le livre sur le problème du Juif et du non-Juif, je l'ai limité, je n'ai pas universalisé cette incertitude. Être ou ne pas être juif n'est pas la question, c'est être ou ne pas être. L'Occupation, la judéité n'étaient que les oripeaux dont je déguisais mon angoisse. Mon père avait bien sûr acheté des livres pendant l'Occupation, Rebatet, Céline, toute la clique. C'était toute la production d'une époque dont je me suis imprégné, et qui a donné une couleur à mon angoisse.

D.J. – *Il est fréquent de commencer par des livres autobiographiques, mais rare que l'autobiographie soit, si j'ose dire, antérieure à la naissance.*

P. M. – C'est normal : j'ai toujours eu l'impression d'être le fruit du hasard, d'une rencontre fortuite. J'ai lié mon angoisse d'identité à ma situation familiale, mon père juif, ma mère qui ne l'était pas. Je suis un personnage un peu bâtard. Je me suis intéressé à ma préhistoire comme le font, par réaction, les gens qui n'ont pas de racines... S'il n'y avait pas eu l'Occupation, me disais-je, je ne serais pas là. Il fallait cette période trouble, désordonnée, illogique, pour que je naisse.

D. J. – *Vous avez su décrire cette période avec plus d'humanité et de sérénité que les gens qui l'ont vécue.*

P. M. – Ils ne peuvent être sereins, bien souvent, il y a les blessures, il y a les haines. Mes parents, comme tous les gens superficiels, comme 99 % des gens, se sont laissés porter par l'époque. Ils savaient que rien n'y était simple, que tout s'interpénétrait. Les deux plus grands trafiquants du marché noir étaient juifs. Le destin personnel de mes parents m'a montré que les contraires pouvaient se rencontrer et s'assembler.

D. J. – *Vous avez écrit « La place de l'Étoile » à dix-huit ans ?*

P. M. – Oui, j'avais passé mon bac, j'étais livré à moi-même. J'ai fait croire à ma mère que je passais des certificats en Sorbonne, alors que je travaillais à mon livre. Je me suis lancé là-dedans avec une inconscience totale ; je n'avais aucune idée de la complexité de l'écriture.

D. J. – *Votre écriture semble refléter un certain bonheur. Est-ce que vous écrivez facilement ?*

P. M. – Ah ! alors là, pas du tout. C'est horrible. Je n'ai aucune facilité. Je suis complètement anachronique. Il y a là un travail manuel qui n'est plus du tout dans le ton de l'époque. C'est là aussi que je suis plus vieux que mon âge et peut-être que mon temps. Cette espèce de souci des adjectifs, ou de raccourcir la phrase, comme un écrivain de 1920. Le bonheur d'écriture, ce n'est pas le bonheur d'écrire.

D. J. – *Dans la vie et devant la vie, votre « Je » littéraire est terriblement angoissé. Est-ce votre portrait ?*

P. M. – Oui, c'est un peu moi, mais en plus caricatural. Parce que là, ça prend des proportions.

D. J. – *Mais vivre ne vous pose pas de problèmes particuliers ?*

P. M. – Non, pas spécialement. C'est-à-dire, quand même, je n'arrive pas à vivre d'une manière naïve et spontanée. Je crois que c'est le cas de tous les gens qui écrivent.

D. J. – *Le succès, le prix Nimier, le grand prix du roman de l'Académie, la notoriété, ça ne vous a pas grisé ? A votre âge ?*

P. M. – D'abord, ce « succès » ne me permet pas de vivre. Et puis on n'est plus à l'époque où on devient une vedette seulement par la littérature. Sagan a été la dernière. Là aussi je suis venu trop tard.

D. J. – *Dans votre nouveau roman, vous faites un grand bond en avant, d'un coup, de l'Occupation aux années soixante. Vous vous rapprochez de notre temps ?*

P. M. – On est toujours dans son époque, vous savez.

D. J. – *Même quand on prend ses distances ?*

P. M. – Finalement, on ne peut pas faire autrement que décrire son époque, même si superficiellement on a l'air de décrire le passé. Ce sont tout au plus les nostalgies de l'époque.

D. J. – *En fait, bien que les apparences soient contre vous, vous êtes aux antipodes de la mode « rétro » ?*

P. M. – Ce n'est qu'une fuite généralisée dans le temps, le contraire d'une recherche de soi-même. Il y a eu un quiproquo à propos de mes trois premiers livres. L'époque ne m'intéresse pas pour elle-même. J'y ai greffé mes angoisses. Mais mon Occupation est une Occupation rêvée. C'est en quoi elle relève de la littérature, et pas de l'histoire ou de la médecine mentale.

Il a une dernière question, une inquiétude qui le prend tout à coup :

– Mais qu'est-ce que vous allez bien pouvoir faire de tout ça ?

ROBERT SABATIER

*« Oui, j'ai eu ce complexe :
si je deviens best-seller, les poètes vont dire
que je ne suis plus des leurs,
que j'appartiens à un autre monde... »*

Novembre 1975

Il ne serait pas illogique de faire remonter le début de la mode rétro à 1969, année de la publication des *Allumettes suédoises*. La France allait se prendre de passion pour le petit Olivier qui n'est autre que Robert Sabatier enfant montmartrois. Souvenirs en forme de roman populiste, *Les allumettes suédoises* ont atteint aujourd'hui le tirage fabuleux du million d'exemplaires. Six ans après la sortie du livre, il s'en vend plus de mille exemplaires par semaine. Quant aux *Trois sucettes à la menthe* et aux *Noisettes sauvages*, qui forment avec *Les allumettes suédoises* une trilogie dont le succès est sans précédent dans la littérature française, elles ont dépassé le cap des 500 000 exemplaires. Entre-temps, Robert Sabatier a été élu à l'Académie Goncourt et il a acquis, dans le Vaucluse, entre Carpentras et Gordes, une magnifique campagne bâtie sur les restes d'une chapelle médiévale, où il vit la moitié de l'année, avec sa femme, le peintre Christiane Sabatier.

C'est là que nous avons rencontré le petit Olivier qui s'est mué en un costaud de cinquante-deux ans entouré de ses nombreux amis de passage et des centaines et des centaines de livres qu'il a lus et qu'il lit encore pour la rédaction de sa monumentale *Histoire de la poésie française*, dont quatre tomes sont déjà parus. C'est que Robert Sabatier est un fou de poésie. Et il serait injuste que le romancier Robert Sabatier – dont on aurait tort d'oublier qu'avant sa trilogie il a publié neuf romans (*Canard au sang, La sainte farce, Boulevard*, etc.), plusieurs ayant raté de peu le Goncourt –, éclipsât le poète Robert Sabatier.

Bernard Pivot. – *Comment devient-on le poète Robert Sabatier?*
Robert Sabatier. – Quand ma mère est morte – j'ai raconté dans *Les allumettes suédoises* comment elle est morte à côté de moi, dans le lit – j'ai été pendant une

période de deux ans un gosse un peu difficile. Mais à l'époque on n'allait pas consulter un psychanalyste. On m'a envoyé à la campagne et tout cela s'est très bien arrangé. Mais c'est durant cette période, où j'étais taciturne, où je vivais en retrait, lisant beaucoup, que j'ai écrit mes premiers poèmes. C'était une consolation. La poésie était la compensation de quelque chose qui me manquait. Écrire de petits poèmes, c'était retrouver une affection. Je me confiais à la poésie parce que je ne pouvais plus me confier à un père ou à une mère.

B. P. – *Pourquoi la poésie naît-elle toujours d'une douleur et pratiquement jamais d'une joie ?*

R. S. – Oui, c'est vrai, on pleure beaucoup en poésie. Elle peut exprimer la joie, mais je ne crois pas que la joie soit quelque chose de purement heureux. Il n'y a pas de vrai bonheur sans qu'il s'y mêle un petit peu le sens du malheur...

B. P. – *Quel genre de poèmes écriviez-vous à douze ans ?*

R. S. – Des poèmes très formels. La prosodie était respectée. Je n'aurais pas fait rimer un singulier avec un pluriel. C'était comme de petites chansons tristes, c'était mièvre et joli...

B. P. – *Par exemple ?*

R. S. – Je me souviens d'un poème inspiré par un mendiant. Cela donnait à peu près ceci :

C'est un pauvre vieux sourd-muet
qui gratte un violon fausset
au seuil d'une porte cochère.
Passant j'écoute la prière
que murmure le vieil archet...

B. P. – *C'est mignon...*

R. S. – Dans les poèmes que j'ai écrits avant l'âge de vingt ans, on sent l'influence de mes lectures. Surtout Verlaine et Valéry. Au maquis, j'ai écrit des poèmes du maquis. Qu'on ne trouve pas – heureusement ! – dans le livre de Pierre Seghers *La Résistance et ses poètes,* parce qu'ils étaient assez pompiers. Il a fallu un autre coup dur dans ma vie – j'avais vingt-huit ans – pour qu'enfin la poésie me serve à exprimer quelque chose de personnel... Bien qu'entre-temps j'aie

publié une plaquette – clandestinement ! Mon oncle était imprimeur et, le samedi, pendant qu'il était à la campagne, les ouvriers venaient en cachette imprimer mes poèmes, gratuitement, par amitié pour l'adolescent que j'étais.

B. P. – *Et comment vous vient l'envie d'écrire un poème ?*

R. S. – On sent physiquement qu'on a envie, qu'on a besoin d'écrire un poème. Et cela peut me prendre n'importe où, n'importe quand : au réveil, dans un café, dans un moment de solitude, dans le métro... Je médite et puis des mots viennent, des rythmes aussi... Il suffit d'avoir une feuille de papier... J'ai toujours sur moi mon carnet de chèques et il est bien rare que la couverture ne soit pas recouverte de mes pattes de mouche. Il m'arrive aussi de sacrifier un ou deux chèques. Il faudrait faire une étude sur l'importance du carnet de chèques comme support de la poésie !

B. P. – *Qui osera encore dire que les banquiers ne font rien pour la poésie !... Au fait, à quoi sert-elle ?*

R. S. – A une époque de matérialisme outré, de bêtise pontifiante et de diarrhée verbale, lire un poème c'est prendre une sorte de bain de propreté, de pureté. De même nous écoutons une belle musique pour nous nettoyer les oreilles et le cerveau de tous les bruits extérieurs. J'ajoute ceci, qui est capital pour la lecture de la poésie : deux personnes ne lisent pas un poème de la même manière, elles l'interprètent de façon différente, de sorte que le lecteur fait lui-même œuvre de création. Ainsi s'établit un lien entre celui qui a écrit et celui qui reçoit ce qui a été écrit, et qui le récrit dans sa pensée. Et ce lien est fraternel. A notre époque où l'on parle tant de communication, la vraie communication est poétique.

B. P. – *C'est une communication confidentielle, souterraine ?*

R. S. – Il est vrai que les jeunes sont de plus en plus nombreux à écrire des poèmes et qu'on en édite de moins en moins. Pour des raisons commerciales, il faut le dire. Il n'empêche qu'en dépit de toutes les difficultés de publication, partout les jeunes écrivent des poèmes. Il y a des « quinzaines de la poésie » un petit peu partout et, je m'en suis aperçu avec mon *Histoire de la poésie*, il existe un intérêt très vif pour la poésie, même si cela ne se manifeste pas par l'achat en masse de recueils et de plaquettes auxquels on préfère généralement des anthologies.

B. P. – *Mais n'est-il pas dans la nature de la poésie d'être et de rester souterraine ?*

R. S. – Oui, mais le poète qui s'exprime aime bien trouver une oreille attentive... Et puis n'oubliez pas que la poésie se venge des best-sellers par la durée. Il se fait une énorme consommation de papier sous forme de romans, de documents, mais souvent aussitôt lus aussitôt oubliés. La vie d'un roman est le plus souvent de trois mois, tandis qu'un livre de poèmes, on le prend, on le lit, on le laisse, on le reprend, ça dure longtemps, très longtemps...

B. P. – *Votre poésie à vous se vengera-t-elle de vos best-sellers par la durée ?*

Visiblement, cette question gêne Robert Sabatier. Elle vient réveiller en lui un vieux débat, un vieux dilemme. Qui va répondre : le poète ou le romancier ? L'auteur des Fêtes solaires *ou l'auteur des* Allumettes suédoises *?*

R. S. – Disons qu'il y a une part de moi qui, secrètement, attache peut-être plus d'importance à ma poésie, qui est inconnue, qu'à mes romans. Pour ma trilogie, c'est un peu particulier. Je suis incapable de porter un jugement de valeur littéraire sur ces écrits, car ils relèvent de ce qu'il y a en moi de plus personnel, de plus sentimental, et je ne sais pas ce que ça vaut. J'ai éprouvé le besoin de les écrire, c'est tout. Quant à savoir si cela aura de la durée...

B. P. *Mais souhaiteriez-vous que le poète Robert Sabatier devienne très connu ?*

R. S. – Peut-être pas... Je sens en moi le besoin de garder un petit secret, mais cela vient peut-être de ce que ma part de vanité a été satisfaite par le roman, qui a fait beaucoup parler de moi, et que je veux garder dans ma géographie une petite région qui ne soit pas souillée. Mon petit coin écologique !

B. P. – *Les best-sellers sont très mal vus de l'intelligentsia parisienne. Tirer et vendre à des centaines de milliers d'exemplaires a dû vous ficher un sacré complexe ?*

R. S. – Je dois avouer que ce petit complexe, je l'ai eu. Je me disais : « Mais que vont penser mes amis Pierre Oster, Alain Bosquet, Jean-Claude Renard ? Si je deviens best-seller, les poètes vont dire que je ne suis plus des leurs, que j'appartiens à un autre monde... » Et puis ce complexe m'a passé parce que je n'avais pas écrit *Les allumettes suédoises* avec l'idée de faire un best-seller. Quand j'ai donné le manuscrit à mon éditeur, les premiers lecteurs ont considéré que cette histoire assez poétique, assez personnelle ne toucherait qu'un petit nombre de lecteurs. On a donc fait un premier tirage de seulement six mille exemplaires ! Ensuite il y a eu le miracle ! Et tant mieux s'il arrive de temps en temps des miracles ! Mais j'ai toujours écrit exactement ce que je voulais, car je respecte trop la littérature pour devenir un fabricant. N'ayant pas intimement l'impression d'avoir trahi la littérature, le petit complexe dont je souffrais a disparu...

B. P. – *Au fond cette* Histoire de la poésie française, *à laquelle vous travaillez depuis plus de vingt ans, tombe bien ; elle va vous faire pardonner vos succès aux yeux des intellectuels ?*

Il se fâche un peu.

R. S. – Mais pourquoi devoir se faire pardonner un succès ? Pourquoi cette atmosphère de suspicion ? Je fais ce que j'ai à faire, c'est tout !

B. P. – *Le succès a-t-il changé quelque chose en vous ?*

R. S. – De fondamental, non... Simplement le succès m'a donné des facilités pour vivre et travailler. N'ayant plus à passer huit heures par jour dans un bureau, ayant pu m'acheter cette maison à la campagne, j'ai considéré que si je n'en profitais pas pour mener à bien mon *Histoire de la poésie française*, eh bien ! je n'aurais aucune excuse...

Poète pauvre et romancier débutant, le jeune Robert Sabatier était entré comme dactylo-facturier aux Presses Universitaires de France où, quinze ans après, il se retrouvait directeur du service de presse. Puis il devient directeur littéraire des éditions Albin Michel. Enfin, avec le succès formidable de sa trilogie et après son élection à l'Académie Goncourt, il est entré dans le club restreint des écrivains capables de vivre, et bien vivre, de leur plume. Même quand il écrivait le soir, après une dure journée de bureau, Robert Sabatier était toujours disponible pour un bon repas, pour une réunion de copains, pour une balade, pour un article, etc. Et blagueur. Jamais pressé.

R. S. – J'ai la chance d'avoir un tempérament assez calme. Six heures de sommeil suffisent à me remettre d'aplomb, de sorte que je peux travailler très avant dans la nuit ou me lever tôt. J'ai la chance d'avoir une excellente mémoire et je pige assez vite ce que je lis. Ainsi j'ai toujours du temps pour flâner, pour voir mes amis...

B. P. – *Vos amis tiennent une grande place dans votre existence?*

R. S. – Oh oui! C'est que mon enfance et mon adolescence ont été très solitaires et, lorsque j'ai quitté Roanne pour « monter » à Paris, j'ai été très malheureux. Mais, peu à peu, j'ai pris l'habitude de rencontrer des poètes chez Lipp et ces poètes sont devenus pour moi une sorte de famille. Je ne cessais de les fréquenter, d'aller chez l'un et chez l'autre, de me promener aux Halles, parfois toute la nuit, en récitant des vers avec des amis. Lorsque je suis avec des amis autour d'un bon repas, d'une bonne bouteille, que les mots fusent, que les calembours succèdent aux calembours, qu'on soutient des paradoxes interminables et qu'on refait le monde, je dois dire que c'est là ma grande joie.

B. P. – *Toujours de bonne humeur?*

R. S. – Euh!... Sauf quand j'ai bu un peu trop de vin blanc. Alors là, je suis comme un moucheron qui fait bzz... bzz... autour des choses. Je suis capable d'être très empoisonnant, au point de vouloir refaire la littérature! Et puis, de temps en temps, je prends une colère. Une colère énorme! Disons tous les deux ans...

B. P. – *Elle est d'ordre littéraire?*

R. S. – D'ordre littéraire, oui, mais aussi social, humain. Quand je me trouve en face de la bêtise crasse, de la mauvaise foi, de l'amitié intéressée, je me mets en colère.

B. P. – *L'amitié intéressée doit être très fréquente depuis que vous êtes l'une des dix voix du jury Goncourt?*

R. S. – Oui, c'est vrai que j'ai parfois du mal à démêler l'amitié sincère, spontanée, de l'empressement intéressé. L'Académie Goncourt, le prix Goncourt faussent un peu les relations. Mais je me dis finalement qu'il ne faut pas exagérer. Les hommes sont ce qu'ils sont, ils ont des qualités et des défauts et il faut les prendre dans leur totalité... Cela m'ennuie de recevoir des dédicaces trop flatteuses. Brusquement, à partir du moment où je suis entré à l'Académie Goncourt, je suis devenu un type merveilleux, on adore mes livres, on me couvre de respect et de fleurs!... Alors là j'ai un petit sourire... Pourquoi les gens s'imaginent-ils que nous sommes très vaniteux et que notre vanité nous aveugle?

Dans sa maison du Vaucluse, Robert Sabatier a choisi pour travailler une pièce sans fenêtre. Pour que l'œil n'entraîne pas l'esprit loin de la page blanche.

R. S. – Sinon je regarde les arbres, les fleurs, les mauvaises herbes et alors j'en oublie d'arracher les mauvaises herbes de mes textes.

Chaque soir, cependant, il consacre une heure à un immense jardin qu'embaument le romarin, le thym, la lavande et la sarriette. Sa femme Christiane, qui a dirigé les travaux de restauration de la maison quand elle n'a pas elle-même raboté, cloué, maçonné, etc., a semé et planté de magnifiques massifs de fleurs. Lui des pins. Il fallait les voir arroser, à la fraîche, couverts des pieds à la tête pour échapper aux piqûres des terribles arabis.

B. P. – *Quel a été votre premier lecteur?*

R. S. – Christiane, mais elle n'était pas encore ma femme. A l'époque, j'habitais boulevard Saint-Germain une petite chambre sous les toits. C'était tout petit et la jeune fille qui, avec une légitime curiosité, regardait ce que je faisais, est tombée sur trois cahiers à reliure spirale et m'a demandé ce que c'était. Je lui dis : « Je crois que c'est un roman, dans lequel je raconte quelques épisodes de mon enfance et cela s'appelle " Alain et le nègre ". Elle l'a lu et m'a dit : « Mais c'est bien ! Pourquoi ne le portes-tu pas chez un éditeur ? » Je lui ai répondu que je n'y connaissais personne. Mais c'est une erreur de croire qu'il faut avoir des relations pour être publié. Finalement j'ai tapé le manuscrit en trois exemplaires que j'ai envoyés à trois éditeurs, comme ça, comme des bouteilles à la mer. Il y a d'abord eu un refus, à quoi très sincèrement je m'attendais. Ensuite j'ai reçu une lettre de Julliard où on me demandait de passer. J'y suis passé. On ne le prenait pas tel quel, on me demandait de le retravailler. Moi, j'avoue que je n'avais pas envie de changer quoi que ce soit. C'était ça ou rien. J'ai dit : « Je réfléchirai. » Et je crois que, dès le lendemain, j'ai reçu un télégramme d'Albin Michel : « Roman pris. Passez. » Je suis passé et j'ai signé un contrat. J'étais fou de joie ! Mes amis disaient : « Mais, enfin, on ne te reconnaît plus, tu es tout le temps en train de chanter, de danser ! » J'avais l'impression que ce qui m'arrivait était magique. Par la suite, quand j'ai été directeur littéraire, j'ai vu des auteurs, à qui on annonçait qu'on prenait leur premier roman, qui accueillaient la nouvelle très froidement. Je les admirais, car moi j'ai eu une période de folie. En fait, ça n'a pas changé grand-chose : simplement ça m'a donné un peu plus confiance en moi.

B. P. – *Et je suppose que votre premier lecteur, c'est toujours votre femme ?*

R. S. – Non ! Parce qu'on s'est aperçu que c'est un peu gênant quand on vit ensemble de s'occuper du travail de l'autre. Christiane est peintre. Je ne m'occupe pas de sa peinture et elle ne s'occupe pas de mes romans. Bien qu'elle ne

me donne pas son opinion, je pense que je n'écris pas le type de romans qu'elle aime. Elle préfère la science-fiction ou des auteurs comme André Pieyre de Mandiargues...

B. P. – *Des auteurs un peu troubles, maléfiques ?*

R. S. – Je crois qu'elle préfère des lectures qui se rapprochent davantage de sa peinture surréaliste. Et puis, pour tout vous dire, j'ai toujours été un peu agacé par les couples où l'épouse est béate d'admiration devant le mari. Je ne pense pas que ce soit une bonne chose pour un écrivain.

B. P. – *Je ne me rappelle pas avoir vu dans les journaux votre signature au bas de ces appels humanitaires ou politiques où les écrivains sont souvent en majorité...*

R. S. – Si on lit mes romans, qui ne sont pas des romans engagés, où les choses ne sont pas affirmées en toutes lettres, si on sait lire, on peut voir où vont mes amitiés, où vont mes goûts, quels sont mes désirs, sur le plan de la justice sociale par exemple. Mais il est certain que je n'aime pas signer des manifestes. Comme disait Céline, je n'appartiens pas à la race des signeurs.

B. P. – *Même pas pour la défense de l'environnement ?*

R. S. – L'information écologique, la diffusion de l'information sur la défense de l'environnement sont beaucoup plus efficaces que n'importe quel appel signé par des écrivains. Dans certains villages de Provence on a abattu des platanes pour mettre à leur place de hideux lampadaires. Maintenant les conseillers municipaux s'y reprendraient à deux fois. Parce qu'eux-mêmes ont été lentement gagnés, par l'information, par le journalisme, aux idées nouvelles sur la valeur des choses, sur la qualité de la vie.

B. P. – *Et si la municipalité de votre village décidait de couper l'énorme et magnifique platane qui est devant votre maison ?*

R. S. – Eh bien ! je m'attacherais au platane et il faudrait qu'on me coupe avec...

MARGUERITE YOURCENAR

« J'enrage quand on me dit qu'Hadrien,
c'est moi. Je me hâte de répondre
que je n'ai pas construit le Panthéon. »

Juillet 1976

A la pointe nord-est des États-Unis, battue par les vents de l'Atlantique, l'île du Mont-Désert abrite l'un des plus grands écrivains français d'aujourd'hui. Aux alentours, dans un admirable paysage mi-breton, mi-finlandais, d'imposantes propriétés servent de résidence d'été aux Rockefeller et autres magnats de l'industrie américaine. Mais alors que ceux-ci viennent et vont avec la belle saison, Marguerite Yourcenar vit en ce lieu toute l'année. La maison qu'elle partage avec une amie (traductrice de ses œuvres en anglais) est des plus simples : petite, toute de bois, peinte en blanc, cernée d'érables, de conifères et de bouleaux. A l'intérieur, une belle cuisine à l'ancienne, où chaque semaine on cuit son pain, et une multitude de petites pièces où s'alignent six mille livres. Ici, on se passionne pour l'écologie sous toutes ses formes. Ici, on écrit, en ce moment même, *Le labyrinthe du monde,* suite de *Souvenirs pieux,* paru en 1974. Après *Mémoires d'Hadrien* (1951) et *L'œuvre au noir* (prix Fémina 1968), cette histoire des ancêtres maternels de Marguerite Yourcenar fut acclamée par la critique. Le deuxième volume, *Archives du Nord,* consacré à sa famille paternelle, paraîtra l'an prochain.

Cet historien-poète a une histoire peu commune. Fille unique du diplomate français Michel de Crayencour (son pseudonyme est l'anagramme de son nom), elle ne fréquenta jamais l'école mais apprit si bien le grec et le latin qu'à douze ans, elle avait pour amis les héros de l'Antiquité. A vingt ans, elle croquait déjà le profil des deux personnages centraux de ses œuvres maîtresses : l'empereur Hadrien et le médecin Zénon, qu'elle délaissa cependant le temps d'écrire six autres romans. Mieux que quiconque, elle sait projeter le lecteur au cœur de civilisations disparues et lui faire connaître non seulement les événements d'une époque, mais la manière dont ils furent ressentis par les hommes du temps. Une immense culture, un humanisme exigeant, une rare pureté d'expression caractérisent cette femme de soixante-treize ans qui a reçu Claude Servan-Schreiber chez elle.

Claude Servan-Schreiber. – *Depuis des dizaines d'années, vos livres paraissent d'abord à Paris. Mais vous n'habitez plus la France. Et vous n'êtes plus de nationalité française. Pourquoi cet exil ?*

Marguerite Yourcenar. – Pur hasard. Il serait vain de chercher une raison. Avant de venir aux États-Unis, je vivais déjà à l'étranger. Surtout en Grèce. Je passais quelques mois chaque année à Paris, mais pas plus. Mon enfance s'est déroulée en partie en France, mais aussi en Angleterre et en Suisse. Je n'ai jamais considéré la France comme l'endroit où il était absolument nécessaire de vivre. Je me sens très profondément de culture française, mais quand je retourne en Europe, je suis chez moi aussi bien en Autriche ou au Portugal qu'en France.

C. S.-S. – *Un accident de l'Histoire, qui a pris la forme d'un accident de votre histoire personnelle, vous a conduit à vous installer aux États-Unis ?*

M. Y. – Oui. En octobre ou novembre 1939, il s'en est fallu de peu que je me rende en Grèce pour une tournée de conférences. J'avais demandé à Giraudoux de m'y envoyer, mais cela ne s'est pas fait. Autrement, j'y serais peut-être morte de faim, à moins que je ne me sois retrouvée en Afrique du Sud ou ailleurs. Toujours est-il que je me suis embarquée pour les États-Unis, afin d'y donner les conférences que je n'avais pas pu faire en Grèce et, quand celles-ci ont été terminées, Paris était tombé aux mains ennemies. Je suis donc restée aux États-Unis. Et, comme dit Candide, quand on est à moitié bien quelque part, on y reste.

C. S.-S. – *Cette vie hors de France a-t-elle eu des répercussions sur votre œuvre ?*

M. Y. – Les États-Unis ne m'ont pas marquée sur le plan littéraire. J'ai écrit en tout et pour tout une traduction de negro-spirituals et un petit essai sur une poétesse américaine, Hortense Flexner, une femme de génie, très âgée quand je l'ai connue et qui écrivait de la poésie d'ordre métaphysique. Comme rapports avec les États-Unis, c'est peu. Mais dans le domaine non littéraire, certaines influences m'ont été extrêmement utiles.

Le fait, par exemple, d'habiter longtemps un lieu très isolé, un village, est une manière de s'instruire dont ne disposent pas les habitants des villes. On finit par connaître tous les habitants du pays. J'ai toujours aimé l'isolement. Si je partais d'ici, je m'établirais dans un autre village du même genre, ailleurs.

C. S.-S. – *Vous aimez votre village, mais vous n'aimez pas l'Amérique ?*

M. Y. – A dire vrai, j'aime quoi ? Il y a cette phrase admirable de je ne sais quel écrivain allemand : « J'aime mes amis. » J'aime les Français ? Non. J'aime les Allemands ? Non. J'aime mes amis. En revanche, il y a des choses, ici, que je n'aime pas. Ce qui, pour le public, représente l'Amérique : le Coca-Cola, les transistors. Mais comme je ne bois pas de Coca-Cola, et que je n'ai pas de transistor, je vis ici comme je vivrais en Bretagne, ou n'importe où. Mon choix de vie n'est pas celui de l'Amérique contre la France. Il traduit un goût du monde dépouillé de toutes les frontières.

C. S.-S. – *Y compris des frontières du temps ? Vos romans ont pour cadre le passé. Sauf* Denier du rêve *publié en 1934 et situé dans l'Italie fasciste, vous évitez l'actualité...*

M. Y. – Pour moi, il n'y a pas de différence. Quand j'ai écrit *Mémoires d'Hadrien*, entre 1948 et 1951, la raison qui m'a ramenée à ce sujet, auquel je pensais depuis longtemps, était la préoccupation du Prince. Dans un monde qui se défaisait, était-il encore possible (avait-il jamais été possible ?) qu'un homme soit assez fort ou assez subtil pour retenir entre ses mains ce qui risquait de crouler ? Je choisis le passé pour obtenir une certaine perspective, pour éviter de tomber dans les illusions que crée toujours l'événement présent. Avec, bien entendu, le biais d'aujourd'hui parce qu'il est clair que quelqu'un, moi ou un autre, qui aurait écrit *Mémoires d'Hadrien* en 1900 aurait fait quelque chose d'extraordinairement différent.

C. S.-S. – *Vous vous méfiez donc du présent ?*

M. Y. – Tout le monde idolâtre le présent. Les femmes se ruinent à s'acheter la robe à la mode. Les gens tiennent absolument à avoir lu le dernier livre et les pauvres Américains que je connais se mettent sur la paille pour accumuler des gadgets dont ils n'ont nul besoin et qu'ils ne savent où mettre. Le présent, c'est ce mur contre lequel on bute, comme une mouche prise dans une bouteille. Par exemple, l'adoration du roi de France, au XVIIᵉ siècle, ne se justifie pas plus que l'adoration de l'objet de consommation de nos jours. Pourquoi ces gens s'aplatissaient-ils devant le roi ? Pourquoi ont-ils tous trouvé si bien, un peu plus tard, les conquêtes de l'Empire ? Pourquoi n'ont-ils pas tenté de faire autre chose ? Presque personne n'essaye parce qu'il est extrêmement difficile de voir où les événements vous emmènent.

C. S.-S. – *Et de se mettre à contre-courant ?*

M. Y. – Ou tout simplement dans son courant à soi, sans se soucier qu'il soit contre ou pour. J'ai la manie de relire de très grands écrivains du passé, que ce soit Dostoïevski ou Dickens, pour rechercher ce qu'il y a de durable, d'éternel, de plus profond en eux. Et de séparer cela de ce qui est mortellement ennuyeux ou même intolérable à quelques décennies de distance. On trouve chez Dickens, lorsqu'il se laisse aller, une profondeur de psychologie égale à celle de Dostoïevski. Puis soudain, on tombe dans les bienséances victoriennes : l'honnête homme qui finit presque toujours par triompher; la jeune fille dont le triste sort s'arrange grâce à un bel héritage ou un mariage avec des rentes... Dickens voulait plaire à ses lecteurs, et dans ces moments-là, il pensait comme eux ou croyait qu'il pensait comme eux. Ce qui revient au même.

C. S.-S. – *La perspective historique vous aide à mettre en valeur ce qui vous intéresse dans l'homme ?*

M. Y. – Je ne mets pas le passé comme un voile sur la société contemporaine, mais j'accepte que les mêmes instincts, les mêmes décisions humaines produisent à chaque époque non pas les mêmes effets mais des conséquences à peu près identiques. Chaque fois, l'immense variété dans les réponses humaines fait

illusion parce qu'on ne s'aperçoit pas tout de suite que sous les éléments se retrouvent les mêmes bases : dans le mal, la cupidité, la sottise, l'ignorance, la brutalité, l'infini besoin de s'occuper de soi, de parler de soi et d'imposer l'image que l'on se fait de soi; et, dans le bien, la générosité, la bonté, l'intelligence, un certain désir de voir les choses telles qu'elles sont. La nature humaine change peu tout en étant capable d'une plasticité extraordinaire à l'extérieur. Sainte Thérèse d'Avila était, au XVIᵉ siècle, une femme remarquablement active. Elle fondait des couvents, elle prenait ou faisait lever des hypothèques, négociait avec les autorités. Aujourd'hui, elle réussirait de même dans les affaires, ou la politique. Mais elle serait la même femme et, d'une manière ou d'une autre, une sainte.

C. S.-S. – *Votre goût de l'Histoire ne traduit-il pas d'une certaine manière un dégoût du monde contemporain et surtout de ce qui s'y passe ?*

M. Y. – Il est vrai que le monde d'aujourd'hui me déplaît profondément. Du moins tel qu'il se déclare, tel qu'il croit être, c'est-à-dire tel que nous le voyons parader. Ce monde-là, nous l'avons créé, nous l'acceptons, mais il n'est pas plus nécessaire qu'un autre.

C. S.-S. – *Si le monde est aussi déplaisant, ce n'est pourtant pas seulement parce que les hommes l'ont voulu tel qu'il est. Ce monde s'est fait sans eux.*

M. Y. – Il est vrai que nous sommes, dans une large mesure, impuissants. Mais n'avons-nous pas exagérément le sentiment de l'être ? Très peu d'hommes et de femmes existent par eux-mêmes, ont le courage de dire oui ou non par eux-mêmes. Ce qui me déplaît, c'est l'apathie, la lourdeur humaine, mais j'avoue qu'elle est de tous les temps. Heureusement, elle n'est pas de tous les individus. Il y a en chacun de nous de cette lourdeur, mais elle ne nous envahit pas tout entiers. J'ai été très frappée par la division faite dans la psychologie hindoue des trois qualités qui mènent le monde : le *Rajas*, qui est la force, l'énergie et par conséquent la violence; le

Tamas, qui est la lourdeur, l'inertie et qui est bien sûr la plus répandue; et *Sattva,* qui est la douceur, la finesse et l'esprit de compréhension. Cette division correspond à peu près à ce que nous voyons, avec des dosages différents, dans chacun.

C. S.-S. – *Comment peut-on croire à l'individu, tout en niant l'existence de la personne? C'est, je crois, une idée à laquelle vous tenez?*

M. Y. – Disons que c'est un problème qui me préoccupe beaucoup. En effet, je ne crois pas à la personne en tant qu'entité. Je ne suis pas du tout sûre qu'elle existe. Je crois à des confluences de courants, des vibrations si vous voulez, qui constituent un être. Mais celui-ci se défait et se refait continuellement. C'est le point de vue d'un grand nombre de penseurs orientaux; et celui de Proust, qui était bouddhiste sans le savoir. Le « moi » est une commodité grammaticale, philosophique, psychologique. Mais quand on y pense un peu sérieusement, de quel « moi » s'agit-il? A quel moment? Saint Augustin disait déjà : « L'enfant que j'étais est mort et moi j'existe. » Ce matin, j'ai tiré un livre des rayons de ma bibliothèque (dans la maison, ils sont rangés par ordre chronologique d'ouest en est; ma chambre étant à l'est, j'ai le XXe siècle à portée de la main). Je suis tombée sur une phrase de Montherlant dans *La rose des sables :* « L'homme est un monstre d'inconsistance. » C'est tout à fait ce que je pense.

C. S.-S. – *Pourtant, vos personnages ne sont-ils pas inévitablement un peu vous-même?*

M. Y. – Si je ne suis pas moi, à plus forte raison, je ne suis pas Hadrien. J'enrage quand on me dit qu'Hadrien c'est moi. Je me hâte de répondre que je n'ai pas construit le Panthéon. Dire que je suis Zénon est également absurde car j'ai soigneusement donné à Zénon un tempérament qui n'est pas le mien. Mais les expériences de Zénon quant au monde, quant à la difficulté de vivre, quant à la liberté intérieure, sont évidemment très proches des miennes. Et il y a des quantités d'autres personnages de mes livres dans lesquels je me retrouve en partie. Mais toujours en partie. Par exemple, Marcella dans *Denier du rêve,* dont je comprends très bien la violence, l'ardeur, et la naïveté. Je me sentirais capable de vivre tout ça.

C. S.-S. – *Sauf pour Marcella, les personnages féminins sont rares dans vos livres. Et rarement importants. Pourquoi?*

M. Y. – C'est assez complexe. Il y a plus de personnages féminins qu'on ne le croit d'abord. Dans *Mémoires d'Hadrien,* une femme joue un rôle majeur. C'est la femme de Trajan, son prédécesseur. Mais Plotine est naturellement placée en retrait comme elle devait l'être à cette époque. Dans *Le coup de grâce* rien n'arriverait s'il n'y avait pas Sophie. Éric est l'esprit et la discipline, Sophie est la vie elle-même. Dans *L'œuvre au noir,* il aurait été impossible qu'une femme jouât un rôle essentiel pour Zénon. On serait sorti des réalités du temps et du lieu. C'est peut-être une caractéristique de la littérature française – bien qu'on la retrouve parfois ailleurs – que cette image de la femme essentiellement créée par et pour l'homme. La femme du roman français ne participe pas directement à son temps mais le fait par le truchement d'un mari, d'un amant, de quelqu'un d'autre. Nous ne rencontrons jamais cette image complète du monde passant à travers une femme comme nous l'avons, par exemple, à travers Hamlet.

C. S.-S. – *Il faudrait un écrivain femme pour créer un tel personnage?*

M. Y. – Je ne crois pas que la question des sexes se pose de cette manière. Aucune femme, en la supposant douée des capacités nécessaires, n'aurait pu faire une Anna Karénine ou une Natacha plus parfaitement vivantes et complètes que celles de Tolstoï. Je ne crois pas que le sexe de l'auteur compte le moins du monde, sauf pour les écrivains inférieurs empêtrés dans les conventions. Mais si nous tombons dans les conventions et les écrivains inférieurs, alors tout est faux. Lorsqu'il s'agit d'un écrivain de génie, non. Il est certain, cependant, qu'Anna Karénine, aussi sublime et bouleversante soit-elle – je pense à sa dernière marche, quand elle ne sait plus que penser, et qu'elle suit une femme avec son panier de provisions et sa bouteille de lait qui coule sur le trottoir – qu'Anna Karénine donc, comparée au prince Pierre de *Guerre et paix*, a beaucoup moins d'envergure que lui. L'univers d'Anna Karénine est fait de ses rapports avec son mari, avec son fils, avec son amant, sa belle-sœur et ainsi de suite. Il s'arrête là, alors que celui du prince Pierre continue de s'ouvrir à l'infini. Voilà la vérité de la société humaine telle que nous l'avons trouvée, et non pas la vérité de la nature, car il n'y a pas de raison pour qu'une femme vive davantage enfermée en soi. Mais les conventions finissent par former les êtres. Je ne dis pas, d'ailleurs, que la femme ait joué un rôle moindre dans l'Histoire. Mais elle l'a fait ou par l'amour, ou en mère de famille, ou en maîtresse de maison, dans ce domaine pratique dont Hadrien parle, si dur dès que l'amour n'y joue plus. Le résultat, c'est que, quand on veut évoquer une femme qui serait un être humain complet dans tous les domaines, on se heurte à de grandes difficultés.

C. S.-S. – *L'Histoire ne manque tout de même pas de femmes admirables. N'avez-vous jamais été tentée de bâtir un roman autour de l'une d'elles?*

M. Y. – Mais qui prendre? Éliminons, par exemple, Mme de Maintenon. On ne va tout de même pas se mettre à écrire un livre sur l'ambition ou la vanité. Héloïse peut-être? Si ses lettres sont authentiques, comme je suis tentée de le croire, c'était une femme étonnante. Mais les difficultés me paraissent immenses. Dans les notes de *L'œuvre au noir*, j'ai montré que l'histoire projette rarement ses réflecteurs sur la vie des femmes. Dans le cas de Jeanne d'Arc, nous avons les réponses qu'elle a faites à son procès et qui nous montrent directement sa pensée et ses émotions. Mais, pour tant d'autres, les informations manquent. Dans le cas de sainte Elisabeth de Hongrie, nous savons qu'elle était habitée par la passion de la charité, et j'ai pensé à écrire non un roman mais sa biographie. A son odieux

directeur de conscience qui lui dit, parce qu'il a un rhume quelconque : « Qu'allez-vous devenir si je meurs avant vous? » elle répond : « Oh, mon père, vous n'êtes pas quelqu'un qui meurt si facilement », et on devine derrière son humble soumission sa capacité de juger. Ailleurs, on devine aussi l'immense flamme de tendresse qui la brûlait. Mais ce n'est pas à travers elle que passe l'axe de son temps, c'est à travers saint François d'Assise, ou, au contraire, Frédéric II. Le problème est le même pour l'homme du peuple. Quels documents possédons-nous? Pour le Moyen Âge quelques fabliaux seulement, mais rien qui indique ce que pensait profondément un ouvrier. L'Histoire ne s'intéresse qu'aux privilégiés.

C. S.-S. – *Et parmi les femmes ayant vécu plus près de nous?*

M. Y. – On pourrait donner, à travers Louise Michel, une vue politique du monde tel qu'il existait pour elle.

C. S.-S. – *Vous y pensez?*

M. Y. – Quelquefois. Mais j'écris en ce moment mes vues sur le XIXe siècle sous une autre forme.

C. S.-S. – *Vous n'aimeriez pas écrire un roman différent de vos trois derniers livres, sans matériaux historiques?*

M. Y. – Où l'on créerait tout soi-même? Je craindrais de laisser couler hors de soi cette espèce d'abominable ectoplasme qui est l'image que nous nous faisons de nous-même et qui englue une grande partie de la poésie et du roman d'aujourd'hui.

C. S.-S. – *Vos personnages, ces êtres que vous avez construits ou reconstruits, semblent avoir pour vous la même réalité que des êtres vivants?*

M. Y. – Oui, sûrement. Je ne vois que peu de différence entre ce qui est et ce qui pourrait être. La relation entre l'écrivain et ses personnages est difficile à décrire. C'est un peu la même qu'entre des parents et des enfants. Vous savez que ces enfants sont un peu vous. Vous pouvez faire d'eux ce que vous voulez mais dans certaines limites. A partir d'un certain moment, il n'y a plus rien à faire pour les changer, pour les modeler. Ils sont libres. Donc ils existent par eux-mêmes. Les êtres finissent toujours par vous échapper. C'est une expérience qui se retrouve aussi bien dans la vie que dans l'œuvre d'art : après avoir infiniment pensé à lui, travaillé pour lui, vécu pour lui, tout d'un coup la surface de l'autre se referme et devient lisse. Mais la relation n'en continue pas moins. Il m'arrive de causer avec Zénon. Quand je suis fatiguée, j'ai l'impression que nous sommes fatigués ensemble. Je crois que c'est un sentiment que tout le monde peut comprendre.

C. S.-S. – *Pourquoi avez-vous réécrit un certain nombre de vos livres avant de permettre leur réédition ? C'est le cas de* Denier du rêve *et d'une nouvelle de* La mort conduit l'attelage, *devenue le point de départ de* L'œuvre au noir ?

M. Y. – Parce qu'ils étaient trop mal faits. Mais ça n'est pas du tout un principe. Lorsqu'un livre me paraît aussi bien que je peux le faire, je ne le réécris pas, je me garde bien d'y toucher à moins qu'il n'y ait une erreur grave, que je me sois trompée de date ou quelque chose d'approchant. La plupart des écrivains ont une autre habitude : ils refont un autre livre sur les mêmes thèmes mais avec d'autres personnages. Ayant raté un roman qui se passait en Touraine, ils se précipitent pour en réécrire un autre qui se passe en Provence à peu près sur le même sujet, seulement Marie s'appelle Joséphine. C'est leur manière de refaire. Comme je suis fidèle à mes personnages, comme ils existent pour moi, je préfère partir d'eux pour refaire un livre. C'est à peu près la même chose que dans l'amour. On peut se demander s'il est plus utile de faire la connaissance de quelqu'un de nouveau chaque semaine ou d'approfondir les relations qu'on a. Je suis pour approfondir les relations qu'on a.

LOUIS GUILLOUX

*« C'est un lieu commun, aujourd'hui, de dire
que tout s'arrange avec les Frigidaire.
Et dans un sens, hélas! c'est vrai.
Mais ça passera. »*

Juillet 1976

Louis Guilloux ressemble à ses livres : rien en lui qui pèse ou qui pose. Et où donc se nicherait-elle, l'afféterie, dans cette figure simple, une figure de tous les jours, que les longs cheveux blancs eux-mêmes et l'ironie bleue, bienveillante, du regard ne réussissent pas à déguiser en figure d'homme de lettres ? Pourtant, cet homme que l'on imaginerait volontiers à Saint-Brieuc, dans le pays des artisans et des marins, a choisi d'établir sa demeure à Paris, rue du Dragon, c'est-à-dire au beau milieu du pays des intellectuels. Il est vrai que la rue du Dragon est ancienne, jolie, et qu'elle est à une portée de fusil des éditions Gallimard où fréquente Louis Guilloux, à un jet de pierre de cette place de Saint-Germain-des-Prés que hantent les ombres de ceux qui ont partagé ses batailles, Albert Camus, Jean Grenier...

L'appartement de Guilloux ne paye pas de mine, mais il a un avantage : c'est qu'il n'est pas trop difficile à décrire. Il contient plusieurs murs, quelques ampoules électriques, un plancher, une table, un certain nombre de livres, un lit – peut-être deux – d'un modèle maigre, ascétique, à mi-chemin du lit du soldat et de celui du moine, ce qui est une prouesse pour un homme qui ne connaît, de Dieu, que ses silences et qui n'est pas le meilleur ami des soldats. On remarque aussi une panoplie de poupées vénitiennes, poussiéreuses et comme fardées des peintures de la mort. Enfin, une odeur de pipe, fine, douce, irrémédiable que Guilloux émet autour de lui comme les pieuvres s'enveloppent d'encre. C'est là, dans ce décor d'étudiant dostoïevskien, qu'habite l'un des plus grands écrivains français, l'homme qui nous a donné un roman parmi les plus beaux de ce siècle, *Le sang noir*, publié en 1935.

Du *Sang noir* et de son inoubliable héros, Cripure, le pathétique professeur de philosophie, on a scrupule à parler. D'abord à cause de la hauteur de l'œuvre qui, après quarante ans, a conservé toutes ses énigmes, ses profondeurs de cristal noir, sa violence et ses douceurs. Mais surtout parce que l'illustration méritée du *Sang noir* a un peu occulté le reste de l'œuvre, également belle, depuis *La maison du peuple* (1927), *Le pain des rêves* (1942) et *Le jeu de patience* (1949) jusqu'à ces deux récits qui paraissent aujourd'hui : *Salido* et *O.K. Joe!*

Salido est un réfugié espagnol, un lieutenant des milices républicaines qui est dirigé, au début de 1939, sur un camp de réfugiés de la région de Toulouse. Mais Salido est une tête dure. Il s'organise pour éviter le camp et tente de gagner l'URSS. Il va à Paris, en compagnie d'une brave femme, Mme Gautier, mais, dans la grande ville anonyme, compliquée, ils échouent misérablement. La route de l'URSS reste coupée. Ainsi se trouvent ruinées les espérances de Salido lui-même, mais aussi celles d'un homme qui l'a beaucoup soutenu, un responsable du « Secours Rouge ». Ce responsable s'appelle Louis Guilloux.

Le second récit se situe quelques années plus tard, en 1945, dans un autre lieu, à Saint-Brieuc (la ville natale de l'auteur) et dans des circonstances nouvelles : le débarquement américain. Nous retrouvons Louis Guilloux qui est, à l'époque, interprète auprès du Tribunal militaire des forces américaines. On juge de nombreuses affaires. La plupart du temps, il s'agit de GI qui ont violé ou assassiné de jeunes paysannes. Les verdicts sont sévères : la mort par pendaison. L'étrange est que presque tous les accusés sont des Noirs. Un jour, cependant, comparaît un soldat blanc qui a commis également un meurtre. Jugement. Acquittement.

Tels sont les thèmes des deux récits : ils sont conduits à toute allure. Une série d'informations. Pas un apitoiement et pas une larme. A peine des colères. Pas de commentaires non plus. Louis Guilloux est impassible. Il ne juge jamais et, pourtant, pas un de ces mots bourrus, presque paysans, qui ne tombe comme un verdict implacable, moins du reste sur les hommes et sur leurs vilenies que sur les sociétés qui font des hommes ce qu'ils sont. Textes qui, sous couleur de conter un épisode mineur de l'histoire récente, nous plongent au cœur même des drames de ce temps. Il était alors naturel qu'à la plupart de nos questions, Louis Guilloux réponde par une discrète et grave réflexion sur l'Histoire.

Gilles Lapouge. – *D'un récit à l'autre, de Salido à O.K. Joe!, le décor, la plupart des personnages, l'époque changent. Si, pourtant, vous les avez groupés dans un même ouvrage, faut-il conclure qu'il existe un lien entre eux?*
Louis Guilloux. – S'il existe un lien, il est abstrait, intérieur. Une façon de voir la vie, une façon un peu noire. On m'a souvent accusé d'écrire des romans noirs. Ce n'est pas juste. Je regarde la vie. Je ne suis ni pessimiste ni optimiste. J'ai une façon personnelle de sentir la vie, de juger les choses auxquelles j'assiste. C'est gai, ou c'est triste...

G. L. – *Vous apparaissez dans les deux récits sous votre nom, Louis Guilloux – dans le premier, vous êtes un des responsables du Secours Rouge, en 1939, auprès des réfugiés espagnols. Dans l'autre récit, qui se passe à Saint-Brieuc, en 1945, vous êtes interprète auprès de la justice militaire de l'armée américaine. Il s'agit donc de souvenirs?*
L. G. – Il y a plusieurs années, déjà, que je travaille à quelque chose qui ressemblerait à des Mémoires. Les deux récits que je publie aujourd'hui auraient pu faire partie de tels Mémoires. Je les ai édités parce qu'ils étaient prêts.

G. L. – *Et vous allez nous débiter vos Mémoires comme cela, par tranches ?*

L. G. – Alors, ça, je ne sais absolument pas. De toute façon, ces souvenirs que j'écris, *L'herbe d'oubli*, ne suivent pas tous les moments de ma vie. Ce sont des flashes, des éclairages sur certaines époques. On ne va pas tout raconter, dans la continuité. Je m'ennuierais, et vous savez, si l'écrivain s'ennuie, le lecteur ne s'amuse guère non plus. De toute façon, je ne sais pas trop où je vais. Il ne faut pas savoir ce que l'on fait, prévoir ce que l'on va faire. Il faut laisser sa chance au hasard. Si on sait trop, on devient un fonctionnaire de la littérature, un « appliqué ». Je pense qu'il faut écrire ce qu'on a envie d'écrire, au moment où cela vient à l'esprit.

G. L. – *Il était également question, il y a quelques années, de cahiers ?*

L. G. – Ah, ça c'est autre chose. J'ai toujours noté des choses dans des carnets, depuis ma jeunesse. Maintenant, je commence à être loin de ma jeunesse. J'ai des réflexions, des choses sur le travail, sur les romans que j'ai faits et cela constitue des carnets qui pourraient faire un ouvrage, évidemment parallèle à ces souvenirs, mais pas du tout dans la même forme.

G. L. – *Votre présence dans chacun des deux récits ne constitue pas le seul lien entre Salido et O.K. Joe ! Dans les deux cas, vous vous trouvez confronté à des étrangers, des personnes déplacées.*

L. G. – C'est que, en France, les choses ont énormément changé après 1930. Dès 1934, 33 même, il est arrivé beaucoup de réfugiés allemands, autrichiens, chassés par le nazisme. Ensuite, il y a eu les réfugiés espagnols, civils et militaires. Ensuite, les soldats américains. Et cette question des gens chassés de chez eux... j'ai fait, en 61, un grand reportage, immense – enfin, par la géographie – de Hambourg jusqu'à Munich, Salzbourg, Vienne, l'Italie, la Grèce, dans les camps de personnes déplacées. C'était pour l'Organisation internationale des réfugiés, pas pour un journal. Je ne l'ai pas publié car mon voyage s'est terminé au moment où la guerre d'Algérie s'ache-

vait ; alors, je ne voulais pas publier ça parce que je ne voulais pas donner à penser qu'il pouvait y avoir des secours...

G. L. – *Là je vous prends en flagrant délit de pessimisme.*

L. G. – Je n'aime pas le mot, mais la vie est quand même comme ça. L'expérience est un peu pénible, depuis 1914, non ?

G. L. – *Et avant 1914, vous trouvez que c'était plus rigolo ? Le temps de Dickens ?*

L. G. – Bien sûr, ni du temps de Dickens, ni du temps de l'enquête de Vuillermé sur le travail en France vers 1830 ; c'était alors carrément la concentration, les camps, les enfants au travail vers six ou sept ans. On a fait des progrès, depuis, c'est exact, il faut compter avec les organisations ouvrières. En ces temps-là, du temps de Dickens, il n'y avait personne pour lutter. Mais ce qui me stupéfie, voyez-vous, c'est que les capitalistes ne sont pas des imbéciles, loin de là, et cependant, ils n'ont pas conscience que leur truc est foutu, que c'est bouché. S'ils ne font pas ce qu'il faut pour rétablir des conditions honnêtes, tout simplement, c'est foutu.

G. L. – *Vous dites le « capitalisme ». Mais, dans vos deux récits, l'oppression est surtout raciale. Dans le deuxième récit en tout cas : come traducteur-interprète de la justice militaire américaine à Saint-Brieuc, vous êtes sans cesse confronté au racisme.*

L. G. – Oui, j'occupais un observatoire privilégié pour apprécier le racisme. Le racisme des Blancs à l'égard des Noirs. Les soldats noirs se rendaient coupables de crimes contre les femmes. Ils assassinaient. Ils tuaient les femmes parce que les femmes ne voulaient pas se laisser violer. On les condamnait. Mais, le jour où il y a eu un Blanc assassin dans le box, le procès a duré la matinée à peine et, le soir, l'assassin est venu dîner au mess avec tout le monde.

G. L. – *Ne croyez-vous pas que le plus grave est que les soldats noirs américains, comme aujourd'hui tel immigré, sont placés, par la société, en situation telle qu'en effet, ils violent ou ils attaquent ?*

L. G. – Oui. C'est la société qui institue des différences monstrueuses entre les personnes. Et ensuite, elle se permet de châtier les uns et pas les autres.

G. L. – *Un autre lien entre les deux récits. Ils se réfèrent l'un et l'autre à une date qui nous paraît très ancienne : l'immédiat avant-guerre ou après-guerre.*

L. G. – C'est l'illusion d'optique de l'histoire. Le débarquement américain, ça paraît très loin. Mais ce que je cherche à retrouver, c'est le débarquement vu à l'instant où il se réalisait. Alors, il n'y avait pour ainsi dire plus de passé. L'avenir était ouvert. On a pu croire, en 1944, que l'avenir était libre, comme on l'a cru en 1918 ; qu'une ouverture allait se faire dans les choses, comme en 1917 pour la révolution bolchevique, qu'une chance était donnée à un bien, sinon au bonheur. Mais, aujourd'hui, les mêmes événements, vous les contemplez et il n'y a pas eu ce bien. Alors, quand on dit que je suis pessimiste, il y a de quoi l'être, non ?

G. L. – *Il y a de quoi l'être, mais seulement à proportion de l'espoir qui avait été ressenti.*

L. G. – Oui, et à proportion de ce qu'on appelle les « croyances ». Moi j'ai le malheur de ne pas croire en Dieu. Je ne compte donc pas sur l'éternité, je compte sur les hommes. Et, jusqu'à présent, je m'aperçois que c'est partout la même incapacité à dominer les choses, à conduire l'histoire au lieu de la subir. C'est la grande ambition des hommes, de conduire l'histoire ; eh bien ! ça ne marche pas, il se peut que ça marche un jour, mais, pour l'instant, non.

G. L. – *L'histoire est rétive.*

L. G. – L'histoire ? Ce sont les hommes qui sont rétifs..., incapables...

G. L. – *Mais la situation historique qui règne dans vos deux récits, 1939, puis 1945, pensez-vous qu'elle ait encore du sens, aujourd'hui ? Plus précisément, la guerre d'Espagne vous paraît-elle conserver son énergie ? A-t-elle valeur de référence, de modèle ? Ou bien, tout cela, est-ce révolu ?*

L. G. – Il faudrait dénier, alors, toute espèce d'énergie à la Commune. Ce n'est pas le cas. Nous parlions tout à l'heure de Vuillermé, de ce prolétariat de 1830, écrasé, qui va pieds nus, n'a pas de quoi manger, chez qui la mortalité est à trente ans. Or, ce prolétariat fait 48, il fait la Commune, il fait 14, il n'est pas composé de pauvres types. Voilà : il ne faut pas dénier toute valeur d'exemple, de courage, de force à ces gens-là, pas plus qu'à ceux de la guerre d'Espagne.

G. L. – *Vous parlez des hommes. Je pensais plutôt à une situation. Depuis 1945, les acteurs sont peut-être les mêmes, mais le décor, le scénario, tout a été redistribué. Alors, les acteurs de 1939, de 1945, est-ce qu'ils ont encore leur rôle dans le nouveau théâtre ?*

L. G. – Ils n'ont plus leur lieu, plus leur rôle. Ils ont leur valeur, ils sont exemplaires, mais c'est vrai qu'ils sont caducs en face de la société telle qu'elle est devenue, une société bouchée, embourbée, confuse, chaotique et moralement ignoble. C'est un lieu commun, aujourd'hui, que de dire que tout s'arrange avec les Frigidaire. Et dans un sens c'est vrai. C'est vrai, hélas! Mais ça passera aussi. Tenez, les drugstores c'est ce qu'il y a de plus bas dans l'idée de négoce, on pourrait appeler notre civilisation la civilisation du drugstore. Ce qui signifierait ceci, que le drugstore n'est pas à la hauteur du crime d'Auschwitz. Il eût fallu une autre réponse. Il n'y en a pas eu. Nulle part. Si Hitler revenait, il se dirait : « Mais enfin, pourquoi se gêner ? Tout cela est si méprisable. On peut le foutre dans la chambre à gaz, non ? » Je ne sais pas si vous écrirez ça.

G. L. – *Vous revenez souvent à l'histoire. Dans tout ce que vous écrivez, il en est ainsi, mais de façon ambiguë. Vous êtes très proche de la politique. Et en même temps, vous n'êtes pas ce qu'on appelle un écrivain « engagé ».*

L. G. – J'ai horreur de l'engagement. S'engager, c'est une folie, disait la chanson.

G. L. – *Dans l'armée...*

L. G. – Dans l'armée, mais c'est partout des armées.

G. L. – *L'avant-garde littéraire, c'est une armée ?*

L. G. – L'avant-garde? Laquelle?

G. L. – *Malgré tout, vos livres exercent un certain rôle, ils ont certains effets, y compris dans le champ politique.*

L. G. – Mes livres? Mais, moi aussi, vous savez. A partir de 1930, et jusqu'à la guerre, j'ai été responsable du Secours Rouge dans ma région. J'étais très engagé, mais pas dans un parti. Le Secours Rouge avait une obédience politique, mais moi je n'étais pas inscrit au Parti. Ce qui m'importait, c'était d'intervenir pour sauver les gens chassés de chez eux. C'est tout.

G. L. – *Vous interveniez en tant que personne privée. Au contraire, un homme comme Sartre, par exemple, met sa puissance d'écrivain au service d'une certaine action.*

L. G. – Il a raison. Je l'approuve. Moi, j'étais plus modeste, avec de bonnes raisons de l'être. J'intervenais sur le terrain, directement, très conscient d'une chose, c'est que dans ma ville de Saint-Brieuc, la région dont j'avais la responsabilité, j'étais tout à fait indépendant et sans patrons. Et comme, d'autre part, je parlais le même langage que le préfet, je pouvais obtenir des choses que les camarades des syndicats ne pouvaient pas obtenir.

G. L. – *Vous demeurez un solitaire. Est-ce que vous vous reconnaîtriez comme anarchiste, libertaire?*

L. G. – Je les aime beaucoup, les anarchistes, mais ils sont un peu trop... organisés, non? Et puis, c'est applicable à des sociétés moins nombreuses que les nôtres. C'est comme le socialisme utopique, Saint-Simon, tout ça, c'est intelligent, généreux, mais pour des sociétés maigres, pour des petits groupes. Il reste que je suis imprégné de ce socialisme-là, mais d'un socialisme pratique. Mon père était secrétaire de section, avant 1914; les réunions avaient lieu chez nous et c'est moi qui portais les convocations.

G. L. – *Votre père était cordonnier. C'était une manie, entre les deux guerres, pour les écrivains, d'être fils de cordonnier: Giono, Guéhenno...*

L. G. – Giono, je ne l'ai pas connu.

Guéhenno, oui, il était de Fougères, lui, mais il est allé aux écoles.

G. L. – *Vous aussi. Vous êtes allé au lycée.*

L. G. – J'en suis parti.

G. L. – *Mais Cripure, le professeur du* Sang noir, *c'est un personnage que vous avez connu, votre professeur?*

L. G. – Oui, je l'ai eu pour professeur de morale, mais pas en classe de philo, en 3e. C'est plus tard que je suis devenu son ami.

G. L. – *Et ensuite, vous avez été journaliste?*

L. G. – Vers vingt et un ans. Je me suis présenté un jour à Fernand d'Yvoire, qui était rédacteur en chef de *L'Intran*, pour lui proposer un conte. J'étais complètement ignorant des mœurs des journaux. Je suis allé au Croissant, dans ces très vieux locaux...

G. L. – *Près du café où Jaurès a été assassiné?*

L. G. – C'est ça. Et il a pris mon conte, il l'a lu. J'ai su après que c'était un exploit: un type complètement inconnu et le rédacteur en chef qui lit sa copie, tout de suite. En même temps, il me faisait des signes avec ses doigts, ça m'inquiétait, c'est qu'il comptait les fautes d'orthographe. Enfin, il l'a publié. Et puis il m'a dit: «Qu'est-ce que vous savez faire?» J'ai dit: «Je ne sais rien faire, mais je connais l'anglais.» «Ah bon, dit-il, voilà le *Daily Mail*. Lisez les premières lignes.» Et je suis entré au service Étranger. J'y suis resté quatre ans. Mais je me bornais à lire les journaux anglais. Ce n'est pas du tout compromettant d'être journaliste dans ces conditions-là.

G. L. – *Parce que être journaliste, en général, c'est compromettant?*

L. G. – Toujours un peu, non?

G. L. – *Et si vous travailliez dans le journal de vos rêves?*

L. G. – Il n'y en a pas.

G. L. – *Le journal de vos rêves, s'il existait, il aurait un seul lecteur, non? Pourtant, vous avez quand même écrit dans les journaux. Vous avez fait une interview?*

L. G. – Vous savez ça? Mais ça a raté.

Ce n'était pas pour *L'Intran,* mais pour *Le Petit Journal* où j'étais le secrétaire de René Jeanne. Il m'a prié un jour d'aller à Épinay dans les studios Gaumont, je crois, car on allait y recevoir Clemenceau de qui on venait d'adapter au cinéma un roman qui s'appelait *Le secret du bonheur,* ou *Le voile du bonheur,* quelque chose comme ça. Il y avait beaucoup de monde dans le studio. Cent personnes, des types de cinéma, des journalistes, dont j'étais. Après une bonne heure d'attente, voilà Clemenceau, le chapeau melon sur l'œil, conduit par un certain M. Pons qui l'accompagnait partout. Il était assis à une petite table sur laquelle il y avait des objets chinois car le roman se passait en Chine. Tout le monde s'est approché de Clemenceau. Clemenceau est resté muet. Il n'a rien dit. On a tiré une photo de famille. On ne l'a pas entendu. Je n'ai pas fait d'interview.

G. L. – *Vous êtes un très mauvais interviewer. Reconnaissez que je suis meilleur, vous parlez déjà depuis une heure. Mais, si je vous parle de journalisme, c'est que votre manière d'écrire s'apparente à celle d'un très bon reporter – un style rapide, précis et maigre, sans rien d'inutile, tout en actes.*

L. G. – Eh bien! vous voyez, je n'ai jamais fait de vrai reportage. Si on m'avait envoyé faire des enquêtes au bagne de Cayenne, par exemple, j'aurais été très content.

G. L. – *Vous allez au cinéma, vous regardez la télévision?*

L. G. – La télévision, j'aime bien les émissions avec les hommes de science, ce sont des gens simples, responsables. Je ne regarde pas les émissions sur les écrivains, non, ce n'est pas intéressant. Quant au cinéma, c'est tellement mauvais, je n'y vais pas.

G. L. – *Vous lisez les romans qui paraissent?*

L. G. – J'essaie un peu, mais je ne persévère pas. Le « Nouveau Roman », par exemple, non, ce n'est pas ma direction.

G. L. – *Vous citez souvent une phrase de Sainte-Beuve: « Il faut toujours casser la glace qui se forme autour du bateau. »*

L. G. – Oui. Ne pas se laisser prendre par les glaces. A ce propos, j'ai vu au Danemark de grands bateaux de bois pour aller dans le Nord. Vous savez pourquoi ils sont en bois? Parce que la glace ne les brise pas. Ils remontent, tandis qu'un bateau en fer se laisse coincer. A Copenhague, oui, j'ai vu ça.

G. L. – *Ma question était celle-là, justement: vous dites ne pas vous intéresser au roman actuel, à la télévision, au cinéma. Vous écrivez sur la période 39-45. Est-ce que vous n'êtes pas pris dans la glace du temps? Est-ce que vous êtes un bateau en bois, ou bien en fer?*

L. G. – Mais pourquoi je ne m'intéresse pas au nouveau roman? Je pense, j'ai toujours pensé que le roman n'est pas aussi mort qu'on le croit, mais il a été détourné de sa destination première qui est de parler au grand nombre. Dès qu'il s'adresse au petit nombre, le roman devient conférence. C'est le cas du nouveau roman, du roman d'avant-garde. Il n'y a ni avant-garde ni arrière-garde. Il y a des écoles. A bas les écoles! En réalité, il faut conduire une aventure personnelle. Si on ne se met pas en question, si on ne court pas une vraie aventure, au bout de laquelle on sera vainqueur ou vaincu, avec le risque de se casser la gueule, alors, ça n'a aucun intérêt.

G. L. – *Vainqueur ou vaincu? Qu'est-ce que cela veut dire? Votre ami Cripure, dans Le sang noir, dit que le drame, ce n'est pas de mourir, mais de mourir volé et que, de toute façon, on meurt volé. Alors, pas de vainqueur, pas de vaincu, et dans tous les cas, la vie serait dérisoire?*

L. G. – C'est ce que je crois. Il faut croire à l'histoire pour attendre la survie dans l'héroïsme, l'exemple historique. Mais l'histoire finira. Ceux qui croient autrement font un pari sur l'infinité. Or, nous sommes en 1976, seulement cinq mille ans d'histoire peut-être, alors que la terre, et même l'espèce humaine, c'est par millions d'années que ça se compte. Est-ce que tout cela va durer encore aussi longtemps? Est-ce que ça va durer à l'infini? C'est impensable. Donc, toutes nos ambitions héroïques sont destinées aussi à l'oubli ou à l'enterrement.

G. L. – *Et, malgré cela, vous ne semblez pas tenir toutes les existences pour dérisoires puisqu'elles ne sont pas semblables. Vous portez des jugements de valeur. Vous dites : les drugstores c'est moche. Donc il y a du dérisoire, et du moins dérisoire.*

L. G. – Ah oui, ça veut dire autre chose. Ça veut dire qu'il y a quand même un choix nécessaire, donc une morale. On ne fait pas n'importe quoi. On n'admet pas n'importe quoi. On juge. On sent. Les thèses de Camus sur l'absurde sont exactes. Le monde est absurde. Mais à l'intérieur de ce monde absurde, et Camus lui-même le découvre dans *Le mythe de Sisyphe,* il y a une option obligatoire. Un choix. Un bien et un mal. Essayons de vivre dans l'absurde total pendant huit jours. Ce n'est pas possible. On devient fou. Il faut choisir. C'est ce choix qui constitue, qui institue une morale, un ordre.

G. L. – *Il y a une autre option, celle d'Ivan dans* Les frères Karamazov *de Dostoïevski, vous vous rappelez, quand il dit : « Alors, si Dieu n'existe pas, tout est permis ? »*

L. G. – Et il dit aussi : « Je ne refuse pas de croire à ton paradis, mais il coûte trop cher et, poliment, je rends mon billet. » Poliment, c'est magnifique. Bien sûr, Ivan rend son billet, mais à partir de là, il devient le responsable d'une chose qui est monstrueuse, l'assassinat de son père, qu'il ne commet même pas, qu'il laisse commettre. Et au procès de son frère, vous vous rappelez, Ivan se tourne vers l'assistance et il dit : « Se peut-il que tout soit si bête ? » Cela, oui, cela va loin.

G. L. – *Donc, toutes les morts sont peut-être volées, elles ne sont pourtant pas dérisoires puisqu'elles ne sont pas équivalentes. Il n'est pas égal d'avoir commis le mal, le bien.*

L. G. – Tout n'est pas dérisoire, oui, tout est peut-être lâche. Nous critiquons avec de fortes raisons la société qui nous entoure. Mais quelle est la raison profonde de notre malaise ? C'est que nous acceptons ce que, en même temps, nous

refusons. Essayez donc d'avaler un aliment que vous détestez. Vous allez vomir. C'est ce que nous faisons chaque jour. La plupart des gens passent leur temps à vomir, à avoir envie de vomir.

G. L. – *Tout à l'heure, vous avez parlé de Dieu, vous avez dit que vous n'avez pas la foi. Cette absence de Dieu, est-ce qu'elle vous tourmente ? Par exemple, Camus était agnostique, mais son agnosticisme n'était pas paisible. Il était anxieux.*

L. G. – Mettons qu'il y a quelque chose comme cela aussi, chez moi. Mais, comme disait Jean Grenier, qui était le maître de Camus et qui est mon ami depuis ma dix-huitième année, c'est à Dieu de faire le premier pas. En ce qui me concerne, il ne l'a pas fait. S'il le fait, on verra, je reste ouvert.

G. L. – *Il attend peut-être derrière la porte, avec un bouquet de fleurs, mais il est timide, Dieu.*

L. G. – Je n'en sais rien. Enfin, ça reste un problème. Je ne suis pas du genre anticlérical, je ne l'ai jamais été. Je connais des gens qui sont des rationalistes à tout crin, des gens assez limités. Dieu est un problème, mais il se trouve que je ne pense pas à lui, et que lui ne pense pas à moi.

G. L. – *Il est distrait ?*

L. G. – Absent.

G. L. – *Dans une interview, en 1949, vous disiez : « Encore dix ans, et ce sera la vieillesse. » En 1949, vous aviez cinquante ans. J'avais trouvé votre réflexion étrange.*

L. G. – Oui, je pensais qu'en 1959, j'aurais soixante ans. Aujourd'hui, j'en ai soixante-dix-sept. Et il est vrai que soixante ans, ce n'est pas vieux. Je disais ça ; je le croyais.

G. L. – *Vous étiez donc obsédé par le vieillissement dès l'âge de cinquante ans ? Et aujourd'hui, vous avez presque vingt ans de plus que l'âge qui vous paraissait alors si vénérable. Êtes-vous surpris par vous-même, par votre manière de vivre, aujourd'hui ?*

L. G. – Je crois que la nature vous accompagne à tous les âges et on finit non pas par accepter comme ça, facilement, mais on s'arrange avec certains ralentissements, certaines difficultés, jusqu'au moment où on sentira que ça va s'arrêter.

G. L. – *Mais, ce vieillissement, vous l'éprouvez de quelle façon, c'est une tragédie, une révolte...?*

L. G. – Je trouve cela injurieux.

G. L. *J'avais vu Jean Giono, assez tard dans sa vie, mais il n'était pas tellement âgé puisqu'il est mort à, je ne sais pas, soixante-dix ans... Il avait de graves crises de rhumatisme. Et il me disait, mais c'était un menteur fieffé, Giono, un menteur génial, il me disait : « Je jouis à chaque instant de vieillir parce que je bouge moins, le temps coule moins vite, je goûte chaque instant avec plus de sensualité. Je ressens le sentiment délicieux, à chaque seconde, de l'irrémédiable.*

L. G. – Montaigne...

G. L. – *Ça vous paraît un peu littéraire ?*

L. G. – De la part de Montaigne, non.

G. L. – *Et pour Giono ? Un effet de style, ou une manière de nier qu'il vieillissait dans la terreur ?*

L. G. – Pour moi, voyez-vous, le fond du problème, c'est qu'à partir d'un certain âge, non seulement les capacités sont différentes, mais encore la capacité d'entreprendre. On sait d'une façon certaine qu'on n'aura pas le temps de faire ce qu'on a envie de faire, et cela est ennuyeux.

G. L. – *Il doit y avoir également ceci : que l'âge entraîne une raréfaction des liens aux autres, puisque des compagnons disparaissent, alors que l'aptitude à contracter de nouveaux liens, d'autres amitiés, diminue. La vieillesse est seule.*

L. G. – Oui, ça se dépeuple, c'est dramatique. Mais, pour ce qui est de découvrir de nouvelles amitiés, non, en ce qui me concerne, je ne crois pas. C'est toujours pareil, aussi spontané, j'ai de nouveaux amis, des gens que j'ai rencontrés il y a très peu de temps. Je suis capable de former des amitiés, aujourd'hui comme jadis, aucun changement.

G. L. – *Voilà un point au moins, l'amitié, sur lequel vous êtes optimiste. Cela vous donne donc droit à une dernière question. Il y a quelques années, vous étiez passé à une émission de télévision, Ouvrez les guillemets.*

L. G. – Ah bon, et pourquoi donc ?

G. L. – *Vous aviez reçu un prix, peut-être ?*

L. G. – Le prix de l'Académie française, je suppose.

G. L. – *En tout cas, on vous avait demandé si vous entreriez à l'Académie française au cas où on vous solliciterait. Et vous aviez donné une réponse évasive, qui m'avait surpris, ce n'était pas dans votre style.*

L. G. – Écoutez. Elle était évasive, en effet, mais je n'allais pas dire, au moment même où je recevais un prix de l'Académie, que je refuserais, si le cas se présentait, d'entrer à l'Académie. Je suis un homme courtois. Et comme vous le voyez, je n'y suis pas, à l'Académie. C'est ainsi. Ma résolution est celle-là.

JACQUES LAURENT
dit aussi
CÉCIL SAINT-LAURENT

« J'ai toujours essayé de multiplier mes vies.
Il me plaît beaucoup de déjeuner
avec un petit gangster
et de dîner avec un diplomate. »

Novembre 1977

Jacques Laurent est né en 1919 à Paris. A partir de là, pour le suivre à la trace, il faut toute une brigade d'inspecteurs littéraires. C'est que, s'il ne mesure qu'un mètre soixante-cinq, il pèse des tonnes de livres et d'articles publiés en partie sous son vrai nom, mais pour la majorité sous des pseudonymes divers, le plus célèbre étant Cécil Saint-Laurent, Cécil faisant féminin, Saint-Laurent américain, à la manière de Margaret Mitchell et Kathleen Winsor, best-sellers de l'après guerre. Auteur de *Caroline chérie, Lucrèce Borgia, Prénom Clotilde, Hortense 1914-1918, Captain Steel* – roman dans le goût américain qui se passe pendant la guerre de Sécession et qui vient d'être réédité (Albin Michel) –, *La bourgeoise*, etc., Cécil Saint-Laurent est un historien feuilletoniste et un romancier populaire dans la tradition du XIXᵉ siècle.

Jacques Laurent, lui, auteur du *Petit canard*, des *Bêtises*, prix Goncourt 1971, d'*Histoire égoïste*, une autobiographie intellectuelle et politique parue l'année dernière, est un auteur d'aujourd'hui, exigeant sur la forme, engagé sur le fond. Engagé dans le non-engagement, dans la liberté pour l'écrivain d'être indépendant de tous les pouvoirs autres que ceux de l'esprit et de la culture et disponible aux caprices de son cœur comme aux foucades de sa conscience. D'où la verve insolente de Jacques Laurent dans *La Table Ronde*, *La Parisienne*, revue qu'il a fondée, *Arts* qu'il a dirigé pendant cinq ans. D'où ses talents de pamphlétaire dans des livres acérés contre Sartre, de Gaulle et Mauriac.

Il y a encore le Jacques Laurent scénariste et dialoguiste, le Jacques Laurent historien, le Jacques Laurent critique, le Jacques Laurent peintre... La fécondité de cet homme fluet est prodigieuse. On remarque moins la fossette de son menton depuis que son visage est coupé de rides, mais brille toujours dans son œil la petite flamme de l'ironie et de la curiosité.

Et c'est peut-être encore un nouveau Jacques Laurent, somme de tous les précédents, qui publie chez Gallimard *Roman du roman*, un essai sur le roman, une histoire du roman, en même temps que des souvenirs de Jacques Laurent, lecteur et romancier débutants. Admirable livre frémissant de culture et de sensibilité, traversé de partis pris et d'enthousiasmes où, dans une langue claire et belle, Jacques Laurent fait l'éloge du roman, « premier art tout terrain », et du romancier « qui n'est le père d'aucun autre parce que nul n'est le père d'un démiurge ». Les rapports du roman avec la poésie, avec l'humour, avec les sociétés, avec l'histoire, avec la modernité : tout y est, et avec saveur. Mais on ne parlera pas de psychosociologie du roman : un peu réactionnaire, Jacques Laurent n'aime pas ce langage-là. « Roman du roman » est incontestablement une plus jolie formule.

Bernard Pivot. – *Un jour, vous m'avez déclaré ceci : « Un roman, je ne sais pas ce que c'est; d'ailleurs tout le monde a renoncé à expliquer de quoi il s'agit. »*
Jacques Laurent. – Oui, vous me rappelez une phrase que j'avais oubliée et qui prouve que j'ai toujours été un peu écrasé par le problème du roman, par la bizarrerie du roman. On peut beaucoup plus facilement comprendre l'élan poétique; on peut beaucoup plus facilement comprendre la sculpture parce qu'on a des mains; on peut comprendre un traité politique ou philosophique dont l'objectif est de convaincre, mais le roman, cette création latérale au monde d'un autre monde, je me suis toujours demandé au fond ce que c'était et pourquoi j'avais besoin d'en écrire et d'en lire. Et toujours je me puis posé cette question un peu en pure perte. Et c'est probablement parce que j'en avais assez qu'elle se pose en pure perte que je me suis mis à écrire cet essai sur le roman qui est en même temps un livre de souvenirs sur mes débuts dans le roman comme lecteur et romancier. Je suis des deux côtés de la barricade.
B. P. – *Vous êtes surtout du côté du lecteur ?*
J. L. – Je suis du côté du lecteur parce que tout auteur est d'abord un lecteur.
B. P. – *Vous arrive-t-il de relire vos romans ?*
J. L. – Non, je ne les relis pas. J'ai peur d'ailleurs de les relire car, chacun étant associé à une période de ma vie, je ne

peux pas me décrasser suffisamment l'esprit pour que la mémoire ne vienne pas perturber ma lecture. A l'époque où je peignais, quand je revoyais un de mes tableaux, c'était toute l'atmosphère dans laquelle j'étais au moment où je l'avais peint qui revenait. Avec un livre c'est la même chose : je suis envahi par l'atmosphère, par les anecdotes, par les incidents de ma vie à l'époque où je l'ai écrit. *Le petit canard*, par exemple, j'en ai écrit une partie en Sicile, au cours d'une crise de coliques de la vésicule biliaire. Eh bien, si je relis *Le petit canard*, je suis de nouveau en Sicile et je souffre. Donc je ne peux pas être un vrai lecteur de mes livres.
B. P. – *Le petit Jacques Laurent qui n'écrivait pas encore, mais qui était lecteur et un lecteur assidu de romans, est-ce qu'il n'avait pas l'impression d'exister plus par les créatures qu'il rencontrait dans les romans que par lui-même ?*
J. L. – Mais aujourd'hui encore je mêle dans ma tête des personnages romanesques et des personnages que j'ai connus dans ma vie quotidienne! Il est bien certain que pour un lecteur de romans une partie de sa vie se passe avec les personnages des romans qu'il aime, surtout quand on est très jeune, ça va de soi, parce qu'alors il ne vous arrive pas grand-chose. Toute la nourriture des nerfs, elle est dans le roman. C'est pourquoi je suis sûr qu'entre treize et dix-sept ans, j'ai au moins autant vécu dans le

roman que dans la réalité. J'ai été très amoureux à quinze ans et demi et immédiatement je me suis comparé à des personnages de roman. Mon amour, qui était réel, tout à fait réel, mon amour ne se nourrissait pas plus de l'objet aimé que de tous les excitants, de toutes les réflexions que le roman pouvait apporter autour d'une passion.

B. P. – *Il s'agissait de quels romans à l'époque?*

J. L. – A l'époque où j'étais amoureux, j'étais dans ma période stendhalienne. Je lisais *Le Rouge et le Noir*. Certes je n'avais pas du tout les mêmes réactions que Julien Sorel, je ne lui ressemblais pas, mais à certains moments je pouvais m'identifier à lui, l'imiter. Il y a, par exemple, des moments de timidité dans Stendhal : je compte jusqu'à 10 et je lui prends la main. Eh bien, il se trouve que je l'ai vécu aussi, pas dans le parc d'une maison de campagne comme Julien Sorel, mais dans un cinéma. Je compte jusqu'à dix et je lui prends la main; je compte jusqu'à cinquante et je l'embrasse près de la bouche, etc. A cet âge-là, qui pouvait m'initier à la vie si ce n'est le roman ?

Il arrive même que pour un bon lecteur de roman la fiction l'emporte en intensité, en saveur, en vérité sur la réalité. Ainsi Jacques Laurent à table.

« Ma meilleure omelette, je l'ai mangée dans Le Tour de la France par deux enfants, *mes plus succulents petits déjeuners je les ai partagés avec Sherlock Holmes et le docteur Watson et je ne peux manger de rillettes lorsqu'elles sont très bonnes sans retrouver la brune confiture du* Lys dans la vallée. *Même je mange parfois du cervelas en hommage à l'appétit d'Hemingway chez Lipp. Et Colette! Ses ragoûts s'évadent du livre pour embaumer, ils ont des couleurs de chaume, de chats, de pierres et souvent on assiste à leur préparation comme on écouterait de la musique. Non seulement Françoise me prépare de divines et féminines asperges, une crème au chocolat fugitive et légère*

« comme une œuvre de circonstance », mais Proust m'apprend les recettes de Swann pour la sauce gribiche et la salade d'ananas, et il me régale avec le miel d'un dallage, la brioche d'un clocher et des odeurs qui, lorsqu'elles se lient, « cuisent, lèvent, se dorent comme un gâteau provincial ». Je déteste toutes les dindes sauf celle que le curé des Lettres de mon moulin *rêve de savourer, la messe finie. Seule la pièce montée de* Madame Bovary *ne me met pas l'eau à la bouche mais l'intention de Flaubert était autre; ethnologue il me renseignait sur les mœurs de la petite-bourgeoisie normande et ne l'oubliait pas alors que Dumas perd presque son propos quand il choisit des chapons et des vins pour les personnages qu'il aime. A douze ans, condamné par le médecin à un demi-jeûne, je me suis nourri délicieusement à la table des Mousquetaires. »* (Roman du roman, *page 82.*)

B. P. – *Comment le romancier, vous en particulier, choisit les noms de ses personnages?*

J. L. – J'aborde ce sujet dans mon livre parce qu'on n'en parle jamais et que c'est pourtant capital. Proust en a parlé, mais les romanciers en général se sont fort peu expliqués sur le choix des noms de leurs personnages. Moi, j'essaie des noms, comme j'essaierais des souliers. Ça ne marche pas, ça marche un peu, et puis, tout d'un coup, j'ai trouvé le nom qui adhère à mon personnage.

B. P. – *Et comment savez-vous qu'il adhère?*

J. L. – Parce qu'à ce moment-là il existe, mon personnage! Tout d'un coup je me sens à l'aise avec lui. Dans *La bourgeoise*, un de mes personnages n'arrivait pas à exister. Je lui ai essayé plusieurs noms. Ils ne collaient pas. Rien à faire. Et puis, soudain, j'ai senti qu'avec Alavoine, c'était exactement lui. Il y avait en lui un mélange de très vieux français que prouve bien le nom d'Alavoine. Il avait des aspects féminins que le Ala peut rendre. Et peut-être une certaine mollesse comme l'avoine. Enfin j'étais à mon aise avec lui et à partir du moment où il s'est appelé Alavoine il s'est mis à vivre.

B. P. – *C'est une question d'oreille?*

J. L. – Je crois que c'est une question d'oreille.

B. P. – *Caroline..., Hortense... Et tant d'autres! Pourquoi les femmes sont-elles les personnages dominants des romans de Cécil Saint-Laurent?*

J. L. – Parce que Cécil Saint-Laurent ayant la volonté de restituer une époque, de la décrire, de la rendre, préfère avoir une héroïne centrale à un héros central. A tort ou à raison, il pense, je pense qu'une femme reflète plus entièrement son époque qu'un homme. Pour prendre un exemple grossier, mais apparent : dans le même milieu une femme sera beaucoup plus sensible aux mouvements de la mode qu'un homme, les connaîtra mieux, les interprétera avec plus de constance et de soumission que l'homme.

B. P. – *A propos de mode, on vous a beaucoup reproché d'avoir fait une histoire des dessous féminins – sujet futile selon certains.*

J. L. – Je ne pense pas qu'un sujet soit par lui-même frivole ou important ou grave, ou respectable. C'est la manière dont on le traite qui le rend tel. A travers l'histoire du dessous féminin, dans laquelle je suis remonté des Sumériens à nos jours, eh bien! j'ai écrit une histoire des rapports de la femme avec son entourage social, avec son propre corps, avec l'amour, mais aussi avec le sport, avec la culture. Mon projet était d'ailleurs plus ambitieux : je voulais faire aussi, dans le même livre, l'histoire du bijou, l'histoire du parfum, l'histoire du fard, et même l'histoire de la démarche parce que les femmes n'ont pas eu le même port, comme on disait au XVIIᵉ, selon les époques : les femmes du XIVᵉ se promenaient les épaules en arrière et le ventre bombé. Et, à la vérité, je voulais donner une contribution à une histoire qui n'existe pas encore, qui serait une histoire de la sensibilité, et qui toucherait même tous les rapports existant entre nous et notre corps, entre notre corps et nos vêtements, entre notre corps et les autres corps qui nous entourent et les regards que nous recevons. Je déplore qu'il n'y ait pas au Collège de France une chaire d'histoire de la sensibilité, qu'elle ne devienne pas une matière sur laquelle des gens qui en ont le loisir pourraient collationner énormément de documents. Évidemment la manière de faire l'amour ferait aussi partie d'une histoire de la sensibilité, mais elle ne devrait pas du tout être réduite à son seul aspect érotique. Ce serait aussi une histoire des sens. Maintenant on commence seulement à se douter qu'il y eut des époques où l'odorat de l'homme était plus développé qu'aujourd'hui. J'ai donc fait ce livre dans cet esprit de recherche. D'ailleurs les gens qui l'achètent avec l'espoir d'y trouver toutes sortes de récits frivoles sont amèrement déçus.

B. P. – *Revenons au romancier : sa liberté est totale?*

J. L. – Non, elle doit être grande, mais pas totale. Je cite à un moment cette phrase de Kant sur Platon quand il dit que Platon est pareil à une colombe qui maudit la résistance de l'air qui l'empêche d'aller plus vite et qui oublie que c'est cette résistance de l'air qui lui permet de voler. Libre est le romancier, il crée un monde à sa guise, mais il le fait sur le bord du monde qui existe. Sa liberté en est très réduite. C'est celle de la colombe.

B. P. – *Pas un mot dans votre livre sur les romans de science-fiction?*

J. L. – Je suis très peu sensible à la science-fiction, justement parce que la latitude de liberté du romancier y est excessive.

Quelle que soit la question, Jacques Laurent reste calme. C'est-à-dire qu'il fait passer toute sa nervosité dans des cigarettes qu'il fume avec une évidente sensualité, en tirant dessus avec gourmandise. Sitôt le mégot écrasé dans le cendrier, il prend une cigarette dans un paquet; sitôt le paquet terminé, il ouvre un petit sac d'homme en cuir pour en sortir un autre paquet.

B. P. – *A la fin de* Roman du roman *on trouve la liste des œuvres du même auteur : Jacques Laurent. Mais les* *œuvres de Cécil Saint-Laurent n'y sont pas mentionnées...*

J. L. – Jamais, sur aucun des livres de Cécil Saint-Laurent, les œuvres de Jacques Laurent n'ont été mentionnées, ni sur aucun livre de Jacques Laurent les œuvres de Cécil Saint-Laurent. Je ne dis pas que je m'adresse forcément à deux publics différents, encore que ce soit vrai : il y a des lecteurs de Cécil Saint-Laurent qui ne pourraient pas souffrir un livre de Jacques Laurent et il est des lecteurs de Jacques Laurent qui, par principe ou par goût, n'apprécieraient pas un livre de Cécil Saint-Laurent. Et puis il y a un public mixte qui lit les deux. Mais je veux prévenir qu'il s'agit de deux œuvres différentes. Il ne faut pas que le public puisse se tromper sur un livre que je lui donne. Si Bergson avait écrit des romans policiers, il aurait eu tort de les signer du même nom. Parce que *Le rire* après tout aurait pu être un roman policier et ce serait même un titre très impressionnant dans la Série Noire, mais ce n'était heureusement pas un roman policier parce que, signé de Bergson, il aurait déplu à sa clientèle philosophique et, à cause du nom, il n'aurait pas attiré la clientèle des romans policiers. Je pense donc que la séparation des œuvres de Jacques Laurent avec celles de Cécil Saint-Laurent est d'abord un acte d'honnêteté qui correspond en même temps chez moi à des dispositions d'esprit différentes : quand je fais un Cécil Saint-Laurent, je dicte, je me laisse davantage emporter par les événements, je me permets de rester beaucoup plus au niveau de l'histoire, des péripéties, alors qu'un livre de Jacques Laurent je l'écris et c'est un livre où je cherche quand même la métaphore de ma propre vie d'une manière plus exigeante, ce qui ne veut pas dire que je préfère l'un de ces genres à l'autre, mais je ne veux pas les mélanger, pas plus que je ne mélangerai dans ma bibliothèque des livres de Proust et des livres de Dumas, ce qui ne m'empêche pas de les aimer tous deux.

B. P. – *Considérez-vous Jacques Laurent comme un écrivain du premier rayon et Cécil Saint-Laurent un écrivain du second?*

J. L. – Non, pas plus que je ne considère que Proust est un écrivain du premier rayon et Dumas un écrivain du second. Je ne crois pas qu'on puisse classer les romans par genre. C'est Malraux qui avait voulu qu'à la Comédie-Française on joue davantage des tragédies parce qu'il trouvait la comédie un peu méprisable. Je ne vois pas en quoi on peut placer la tragédie au-dessus de la comédie. Je ne crois pas du tout qu'on puisse faire un classement par genre. C'est une idée professorale – une partie de mon livre est orientée contre ce classement professoral – que je n'ai jamais ressentie. Un écrivain dit populaire qui est vraiment un romancier, qui arrive à créer et animer un univers, il est pour moi très grand, il n'est point méprisable, et je le situe bien évidemment très au-dessus d'un petit écrivain intellectuel.

B. P. – *Qu'est-ce que Jacques Laurent apprécie dans Cécil Saint-Laurent, et Cécil Saint-Laurent dans Jacques Laurent? Qu'est-ce que Jacques Laurent reproche à Cécil Saint-Laurent, et inversement?*

J. L. – Jacques Laurent apprécie dans Cécil Saint-Laurent une manière de conduire l'action, de nouer vivement des péripéties et en même temps de suivre l'histoire en la réactualisant, en la vivant en lui-même et d'une manière quotidienne. Ainsi obtient-il une peinture d'époque que Jacques Laurent ne pourrait sans doute pas faire, parce qu'il ne voudrait pas, comme Cécil Saint-Laurent, s'incliner à ce point devant des archives, devant des mémoires que Jacques Laurent marque plus profondément de lui-même. C'est plus égoïste, au fond, du Jacques Laurent! Jacques Laurent reproche aussi à Cécil Saint-Laurent son érotisme, certaines descriptions où il montre de la complaisance. Jacques Laurent pourrait y être enclin, mais s'il a envie de s'y laisser aller, il pense au mauvais exemple de Cécil Saint-Laurent, il se freine et il y renonce. Quant à Cécil Saint-Laurent, il reproche à Jacques Laurent d'accorder à la forme une place excessive. A la forme, à la composition, à l'architecture du livre et, pour lui, il y a une certaine froideur dans Jacques Laurent. Il y a un manque d'abandon aux caprices, aux bonheurs et aux malheurs du roman.

B. P. – *Comment Jacques Laurent et Cécil Saint-Laurent se partagent-ils une journée ?*

J. L. – Comme je suis un oiseau de nuit, je me lève vers 10 heures du matin. Ensuite... voyons, qu'est-ce que j'ai fait aujourd'hui ? Cécil Saint-Laurent a dicté de 10 heures et demie jusque vers une heure un nouveau chapitre de *La mutante*. Ensuite, le déjeuner. Au déjeuner d'aujourd'hui, en fonction des gens qui étaient là, des sujets de conversation, c'était plutôt Jacques Laurent. Après le déjeuner, je suis allé prendre un verre dans un bistrot, avec une de mes amies, rapide. Et là c'était un mélange de Jacques Laurent et de Cécil Saint-Laurent. Et puis votre interview à propos de *Roman du roman* : donc Jacques Laurent, aucun doute là-dessus. Après, Cécil Saint-Laurent retournera dicter jusqu'à huit heures. Alors ma journée de travail sera finie. Ce qui n'implique pas que, le soir, je n'aurai pas un cahier sur moi. J'aime bien travailler la nuit dans les bistrots, aller même de café en café à Montparnasse jusqu'à ce qu'ils ferment. Si ma soirée n'est pas travailleuse, je me donnerai simplement comme objectif d'arriver à lire un petit peu avant de me coucher, vers 4 ou 5 heures du matin.

B. P. – *Quand trouvez-vous le temps et le plaisir de lire ?*

J. L. – Le plaisir de lire, à la vérité, je l'ai tout le temps. Deux à trois fois par semaine, uniquement pour lire et pour être sûr de ne pas être dérangé, je vais dans un petit tabac où on ne risque pas de m'appeler au téléphone. Personne ne sait que j'y suis. J'emporte un livre, qui n'a pas du tout de rapports avec mon travail du moment, il ne faut pas qu'il en ait. Et j'y vais joyeusement, j'ai même un peu l'impression que c'est un plaisir coupable de m'arracher à tout le reste pour, pendant deux heures, être seul avec un roman, dans un petit coin de bistrot, devant un verre de bière.

B. P. – *Quand vous rêvez, c'est Jacques Laurent ou Cécil Saint-Laurent ?*

Surpris par la question, il se gratte la tête. Et le petit sourire amusé qui lui trotte sur le visage depuis qu'il fait la part de ce qui revient à Jacques Laurent et à Cécil Saint-Laurent l'abandonne un instant. Peut-être la question est-elle plus sérieuse qu'il n'y paraît ?

J. L. – Mes rêves sont rares. Comme ils sont en général assez statiques, il ne s'y passe pas grand-chose, j'en conclus que c'est Jacques Laurent qui rêve...

B. P. – *Les femmes qui vous ont aimé et qui vous aiment, est-ce qu'elles aiment en vous plutôt Jacques Laurent ou plutôt Cécil Saint-Laurent ?*

J. L. – Je crois que, passant leur temps avec deux hommes, elles sont continuellement infidèles à l'un ou à l'autre.

B. P. – *Au fond, vous menez une double vie ? Et pas seulement intellectuelle et littéraire...*

J. L. – J'ai des amis qui ne fréquentent que des gens du même milieu, qui ont à peu près la même formation universitaire, qui appartiennent à la même couche sociale et qui ont des opinions politiques voisines. Moi, au contraire, j'ai toujours aimé fréquenter des gens extrêmement différents. Il me plaît beaucoup de déjeuner avec un petit gangster et de dîner avec un diplomate. J'ai toujours essayé de multiplier mes vies. Tout le monde sait que j'ai divorcé plusieurs fois. J'ai donc eu plusieurs vies successives dans ma vie. Et voyager, n'est-ce pas aussi se donner plusieurs vies ? J'admets très difficilement de continuer longtemps sur ma lancée. Dès que je me sens des habitudes, je les romps, quitte à les retrouver ensuite. Je ne suis pas contre l'habitude en soi – c'est une chose très intéressante, l'habitude – mais à condition d'alterner. J'étais fait pour une multiplicité de vies...

B. P. – *Être multiple, c'est être heureux ?*

J. L. – C'est une tentative en tout cas de me défendre contre ce qui ferait mon malheur.

B. P. – *Vous voyagez beaucoup?*
J. L. – Je peux m'en aller en voyage pendant deux mois. Je peux sacrifier une semaine de travail pour un caprice. Si je n'ai pas un caprice, une envie, un besoin d'agir, de me déplacer, de changer d'horizon, alors je mène une vie régulière qui repose essentiellement sur 4 ou 5 heures de travail par jour. Je suis de la race d'écrivains comme Hemingway qui avaient besoin de voir sans arrêt du pays, de voir des gens, de changer de têtes, d'aller dans des endroits agités.
B. P. – *Vous n'allez pas me dire que vous faites du sport?*
J. L. – Mais si, je fais du sport, du karaté par exemple. Tiens, je n'en ai pas refait depuis les vacances! Il faut que je m'y remette! Oui, je fais un petit peu de karaté, parce que c'est un sport brutal qu'on doit aborder avec une certaine disposition d'esprit qui me prépare à bien travailler, parce que c'est le contraire d'être dans son cabinet et de jouer avec des mots. Sauter en parachute, c'est aussi le contraire d'une vie d'homme de cabinet et c'est de ce contraste que l'écrivain a besoin.
B. P. – *(étonné) A votre âge, sauter en parachute!*
J. L. – J'ai sauté pour la première fois l'hiver dernier. A mon âge, voyez-vous, c'est moins fatigant de sauter en parachute, de faire un 4000 en parachute – ce que je n'ai pas accompli, je n'ai fait qu'un 600 mètres – que de faire un 4000 en cross.
B. P. – *(éberlué) Vous faites aussi du cross?*
J. L. – J'en ai beaucoup fait, mais là, justement, j'ai lâché. L'âge... Je dois, la semaine prochaine, monter pour la première fois en ballon et j'attends d'ailleurs ça avec impatience. Notez qu'il ne s'agit pas d'un sport, je serai passif, ne conduisant pas le ballon. Mais j'en attends de fortes impressions.
B. P. – *C'est Cécil Saint-Laurent qui a le goût du risque?*
J. L. – Oui, c'est Cécil Saint-Laurent qui montera dans le ballon. Et Jacques Laurent le regardera partir...
B. P. – *Vous qui êtes un homme d'action,*
et qui le prouvez – karaté, parachutisme, ballon, cross naguère...*
J. L. – ...J'ai beaucoup aimé aussi le reportage de guerre...
B. P. – *...Ne craignez-vous pas plus que d'autres écrivains le vieillissement?*
J. L. – Je crains évidemment le vieillissement physique qui peu à peu m'interdira de faire certains sports ou qui ne me permettra que de faire des choses qui ne m'enthousiasmeront pas du tout : de la gymnastique, 1-2-3-4 pendant plus d'une heure, ça c'est au-delà de mes forces! Et puis je redoute aussi l'âge sur le plan professionnel, comme romancier. Par l'expérience de romanciers qui m'ont précédé, je sais que tout se passe comme si un auteur dramatique, un philosophe, pouvait continuer très longtemps son œuvre, alors que chez les romanciers l'inspiration paraît branchée sur je ne sais quelle partie créatrice du cerveau qui s'altère avec l'âge. Ainsi voit-on Montherlant âgé renoncer pratiquement au roman pour faire des pièces. Il sort bien de temps en temps un roman du fond d'un tiroir, mais enfin il se consacre au théâtre. Même chose chez Marcel Aymé. Et Flaubert? Vers cinquante ans, il a senti sa faculté créatrice baisser et, essayant de faire de son mal un bien, il s'est mis à rêver d'un roman où il n'y aurait pas de personnages, où il n'y aurait pas d'événements, parce que Flaubert n'avait plus le pouvoir créateur de l'événement et du personnage. C'est d'ailleurs de ce roman dû à son affaiblissement, de ce rêve de roman, que le Nouveau Roman a tiré l'idée d'un roman sans personnages et sans événements.
B. P. – *Comment expliquer qu'on ne parle jamais de vous pour l'Académie française?*
J. L. – Cela tient peut-être à ce que je parle rarement moi-même de l'Académie française.
B. P. – *L'habit vert vous irait très bien...*
J. L. – Je n'ai jamais été tenté par ces choses-là. Pour moi les écrivains sont des solitaires et l'idée qu'on en rassemble une quarantaine m'a toujours paru étrange. Mais je ne suis pas opposé à l'Académie.

C'est Anatole France, je crois, qui disait de l'Académie que c'était vraiment une institution admirable, parce qu'elle avait reçu chez elle de grands génies littéraires, et que c'était également une institution bien navrante puisqu'elle avait refusé de grands génies littéraires. Autrement dit, qu'on en soit ou qu'on n'en soit pas, on peut en être également fier! Les académies sont des institutions dangereuses tout de même parce qu'elles obsèdent quelques-uns de ceux qu'on appelle les confrères...

B. P. – *Y compris vos très bons amis?*

J. L. – Oui, certains de mes amis sont ou ont été obsédés par l'Académie comme dans d'autres milieux on est obsédé par la Légion d'honneur. Alors ils ne sont plus eux-mêmes parce qu'ils essaient de plaire par tactique, ils perdent un temps fou à ménager celui-ci, à aller voir celui-là. De ce point de vue-là, ce n'est pas une institution très heureuse...

B. P. – *Et si l'Académie française décidait de vous appliquer le régime de Montherlant : aucune visite et on vous élit. Vous accepteriez?*

J. L. – Maintenant, certainement pas! Quand je serai plus vieux, peut-être, mais je ne crois pas... Évidemment, à l'Académie, il doit y avoir une bibliothèque confortable. Quand je serai un peu fatigué et rhumatisant, peut-être pourrai-je y prendre une retraite agréable? Mais, enfin, vous me posez une question à laquelle je n'ai jamais songé. Cocteau, en tant que marginal, a éprouvé un soulagement à être de l'Académie. Il s'est dit : maintenant, rien de grave ne peut plus m'arriver. Même s'il était pris dans une fumerie, académicien l'affaire n'était plus grave. Cocteau était un marginal qui avait besoin d'être rassuré. Moi, je suis un marginal qui n'a pas besoin d'être rassuré. Enfin, pas pour le moment.

Six semaines avant d'obtenir le prix Goncourt, Jacques Laurent m'avait déclaré qu'il n'en voulait pas car la distribution des prix lui paraissait être une activité injuste. Il n'a d'ailleurs pas varié dans son opinion là-dessus.

Peu disposé à l'égard de l'Académie, de ses pompes et de ses œuvres, ses propos irriteront moins les immortels qu'ils ne piqueront leur curiosité. C'était amusant de décerner le Goncourt à un esprit récalcitrant qui le dédaignait : ce sera tout aussi drôle d'appeler quai Conti un esprit buissonnier qui préfère les berges. Mais s'il est raisonnable d'envisager une majorité d'académiciens votant pour Jacques Laurent, combien oseraient se déclarer pour le populaire et coquin Cécil Saint-Laurent?

B. P. – *De Jacques Laurent et Cécil Saint-Laurent, lequel a le plus de chances de passer à la postérité? Et d'abord, vous êtes-vous posé cette question?*

J. L. – Bien sûr, comme tout écrivain, je pense à la survie de mon œuvre. Le succès immédiat d'un livre ne m'importe pas énormément. J'ai essuyé des échecs que j'ai subis avec la plus grande indifférence. Mais qu'on me dise qu'un jour tel de mes livres sera épuisé, qu'on ne le rééditera pas, qu'on en oubliera le titre, qu'il ne comptera plus, que dans un siècle mon œuvre sera comme si elle n'avait pas existé ou qu'elle sera citée avec d'autres noms, dans un tout petit coin d'un obscur manuel d'histoire littéraire, ou qu'elle sera reléguée vraiment à rien, oui, cette idée-là m'est insupportable. J'ai en effet besoin de m'imaginer que mes livres seront lus dans un siècle. Stendhal essayait de se persuader que dans un siècle il serait célèbre, ce qu'il a été. Mais ce que je voudrais, quand je pense à Stendhal, c'est qu'il n'ait pas eu besoin de s'en persuader, c'est qu'il en ait été vraiment et intimement persuadé.

B. P. – *Oui, mais vous, Jacques Laurent et Cécil Saint-Laurent?*

J. L. – Je serais assez disposé – dans mes moments d'optimisme – à leur entrevoir deux postérités différentes : Jacques Laurent deviendrait un auteur qui, dans un siècle, ferait partie d'une honnête bibliothèque, et Cécil Saint-Laurent connaîtrait une fortune inverse, c'est-à-dire qu'il serait, au XXIe siècle, un écrivain pour érudits.

J. M. G. LE CLÉZIO

*« Peut-être faut-il que je passe
par le désert et la mer pour retrouver
une ville où je puisse vivre. »*

Avril 1978

On m'avait bien prévenu et mis en garde : « Vous voulez interviewer Le Clézio ?... D'abord, il n'est pas en France, mais au fin fond des États-Unis, à Albuquerque, au Nouveau-Mexique... » Albuquerque, c'est effectivement loin, très loin : à plusieurs milliers de kilomètres de Paris, et au moins douze heures d'avion. Mais il y avait apparemment beaucoup plus difficile que cette distance géographique : « Le Clézio, me disait-on, ne voit pratiquement personne, et les journalistes presque plus jamais; et quand bien même vous pourriez le rencontrer, il est fort probable qu'il ne vous dirait rien... »

Je savais Le Clézio secret, je le savais solitaire et silencieux comme la plupart des figures de son univers romanesque, isolé comme Adam Pollo, dans *Le procès-verbal,* déambulant son angoisse à travers le monde comme Jeune Homme Hogan dans *Le livre des fuites,* terrifié par la violence des sociétés modernes comme Béatrice B. dans *La guerre,* et sans doute muet comme Bogo-le-Muet précisément, cet enfant qui, dans *Les géants,* refuse de parler parce que les hommes ne savent que donner des ordres. Je savais tout cela parce que la lecture des livres de cet écrivain, l'un des rares sinon le seul de nos contemporains à avoir écrit et décrit notre modernité avec la force d'un visionnaire, me le disait déjà. Ai-je eu de la chance ? Ma lettre lui demandant de me recevoir lui est-elle parvenue au bon moment ? Le Clézio est-il moins sauvage qu'on ne le prétend ? A vrai dire, je n'ai pas tellement cherché à élucider ces questions lorsque, après avoir reçu sa réponse, positive mais un peu elliptique – « Je serais content de vous voir », me disait-il seulement sans évoquer l'idée d'une interview –, et après un long périple via Montréal, Chicago et Kansas City, les Boeings et les villes électriques vues du ciel ne cessant d'ailleurs de me rappeler quelques-unes de ses pages, je suis arrivé à Albuquerque.

Dans ma valise, j'avais emporté les épreuves de ses deux derniers livres qui viennent de paraître chez Gallimard : *Mondo et autres histoires*, un recueil de contes, et *L'inconnu sur la terre*, un essai. La lecture de ces deux ouvrages m'avait surpris : on y trouve un Le Clézio non pas criant la peur, mais chantant le monde, non plus fébrile mais donnant l'impression de s'être apaisé un moment, le temps au moins de raconter dans *Mondo* de merveilleuses histoires d'enfants-fées, et de divaguer, dans *L'inconnu sur la terre*, avec les nuages, la mer, le soleil, ou la lumière. La technique ou l'univers urbain ne sont pas totalement absents, mais au lieu de s'y plonger pour les dénoncer, Le Clézio leur tourne le dos pour arrêter son regard sur la « beauté réelle » du cosmos. Cette sérénité, non dénuée d'inquiétude tout de même, est-elle chez lui le signe d'une mutation ? A-t-il trouvé ce que, faute de mieux, on appellera un répit ? Et plus généralement, où en est-il maintenant, cet écrivain d'une extrême rigueur qui a déserté tous les chemins faciles qu'un prix Renaudot obtenu à vingt-trois ans pour *Le procès-verbal* (1963) avait pourtant ouverts devant lui, et qui a publié depuis lors une dizaine d'ouvrages ? Telles étaient, parmi beaucoup d'autres, quelques-unes des questions que je voulais poser à Le Clézio. Encore fallait-il pouvoir lui parler. Et surtout qu'il me parle.

Une fois sur place, je me suis mis par moments à en douter. Rien que d'obtenir une photo, par exemple, ce fut tout un problème. Souhaitant vraiment devenir un « inconnu » et anonyme sur la terre, Le Clézio ne veut plus que son visage soit photographié. Mais après avoir donc refusé, puis m'avoir proposé de le dessiner – ce dont je suis incapable – il a finalement accepté d'être photographié « à 30 mètres seulement ». Ce que le photographe américain Harvey Caplin (qui a publié deux beaux albums sur le Nouveau-Mexique) put réaliser, mais dans des conditions très difficiles : il pleuvait ce jour-là dans la région d'Albuquerque. Et, malgré tout, les incidents de parcours m'apparaissent maintenant bien mineurs. Car ces entretiens, j'ai pu finalement les réaliser dans d'excellentes conditions, et Le Clézio, qui était visiblement tendu le premier jour, m'a parlé les jours suivants avec beaucoup moins de réticences pour me dire à la fin qu'il s'était « bien amusé ».

Faute de place, il était impossible de tout garder de notre conversation, ni surtout de pouvoir restituer fidèlement l'un des traits dominants de la personnalité de Le Clézio : ses moments de silence et l'intensité de ce silence (j'ai essayé toutefois de les indiquer en employant le procédé habituel des points de suspension). Avec les défauts inhérents au genre de l'interview, puisse seulement ce reportage à Albuquerque inciter de nombreux lecteurs à lire et relire l'un des plus authentiques écrivains de sa génération.

Pierre Boncenne. – *Vous ne donnez pratiquement jamais d'interviews. Non seulement parce que vous n'êtes pas en France, mais aussi et surtout parce que vous semblez être allergique aux interviews. Pourquoi ? Vous considérez qu'en dehors de ses livres un écrivain n'a pas à s'expliquer ?*

Le Clézio. – Non, ce n'est pas cela qui me retient. Il y a des gens qui traduisent très bien dans la conversation ce qu'ils ont à dire. Moi, je crois que je suis un mauvais sujet pour les interviews. C'est tout. Et c'est pour cela que je n'aime pas trop... J'ai un peu de mal à m'exprimer oralement. Il y a quelques années c'était même très difficile, et je me suis donc forcé pour essayer de pouvoir parler. Mais j'ai beaucoup de mal.

P. B. – *Le fait d'être professeur ne vous a pas aidé ?*

L. C. – Ce n'est pas vraiment « gênant » d'être professeur, c'est une situation tellement artificielle... Enfin... un peu théâtrale : vous parlez de quelque chose que vous aimez ou que vous connaissez bien à des gens qui sont là pour cela. Vous parlez de littérature à des gens qui sont là pour la littérature, pas pour vous. Tandis que dans l'interview ou la conversation, vous ne pouvez pas vous mettre derrière le paravent de la littérature... Ou si peu...

P. B. – *Vous recevez beaucoup de lettres de vos lecteurs ?*

L. C. – Je crois que j'ai un contact épistolaire qui est assez... positif ! Et ce qui me touche le plus, ce sont les gens qui, dans leurs lettres, parlent d'eux-mêmes, qui racontent leur vie. Des gens qui me donnent l'impression d'être prisonniers de je ne sais quel univers et pour lesquels la lettre semble être une possibilité de sortir d'eux-mêmes.

P. B. – *Et vous, vous aimez écrire des lettres ?*

L. C. – Oui. Quelquefois, même, je trouve cela très amusant et assez exaltant pour l'imagination de correspondre avec des gens qu'on ne connaît pas et qu'on ne connaîtra jamais.

P. B. – *Quand vous écrivez un livre, vous l'écrivez comme vous écririez une lettre ?*

L. C. – Je vais vous dire : avant d'écrire à des correspondants inconnus, je n'écrivais de lettres à personne. Mais quand j'étais enfant, j'écrivais de petits romans et je les envoyais à des gens plutôt que de leur envoyer une lettre; je pense donc que mes romans d'aujourd'hui ont dû suivre ce chemin : ils sont peut-être le résultat de cette correspondance imaginaire de mon enfance.

P. B. – *Est-ce que cela vous gêne qu'on vous appelle un « écrivain » ?*

L. C. – Je ne sais pas exactement ce que c'est qu'un « écrivain »...

P. B. – *Vous considérez que c'est un métier ?*

L. C. – Pourquoi pas ? C'est un artisanat des mots... Il est dérangeant d'être appelé un « homme de lettres » plutôt qu'un « écrivain » : un homme de lettres, ça a l'air d'être un professionnel de la littérature qui connaît les trucs et les ficelles des romans. Et c'est un peu gênant... Mais être appelé un écrivain, cela ne me dérange pas si on le considère un peu comme les écrivains publics d'autrefois, qui non seulement écrivaient sous la dictée, mais aussi sur commande. Les gens venaient les voir et leur disaient : « Voilà, j'ai perdu un oncle et je dois écrire. Qu'est-ce que je vais mettre ? » Alors l'écrivain public composait une lettre de condoléances... J'ai l'impression qu'être écrivain, c'est cela : écrire à la place des gens.

P. B. – *Vous aimeriez vraiment être un écrivain public à qui on viendrait passer des commandes ainsi ?*

L. C. – Du genre : faites-moi un roman sur telle chose ou tel sujet ? Évidemment, ce serait un peu astreignant comme métier... Mais enfin, ce ne serait pas trop mal... Comme les conteurs qui eux aussi ont un répertoire et qui le servent selon des circonstances précises.

P. B. – *Très vite, vous avez voulu être écrivain ?*

L. C. – Oui, très jeune, j'ai aimé faire de petits romans ou de petites nouvelles. Mais je crois que cela tient vraiment au plaisir d'écrire, au plaisir d'avoir une plume dans les mains et d'entendre le bruit sur le papier. Parce que j'écrivais avec une plume...

P. B. – *Vous avez été célèbre à vingt-trois ans...*

L. C. – ... Oui, j'ai eu un prix à vingt-trois ans.

P. B. – *Ce prix Renaudot ne vous a-t-il pas effrayé en vous rendant encore plus sauvage ?*

L. C. – Au contraire, j'étais très, très timide et très, très sauvage avant et, à cause de ce prix, j'ai quand même pu atténuer ces défauts. Parce que ce sont tout de même des défauts. Je souffrais terriblement de ma timidité, et la propulsion dans le monde parisien m'a vacciné... J'étais atteint d'une maladie infantile ou d'adolescent qui s'appelait « trouver le monde » ou le « retrouver ». J'étais plus que timide, c'était, je crois, pathologique et, grâce à un prix littéraire qui m'exposait, j'ai pu me guérir un peu. Et, en même temps, me guérir plus tard du défaut inverse qui consiste à être exposé... Ce n'est pas très facile, tout cela, c'est même difficile...

P. B. – *Mais maintenant, vous parlez avec plus de facilité ?*

L. C. – Cela vient aussi de cette époque-là. Parce qu'avant ce prix, j'étais incapable de formuler une phrase oralement, je n'arrivais pas à la terminer, elle s'arrêtait au milieu. Écrire, j'y arrivais; mais parler, surtout en public...

P. B. – *Oui, il paraît même qu'en public, vos cordes vocales sont littéralement bloquées.*

L. C. – C'est encore le cas maintenant si j'ai un très grand public. Je ne fais pas de conférences, par exemple, et je ne pourrai sans doute jamais en faire. Mais donner des cours à une dizaine d'élèves, ça va : parce que je les connais petit à petit. Mais avant, je n'aurais même pas pu parler à une seule personne... Parce qu'une personne, c'était déjà un public et ce n'était pas possible...

Actuellement, Le Clézio est professeur de littérature française à l'université du Nouveau-Mexique, où il enseigne à une dizaine d'élèves « du niveau de la licence ou de la maîtrise », m'a-t-il dit.

P. B. – *Est-ce que vous connaissez ou, plus exactement, est-ce que vous vous représentez votre public, je veux dire vos lecteurs ?*

L. C. – Pas du tout. Je ne crois pas d'ailleurs que quiconque qui écrit puisse le savoir. A moins peut-être d'aller dans une librairie pour signer ses livres. Mais comme je n'aime pas cela... Et je ne le fais pas parce qu'il me semble que les gens viennent voir l'auteur par curiosité, pas pour acheter des livres. Les contacts avec mes lecteurs ne m'intéressent que par le courrier, lorsqu'on ne peut pas mettre de nom ou de visage sur un correspondant. Les relations humaines me dérangent lorsqu'il y a un visage...

P. B. – *Vous avez écrit que vous aviez la hantise de rencontrer un visage nouveau...*

Je me souviendrai longtemps du visage de Le Clézio à ce moment-là, comme si je lui rappelais une douleur secrète qu'il n'a jamais su ou voulu guérir...

L. C. – C'est assez vrai. Ce n'est pas de la peur, mais... Comment dire ? Je ne suis pas habitué à voir des gens différents et je ne suis pas habitué à les oublier : j'ai du mal à oublier. Et c'est gênant presque physiquement : on a l'impression d'avoir les yeux pleins de choses, pleins de visages, la tête encombrée de visages...

P. B. – *Mais c'est le fait de voir des visages ou d'être dévisagé ?*

L. C. – C'est le fait de voir des autres. Et ce n'est pas trop difficile à expliquer : si vous avez déjà eu des poules, vous avez dû remarquer ce qui se passe quand vous mettez une poule nouvelle dans un poulailler. Les autres la refusent. Pourquoi la refusent-elles ? Pas parce qu'elles ont peur qu'on vienne manger la nourriture, mais parce qu'il s'agit d'une tête nouvelle, tout simplement. Eh bien! je crois que je suis un peu comme une poule qui refuse les autres et qui a peur de voir de nouveaux congénères arriver. Il y a des gens dont c'est la profession de rencontrer les autres, par exemple un « public-relation » : il voit passer des gens et il les oublie. Mais imaginez qu'il n'oublie pas ces visages, il y a de quoi devenir fou!

P. B. – *En revanche, être dévisagé ne vous dérange donc pas trop ?*

L. C. – Non, pas spécialement. Je n'ai pas l'impression d'être accessible par là, ni qu'on puisse m'agresser de cette façon. Mais j'ai l'impression, moi, d'être perméable à l'influence du visage des autres, et c'est peut-être parce que, derrière les visages, il y a autre chose de troublant : le regard. Je suis très sensible, par exemple, au regard de dos. Je ne peux pas dire vraiment ce que c'est, mais je sens qu'il se passe quelque chose. Et lorsque cette personne qui m'a regardé de dos sera devant moi, j'en serai d'autant plus frappé... Alors, je pense que si je voyais trop de visages, je ne pourrais plus dormir. Il ne faut pas exagérer, mais il faut que je fasse de gros efforts...

P. B. – *Être d'origine franco-mauricienne, est-ce que cela a compté pour vous ?*

La mère de Le Clézio est française, tandis que son père est mauricien, descendant de Bretons qui se sont exilés à l'île Maurice au XVIII siècle.*

L. C. – Beaucoup plus maintenant qu'il y a quelques années.

P. B. – *En quel sens ?*

L. C. – Pas en raison d'un bilinguisme – ce n'est pas vraiment le cas à l'île Maurice –, mais peut-être parce qu'on y trouve une culture française revue et corrigée par la culture britannique. Il en résulte des gens différents des Français, comme au Canada.

P. B. – *Mais avez-vous été à l'île Maurice ?*

L. C. – Non, jamais.

P. B. – *Malgré vos innombrables voyages ?*

L. C. – Ma route n'est pas passée par là...

P. B. – *La ville de Nice est-elle votre point d'ancrage ?*

L. C. – J'y suis né par hasard et j'y suis resté en raison des circonstances – la guerre, puis pour faire mes études –, mais j'ai toujours aimé voyager, et je ne me suis jamais senti attaché à un endroit spécialement... Je crois que je suis très attiré par d'autres paysages, et j'aime assez voyager sans être arrêté par un horizon. C'est pour cette raison que j'ai beaucoup de mal à comprendre Proust. Parce que cela me semblait très restreint, très fermé, et qu'il me paraît difficile de rester toujours au même endroit, en voyant toujours les mêmes gens. Autrefois surtout, il me semblait impossible de rester toujours au même endroit.

P. B. – *Mais, pour écrire, vous n'avez pas besoin d'une certaine familiarité avec une ville, une maison, une chambre ?*

L. C. – Non, et je crois même que j'écris mieux dans quelque chose de mobile, comme un train, que dans une chambre où, au bout d'un instant, j'étouffe; j'ai besoin d'air, j'ai besoin de sortir. Et,

d'ailleurs, j'ai l'impression qu'écrire, pour beaucoup de gens, est une sorte de progression dans l'espace, une façon de le parcourir. Jules Verne, bien qu'il n'ait pas énormément voyagé lui-même, me donne cette impression : il avance, et il doit être content quand il écrit « Kamtchatka » par exemple, même s'il n'y est pas allé.

P. B. – *Vous aussi vous êtes très sensible aux noms de lieu ?*

L. C. – Oui, les noms de la terre me plaisent assez... Mais c'est une négation : car avec les gens qui mettent beaucoup de noms de lieu, il est finalement impossible de trouver leur point central, on a l'impression qu'ils sont semblables à des ludions dont on ne peut pas arrêter le mouvement. Ce sont des questions de tempérament, et pas d'écriture, mais, quand j'étais petit, je ne pouvais pas concevoir un roman autrement qu'un roman d'aventures : c'était un livre où l'on parcourait des espaces, où l'on découvrait des choses, où on allait de l'avant, et où l'on ne savait pas ce qui allait se passer.

L'un des ouvrages de Le Clézio, Le livre des fuites, *porte en sous-titre « roman d'aventures ». Quant à sa manière d'écrire, Le Clézio a toujours dit, et me l'a répété, qu'il écrivait « par impulsion et sans aucun plan. Mais comme, lorsqu'on a parlé, la conversation se déroule telle qu'elle devait se dérouler, mes romans, je les écris tels qu'ils devaient être écrits ».*

P. B. – *Votre essai* L'inconnu sur la terre, *et même votre recueil de contes* Mondo, *vous n'avez pas mis plus de temps à les écrire que vos précédents livres ?*

L. C. – Pour *Mondo*, en réalité je l'ai réécrit trois fois. Pour *L'inconnu sur la terre*, je l'ai commencé vers 1973, mais je l'ai souvent abandonné en cours de route : c'est presque un voyage ou un carnet de route sur plusieurs années. Et j'y avais pensé bien avant, car beaucoup de ce que j'écris maintenant, j'y avais pensé vers quinze/seize ans. Mais, à cette époque-là, je n'avais pas le temps d'écrire parce que je faisais des bandes dessinées... Et je faisais aussi quelques études, enfin accessoirement...

P. B. – *Le style de* Mondo *et de* L'inconnu sur la terre *m'a semblé différent de ce que j'ai lu de vous, beaucoup plus épuré et très calme.*

L. C. – Vous trouvez?... Je ne sais pas très bien quel effet cela peut donner à la lecture. Mais je sais qu'en écrivant ces livres, j'ai eu le sentiment d'être arrivé à un point où il valait mieux effacer certaines choses. Comme quelqu'un qui a longtemps marché pour aller quelque part et qui efface les traces de ses pas, j'ai eu envie d'effacer les traces de mes pas.

P. B. – Mondo *et* L'inconnu sur la terre, *c'est une rupture, pour vous?*

L. C. – Il y a un changement, mais je n'ai pas l'impression que ce soit aussi brutal qu'une rupture. Dans tous les livres que j'ai écrits, jusqu'à *La guerre* et *Les géants*, j'ai ressenti comme une nécessité d'écrire le monde de la ville, le monde mécanique, l'agression du langage et celle des formes. C'était une nécessité pour m'en débarrasser. Actuellement, j'ai l'impression d'en être un peu libéré, mais c'est parce que je l'ai écrit. C'est pour cela que je n'ai pas le sentiment qu'il s'agisse vraiment d'une rupture.

P. B. – *Je crois pourtant qu'il y a dans ces deux livres une libération de tout ce qui était sous l'oppression de la « guerre », de la ville...*

L. C. – C'est vrai. Comme beaucoup d'êtres, quand on a passé une partie de sa vie à ressentir d'une manière assez forte l'expérience urbaine et la société moderne, il arrive un moment où l'on est lassé, où l'on a envie de regarder autre chose.

P. B. – *Vous avez vraiment été lassé par la ville?*

L. C. – Ah oui! Au début, on connaît un peu l'ivresse de la vie moderne, parce que c'est assez exaltant, mais au bout d'un certain temps on est vraiment fatigué.

P. B. – *Vous avez quand même été fasciné par la vie moderne. Vous considérez que cette fascination est dangereuse?*

L. C. – Maintenant, oui. J'associe la vie urbaine à l'idée de l'intelligence : il y a une sorte de mouvement mécanique, aussi bien dans les concepts intellectuels que d'un point de vue matériel, dans l'organisation très fermée de la ville se suffisant à elle-même, qui est très loin de tout ce qui est naturel. Tout cela aboutit à l'insatisfaction... à un sentiment de vertige. Et si l'on veut survivre, je crois qu'il faut sortir de là.

P. B. – *Vous avez eu la nausée de la vie moderne?*

L. C. – C'est plus que de la nausée, c'est un sentiment de danger très, très proche, l'impression qu'on va perdre la raison.

P. B. – *Vous écrivez à un moment dans* La guerre *: « Je voudrais tant que la guerre s'arrête, ne fût-ce qu'une heure, et que je puisse me reposer. Ça serait bien, si la guerre s'arrêtait; on pourrait aller à la plage, par exemple, et on s'assoirait par terre en regardant la mer. On n'aurait plus besoin de faire des gestes et de dire les mots de la tragédie, on serait en dehors du spectacle »... Alors, est-ce que la guerre, c'est-à-dire l'agression, s'est réellement arrêtée?*

L. C. – Dès le début, même en écrivant *La guerre*, je savais qu'il n'y avait pas que l'agression. Mais, encore une fois, pour le savoir, j'ai dû l'écrire. Et une fois que je l'ai écrit, la nécessité de parler d'autre chose, comme dans *L'inconnu sur la terre*, est allée grandissante. Car derrière ce mouvement, derrière cette folie, ce bruit, il y avait quelque chose qu'il ne fallait pas perdre de vue.

P. B. – *Il n'y a plus rien d'attirant dans la ville, l'électricité, les voitures?*

L. C. – Si, je suis encore attiré par certains aspects de la vie moderne, les voitures américaines des années cinquante, comme la Cadillac qui est là.

Par la fenêtre, Le Clézio me désigne effectivement une vieille Cadillac aussi poussiéreuse que déglinguée, posée au milieu de la cour comme un aérolithe venu s'écraser là par hasard. Et s'y trouvant bien.

Ou les photos de la Terre vue de satellite, ou encore le téléphone. Beaucoup de choses de la technique me plaisent. On peut aussi arriver à voir ce qu'elles ont d'amusant et de libre. Les Cadillac abandonnées, comme celle qui est dans ma cour, me plaisent parce que, lentement, elles s'intègrent au paysage, elles attirent les vers de terre, et on a l'impression que les arbres vont leur pousser dessus. Et au fond, il y a une possibilité d'intégration du monde moderne au monde naturel.

P. B. – *N'empêche que dans* Mondo, *par exemple, il n'y a pratiquement plus d'objets techniques.*

L. C. – Je parle quand même de la galalithe, une matière plastique qui me plaît beaucoup... Mais il est vrai que *Mondo* se situe effectivement en dehors des villes, dans le désert ou au bord de la mer. Ce qui ne veut pas dire que je ne connais plus les villes. On ne peut pas ignorer l'univers citadin. Je crois seulement qu'il serait utile de regarder avec un maximum d'innocence toutes les choses de la vie urbaine. Car tout ce qui m'a fasciné ou m'a fait peur peut finalement être dompté ou maîtrisé assez facilement par le regard... J'ai souvent l'impression que les enfants regardant les choses les arrêtent, les clarifient ou les simplifient. Les enfants sont rarement mal à l'aise dans les villes, ils circulent assez facilement, ils montent les escaliers roulants, ils prennent les ascenseurs et ils n'en sont pas énormément affectés : c'est qu'ils utilisent ces choses-là comme elles devraient être utilisées, pour s'amuser.

P. B. – *Mais vous n'avez pas encore ce regard amusé sur les villes. Dans* Mondo *ou* L'inconnu sur la terre, *vous leur tournez le dos, vous les ignorez.*

L. C. – ... Peut-être faut-il que je passe par le désert et la mer pour retrouver une ville où je puisse vivre.

P. B. – *Il existerait déjà une ville où vous pourriez vivre ?*

L. C. – Oui. Par exemple ici, à Albuquerque. Vous avez vu : il y a des terrains vagues, des voitures abandonnées en plein milieu de la ville. Albuquerque est une grande ville, mais au milieu, il y a plein d'espaces où il n'y a rien, ou alors il y a des chemins qui ne sont pas goudronnés.

P. B. – *La « ville-terrain vague », quoi !*

L. C. – J'ai une certaine prédilection pour les terrains vagues, ou la terre en friche...

P. B. – *... avec, comme on voit ici, des maisons posées n'importe où...*

L. C. – Exactement, avec des maisons qu'on peut souvent déplacer, ces « mobile-home » que les Américains transportent pour les mettre ailleurs. On a l'impression que dans les villes comme Albuquerque, la construction est très légère : un peu de vent et ça s'envole... On retrouve le même genre de chose dans les villes d'Amérique latine où il existe une espèce de zone entourant le centre, zone apparemment précaire, et qui dure, pourtant. Ce sont des villes où le centre est construit et a l'air d'être durable, mais où tout ce qui est périphérique est de plus en plus important et enserre le centre... et peut-être l'éliminera. Et j'aime bien ce genre de ville.

P. B. – *Parmi les objets techniques, quels sont ceux qui vous « amusent » ?*

L. C. – Ce n'est pas l'utilisation des objets techniques qui m'intéresse, mais leur apparence. J'aime bien certains matériaux comme le verre des ampoules électriques, ou la galalithe, qui est une matière plastique belle comme une pierre, ou alors l'aluminium avec son éclat.

P. B. – *Les clignotants des voitures qu'on retrouve souvent dans vos romans, vous les aimez toujours ?*

L. C. – Ah oui ! Et j'aime beaucoup aussi la lumière électrique dans les villes, surtout le spectacle extraordinaire quand vous êtes en avion la nuit et que vous voyez toutes ces lumières des villes. L'électricité m'a souvent fait peur parce qu'elle me fascinait trop, mais il y a quand même quelque chose de bien dans l'électricité... c'est la « fée électricité ».

P. B. – *Presque tous les personnages, dans vos livres, semblent être dramatiquement tendus vers l'avenir. Tandis que dans* L'inconnu sur la terre *et* Mondo, *il y a une certaine sérénité du présent.*

L. C. – C'est peut-être parce que tous ces personnages donnaient l'impression de fuir ou de courir vers quelque chose. Alors que les enfants, dans *Mondo* par exemple, sont arrêtés et assez heureux là où ils sont.

P. B. – *Vous écrivez dans* L'inconnu sur la terre : « *Pourquoi parler d'angoisse, de peur, de laideur ? Il y a tant de beauté ici, à chaque instant, dans le ciel, sur les rochers, dans l'herbe, à la surface de la mer.* » *Il est impossible d'écrire en même temps l'angoisse et la beauté ?*

L. C. – On peut parler de la beauté de l'angoisse... Mais enfin, pour répondre à votre question, si l'on veut atteindre cette beauté qui est un bonheur, il me semble qu'il est difficile de ne pas lutter contre toutes les hantises. Je les ai d'abord écrites, mais à un moment j'ai voulu parler d'autre chose. Et puis il est dangereux de parler de l'angoisse pour l'angoisse parce qu'il y a une sorte de fascination verbale et psychique pour la... peur.

P. B. – *Vous avez été fasciné par la peur ?*

L. C. – Eh bien, justement, l'univers urbain, mécanique et fascinant, me semble ne donner comme seule satisfaction, en échange du luxe et du confort qu'il nous offre, que cette psychose. Au lieu d'offrir la sécurité, il n'offre que la crainte...

Un long silence. Peut-être le plus long de notre conversation. Et ce, juste au moment où Le Clézio évoque la psychose qu'engendre le milieu urbain. Je ne peux m'empêcher de me poser la question sans, bien entendu, lui en faire part : n'a-t-il pas, lui aussi, navigué aux confins de cette folie dans laquelle certains de ses personnages basculent ? D'où ses fuites et son exil permanent...

On l'a souvent dit, d'ailleurs : la publicité ou le grand commerce visent à ce déséquilibre, à cette impression d'insécurité, pour que les gens produisent et achètent davantage. C'est une sorte de longue chute en avant... Et je pense qu'on peut se complaire dans cette abstraction de la vie mécanique.

P. B. – *Dans certains de vos précédents livres, vous n'avez pas, parfois, succombé à cette tentation ?*

L. C. – Peut-être... J'ai l'impression d'avoir surtout été tenté par les deux extrêmes. Sans doute parce que j'ai vécu à Nice avec, d'un côté, la ville épouvantable de bruit et de voitures, et, de l'autre côté, la mer, c'est-à-dire l'absence d'êtres humains, le vide de la création à l'état pur. J'ai donc été toujours divisé entre ces deux pôles. Mais, cédant à la tentation de l'univers urbain, je ne voyais plus la lumière et la beauté de la mer. Vous savez qu'à Nice, il y a des gens qui ne voient jamais la mer, qui mènent une vie totalement citadine et qui prennent un autobus longeant la mer sans jamais la regarder.

P. B. – *Voilà pourquoi* L'inconnu sur la terre *et* Mondo *sont exclusivement tournés vers la lumière et la mer. Est-ce qu'on peut dire que la figure centrale de ces deux livres est un enfant regardant la mer du haut d'une montagne par une journée ensoleillée où passent quelques nuages « lents et pas sérieux » ?*

L. C. – Je suis d'accord avec ce résumé. J'ajouterais seulement que l'enfant, c'est moi.

P. B. – *Est-ce qu'il est plus difficile d'écrire la beauté de la lumière, de la mer ou des nuages que l'angoisse de la ville ?*

L. C. – Peut-être... Cela ne me demande pas plus de travail de construction ou d'effort d'écriture, par exemple dans la recherche du vocabulaire. Mais c'est plus difficile de se maintenir dans la seule beauté : de ne pas en déduire quelque chose, de ne pas faire de philosophie.

P. B. – *Vous en faites un peu quand même...*

L. C. – Si la philosophie, c'est aimer les arbres, la mer ou la lumière, alors oui, c'est de la philosophie. Mais si la philosophie, c'est en faire un système qui reviendrait à dire « il faut regarder la mer de telle ou telle façon », ou « il faut aimer les arbres pour telle ou telle raison », alors non, ce n'est pas de la philosophie.

P. B. – *Vous n'avez jamais fait de système. Mais, dans vos précédents livres, il y avait souvent des injonctions du genre : « Libérez-vous », etc.*

L. C. – D'accord... Mais je crois maintenant qu'il vaut mieux être libre que de dire « libérez-vous »...

P. B. – *Et effectivement, vous ne le dites plus...*

L. C. – Non. Je crois qu'avec le seul plaisir de décrire la lumière ou la mer, ou même les villes que j'espère pouvoir regarder un jour comme toutes les choses de la terre, on peut atteindre une certaine liberté... En tous les cas, il y a des philosophes pour lesquels j'ai senti beaucoup d'affinité, ce sont les présocratiques, Héraclite ou Parménide : ce sont des gens qui conçoivent la philosophie en se promenant et en marchant, qui découvrent la notion d'être et de non-être en regardant le jeu de la lumière et des ombres. J'aime assez que les idées soient exsudées ou produites par la nature.

P. B. – *Jean-Jacques Rousseau ne doit pas vous déplaire...*

L. C. – Je sais qu'on l'a beaucoup décrié, mais moi, oui, je l'aime bien. C'est ainsi.

P. B. – *L'« inconnu » sur la terre, c'est quelqu'un qui n'est pas connu et ne veut pas être connu ?*

L. C. – Oui. En fait, il s'agit d'un enfant inconnu, qui est un peu moi et aussi un peu vous, sans doute, et qui se promène au hasard et regarde les choses sans les expliquer.

P. B. – *Il n'y a pas que les enfants, dans* L'inconnu sur la terre *et dans* Mondo, *qui sont vos modèles. En réalité il y a trois personnages qui vous attirent et sont peut-être un peu vous : l'enfant, le pauvre et le nomade. Quelle est leur caractéristique commune ?*

L. C. – C'est de ne pas être achevés et d'être indéfinis. Les enfants n'ont pas achevé leur vie, ils grandissent et ils ne sont pas arrêtés sur un métier; les pauvres, ils n'« ont » pas, il leur manque quelque chose; et les nomades ne s'arrêtent pas, ils avancent tout le temps dans l'espace.

P. B. – *Vous vous considérez comme un « pauvre » ?*

L. C. – Je crois être en dehors de cette définition : je ne possède presque rien, mais je ne suis pas vraiment « démuni ».

Je crois être entre les deux, dans la classe intermédiaire...

En tous les cas, rien de ce que j'ai pu voir de la vie de Le Clézio ne vient infirmer ces propos. Le Clézio ne vit pas dans la pauvreté mais on est tout de même frappé par la simplicité et l'extrême dénuement de sa maison, qui a l'air d'être une caravane un peu vide.

Alors, quand je parle des pauvres, ou des enfants et des nomades, c'est surtout parce que je suis attiré par ces êtres-là comme par des modèles... d'élégance ou de légèreté. Et les pauvres m'attirent parce que les gens à qui il manque quelque chose ont, me semble-t-il, la faculté de donner; alors que les gens qui sont munis ne donnent pas et n'ont peut-être même plus la faculté de recevoir.

P. B. – *Votre univers romanesque est essentiellement composé d'enfants, de femmes et de jeunes hommes ayant une structure mentale d'enfant. Mais il n'y a pas d'hommes. Pourquoi ?*

L. C. – C'est un portrait intéressant... Celui que l'on appelle adulte, c'est-à-dire le « vir » latin dans la culture occidentale, ne m'intéresse absolument pas, parce que c'est quelqu'un qui ne se définit que par ce qu'il possède et par ce qu'il dirige. Donc c'est un choix pour moi de l'ignorer... Je ne suis pas du tout attiré par les cultures « mûres » ou de maturité, dont l'image est, pour moi, la société industrielle ou... l'École nationale d'administration.

P. B. – *Dans* L'inconnu sur la terre, *vous dites votre admiration pour les « peuples pauvres » parce qu'ils « attendent » et « ne se révoltent pas ». Cela peut paraître ambigu, quand même.*

L. C. – Je me trompe peut-être et j'aurais certainement besoin d'être corrigé par un historien ou un économiste, mais je dis cela parce qu'il me semble que les mouvements de révolte ne sont pas, dans le fond, très naturels à la conception des peuples démunis. Je ne trouve pas que les peuples démunis apportent l'idée d'une révolution organisée qui, au contraire, va dans le sens des civilisations munies. Les peuples pauvres apportent plutôt toutes sortes de détails dans la vie quotidienne et pratique...

P. B. – *Par exemple?*

L. C. – Par exemple tout ce que les peuples riches découvrent actuellement : le yoga, les techniques respiratoires, une certaine liberté dans l'éducation des enfants, une certaine musique, un certain folklore, une certaine nourriture, une certaine façon de s'habiller... On a mis des siècles pour éliminer la relation entre le pouvoir et la culture et, d'ailleurs, cette relation existe encore dans les civilisations riches. Mais justement, de plus en plus, on voit aussi apparaître des signes indiquant que les cultures élégantes et naturelles, c'est-à-dire les cultures pauvres, s'imposent. Et elles ne s'imposent pas nécessairement par la révolte ni par l'idée de prendre la place des autres, mais par l'attente et la conviction...

P. B. – *Dans tous vos livres, vos animaux préférés sont les animaux, disons, « délaissés », les insectes ou les mollusques. L'un de vos personnages dans* Mondo *est même l'ami d'un poulpe. C'est par goût du paradoxe?*

L. C. – Pas du tout. D'abord, je ne crois pas qu'il y ait des animaux inférieurs à d'autres, qu'un cheval ou un lion représentent les rois des animaux, et un mollusque l'étape la plus basse. Ensuite, ces animaux m'intéressent et intéressent les enfants parce qu'ils sont les seuls à être totalement sauvages. Et enfin, j'aime les insectes, j'aime leur côté décoratif, la perfection de leurs carapaces, la forme de leurs ailes, leurs mouvements précis et leur mystère. Et puis aussi... ils sont loin de l'homme, contrairement aux chats ou aux chiens, et quand vous vous approchez d'un scarabée ou d'une coccinelle, on dirait qu'ils ne vous voient pas, que vous êtes transparent...

P. B. – *Vous regardez beaucoup les insectes?*

L. C. – Moins maintenant. Quand j'étais enfant, j'en rencontrais davantage parce que j'étais plus bas et je les voyais plus facilement. Mais quand j'en vois, je m'arrête longtemps... Ici, à Albuquerque, il y a heureusement beaucoup de fourmis, et je les trouve très sympathiques.

P. B. – *Parmi les arbres, vous dites, dans* L'inconnu sur la terre, *avoir une tendresse particulière pour le palmier.*

L. C. – C'est parce que, comme les nuages, le palmier n'est pas très « sérieux ». On a souvent parlé des arbres en termes très sérieux, songez par exemple au côté dramatique des chênes. Alors qu'en dehors des *Mille et une nuits* – et encore – le palmier n'a jamais été traité avec sérieux, et c'est d'autant plus sympathique... De toute façon, je connais surtout les arbres des pays secs et arides, des pays sans arbres : les oliviers, les chênes-lièges, les cyprès, les acacias, les eucalyptus me touchent beaucoup. D'autant qu'ils poussent là où on ne les attend pas.

P. B. – *Parmi les fruits, vous avez, je crois, une prédilection pour les oranges?*

L. C. – Ah oui! j'aime le côté décapant des oranges, leurs formes et leurs couleurs... j'aime aussi la façon dont on mange les oranges au Mexique : là-bas, les oranges sont souvent vertes, et on les pèle en enlevant seulement la partie verte de la peau et en laissant la partie cotonneuse; puis on coupe l'orange en deux et on mord dedans comme si on allait boire le jus dans un bol... Mais, au fait, je suis content de parler de tout cela, des oranges... C'est bien : on ne parle pas de littérature.

P. B. – *Que voulez-vous dire exactement?*

L. C. – Que je trouve bien que vous ne considériez pas, me semble-t-il, la littérature comme quelque chose de différent de ce dont nous venons de parler... C'est bien qu'il n'y ait pas, d'un côté, la littérature et, de l'autre côté, la politique, la sociologie ou les oranges. Je suis très ennuyé quand on considère que le plaisir de lire un livre est différent de celui de manger une orange, regarder un palmier ou se promener au bord de la mer...

P. B. – *Je pense que vous avez beaucoup aimé les livres scientifiques?*

L. C. – Oui, les livres de vulgarisation scientifique surtout. Quand j'étais petit, j'étais un grand lecteur de Camille Flammarion et de son *Astronomie populaire*. Flammarion me faisait plus rêver que n'importe quel conte de fées... Ses ouvrages, c'est aussi de la littérature. D'ailleurs, l'un des dessins qui se trouvent dans *L'inconnu sur la terre* et qui représente la ceinture d'Orion, je l'ai fait d'après Camille Flammarion. Maintenant encore, chaque fois que je sors la nuit, je regarde dans le ciel la ceinture d'Orion, ces trois étoiles alignées qui sont très belles et que l'on voit encore mieux si l'on est sous les tropiques...

P. B. – *Puisqu'on parle de science, il faudrait que vous m'expliquiez pourquoi, dans* L'inconnu sur la terre, *vous ne cessez d'attaquer l'« intelligence ». Vous semblez faire une opposition très classique entre l'intelligence et l'intuition...*

L. C. – Non, je ne les oppose pas. Mais je pense seulement que ce que l'on considère souvent comme étant de l'intelligence n'est en réalité que quelque chose de très artificiel et très futile. C'est l'habitude des mots... Vous me parliez de ma difficulté à m'exprimer : pendant une grande période de ma vie, j'ai éprouvé de la confiance doublée d'admiration vis-à-vis des gens qui savent s'exprimer. J'ai un peu cédé à l'admiration et j'ai essayé de les imiter... Pour m'apercevoir qu'il ne s'agissait que de procédés, qu'il s'agissait de phrases toutes faites, de tics verbaux, de bons mots, de ce qu'on appelle l'esprit...

P. B. – *Vous détestez l'« esprit »?*

L. C. – Oui... J'aime bien l'humour et l'esprit se manifestant par des actes et d'une façon non agressive; je n'aime pas trop « l'esprit de repartie ».

P. B. – *Dans* Mondo, *à propos de l'un de vos personnages, vous écrivez : « Il avait rêvé à beaucoup de choses jour après jour, et chaque nuit, couché dans son lit dans le dortoir, pendant que les autres plaisantaient... » C'est un autoportrait?*

L. C. – Je ne sais pas... Mais, adolescent, j'ai dû éprouver des sentiments analogues : le monde était divisé en deux, avec, d'un côté, ceux qui savaient manier le langage et, de l'autre, ceux qui n'étaient pas à leur aise dans le langage. Et même

s'il s'agit d'une mythologie, j'ai reporté ce sentiment sur l'idée des pauvres, des nomades et des enfants qui, dans beaucoup de cas, sont des gens en deçà du langage, qui ne peuvent exprimer leurs révoltes, mais les ressentent très profondément. Ils ne sont donc pas « intelligents » au sens où on l'entend... Par exemple les pauvres, parce qu'ils ne savent pas lire et écrire... Et voilà pourquoi, quand je parle d'intelligence, je ne veux pas du tout me situer dans l'opposition entre le rationnel et l'irrationnel.

P. B. – *Pour vous, l'intelligenc est foncièrement « dominatrice »?*

L. C. – Oui, je crois : elle aboutit dans la plupart des cas à la domination de ceux qui sont intelligents sur ceux qui ne le sont pas... Je me demande alors quelle est vraiment la valeur de l'intelligence, elle n'a qu'une valeur...

P. B. – *... comptable?*

L. C. – Oui, un peu... Comme en sociologie... Et l'intelligence n'a pour moi rien à voir avec l'innocence de la ruse... Car j'aime, en revanche, la ruse, c'est-à-dire maintenir la distance entre soi et les autres, esquiver un coup, se défendre pour des actions vitales qui ne portent pas à conséquence...

P. B. – *Ce que vous souhaitez, c'est une compréhension par la « transparence », comme Jean-Jacques Rousseau?*

L. C. – Vous voulez dire que je suis un illuminé?

P. B. – *Ce n'était pas une critique...*

L. C. – Pour moi non plus : je suis quelqu'un, c'est vrai, qui croit beaucoup plus à la compréhension par l'« illumination » que par la raison.

P. B. – *Vous n'attaquez pas seulement l'intelligence, dans* L'inconnu sur la terre, *mais aussi un certain type de langage.*

L. C. – Il y a le langage qui est utilisé pour essayer de refaire les choses, les re-créer, le langage qui a un caractère musical ou d'incantation (j'aime assez l'idée selon laquelle le langage ne sert qu'à soi-même pour se bercer). Et il y a un autre langage qui est justement celui de l'intelligence, le langage utilitaire où il s'agit de mettre en mots ce que les autres sentent pour pouvoir être « public-relation » : c'est le langage publicitaire, le langage des slogans, de la politique, de la sociologie, de tout ce qui tourne autour de l'homme et qui a l'air de le servir, mais, en réalité, se sert de lui.

P. B. – *Dans* L'inconnu sur la terre, *il n'y a pas de jeux typographiques comme dans certains de vos autres livres, mais de temps en temps des dessins, vos dessins...*

L. C. – Qu'est-ce que vous en pensez, de ces dessins ?

P. B. – *Que parfois, à propos du soleil ou de la mer, ils apportent quelque chose qui leur est propre, et impossible à traduire dans le langage des mots, comme s'il s'agissait d'une limite de l'écriture...*

L. C. – C'est vrai. Par exemple pour ce dessin :

Il exprime quelque chose que je n'ai pu écrire. (Malheureusement, pour le reproduire à l'imprimerie, j'ai été obligé de le passer à l'encre de Chine et le dessin – il était au crayon – est beaucoup trop dur.) C'est un chemin au bord de la mer, le soleil, en face de vous, vous éblouit et vous avez une tache aveugle dans l'œil; le reflet du soleil semble faire une route et continuer donc le chemin de ciment sur lequel vous êtes, alors que les rochers

tout autour semblent noirs. Vous avez ainsi l'impression d'avancer sur de la lave, et c'est assez extraordinaire. Ce court instant, qui ne sera jamais plus comme avant, j'ai été incapable de l'écrire, et j'ai préféré alors le dessiner... Dans d'autres cas, comme les mouches, par exemple, j'utilise les dessins parce que ce sont vraiment des signes parfaits, exactement semblables à des caractères typographiques. J'aurais aimé mettre des mouches tout au long de mon livre...

P. B. – *C'est la première fois que vous utilisez des dessins ?*

L. C. – Oui, avant, j'utilisais d'autres procédés : des citations, par exemple. Mais là, j'ai pensé qu'il était préférable de faire des dessins... *L'inconnu sur la terre*, c'est aussi l'anonyme. Or, contrairement à l'écriture, je pense qu'il est possible de faire des dessins impersonnels, tout à fait naturels pour tout le monde, et dont tout le monde puisse lire le sens immédiatement.

P. B. – *Pour revenir au langage, vous dites que, par le langage, l'homme s'est exclu du silence...*

L. C. – C'est le simple fait de se servir de mots pour remplacer les choses qui me gêne. De faire du bruit, de dire « Oh ! » ou bien « Ah ! » devant un beau paysage... Les hommes, partout où ils passent, veulent faire du bruit, signer, laisser une trace, et il me semble que le langage humain est trop marqué par cette volonté de laisser à la postérité un message... Bien sûr, c'est paradoxal : puisque j'écris des livres, je laisse des traces. Mais il n'empêche : le langage humain me semble être en rupture par rapport à l'uniformité silencieuse du monde. Quand vous allez chez les insectes, et surtout quand vous descendez dans les profondeurs de la mer, vous trouvez enfin le silence total, il n'y a plus de communication acoustique...

P. B. – *Il y a peut-être des ultrasons !*

L. C. – Ah! oui, effectivement... Mais c'est en tant qu'homme que je réagis, et je suis frappé par le silence du règne animal. Pour les animaux, nous devons être très bruyants, alors qu'eux, souvent, on ne les entend pas arriver...

P. B. – *Vous avez écrit dans* Haï, *qui est un essai sur le monde des Indiens : « La grande invention des Indiens, c'est le silence. Ils en sont obsédés. »*

L. C. – Il y a des Indiens très bruyants. Mais il y a d'autres Indiens qui vivent dans la forêt ou dans des espaces désertiques en harmonie complète avec la nature. On ne les entend pas, on a l'impression qu'ils ne font pas des verrues sur la terre. Et c'est une autre leçon des peuples pauvres.

P. B. – *Justement, à propos de leçon, vous dites, toujours dans* Haï *: « La rencontre avec le monde indien n'est plus un luxe aujourd'hui. C'est devenu une nécessité pour qui veut comprendre ce qui se passe dans le monde moderne. » Comment peut s'opérer cette rencontre ?*

L. C. – Par hasard, ou quand vous avez provoqué la chance de pouvoir rencontrer cet univers-là. Mais je ne pense pas qu'il soit indispensable d'y aller...

P. B. – *Vous avez pourtant vécu chez les Indiens Embera du Panama...*

L. C. – Oui, mais, finalement, toutes les expériences des ethnologues ou de ceux qui ont approché le monde indien ont été négatives. Et, dans un sens, j'ai regretté d'avoir été là-bas, car il me semble que j'ai pu causer des torts... L'univers indien n'a aucun besoin des gens de la civilisation technique, sur aucun plan, même pas pour la médecine. Et puis, malgré tout, pour moi également, ce n'était pas bon, cette expérience : il n'est pas possible, lorsqu'on est un citoyen franco-mauricien appartenant à la culture occidentale, de changer, c'est impossible; et ceux qui le disent racontent des histoires.

P. B. – *Mais, tout de même, vous le saviez bien avant d'y aller !*

L. C. – Oui, je le savais un peu. Mais je ne savais vraiment pas à quel point cet univers est fragile, à quel point il peut être détruit facilement. Et il sera détruit...

P. B. – *Vous avez appris deux langues indiennes. En quoi la langue indienne est-elle « magique » ?*

L. C. – C'est difficile à expliquer. Mais on peut dire que la langue indienne est magique par l'utilisation de langages non communicatifs, de langages sifflés ou chantés. Un peu comme dans la chanson : vous avez sûrement été frappé dans votre enfance par des chansons dont vous ne compreniez pas les paroles, mais que vous enregistriez très bien; ou alors, imaginez que vous ne connaissiez pas l'anglais et que vous aimiez beaucoup les Beatles, vous êtes frappé alors par des groupes de mots ou de sons dont vous ne connaissez pas le sens. C'est par là que la langue indienne est magique, avec ses mots qui servent le plus souvent à écouter ou à guérir, à bercer ou à chanter. Sans oublier aussi tous les autres langages par gestes, par signes ou par sifflements...

P. B. – *Vous m'avez parlé de silence, de la transparence avec la nature, du monde indien, etc. Dans le fond, vous pensez vraiment pouvoir être un « inconnu » sur la terre ?*

L. C. – Je pense que j'ai tout fait pour l'être réellement. Mais ce que j'aimerais vraiment, c'est devenir un enfant inconnu.

P. B. – *Vous ne pouvez quand même pas vous débarrasser complètement de votre notoriété d'écrivain.*

L. C. – Peut-être pas, bien sûr... En tous les cas, j'ai vraiment essayé de ne pas être affecté par la gloire qui, pour moi, est un problème totalement faux et futile. Écrire, c'est produire, et idéalement écrire ne devrait pas poser plus de problèmes que de produire des cageots de tomates. L'idée un peu gréco-romaine de la célébrité et de ces lauriers que les dieux viennent poser sur le front, tout cela ne m'intéresse pas... C'est pourquoi je me défends contre la notoriété. Évidemment, j'en conviens, écrire, ce n'est pas tout à fait produire des tomates – et encore ! – mais c'est être un simple producteur-artisan...

P. B. – *Et comme d'autres produisent des sons, vous, vous produisez des mots...*

L. C. – C'est cela. C'est une idée assez orphique... Je voudrais bien revenir au culte d'Orphée, j'aimerais bien que les animaux soient à nouveau apprivoisés par la musique des hommes, et que les hommes sachent justement faire de la musique pour les animaux, vraiment j'aimerais bien cela.

JEAN D'ORMESSON

« L'Académie française et Le Figaro
*ont été pour moi l'occasion
de me retourner vers mon père et de lui dire :
"Tu vois, ça a tout de même marché!"* »

Juin 1978

« Il a les yeux de Michèle Morgan et le nez de Raymond Aron », avait dit un des rédacteurs du *Figaro* lorsque Jean d'Ormesson devint, au début de 1974, le directeur du célèbre quotidien parisien. C'est vrai qu'il a beaucoup de charme et d'intelligence, le comte d'Ormesson, assez pour entrer à l'Académie française dès 1973, à l'âge de quarante-huit ans, assez pour séduire le vieux Jean Prouvost qui lui confie le prestigieux journal de Villemessant et de Pierre Brisson, mais pas assez, semble-t-il, pour empêcher le nouveau propriétaire Robert Hersant de s'approprier tous les droits sur le journal, y compris les siens. D'où sa démission du poste de directeur du *Figaro* en juin 1977 tout en continuant d'y collaborer. Jean d'Ormesson est retourné à l'Unesco où il occupe les fonctions de secrétaire général du Conseil international de la philosophie et des sciences humaines. Et surtout il est revenu à la littérature en publiant un livre de souvenirs, *Le vagabond qui passe sous une ombrelle trouée* (Gallimard), propos de Mao Tsé-toung adapté au rejeton d'une excellente famille française d'aristocrates et de diplomates désargentés – comme nul n'en ignore depuis le pharamineux succès de l'adaptation d'*Au plaisir de Dieu* à la télévision.

« L'ombrelle c'est ce qui protège, écrit Jean d'Ormesson à la fin du livre, et Dieu sait si je le suis, protégé et bordé et couvert et abrité de tous les orages de l'histoire et des grains du malheur. Les trous, ce sont mes faiblesses, mes erreurs, mes folies, le temps qui coule à travers elles, les échecs et les peines, les malheurs – qu'ils soient bénis! – [...] Et le vagabond, c'est moi. » Livre de souvenirs? Certes, puisqu'il se présente comme la suite d'*Au revoir et merci* et que Jean d'Ormesson nous y raconte avec bonne humeur ses aventures figaresques. Mais aussi essai sur la littérature, sur le bonheur d'écrire, sur le déclin de notre civilisation, sur la mort. Et puis encore roman avec notamment un chapitre fabuleux sur l'arrivée du Viking Eric à la Barbe Blanche au Pérou au VIᵉ siècle après Jésus-Christ. Beau livre tonique, grave et malicieux dont le sujet est le livre lui-même. Autobiographie d'une homme supérieurement doué pour l'histoire, la fiction et le bonheur. Le vagabond en habit vert habite Neuilly. J'ai sonné à sa porte.

Bernard Pivot. – *Quelle est votre profession, Jean d'Ormesson ?*

Jean d'Ormesson. – J'essaie d'être écrivain.

B. P. – *Qu'y a-t-il de marqué sur votre passeport ?*

J. O. – Écrivain.

B. P. – *Même du temps où vous étiez directeur du* Figaro *il y avait marqué « écrivain » ?*

J. O. – Non, il y avait « journaliste ».

B. P. – *Donc vous avez changé ?*

J. O. – Oui, mon passeport était arrivé à expiration en février 78, j'ai fait mettre écrivain.

B. P. – *Mais quand vous êtes entré au* Figaro, *en février 1974, avec le titre de directeur, vous avez abandonné votre carrière naturelle, qui est celle d'un écrivain, pour le journalisme ?*

J. O. – Tâchons d'être franc. Ce que j'essaie, oui, c'est d'être écrivain. Et il y a très longtemps que je m'y emploie, aidé par de nombreux maîtres qui étaient en général de gauche et à qui je garde une profonde gratitude. Et puis il y a eu l'éditeur René Julliard, et ce que je vais vous raconter répond très directement à votre question : « Quel est votre métier ? » J'avais déposé le manuscrit de mon premier livre chez Gallimard sans aucune lettre d'introduction (je dis ça pour les jeunes gens d'aujourd'hui qui écrivent, à vous ou à moi, pour obtenir une lettre de recommandation auprès des éditeurs), j'ai déposé mon manuscrit chez le concierge et j'ai attendu trois semaines. Au bout de trois semaines, je me suis affolé. Or, je sais maintenant qu'il faut laisser plutôt six mois aux lecteurs des maisons d'édition. Un samedi soir – on travaillait le samedi, à cette époque – j'ai déposé un double de mon manuscrit chez Julliard et, le lendemain, le dimanche

matin à 8 heures, René Julliard me téléphonait pour me faire signer un contrat. Il l'avait lu dans la nuit ! Et Julliard, que j'aimais beaucoup, m'a promis une carrière à la Sagan. Il m'avait promis le succès pour mon premier livre. Il me l'a promis pour mon second, puis pour mon troisième, il me l'a promis encore pour mon quatrième. Mais non, rien, j'étais un peu désespéré, et c'est à ce moment-là que j'ai écrit *Au revoir et merci* dont le titre a plusieurs sens, notamment celui-ci : merci à la littérature et au revoir à la littérature. C'était avouer que j'essayais d'être un écrivain. Et puis j'ai été nommé, proposé par Prouvost et élu par les représentants du journal, directeur du *Figaro* : c'est cela qui m'a fait connaître du public. Entre les quelques milliers d'exemplaires de mes livres et les 500 000 exemplaires quotidiens du *Figaro*, il n'y avait pas de commune mesure !

Tout de même, Jean d'Ormesson avait obtenu le grand prix du roman de l'Académie française dès 1971 avec La gloire de l'Empire, *dont le succès ne fut pas mince. Mais il est vrai que* Au plaisir de Dieu *parut quelques mois après l'installation de son auteur dans le fauteuil éditorial du* Figaro *et que, cette fois, le public fit un triomphe au romancier, encore jeune et déjà académicien et directeur de journal.*

B. P. – *Aujourd'hui, aux yeux du public vous êtes plus écrivain que journaliste ou plus journaliste qu'écrivain ?*

J. O. – Eh bien, j'ai craint que je ne fusse plus journaliste qu'écrivain...

B. P. – *Vous avez publié* Le vagabond qui passe sous une ombrelle trouée *pour vous prouver que vous êtes toujours capable d'écrire des livres ?*

J. O. – Oui, vous avez tout à fait raison. Dans un salon du *Figaro,* il y a la collection des portraits des directeurs du journal. J'avais pris les noms de ceux que je connaissais, qui étaient des gens relativement illustres : Brisson, Alphonse Karr, Villemessant, Flers, Capus, et j'avais cherché quelques renseignements sur eux dans le Larousse. Pour Capus, par exemple, j'avais lu qu'il avait été élu à l'Académie française en 1914 et que, directeur du *Figaro,* « il consacra ses dernières années au journalisme ». J'ai considéré cela comme une catastrophe ! Je me suis dit : « Eh bien, voilà, je n'écrirai plus ! C'est fini ! » Et j'étais très embêté...

Je puis personnellement témoigner qu'effectivement le bonheur et la fierté de Jean d'Ormesson d'occuper le fameux bureau ovale du Rond-Point des Champs-Élysées (aujourd'hui démoli) étaient gâchés à l'idée qu'il ne trouverait peut-être plus jamais le temps d'écrire des livres. Sans compter qu'il se rappelait son mot cruel et fameux à propos d'un roman d'un de ses prédécesseurs à la tête du journal, Pierre Brisson : « Il y a tout de même une justice : on ne peut pas à la fois être direceur du Figaro *et avoir du talent. » Mais Robert Hersant veillait, qui rendit Jean d'Ormesson à la littérature...*

J. O. – Oui, vous savez, le directeur du *Figaro* ou de tout autre grand journal n'a pas le temps d'écrire des livres. Ou alors il écrit des livres bâclés. Le métier d'écrivain et le métier de journaliste ont en commun ceci : ce sont des métiers auxquels il faut se donner entièrement, donc incompatibles, Oh ! certes, si vous êtes directeur du *Figaro,* vous pouvez écrire à la rigueur un livre sur les institutions de la Vᵉ République... Sincèrement je pense que les institutions sont mauvaises pour le talent. Surtout aujourd'hui. Les institutions ne marchent pas bien avec le talent. Je doute qu'on puisse être général d'armée et écrire un roman. N'importe qui peut écrire un bon roman, un garçon de restaurant par exemple. Mais je douterai toujours qu'un général d'armée le

puisse. Pourquoi ? Parce qu'il est à la tête d'une institution et que cette activité requiert toute son énergie, tout son temps, toutes ses facultés. Si on me dit : « Voilà un roman épatant d'un chauffeur de taxi », je demanderai à le lire. Je serais surpris qu'on puisse me dire : « Voilà un roman épatant du ministre de l'Éducation nationale. »

B. P. – *Mais enfin, Chateaubriand...*

J. O. – Oui, Chateaubriand. Il y a trois grandes exceptions : Jules César, qui était empereur et, à mon sens, un excellent écrivain ; Saint-Simon qui était duc et pair et un très grand écrivain ; et Chateaubriand qui était ambassadeur et ministre des Affaires étrangères et qui a écrit de très bons livres.

B. P. – *Et Claudel ? Saint-John Perse ?*

J. O. – Oui, du côté des ambassades, on peut en trouver quelques-uns : Claudel, Saint-John Perse, Giraudoux, Morand...

B. P. – *Ils étaient bien plongés dans les institutions ces écrivains-là !*

J. O. – Oui, c'est vrai. Je fais peut-être des phantasmes inversés.

B. P. – *Une phrase me choque dans votre livre, c'est celle-ci : « Ce que je suis fondamentalement, c'est un incapable. » Vous vous fichez du monde ?*

J. O. – Non, navré ! J'en suis absolument convaincu. Je vous le jure. Supposez qu'il se passe des événements graves – on en est toujours à la veille, d'ailleurs – et que la littérature n'intéresse plus les gens, qu'est-ce que je peux faire d'autre que d'écrire ? Quoi ? Nous vivons dans une civilisation où les gens ont suffisamment de loisirs, d'argent – voyez comme c'est fragile tout ça ! – pour acheter des livres. Mais s'il fallait survivre, s'il fallait chercher un métier, s'il me fallait vendre des trucs, j'en serais incapable ! Je suis incapable de faire des affaires, je suis incapable d'arranger une maison. Si le chauffage saute, ici, je ne sais pas le réparer. Si ma voiture tombe en panne, je n'ai rien d'autre à faire qu'à aller chercher un mécanicien !

B. P. – *Et si on vous demande de diriger un journal ?*

Rires. Jean d'Ormesson est capable de rire de bon cœur de lui-même.

J. O. – Nous vivons dans un drôle de système! Parce que vous avez écrit des livres qui ont eu du succès, on peut vous mettre dans un conseil d'administration, vous projeter à la tête de quelque chose! On peut même vous nommer ministre...

B. P. – *Ça vous paraît scandaleux?*

J. O. – Scandaleux, non, mais fragile, oui. Évidemment on n'en est plus au temps où on plaçait à des postes importants des jeunes gens dont les pères étaient ducs et pairs. Le système, aujourd'hui, est plus équitable, mais il n'est pas à l'abri de tout soupçon. Parce que vous avez obtenu le premier prix de thème latin – que je n'ai pas eu – et de discours grec, on dit : « Tiens! il va être capable de diriger une entreprise... »

B. P. – *Et parce que vous avez reçu le grand prix du roman de l'Académie française, on vous appelle au* Figaro?

J. O. – Avouez que le lien de cause à effet n'est pas évident! Un bon romancier ne fait pas nécessairement un bon directeur de journal...

B. P. – *Et un bon directeur de journal n'est pas forcément un bon écrivain?*

J. O. – Oui, que Jacques Fauvet [1], que Philippe Tesson [2] me pardonnent, c'est évident! Ce qui est sûr, c'est que nous vivons dans un système qui privilégie les activités de l'esprit, Roger Caillois a dit là-dessus beaucoup de choses pertinentes.

B. P. – *Il me semble qu'une des raisons qui vous ont fait accepter le poste de directeur du* Figaro, *c'était que si vous ne preniez pas une revanche sur votre père, du moins vous étiez content de lui montrer, bien qu'il fût déjà mort, ce dont vous êtes capable...*

J. O. – C'est évident et je vous jure que ce n'est pas de la littérature. Non pas une revanche, mais au contraire une offrande filiale. Mon père est un homme que beaucoup de gens âgés ont connu, à la fois très modeste, extraordinairement attaché au passé, au milieu, à la tradi-

---

1. Directeur du *Monde.*
2. Directeur du *Quotidien de Paris.*

tion, et en même temps extraordinairement ouvert à l'avenir. C'était un ami de Léon Blum; il était ambassadeur du Front populaire, et la France socialiste ne l'épouvantait absolument pas, à condition bien sûr qu'on lui permette de respecter ses traditions, les jolies manières et l'idée sacrosainte du milieu. C'était un curieux mélange. L'idée de se marier en dehors de son milieu lui aurait paru quelque chose de scandaleux, mais il aurait accepté un régime de gauche et presque d'extrême gauche. Il était très tendre, c'était un père merveilleux. J'ai souvent dit que la phrase de Sartre : « Il n'y a pas de bons pères, c'est la règle », m'était totalement incompréhensible. Mon père était très content de ce que j'aie fait de bonnes études, de ce que je sois entré à l'École normale, et très inquiet d'un certain côté léger chez moi, un peu changeant, un peu superficiel, tout ce côté-là qui m'a moi-même inquiété plus tard. Mon avenir le tourmentait beaucoup. Il me disait souvent qu'avec tous mes talents, je serais probablement un raté, parce que je voudrais toucher à tout. Et cette idée d'être un raté me tourmentait. De sorte que l'Académie française et *Le Figaro* ont été pour moi l'occasion de me retourner vers mon père et de lui dire : « Tu vois, ça a tout de même marché! »

B. P. – *Vous êtes un raté qui a réussi?*

J. O. – C'est une formule merveilleuse! Ce serait l'idéal! Parce qu'il y a chez le raté, que mon père détestait tellement, il y a une grande liberté, une espèce de refus de se plier à un certain jeu, à la routine, il veut tout et toujours remettre en cause, il veut sans cesse recommencer, toutes choses qui me tentent, c'est vrai...

B. P. – *Vous êtes fasciné dans tous vos livres par les ratés, à condition qu'ils aient du talent...*

J. O. – Naturellement! Rater complètement sa vie, c'est un peu embêtant... Je n'aime pas la notion de carrière, et je l'aime si peu que je n'ai pas fait ce que j'aurais dû faire, c'est-à-dire Sciences-po, puis conseiller d'État ou diplomate. J'ai préféré l'école normale et la philosophie.

Althusser me disait : « Écoute, tu peux faire n'importe quelle agrégation, sauf celle de philosophie parce que tu es très faible. » C'est naturellement celle que j'ai faite.

B. P. – *Vous écrivez : « L'esprit de sérieux me fait horreur. » Alors on se dit : comment un homme pour qui l'esprit de sérieux est condamnable a-t-il pu accepter la direction d'un journal comme* Le Figaro ?

J. O. – De temps en temps, je me le demande aussi ! Il y a une belle phrase de Stendhal sur Napoléon : « Il avait enfermé sa vie dans une comédie grave. » C'est beau, non ?

B. P. – *Un dernier mot sur votre père. Vous écrivez : « Mon père était un janséniste qui adorait les bals. » Vous, vous n'êtes pas janséniste...*

J. O. – ... Et je n'aime pas les bals ! Je déteste ça ! Un : je n'aime pas danser. Deux : je n'aime pas sortir le soir. Trois : je n'aime pas tellement les fêtes, les trucs comme ça.

B. P. – *Vous voulez dire que vous n'êtes pas un mondain ?*

J. O. – Oui, je regrette de le dire, mais je ne suis pas un mondain. On croit que je le suis parce que je m'entends bien avec les gens et que j'aime parler avec eux. Mais non, aux bals et aux soirées je préfère les livres.

Ce qui n'empêche pas Jean d'Ormesson d'être un homme très actif qui avoue aimer beaucoup le plaisir. La littérature et l'amour ne sont pour lui qu'une seule et même chose. Ajoutez à cela un goût très marqué pour l'invention romanesque, le canular historique et culturel dont La gloire de l'Empire *fut l'illustration la plus spectaculaire. Est-il plus sérieux dans ce livre de souvenirs ? « Si j'écrivais des Mémoires au lieu de ces pages un peu bizarres dont on ferait bien de se méfier... » (p. 104). « Est-ce qu'on ne triche pas toujours un peu quand on écrit un livre – et peut-être celui-ci ? » (p. 93). « Dès que j'écris, j'invente » (p. 132).*

B. P. – *Cette très belle histoire romantique des amours de Lady Ann Kingston*

avec le colonel Fitz-Gerald, qui seraient de vos aïeux, est une pure invention ?

J. O. – Absolument pas ! non, non ! C'est une histoire de famille.

N'en croyez rien. Et il ose écrire : « Je descends d'Ann Kingston et de Gerald Fitz-Gerald comme je descends aussi de magistrats très intègres et de serviteurs de l'État. » A l'entendre, Jean d'Ormesson descendrait de la terre entière ! La boulimie généalogique de cet homme-là est effrayante.

J. O. – Je veux bien avouer que la famille Plessis-Vaudreuil, que l'on a vue dans *Au plaisir de Dieu*, à la télévision, n'est pas proprement la mienne. Vous voyez, je fais un pas en avant vers la vérité...

B. P. – *Vous dites davantage : vous avouez que le grand-père, qui a été joué magnifiquement par Jacques Dumesnil, eh bien, c'était votre mère !*

J. O. – Oui, c'est ma mère qui s'en rapprochait le plus. Et non pas mon père et non plus mon grand-père qui était un officier de cavalerie.

B. P. – *D'où vous vient ce goût de la mystification ? Vous aimez fourvoyer votre lecteur ?*

J. O. – J'ai lu l'autre jour, extraite d'une histoire des Celtes, une citation qui m'a beaucoup frappé : « Les Celtes entrèrent dans l'histoire par leur incapacité de différencier le réel de l'imaginaire. »

B. P. – *Vous êtes un Celte ?*

J. O. – Peut-être que je descends des Celtes !

B. P. – *Encore !*

J. O. – Je fais peu de différence entre l'imaginaire et le réel, c'est vrai. De temps en temps je me dis que *Le Figaro* n'est pas plus vrai que les Plessis-Vaudreuil : les personnages de la littérature vivent exactement dans mon esprit sur le même mode que les personnages réels. Rastignac n'a ni plus ni moins de réalité que Napoléon, puisque tous deux sont morts. Entre un personnage qui a vécu et qui est mort et un personnage inventé, il n'y a aucune différence. Où vivent-ils ? Ils vivent dans notre souvenir et notre imagination. On me dira : « Mais Napoléon, on voit son chapeau ! »

Et je vous répondrai : « De Rastignac on sait tout ce que Balzac en a dit! » On en sait beaucoup plus sur Rastignac que sur Napoléon.

B. P. – *Mais quand vous parlez de personnages réels d'aujourd'hui, Robert Hersant et Raymond Aron, par exemple, vous dites la vérité?*

J. O. – Je ne prétends jamais dire la vérité. Notre formation de journaliste nous apprend assez que le même événement dans *Libération*, dans *Minute*, dans *Le Figaro* ou dans *L'Observateur*, n'est pas relaté exactement de la même façon. Si je ne prétends pas dire la vérité, je joue, et j'y tiens, la carte de l'objectivité. Je dis honnêtement ce que moi j'ai ressenti et comment j'ai vu les choses. Je suis honnête, je ne truque pas, je ne garde pas pour moi les choses que je sais. Et puis à peine vous ai-je lâché cela que je me dis que ce n'est pas vrai : il y a des tas de choses que je sais et que je ne dis pas dans le livre. Il est évident que je ne dis pas tout, d'abord parce que je n'ai pas la place ni le temps de tout dire, que tout n'est pas intéressant, et, allons plus loin, qu'il y a peut-être des choses que je sais et que je ne souhaite pas dire. Je ne dis peut-être pas tout sur des faits très importants – très importants pour moi – par exemple sur les motifs qui m'ont fait rester quand Hersant est arrivé au *Figaro* alors que je voulais partir. C'est que je ne suis pas le seul à détenir... je ne dis par des secrets...

B. P. – *Des secrets politiques?*

J. O. – Oui, politiques. Et puis, par tempérament, étant porté à inventer, il fallait que je me retienne pour que Aron et Hersant ne se transforment pas en personnages de roman. Pour employer le vocabulaire de mon père ou de Couve de Murville : ce n'était pas convenable de faire faire à Aron et à Hersant des gestes de personnages de roman.

B. P. – *Vous écrivez que vous êtes prêt à renoncer à vos privilèges économiques et sociaux. C'est vrai, ça?*

J. O. – Je vous répondrai par une phrase de Stendhal qui est belle : « Ami lecteur, je voudrais t'éviter de haïr et d'avoir peur. » Et si je suis prêt à renoncer à un certain nombre de privilèges, c'est parce que – certes je suis solidaire de ma famille, mettons même de ma classe – je ne veux pas partager sa crainte perpétuelle de perdre une partie de sa situation. Cela empoisonne la vie! Alors j'aime mieux y renoncer tout de suite et tâcher de mener, en dehors de ces craintes, une vie aussi agréable que possible.

B. P. – *Voilà un renoncement qu'aurait pu vous reprocher votre père. Et vous avouez dans votre livre que vous avez désespéré votre mère parce que vous n'avez pas été capable de sauver le château de famille.*

J. O. – Non, j'ai désespéré mon père pour des motifs très différents, rigoureusement privés sur lesquels je ne dirai rien. Ce sont des raisons d'ordre sentimental, des affaires de cœur. Quant à ma mère, oui, à ses yeux j'aurais dû racheter le château de Saint-Fargeau. Mais il y fallait une grosse fortune que je n'avais pas.

B. P. – *N'êtes-vous pas entré au Rond-Point des Champs-Élysées comme vous seriez revenu dans le château de famille, c'est-à-dire avec l'idée d'en être le sauveur? Est-ce que* Le Figaro *n'a pas été un autre Saint-Fargeau?*

J. O. – C'est très possible. On croit que les gens obéissent à des motifs politiques et, en réalité, ils obéissent – nous le savons depuis cinquante ou soixante ans – à des motifs tellement plus mystérieux. Il est certain que la chute de Saint-Fargeau, qui a donné naissance avec une clarté aveuglante à *Au plaisir de Dieu*, n'est peut-être pas tout à fait étrangère à l'idée qu'il fallait reconstruire un Saint-Fargeau ailleurs et que ce que je n'avais pas pu faire à Saint-Fargeau je le ferais sur le mode intellectuel au Rond-Point des Champs-Élysées.

B. P. – *Vous dites à un moment que vous avez de la tendresse pour les perdants et ça m'a rappelé une anecdote qui va vous amuser. Dans le jury du prix Médicis il y avait Roland Barthes. Il sort de la salle à manger où le jury avait décerné son prix et quelqu'un lui dit : « Ah! je suis ravi, c'est votre candidat qui a gagné! » Alors*

Roland Barthes : « Oui, mais ça m'ennuie d'être du côté des gagnants. »

J. O. – C'est épatant. Barthes quelquefois m'irrite fabuleusement, lorsqu'il dit par exemple que le langage est fasciste, et quelquefois je me sens très proche de lui. Je ne sais pas si ça lui fera plaisir, d'ailleurs. C'est vrai, les camps gagnants, ça n'est jamais bien. Je n'ai pas fait une résistance glorieuse mais, déjà en 40, j'étais partisan du général de Gaulle. Le seul moment où j'ai un peu flanché c'est en 44 : tous ces vainqueurs, cet afflux vers les vainqueurs...

B. P. – *Il en fallait bien des vainqueurs !*

J. O. – Oui, il en faut, naturellement. Mais il faut aussi savoir dominer sa victoire, me semble-t-il. Quand j'ai quitté la direction du *Figaro*, l'été 77, on s'est étonné que je souhaite continuer à écrire. Or, à ce moment-là, la victoire de la gauche paraissant à peu près assurée, je ne voulais pas qu'on puisse croire que je me défilais. L'après-mars 1978 s'annonçant, pour les gens de la majorité, comme une période très sombre, cela m'a incité à rester au *Figaro*. Et puis, après 78, je ne crois pas qu'on puisse me reprocher d'avoir entonné le péan des vanqueurs. J'ai peut-être plutôt fait le contraire. Gagner, c'est une chance, mais il ne faut pas en abuser.

B. P. – *Donc vous n'avez pas quitté* Le Figaro *pour n'être pas accusé de vous désolidariser du camp des futurs perdants ?*

J. O. – Et vous voyez la malédiction ! Je me suis encore retrouvé dans le camp des vainqueurs...

B. P. – « *La littérature n'est peut-être rien d'autre qu'un bon usage des catastrophes.* » *C'est une très belle phrase. Elle est de vous. Alors je me dis que votre entrée au* Figaro *a été une catastrophe et votre départ une autre catastrophe, ce qui vous a permis d'écrire* Le vagabond qui passe sous une ombrelle trouée.

J. O. – Pour ce qui est de l'organisation de ma vie, mon entrée au *Figaro* a été une bien plus grande catastrophe que mon départ. Car l'entrée au *Figaro* était la renonciation à la littérature, c'est clair.

Et Le vagabond qui passe sous une ombrelle trouée *est un retour enjoué à la littérature, la fonction et la vertu essentielles de ce livre étant un éloge du livre, du roman, du style, des mots, comme si Jean d'Ormesson manifestait sa joie de retrouver des compagnons perdus pendant quelques années.*

B. P. – *Tout compte fait, peu importe les châteaux,* Le Figaro, *la politique, l'histoire, la seule chose qui compte pour vous, c'est la littérature...*

J. O. – C'est évident. L'éternité, c'est ce qu'il y a de plus fragile, c'est du papier. Qu'est-ce qui reste de tout le passé ? Non pas les idées, parce qu'elles s'envolent, mais des mots écrits. Ma drogue, ma passion, c'est une phrase qui me plaît. Une citation me rend fou. Pour quelque chose qui est bien dit par Oscar Wilde ou par Chateaubriand, je donnerais tout ! En même temps que nous vivons dans une époque où la littérature est menacée. Mon idée n'est pas tellement de dire : il y a eu de grands écrivains entre les deux guerres, vous les connaissez, et aujourd'hui la relève n'est pas prise. Et il est vrai que la littérature française a baissé pendant que d'autres montaient : la turque qui était absente, l'argentine, la brésilienne, la colombienne, la cubaine avec l'immense Carpentier ! Mais il y a plus grave : cette idée tout à coup qu'on se demande si la littérature est quelque chose d'éternel. Et si la littérature disparaissait ? Là-dessus, dans son dernier livre [3], Roger Caillois a l'air de dire que la culture est si extraordinairement fragile et même tellement étouffante qu'on peut vouloir s'en débarrasser. Et qu'adviendra-t-il du roman ? L'épopée était liée à la féodalité, la tragédie à l'aristocratie, et le roman est lié à la bourgeoisie et à la lutte du prolétariat contre la bourgeoisie. Je ne dis pas que nous allons nécessairement vers le communisme, mais nous allons obligatoirement vers un déclin de la bourgeoisie. Qui le niera ? Inutile de se dire : mais non, la bourgeoisie, elle, elle tiendra éternellement ! Évidemment pas ! L'aristocratie n'a pas

---

3. *Le fleuve Alphée* (Gallimard).

tenu, la bourgeoisie ne tiendra pas non plus. Est-ce qu'elle entraînera le roman de sa chute? Ce n'est pas sûr, mais ce n'est pas exclu. Et une littérature sans romans, avec des mémoires et des essais, ce n'est pas très gai.

B. P. – *Vous n'êtes pas très optimiste!*

J. O. – Rassurez-vous, il y aura autre chose. Quoi? Je ne sais pas. Je crois qu'il y a de nouveaux équilibres qui se font mystérieusement, soit parce que c'est dans la nature des choses, soit parce que quelqu'un y veille. Ça s'arrangera, mais nous ne savons pas comment.

B. P. – *Je vais vous soumettre à une série de quinze adjectifs qui sont appliqués à votre personne, que j'ai trouvés sous la plume de commentateurs de votre œuvre ou de votre carrière, ou que j'ai entendu dire à votre propos. Je vous demanderai de me citer les trois qui vous paraissent le mieux vous définir. Il y a : insouciant, désinvolte, léger, farceur, paresseux, dilettante, sceptique, ironique, appliqué, cynique, séducteur, faible, enjôleur, libéral, égocentrique.*

J. O. – Je récuse « faible » dont je connais l'origine[4]. Dilettante? Si on me voyait

-----
4. Robert Hersant avait accusé Jean d'Ormesson d'être un homme faible.

travailler à mes livres, on ne dirait pas que je suis dilettante! Eh bien, je choisirai : désinvolte, ironique, libéral. Mais je me flatte un peu? On pourrait y ajouter égocentrique. Vous savez, je suis facile à vivre, plutôt agréable, comme les égoïstes. Les gens qui veulent sauver le monde et qui pensent aux autres sont insupportables, assommants.

B. P. – *Pensez-vous que vous seriez un petit peu moins célèbre, un petit peu moins apprécié de vos lecteurs si vous aviez les yeux moins bleus?*

J. O. – Cette idée me plaît. Et si j'avais dix centimètres de plus, vous vous rendez compte?

B. P. – *Si vous aviez eu à choisir entre la carrière de De Gaulle et celle de Proust?*

J. O. – Proust! Proust, sans aucune hésitation... Et pourtant j'ai une immense admiration pour de Gaulle, qui est le dernier des grands hommes. Mais je vais vous terrifier : entre Toulet et de Gaulle : Toulet! Mais ne me faites pas descendre à Henri Bordeaux ou à René Bazin! Je dirai : il vaut mieux être Paul Morand que de Gaulle, bien que je sois tout à fait du côté de De Gaulle contre Paul Morand.

HERVÉ BAZIN

*« Je suis dans la littérature de ce pays
quelque chose comme un médecin de campagne. »*

Octobre 1978

Hervé Bazin, « le romancier en mouvement », selon l'expression de Pierre Moustier, a jeté l'ancre au Grand Courtoiseau, à quelque cent cinquante kilomètres de Paris, son quatorzième ou quinzième domicile. le premier avait été le domaine familial du Patys, « La belle Angerie », de *Vipère au poing*.

Trente ans se sont écoulés depuis que le jeune homme révolté publiait ce premier livre dominé par la figure inoubliable d'une mère que ses enfants, enragés par l'injustice et le manque d'affection, appelaient « Folle-cochonne! Folle-cochonne! » puis, en abrégé, « Folcoche ». Elle allait reparaître dans *La mort du petit cheval* et mourir dans *Le cri de la chouette*.

On pouvait croire Hervé Bazin vacciné contre les joies de la famille : il s'est marié trois fois. Il dit, non sans fierté, être un « écrivain provincial », mais ses livres sont lus dans le monde entier. Il a été renvoyé d'une demi-douzaine de collèges et de lycées, mais sa prose est recommandée, pour sa rigueur et sa vigueur, par tous les prof de France et de Navarre. Il n'a jamais eu le prix Goncourt, mais il se retrouve président de l'Académie qui décerne le plus célèbre des prix littéraires. Et, à soixante-sept ans, après le sage *Ce que je crois* (réédité ces jours-ci dans Le Livre de Poche), il publie un beau roman d'amour au titre insolite : *Un feu dévore un autre feu*.

Et lui? Quel feu le dévore? Cet homme enigmatique et insaisissable trouve le temps d'écrire, de présider, d'observer les étoiles, de jouer avec son petit dernier et, dans l'intervalle, de bricoler dans sa gentilhommière du XVIIIᵉ siècle où, déshérité, il a replacé les meubles et portraits de famille qu'il a rachetés un à un. Mais le portrait le plus difficile à faire, ne serait-ce pas le sien?

Jacques Jaubert. – *1978, pour vous, Hervé Bazin, c'est un anniversaire?*

Hervé Bazin. – Un triple anniversaire : en 1928, encore étudiant, je publiais mon premier texte (resté justement oublié) dans un petit journal qui s'appelait *L'Alliance.* En 1948 paraissait mon premier roman, *Vipère au poing,* En 1958, j'entrais à l'Académie Goncourt. Cinquante ans, trente ans, vingt ans... les huit ont pris de l'importance dans ma vie.

J. J. – *Et maintenant, en 1978, ce roman au titre curieux,* Un feu dévore un autre feu.

H. B. – C'est une phrase prononcée par Benvolio dans *Roméo et Juliette.* Or la définition sommaire de ce livre pourrait être *Roméo et Juliette* dans un décor du genre *Pour qui sonne le glas* [1].

J. J. – *Précisons qu'il s'agit d'un amour vécu dans une république latino-américaine au moment où un régime progressiste (comment ne pas penser au Chili?) est renversé par une dictature militaire. Un jeune sénateur de l'ancien gouvernement est pourchassé par la police du nouveau. Il est sauvé – provisoirement – par une jeune fille qui n'a pas les mêmes opinions.*

H. B. – Mon titre couvre les deux aspects du récit : le feu de la passion – car on peut dire que c'est un roman d'amour – et le feu politique. On ne sait d'ailleurs pas quel feu dévore l'autre.

J. J. – *Un roman d'amour sans famille, c'est plutôt rare dans votre œuvre?*

H. B. – Oui et non. Ce que j'appellerai « fresque de la vie privée », avec le défilé des pères, des mères, des mariages, des divorces ne compte que pour un tiers dans mes écrits. Il est vrai que ce sont les livres qui ont eu le plus large public. Mais j'ai publié aussi des essais et des recueils de poèmes et, en troisième lieu, des ouvrages à tendance sociale ou politique, comme *La fin des asiles, Ce que je crois,* ou encore *Les bienheureux de la Désolation.* Ces « bienheureux » sont, rappelez-vous, les habitants de la petite île Tristan da Cunha qui, transférés à

Londres à la suite de l'éruption volcanique qui avait ravagé leur rocher, refusèrent avec un bel ensemble les « bienfaits de la civilisation » et demandèrent à repartir. Le livre inspiré par ce fait divers est, en réalité, une étude sur une communauté de type fouriériste... un conte philosophique qui avait l'avantage d'être vrai.

J. J. – *Quand vous prenez pour cadre Tristan da Cunha, ou l'Amérique du Sud, vous souvenez-vous du temps où vous étiez un militant « mondialiste », aux côtés de Gary Davis, le « citoyen du monde » qui avait brûlé son passeport américain?*

H. B. – Il y a bien longtemps de cela. Un certain nombre d'écrivains, comme Paulhan, Camus et moi-même, avaient suivi le petit Américain. Les uns et les autres sont bien revenus, sinon des thèses mondialistes, du moins de Gary Davis. Mais *Un feu dévore un autre feu* nous ramène presque à la même époque : j'avais depuis longtemps l'intention d'écrire sur le thème de la passion quand je me suis souvenu d'une histoire que j'avais entendue en 1952, au congrès de la Paix qui se tenait à Vienne. Il y avait là Sartre, Pablo Neruda, Fernand Léger, Henri Pichette, Michel Leiris, Aragon et quelques autres. Une femme dont le nom m'a échappé est venue nous proposer un sujet de nouvelle : deux Juifs viennois, mari et femme, poursuivis par les Allemands, sont abrités par des amis. Lui a une crise cardiaque et sait qu'il va mourir. Pour ne pas que son cadavre trahisse sa femme ni ses amis, il s'enfuit au petit matin, va s'asseoir sur un banc et attend la patrouille. Comme celle-ci approche, il sent une main se poser sur son bras. Sa femme s'était réveillée, elle avait compris. Il avait voulu lui faire cadeau de la vie, elle était venue lui faire cadeau de sa mort...

J. J. – *Un sujet émouvant, avec un côté « Anne Frank »...*

H. B. – C'est pourquoi aucun d'entre nous ne l'a repris. Un quart de siècle plus tard, j'ai pensé que cela ferait une très belle fin pour mon roman, à condition de changer certaines données. D'au-

---

1. Roman d'Hemingway qui se passe pendant la guerre d'Espagne.

tres anecdotes me sont venues d'ailleurs. Ainsi la première scène, si tragique, où l'on voit une noce mitraillée par des militaires qui l'ont prise, au moment d'un putsch, pour un rassemblement séditieux, a eu lieu à Valdivia. Bien entendu je l'ai modifiée. Le romancier prend son bien où il peut, il fait un travail d'abeille.

J. J. – *N'avez-vous pas abandonné un autre projet pour celui-ci?*

H. B. – En effet. J'avais commencé un autre roman sur le thème de l'argent, intitulé *Possédé qui possède*. Je ne pense pas qu'on ait écrit un grand roman sur l'argent depuis Zola. Encore *L'Argent* de Zola était-il l'histoire d'une spéculation. Moi, ce qui m'intéresse, dans ma « fresque de la vie privée », c'est le rôle de l'argent dans le quotidien de chacun de nous. Sujet plutôt tabou. J'aime bien les sujets simples, mais tabous. J'ai écrit les cinq premiers chapitres. A partir du sixième, il m'a semblé que ça déraillait, soit que je n'aie pas possédé tous les éléments nécessaires, soit que je n'aie pas pris la distance qui convenait. J'ai donc remisé le manuscrit. Il est là, dans un carton; il ressortira un de ces jours. J'ai toujours devant moi un certain nombre de livres possibles : une demi-douzaine. Et d'abord le quatrième de la série familiale des Rezeau. Il y a eu *Vipère au poing*, c'est-à-dire l'enfance; *La mort du petit cheval* : la jeunesse; *Le cri de la chouette* : l'âge mûr. Il reste le troisième âge... qui est le quatrième pour moi. Le livre s'appellera probablement *Larmes de crocodile*.

J. J. – *A chaque étape de ce cycle, vous avez éprouvé le besoin de prendre du recul.*

H. B. – C'est la difficulté : j'ai écrit sur l'enfance passé la trentaine, sur la jeunesse à la quarantaine. Quand on arrive au seuil du dernier âge, il n'y a plus de recul possible. Le recul, c'est la mort.

J. J. – *Oui, mais la lignée continuera. N'avez-vous pas écrit, dans votre dernier livre : « La famille, seul endroit où le sang de chacun circule dans les autres? »*

H. B. – Justement, je voudrais, d'autre part, faire une chose qui, à ma connais-

sance, n'a pas été tentée, sauf peut-être par Jean d'Ormesson dans *Au plaisir de Dieu* : un roman généalogique. J'ai beaucoup d'éléments sur l'histoire de ma famille depuis Louis XIII. On y voit comment de pauvres paysans accèdent à la bourgeoisie, redescendent dans l'échelle sociale, puis remontent, car c'est une sinusoïde. Beaucoup d'obscurs, sauf quelques personnages qui ont montré des dons artistiques ou littéraires.

J. J. – *Au XIXᵉ siècle sans doute, avec le grand oncle René Bazin, l'académicien, l'auteur de* La terre qui meurt *et des* Oberlé, *le grand-père, qui a écrit sous le pseudonyme de Saint-Martin un passionnant roman pour la jeunesse,* Rouget le braconnier, *et la grand-mère qui signait* Jacques Bret *les feuilletons à l'eau de rose du* Correspondant.

H. B. – Il y en a eu d'autres, dont l'érudit Ménage, le « Vadius » de Molière, au XVIIᵉ siècle. J'en suis à la quatorzième génération connue; ce serait amusant de rédiger quatorze chapitres... Évidemment les premiers seraient un peu succincts; on sait peu de chose de ces lointains ancêtres. Le titre serait *L'arbre cache la forêt*, parce que l'arbre généalogique se ramifie : en remontant, on arrive, sous Louis XIII, non pas à un, mais à dix mille ancêtres. Le choix est donc arbitraire. Ce sujet est bien à ma main, car j'ai à ma disposition quelque chose d'assez rare...

Il se lève, me conduit dans la pièce voisine. Là, dans un placard, les archives de la famille. Sur des rayonnages, les innombrables livres écrits par des parents. Au mur, leurs portraits. Et naturellement, l'arbre généalogique.

J. J. – *Qui allez-vous choisir?*

H. B. – C'est toute la question. Faut-il aller du côté des Bazin ou du côté des Hervé? Car en réalité j'ai un nom fourchu. Vous le savez aussi bien que moi...

J. J. – *...?*

H. B. – Mon grand-père s'appelait Ferdinand Hervé. Il a épousé une Bazin. En 1870, il a choisi le nom double d'Hervé-Bazin, légalisé depuis. Moi, j'ai fait l'opération inverse. Grasset m'a demandé de quel nom je voulais signer *Vipère au poing*. J'ai répondu : « De mon nom : Jean-Pierre Hervé-Bazin. – Mais tu es fou, dit-il, c'est beaucoup trop long. Je t'ampute de tes prénoms; Hervé Bazin ça suffira. » Voilà comment mon patronyme est devenu mon pseudonyme.

J. J. – *Vous paraissez obsédé par la famille.*

H. B. – Moi ? Pas du tout.

J. J. – *Vous croyez ?*

H. B. – Disons que j'en ai fait largement le tour. Encore une fois, cela ne représente que le tiers de mes livres. Je vais finir là-dessus ce que j'ai commencé, le quatrième Rezeau, le roman généalogique et le livre sur l'argent. Je ne pense pas y revenir autrement. J'ai beaucoup de sujets qui me paraissent plus excitants.

J. J. – *La famille est pourtant à l'origine de* Vipère au poing, *avec le personnage de Folcoche, qui domine le cycle des Rezeau.*

H. B. – Je n'ai pas commencé du tout par là, en fait. J'ai été journaliste pendant des années, et d'abord à *l'Écho de Paris*, en 1935. J'ai été critique littéraire à *L'Information*; j'ai écrit pendant quinze ans des nouvelles et de la poésie. Valéry, prenant connaissance de ces premières tentatives, m'a dit : « Je ne crois pas que tu sois fait pour la poésie. Plutôt pour la prose. » Je n'ai pas suivi son conseil tout de suite, mais j'ai, plus tard, composé deux romans (non publiés) qui n'avaient rien à voir avec la famille. En 1948 – j'avais trente-sept ans – certains amis qui se réunissaient tous les samedis chez moi – le groupe de *La coquille* –, et qui connaissaient mon histoire m'ont poussé à l'écrire.

J. J. – *Qui y avait-il ?*

H. B. – Pichon, Cathelin, Robert Sabatier, qui publiait lui-même un petit canard de poésie, *La cassette*. On y a vu passer Kléber Haedens, Michel de Saint-Pierre... Maurice Nadeau appelait le groupe mon orphéon ! Parmi eux se trouvait Armand Lanoux, qui connaissait bien ma mère : c'était, de mes amis, l'une des rares personnes qu'elle supportait,

peut-être parce qu'il lui disait ses quatre vérités. Elle aimait bien les gens qui la bravaient. J'ai donc écrit *Vipère au poing* en trois mois. Et je l'ai porté chez Grasset : il a été accepté en vingt-quatre heures, à mon grand étonnement. On m'avait dit que c'était toujours très long. Je suis rentré. J'ai dit à ma femme : « Ils vont en tirer trois mille et on n'en parlera plus. » Je ne pouvais pas prévoir que trente ans plus tard *Vipère au poing* ateindrait les deux millions d'exemplaires, sans compter les traductions, et servirait à enseigner le français à l'intérieur comme à l'extérieur de nos frontières.

J. J. – *Vous avez renoué avec votre mère ?*

H. B. – Deux ans plus tard. J'en ai parlé dans *Le cri de la chouette*, mais, volontairement, je n'ai pas raconté les circonstances exactes de nos retrouvailles. C'était en 1953. Depuis la sortie de mon livre, le nom de Bazin, à Angers, faisait quelque peu scandale. Un libraire de la ville me dit : « Venez tout de même faire une signature, on verra bien. » Les Angevins sont venus. J'ai signé pendant une heure et, tout à coup, j'ai senti comme la fraîcheur dans l'air. La porte venait de s'ouvrir, les gens s'écartaient : c'était Madame Mère qui s'amenait. Considérant que ma venue à Angers, dans son fief, c'était une sorte de provocation, elle entendait y répondre. Elle a pris une chaise, s'est assise à côté de moi. Elle a saisi au vol un exemplaire que j'étais en train de tendre à une brave dame, et a déclaré : « N'est-il pas un peu question de moi là-dedans ? » Elle a signé le bouquin !

J. J. – *Une belle scène de théâtre.*

H. B. – C'était tout à fait dans son esprit. Les gens étaient estomaqués. Julien Gracq, qui se trouvait là, a cru, comme d'autres amis, que c'était un coup monté ! Le soir, je suis allé, avec un confrère du *Courrier de l'Ouest*, faire un tour dans la propriété – le Patys, devenu dans le livre « la Belle Angerie » – où je n'avais pas mis les pieds depuis vingt ans.

J. J. – *Vous avez beaucoup souffert de l'attitude de vos parents, de la faiblesse de votre père, de la dureté de votre mère, et* *pourtant vous êtes devenu un romancier de la famille, vous vous êtes marié très vite, vous avez eu des enfants...*

H. B. – Les critiques ont cru, en lisant *Vipère au poing*, que je m'engageais dans la voie « Familles je vous hais! ». C'est un manque évident de psychologie. Regardez tous les pupilles de l'Assistance publique : leur premier mouvement, quand ils sont adultes, est de se précipiter dans la famille; ils n'en ont pas eu, ils veulent en fonder une, c'est leur revanche. Moi-même, bien que je ne fusse pas doué – on n'est jamais doué pour ce que l'on a raté étant enfant –, je me suis jeté dans le mariage par esprit de revanche, essentiellement pour avoir des enfants et pour les réussir. C'est viscéral. Lorsque je n'ai pas d'enfant dans ma maison, je me sens mal à l'aise. Mon fils aîné aurait quarante-quatre ans – il est mort il y a deux ans – mon petit dernier a sept ans. J'ai eu des enfants durant trente-cinq ans, pour en avoir constamment à élever. Disons : à réussir. Sans préjuger du résultat! C'est très difficile, pour un être, d'accepter de ne pas avoir été aimé au départ. J'en ai d'innombrables exemples, on m'a beaucoup écrit à ce sujet. Celui qui n'a pas été aimé va chercher à tout prix à l'être. Ce qui ne va pas sans faire de dégâts, parce qu'on est aussi maladroit qu'exigeant. J'en sais quelque chose, m'étant marié trois fois.

J. J. – *Auriez-vous plus facilement réussi vos enfants que vos mariages?*

H. B. – Le mariage... J'ai dit, dans une boutade, que c'était « l'affreuse nécessité ». Le mariage vous donne un entourage, il vous met dans une situation que vous croyez « normale », et qui ne l'est pas toujours. Quand on a passé sa jeunesse dans les sentiments qui étaient les miens, on n'a pas les dispositions nécessaires pour créer une famille, on est terriblement réactionnel. Cela fait, je le répète, des dégâts : d'où mes deux divorces. Il faut arriver à un certain âge pour trouver l'équilibre et l'apaisement. Je n'ai pas honte de dire qu'aujourd'hui je suis heureux. Mais c'est ma troisième tentative.

J. J. – *Dans des romans comme Le* matrimoine, *qui est le roman de la « conjugalité médiocre », selon votre expression, dans* Madame Ex, *qui est l'histoire d'un divorce difficile, n'apparaissez-vous pas comme un peu misogyne?*

H. B. – Pas d'accord! A l'origine, j'ai reçu une éducation qui portait la marque du début du siècle et qui n'était pas, on s'en doute, particulièrement féministe. Ensuite, j'ai eu la malchance de rater ma mère, de rater ma première fiancée que j'adorais, de rater deux femmes successives. Ça fait beaucoup! On a beau se dire qu'on a des responsabilités flagrantes dans ces affaires (et j'en ai eu même vis-à-vis de ma mère), il y a des moments où l'on commence à considérer l'espèce... avec un certain œil...

Hervé Bazin éclate d'un rire ironique, puis redevient sérieux.

... Et puis on se dit que c'est justement *une* certaine espèce. En fait, je n'ai jamais avantagé les hommes ni les femmes dans mes romans, je les décris tels qu'ils sont. Ou plutôt tels qu'ils ne devraient plus être. Il y a de charmants personnages de femme dans mes romans. Tenez, dans *Madame Ex*, la seconde femme du héros est adorable. Je l'ai voulue ainsi par opposition à la première.

J. J. – *Oui, mais les plus solides me paraissent être des femmes sans homme : Constance, la paralytique de* Lève-toi et marche, *n'a pas de garçon à aimer; Isa, la ravissante rouquine de* Qui j'ose aimer, *décide d'élever seule l'enfant qu'elle a eu de son amant. Et les autres...*

H. B. – Un grand nombre de mes personnages féminins représentent un type de femme que nous souhaitons ne plus trouver, ne plus épouser. Ce sont des personnages fait pour être détestés par le lecteur. « Madame Ex » est une pauvre fille, beaucoup plus victime que bourreau, qui fait toutes les blagues qu'il ne faut pas faire. Elle et ses pareilles sont des « femmes-avertissements ». Je ne suis pas essentiellement moraliste, juste un peu sociologue, je dis en somme dans mes romans sur la famille : « Voilà ce qu'il ne faut pas faire! » C'est un service à rendre, non? Nous commettons tous des erreurs psychologiques dans le mariage, la paternité, la maternité. C'est inévitable. L'essentiel est de ne pas en faire trop. Vous remarquerez cependant que, de plus en plus, je mets des personnages lumineux à côté du personnage noir. Cela correspond à une évolution de l'auteur-lui-même : aucun doute là-dessus.

J. J. – *Vous êtes au fond un romancier du quotidien.*

H. B. – Un conteur ancré dans le quotidien, oui. J'aime raconter des histoires et je vais les chercher soit dans mon propre fonds, soit dans celui de mes amis ou de mes proches, soit dans le fait divers. Je nourris tout cela de mille détails, familiers, voire banals. Peut-être est-ce l'influence de ce qu'on a appelé le « chosisme ». Il faut que le lecteur se reconnaisse, se sente chez lui, s'accepte.

J. J. – *Les choses, précisément, n'ont-elles pas changé, avec la pilule, par exemple ?*

H. B. – Il est certain qu'avec un progrès de cet ordre, certains de mes romans ne pourraient plus être écrits. La disparition ou la diminution des risques, pour une femme, d'avoir un enfant contre sa volonté enlève aux écrivains un sujet de roman. Il en reste beaucoup d'autres, soyez tranquille.

J. J. – *Une thèse a été écrite récemment sur « les Bazin et l'Anjou ». Vous considérez-vous comme un écrivain angevin ?*

H. B. – Au départ j'ai décrit le milieu dont je sortais, c'est-à-dire la bourgeoisie terrienne angevine. Puis je l'ai quittée, au moment où d'ailleurs elle disparaissant, retombait dans la masse. Maintenant j'ai plutôt affaire aux petits bourgeois, aux gens que j'ai frôlés durant les deux autres tiers de ma vie. Mais, c'est vrai, je suis un provincial moins par l'écriture que par les sujets. La tyrannie parisienne, au point de vue littéraire, me pue au nez. Après tout nous autres provinciaux – prenons ce titre en gloire – nous formons les neuf dixièmes de la population. Et quand je dis les neuf dixièmes, j'annexe également les banlieues parisiennes qui sont peuplées de nous et que j'ai beaucoup décrites parce que je les ai beaucoup habitées, ici ou là.

J. J. – *Oui, vous avez eu la frénésie des déménagements. Vous en étiez récemment à votre quatorzième livre et à votre quatorzième logis ?*

H. B. – Comme François Nourissier, disons que je suis un sédentaire ambulant. J'ai du goût pour les maisons et, en même temps, je les use très rapidement. C'est dû au fait que je m'installe toujours dans une vieille baraque à refaire. J'aime reconstruire (un romancier d'ailleurs reconstruit le réel) et, quand c'est fini, ça m'amuse moins. Je me souviens de ce que disait le père Grasset : « Posséder m'ennuie; ce qui m'intéresse, c'est de donner ma forme. » Eh bien! c'est un peu ça. Je traite les maisons comme des romans. J'ai remarqué du reste que, quand j'ai écrit trois ou quatre livres dans un endroit, je sens se raréfier mon oxygène. Cela date, je crois, d'un vieux refus venu de mon enfance. Le premier refus, c'est celui qui s'attaque au cadre de vie, comme s'il allait vous enliser. J'ai eu besoin de vivre des existences différentes, donc d'aller ailleurs. Qu'il y ait là-dedans une certaine instabilité, je le reconnais volontiers. Elle est moindre qu'elle ne fut au temps où, pour me supporter, je changeais tous les ans d'appartement, comme un crabe de carapace.

J. J. – *Vous êtes, en effet, ici depuis six ans*

H. B. – Cela fait la septième année. Un record! Et je n'ai pas envie de m'en aller. Protée se fatigue en moi. Je suis bien ici.

J. J. – *Toujours au milieu de la nature, dans ce « Grand Courtoiseau », qui signifie « cour des oiseaux ». On en rencontre beaucoup dans vos livres. Comment connaissez-vous les effarvates, les halbrans ?*

H. B. – Mais ces noms-là sont dans la langue française. J'apprécie les termes exacts et suis navré de voir que beaucoup de mes collègues utilisent un vocabulaire extrêmement pauvre.

J. J. – *En ville, on ne rencontre pas souvent des effarvates, « passereaux voisins des fauvettes et construisant près des rivières et des marais un nid suspendu ».*

Ni, d'ailleurs, des halbrans, « jeunes canards sauvages de l'année ».

H. B. – La vie citadine finit par enlever à notre langue une richesse incroyable pour tout ce qui concerne les animaux, les plantes, les termes de métier. Pourquoi est-on en train de faire du français une langue réduite au lexique du béton, un idiome de bureaucrate ? Défenseur du style, je le suis aussi des mots.

J. J. – *Votre richesse verbale ne vient-elle pas de vos lointaines études d'histoire naturelle ?*

H. B. – J'ai commencé une licence en droit, que je n'ai pas terminée, puis j'ai entrepris une licence de lettres en Sorbonne et, entre-temps, une licence de sciences naturelles. J'ai même écrit une thèse singulière sur les noms de lieux de France dérivant de la flore.

J. J. – *Il paraît que, non content de regarder les fleurs et les plantes, vous observez les étoiles. Seriez-vous un scientifique ?*

H. B. – Je suis un littéraire qui a longtemps hésité, qui aurait pu être un scientifique. Mon frère est polytechnicien, mes fils sont des matheux; et tout le monde, dans la famille, a toujours eu à côté de ses occupations professionnelles un hobby plus ou moins scientifique. Ainsi, mon père, magistrat, était aussi un entomologiste distingué. Moi, je donne – petitement – dans l'astronomie. J'ai, là-haut, une lunette « Jupiter » qui, sans être un instrument de professionnel, n'est pas négligeable. Je crois que cet intérêt est lié à une inquiétude métaphysique. Je ne suis pas croyant. Mais je pense que s'il y a un jour une réponse aux questions fondamentales, elle nous viendra de ce côté-là. Je suis abonné à des revues d'astronomie pour glaner jour après jour avec impatience – car c'est toujours très long – les résultats qui peuvent venir à l'appui d'une réflexion plus générale.

Il est peu de sciences, actuellement, en dehors de la biologie, qui puissent nous apporter autant d'éléments nouveaux. Certes on ne peut plus tout savoir, comme l' « honnête homme » du XVIIe siècle, et je ne dispose pas d'un suffisant bagage mathématique. Mais on peut se tenir au courant, s'interdire d'ignorer l'essentiel. Les scientifiques, aujourd'hui, ont plus de connaissances littéraires que les littéraires n'en ont de scientifiques. C'est assez scandaleux de notre part. J'en suis même si persuadé que j'ai, voilà dix ans, fait échouer un bon roman, indigne du prix Goncourt, selon moi, parce qu'il reposait sur une erreur en physique nucléaire.

J. J. – *Le tableau bizarre que j'ai vu dans votre bureau – des cases de toutes les couleurs, disposées comme une grille de mots croisés – et qui concerne* Un feu dévore un autre feu, *donne à penser que vous construisez vos romans avec la logique la plus rigoureuse.*

H. B. – La méthode n'a guère varié depuis *Vipère au poing*. J'ai un dossier par sujet – ces sujets dont je vous parlais tout à l'heure – et dans lesquels je me suis, ou ne me suis pas mis en morceaux. Car je ne suis pas un autobiographe, mais un écrivain qui se disperse (et vous disperse) dans ses livres. Je collectionne dans ces dossiers des traits, des réflexions, des personnages, des anecdotes. Toujours le travail de l'abeille : la miellée. A certain moment la pression d'un sujet devient plus forte. Ça part. Mais je ne me lance jamais tant que je n'ai pas « la pince », autrement dit un bon début et une bonne fin... et, entre les deux, de quoi assurer le sandwich.

J. J. – *Et les petites cases ?*

H. B. – Lorsque le bouquin démarre, je me fais un plan, très lâche, parce que je veux rester libre. Des contradictions apparaissent. Je voulais orienter l'action de telle manière, cela se révèle impossible, contradictoire. Ce n'est pas vrai que les personnages nous mènent; ils ne nous mènent jamais, c'est une vieille légende. En revanche, une fois définis, on ne peut pas faire n'importe quoi. Au fur et à mesure je dresse ce tableau qui n'est pas un plan mais un moyen de contrôle. Je peux ainsi suivre mes gens, savoir s'ils sont bien entrés, bien sortis, si je n'en ai pas laissé un en rade. Les équilibres internes, ça se maîtrise.

Donc, sur cette feuille, une série de cases correspond aux *temps* employés (le présent, le passé, etc). Une autre série correspond au *ton* employé : tragique, humoristique, récitatif. Car si vous utilisez le même temps, le même ton, vous ennuyez le lecteur. Enfin, une autre série de cases correspond aux lieux. Dans mon dernier roman c'était particulièrement important, pour empêcher l'action de stagner, puisque Maria et Manuel sont enfermés dans une soupente. Il fallait donc faire constamment des flashes-back pour les faire sortir de leur réduit..

En utilisant des couleurs données, vous voyez tout de suite ce qui ne colle pas. Trois carrés jaunes à la file, cela veut dire trois chapitres d'exposition : c'est donc que vous avez traîné. Vous trouvez toujours un carré rouge, c'est-à-dire un présent de l'indicatif, en face d'un « récit rapide » où il est essentiel de ne pas s'attarder aux fioritures. Au contraire, dans un chapitre statique (case verte), sauvez-vous par le style, adapté – il va de soi – à ce que vous voulez dire. J'avais compris tout cela assez vite. Montherlant pratique parfaitement les changements de rythmes, et François Mauriac donne de bonnes leçons de découpage...

J. J. – *Croyez-vous que les romanciers qui vous envoient des livres pour le prix Goncourt soient aussi méticuleux?*

H. B. – Rayon prix Goncourt! Venez voir...

Nous nous levons et allons consulter, dans la bibliothèque, « l'étagère à Goncourt ». Cent cinquante bouquins sagement rangés par éditeur et par lettre alphabétique, avec des intervalles pour laisser de la place aux arrivages de dernière heure. Avant que j'aie posé sur le prix la moindre question, Hervé Bazin anticipe :

H. B. – On nous accuse souvent de donner le prix aux mêmes éditeurs. Regardez : quatre-vingts pour cent des livres proviennent de cinq ou six grandes maisons. Il est probable que les autres, répartis entre une vingtaine d'éditeurs moins productifs, ont d'abord été refusés par les premiers. C'est dommage. Nous n'avons eu que deux fois l'occasion de trouver (Gracq chez Corti, Carrière chez Pauvert) un lauréat parmi les seconds.

Le président des Goncourt enchaîne, avec la même spontanéité. Il rappelle que depuis cinq ans, tout en conservant son prix, l'Académie Goncourt a mis l'accent sur d'autres activités : sélections trimestrielles destinées à élargir l'aide donnée aux jeunes, à la rendre « moins ponctuelle »; bourse Goncourt de la nouvelle, du récit historique; soutien à la poésie (par le biais du prix Apollinaire); déplacements à l'étranger; élection de membres associés africains, mexicains, russes, belges, suisses, canadiens... Il rappelle que la moyenne d'âge des Dix a été rajeunie de trente ans et que l'Académie Goncourt cherche de plus en plus à assurer, en somme, les « relations publiques » de la littérature qui est en train de se faire : avec simplicité et sans se faire trop d'illusions sur la portée d'une action difficile et qu'elle n'est d'ailleurs pas seule à entreprendre.

J. J. – *Et quelle est la position de l'Académie Goncourt en face du problème des droits de l'écrivain, violés en de nombreux pays et notamment à l'Est?*

H. B. – Notre attitude a toujours été celle du dialogue. Personnellement je vais partout. Si on ne peut pas toujours s'exprimer sur l'estrade, on peut dire ce qu'on pense « entre quatre z'yeux » et ce bouche à oreille a prouvé son efficacité. Soyons francs : l'argent viole les droits de l'écrivain tout autant que le pouvoir; peu de pays sont innocents et chacun d'eux peut monter en épingle des atteintes à la liberté qu'il commet lui-même sous une autre forme. Ne jamais se taire à ce sujet, mais ne pas faire seulement des *mea culpa* sur la poitrine d'autrui, mettre de l'huile dans les rouages – et non pas de l'acide –, professer que les fanatismes ne cèdent jamais à une égale haine, qu'il y a partout des hommes cruellement trompés, mais sensibles à une vigilante sympathie, telle me semble être la voie du bon sens...

J. J. – *Vos amis doivent vous remettre prochainement un exemplaire spécial de* Un feu dévore un autre feu. *Ce sera le vingt-millionnième volume signé Hervé*

*Bazin. Êtes-vous un écrivain heureux?
Et satisfait?*

H. B. – Heureux, on ne l'est jamais partout. Je suis peu lu par les Anglo-Saxons, par les Scandinaves, bien que le chiffre cité concerne pour moitié des traductions. Quant à être satisfait, non, sûrement pas. Je pouvais probablement faire mieux. J'ai été longuement gêné par une vie compliquée qui s'éclaire un peu tard. Je disposais d'un violon aux cordes trop tendues. Et puis je suis ce que je suis. Tandis que depuis trente ans se succédaient des écoles qui condamnaient le personnage, le récit linéaire, la forme classique, j'ai défendu tout cela, non pas sûr d'avoir raison – qui a raison? – mais seulement suivi par un public qui préfère les praticiens aux théoriciens. Je suis dans la littérature de ce pays quelque chose comme un médecin de campagne – aimant son métier – en face des spécialistes. Oh, je les salue! Distraitement. Bien que cette vertu soit rare – et limitée – dans la profession, je serais plutôt modeste. Ce qu'il restera de mon œuvre, je n'en sais rien; et ça ne me trouble guère. « Ce raté, il a fini par réussir! » disait ma mère, pleine d'attentions. Elle n'ignorait pas plus que moi que, pour les enfants comme pour les livres, pour l'encre comme pour la semence – dont je n'ai jamais été chiche – ça demande toujours confirmation.

FRANÇOIS NOURISSIER

*« Le bruit m'embête, la mondanité m'embête,
la famille m'embête, les voyages m'embêtent.
C'est fou ce que les choses m'embêtent ! »*

Janvier 1979

Quinze ans après *Un petit bourgeois,* qui était déjà un recensement de
lui-même, François Nourissier publie un livre grave, impudique, parfois
déchirant, où il met sa cinquantaine à nu. *Le musée de l'homme* (Grasset)
marque la renaissance d'un écrivain, mais aussi d'un homme, après une
longue période de doute, de stérilité et de déprime. « Ce livre, mon ambition
serait qu'on pût le proposer comme un exemple de probité », écrit François
Nourissier qui avoue ne plus croire à « l'autobiographie flamboyante,
froufroutante » (ce qu'était *Un petit bourgeois*). Il ne veut plus épater le
lecteur par mille artifices de style, mais, par un effort de réalisme et de vérité,
l'intéresser aux petits drames et aux petits bonheurs d'un bourgeois de notre
temps. De sorte que parler de soi c'est aussi parler des autres, aux autres. Et
qu'en avançant dans cette autobiographie risquée, dans cette confession d'un
cœur qui a la gueule de bois, le lecteur ne peut pas ne pas se demander à
lui-même : qui suis-je ? Quel fils ai-je été aux yeux de ma mère ? Quel père
suis-je sous le regard de mes enfants ? Et quel mari ? Quel notable ? Et, pour
certains, quel écrivain ?
A cinquante ans, l'auteur du *Corps de Diane,* de *Portrait d'un indifférent,*
d'*Une histoire française,* grand prix du roman de l'Académie française, de *La
crève,* prix Fémina, d'*Allemande,* etc., l'académicien Goncourt, le nouveau
critique littéraire du *Figaro,* qui peut avec le même brio parler d'une pièce de
théâtre, d'un film, d'une émission de télévision, de la mode, des Vosges ou du
sourire des jeunes filles, l'ancien jeune homme si doué jette le masque. Il dit
ses paniques, ses lâchetés, ses lassitudes. Il dit aussi, et très bien, les trois ou
quatre choses auxquelles il tient. Au total, nous découvrons un François
Nourissier noué et douloureux. Inattendu. Mais peut-être l'avions-nous mal
lu précédemment ? A moins que l'allégresse de son style ne nous ait fourvoyé.
Je le lui ai demandé.

Bernard Pivot. – *Vous sortez d'une déprime ?*

François Nourissier. – Je n'aime pas le mot. Je crois que, tout d'un coup, toucher le fond, ou un des fonds, il y en a sans doute encore bien plus bas, si on n'a pas fait cette expérience, on ignore que c'est une maladie aussi difficile que n'importe quelle maladie physiologique.

B. P. – *Mais vous souffriez de quoi, au juste ?*

F. N. – D'une sorte d'inappétence totale et générale, d'une lumière de dérision couvrant toutes les choses que je pouvais entreprendre. On ne veut plus. Le matin on ne veut plus que ça dure jusqu'au soir, le soir on ne veut plus que ça recommence le lendemain matin, et en même temps on voudrait que ça dure éternellement parce qu'il y a la peur derrière tout ça. Ce qui devient étonnant, lorsqu'on est dans cet état-là, c'est qu'on voit autour de soi des gens qui sont dans la même situation historique, sociale, psychologique, professionnelle que soi et on les voit qui acceptent tout ça très bien, qui le tolèrent très bien, alors que, soi, on ne supporte plus la dose de comédie nécessaire pour continuer ! On est dans une conversation et puis, tout à coup, les mots se tarissent, on se dit : « Mais pourquoi parler ? » On travaille à un livre et on se dit : « Mais pourquoi finir ce livre ? Tout ça n'est pas sérieux, tout ça n'a pas de sens profond. » Alors, on s'arrête, on s'arrête le plus discrètement possible, ce n'est pas du tout mélodramatique, on s'en va sur la pointe des pieds et on se tait. Dans les conversations on se tait. Dans la famille on se tait. Quand on s'en va en voyage on ne donne pas son adresse. On fait cette espèce de gris et de vide autour de soi. C'est ce que j'appelle l'ensauvagement : on se sent devenir extérieur à tout. Ce n'est pas le monde qui devient extérieur, c'est soi. Expérience peut-être enrichissante tout compte fait, mais, au moment où on la vit, appauvrissante.

B. P. – *Mais pourquoi raconter cette expérience en commençant par une déclaration de méfiance envers votre style ?*

F. N. – Du côté de mes vingt ans, je me suis aperçu que je savais me servir des mots et qu'avec un petit peu de discipline et un peu de gaieté je pouvais leur faire faire des tas de choses, dans une certaine direction, pas dans d'autres, mais dans cette direction-là, oui, je pouvais faire ça assez bien. Et j'ai joué de cela pendant des années. C'était ma carte de visite. On pouvait me mettre sur n'importe quel sujet, j'étais capable de faire une jolie page, un joli chapitre, une jolie chronique, etc. Mais c'était une façon de me dissimuler, c'était une cachoterie comme une autre, et je me suis aperçu que cela ne pouvait plus rendre compte de ce que j'avais besoin de dire. Alors j'ai essayé de couper les ailes du colibri.

B. P. – *Oui, mais, paradoxe de votre livre, vous y déclarez votre méfiance envers le style et les mots avec lesquels vous avez joué si souvent, et pour dénoncer cela vous n'avez jamais aussi bien écrit et aussi bien joué avec les mots...*

F. N. – Pour moi, c'est un livre écrit dans un style de sergent-major, c'est un livre écrit comme un rapport de gendarmerie.

B. P. – *Vous n'imaginez pas que je vais vous croire ?*

F. N. – Quand les gens vous disent : « Vous écrivez bien », ça veut dire : « Quelle désinvolture ! Le premier jet, comme c'est épatant ! » C'était vrai quand j'avais vingt-cinq ans. Ça le devenait de moins en moins, travaillant, raturant beaucoup. J'ai eu le bras esquinté en jouant au tennis, je n'ai pu écrire à la main. C'est la première fois que j'écris un livre à la machine, une grosse machine de bureau très stable et très solide. Quand on écrit à la machine, on est emporté par une espèce de mécanique, avec aussi la joie de voir tout de suite les mots apparaître bien nettement. Mais, en même temps, on n'a pas envie de revenir en arrière, on avance, les phrases sont trop longues, ça s'alourdit de page en page, et puis tant pis ! Donc quand je dis que c'est un rapport de gendarmerie, j'ai tout à fait le sentiment d'être comme le gendarme qui tape difficilement avec deux doigts son rapport derrière le guichet.

B. P. – *Mais non, vous n'êtes pas un gendarme devant sa grosse machine à écrire. Vous êtes François Nourissier, écrivain, doué pour le maniement des mots, et qui, là encore, tant mieux pour le lecteur, se fait plaisir avec des mots en dénonçant le plaisir qu'il a pu avoir avec les mots.*

F. N. – J'ai longtemps soutenu que le style emporte la pensée. Qu'on entre dans la phrase sans savoir exactement ni comment elle va se terminer ni ce qu'elle va contenir. Et que c'est le style qui crée réellement de la pensée. Je découvre aujourd'hui que ce n'est plus tout à fait vrai. Je sais que ce que j'ai à dire, j'essaye de le dire, le plus simplement possible, et si c'est encore un peu trop orné, c'est de ma faute!

B. P. – *Je n'ai pas dit orné.*

F. N. – Non, c'est moi qui le dis! Mais réellement, là, je n'ai pas le sentiment d'avoir été entraîné par mon écriture. Elle m'a servi cette fois, ce n'est pas moi qui l'ai servie.

B. P. – *Je ne vous savais pas si travailleur. Vous êtes un bœuf!*

F. N. – Oui, et au fur et à mesure que le temps passe je le suis davantage, parce que je travaille de plus en plus comme un bœuf. Avant, c'est vrai que, jeune, je faisais les choses facilement. Puis j'ai commencé à les faire de moins en moins facilement. Maintenant je les fais très difficilement. Prenons le travail du journalisme : écrire un article c'était le temps de l'écrire, naguère. Aujourd'hui je m'y mets trois jours à l'avance, et puis la première version n'est pas la bonne, et puis je recommence le lendemain, et puis j'ai encore des remords, je retape un feuillet sur quatre. Un travail de paysan, c'est vrai.

B. P. – *Une grande part de votre joie de vivre réside, semble-t-il, dans votre travail?*

F. N. – Oui, je pense que je ne pourrais absolument plus m'en séparer. Je suis arrivé au moment de ma vie où ce n'est plus du tout l'obligation de la gagner qui me la fait remplir de tas de besognes, c'est le goût de la besogne, et cela est très vrai et très profond. Quand je dis que ce livre a été pénible à écrire, par exemple, c'est parce qu'il représente deux ans et demi d'un labeur absurde, enfin presque absurde, mais parallèlement je continuais d'écrire entre six et huit articles par semaine, et à aucun moment il ne m'est arrivé de me mettre devant ma machine à écrire pour aborder un article avec ennui. Cela tient du miracle : j'ai toujours, au moment où je glisse la première feuille dans le rouleau de la machine, une espèce de jubilation. C'est une chance formidable. Dieu sait qu'il y a des choses pessimistes dans ce livre, mais, là, je fais une constatation éblouie.

B. P. – *Dans ce « Musée de l'homme » vous apparaissez comme un nomade...*

F. N. – Le roman que j'ai repris après l'avoir abandonné, qui sera terminé dans quelques mois, s'appelle *Les nomades.*

B. P. – *Vous êtes un nomade qui semez des maisons, des femmes, des livres, des chiens...*

F. N. – Et des enfants.

B. P. – *Quelle consommation de maisons vous faites!*

F. N. – Comme je l'explique dans le livre, c'est parti de choses très banales : la maison de mon enfance n'était pas belle, mais c'était une vraie maison et on l'a vendue dans des conditions qui m'ont été pénibles. La maison de famille, en Lorraine, a été détruite à trois reprises par les guerres successives. J'ai dû finalement vendre un tas de ruines. Tout ça ayant fini par me marquer, j'ai eu le goût des maisons, tout comme j'ai eu le goût de fonder un foyer parce que j'avais souffert de la mort de mon père, des remariages de ma mère, enfin de tout cet éclatement. J'ai essayé de planter des racines et j'ai longtemps raté, notamment mes mariages. Les maisons, le moins qu'on puisse dire, même si ce ne sont pas des ratages, ce sont des réussites éphémères, puisqu'un rapide calcul, l'autre jour, m'a permis de constater qu'en dix-sept ans avec ma troisième femme, nous avons emménagé huit fois, ce qui représente un rythme d'enfer. Nous avons aménagé des maisons différentes soit à Paris, soit hors de Paris, huit fois en dix-sept ans, et comme nous sommes assez stables depuis quatre ans, c'est en vérité huit fois en treize ans. Mais enfin la stabilité est finie, et de nouveau ça repart...

B. P. – *Votre femme est naturellement aussi nomade que vous?*

F. N. – Ma femme ne savait pas qu'elle était nomade, mais je le lui ai fait découvrir. Il est vrai que c'est une juive franco-polonaise néc à Paris, qui a été élevée aux États-Unis, et dont la famille, quand elle n'a pas été grillée par Hitler, est dispersée dans tous les coins. Au début, mon nomadisme l'a un peu troublée, mais maintenant elle s'y est mise.

B. P. – *Vous écrirez que vous avez été « un enfant paumé, un jeune homme insolent, un amant instable ». Et vous ajoutez : « de quoi faire sur le tard un bougon et un ami des chiens. » Ami des chiens, on le sait depuis la* Lettre à mon chien. *Mais bougon, déjà?*

F. N. – Oui, bien sûr.

B. P. – *Qu'est-ce que c'est, un bougon!*

F. N. – C'est quelqu'un que tout ça embête, que le bruit embête, que la mondanité embête, que la famille embête, que les voyages embêtent. Certes je connais quelques précieux moments d'amitié, quelquefois au milieu de l'été, sur un bateau, avec deux ou trois très solides vieux amis. Il est des soirées où je me dis : « Quand même, ce n'est pas mal, on n'est pas mal, profitons-en. » Mais, pour l'essentiel, c'est fou ce que les choses m'embêtent. Il y a aussi, quelquefois, une réunion de travail, un comité de rédaction, une réunion de travail, un comité de rédaction qui se passent bien. Oui, la camaraderie, le boulot, parfois. Mais le reste, non!

B. P. – *N'allez-vous pas finir dans la peau d'un Léautaud, devenir le Léautaud non pas des chats, mais des chiens?*

F. N. – Oui, c'est un danger, je le sais bien. Il est un mot que j'ai supprimé dans le livre parce qu'il revenait trop, mais qui revient quand même : la sauvagerie, l'ensauvagement. Le livre devait s'intituler « Un animal sauvage ». Quand je vais travailler dans ma maison en Normandie – que je ne vais plus avoir

très longtemps – j'y suis tout seul, en général, et je passe là quatre, cinq, six, dix, douze jours seul, ce qui veut dire que, à part «bonjour», «bonsoir» à la gardienne, je ne dis pas un mot pendant dix ou douze jours. Je vais au restaurant où je n'ai qu'à demander mon addition et faire mon menu : ce sont mes seules conversations, mes seuls contacts, je ne réponds même pas au téléphone. Je ressens cet ensauvagement comme un danger. C'est quelque chose qui prend autour de moi comme du ciment, et je me bats contre. Par exemple, je m'impose des rapports familiaux avec mes enfants. Maintenant qu'avec une petite-fille une autre génération est apparue, je me force à les voir tous un peu, à bavarder avec eux. Mais l'effort est de plus en plus grand. Notez que je ne dis pas cela avec satisfaction. Au contraire, cela me désole. Mais quoi! C'est la vérité! Les gens ne disent pas que leurs rapports avec les autres les embêtent, ils ne veulent pas se l'avouer...

B. P. – *Au fond, vous êtes un bourgeois qui cassez le morceau?*

F. N. – Qui casse une partie du morceau, sûrement.

B. P. – *Pourquoi une partie?*

F. N. – Il doit y avoir encore une ou deux zones maintenues dans la pénombre. N'allons pas jusqu'à la chiennerie, ce n'est pas la peine! Mais je ne pense pas que rien d'essentiel soit demeuré dans l'ombre.

B. P. – *Autre révélation courageuse : vous dites votre peur des femmes, enfin d'une certaine catégorie de femmes, disons les vraies femmes, les femmes-femmes, les femmes charnelles. Ce doit être difficile d'avouer ça pour un homme qui a été un séducteur?*

F. N. – Tous les hommes sont des séducteurs, toutes les femmes sont des séductrices. Ce que les séducteurs apprennent sur le tard, c'est qu'ils ont toujours été séduits, c'est que toutes les femmes qu'ils ont eues c'était des femmes qui voulaient les avoir. On met très longtemps à comprendre cela, ce qui est très bête. J'ai toujours aimé les filles très jeunes. Mon attention a été attirée par le fait que j'essayais d'être le premier ou l'un des premiers dans leur vie. Il est certain que ce n'était pas vraiment les femmes que j'aimais, c'était l'adolescence, l'extrême jeunesse, l'absence de risque de comparaison. C'est toujours facile d'être le meilleur quand on est le premier. Ajoutez à cela une espèce d'horreur pour la grande femme viscérale, la grande femme glandulaire. Eh bien! J'ai fini par formuler tout cela un peu plus clairement aujourd'hui que je m'en suis éloigné.

B. P. – *Et que voulez-vous dire par là, je vous cite : « Un père m'eût-il occupé le cœur, toute ma morale en eût été changée ? »*

F. N. – Mon père est mort quand j'avais huit ans. J'ai donc été élevé par des femmes, sœur, mère, tantes, cousines. L'absence d'hommes autour de moi, dans mon enfance, voulait dire aussi absence de force, absence d'opposition. Personne ne s'est bagarré avec moi, on ne m'a pas obligé à former ma personnalité contre des personnalités plus rugueuses et plus dominatrices que la mienne. J'ai l'impression que si j'avais eu un père avec des opinions, un physique, une moustache, une présence dure et mâle à côté de moi, j'aurais été fabriqué autrement. Et très tôt, enfant, j'ai ressenti ce manque. J'ai dérivé de ma famille vers la famille de mes copains pour trouver justement des frères, des pères, pour trouver justement ce que j'appelle la moustache : il me fallait un petit peu de moustache autour de moi et j'en manquais. En aurais-je eu que peut-être j'aurais aimé des femmes glandulaires.

B. P. – *Vous rendez un hommage très chaleureux à votre troisième épouse, Cécile, avec laquelle vous êtes marié depuis dix-huit ans. Êtes-vous si sûr que la vie dans dix ans, dans vingt ans, ne vous fera pas regretter ce que vous avez écrit aujourd'hui ?*

F. N. – Vous savez, dix-sept ou dix-huit années, c'est déjà un grand moment d'une vie! Je n'avais jamais fait une halte de cette longueur-là. Et puis je crois que je m'étais beaucoup trompé sur les personnages qu'il fallait à côté de moi et sur

le personnage que j'étais à côté d'une femme. Je pense que cette fois, un peu par hasard, j'ai trouvé à peu près une place qui me convienne, j'ai trouvé ma pointure. Non, je suis plus modeste que cela : j'ai peut-être trouvé de qui je suis la pointure. Et j'en suis assez émerveillé. Alors je le dis. Parce qu'après avoir tellement parlé avec amertume et frivolité de toutes les choses qui touchent à l'amour, aux sentiments, aux femmes, tout d'un coup je me suis aperçu que c'était les vertus morales au fond qui comptaient, que c'était la générosité, l'amitié, l'envie que l'autre soit bien, la camaraderie conjugale.

B. P. – *Découvrir ces choses-là, c'est un signe de vieillissement, non ?*

F. N. – Probablement, oui.

B. P. – *C'est une idée qui vous est insupportable, l'idée de vieillir ? Votre livre se termine, ce n'est probablement pas par hasard, sur un tableau épouvantable de vieux écrivains que vous avez connus, que vous avez aimés et qui n'étaient plus que l'ombre de ce qu'ils avaient été.*

F. N. – Mais c'est la vérité, la réalité! Et pourquoi ne la met-on jamais en mots ni en images cette réalité? C'est vrai que j'ai eu un certain goût pour mes aînés. Autour de moi, au début de ma vie d'écrivain, il y a eu beaucoup de vieux écrivains.

B. P. – *Parce que vous n'avez pas eu de père?*

F. N. – Parce que je n'ai pas eu de père, bien sûr. Pendant des années, Aragon m'a appelé « fils ». Il disait : « Tu comprends, fils ? » il ne m'a appelé autrement pendant douze ans. Ce n'était pas un hasard. Lui n'avait pas eu d'enfant, moi je n'avais pas eu de père. J'ai vu beaucoup de gens qui m'étaient proches, vieillir, mourir : Chardonne, Morand, Billy. Et ces fins de vie m'ont obsédé parce que c'était des vies que j'avais aimées, admirées, puisqu'à l'origine il y avait toujours une admiration pour le talent. Oui, j'ai vu de près la dégénérescence, l'appauvrissement. Et comme ce sont des fins de vies littéraires, je pense que la mienne leur ressemblera. On ne peut pas dire que ce soit une perspective très très exaltante. Mais c'est probablement le morceau du livre auquel je tiens le plus. Parce que je crois qu'il faut un certain effort pour faire cette peinture-là.

B. P. — *Autre perspective qui vous effraie : l'idée que, dès le lendemain de la mort, tout commence à s'effacer des mémoires...*

F. N. — Oui, je pense à ce que fera mon chien, je pense à ce que feront mes enfants, je pense à la vente des maisons, à l'herbe qui poussera là où j'avais toujours empêché qu'elle ne poussât. Et puis il y a ceci encore qu'on ne dit jamais : dans un couple, sauf le hasard d'un accident en commun, il y en a toujours un qui survit à l'autre. Cette idée, je ne l'accepte plus. Je n'accepte pas l'idée de survivre et je n'accepte pas l'idée qu'elle me survive.

B. P. — *Vous évoquez les notices nécrologiques qui seraient faites sur vous le jour de votre mort et le lendemain. Et je me suis dit que le Nourissier d'il y a cinq ou dix ans aurait écrit deux ou trois de ces notices nécrologiques pour s'amuser, pour faire drôle. Comme vous ne les avez pas écrites, je me suis dit : « Décidément, il a changé ! »*

F. N. — Serait-ce si gai ? On pourrait d'ores et déjà, c'est vrai, mettre des signatures...

B. P. — *Au* Figaro, *ce serait Jean d'Ormesson. Mais au* Point ?

F. N. — Aujourd'hui, ce serait Pierre Billard.

B. P. — *Parce que demain ce pourrait être un autre ?*

F. N. — Demain, ce pourrait être un autre.

B. P. — *Et cette incertitude vous est insupportable ?*

F. N. — Mon angoisse couvre l'ensemble du tableau, pas seulement le petit coin où je me tiens. C'est vrai que ce n'est pas très supportable.

B. P. — *Et au* Monde, *ce serait qui ?*

F. N. — J'espère bien que Jacqueline Piatier ferait son devoir !

B. P. — *Autre obsession : la sécheresse. Sécheresse du cœur, sécheresse des yeux, sécheresse devant la page blanche...*

F. N. — Vous mêlez des choses différentes. Quand je fais cette citation de Darien : « Les yeux d'un écrivain pour être clairs doivent être secs », c'est un appel et un hommage à la sécheresse. Il ne faut pas avoir les yeux embués de larmes pour voir clair et pour écrire clair, je le crois très fort.

B. P. — *Sécheresse du cœur : vous regrettez de n'avoir pas eu pour votre mère des gestes d'affection, d'effusion...*

F. N. — Oui, ce livre a été écrit, enfin aux trois quarts, depuis la longue et lente maladie finale de ma mère qui est une dame très âgée, qui vit toujours, qui a maintenant une vie de toute petite veilleuse. J'ai vraiment vu, semaine après semaine, comment la vie se retirait de quelqu'un, et puis de semaine en semaine je me disais : « Tiens ! Telle question que je ne lui ai jamais posée ne sera jamais posée, tel geste que je n'ai pas fait ne sera jamais fait. » Constater cela m'a accablé et en même temps m'a laissé indifférent. C'est-à-dire que je souffrais avec sécheresse de cette sécheresse. Alors j'essaie de le dire, je ne tire pas de conclusion, je raconte.

B. P. — *Et votre mère lira ce chapitre ?*

F. N. — Non, elle n'est plus en état de lire. Et je n'aurais bien entendu pas écrit ces pages si elle avait pu les lire.

B. P. — *Et puis crainte de rester sec devant la page blanche.*

F. N. — Vient un moment où on a envie que ce soit très bien ce qu'on fait. Si on publie un nouveau livre, on voudrait un très beau livre, une nouvelle page, une bonne page, alors qu'il y a dix ou vingt ans, mon Dieu, c'était pris dans le mouvement, ça sortait comme ça... A devenir tellement exigeant on ferme presque le robinet, car on voudrait ne laisser couler que de l'or. Mais il y a aussi tout bêtement le vieillissement, je crois. On vieillit, on devient sec, c'est comme dans la sexualité, c'est comme dans l'ambition, on s'appauvrit, c'est évident, non ? Peut-être que de la pauvreté on arrive à tirer quelques beaux accents ? Bien sûr, les accents sont plus beaux parce que plus tristes, plus déchirants. N'empêche que cela n'a plus grand-chose à voir avec l'élan, avec l'appétit d'autrefois.

B. P. – *La vingtaine de livres que vous avez écrits, vous les jugez aujourd'hui un peu insuffisants. Vous parlez d'un demi-échec. Pourquoi ne parlez-vous pas de demi-réussite?*

F. N. – Parce que probablement j'étais beaucoup plus ambitieux que je ne le savais moi-même. Si j'avais eu en moi, à vingt-cinq ans, cette espèce de netteté, de clarté que je crois posséder maintenant, j'aurais été beaucoup plus dur, beaucoup plus prudent, beaucoup plus rusé avec moi-même. J'aurais débusqué de moi le meilleur. Alors que j'ai laissé sortir de moi tout ce qui voulait sortir. Je n'ai pas tenu tout ça suffisamment. Maintenant, je le sais. Maintenant je sais les conseils qu'il faut donner.

B. P. – *Quels conseils?*

F. N. – Conseils d'ambition. D'ambition, d'ambition, dans le sens noble évidemment. Et pourtant, quand j'avais quatorze ou quinze ans, j'ai découvert dans la lettre d'un père à son fils du cher Montherlant, un texte qui m'a obsédé : « Il faut être fou de hauteur, car n'étant, on redégringolera tant et plus. Que sera-ce donc si on ne l'est point? » Cette phrase : « il faut être fou de hauteur », elle a vraiment accompagné toute ma jeunesse, mais elle l'a accompagnée comme une petite musique. Je ne l'ai pas écoutée, je ne l'ai pas respectée, je me suis trompé.

B. P. – *Mais quelle était votre ambition à vingt-cinq ans?*

F. N. – En gros, je voulais que la vie ne soit pas trop embêtante, je voulais exister comme écrivain et non pas comme homme d'affaires ou comme...

B. P. – *... journaliste?*

F. N. – Journaliste, je n'y pensais pas tellement. Je voulais exister comme écrivain et je voulais du bonheur.

B. P. – *Mais du bonheur, vous en avez eu?*

F. N. – Pas mon comptant. Ou si c'est ça, avoir eu du bonheur, quelle petite chose, vraiment!

B. P. – *Quel pessimiste vous êtes devenu!*

F. N. – Je n'ai jamais dit que j'étais heureux. J'ai toujours dit qu'il fallait l'être!

B. P. – *Vous donniez l'impression d'être heureux par votre style, par une certaine joie des mots.*

F. N. – L'allégresse! J'essaie toujours de faire un livre qui ne soit pas triste. C'est une espèce de politesse envers les lecteurs. Quoi que l'on dise, il faut essayer de le dire de telle façon que vienne un petit sourire sur le visage du lecteur. Peut-être que cela trompe, en effet? Il y a, je l'espère, une allégresse dans ce livre, mais c'est une allégresse de la forme.

B. P. – *Je vous avais toujours imaginé à l'Académie française. Et puis, un jour, à ma surprise, vous êtes entré à l'Académie Goncourt. Pourquoi?*

F. N. – Oui, tout le monde considérait l'Académie française comme mon arrivée normale. Mais le sentiment d'une arrivée ne me plaisait pas. J'ai toujours pensé que ceux de mes amis qui entraient à l'Académie française subissaient ce que j'appellerais volontiers un « coup de pompe », au sens où l'on parle de la pompe, et que c'est au monde tout ce qui me déplaît. Je ne crois pas à la comédie sociale, je ne crois pas à l'importance sociale, je ne crois pas à la considération. Alors que les Goncourt, ce sont des gens qui vous téléphonent un jour et qui vous disent : « Si on t'élit, tu es d'accord? » C'est l'affaire d'une minute et demie au téléphone. Les Goncourt forment une petite société de professionnels – après tout, je suis un professionnel de la littérature –, on se voit une fois par mois, on mange des huîtres, on parle de livres, ce n'est rien, c'est bien.

B. P. – *Mais alors pourquoi tant de gens pensaient que votre destinée était tout à fait tracée et qu'elle aboutirait à l'Académie française? Autrement dit, pourquoi tant de gens pensaient que vous étiez attaché aux honneurs et à la pompe?*

F. N. – Vous savez, les gens ne vous écoutent jamais quand vous parlez, ils ne vous lisent pas quand vous publiez. J'avais été très frappé, quand j'avais reçu le prix du roman de l'Académie française, par la cérémonie sous la Coupole. Ma femme trouvait cela tellement ennuyeux qu'elle s'était endormie, sa tête sur l'épaule du nonce apostolique. Le nonce l'a redressée, puis se penchait vers moi, me faisait un signe. Elle se rendormait sur son épaule, il la remettait un peu plus sérieusement debout. C'était une scène de comédie. Je me suis dit : « Enfin, on ne peut pas vivre dans une chose aussi ridicule. » En même temps, j'écoutais l'hommage qui m'était rendu. C'était un long discours du directeur en exercice. Pendant trente-cinq minutes, il n'a pas cité une fois le titre exact de mon roman qui venait d'avoir le grand prix du roman, il en citait un autre, il se trompait sur les noms propres. Cela m'a donné une image parfaite de ce que sont les choses. Les gens sont très légers, ils ne vous lisent pas, ils ne vous écoutent pas. Si on m'avait lu, si on m'avait écouté, on aurait su que toute cette pompe ne m'intéressait pas.

B. P. – *Vous aimez si fort les animaux, François Nourissier, que vous consacrez plusieurs pages de votre livre aux araignées qui se cachent dans la tuyauterie de votre baignoire...*

F. N. – La semaine dernière, dans ma chambre, à la campagne, je vois tout d'un coup, à côté de ma main, en ouvrant un placard, une énorme araignée qui faisait au moins quatre centimètres d'envergure, velue, noire, effrayante. Elle se sauve. Un peu agacé, craignant qu'elle ne monte sur le lit, je cherche un plumeau très très doux pour la prendre et la mettre dans une autre pièce. Mais elle ne se laisse pas faire. Elle se recroqueville en boule, elle fuit dans toutes les directions. Au bout de cinq minutes, je me dis : « C'est tout de même un peu ridicule, ou bien on écrase une araignée, ou bien on lui fiche la paix ! » Je laisse donc mon araignée dans son coin en songeant que lorsque j'éteindrai la lumière elle sera rudement heureuse. Le lendemain, je l'ai retrouvée noyée dans la baignoire que j'avais oublié de vider après mon bain. C'était une de ces araignées de baignoire dont je parle dans ce livre qui était en train de voyager lentement pour retourner chez elle. Si elle s'était laissée prendre dans mon plumeau je l'aurais mise dans une autre salle de bains et elle aurait, très tranquille, continué sa vie là-bas. Parce qu'elle a voulu résister à ma bonté, elle a fini misérablement noyée. Comme quoi il faut toujours s'obstiner dans la bonté. Il fallait la sauver malgré elle.

B. P. – *Un personnage est absent de votre livre : Dieu.*

F. N. – Oui.

B. P. – *Pourquoi cette absence ?*

F. N. – Je crais vraiment d'être absent de Dieu. Je le dis avec regret. J'ai été élevé dans le catholicisme, avec, à cause d'une moitié de ma famille, de grandes nostalgies du côté du protestantisme. Ces choses-là ont été importantes à de certaines époques, puis elles se sont écartées de moi. Si on me demande ce que je suis, je réponds : je suis catholique. Je considère que ma sensibilité, ma formation font partie de la famille du catholicisme, mais j'en suis quand même extraordinairement éloigné. Toute ma réflexion est d'un catholique assez traditionnel. Mais dès qu'on glisse, ou dès qu'on descend vers le domaine de la foi, c'est le vide. Je crois que je suis profondément agnostique. Tout en me considérant à l'intérieur de la machine chrétienne.

B. P. – *Est-ce que vous croyez encore au bonheur ?*

F. N. – Oui, à un bonheur bien particulier. Je crois à la solitude, je crois au couple, je crois aux promenades dans la forêt, je crois à mes animaux, je crois au travail.

B. P. – *Et à l'écriture ?*

F. N. – Oui, bien sûr, très fort.

FRANÇOISE SAGAN

« J'ai mené une vie de collégienne.
Les critiques, d'ailleurs,
m'ont toujours parlé comme de vieux oncles. »

Février 1979

En 1954 – il y a un quart de siècle – une jeune fille de bonne famille frais émoulue du lycée, Françoise Quoirez, publiait chez Julliard un petit roman qui étonnait le monde littéraire par la liberté de son ton et la maîtrise de son style. Le prix des Critiques sanctionnait le succès de cette bachelière de dix-neuf ans. Bientôt cent mille, deux cent mille lecteurs découvraient *Bonjour tristesse* (qui doit aujourd'hui, avec les éditions de poche, avoir atteint le million d'exemplaires), et rendaient célèbre le pseudonyme de l'auteur, Françoise Sagan. D'autres livres allaient entraîner dans une ronde douce amère, toujours en moins de deux cents pages, les mêmes personnages : le quadragénaire séduisant, l'étudiant touchant et maladroit, la donzelle hardie qui avait, à peu près, l'âge de la romancière. Très vite, le nom de Sagan évoquait une panoplie à base de whisky, de boîtes de nuit, de voitures de sport et d'étés à Saint-Tropez. Françoise se moquait du qu'en-dira-t-on, avec superbe; continuait à publier, avec succès; et à vivre, avec intensité. Bien plus, elle osait renouveler au théâtre, en donnant à l'Atelier *Château en Suède*, le coup d'éclat de ses débuts.

Deux mariages, deux divorces, un accident grave, de sérieux ennuis de santé... et le sablier du temps n'ont pas enlevé à l'ex-enfant prodige des lettres son goût pour la vie et pour l'écriture. La quadragénaire que j'ai retrouvée dans la plus provinciale des maisons du XIVe arrondissement, avec son fils, son chat, ses amis et ses téléphones a gardé son franc-parler. Elle raconte avec autant de verve que de détachement l'histoire de son entrée en littérature. Elle évoque sur un ton amusé l'échec récent de sa dernière pièce, *Il fait beau jour et nuit*, qui va connaître une seconde carrière sous forme de livre aux éditions Flammarion. Et surtout elle répond avec un humour corrosif à toutes les questions sur les critiques, l'argent, la vieillesse. Écoutez-la répliquer du tac au tac, regardez-la arracher le masque... avec un certain sourire.

Jacques Jaubert. – *Avant la grande aventure de* Bonjour tristesse, *vous n'aviez écrit que des poésies?*
Françoise Sagan. – Oui, et qui n'étaient pas bonnes. J'avais aussi composé, à quatorze/quinze ans, des pièces historiques que je lisais à ma pauvre mère. Du genre : « La Reine : Sauvons-le. Le Roi : Qu'on le jette aux vautours. La Reine : Pitié, sire! » Il y en avait des kilomètres comme cela. Ma mère s'assoupissait en murmurant des mots bienveillants. C'était une femme très patiente. Puis j'ai écrit de petites nouvelles que j'allais porter dans des journaux comme *France-Soir*. On me disait quelques mots gentils. Et ma première carrière s'est arrêtée là.
J. J. – *C'était l'année du bac?*
F. S. – Oui. J'ai passé mes deux bachots, Première et Philo, et commencé l'année de Propédeutique, qui était alors la première année d'études supérieures. J'ai écrit *Bonjour tristesse* tout en travaillant – ou plutôt en ne travaillant pas – à la Sorbonne.
J. J. – *Et vous l'avez porté chez Julliard?*
F. S. – J'ai échoué à Propédeutique. J'avais écrit mon petit roman sur un petit cahier. A Paris au mois d'août, je l'ai tapé à la machine, lentement, avec très peu de doigts – ce qui n'était pas mal parce que ça m'incitait à raccourcir les phrases. Là-dessus je me suis dit : « Assez rêvé! » et j'ai mis le texte dans un tiroir. Je l'y aurais sans doute oublié si une amie ne m'avait traînée chez une voyante – ça paraît rocambolesque – qui m'a dit : « Vous avez écrit un roman qui va faire parler de vous à travers les océans », enfin quelque chose comme ça. Mise en confiance, j'ai fait retaper le manuscrit correctement et l'ai porté chez Julliard tandis que je déposais le double chez Plon.
J. J. – *Chez Julliard, quelqu'un l'a lu, paraît-il, dans la nuit et s'est emballé?*
F. S. – Quinze personnes au moins ont déclaré : « C'est moi qui l'ai lu le premier. » Je crois que mon premier lecteur a été François Le Grix. Dix jours après, René Julliard, devançant Plon, me télé-

graphie (mon téléphone était détraqué). Je le rappelle. Il me dit : « J'aimerais vous voir, je pense éditer votre livre. » La reine n'était pas ma cousine.
J. J. – *Y a-t-il eu des retouches?*
F. S. – Non, sauf celle du correcteur maison, qui s'appelait M. Hugo, le père Hugo. Il m'a signalé quelques erreurs grammaticales... assez graves. Et voilà.
J. J. – *On vous a, un peu trop vite, identifié avec l'héroïne de* Bonjour tristesse. *Cette dernière, Cécile, a dix-sept ans, l'âge que vous aviez à l'époque, elle passe sans contrainte des vacances méditerranéennes avec un père veuf, quadragénaire et séduisant. Mais lorsque celui-ci veut abandonner les amours éphémères pour se remarier, Cécile, inquiète, monte une machination qui provoque, indirectement, le suicide de l'élue. Rétrospectivement, comment expliquez-vous l'immense succès de ce livre, qui avait d'ailleurs beaucoup de qualités?*
F. S. – C'est un bon livre, bien fait, assez habile. Mais, il faut bien le dire, sa valeur intrinsèque n'a aucun rapport avec sa carrière. Celle-ci a été tout à fait disproportionnée. A tel point que, Dieu merci! je n'ai pas pu y croire et que tout cela m'a paru dès le départ un peu comique. Je crois que ces espèces d'à-coups sociologiques ne s'expliquent pas. Il y faudrait quelques psychologues, sociologues et psychiatres. Dans un pays comme le Japon, on a considéré mon nom comme synonyme de liberté des femmes. Peut-être était-ce la première fois qu'une jeune fille parlait de l'amour physique comme d'une chose naturelle, sans évoquer les enfants, les avortements, les drames, le péché. Tout bêtement ça. Cela n'aurait pas été moi, ç'aurait été quelqu'un d'autre.
J. J. – *Votre éditeur a dû recevoir, sur la lancée, une foule de manuscrits de jeunes gens contant leurs premiers émois?*
F. S. – Mais oui. Il en a d'ailleurs publié quelques-uns en disant : « On ne sait jamais. » Je crois que cette sorte de libération devait arriver, elle est passée aussi par Bardot, par Vadim, par une quinzaine de points qui sont devenus des points chauds un peu par hasard.

J. J. – *Vous étiez devenue le symbole de la jeune fille libre des années 50. Liberté qui n'avait rien à voir avec celle d'aujourd'hui.*

F. S. – C'est différent. A mon avis on a aussi peu de liberté maintenant qu'il y a vingt ans : faire l'amour était alors interdit aux jeunes filles; maintenant, c'est devenu presque obligatoire. Les tabous sont les mêmes. Le faire était scandaleux, ne pas le faire est aujourd'hui ridicule. De toutes manières on est coincé, la société est inexorable. Je me demande même si ce n'est pas pire maintenant, parce que le côté péché, fruit défendu, n'allait pas sans charmes. Évidemment, la contraception a changé pas mal de choses.

J. J. – *L'héroïne de* Bonjour tristesse, *au début du livre, n'a pas encore vu la mer, elle n'a pas encore connu de garçon. Et l'auteur, à la même époque ?*

F. S. – Oui, j'avais vu la mer. Et j'avais flirté avec pas mal de garçons mais je ne me rappelle plus. Si. Oui, j'avais...

J. J. – *Le père de la jeune Cécile, dans* Bonjour tristesse, *a toutes les femmes qu'il veut. Le Luc d'*Un certain sourire, *dont s'amourache la petite étudiante Dominique, est dans la force de l'âge. En mettant en scène ces hommes de quarante ans magnifiques, bronzés, au mieux de leur forme, vous avez créé une mode et rendu à tous les quadragénaires confiance en eux-mêmes...*

F. S. – *(riant)* Oui. Je rencontre encore des messieurs qui m'en remercient. C'est vrai, j'étais moi-même plus attirée par les hommes de cet âge, je le suis toujours, les jeunes gens m'ont toujours paru un petit peu...

J. J. – *Vous avez d'ailleurs, en 1958, épousé l'éditeur Guy Schoeller...*

F. S. – ... qui avait vingt ans de plus que moi. Mais j'ai aussi fréquenté, bien sûr, des gens de mon âge.

J. J. – *Un journaliste anglais a reconstitué d'après vos premiers livres la panoplie Sagan : whisky, machine à écrire, pastilles digestives, voiture de sport. Vous avez eu des rapports privilégiés avec vos voitures ?*

F. S. – Des rapports très agréables. Il y a

vingt ans, on pouvait prendre son auto, aller retrouver des copains à l'apéritif à l'autre bout de Paris et revenir dîner chez soi. Paris était une ville ouverte, une ville libre. La voiture est restée pour moi un symbole de liberté. Je monte dans ma Cooper, je pars, – cela m'arrive souvent – sans savoir où je vais, je gagne la province. J'adore la province. Je roule. C'est la liberté.

J. J. – *Et la phrase qu'on vous a prêtée, de « conduire pieds nus pour être en communion avec la mécanique » ?*

F. S. – *(riant)* Ah, l'homme qui a lancé cette phrase funeste est passé récemment aux aveux : c'est le journaliste Paul Giannoli. Il m'a dit : « C'est moi qui ai inventé cette phrase. » Je lui ai répondu : « Bravo, vingt ans d'immortalité pour cette trouvaille qui me poursuit ! » En fait, comme tout le monde en vacances, je conduisais pieds nus retour du bain, de la plage à la villa, pour ne pas avoir de sable entre les doigts de pieds. Je n'ai jamais pensé faire corps avec quoi que ce soit !

J. J. – *Il y avait tout de même du vrai dans le mythe Sagan ?*

F. S. – Évidemment. J'aimais rouler vite, boire du whisky, vivre la nuit.

J. J. – *Pourquoi la nuit ?*

F. S. – Parce que j'ai l'impression d'avoir du temps, et que les autres en ont aussi. Les gens que l'on rencontre la nuit n'ont pas de rendez-vous dans dix minutes, ils sont libres. Et puis ils ont envie de parler, de s'expliquer, de vous mentir ou de vous dire la vérité, d'établir des rapports gratuits.

J. J. – *On a réduit aux signes extérieurs ce qui chez vous était quelque chose de profond, une envie de vivre, ce que vous appelez la fête.*

F. S. – La fête, oui. Distancer le temps et distancer l'espace, rencontrer des gens. A l'époque, aimer la fête, ça paraissait tout à fait étonnant pour quelqu'un de mon âge, maintenant c'est devenu tout à fait courant.

J. J. – *L'alcool, la nuit vous permettaient d'aller au bout de vous-même. N'y a-t-il pas une contradiction entre ce goût pour les excès, dans la vie, et la mesure de* *votre style, la modération de votre ton, dans vos livres ?*

F. S. – Il est très possible qu'au contraire l'un ait contrebalancé l'autre. C'est si vrai que, depuis que je ne peux plus boire, j'ai, quand j'écris, des coups de lyrisme assez nouveaux.

J. J. – *Dans votre deuxième livre,* Un certain sourire, *un autre sentiment vient s'ajouter au mythe Sagan : l'ennui. J'ai rencontré dans ce roman de 180 pages (c'est la longueur type de vos premiers ouvrages), une quarantaine de fois les mots ennui, ennuyeux, s'ennuyer...*

F. S. – Pour vous dire la vérité, cela correspondait à une époque très précise de ma vie, juste après *Bonjour tristesse.* Je voulais écrire ce deuxième roman pour que l'on arrête de dire que *Bonjour tristesse* resterait mon premier et mon dernier livre, etc., etc., et puis pour rassurer ce pauvre Julliard qui déjà se demandait si ce n'était pas vraiment mon père qui l'avait fait! A ce moment, j'ai été, pendant de longs mois, prodigieusement ennuyée par des gens qui me posaient des questions sur moi-même, sur mes idées, j'étais devenue un objet, je devais répondre poliment – parce qu'on m'avait appris à être polie –, à des propos oiseux.

J. J. – *Cette notion d'ennui semble recouvrir des sentiments complexes. Tantôt vous vous « ennuyez passionnément », tantôt vous vous ennuyez un peu « et ce n'était pas désagréable »...*

F. S. – Je déteste m'ennuyer. Mais je pense que l'ennui, dont on parle comme une chose tiède et fade, est un sentiment puissant, aussi violent que la haine. Moi, quand je m'ennuie à un dîner, j'en sors malade, brisée. C'est un sentiment passionnel...

J. J. – *... qui acquiert dans vos premiers livres une densité comparable à celle de la nausée sartrienne. Vous citez d'ailleurs* L'âge de raison, *de Sartre, dans* Bonjour tristesse.

F. S. – J'aime beaucoup ce livre. Autant que *Les mots,* qui est un ouvrage admirable. Et j'aime beaucoup Sartre. Nous nous sommes vus un temps. C'est un des hommes qui s'ennuient le moins. Il est gai, malicieux, frondeur, il sait raconter des histoires. On s'est bien amusés. En plus il est né le même jour que moi, un vingt et un juin. Trente ans avant. Une autre chose est superbe chez lui : il se fiche du ridicule. C'est tellement peu français...

J. J. – *Vous y faites allusion quand vous évoquez, dans* Les bleus à l'âme, *Sartre montant sur un tonneau en mai 68 pour haranguer les ouvriers de Billancourt. Et vous dites drôlement : « Sartre, en grimpant sur son tonneau, maladroitement, honnêtement, avait compris, peut-être. Et Diogène, à l'intérieur du sien, parlant à chacun. »*

F. S. – Oui, c'est à propos de la communication avec les gens.

J. J. – *La notion d'ennui, dont nous parlions, est-elle une caractéristique de ce qu'on a appelé la « petite musique » de Françoise Sagan ?*

F. S. – *(éclatant de rire)* Ah la la!

J. J. – *... Pardonnez-moi de revenir à ce cliché.*

F. S. – Ce qui caractérise la fameuse « petite musique », c'est tout simplement une espèce de pudeur, la saine pudeur de la jeunesse, quoi. Tout ce qui était sentimental et passionnel me paraissait tout à fait comique, ridicule. Maintenant la passion me paraît plus facile à approcher, à décrire. J'ai envie de changer, de casser le côté « rédaction française » de mes livres. Je voudrais suivre ma propre pensée plutôt que de faire penser mes personnages à l'intérieur d'une histoire. J'ai envie de faire des digressions, de me libérer. J'ai essayé, mais j'ai été coincée par le style. Votre talent – ce que les gens appellent votre talent – vous coince. Deux ou trois belles images, une expression heureuse et vous ne suivez plus votre pensée. l'idée vous échappe.

J. J. – *Pourtant dans* Le lit défait, *en 1977, vous êtes allée au bout d'une passion. L'auteur dramatique Édouard et la comédienne Béatrice, que l'on avait déjà rencontrés, au milieu d'autres personnages, dans* Dans un mois dans un an, *y vivent un amour total et romantique.*

F. S. – Oui. J'ajouterai, entre parenthèses, que *Dans un mois dans un an* avait trop peu de pages pour trop de personnages. J'avais perdu vingt pages que je n'ai jamais eu le courage de refaire. Quant au *Lit défait*, c'est en effet l'histoire d'amour la plus sentimentale et la plus romanesque que j'aie écrite. J'avais fait jusque-là une erreur : je pensais que donner un vrai métier à des personnages qui vivent une histoire d'amour était une facilité. Eh bien, non, les obstacles matériels à l'amour, les nécessités du métier deviennent des pulsions, ils donnent du poids au roman...

J. J. - *Et c'est pour cela que, pour la première fois, vous avez écrit avec ce récit un livre de près de trois cents pages ?*

F. S. - *(riant)* En fait c'est aussi pour des raisons sordidement pratiques. Je ne pouvais plus boire du tout, la fête, enfin la fête nocturne, était finie; j'ai eu plus de temps pour écrire et, du coup, un peu moins de temps pour faire des bêtises... pour parler comme les enfants.

J. J. - *Il semble que cet accord parfait auquel deux amants ne peuvent parvenir, même dans* Le lit défait, *vous en trouviez une équivalence dans les rapports entre frère et sœur. Les deux Suédois Eléonore et Sébastien, joués par Françoise Brion et Claude Rich dans* Un château en Suède, *et que l'on retrouve dans* Les bleus à l'âme – *preuve que vous teniez à ces personnages – ont une entente, une complicité parfaite. En dehors, évidemment, de la question physique.*

F. S. - Cela me paraît clair. Frère et sœur, on est du même sang, on est inconditionnel l'un vis-à-vis de l'autre. En outre, le problème de la possessivité – « Je te tiens, tu me tiens », les problèmes de l'amour et de la passion n'existent plus. C'est un rapport parfait (ou du moins qui peut l'être), libre et absolu. J'ai un frère avec qui je m'entends très bien et une sœur aussi. Nous avons des rapports absolument inébranlables. Et légers.

J. J. - Vous avez cohabité avec votre frère ?

F. S. - Oui, quand j'avais vingt ans nous avons habité ensemble, deux ou trois ans, comme ça, jusqu'au moment où nous nous sommes mariés l'un et l'autre. Nous avons été réciproquement témoins à nos mariages. Il existe un sentiment parfaitement stable entre nous.

J. J. - *Nous évoquions le frère et la sœur de votre première pièce. Avant de parler de la dernière,* Il fait beau jour et nuit, *dont le livre vient ce mois-ci prolonger la trop courte carrière, pouvons-nous revenir sur votre entrée dans le théâtre ? Comme vos début en littérature, elle avait été triomphale...*

F. S. - ... et presque due au hasard. Jacques Brenner, qui dirigeait alors les *Cahiers des saisons*, y avait accueilli la première version de *Un château en Suède*. André Barsacq, directeur de l'Atelier, l'a lue, m'a demandé de la retravailler et ça a très bien marché.

J. J. - *Contrairement à vos romans, qui sont souvent en demi-teintes, vos pièces recèlent de sombres machinations.*

F. S. - J'ai l'impression que dans un roman il faut prendre des gens à peu près ordinaires, dont les sentiments puissent être acceptables, reconnaissables par tout le monde. Comme dans la vie. Au théâtre il y a des règles précises d'unité, on peut donc mettre en scène des gens exceptionnels, des fous. L'excès de contraintes et l'excès de liberté font que la pièce s'équilibre d'elle-même.

J. J. - *Dans* Il fait beau jour et nuit, *c'est pire : vous montrez une malheureuse jeune femme, Zelda (référence à Zelda Fitzgerald, la femme de l'écrivain américain devenue folle), qui, elle, est absolument saine d'esprit, mais qui a été enfermée trois ans à la suite d'un horrible stratagème imaginé par son mari et sa belle-sœur.*

F. S. - Ce sont des personnages excessifs, dont j'ai écrit l'histoire avec un plaisir tout à fait gratuit. C'est très rude, il n'y a pas la moindre moralité. Je pense que c'est ma meilleure pièce.

J. J. - *J'ai trouvé la critique très dure. Cet échec ne vous a-t-il pas affectée ?*

F. S. - Pas du tout, ça alors, pas du tout. Le théâtre est amusant pour cela : si on est un peu joueur, on sait que l'on est à la merci d'impondérables. Deux jours avant la répétition générale, la représentation s'était très bien passée. Et ce jour-là, boum! boum! j'ai vu tout ça s'effilocher, devenir ennuyeux, pâteux. Dire qu'au même moment j'avais un Oscar à New York!

J. J. – *Un Oscar! Pour un film?*

F. S. – Parfaitement. J'avais fait un court métrage de dix minutes, *Encore un hiver*, tourné avec une bande de copains au Champs de Mars – l'aventure toute simple d'un jeune homme et d'une vieille dame qui attendent côte à côte, sur un banc, lui une jeune fille, elle un vieux monsieur. Et le film a eu un Oscar, exactement un Chris, au festival international du court métrage de New York. Pudiquement, je n'en avais parlé à personne. Et tandis que je recevais – moralement – des tomates pour ma pièce à Paris, je cachais avec discrétion mes lauriers new-yorkais.

J. J. – *Romans, pièces de théâtre, cinéma... Et votre liaison ancienne avec la poésie? Vous aimez Eluard, Baudelaire, vous leur avez emprunté des titres pour vos livres. Écrivez-vous toujours des poèmes?*

F. S. – Oui, mais ils ne sont pas assez bons pour être publiés. Et, en poésie, le « pas assez bon » ne pardonne pas. Je lis beaucoup de poèmes, toute seule. De même, je n'aime pas les concerts, je n'aime pas aller à l'Opéra, j'aime écouter de la musique chez moi, lire de la poésie chez moi. Ce sont des rapports presque onanistes.

J. J. – *Secrets.*

F. S. – Secrets, oui, parce que c'est trop intime. Il y a si peu de personnes à qui on peut lire, dire un passage d'un poème en demandant : « Tu connais ça ? » A beaucoup de gens je préférerais avouer : « Je couche avec Untel » plutôt que de leur dire des vers que j'aime.

J. J. – *Sur le plan de l'amour physique, vous avez, précisément, toujours fait preuve d'une grande pudeur. Vous êtes contre la vague érotique qui déferle actuellement?*

F. S. – Je ne suis pas contre. Personnellement ça m'assomme, je trouve ça très ennuyeux, mais si ça amuse les gens... Je ne peux pas du tout aller au cinéma et voir des gens faire l'amour sur l'écran, ça me gêne comme si j'étais une couventine, on voit le grain de la peau, les points noirs des partenaires. Tout pouvoir de suggestion disparaît. C'est quand même une époque terrible, on ne laisse pas une seconde les hommes et les femmes libres d'imaginer; tout ce qu'on leur donne est imposé, les images de la télévision leur montrent les pays comme ça, on leur montre les événements comme ça, l'amour comme ça... A quatorze ans, j'avais vu *Le Diable au corps*, la caméra se détournait au moment où... C'était extrêmement troublant, ça me paraissait – ça me paraît encore – le comble de l'érotisme. Je n'ai jamais lu de livre dit érotique qui me paraisse satisfaisant, aussi beau que peut être l'amour, aussi peu vulgaire que peut être l'amour. Les grands moments d'amour dont on se souvient dans un livre c'est, par exemple, une rencontre de Mme de Rênal avec Julien Sorel dans *Le rouge et le noir*, et non une démonstration technique.

J. J. – *On a dit que vous aviez gagné gros avec vos livres. Quels sont vos rapports avec l'argent? Vous n'aimez guère les gens qui possèdent, les célébrités qui investissent dans des laveries automatiques ou des snacks-bars.*

F. S. – Je ne pense pas qu'on puisse devenir très riche et le rester sans une certaine dureté de cœur. Tous les gens extrêmement riches que je connais sont des gens qui, à un moment ou à un autre, ont dû refuser de prêter ou de donner. La richesse, ça revient à dire non. Alors, les riches sont des hommes un peu sujets à caution. Personnellement je ne peux pas parler de mes rapports avec l'argent d'une manière normale, je n'ai jamais eu ni faim ni froid, et je n'ai jamais manqué de sous. J'ai des ennuis d'impôts, mais les gens qui se plaignent de leurs impôts m'exaspèrent : avoir à donner beaucoup d'argent à son percepteur veut dire que l'on en gagne beaucoup. Les pauvres ne se plaignent pas de leurs impôts, ils en ont peut-être moins, mais ils n'ont pas le temps de s'en plaindre.

J. J. – *La fortune vous est tout de même arrivée tôt.*

F. S. – Mon père a gagné de l'argent, il le dépensait au fur et à mesure. Après *Bonjour tristesse* René Julliard m'a dit : « Vous avez soixante millions chez moi, vous n'êtes pas majeure, que faire ? Parlez-en à votre père. » J'ai dit à mon père : « Qu'est-ce qu'il faut que je fasse de ces millions ? » Il me regarde et me demande : « Voyons, quel âge as-tu ? – Dix-neuf ans. – C'est très dangereux, tout cet argent, à ton âge. Claque-le. » Ce que j'ai fait illico. D'ailleurs j'avais déjà commencé ! J'ai continué. Actuellement, j'ai une maison à la campagne pour mon fils, et puis des machins loués, des vieilles voitures, ça rentre, ça sort.

J. J. – *Vous en donnez beaucoup ?*

F. S. – Oui. Si l'on me rendait l'argent qui m'a filé entre les doigts pour des choses diverses, je serais drôlement à l'aise pour un bout de temps. Une des premières personnes qui m'ait tapée, c'était l'auteur dramatique Arthur Adamov. Il était déjà démuni et assez mal en point. Il me demande cent mille francs, je lui donne le chèque (j'avais encore un carnet de chèques à l'époque). Il me dit : « Je ne vous les rendrai jamais mais je ne vous en voudrai pas. » J'étais plutôt stupéfaite. Il est toujours resté aimable et souriant avec moi. Et j'ai compris par la suite qu'il y avait très peu de gens assez généreux pour supporter de vous devoir de l'argent.

J. J. – *On vous a accusée de dilapider...*

F. S. – J'ai passé quinze ans sans carnet de chèques, parce que ma banque n'acceptait de me garder que si je n'avais pas de carnet. Alors j'avais de l'argent de poche tous les mois. J'ai vécu quinze ans comme ça.

J. J. – *Et maintenant ?*

F. S. – Je n'ai toujours pas de carnet de chèques. Du moins officiellement... Mais je voudrais revenir, à propos de l'argent, sur le snobisme incroyable des critiques qui me disent : « Les gens que vous décrivez sont des gens qui ont de l'argent, ils ne correspondent pas aux gens moyens, au peuple. » Enfin, ce qu'ils appellent le peuple. Or moi, les lettres que je reçois me prouvent le contraire. Il

semble que les êtres simples, les moins pourvus, n'aient le droit d'avoir que des sensations primaires, comme le froid, la faim, la soif, le sommeil ou le besoin de travailler, tandis que les sentiments comme l'ennui, la dérision, l'absurde seraient, dans la tête de ces messieurs, réservés à une élite. C'est assez étonnant comme snobisme.

J. J. – *Vous-même, vous avez toujours été à l'abri des besoins immédiats. De quoi pouvez-vous avoir peur ?*

F. S. – De la maladie. Et aussi de la maladie des autres, de la mort des autres. C'est tout.

J. J. – *Et la vôtre, puisqu'il vous est arrivé de frôler la mort ?*

F. S. – Vous savez, ce sont des souvenirs plutôt... romanesques. Et aussi des souvenirs très pénibles de souffrances physiques. En dehors de ça je ne me rappelle rien, ni la veille de l'accident, ni l'accident. Au moment même on se dit « Flûte ! » et c'est tout.

J. J. – *Vous semblez penser que la mort exige une certaine pudeur. Surtout lorsqu'il s'agit de suicide. Dans* Bonjour tristesse, *par exemple, Anne camoufle son suicide en accident de voiture.*

F. S. – J'ai connu dans ma vie quelques personnes qui se sont suicidées : on n'arrive pas à quarante-trois ans sans connaître des drames. On a une terrible impression de désespoir, d'impuissance lorsque des amis qu'on aimait se sont tués. Je me disais : « Mon Dieu, moi, si j'en arrivais à ce stade, je ferais ce qu'il faut pour ne pas laisser aux autres, en plus, ce poids, cette espèce de déchirure de n'avoir rien pu faire, de n'avoir pas compris à temps. » D'autre part je crois que, quand on se tue, c'est pour infliger sa mort aux autres. Il est très rare de voir des suicides élégants.

J. J. – *Et l'âge ? Comment voyez-vous votre avenir ?*

F. S. – *pouffe de rire.*

J. J. – *Comment, quand on a incarné la jeunesse comme Sagan, peut-on envisager de vieillir ? Un critique, Pol Vandromme, s'est demandé si vous vieilliriez* comme Colette. Vous-même vous êtes vue, à un moment donné, comme George Sand, en « bonne dame de Honfleur », puisque c'est par là-bas que se trouve votre maison de campagne.

F. S. – Et puis je me vois aussi errant dans Paris avec une voilette. Je regrette la disparition des voilettes! En tout cas je vous signale que, à moins d'un changement total dans ma vie, je ne voudrai jamais entendre parler de prix, ni de jury, ni de festivités honorifiques, c'est hors de question. Je pense que j'aurai toujours cette espèce de dégoût des honneurs. Et puis, j'ai toujours l'impression que je vais mourir dans cinq ans. A vingt ans je pensais que je serais morte à vingt-cinq, à vingt-cinq, qu'à trente ans je ne serais plus là. Maintenant j'ai l'impression qu'à cinquante ans je serai... qu'il me sera arrivé quelque chose.

J. J. – *Ce qui vous empêche d'imaginer le futur ?*

F. S. – Oui. Et j'ai un fils de seize ans. Quand on a un enfant, c'est curieux à dire, mais notre propre avenir devient flou, il existe un peu en fonction d'un autre. L'avenir du monde, l'avenir de la Terre, l'avenir des hommes pour moi se conjuguent au futur de mon fils, pas tellement au mien. Moi, je me suis bien amusée, comme on dit, j'ai vu pas mal de choses, j'en ai encore plein à voir, mais je ne me sentirais pas lésée si je mourais demain... Ça m'ennuierait, mais je ne pousserais pas des cris de protestation.

J. J. – *Vous répéteriez ce que vous avez dit à la fin de* Réponses, *il a quatre ans :* « *Je voudrais ne pas être adulte* » ?

F. S. – Réponse un peu ambiguë, un peu prétentieuse puisque, adulte, je ne sais pas si je l'ai été, finalement. Mes parents m'ont protégée, le succès m'a isolé des ennuis matériels, m'a évité d'être dominée par quelqu'un, j'ai été libre, j'ai menée une vie de collégienne. Les critiques, d'ailleurs, m'ont toujours parlé comme de vieux oncles, me reprochant, même à quarante-trois ans, mes voitures de sport, répétant, à la sortie d'un livre : « Ce coup-ci elle n'a pas été très sérieuse, elle n'a pas très bien travaillé. » Ce sont vraiment des notes de conduite.

J. J. – *Pour parler de conduite, justement, comment vivez-vous, maintenant ? Où sont les whiskies d'antan ?*

F. S. – Je ne peux plus boire d'alcool du tout. Ce n'est pas une question de volonté, mais de peur : si je bois de l'alcool je me roule par terre de douleur le lendemain. Une affaire de santé. On m'a enlevé le pancréas, je crois, une opération de ce genre. Je ne bois donc plus, ce qui rend impossibles les boîtes de nuit bruyantes, les propos décousus... Je passe beaucoup plus de temps chez moi. Je me couche toujours très tard parce que la nuit reste mon terrain favori, je me promène, je vois des gens nouveaux, de temps en temps je travaille.

J. J. – *Il était paradoxal de mener une vie excessive et de vouloir la mener longtemps...*

F. S. – C'est une opposition dont on se rend compte plus tard. Je me suis arrêtée de boire un petit peu avant le moment où la nuit aurait été trop cruelle. Mais il était temps.

J. J. – *Cela date de...*

F. S. – ... de trois ans. J'avais donc quarante ans. Je n'ai pas bu, évidemment, de zéro à vingt ans. J'ai bu de vingt à quarante. De quarante à soixante je ne pourrai plus boire. De soixante à quatre-vingt dix, si Dieu me prête vie, on fera des pancréas artificiels, et je serai une vieille dame indigne, alcoolique et débauchée. J'irai au Fémina insulter mes consœurs avec des hardes, une bouteille de rouge à la main, je crierai : « A bas Mallet-Joris! A bas Duras! » *(elle éclate de rire).* On peut toujours rêver là-dessus.

J. J. – *En attendant ce grand moment, vous travaillez ?*

F. S. – Justement, j'essaie d'aller plus loin. J'ai tellement voulu montrer aux gens que je ne prenais pas au sérieux le galimatias dont on m'entourait, j'ai tellement joué la modestie que j'ai fini par ne plus avoir confiance en moi. Finalement je me suis dit que j'avais au moins autant de talent que beaucoup d'écrivains très contents d'eux, et flûte! La notion de chef-d'œuvre, de grand livre est un rêve de mes treize/quatorze ans, pourquoi ne pas essayer, quitte à louper... J'ai pratiquement renoncé à l'ambition par excès de succès. Maintenant j'ai envie de me tromper, de pousser dans un sens qui ne soit pas celui du romanesque construit.

J'ai envie de suivre ma propre fantaisie et non pas les règles de la dissertation française qui ont trop influencé ma vie.

HENRI TROYAT

*« Il y a une originalité chez l'écrivain
qui consiste à ne pas essayer d'être original. »*

Septembre 1979

Les modes littéraires comme les gouvernements passent mais Henri Troyat
reste. En 1938, il n'avait que vingt-sept ans lorsqu'il décrocha le prix
Goncourt pour *L'Araigne*. Le pli était pris et depuis lors la bonne
cinquantaine de volumes qu'il a présentée n'a cessé de rencontrer un très large
public. Dans l'hexagone comme à l'étranger. Car Henri Troyat, on l'ignore
parfois, est l'un des auteurs contemporains de langue française les plus lus
dans le monde notamment en URSS, son pays d'origine. Qu'il soit Russe, le
fait, en revanche, est assez connu : la publication de ses cycles romanesques
comme *Tant que la terre durera* ou *La lumière des justes* et de ses biographies
consacrées à *Tolstoï* ou *Catherine la Grande* a toujours été l'occasion de le
souligner. Pour mémoire, rappelons tout de même que, né en 1911 à Moscou
dans une famille dont le père était un riche commerçant, Henri Troyat ou
plutôt Lev Tarassov fut contraint à l'exil en 1917, qu'après un long voyage
au cours duquel il faillit périr (ce n'est pas littérature), il arriva à Paris
en 1920 et qu'il y poursuivit ses études jusqu'à sa licence en droit en
1933, date à laquelle il est naturalisé. Devenu fonctionnaire, son emploi
le passionne beaucoup moins que la rédaction de romans et, dès 1935,
il obtient une récompense, le prix Populiste, pour son premier livre *Faux
jour*. L'itinéraire d'Henri Troyat sera d'ailleurs marqué par les honneurs
précoces : outre son prix Goncourt déjà mentionné, il sera élu à l'Académie
française en 1959, à l'âge, peu courant pour un Immortel, de quarante-
huit ans.

Cet écrivain prolixe très tôt visité par la gloire et qui persiste à connaître le
succès depuis quatre décennies n'est certes pas apprécié sans réserves par tous.
Henri Troyat, dont on nous affirme que la prose est bien trop conventionnelle,
serait-il plus coté s'il avait moins de lecteurs ? Sempiternel débat. On
remarquera toutefois que réticences et bouderies s'estompent, voire disparais-

sent, lorsqu'il fait paraître l'une de ses grandes biographies, la dernière en date, *Pierre le Grand* (Flammarion), ne risquant pas d'échapper à la règle. Reste enfin à dire quelques mots de l'homme. Sa carrure physique est aussi imposante que sa discrétion est exemplaire. Henri Troyat pourrait non sans quelque raison afficher des motifs de satisfaction. Il ne manifeste que timidité. On croit le fâcher en lui agitant quelques-unes des critiques qu'il peut susciter mais la polémique n'est pas son genre. Et s'il défend avec une sourde conviction une œuvre à laquelle il travaille obstinément, le doute et l'inquiétude ne semblent guère le quitter. Comme si la route à parcourir – la perspective de tant de livres à écrire – lui apparaissait encore très longue.

Pierre Boncenne. – *En 1938, vous obtenez, à la surprise générale, le prix Goncourt pour* L'Araigne *(Plon). Or, juste après avoir reçu cette récompense, vous publiez dans* Le Figaro *un article intitulé* Petit dictionnaire à l'usage d'un Goncourt *dans lequel vous étrillez la faune du monde littéraire, des photographes jusqu'aux éditeurs en passant par les amateurs d'autographes. A propos des journalistes, vous écriviez, par exemple, ceci :* « *Journaliste. Inconnu cordial et pressé. Il écrit sur des papiers grands comme des mouchoirs de nourrissons et ne se relit jamais. Vous savez d'avance ce qu'il vous demandera. Et il sait d'avance ce que vous lui répondrez. Cette circonstance facilite la conversation.* »
Henri Troyat. – Oui, j'ai écrit cela... Mais c'était une boutade évidemment! Vous savez, à l'époque, tout le monde était persuadé que le roman de François de Roux, *Brune,* allait obtenir le Goncourt. Moi-même j'étais tellement certain de ne pas être le lauréat que je me suis longuement attardé à déjeuner avec un ami et qu'en retournant à mon bureau – je travaillais alors comme rédacteur au service du Budget de la Préfecture de la Seine – j'étais surtout préoccupé à l'idée de me faire sonner les cloches par mon directeur. En rentrant à la Préfecture et en voyant les commis gesticuler à mon arrivée, j'ai d'abord pensé que la catastrophe s'abattait sur moi. Ma stupéfaction a été totale en apprenant que cette agitation était due à ce prix Goncourt qui venait de m'être attribué. Il va de soi

que je n'avais préparé aucun article pour la presse. Dans la nuit qui a suivi le Goncourt, j'ai donc dû écrire pour différents journaux des articles dont celui que vous me citez paru dans *Le Figaro.* Il est vrai que j'avais été frappé par la similitude des questions que peuvent vous poser les journalistes en de telles occasions. Mais au fond, voyez-vous, ma réaction était ironique parce que je n'étais pas du tout à mon aise. Et je ne le suis pas plus maintenant lorsque je me trouve en face d'un journaliste.
P. B. – *Aujourd'hui vous signeriez cet article dont je n'ai cité que quelques lignes (mais le reste est à l'avenant)?*
H. T. – Non, certainement pas. D'abord parce que ce *Petit dictionnaire à l'usage d'un Goncourt* était la réaction d'un gamin de vingt-sept ans ayant obtenu une importante distinction et qui, un peu grisé par le succès, a voulu écrire un article d'humeur, plutôt souriant que méchant d'ailleurs. Et puis surtout parce que je suis beaucoup moins sûr de moi maintenant qu'au moment de *L'Araigne.*
P. B. – *Et pourtant votre succès ne s'est jamais démenti depuis lors. D'une certaine manière, votre « carrière d'homme de lettres » a commencé avec le Goncourt?*
H. T. – C'est beaucoup dire. Avant le Goncourt j'avais publié quatre livres qui avaient été chaleureusement accueillis par la presse mais qui, du point de vue de l'audience, ne marchaient pas très bien. Avec *L'Araigne* et le Goncourt, les

projecteurs de l'actualité se sont braqués sur moi. J'en fus à la fois très heureux et très affolé. En réalité, ma réaction profonde a été une grande peur. N'est-ce pas un accident et ne va-t-on pas s'apercevoir, dès mon prochain livre, que ce prix Goncourt était immérité ? Ces questions me tourmentaient et ce à tel point que je n'ai pas voulu démissionner de mon travail à la Préfecture de la Seine. Vous savez, je suis quelqu'un qui, par nature, est enclin à douter de soi-même et ce Goncourt, s'il m'a apporté une grande fierté sur le moment, n'a fait qu'accentuer mon angoisse.

P. B. — *En tous les cas, certains journalistes ne semblaient pas trop angoissés par votre avenir en 1938. L'un d'entre eux écrivait ceci que je trouve amusant de relire quarante et un ans après :* « *Il les a tous. Il les aura tous... Certains hommes sont ainsi fait pour décrocher des timbales. Les don Juan du laurier. Il ne peut y avoir quelque part une couronne sans qu'elle ne vienne immédiatement se poser sur leur tête [...]. Heureux homme, ce Troyat ! Sa vie est toute simple, toute nette et toute tracée. Il n'a plus à s'interroger sur l'avenir et sur lui-même. Joué d'avance : il sera académicien... Et il aura le prix Nobel...* »

H. T. — Pour le Nobel, c'était un peu prématuré et un peu osé... La réaction de ce journaliste s'expliquait parce que j'avais obtenu le prix Populiste pour mon premier livre *Faux jour,* puis un prix de l'Académie française, puis le Goncourt, tout cela en l'espace de trois ans et qu'il trouvait peut-être que c'était beaucoup pour un seul homme.

P. B. — *Au moment de sa parution, L'Araigne a fait scandale.*

H. T. — Oui, car il y avait dans ce roman des scènes un peu osées. Mon personnage central, Gérard Fronsèque, avait des sentiments troubles à l'égard de ses sœurs, ce qui avait hérissé certains critiques et une partie du public. Du reste, ce livre a d'abord été publié dans *La Revue de France.* Marcel Prévost qui en était le directeur m'avait demandé d'expurger ou plutôt de le laisser expurger mon texte. Ainsi il avait supprimé toutes les scènes

d'amour et chaque fois que l'une d'entre elles se présentait, il la remplaçait par la formule : « Ils s'étreignirent » !

P. B. — *Toujours en feuilletant les journaux de l'époque, j'ai noté qu'à propos de L'Araigne, les mots « scabreux » et « cruauté » revenaient très souvent sous la plume des critiques. Et l'un d'eux, qui avait pourtant aimé votre livre, n'a pu s'empêcher de terminer son compte rendu sans ajouter :* « *Mais que les personnages de M. Troyat ont donc un vocabulaire grossier !* »

H. T. — C'est incroyable !

Et Henri Troyat, qui depuis le début de notre conversation ne s'était pas départi de sa réserve coutumière, d'éclater de rire à la relecture des critiques consacrées à L'Araigne. *A propos de cette réaction :* « *L'Araigne est une œuvre pénible qui ravale bassement toutes choses, les sentiments les plus humains, les plus naturels* », *Henri Troyat proteste cependant :*

Mon personnage principal dans *L'Araigne* était une sorte d'écorché vif, de garçon vivant à contre-courant et pour qui les choses les plus naturelles étaient révoltantes : l'amour lui paraissait un accouplement monstrueux, il ne pouvait pas voir de la viande de boucherie sans en avoir la nausée, etc. Du coup on m'a mis sur le dos tout ce que ressentait ce personnage. Mais, enfin, je n'étais pas personnellement responsable de ses réactions : c'était un personnage de roman. Roman que j'ai certes voulu violent mais qui vraiment n'avait rien de scabreux.

P. B. — *Dans son journal,* Le temps immobile, *votre ami Claude Mauriac rapporte ces propos que vous lui avez tenus en février 1943 :* « *Henri Troyat oppose au désir de faire du neuf à tout prix qui caractérise les jeunes auteurs (il connut cet orgueil et ce n'est pas la manière d'écrire seule qu'il entendait changer : les sujets eux-mêmes devaient ne ressembler à rien de connu) la sagesse des écrivains anciens. Ils découvrent qu'il suffit de la langue la plus simple et des sujets les plus quotidiens pour atteindre l'irremplaçable vérité dont on est seul dépositaire, et la formuler. Il cite, en*

exemple, le Tolstoï de Guerre et Paix
*(...). Il assure que tout a déjà été dit et
qu'il reste à le redire.* › *Cette conception
de la littérature est encore la vôtre?*
H. T. – La dernière phrase rapportée
par Claude Mauriac est excessive et trop
pessimiste. Mais, encore aujourd'hui, je
pense qu'il ne faut pas essayer d'innover
à tout prix en littérature. L'originalité
doit vous être imposée par l'époque où
vous vivez et non pas par une action
volontaire. Pour moi, le roman traditionnel n'existe pas pour la simple raison
qu'on ne peut pas écrire comme à l'époque de Flaubert à moins de faire un
pastiche. Qu'il le veuille ou non, l'écrivain est imprégné par la vie de son
temps. Les films et les pièces de théâtre
qu'il voit, la radio qu'il entend, les
affiches dans la rue, etc, l'influencent, et,
à son insu même, l'écrivain traduit son
époque. Mais l'écrivain doit évoluer avec
son époque et non pas essayer de tout
bousculer. Il y a une originalité chez
l'écrivain qui consiste à ne pas essayer
d'être original.
P. B. – *C'est votre cas?*
H. T. – Du moins c'est ma conception.
Je crois qu'il faut écrire selon son tempérament, selon le battement de ses tem-
pes et la musculation de ses poignets,
dire ce que l'on a envie de dire et ne pas
se plier à des règles élaborées dans l'espoir d'être original à tout prix. Un
Proust, un Dostoïevski, un Kafka en se
mettant à leur table de travail, j'en suis
persuadé, ne se posaient pas la question
de savoir s'ils allaient dire quelque chose
de différent de ce qui avait été écrit avant
eux : ils écrivaient avec leur style parce
qu'ils ne *pouvaient* pas écrire différemment, parce qu'ils étaient portés par leur
tempérament à écrire ainsi. Il est parfait
qu'il y ait des écrivains originaux à
condition qu'ils ne le soient pas par
calcul. Je me méfie des écoles et du
terrorisme littéraire et je crois qu'il n'y a
rien de plus tragique que de jeunes
écrivains soumettant le flot de la création
à une mode intellectuelle. Certaines
œuvres sont devenues les plus grandes
œuvres parce qu'au-delà et par-dessus
les règles édictées, elles arrivent à faire

passer un message humain. Les grandes
pièces classiques ne sont pas grandes
parce qu'elles obéissent à la règle des
trois unités mais parce que, malgré ces
règles, quelque chose de poétique et
d'admirable est transmis.
P. B. – *Les écrivains gravitant autour de*
La Nouvelle Revue Française *ne constituant pas une école, n'avez-vous pas
souhaité en faire partie?*
H. T. – La *NRF* me semblait, bien sûr,
quelque chose d'important. Mais, voyez-
vous, je suis quelqu'un d'isolé rencontrant peu de gens, vivant dans son coin et
travaillant selon son idée. Je ne suis pas
quelqu'un recherchant la compagnie des
autres. Cela dit, mon premier livre, *La
clé de voûte*, effectivement, je l'avais
envoyé à Jean Paulhan, directeur de la
NRF, que j'admirais beaucoup. Avant
guerre j'aurais été très heureux d'être
publié par les éditions Gallimard. Mais
Paulhan a refusé ce texte – qui a d'ailleurs été édité par la suite – et j'ai
poursuivi ma route ailleurs.
P. B. – *Êtes-vous choqué si l'on vous
définit comme un narrateur avant tout?*
H. T. – Cela ne me choque pas du tout.
Comme je vous l'ai dit, le problème de
l'originalité de la forme n'est pas fondamental pour moi. J'attache de l'importance à l'écriture en essayant d'être très
soigneux mais je ne veux pas innover à
tout prix. L'important pour moi n'est pas
l'enveloppe mais le contenu. J'essaye de
transmettre une émotion, de faire vivre
des personnages, d'évoquer une époque
ou un problème le mieux possible sans
faire appel à une construction et à une
écriture très surprenantes. Qu'on me
définisse alors comme un narrateur,
pourquoi pas? J'ai toujours aimé raconter des histoires, inventer des personnages, créer des atmosphères : c'est le propre du romancier, me semble-t-il, et je
n'en rougis pas.
P. B. – *Vous avez des centaines de
milliers de lecteurs. Mais la critique,
lorsqu'elle ne vous dédaigne pas, n'est pas
toujours très tendre à votre égard.*
H. T. – Je mentirais si je disais que je
n'y suis pas sensible. Étant d'un tempérament un peu écorché et enclin à douter

de moi-même, je suis d'abord tenté de donner raison à ceux qui me critiquent contre ceux qui me louent. Mais si dans un premier temps je peux être abattu par un mauvais article, je dois reconnaître que les plaies se cicatrisent assez vite. Loin de m'abattre définitivement, les critiques me stimulent et je me promets dès mon prochain livre de supprimer les faiblesses dont on m'accuse. Cela dit, je n'ai jamais écrit un livre en obéissant aux conseils de la critique. Je n'écris que pour moi-même, je crée des personnages qui me visitent et m'obligent à prendre la plume, je n'obéis qu'à mon instinct et à mon mouvement intérieur. Quant au public, s'il m'est très agréable de savoir que j'ai une large audience, je n'estime pas pour autant être un bon écrivain. Si la plupart des grands romanciers ont été très lus de leur vivant, une large audience n'est pas la consécration. Elle n'est pas non plus une condamnation.

P. B. – *Votre très large public ne vous a jamais quitté.*

H. T. – Et pourtant je n'obéis absolument pas à ce qu'il peut attendre de moi. Il m'est arrivé de le décevoir en publiant des livres qui ne correspondent pas du tout à mon image.

P. B. – *Par exemple?*

H. T. – Par exemple, j'ai écrit un livre, *La pierre, la feuille et les ciseaux,* qui a choqué beaucoup de mes lecteurs parce que le personnage principal était un homosexuel. Je savais que j'allais déranger mais cela ne m'a empêché ni d'écrire ce roman que j'avais envie d'écrire ni de créer ce personnage qui me passionnait. De même j'ai eu un très grand succès avec ma trilogie *Tant que la terre durera* dont l'action se passait en Russie et qui fourmillait de personnages hauts en couleur vivant d'importants événements historiques tels que la révolution et l'exode. J'aurais pu tout de suite après écrire un autre livre se situant en Russie. J'ai décidé au contraire d'écrire *Les semailles et les moissons,* un livre se passant en France avec des personnages aux caractères tout en grisaille et vivant dans un milieu très modeste où les événements les plus surprenants étaient des mariages et des naissances.

P. B. – *Personne ne nie votre habileté, mais l'on dit aussi qu'il y aurait dans vos romans conventionnels plus de recettes que de sincérité.*

H. T. – Je trouve que c'est absolument faux. J'écris avec mon tempérament, je n'ai pas de recettes et je ne vois pas comment on peut écrire un roman avec des recettes. Quant à dire que je suis un écrivain conventionnel, je trouve que c'est injuste : d'abord je n'appartiens à aucune école et à aucune convention, ensuite je n'écris jamais pour obéir à des exigences extérieures, enfin j'essaye le plus souvent de varier mes thèmes et mes personnages. Où est la convention? Sans doute parce que je n'essaye pas d'innover dans la forme et vous savez ce que j'en pense.

P. B. – *Depuis vos débuts en littérature, vous n'avez participé à aucun des grands débats idéologiques ou politiques qui ont pu agiter nombre d'écrivains et d'intellectuels français.*

H. T. – C'est exact. Je ne m'occupe pas de politique. Je ne m'en désintéresse pas, c'est impossible dans le monde contemporain, mais je ne suis pas un animal politique. Je suis un conteur ou un narrateur, comme vous le disiez. Au fond, et même si cela peut paraître absurde de le dire à mon âge, je suis resté profondément enfantin. Dans mon enfance je jouais avec des soldats de plomb et, au lieu de les lancer dans des guerres, je leur inventais un nom, un caractère, un passé puis j'imaginais des intrigues que je racontais tout haut. Bientôt ces soldats de plomb se sont détériorés mais mes parents devenus très pauvres n'étaient pas en mesure de les remplacer. J'ai pris alors des bouts de carton que je pliais en deux et sur lesquels j'inscrivais des noms. Parfois je jouais avec ces bouts de carton, chacun d'entre eux étant un personnage avec son nom et son caractère. Je faisais du roman sans le savoir. N'est-ce pas ce que je fais encore aujourd'hui? Je joue avec des soldats de plomb ou plutôt des bouts de carton. Je suis un écrivain, je suis un rêveur et plus je m'engagerai, plus je m'éloignerai de ma vraie nature.

P. B. – *Qu'est-ce qui pourrait vous faire sortir de votre réserve?*

H. T. – Aucun événement politique.

P. B. – *Mais Henri Troyat, vous qui vous appelez en réalité Lev Tarassov, qui êtes né en Russie et pour qui ce pays compte tellement, n'avez-vous jamais souhaité vous manifester dans un sens ou dans un autre à propos de l'URSS?*

H. T. – Intérieurement certains événements comme les prises de position de Soljenitsyne m'ont profondément touché, vous le pensez bien. Mais je ne porte pas mon indignation sur la place publique : ce n'est pas mon rôle.

P. B. – *Nous allons tout de même rester en Russie, mais de 1672 à 1725, pour parler de Pierre le Grand à qui vous consacrez votre dernière grande biographie. Concrètement, comment l'avez-vous construite, cette biographie?*

H. T. – J'ai commencé par survoler tout ce qui a été écrit sur Pierre le Grand avant moi. Puis j'ai été aux sources : on trouve à Paris aussi bien à la Bibliothèque Nationale où il existe un fonds russe très important qu'à la Bibliothèque des langues orientales tous les documents nécessaires. Je me suis plongé dans ces documents, j'ai pris des notes mais j'ai agi d'une manière un peu spéciale. Je n'ai pas été d'emblée au fond de toutes les questions, me contentant seulement de dégrossir mon sujet. Ce n'est qu'ensuite, chapitre après chapitre, que j'ai approfondi en détail ma documentation. J'avais ainsi la possibilité de me dire que tout ne m'était pas donné dès le départ, je me réservais des motifs de surprise, avançant dans la vie de Pierre le Grand un peu comme il aurait pu la découvrir lui-même. Dans cette biographie, je crois donc n'avoir jamais écrit par exemple : « ... comme Pierre le Grand le dira à la fin de sa vie. » Et ce, même si le rapprochement pouvait être intéressant.

P. B. – *Le fait de n'avoir jamais voulu retourner en URSS ne vous a pas gêné? N'auriez-vous pas dû, par exemple, visiter Leningrad (Saint-Pétersbourg) avec*

tous ses monuments conçus par et pour Pierre le Grand?

H. T. – Vraiment, on trouve ici toute la documentation souhaitable. Bien sûr, pour écrire cette biographie, j'aurais aimé aussi voir des sites et des monuments. Mais je ne tiens pas à retourner en URSS. J'ai préféré évoquer cette époque et cette ville d'après des documents et mes rêveries plutôt que d'aller voir sur place. J'ai l'impression que si j'avais été en URSS, tout ce serait effondré dans ma tête : le contact avec la réalité aurait nui à mon rêve intérieur.

P. B. – *Votre opinion personnelle sur Pierre le Grand ne transparaît pas vraiment dans cette biographie.*

H. T. – Je ne veux pas intervenir dans une biographie. Pour laisser au lecteur la possibilité de se faire une opinion, je ne dois pas apporter un jugement en bien ou en mal. Mais puisque nous sommes en dehors du livre je vais vous donner mon opinion : j'ai en horreur l'homme qu'est Pierre le Grand et je suis en admiration devant son œuvre. L'homme est un monstre de violence, de brutalité, de cruauté. Mais cet homme démesuré dans le mal et la bouffonnerie a réussi, et c'est extraordinaire, à transformer un pays de fond en comble.

P. B. – *L'histoire de la Russie se divise en deux périodes : avant et après Pierre le Grand?*

H. T. – C'est incontestable. Son action a été un bouleversement gigantesque pour la Russie. Certains lui ont reproché d'avoir fini par tuer le côté profondément slave de la Russie et d'avoir imposé à ce pays une fausse coloration européenne. Il me semble que c'est une erreur. Pierre le Grand s'est abattu sur la Russie comme une tornade. Aurait-on pu changer ce pays, et il fallait le changer, si Pierre le Grand n'avait pas été une tornade? Il reste que Pierre le Grand a voulu imposer la culture avec des méthodes barbares. Et ce qu'il a réalisé en l'espace d'un règne de trente ans, il aurait peut-être mieux valu le réaliser en l'espace d'un siècle. Le choc a sans doute été trop violent et le peuple n'a pas eu le temps de s'habituer aux réformes.

P. B. – *Vous venez de souligner le paradoxe fondamental de Pierre le Grand : il voulait la civilisation avec les moyens de la barbarie. Peut-on dire que Pierre le Grand était même plus cruel qu'Ivan le Terrible ?*

H. T. – Oui, il était plus cruel qu'Ivan le Terrible parce que ce dernier avait au moins des remords. Pas Pierre le Grand, qui était capable de torturer affreusement son fils et d'organiser dès le lendemain une fête.

P. B. – *D'une certaine manière, votre livre est un catalogue des tortures inventées et pratiquées parfois par Pierre le Grand en personne.*

H. T. – Il est vrai que c'était effroyable. Toutefois, il faut bien se dire que la torture était l'un des moyens de la justice et que ce qui nous paraît horrible maintenant le paraissait moins en ce temps-là. Il reste tout de même que les contemporains de Pierre le Grand trouvaient qu'il passait la mesure, si l'on ose dire.

P. B. – *De nombreuses pages de votre biographie décrivent avec une froide méticulosité les détails inouïs de ces tortures. Où avez-vous trouvé tous ces renseignements ?*

H. T. – Dans les mémoires des contemporains, car n'oubliez pas que tortures et exécutions capitales se déroulaient en public devant de nombreux témoins et en particulier les représentants de tous les pays qui rendaient compte à leurs gouvernements respectifs des événements de Russie. Mais je ne crois pas être resté neutre sur ce problème : en décrivant avec précision, et peut-être une sorte de froideur, les tortures dont Pierre le Grand s'est rendu coupable, j'ai donné implicitement mon opinion sur le personnage.

P. B. – *Même dans les beuveries et autres orgies gigantesques qu'il organisa, Pierre le Grand se révèle détestable.*

H. T. – Effectivement, car il obligeait les gens à boire, profitant de leur soûlerie pour noter, à toutes fins utiles, les propos injurieux qu'ils échangeaient alors entre eux ! Et lorsqu'il faisait sa sieste, il plaçait des sentinelles devant la salle des beuveries pour empêcher les gens de sortir. Les beuveries existaient bien entendu avant Pierre le Grand. Mais il est allé plus loin en les codifiant. Mieux : il a inventé un « Concile de la bouffonnerie » dont il a rédigé les statuts.

P. B. – *Parfois, c'est presque le marquis de Sade avant la lettre.*

H. T. – Tout à fait. Mais avec moins d'élégance.

P. B. – *Pierre le Grand a tenté d'ouvrir la Russie au monde moderne. Mais en asservissant encore plus le peuple. La construction de la magnifique Saint-Pétersbourg a vu, par exemple, la réquisition et la mort de milliers d'ouvriers.*

H. T. – L'ouverture vers le monde moderne s'est accomplie, il est vrai, grâce à une aggravation du servage et du travail d'esclave. C'est une contradiction de plus dans la vie de Pierre le Grand. Cet homme est un amas de contradictions : il veut l'Europe du progrès et en même temps il aggrave le servage de son peuple; il se veut orthodoxe et en même temps il institue des cérémonies blasphématoires dans le genre du « Concile de la bouffonnerie »; il se veut un joyeux gaillard et en même temps il se transforme en bourreau; il est un guerrier et en même temps il se passionne pour l'administration civile; il est un amateur de femmes et en même temps il les méprise totalement; il est d'une grande simplicité, n'hésitant pas à travailler comme un artisan, et en même temps il traite ses sujets comme des chiens. C'est un homme qui a aimé la Russie mais pas son prochain. Pierre le Grand a voulu faire le bonheur de la Russie et il a fait le malheur des Russes. Pierre le Grand est l'un des plus extraordinaires potentats de l'histoire, il a voulu tout plier à sa volonté. Aussi bien les vêtements, le calendrier que l'Administration ou l'armée – sans rendre de compte à personne. Il pensait que tout lui était permis car il y avait une sorte de pacte entre lui et Dieu.

P. B. – *Page 245 vous écrivez : « Pierre voudrait pouvoir entrer dans la tête de tous ses sujets pour y traquer les idées subversives. » Estimez-vous comme cer-*

tains historiens que Pierre le Grand qui avait institué le passeport intérieur est l'un des inventeurs de l'État totalitaire moderne?

H. T. – Cette interprétation est très défendable. Pierre le Grand a non seulement organisé la police mais il a aussi encouragé la délation : il était normal et recommandé de dénoncer son voisin. La ressemblance avec l'époque de Staline est évidente. En tous les cas, un point est incontestable : la Russie a été marquée à jamais par Pierre le Grand. Il y a une continuité dans l'histoire de la Russie depuis Pierre le Grand jusqu'à nos jours qui n'existe à mon avis dans aucune autre histoire d'un pays. Et pas seulement en ce qui concerne les thèmes politiques ou les rêves d'expansion : j'ai remarqué que la cuisine russe de l'époque de Pierre le Grand est la même que maintenant. Un Français de 1979 se retrouvant à la table de Louis XIV serait dépaysé par les plats qu'on lui présenterait; tandis qu'un Russe de 1979 se retrouvant à la table de Pierre le Grand reconnaîtrait à peu de chose près ce qu'il mange de nos jours.

P. B. – *Du point de vue politique, un peu comme aujourd'hui, Pierre le Grand disait aux étrangers : la Russie vous apporte les matières premières, apportez-nous la technologie.*

H. T. – Exactement. Pierre le Grand considérait la Russie comme un immense territoire sans techniciens et sans technologie. Et ce qu'il demandait aux Européens c'est de lui apporter la possibilité de les vaincre un jour!

P. B. – *Pierre le Grand s'est intéressé à tout sauf à la littérature.*

H.T. – Il ne s'intéressait qu'à la science, il était un homme de chiffres et de technique. La littérature comme la peinture ne le touchaient guère, à la différence de Catherine la Grande qui, elle, se posera en protectrice des arts et des lettres.

P. B. – *A partir d'un épisode de la vie de Catherine la Grande, vous avez écrit un roman,* Le prisonnier n° 1. *Et avec la vie de Pierre le Grand?*

H. T. – J'ai déjà écrit un roman, *Grimbosq*, se situant à l'époque de Pierre le Grand. Mon personnage Grimbosq est un architecte français appelé par Pierre le Grand à participer à la construction de Saint-Pétersbourg. Et c'est d'ailleurs en écrivant *Grimbosq* où Pierre le Grand apparaissait que j'ai décidé de lui consacrer une biographie approfondie. Maintenant, si je devais choisir un épisode de la vie de Pierre le Grand pour écrire un roman, je m'intéresserais à ses rapports avec son fils, Alexis, qu'il a torturé et peut-être – un léger doute subsiste à cet égard – assassiné lui-même. Mais, pour le moment, je prépare un court roman se situant en France de nos jours. Histoire de changer...

MICHEL BUTOR

« Je suis un homme du livre
dans sa transformation. »

Mars 1980

Les parutions de *Vanité* chez Balland et d'*Envois* chez Gallimard, sans
oublier *Elseneur,* une suite dramatique dont la première en oratorio vient
d'être montée à la Maison de la Radio, ont été pour nous l'occasion d'aller
rencontrer Michel Butor à Genève où il enseigne. Peu d'écrivains français
aujourd'hui incarnent aussi bien que Michel Butor l'univers des livres dans sa
diversité et son mouvement. De toute son œuvre – romans, poésies, essais,
critiques, descriptions, textes en collaboration avec des peintres ou des
musiciens, etc. –, on peut même dire qu'elle a pour question centrale celle du
livre. Et quitte à dérouter, Michel Butor n'a cessé depuis son premier titre,
Passage de Milan, publié en 1954, d'explorer avec une intense passion les
possibilités offertes par l'écriture et son inscription typographique dans la
page.

Cet homme qui, en avion, en train, en voiture, a parcouru le monde,
séjournant en Égypte, en Australie, aux USA n'a pas seulement tiré
d'étonnants livres de ses pérégrinations – tel *Mobile, étude pour la représentation des États-Unis,* en 1962 –, il a aussi fait de chacun de ses textes un
voyage dans l'espace et le temps, tissant des communications, des « réseaux »
entre les villes, les pays, l'histoire et tâchant d'articuler ensemble tous les
langages, celui de la publicité comme celui de la mythologie, celui des rêves
comme celui des annuaires téléphoniques, celui des arts comme celui des
sciences. Couronnée par le prix Renaudot, *La modification* (un voyage
justement entre Paris et Rome, se terminant par la décision du personnage
principal d'écrire un livre...) lui a valu la célébrité. Et quelques malentendus,
à commencer par une assimilation hâtive de ses écrits à ceux du « nouveau
roman ». En réalité, Michel Butor est trop explorateur pour être fixé dans un
lieu précis. Et à cinquante-quatre ans, il est toujours à la croisée de plusieurs

chemins littéraires, nous perdant parfois dans ses expérimentations mais nous obligeant comme nul autre à réfléchir sur l'avenir des livres et les livres de l'avenir.

Pierre Boncenne. – *Votre nouveau livre,* Vanité*, qui est une conversation entre trois personnages.* « *Scriptor* », « *Pictor* » *et* « *Viator* », *commence comme au théâtre par une présentation du décor :* « *Une terrasse à l'ombre d'un datura en pleine floraison. Paysage à la Claude Lorrain : la mer au loin, des montagnes, pins parasols, cimetière, tours, on devine des ruines. Brumes du soir. Montent les rumeurs de la ville. Quelques verres à côté de l'inévitable magnétophone. On appuie sur le bouton rouge.* » *Eh bien, puisque moi aussi je viens d'appuyer sur le bouton du magnétophone : pourquoi cette expression* « *l'inévitable magnétophone* » ?

Michel Butor. – Parce que, depuis quelque temps déjà, lorsque les gens viennent me voir, ils viennent presque toujours avec un magnétophone et qu'à certains moments c'est assez gênant. Quand il n'y a pas de magnétophone, pas de traces, pas de nécessité de faire attention, je peux dire des bêtises et je n'hésite pas à dire du mal de mon prochain. Toute conversation est parsemée ainsi de phrases amusantes dont on sait qu'elles ne resteront pas, c'est le *verba volant*, la possibilité de lâcher un peu de vapeur. Le magnétophone ne le permet pas et c'est dommage. Cela dit, si la retranscription et la mise en forme de l'enregistrement ont été bien travaillées, je ne condamne pas du tout le magnétophone, d'autant que je suis vraisemblablement l'un des écrivains avec lesquels on s'est le plus entretenu. Parfois je crains seulement que les entretiens ne soient que la petite monnaie des livres.

P. B. – *En tous les cas ce livre* Vanité *a la forme d'un entretien.*

M. B. – Il s'agit d'un entretien qui a eu lieu effectivement, qui a été enregistré mais que j'ai complètement réécrit. L'origine de *Vanité* c'est une conversation que j'ai eue à Nice, l'année dernière, avec l'un de mes amis peintre et professeur d'université.

P. B. – *Mais ces trois personnages différents, Scriptor, Pictor et Viator, apparaissent finalement comme trois faces de Michel Butor : l'écrivain, le passionné de peinture et le voyageur ?*

M. B. – On peut dire cela, certainement.

P. B. – *Et par exemple lorsque vous décrivez Viator comme un* « *ex-commis voyageur en culture française* »...

M. B. – ... Oui, il y a une certaine ironie. « Commis voyageur en culture française » c'est une expression que j'ai déjà utilisée pour me décrire, qui est liée à mes nombreux voyages à l'étranger et à toutes les conférences que j'ai pu donner dans les Alliances françaises ou dans des universités à travers le monde.

P. B. – *Partant de réflexions sur le crâne dans la peinture,* Vanité *est une méditation sur la mort et sur son refoulement dans la civilisation occidentale. Or il s'est publié depuis quelques années d'innombrables études et documents sur ce sujet, par exemple* L'homme devant la mort *de Philippe Ariès. A force est-ce qu'on peut vraiment dire que la mort est encore aujourd'hui le grand refoulé de la civilisation occidentale ?*

M. B. – Je suis effectivement parti de réflexions sur le rôle du crâne dans la peinture. D'où ce titre *Vanité* : une « vanité » cela désigne une forme particulière de nature morte qui a une place très importante à travers l'histoire de la peinture et dans laquelle le crâne est l'objet principal ou plutôt le centre du tableau. C'est très sensible dans la grande nature morte du XVIIe siècle, mais on retrouve cela aussi chez certains peintres du XXe siècle, en particulier chez Braque et Picasso. Maintenant, pour répondre à votre question, je dirai d'abord que tous ces livres auxquels vous faites allusion ne suffisent pas pour faire en sorte que la mort ne soit plus un refoulé. La civilisation occidentale tout entière dans son langage et dans ses cérémonies a fait de la mort quelque chose de caché dont on ne peut pratiquement pas parler.

P. B. – *Ces livres sur la mort sont pourtant au nombre d'une bonne centaine.*

M. B. – Ce n'est pas grand-chose. Par rapport aux millions et millions de personnes vivant dans la civilisation occidentale, cela représente tout juste quelques milliers de lecteurs attentifs. Il faudra des années et même des siècles pour que les habitudes changent vraiment. Mais il est indéniable que tous ces livres sur la mort sont les symptômes d'un renversement qui commence. Un livre n'est jamais quelque chose qui tombe du ciel : c'est un produit à l'intérieur d'une certaine société. Et lorsqu'un livre dénonce quelque chose dans une société c'est que cette société est déjà en train de changer et que cc livre participe au changement de façon plus ou moins active.

P. B. – *A un moment Viator dit : « Il y a dans toute œuvre d'arl une tentation surmontée de suicide. » D'autre part, lors de vos* Entretiens *avec Georges Charbonnier, vous aviez déclaré : « Pour moi le fait d'écrire est un équivalent positif du suicide. Si j'écris c'est pour ne pas mourir, c'est pour ne pas me faire mourir. » Pour vous il y a donc une véritable parenté entre suicide et littérature ?*

M. B. – Pour répondre, on peut par exemple montrer que *Les mille et une nuits* avec Schéhérazade reculant sa mort de nuit en nuit, sauvant par conséquent toutes les filles de Bagdad et puis la ville entière, sont une mise en scène particulièrement brillante de cette volonté de la littérature à faire reculer la mort. A partir de là, on peut insister sur ceci : pour écrire dans le sens le plus positif du mot, c'est-à-dire pour passer un grand nombre d'heures sur un travail énorme dont le profit financier est – c'est le moins que l'on puisse dire – très incertain, il faut des raisons extraordinairement puissantes. Écrire est une espèce de

folie. Si l'on fait ce travail c'est que, grâce à l'écriture, on essaie de changer quelque chose autour de soi et en soi; et si l'on va jusqu'à la publication c'est parce qu'on sent très bien qu'il faut que les autres nous aident, qu'on n'arrivera pas à sortir de ses problèmes tout seul. Au départ, chez l'écrivain comme chez le peintre ou le musicien, il y a, si vous voulez, un sentiment de scandale : il y a cette impression que les choses ne sont pas du tout comme elles devraient être, qu'elles ne sont pas utilisées comme on le pourrait. L'artiste souffre particulièrement de cet état de fait et, du coup, il se sent différent de la plupart des gens qu'il rencontre. Cette différence est vraiment très difficile à supporter. Il y a deux façons de supprimer la différence entre les autres et soi. La première, c'est de se supprimer soi-même : puisque l'on n'est pas comme les autres et qu'on est malheureux parmi eux il suffit de disparaître purement et simplement. Ou alors on peut devenir conforme aux autres : on vous guérit, on vous adapte, on vous normalise et l'écrivain en puissance que vous étiez disparaît. Le second moyen de résoudre le problème de la différence c'est, au contraire, d'essayer de transformer les autres : par un certain nombre de procédés et tout en sachant que ce sera extrêmement long, difficile, complexe, vous essayez de transformer autrui. En ce sens c'est le fou qui guérit autrui. C'est celui que les autres considèrent, quelquefois avec beaucoup de gentillesse, comme un malade qui va montrer aux autres que c'est eux qui sont peut-être malades. Dans le premier cas, lorsque les autres réussissent à gommer cette différence, il y a suicide soit complet, soit incomplet. Dans le second cas, et notamment avec la littérature, il y a une tentation pour renverser cette situation et pour guérir ceux qui vous croient malade. Ce qui n'empêche d'ailleurs pas l'écrivain d'être réellement un peu malade et de se rendre compte que dans le divorce entre lui et les autres il faut de toutes les façons guérir les deux.

P. B. – *Après le succès obtenu par* La modification, *prix Renaudot 1957, toutes* *les recherches auxquelles vous vous êtes livré depuis* Mobile, *jusqu'à* Matière de rêves, *n'ont pas eu l'écho que vous attendiez ?*

M. B. – Non, je ne me plains pas du tout de l'écho que mes livres ont rencontré. A cet égard je m'estime tout à fait privilégié en comparaison d'écrivains d'époques antérieures ou même pas si lointaines. Et puis si *La modification* est devenue un best-seller que l'on étudie dans les écoles secondaires et les universités, il ne faut pas croire que ce livre ait été accepté d'emblée. Il a beau avoir été couronné par un prix, cela ne m'a pas empêché de recevoir des lettres d'injures. Les injures dans la presse, elles sont dures, mais cela fait partie du brouhaha habituel des journaux et, après tout, dans la mesure où elles occupent une certaine place, une certaine surface, elles finissent par vous apporter quelque chose. En revanche, les injures que l'on reçoit par la poste, elles sont vraiment douloureuses. Que des gens prennent le temps de vous écrire une lettre d'injures à cause d'un livre que vous avez publié, cela m'a beaucoup troublé.

P. B. – *Vous suscitez encore des lettres scandalisées ?*

M. B. – Non, plus maintenant. C'est justement au moment où j'avais des livres qui se vendaient relativement bien que j'ai suscité ce genre de réaction. Quant à la presse, j'ai eu droit lors de la parution de *Mobile* en 1962 à un débordement d'injures tout à fait extraordinaires [1]. Mais aujourd'hui c'est terminé. Et encore une fois je m'estime assez privilégié.

P. B. – *Mais, justement, comment expliquez-vous que la littérature puisse soulever des tollés ?*

M. B. – Lorsqu'un roman bénéficie d'une propagande massive, c'est le cas lors d'un prix littéraire de fin d'année, il risque d'arriver dans les mains de gens pour qui il n'est pas fait et qui ne sont pas du tout aptes à l'apprécier. Au fond,

les injures ne s'adressent pas alors à moi, mais au système qui a amené ce livre entre les mains de l'auteur de cette lettre. Et c'est d'ailleurs très intéressant de voir comment, là aussi, un livre peut être le révélateur d'un certain nombre de contradictions à l'intérieur de la société. En ce qui concerne la presse, je dirais que les réactions violentes sont surtout provoquées par la jalousie. Il y a peu de place dans la presse française pour la littérature et, par conséquent, on considère que la surface consacrée à un livre est comme supprimée aux autres. Le seul fait que l'on parle d'un livre crée des ennemis potentiels à l'auteur de ce livre. Et si l'occasion est bonne on essaie de se débarrasser de quelqu'un occupant un peu trop de place : l'attaque peut venir d'une génération antérieure qui voit avec suspicion l'éveil de jeunes loups, de gens de la même génération qui ne comprennent pas qu'on parle de vous plus que d'eux, ou de gens d'une génération postérieure qui ont le sentiment que, si l'on ne s'arrête pas un peu de parler de vous, on ne pourra jamais parler de la vague suivante. La vie littéraire, vous le savez, est une jungle extrêmement dure où il y a beaucoup de violence. Et il y a, comme cela, des passages décisifs très difficiles dans la carrière d'un écrivain. Mais au bout d'un certain temps, lorsqu'on constate que les attaques, même si elles ont pu gêner, n'ont pas réussi à vous éliminer, les réactions s'émoussent. Et l'on commence à prendre beaucoup de précautions. Car celui-là même qui a éreinté un livre qui néanmoins subsiste finit par subir aussi le contrecoup de son erreur de jugement. Cette dernière phase, je l'ai très bien sentie dans la presse : on s'est mis à parler de mes livres avec des gants et avec pas mal de précautions, je ne m'en plains pas, et nerveusement c'est beaucoup mieux pour moi ainsi.

P. B. – *En plus, vous avez quitté Paris.*

M. B. – Oui, j'ai eu la chance de pouvoir m'éloigner de la vie littéraire parisienne. Et c'est pourquoi je vis maintenant à Nice et à Genève. Même si je suis très heureux d'y revenir, il m'a été nécessaire

---

1. Kleber Haedens écrivit, par exemple, dans *Candide* : « Le vrai mobile de Michel Butor ou jusqu'où peuvent aller la crédulité et la bêtise en 1962. »

de quitter Paris. Pas seulement à cause de la dureté du monde littéraire, des jalousies ou de ces réveils douloureux lorsqu'on s'aperçoit que des gens que l'on croyait être des amis ne le sont pas. Non, j'ai dû aussi m'éloigner parce que la sollicitation parisienne devenait trop grande pour moi. Par exemple, j'aime beaucoup la peinture, j'aime les peintres, j'aime parler avec eux. Si je suis à Paris, je suis obligé d'aller à tous les vernissages des peintres que je connais et, du coup, cela peut me faire rencontrer beaucoup d'autres peintres qui peuvent être très intéressants et qui peuvent me reprocher de parler de A au lieu de parler de B ou C, etc. Enfin, vous comprenez : je me suis rendu compte qu'en restant à Paris j'entrais dans une machine infernale qui finirait par me broyer. Aujourd'hui, je peux venir à Paris et rencontrer des gens sans que cela gêne les autres.

P. B. – *Si vous n'aviez pas des sollicitations extérieures ou même vos cours à l'université de Genève, vous passeriez votre temps à écrire ?*

M. B. – Chez moi, j'ai, c'est vrai, des masses de textes en attente sur lesquels j'aimerais travailler si je ne devais pas gagner ma vie à l'Université, si je n'avais pas des sollicitations, des rencontres, des entretiens. Mais, d'un autre côté, je pense que l'agressivité dont j'ai besoin pour résister à toutes ces sollicitations est aussi quelque chose de positif. Si j'avais le temps, oui, je passerais mon temps à écrire, j'écrirais plus lentement, et par conséquent j'écrirais vraisemblablement des textes différents. Ceux que je publie maintenant sont conditionnés par mon existence, par le fait que j'ai un temps haché : ce sont des textes brefs que je m'efforce d'organiser dans des ensembles de plus en plus vastes. Le jour où j'aurai un autre mode de vie, il est probable que j'aurai une technique d'écriture différente, que je pourrai faire des brouillons de longue haleine et que je découvrirai une autre région, un autre style. On verra bien.

P. B. – *En revanche, vos nombreux voyages sont plutôt une nécessité qu'une sollicitation. Comme le dit Scriptor dans*

Vanité, *il semble que le voyage « vous apporte une aide sensible » ?*

M. B. – Le voyage lointain a été et continue d'être quelque chose d'essentiel pour moi, je n'en suis pas lassé malgré tous les kilomètres que j'ai dans les jambes et mes navettes insensées entre Nice et Genève. Je devais aller l'été prochain donner un cours au département des Beaux-Arts de l'université de Queensland en Australie et revenir en passant par la Colombie britannique. Un joli tour du monde. Pour des raisons de fatigue, j'ai dû y renoncer. Mais j'ai été littéralement malade de devoir écrire une lettre pour refuser une occasion comme celle-là.

P. B. – *L'autre livre qui paraît maintenant,* Envois, *une série de textes suscités par vos rencontres avec des artistes, est placé sous le signe de la « sollicitation amicale ». A un moment vous écrivez : « L'amitié, comment aurais-je fait, comment ferais-je encore sans quelques amis ? » L'amitié a joué un rôle fondamental dans l'élaboration de votre œuvre ? Et je pense, ici, à ce que vous aviez pu dire dans le n° 39 de la revue* L'Arc : *« J'ai longtemps rêvé d'une œuvre romanesque à l'intérieur de laquelle j'aurais demandé à certains de mes amis d'écrire tel ou tel passage. »*

M. B. – J'ai d'abord la chance d'avoir des amis qui m'encouragent. C'est très important : sans eux il y a des livres qui n'auraient pas été publiés. D'autre part, il y a effectivement eu des textes qui sont nés de l'amitié. Dans ce numéro de *L'Arc* dont vous parlez, nous avions imaginé, avec Roger Borderie, une espèce de cadre à l'intérieur duquel quelques amis intervenaient librement. Il y a aussi beaucoup de textes, en général destinés à des livres de luxe, qui sont nés de ma collaboration avec des peintres et des musiciens. Cette collaboration intime n'a été possible que grâce à l'amitié. Très souvent on me demande comment je choisis les peintres dont je parle. Je choisis les peintres avec qui je veux et je peux travailler. Cela signifie que mes choix ne sont pas seulement liés à l'admiration : il peut y avoir des peintres que j'admire beaucoup mais avec qui je ne pourrais pas travailler parce que leur célébrité est encombrante et empêche d'avoir le loisir suffisant pour bâtir une œuvre de véritable collaboration. J'ajoute que si j'aime travailler avec des peintres, des musiciens ou des écrivains – quoique ce soit plus difficile –, cette collaboration ne s'entend pas seulement pour des vivants. Il y a des écrivains et des peintres anciens avec qui j'aime dialoguer d'une certaine façon : j'ai l'impression qu'ils se comportent avec moi comme des amis. Il en va de même pour des lieux ou des pays. La première fois que je suis revenu à Venise après avoir publié *Description de San Marco* (j'y avais été invité par la Biennale du cinéma, comme starlette, comme élément du décor !), je n'ai pas osé pendant quelques jours aller sur la place Saint-Marc, j'avais peur de me sentir ridicule devant le monument. Finalement je me suis pris par la peau du cou, j'y suis allé et cela s'est très bien passé : en entrant dans la basilique j'ai été comme envahi par un sentiment d'amitié. Il en a été un peu de même la première fois que je suis revenu aux États-Unis après la parution de *Mobile*. J'avais d'autant plus le trac que *Mobile* n'est pas toujours très tendre pour les États-Unis. Et pourtant, si j'avais d'innombrables autres aspects à découvrir, le livre tenait, ça collait bien. Si vous voulez, les États-Unis et même le paysage ne m'en voulaient pas.

P. B. – *Outre les textes par exemple consacrés au peintre Tapiès, il y a quelque chose que j'aime bien dans* Envois, *c'est tout simplement la dédicace : « A ceux qui lisent en métro. »*

M. B. – Ah oui, ce sont des textes brefs qui, même s'ils sont organisés dans un ensemble, peuvent se lire séparément et donc dans le métro. Certains de mes autres livres, tenez, mon roman *L'emploi du temps*, demandent que l'on s'y plonge; un texte comme *Boomerang*, il faut disposer d'un certain temps pour s'y perdre avec plaisir et profit. Tandis que dans *Envois* j'ai réuni selon un certain ordre des textes de circonstance qui peuvent être détachés. De même que je souffre du fait d'avoir un temps haché, je souffre du

caractère haché du temps des autres. Et comme j'ai beaucoup pratiqué le métro à Paris, j'ai pensé à tous les gens que j'ai pu y rencontrer avec un livre. Il y a un mode de lecture particulier au métro : très souvent on y lit des journaux, mais souvent aussi j'ai été surpris d'y voir des gens lisant des livres de classe, des livres techniques ou alors quelques gouttes de très beaux livres. J'admire ces gens et je voudrais qu'ils lisent *Envois*.

P. B. – *Dans* Envois *il y a un texte qui m'a un peu surpris, c'est celui que vous avez écrit en hommage à votre « complice » et ami Jean-François Lyotard. Évoquant des souvenirs d'étudiant à la Sorbonne et votre échec à l'agrégation, vous parlez de « ce gouffre d'âneries qu'est l'agrégation de philosophie » puis de cette « lèpre de tics dont j'ai eu tant de peine à me nettoyer » et, enfin, vous traitez certains de vos anciens professeurs de « vieux gourous ». Je sais que vous ne portez pas l'université française dans votre cœur, mais à ce point-là ?*

M. B. – J'ai écrit ce texte pour m'amuser et je ne crois pas être le premier écrivain à soulever ce problème. Cette réaction est due à une profonde déception que j'ai éprouvée lorsque j'étais étudiant : j'attendais énormément de l'Université, j'attendais énormément de mes professeurs et fort peu parmi eux ont été capables de remplir cette attente. Il y a dans le système universitaire français quelque chose qui ne marche pas depuis très, très longtemps, à un tel point que certains défauts déjà soulignés par Rabelais existent toujours. Après 1968 est né un peu d'espoir, espoir bien vite déçu, et je souhaite vraiment que l'université française puisse enfin se rajeunir et se renouveler. En attendant, et puisque pour des raisons sur lesquelles je n'ai pas envie de m'étendre je n'ai pas pu continuer à être professeur à Nice, j'enseigne maintenant à Genève.

P. B. – *Jean-François Lyotard, justement dans* Rudiments païens (10/18), *dit de vous : « Il hait et fuit le lieu du savoir universitaire tandis qu'il enseigne tout le temps dans les universités du monde. »*

M. B. – Il est vrai qu'il y a un certain

nombre de choses pour lesquelles j'ai des relations très ambiguës, des relations d'amour-haine. Dans l'un de mes livres, *Où*, il y a un texte s'intitulant *Je hais Paris* : bien entendu c'est aussi une déclaration d'amour. En ce qui concerne l'Université j'ai des relations du même genre. Non seulement l'enseignement m'a fait vivre financièrement mais, en plus, je dois beaucoup à mes élèves, à la façon dont ils m'écoutent : avec eux je sens très bien ce qui passe et ce qui ne passe pas, ce qui va ou non, ce qu'il faut arranger. Le jour où je quitterai l'enseignement ce sera une délivrance, mais j'avoue que de tous les métiers me permettant de gagner ma vie c'est celui-là que je préfère. Je n'aime pas le côté administratif de l'enseignement, je déteste les examens, je déteste mettre des notes et coller quelqu'un même si c'est inévitable. D'un autre côté, j'aime beaucoup l'enseignement. Et si j'en ai souffert c'est que j'étais doué pour l'enseignement, si j'ai des réactions violentes contre certaines sottises c'est que je voudrais vraiment que l'enseignement change. J'ai suffisamment voyagé à travers le monde pour savoir que l'on peut imaginer un enseignement incomparablement plus efficace et intéressant.

P. B. – *Pour en revenir aux livres, on peut dire que là aussi vous avez souhaité des réformes. Et notamment en demandant que les écrivains s'intéressent à la fabrication et à l'édition de leurs livres.*

M. B. – Oui, parce que dans le système actuel de l'édition avec des maisons qui ont une organisation financière et administrative assez lourde l'écrivain est complètement séparé des problèmes de fabrication. Très peu d'écrivains sont allés dans une imprimerie, très peu savent comment cela se passe : ils donnent leur manuscrit et il leur revient un objet manufacturé. Je pense que ce n'est pas normal et je pense que le combat que j'ai pu mener à cet égard a permis d'enfoncer quelques portes.

P. B. – *Ce sont vos collaborations avec les peintres qui vous ont amené à réfléchir sur le livre et à le traiter comme une surface ?*

M. B. – Bien avant de faire des livres de luxe, dès mes premiers poèmes, je me suis heurté à des problèmes de mise en pages et de typographie. Je me suis posé la question du titre courant en haut des pages ou alors celui des paragraphes. J'ai eu beaucoup de mal pour obtenir des paragraphes à l'intérieur des phrases et donc avoir des paragraphes commençant par une minuscule : ni les imprimeurs ni les correcteurs n'avaient l'habitude de travailler ainsi et comme, en fonction des normes établies, ils refusaient mes paragraphes commençant par des minuscules, j'ai dû me battre pour l'obtenir. Avec *Mobile*, dont la mise en pages m'a demandé beaucoup de temps, ce combat a pris une forme dramatique et a donné lieu à un scandale épouvantable. Maintenant *Mobile* est un livre tout à fait classique.

P. B. – *Je crois que vous avez dit de ce genre de livres qu'il faudrait les lire « en étoile », comme les étoiles dans le ciel.*

M. B. – Il me semble – je n'en suis pas sûr – que j'ai dû dire cela à propos des *Calligrammes* d'Apollinaire, en pensant à la façon dont l'œil va chercher la suite de la phrase dessinant dans la page des trajets très complexes et parfois dessinant effectivement un objet. Mais l'expression « lire en étoile » s'applique très bien à *Mobile*. A partir du moment où l'on dispose les mots d'une autre façon, laissant des blancs, isolant certains mots, jouant sur la typographie, l'œil, au lieu d'accomplir le trajet habituel qui le conduit de gauche à droite sur une ligne horizontale, puis à la ligne en dessous, puis à la ligne en dessous, etc., l'œil va avoir une autre lecture moins contraignante et plus libre.

P. B. – *Il y a à peu près vingt ans, vous avez écrit un article intitulé* Le livre comme objet *(cf. Répertoire II) dans lequel vous disiez notamment : « Le fait que le livre ait rendu les plus grands services à l'esprit pendant des siècles n'implique nullement qu'il soit indispensable ou irremplaçable. A une civilisation du livre pourrait fort bien succéder une civilisation de l'enregistrement. » Et vous ajoutiez plus loin : « Le journal, la radio,* *la télévision vont obliger le livre à devenir de plus en plus " beau ", de plus en plus dense. » Vingt ans après, que pensez-vous de ce texte ?*

M. B. – Ça colle très bien ! Il y a tout de même eu beaucoup d'évolution. Par exemple, une grande partie de l'information qui, autrefois, passait par les journaux passe maintenant par la radio ou la télévision. Je pense aussi que la lecture sur cassettes va se développer. D'autre part, les livres eux-mêmes vont de plus en plus être transmis par l'intermédiaire de formes nouvelles. Ainsi lorsqu'on a besoin de consulter un livre précieux et rare dans une grande bibliothèque, il est inutile de le transporter : on fait un microfilm ou une bande magnétique enregistrant le livre et il est transmis ainsi. Dans quelques décennies, grâce à des lecteurs-écrans de télévision, nous pourrons tous être mis en communication avec des bibliothèques ayant transformé des livres en bandes ou films. Et bien des livres tels que nous les connaissons aujourd'hui resteront alors comme des objets archéologiques. S'ils veulent survivre face à la concurrence de l'audiovisuel, ils doivent donc être de plus en plus « beaux ». Car ils seront collectionnés comme des gens collectionnent des amphores, ils seront traités comme des objets d'art.

P. B. – *Cette civilisation de l'enregistrement vous inquiète ?*

M. B. – Pas du tout.

P. B. – *Et en tant qu'écrivain, vous êtes prêt à cette mutation ?*

M. B. – Mais bien sûr, dans la mesure où tous les livres tels que nous les connaissons, nous pourrons les faire passer à l'intérieur de cette civilisation de l'enregistrement. De plus, cette civilisation de l'enregistrement nous offrira des possibilités tout à fait nouvelles. Songez que nous sommes déjà très loin d'exploiter aujourd'hui les possibilités offertes par les techniques modernes de fabrication des livres. Or, ces possibilités ne sont rien en comparaison de celles que permettent déjà les appareils électroniques. Malheureusement ces appareils sont uniquement utilisés par les grandes banques et les grandes administrations alors qu'il faudrait les utiliser pour la poésie. Les cerveaux électroniques, c'est fait pour la poésie ! Je ne parle pas de ces recherches poétiques tout à fait élémentaires qui ont été accomplies avec des machines à calculer en leur demandant de choisir un certain nombre de mots ou de réaliser certaines permutations. Il y a eu quelques résultats mais, au fond, nous sommes capables de faire cela aussi bien et même mieux qu'une machine. Par contre, si l'on utilise à fond l'enregistrement des textes sur bandes vidéo, on peut obtenir des livres dans lesquels existe une liberté absolument inouïe par rapport à l'ancienne page. On peut avoir des livres dans lesquels la taille des caractères varie et ne pose plus aucune espèce de difficulté, on peut changer de caractère, accomplir toutes sortes d'anamorphoses. On peut avoir des illustrations mobiles alors qu'aujourd'hui elles sont forcément fixes. On peut mélanger un texte et un film. On peut imaginer des textes dans lesquels les mots changent de place, changent de dimension, changent de forme, des textes avec des mots intermittents. C'est tout un monde poétique qui s'ouvre.

P. B. – *Si je comprends bien, pour vous, la notion de livre n'est pas obligatoirement liée à ces parallélépipèdes de papier que nous connaissons ?*

M. B. – Effectivement, il faut s'entendre sur la définition : le parallélépipède de papier c'est une forme de livre, une forme très intéressante dans laquelle il y a encore énormément de choses à faire, mais ce n'est pas la seule forme du livre. Il y a eu, dans l'Antiquité, ou bien dans le Japon du Moyen Age, de merveilleux rouleaux que j'espère d'ailleurs étudier lors d'un prochain voyage. Ou bien il y a eu des feuilles de papyrus cousues les unes aux autres. Pour le moment, je m'attache surtout au moyen qui est à ma disposition et à toutes les possibilités qui ne sont pas exploitées dans le livre tel qu'il est. De même que le compositeur Schönberg disait « il y a encore des œuvres admirables à écrire en do majeur », de même il y a encore beaucoup de travail sur le livre classique. Mais je m'intéresse beaucoup à des expériences sur cassettes [2], à la radio, en vidéo. Et j'espère avoir la possibilité d'étudier plus en détail la relation du livre et de la vidéo.

P. B. – *Vous êtes en quelque sorte un écrivain éditeur ou un éditeur écrivain ?*

M. B. – La fabrication d'un objet d'un bout à l'autre de la chaîne m'intéresse énormément, c'est vrai. Et par conséquent je suis allé mettre mon nez dans un certain nombre de régions actuellement réservées à l'éditeur. En ce sens-là, celui de fabricant, je suis un peu éditeur. Mais, dans l'autre sens, publier des textes d'autrui, je ne suis pas très éditeur : j'aime faire connaître des œuvres qui m'intéressent mais je n'ai pas la passion suffisante pour passer ma vie à faire découvrir des jeunes auteurs. Je suis déjà trop encombré par mes propres textes.

P. B. – *Non seulement vous vous intéressez à la fabrication mais aussi à tous ces livres qui sont un peu les refoulés de la littérature : policiers, science-fiction, érotiques, livres d'horreur, etc. Et pourtant, il persiste, le mépris de l'intelligentsia selon laquelle il y a, d'un côté, les livres littéraires « bien » et, de l'autre, disons la littérature de gare.*

M. B. – Ce qui m'intéresse c'est la totalité de la librairie et la manière dont elle fonctionne. Économiquement, la littérature n'est pas indépendante : telle grande maison ne peut publier certains livres que parce qu'elle vend des romans policiers. Il y a une étroite liaison qui est très souvent ignorée ou masquée et qu'il serait profitable d'étudier précisément sous tous ses aspects. D'autant plus que

les distinctions entre grande littérature et littérature populaire changent selon les époques et les lieux. Et que des livres populaires considérés avec mépris par l'intelligentsia ont très souvent été traités par la suite comme de grands classiques. Il faut prendre de la distance pour avoir une vue assez large sur tous les phénomènes de la librairie tout en se souvenant qu'au XIXᵉ siècle, Sainte-Beuve considérait Balzac exactement comme ce que nous appelons aujourd'hui un romancier de gare.

P. B. – *J'ai relevé cette expression que vous avez employée un jour pour vous définir : « mon errance de pèlerin littéraire passionné ». Finalement, c'est une formule très chrétienne avec le livre comme religion.*

M. B. – Pèlerin passionné, cela renvoie d'abord à un poème de Shakespeare. Mais sans doute, certainement même, c'est aussi quelque chose de très chrétien. Je suis d'origine chrétienne, d'enfance et d'éducation chrétiennes : cela m'a profondément marqué. Et qu'ils soient transformés ou déguisés, il y a énormément de thèmes chrétiens dans mes livres, c'est une source et l'une des clés fondamentales de tout ce que j'ai fait. Or, il se trouve que, comme les autres grandes religions d'origine sémitique, le christianisme est une religion du livre : les juifs, les musulmans et les chrétiens, nous sommes des peuples du livre. A l'heure actuelle, étant donné les transformations des moyens de communication, nous sommes un peuple du livre qui est différent et sans doute va-t-il y avoir encore des changements. Moi, l'une de mes caractéristiques, c'est justement d'être un homme du livre dans sa transformation. Je ne pense pas pour autant avoir érigé la littérature comme religion ou faire une religion de la littérature. Bien sûr, je parle de la littérature comme salut. Mais elle n'est pas le seul salut.

---

2. Les éditions Cercles (20, rue Claude Pouillet, 75017 Paris) ont publié un très beau coffret contenant un texte de Michel Butor, *Le rêve d'Irénée*, accompagné d'une cassette où Butor a lui-même enregistré ce récit. Un croisement entre son et texte qui donne naissance à une nouvelle forme de livre, à la fois lu et écouté.

ANGELO RINALDI

« Ne faites pas de moi un Fouquier-Tinville,
c'est exagéré! »

Octobre 1980

Angelo Rinaldi : cette signature aux consonances méditerranéennes, figurant dans presque chaque numéro de *L'Express,* est peut-être la plus prestigieuse de la critique littéraire aujourd'hui. Et sans aucun doute la plus redoutée. Comme de bien entendu, Angelo Rinaldi feint de l'ignorer, refusant avec une pointe d'insolence étonnée les habits d'exécuteur que certains voudraient lui voir endosser. N'empêche qu'elles se comptent déjà par dizaines ses victimes – terme qu'il récuserait à coup sûr – dont il a, tel le boa constrictor dans les redoutables anneaux de sa phrase ou tel un autre serpent – au choix – par de cinglantes formules vénéneuses, jugé les ouvrages prétentieux, ridicules, insipides, nuls. Là aussi il protesterait : ne se contente-t-il pas souvent d'écrire ce qui se répète ici et là ? Le mieux encore était d'aller lui demander de « s'expliquer » sur son métier, ses critères d'appréciation et sa réputation, d'essayer de comprendre quelle idée, exigeante, il se fait de la littérature.

Pourquoi maintenant ? Parce que, après *La loge du gouverneur* (Denoël), *La maison des Atlantes* (Folio, prix Fémina 1972), *L'éducation de l'oubli* (Folio) et *Les Dames de France* (Gallimard), Angelo Rinaldi va publier dans quelques jours *La dernière fête de l'Empire* (Gallimard). Et que ce cinquième roman, dans la lignée des précédents par son thème, un narrateur plongeant dans les replis de sa mémoire, son décor, une île ressemblant à la Corse, et surtout sa langue, avec son tempo si particulier, étirant ses longues cadences aux creux desquelles viennent se lover des notations d'une rare finesse, montre encore une fois quel écrivain d'une douloureuse sensibilité il est.

Longtemps après avoir refermé *La dernière fête de l'Empire,* elle vous taraude, l'image de ce petit bistrot tenu des années durant par la mère du narrateur et dont, après avoir décroché la vieille horloge, on fête la fermeture définitive. Tout un univers de petites gens et de notables replets, de passions inavouables et de tractations secrètes, toutes sortes de regards et de conversations qui, avec la disparition de « L'Empire », poste d'observation privilégié d'une société, vont se perdre dans l'oubli et que le narrateur, renouant avec le fil de son adolescence, tente une dernière fois de fixer. « Un jour, par hasard, dit-il à la dernière ligne du livre, nous nous rappelons tant de visages, tant de choses, mais il n'y a plus personne pour se souvenir de nous et nous sommes encore vivants. » Façon nostalgique pour Angelo Rinaldi de marquer qu'il n'est vivant que par l'écriture, que par la littérature : celle qu'il a choisi de lire et celle qu'il compose dans l'inquiétude et une attention extrême.

Pierre Boncenne. – *En tant que critique littéraire, quelle place accordez-vous à l'entretien ou à l'interview ?*
Angelo Rinaldi. – Une place importante. Je suis un amateur de journaux intimes et les romans que j'écris sont à la première personne : j'aime beaucoup le ton de la confession. Je lis donc beaucoup d'interviews. C'est dans les moments d'abandon, dans les creux de la conversation que l'on a quelquefois l'intuition de saisir les gens, mieux que dans l'apprêté de l'écriture. Le côté voyeur qui est en nous se satisfait – d'une façon un peu basse – avec l'interview. Il me semble toutefois que pour répondre librement à l'interview, il faudrait être octogénaire. On ne doit la vérité qu'aux morts et, à quatre-vingts ans, on a l'avantage d'avoir enterré presque tout le monde. A ce moment-là seulement, on peut parler.
P. B. – *Comment êtes-vous devenu critique littéraire ?*
A. R. – On me l'a demandé après que j'eus déjà publié deux romans. J'ai toujours été journaliste, depuis l'âge de vingt ans. Au début, j'ai fait illusion dans tous les domaines imaginables, du commissariat à la chronique judiciaire. J'ai commencé à Nice par un compte rendu de carnaval, ce qui était, somme toute, l'annonce d'une certaine curiosité ou d'une certaine philosophie.
P. B. – *Vous étiez alors journaliste à...*
A. R. – Je ne voudrais pas citer ce journal. Je noterai seulement que j'ai fait à peu près tout ce que l'on peut faire sans plaisir excessif dans le journalisme : faits divers, informations générales, secrétariat de rédaction, etc. La critique littéraire à *L'Express* n'est venue qu'après parce que, je vous le répète, on me l'a demandé.
P. B. – *Né à Bastia en 1940, vous êtes d'origine italo-grecque.*
A. R. – Tous les Corses sont d'origine mêlée. Mais je crois que les origines ne comptent pas pour un écrivain : sa seule patrie c'est la langue. Je suis un écrivain d'expression française.
P. B. – *Tous les narrateurs de vos romans...*
A. R. – ... baignent dans une Méditerranée qui n'est jamais nommée.
P. B. – *Soit. Est-ce que l'on peut ajouter aussi, ces renseignements étant inscrits sur la quatrième page de couverture de* La maison des Atlantes, *que vous êtes fils d'un militant communiste mort des suites de la déportation ?*
A. R. – L'héroïsme n'étant pas héréditaire, je n'aime pas parler de ma famille. Mais, si vous voulez, disons que mon passé familial me rend assez sensible aux événements de la guerre, à la lutte contre le fascisme et le racisme sous toutes ses formes.
P. B. – *Aujourd'hui, critique littéraire redouté à* L'Express, *vous êtes un journaliste exerçant un certain pouvoir. Ce qui ne vous empêche pas d'avoir un regard cruel sur votre profession et vos confrères. Ainsi, dans* Les Dames de France, *le narrateur écrit-il : « Ces journalistes payés à la pige, qui avaient eux-mêmes un livre éternellement inachevé dans leurs tiroirs, écrivaient surtout pour séduire leur rédacteur en chef, payer leur loyer et éclipser des concurrents dans la course à l'emploi fixe. »*

A. R. – Pourquoi un romancier doit-il justifier ses personnages ? Pourquoi, et je vous retourne la balle, isoler ces propos du narrateur des *Dames de France ?*
P. B. – *Parce que l'auteur des* Dames de France *est aussi journaliste.*
A. R. – Il n'est pas forcé que ce soit mon avis.
P. B. – *Bien. Alors que pensez-vous de l'avis du narrateur des* Dames de France ?
A. R. – Il me semble que son avis ressemble exactement à ce que dit sur le journalisme Balzac dans sa « Monographie de la presse parisienne ». On s'aperçoit que les mœurs du journalisme n'ont absolument pas changé. L'arrivée à midi de Lucien de Rubempré dans un « canard » (pour employer notre argot) où on lui annonce que ces Messieurs sont sortis déjeuner – sur note de frais déjà ! –, cette arrivée ressemble à celle que j'ai connue dans un journal parisien, où, ayant rendez-vous avec un chef des informations, on m'a fait la même réponse : ces Messieurs étaient sortis déjeuner... Le journalisme parisien se définit toujours comme du temps de Balzac : mêmes mœurs, même concurrence, même âpreté et même charme irremplaçable qui fait que je préfère de toute façon le milieu journalistique au milieu littéraire.
P. B. – *Dans quelle tradition de la critique littéraire vous classeriez-vous ?*
A. R. – Une précision d'abord : je suis avant tout un salarié que l'on paye pour donner son opinion sur des livres. Maintenant, si je dois me classer quelque part et à supposer que mes articles méritent cet honneur, je me classerais dans la catégorie des critiques qui donnent une tournure impressionniste et subjective à une opinion de fond qui, elle, ne varie pas, à savoir la défense du style et du tempérament. A partir de là on peut remonter très loin jusqu'à Barbey d'Aurevilly, prendre Léautaud au passage et beaucoup de gens qui d'ailleurs sont à droite comme Léon Daudet jadis. Plus généralement, ce qui m'importe, ce n'est rien d'autre que les livres avec leur musique et leur voix. Le reste m'est égal.

P. B. – *D'aucuns disent que vous avez une conception très élitiste de la littérature.*
A. R. – Là, attention, on risque de tomber dans les pièges de la démagogie officielle qui consiste à confondre l'élitisme et l'exigence. Ce n'est pas de ma faute si la littérature, au sens où nous sommes quelques-uns à l'entendre, suppose un minimum de qualités littéraires. Est-ce de l'élitisme si je me fais de la littérature une certaine idée qui suppose au moins du travail allié à un certain don ?
P. B. – *Mais je sais que vous estimez à quelques milliers seulement, pas plus de dix mille au maximum, les personnes en France aujourd'hui capables d'apprécier la littérature.*
A. R. – Vous déformez un peu mon opinion. Je pense qu'il y a dix mille personnes en France – correspondant au chiffre d'or des abonnés de la *NRF* avant guerre – qui suivent de près la littérature, qui peuvent en parler et qui peuvent par exemple se souvenir d'un jeune écrivain ayant publié il y a cinq ans un livre singulier, difficile, raté, mais annonçant quelqu'un. Pas davantage. Les gens s'intéressant de près à la littérature, professionnels comme vous et moi compris, c'est dix mille personnes. Et je ne pense pas que ce chiffre ait évolué depuis l'avant-guerre. Mon critère étant les ventes d'un écrivain merveilleux à la prose magnifique comme Julien Gracq. Or un texte de Julien Gracq publié chez cet extraordinaire éditeur qu'est José Corti fait dix mille exemplaires.
P. B. – *Nous n'avons pas la possibilité de nous embarquer ici dans une discussion sur la littérature et l'édition mais, pour fixer des repères, il me semble que vous défendez avant tout une littérature que je qualifierai de « secrète » et que, parmi vos auteurs contemporains de prédilection, on peut citer : Jouhandeau, Cioran, Char, Michaux, Gracq, Beckett, Sarraute ou bien alors Augiéras, Vialatte, Paulhan, Supervielle ?*
A. R. – Mais je regrette que cette littérature soit secrète, qu'elle ne soit pas sur la place publique. Et je m'étonne

qu'il n'y ait pas plus de gens pour s'y intéresser.

P. B. – *En revanche, lorsqu'il s'agit d'auteurs étrangers, et je pense en particulier à la littérature sud-américaine, vous semblez alors plus ouvert à des romans par exemple très baroques.*

A. R. – Montrez-moi donc des grands baroques français qui soient dignes d'intérêt. Je ne les trouve qu'en Amérique du Sud et vous aussi. Je ne demanderai qu'à saluer, qu'à m'extasier devant l'équivalent en France d'un Alejo Carpentier. Pour le moment ce n'est pas le cas. Je suis probablement myope ou alors les éditeurs ne m'envoient pas tous les livres. Dans la littérature française, je ne trouve pas de baroques et je vois très peu de tempéraments.

P. B. – *Prenons le cas d'un auteur très connu : Michel Tournier. Pas de tempérament ?*

A. R. – Tournier est un écrivain estimable. Mais il n'a pas besoin de mes modestes services de critique. Tournier est un écrivain reçu, consacré, lauré, qui a toutes les places possibles et imaginables, tous les honneurs. Je préfère défendre ce pauvre Augiéras, ou un poète sublime et qui est le dernier de nos grands précieux comme Olivier Larronde. Olivier Larronde dont l'éditeur a toutes les peines du monde à vendre dix exemplaires par an et dont on s'apercevra dans trente ans qu'il était aussi important que Rimbaud. Pourquoi voulez-vous que j'aille au secours de la victoire ? Tant de gens le font, ce n'est pas mon rôle.

P. B. – *Mais vous adorez aller contre la victoire.*

A. R. – Si la victoire me paraît le résultat du conformisme et d'une non-lecture, oui, je ne déteste pas. Je n'ai nullement la prétention d'être le miroir exact de l'époque. Toutes les époques se sont trompées. Il n'y a pas de raison que la nôtre ne se trompe pas et que je ne participe pas moi-même à l'erreur. Le compliqué dans l'affaire c'est que notre époque sait aussi qu'elle peut se tromper, ce qui fait qu'on assiste au règne du laisser-faire, laisser-passer.

P. B. – *Un laissez-passer contre lequel vous réagissez puisque vous êtes réputé pour vos éreintements.*

A. R. – Ne faites pas de moi un Fouquier-Tinville, c'est exagéré.

P. B. – *Disons que vous êtes le père Fouettard numéro un de la critique.*

A. R. – Vous me consternez.

P. B. – *Allons, allons !*

A. R. – Mais oui. Je constate seulement parfois des réactions un peu vives à des articles qui ne sont que le reflet de conversations que j'entends à droite ou à gauche. Il se trouve que de temps en temps je suis le seul à transcrire des conversations de couloir ou des conversations que je tiens avec des amis. Car ce que j'écris n'est que la continuation d'avis sur la littérature que nous partageons ensemble avec des amis. La critique est la continuation de la littérature et comme la liberté républicaine elle ne se divise pas. Voilà pourquoi je n'aime pas le mot *éreintement* qui implique la distinction bon/méchant. Dans mes critiques, je ne suis ni bon ni méchant : j'ai des critères et je les applique. Si tel livre ne correspond pas à mes critères, je le dis et puis voilà.

P. B. – *Vous ne croyez pas que certaines de vos phrases peuvent blesser excessivement ?*

A. R. – « Blesser », qu'est-ce que cela signifie ? Vous vous exprimez là en termes de mondanité, ce qui n'est pas votre genre. Je dis ce que je pense d'un livre. La littérature ce n'est ni bon ni méchant. Et est-ce de la méchanceté que de prendre ses responsabilités ? D'autant qu'un critique est aussi quelqu'un qui publie, d'où parfois la fable de l'arroseur arrosé.

P. B. – *Vous ne pensez pas avoir déjà dépassé le cadre de la critique pour aller jusqu'à l'attaque* ad hominem ?

A. R. – Jamais.

P. B. – *Alors, un exemple. Parmi toutes les flèches empoisonnées que vous avez pu décocher, j'ai choisi celle-ci qui me paraît d'ailleurs être du genre tarte à la crème en pleine figure. Vous avez écrit sur Raymond Jean...*

A. R. – Qui est-ce ?

P. B. – *Vous avez rendu compte de deux ouvrages signés de lui parus aux éditions du Seuil, intitulés respectivement* La rivière nue *(un roman) et* Pratique de la littérature.

A. R. – Ce ne devait pas être un bon papier, un papier favorable, parce que j'ai complètement oublié ces ouvrages.

P. B. – *Ah, l'expression « bon papier » ! Passons. Mais je vais vous rafraîchir la mémoire en vous rappelant ce que vous avez écrit sur Raymond Jean et* La rivière nue *: « Ce redoutable récidiviste qui manie les bons sentiments comme autant de massues, cette fois s'est surpassé. Tout ce qu'il ne faut pas faire, il l'a fait, réunissant poncifs et stéréotypes en bouquet, fabriquant – dans un style où l'on chercherait en vain le plus petit bonheur d'expression, la moindre trouvaille – une bluette en noir et blanc qui atteint les sommets de la littérature de patronage. » Et un peu plus loin, vous écrivez ceci : « Pour faire mode, on ajoute quelques passages sur Amsterdam la libérée, et quelques descriptions érotiques qui feraient croire que pour son malheur M. Raymond Jean n'a jamais vu de près une dame dans le plus simple appareil. »*

A. R. – C'est l'impression qu'il me donne. Je souhaite à ce monsieur dont j'ai oublié le nom beaucoup d'aventures féminines, mais apparemment son livre ne permet pas de le croire. Je n'ai pas dit que ce monsieur entretient trois danseuses, court les petits garçons ou utilise des chéquiers volés. Je me suis contenté de lire. Chaque livre donne l'idée de son auteur. Ce monsieur aime les femmes et il les décrit bien mal d'après ce que vous me dites.

P. B. – *Non, c'est vous qui le dites !*

A. R. – Oui, pardon, mais j'avais oublié. Tout cela est digne d'être oublié.

P. B. – *Plus loin encore, vous estimez que dans* Pratique de la littérature *transparaît « le complexe du provincial soucieux avant tout de rattraper le dernier métro. »*

A. R. – Mais oui, cela apparaît dans ce livre et c'est l'abonné de la RATP que je suis qui vous répond. D'autre part, en quoi le terme *provincial* vous paraît péjoratif ? Je suis moi-même un provincial depuis dix ans à Paris. Je ne me suis livré à aucune attaque *ad hominem*. Je n'ai pas dit que ce monsieur est laid, ce qui est peut-être vrai mais qui là, oui, serait une attaque *ad hominem*.

P. B. – *Deuxième cas : en 1977, à la suite d'un micmac peu honorable, j'en conviens, votre roman* Les Dames de France *ne se voit pas décerner le prix Médicis. Or, quelques semaines seulement après ces incidents, vous publiez un article terrible sur Claude Mauriac, membre du jury Médicis, article dans lequel vous le traitez d'imbécile comparé à son père François Mauriac.*

A. R. – Mais c'est une chose que tout le monde sait à Paris. Et vous n'imaginez quand même pas que j'ai écrit ce papier par esprit de vengeance. Pas du tout. Ne renversez pas les rôles. Vous faites allusion à des micmacs, très bien. Mais moi je ne dévie pas de mon chemin. Les livres qu'on m'apporte, je les lis. Ce monsieur ayant publié beaucoup de livres, il fallait bien qu'un jour ou l'autre j'en rende compte, que je m'exprime sur lui et qu'à travers moi, mon journal dise ce qu'il en était de ce mémorialiste. S'il est inférieur à son père, qu'y puis-je ? « Tout le monde ne peut pas être orphelin », ce n'est pas moi qui l'ai dit.

P. B. – *Vous pensez que tous les membres des académies...*

A. R. – Ne me faites pas faire des procès. Je ne pense rien a priori, ni pour ni contre. Mais poursuivez votre question.

P. B. – *Est-ce que ce n'est pas un a priori d'écrire : « On peut même, à condition d'avoir toujours scrupuleusement raté l'originalité et servi les gens en place, espérer d'atterrir un jour dans le fauteuil d'une quelconque académie » ?*

A. R. – Alors là, c'est la typique géographie parisienne pour laquelle je vous renvoie encore à Balzac. Rien n'a changé depuis. Parce que la société n'a pas changé, que c'est l'argent qui domine et que, par conséquent, le carriérisme se donne libre cours. Comme il se donne libre cours dans une société socialiste. Ici, c'est le souci de l'argent qui domine, dans les pays socialistes c'est le chloroforme. Dans les deux cas, le carriérisme persiste. Et je ne vois pas en quoi ce constat est extraordinaire ou alors je suis vraiment d'une originalité qui à moi-même m'échappe.

P. B. – *Avec le journal* Libération, *vous êtes l'un des premiers à avoir parlé d'un livre qui nous est cher à* Lire : Mars *de Fritz Zorn. Cette autobiographie a dépassé aujourd'hui les 100 000 exemplaires. Hypothèse d'école : à supposer que vous deviez vous prononcer aujourd'hui sur* Mars, *vous ne croyez vraiment pas que votre méfiance à l'égard des succès vous aurait conduit à écrire un article un peu moins chaleureux ?*

A. R. – Vous êtes en train de me suspecter de malhonnêteté. Tout à l'heure, vous m'avez dit que je défendais une littérature secrète. Alors vraiment, dans ce cas-là, *Mars* de Fritz Zorn ne pouvait pas m'échapper. Et l'aurais-je lu après qu'il eut obtenu 100 000 exemplaires, cette littérature n'en serait pas moins demeurée secrète et je l'aurais aimée de toute façon. Le succès ne prouve rien ni pour ni contre. On observe simplement qu'en général le succès va à ce qui est mauvais, mais il n'y a là rien d'automatique.

P. B. – *Autre caractéristique de vos articles : vos coups de patte à la critique marxiste, psychanalytique ou sémiotique. Ces méthodes d'analyse n'ont-elles pas apporté quelque renouvellement dans l'approche de la littérature ?*

A. R. – En réalité, je me méfie d'une critique repliée sur elle-même qui prétend être une œuvre d'art. Je prétends que la thèse la plus sophistiquée – comme on ne devrait pas dire de nos jours –, la plus savante, partant d'un système qui sera démodé dans dix ans, comme tous les systèmes, cette thèse la plus raffinée qui soit ne vaut pas du point de vue de la création un mauvais roman de Simenon. Et Dieu sait s'il en a écrit de mauvais ! Je suis contre la critique qui se veut en soi un chef-d'œuvre et un genre. Je suis contre l'absence d'humilité de la critique. Je plaide au fond contre la tribu puisque j'ai les deux

casquettes, celle de critique et celle d'écrivain. Mais justement : la critique n'est pas un genre en soi, un genre noble par rapport à la création. Il y a des étages : les critiques sont au rez-de-chaussée et ils regardent les gens monter vers des hauteurs auxquelles ils ne peuvent pas prétendre. Il est plus facile d'écrire un livre de critiques à partir d'un système, que d'écrire une nouvelle. Dans une nouvelle, on est l'acrobate sur le fil travaillant sans filet, tout le monde vous voit et on ne peut pas tromper. Tandis que la critique est comme une liane, elle tourne autour d'une œuvre, elle s'enroule, elle a un support.

P. B. – *Pour parler de vos romans, je voudrais me servir de l'un de vos articles où, définissant l'art, vous disiez que c'est « la lenteur, le sursis réclamé à la mort, l'œuvre préférée à la vie même [L'art est] la consolation d'une lucidité qui n'espère rien de ce monde ». Alors, d'abord, qu'est-ce que la « lenteur » de l'art, la « lenteur » d'un roman ?*

A. R. – Le soin. Qui entraîne automatiquement la lenteur. Le soin dans l'écriture, la recherche du mot le plus juste possible, demander sans cesse davantage à soi-même parce qu'on sait les limites de ses moyens et que comme l'athlète on espère toujours gagner quelques secondes sur sa propre impuissance.

P. B. – *« L'œuvre préférée à la vie ? »*

A. R. – On ne peut pas écrire et vivre. Il faut choisir.

P. B. – *Vous avez choisi d'écrire.*

A. R. – Jusqu'à présent, je n'ai pu que constater que le fait d'écrire m'a coupé d'une certaine vie. On ne peut pas faire deux choses à la fois. Je vous rappelle que je suis un salarié. Travaillant d'une part et d'autre part écrivant, je dois par conséquent renoncer à beaucoup.

P. B. – *Et si vous pouviez financièrement vivre de votre plume selon l'expression consacrée ?*

A. R. – Au fond, je crois que c'est très vulgaire de vivre de sa plume. Vous êtes entraîné à donner au public toujours la même chose qui a fait votre succès. Un éternel remake. Il est très dangereux de vivre de sa plume et je préfère encore les sacrifices du travail de journaliste-critique aux facilités de l'argent venant par les seuls livres. L'argent gagné avec des livres me paraît suspect. Et au moins sur ce plan-là, je me permets de vous signaler que je suis à l'abri de la vulgarité.

P. B. – « *Lucidité* » *de l'art ? C'est la lucidité dont font preuve tous les narrateurs de vos romans, retournant par la mémoire vers leurs origines méditerranéennes ?*

A. R. – Pour vous répondre, il faut répondre à la question « Comment est-ce que j'écris un livre ? ». J'ai observé, c'est la cinquième fois déjà, que je ne peux écrire qu'à la première personne. Pendant les trois années au cours desquelles je suis occupé par la rédaction d'un livre, il me plaît de me couler dans la mémoire imaginaire d'un inconnu et, renonçant d'un côté à la vie, de m'en donner une hypothétique dans le passé (car je crois profondément qu'il n'y a de vrai que le passé). Pendant ces trois ans, je suis quelqu'un d'autre, je suis un petit schizophrène essayant de créer un autre en lui prêtant des amours, une vie, une famille, un monde. Je me plais à cette comédie me permettant de vivre une vie imaginaire préférable à la vie réelle. Et plus lucide.

P. B. – *Vos livres semblent toujours à mi-chemin du récit autobiographique et du roman.*

A. R. – Le roman est un genre tellement protéiforme... Personne ne peut en établir les règles et c'est tant mieux. Mais il est probable que lorsqu'on écrit des livres à la première personne c'est aussi pour y glisser des phrases d'aveu que l'on n'oserait pas se faire. Tout roman tourne sans doute autour d'une petite phrase d'aveu que l'auteur ne connaît pas et qui lui a échappé. Je ne sais pas quel aveu contient *La dernière fête de l'Empire*, en tous les cas probablement pas celui que les gens pourraient imaginer.

P. B. – *L'art « consolation d'une lucidité qui n'espère rien de ce monde ». La dernière fête de l'Empire m'a semblé être le plus douloureux, le plus sombre de vos romans. Quelle consolation y a-t-il là ?*

A. R. – Pourquoi les gens veulent-ils être consolés, pourquoi veulent-ils être heureux ? Cela me paraît bizarre. Moi, ce n'est pas mon cas.

P. B. – *Et tous vos livres – celui-ci encore – sont d'une férocité à l'égard de la province et d'une province qui ressemble à la Corse, qui est la Corse !*

A. R. – C'est votre jugement de lecteur et je ne peux pas le commenter. Le lecteur a toujours raison. Tout ce que je peux dire c'est que les gens optimistes me paraissent singulièrement imprudents. Je ne veux pas non plus – et ce n'est pas par hasard si l'île que vous savez n'est jamais nommée – que l'on m'enferme dans le tableau ou la description d'une province précise. J'ai une idée de la nature humaine, du train des choses, et c'est un train qui déraille pour moi. J'ai une idée des gens, des sentiments, de l'amour, de la vie, de la mort et je crois que cette idée je pourrais tout aussi bien l'appliquer à l'Ardèche qu'au Pas-de-Calais.

P. B. – *Jacques Brenner se trompe lorsqu'il écrit dans son* Histoire de la littérature française depuis 1940 : *« Rinaldi est aussi viscéralement corse que Proust était parisien » ?*

A. R. – J'observe simplement que plus on se dégage des caractères apparents de sa nationalité, plus on est du pays d'où l'on vient. C'est dans la mesure où je peux vous apparaître comme quelqu'un ayant définitivement coupé avec ses origines, dans sa situation sociale comme dans son langage, que peut-être je suis le plus authentiquement méditerranéen.

P. B. – *Le narrateur de* La dernière fête de l'Empire *porte des jugements accablants sur la province.*

A. R. – Sur la vie.

P. B. – *Parfois plus précisément sur la vie en province : « ... Ces regards particuliers à la province, qui révèlent que l'on sait tout de vous alors que l'on ne vous a jamais adressé la parole, et où, par exemple, l'incurable en promenade sous les platanes, à la faveur d'une rémission, persuadé que son organisme reverdit, voit diagnostiquer sa fin, à la sauvette, par un battement de paupières, un rétrécissement de la prunelle, un haussement de sourcils, quand ce n'est pas le froncement* *de nez du délicat se détournant déjà du cadavre.*

A. R. – Eh bien oui, c'est vrai. Le monde provincial est assez terrifiant. C'est un monde de retenue qui n'a pas la liberté des grandes villes. Elle est féroce la province parce que les gens y sont les uns sur les autres, qu'ils ne s'épargnent pas, que l'autre est toujours l'éternel spectacle et que ce spectacle ne change jamais.

P. B. – *Vos narrateurs trouvent à Paris une liberté qu'ils n'ont pas en province.*

A. R. – C'est au lecteur de le déterminer. Ils trouvent en tous les cas à Paris le moyen de nommer leur douleur, ce qu'ils ne peuvent pas faire en province. Ils prennent du recul.

P. B. – *Que pense l'auteur de* La maison des Atlantes, *des* Dames de France *ou de* La dernière fête de l'Empire, *de cette définition de l'amour donnée en 1980 par un dictionnaire, le* Petit Flammarion : *« Amour : sentiment de désir et d'attachement qu'un être éprouve pour un être d'un autre sexe »?*

A. R. – Le *Petit Flammarion* ne me paraît pas avoir beaucoup d'idées. Et il a une notion extrêmement restrictive et assez imbécile de l'amour. Ne serait-ce qu'en oubliant l'amour des parents pour leurs enfants. Je suppose que vous ne m'attendiez pas là...

P. B. – *Je pouvais m'en douter. Mais il est vrai que je voulais aussi en pensant à vos romans vous faire commenter* Sodome et Gomorrhe *de Proust.*

A. R. – Proust ne croit pas à l'amour, pour lui c'est une illusion généralisée. Moi, je crois à l'amour. Mais à l'amour que l'on éprouve soi-même et pas à celui des autres. Je pense que l'amour est un don et qu'il existe dans les moments où je le traduis, dans les moments où j'effectue ce don. Les moments où l'on éprouve telle attirance et telle passion sont les seuls moments vrais de la vie. L'ennui avec les gens c'est qu'ils veulent que l'amour soit partagé et soit récompensé, c'est qu'ils veulent le paradis sur terre, paradis qui en aucun cas ne peut exister dans l'ordre de la passion. On souhaite toujours d'une façon très médiocre être « payé en retour », expression française

d'ailleurs intraduisible. La seule réalité de l'amour c'est le don. Et contrairement à la définition idiote de ce *Petit Flammarion,* l'amour peut exister dans l'amitié, dans la gratuité, dans les relations avec des grands-parents, des parents, un inconnu ou une inconnue. C'est tout d'un coup l'envie de sortir de soi pour donner quelque chose à quelqu'un d'autre. On ne peut pas espérer autre chose. La plupart des gens pessimistes en amour sont tout banalement des gens qui ont été trompés, ce qui me paraît profondément ridicule et faux. Pourquoi avoir cette illusion ? Aucun de mes narrateurs ne l'a. D'autre part, en quoi est-ce que cela change l'amour d'un homme pour d'autres hommes (ce qui est le cas de deux de mes narrateurs sur cinq) ? Les mécanismes de l'amour sont les mêmes. Simplement, dans le cadre de l'amour au masculin il y a, en outre, le poids de la société qui donne à une chose, déjà pesante en soi, encore plus d'accablement. Il y a encore plus de difficulté à vivre cet amour singulier du fait de la société mais pas du fait de l'amour.

P. B. – *Les amours au masculin dans vos romans sont vécus sous le sceau du secret, voire du péché.*

A. R. – Dans la société aujourd'hui c'est, me semble-t-il, le cas des gens se trouvant dans cette situation.

P. B. – *Proust parlait d'une « race sur qui pèse une malédiction et qui doit vivre dans le mensonge ».*

A. R. – Cela reste en partie valable et surtout pour la province, mais il faut prendre garde au contresens possible : Proust ne réduit pas ces amours à la malédiction sociale. La grandeur de Proust, son audace que personne n'a dépassée, c'est qu'il regarde *Sodome et Gomorrhe* de la même manière qu'il a regardé l'hétérosexualité. Comme il n'y a que moi qui connais des choses inutiles, je vous rappellerai qu'un écrivain comme Abel Hermant a touché à ces problèmes-là. Mais chez lui, c'est tout simplement pittoresque, anecdotique et cela a disparu avec les années 1900. Abel Hermant n'a pas survécu parce que ses livres ne contiennent pas cette vérité montrée par Proust : que les amours sont partout les mêmes ; mais chez certaines catégories d'êtres, à la malédiction d'aimer s'ajoute le poids de la condamnation de la société.

P. B. – *A lire vos livres cinquante ans après Proust, on a l'impression que rien n'a changé.*

A. R. – Oui, dans l'ensemble, rien n'a changé en France. Le langage est devenu légèrement moins méprisant. Mais pour le reste, il vaut mieux connaître ces amours-là dans des milieux privilégiés.

P. B. – *Le narrateur de* La dernière fête *de l'Empire écrit :* « *Il était parvenu à mes oreilles plus vite qu'un autre, il m'avait secoué ce cri –* "*pédé* "*! ».*

A. R. – C'est la province où cela demeure vrai et socialement très fort. Je pourrais vous citer des phrases entendues il y a quelques mois. Sauf précaution de langage, cela demeure inchangé de même que l'antisémitisme et que toutes les formes de racisme florissantes dans la société française.

P. B. – *Tous les narrateurs de vos romans évoquent des bars, des hôtels, des établissements plus ou moins clandestins. Dans votre dernier roman, le lieu central est un café,* « *L'Empire* », *au-dessus duquel se trouve* « *La Croix de Malte* », *tenu par une étonnante maquerelle, Mme Casalta.*

A. R. – Rien de plus romanesque qu'un hôtel, qu'un bar, que ces lieux où la vie des gens généralement sans amour ou en quête d'amour est entre parenthèses. Ils sont là dans leur vérité. Regardez les gens accoudés à un comptoir d'un quartier qui n'est pas le leur et vous les verrez dans leur nudité. C'est une expérience qui me fascine. Rien ne m'intéresse plus que de lier conversation avec des inconnus des deux sexes dans un bistrot ou dans un hôtel, là où les gens, échappant à la pesanteur de leur propre milieu, ont plus de chance d'être sincères.

P. B. – *Et le narrateur de* La dernière fête *de l'Empire parle à un moment de l'un de ses romans qui* « *me renseignait moins sur l'amour qu'une conversation de bistrot* ».

A. R. – Oui, à cause de la sincérité de cette conversation. Les gens ne sont sincères qu'avec des inconnus qu'ils ne reverront pas.

P. B. – *Des personnages me touchent beaucoup dans vos livres : la constellation des gens simples et, en particulier, des servantes.*

A. R. – Dans ma vie passée, les gens qui m'ont le plus touché ce sont les gens simples, ceux dont la traduction des sentiments ne passe pas par le filtre des conventions sociales. Je me souviens d'avoir été ému jusqu'aux larmes par le fameux conte de Flaubert *Un cœur simple*, avec cette servante qui n'a plus qu'un perroquet. Les gens qui me bouleversent dans la vie sont ceux dont la misère est résignée. Il est vrai que c'est pour eux que j'ai le plus de tendresse. Et dans *La dernière fête de l'Empire*, je pense que c'est pour Técla la servante que j'ai le plus d'attachement. Técla dont on découvre à la fin qu'elle était obligée de faire autre chose que son métier de serveuse pour vivre. Elle est doublement victime : comme serveuse et comme femme. Le petit monde des gens simples de bistrot : je serais très heureux que mon livre soit lu ainsi.

P. B. – *Mais le narrateur de* La dernière fête *de l'Empire dit aussi :* « *Une humble origine ne garantit la possession d'aucune qualité de cœur et d'esprit (...) La bêtise populaire vaut la bourgeoise quand elle ne la dépasse pas.* »

A. R. – C'est autre chose. Le racisme populaire, je n'ai pas à le découvrir. Dans sa lente ascension sociale, le peuple, très souvent la petite bourgeoisie, récupère les préjugés que la grande a déjà abandonnés et surenchérit. En grossissant beaucoup, c'est le phénomène du nazisme : derrière Hitler il y avait en partie le bon populo.

P. B. – *Vos portraits de notables méditerranéens ne sont pas en reste. Et je pense, dans* La dernière fête *de l'Empire, à ce sénateur* « *vêtu, l'été, d'un pantalon de toile et d'une chemise Lacoste où le liseré de la Légion d'honneur était cousu à mi-distance entre le second bouton et le fameux crocodile* ». *C'est un détail qu'Angelo Rinaldi a réellement vu et*

qu'il a communiqué à son narrateur ?
A. R. – Oui, je le reconnais, c'est l'un des rares détails que je n'ai pas inventé. Il n'y a rien de plus grotesque que les hommes politiques bourgeois de province. C'est épouvantable, particulièrement chez moi en Corse, où les chefs de clan sont ce qu'il y a de plus ridicule dans le genre. La classe politique française est d'une médiocrité rare. Celle de province bat tous les records. Je dois reconnaître qu'en province c'est parmi les communistes qu'on trouve les gens les plus sérieux parce que plus proches des réalités quotidiennes et allant droit au fait. On ne me suspectera pas de sympathie pro-communiste – il s'en faut de beaucoup et de loin – mais si nous parlons du cheptel politique provincial, pour trouver quelqu'un d'à peu près humain à qui éventuellement on a envie de serrer la main il faut aller voir les communistes.

P. B. – *Enfin, il faut noter que tous les narrateurs de vos livres sont à des degrés divers des écrivains ratés.*
A. R. – Quelqu'un qui est en train de s'asphyxier à quoi pense-t-il ? Parmi les moyens de salut, il y a l'écriture. Mes narrateurs ont cette tentation plus ou moins larvée qu'ils réalisent de façon assez velléitaire. L'écriture est une façon de s'en tirer et tout le monde essaye parce qu'il y a dans le cœur de tout homme la place pour un roman : c'est le sien. Un jour, à bout de désespoir et de misère, il est normal que quelqu'un songe à vouloir non seulement se sauver lui-même mais aussi les autres. Car si notre mort en soi a son importance, il y a encore plus important : c'est qu'avec nous meurent tant de choses, tant de gens. Tant d'impressions qui vont disparaître, tant d'amours, de moments. J'ai le souvenir du sourire d'une jeune fille de seize ans rencontrée dans un train de l'adolescence, une fille au cheveux roux

dont le visage se découpait sur une vitre derrière laquelle il y avait un champ de neige. Cette fille disparaîtra avec moi. Le pathétique de la fin d'un homme c'est la disparition avec lui de tant de choses qui le valaient beaucoup plus.

P. B. – *Et seule la littérature est capable d'atténuer ce pathétique en fixant des moments de la vie ?*
A. R. – Seule l'écriture peut retarder. Je suis tout à fait sans illusions sur la notion de postérité. Mes narrateurs comme moi ont toutefois l'impression que la littérature peut retarder de quelques secondes l'inéluctable moment où tout bascule dans le vide, le néant et l'oubli.

P. B. – *Le narrateur de* La maison des Atlantes *disant à la fin :* « *J'eusse aimé croire à une éternité moins dérisoire que celle de mon écriture – de toute écriture – mais il n'y en a pas d'autre »,* ce narrateur se confond au moins sur ce point-là avec l'écrivain Angelo Rinaldi ?
A. R. – Absolument. Il n'y a pas d'autre éternité que cette écriture. Dans la mesure où elle rencontre un écho fraternel et vous amène une ou deux amitiés. Qu'est-ce qu'un livre réussi pour moi ? D'abord d'être parvenu à le terminer, ce qui est en soi une récompense. Et puis chaque livre déplaçant des ondes amicales, la rencontre de deux ou trois personnes qui ne seraient pas venues si vous n'aviez pas écrit ce livre et qui peuvent bouleverser votre vie.

P. B. – *Jorge Luis Borges dit :* « *J'écris pour moi, pour mes amis...* ».
A. R. – Il ajoute : « Et pour adoucir le cours des choses. »
P. B. – *Oui, mais chez vous, me semble-t-il, c'est l'amitié qui prévaut.*
A. R. – Il est vrai qu'un livre pour moi c'est la pêche à l'amitié. Et si deux ou trois hameçons mordent, peut-être alors le livre est-il réussi.

MICHEL TOURNIER

*« J'ai trouvé les Rois mages, Robinson Crusoé,
la gémellité, et j'ai irrigué ces grands mythes. »*

Décembre 1980

La scène se passe dans un presbytère, non loin de Chevreuse, à Choisel.
Comme tous les bons presbytères, celui-ci est niché entre une église et un
cimetière, il mérite l'*imprimatur,* mais le jardin qui l'entoure n'a rien d'un
jardin de curé. Ses pelouses sont bien rangées, on dirait un Eden civilisé, et il
semble n'avoir d'autre besogne que de faire transition avec les forêts dont les
frondaisons tremblent, tout près, de l'autre côté des murs.

Ce presbytère contient des livres, de l'ordre, une cheminée, des appareils
photographiques, trois bureaux et un Michel Tournier, c'est-à-dire un
écrivain parmi les plus grands et le seul, peut-être, capable de sécréter, comme
on fait du miel, dans la lenteur et l'ombre, ces objets énigmatiques,
intarissables que sont les mythes : lire Tournier, c'est faire quatre pas dans les
mythes.

Premier pas : l'inépuisable Robinson que Tournier accommode à sa sauce
(Vendredi ou les limbes du Pacifique). Deuxième pas : la légende du « Roi
des aulnes » et la grande rêverie prussienne. Troisième pas : le mythe des
Dioscures *(Les météores).* Quatrième pas : *Gaspard, Melchior et Balthazar,*
les trois Rois mages auxquels Tournier ajoute en prime un quatrième Mage
qui s'était bien caché jusqu'à nos jours, mais il est vrai qu'il s'appelait Taor,
qu'il venait de l'Inde, qu'il avait la passion des rahat loukoum et il a tellement
baguenaudé en chemin, avec son éléphante rose, qu'il arrive trop tard, il rate
la crèche, passe quelques années dans les mines de sel de Sodome et devient,
après Jean-Baptiste, le premier martyr de la chrétienté. A cette trame de
beaux romans s'entrelace une chaîne de livres pour les jeunes, admirables, et
que je soupçonne Tournier d'aimer à la folie, au point qu'il donnerait sans
doute tous ses romans pour *Pierrot ou les secrets de la nuit* ou pour *Barbedor.*
C'est le moment de dire que le presbytère, outre les bureaux, la cheminée, les
livres et Michel Tournier, abrite quelques autres locataires : les enfants du

village de Choisel qui tournoient sans arrêt dans les trois étages, comme des papillons, comme des bourdons. Ils vont et ils viennent; ils sont en territoire ami. Inlassable, Tournier les écoute, discute avec eux, fait des randonnées à bicyclette, explore la forêt avec leur petite troupe. « L'un d'eux m'a dit un jour : " Tu es mon père de luxe ". » Leur Père mais aussi leur Mère Noël, mais encore, je crois, leur créature, car je me demande si Tournier aurait inventé Vendredi ou Taor ou Barbedor si les petits enfants de Choisel ne lui avaient pas appris à faire voler des cerfs-volants dans les ciels de la forêt.

Michel Tournier. – J'ai eu pendant des années un projet dans mes tiroirs : les Rois mages. On ne sait pas grand-chose sur eux. Parmi les évangélistes, seul saint Matthieu en parle, et brièvement, mais ils ont nourri une iconographie immense, somptueuse, depuis cette espèce de combat de nègres dans un tunnel peint par Rembrandt, jusqu'aux surréalistes.

Ces peintures m'ont appris deux choses. D'abord, que le fascinant de cet événement, c'est le choc entre la pauvreté, la simplicité de la crèche et la somptuosité des Rois mages. *Les mille et une nuits* débarquent dans la crèche. Or, et c'est la deuxième leçon, *Les mille et une nuits* sont bien postérieures, XIe siècle, si bien que l'arrivée des Rois mages dans la crèche, c'est un énorme anachronisme.

Cet anachronisme est la règle du jeu. Au musée bavarois de Munich, on voit dans le sous-sol une exposition de crèches historiques. Il y a une crèche de Nuremberg du XVIe siècle. Elle représente un coin de la ville de Nuremberg et, dans ce coin, il y a la crèche avec des personnages en costume du XVIe siècle.

Je trouve cela important. Cela signifie : « Les Évangiles parlent à chacun la langue de son temps. » Cet anachronisme, j'y vois un des traits géniaux, peut-être divins, des Évangiles. Quand Jésus dit : « Laissez venir à moi les petits enfants car celui qui ne sera pas semblable à un petit enfant n'entrera pas au Royaume des cieux », nous entendons cela avec l'oreille de Victor Hugo ou de Lewis Carroll, nous songeons au culte de l'enfant. Or, le culte de l'enfant, ça date de Victor Hugo justement. Si on remonte plus haut, tout change. Quand Bossuet commente la parole de Jésus sur les enfants, que dit-il à peu près ? Il dit : « Voyez. Jésus a toujours recherché dans l'humanité ce qu'il y a de plus ignoble, les publicains, les prostituées, les femmes adultères et il descend jusqu'à ce qu'il y a de plus dégradé, les enfants ». Bossuet va plus loin encore. Il explique que Jésus a vraiment voulu descendre jusqu'à ce qu'il y a de plus bas dans la condition humaine, premièrement en portant la croix, comme un assassin, deuxièmement, en devenant un enfant.

Gilles Lapouge. – *Et comment décider du sens que Jésus donnait à l'enfant ?*

M. T. – Impossible. L'Évangile parle à chacun de nous sa langue. C'est pourquoi l'anachronisme me paraît si essentiel à l'Évangile. Et si quelqu'un me reproche d'avoir commis des anachronismes, dans mon livre, je suis très calme. C'est la loi de l'Évangile. Du reste, j'aurais pu aller plus loin, coller aux Rois mages des mobylettes ou de la musique pop.

G. L. – *Donc, vous avez regardé vos images...*

M. T. – Et longtemps j'ai reculé parce que faire un roman en « péplum » dans lequel on essaie de faire passer tout le christianisme, c'est une ambition démesurée.

G. L. – *Et vous n'êtes pas du tout, littérairement, ambitieux ?*

M. T. – Vous savez, quand j'ai écrit mon premier roman, *Vendredi*, c'est Raymond Queneau, chez Gallimard, qui en a lu le manuscrit. Et il a écrit dans son rapport : « Je ne sais pas qui est ce Tournier, mais il est possédé par une " ambition démesurée ". » Dans la bouche de Queneau, je crois que ce n'était pas un compliment...

G. L. – *Les Rois mages étaient donc en panne...*

M. T. – Et puis, il y a deux ans, je suis tombé par hasard sur une légende, il y avait un quatrième Roi mage et là, ça a été le choc, je ne pouvais plus retarder.

G. L. – *C'est une légende ou bien un crypto-Évangile ?*

M. T. – Une légende. J'ai lu d'abord un roman d'un Allemand, Edzard Schaper. J'ai écrit à Schaper et il m'a dit qu'il s'agissait d'une légende orthodoxe qu'il avait reprise mais qui ne lui appartenait pas. J'ai ensuite trouvé un autre roman, écrit par un pasteur américain, Henry L. Van Dyke, mort en 1933, et qui ne semblait pas connaître la source orthodoxe. Mais le schéma est semblable. Le quatrième Roi mage vient de plus loin, il arrive trop tard, et il ne rencontre Jésus que le jour de sa mort (dans mon livre, il ne le rencontre pas). Donc, j'ai fabriqué à mon tour le quatrième Roi mage. J'en ai fait un Indien qui chemine à dos d'éléphant et qui, ayant raté Jésus, va passer des années dans une mine de sel à Sodome.

G. L. – *Et qui est gourmand.*

M. T. – Toujours la même idée : on peut lire les Évangiles avec les lunettes qu'on veut. Chacun rencontre dans les Évangiles la réponse à sa, à ses questions. Ainsi mon Balthazar est un vieux roi hanté par la question de l'art, de l'image que l'Ancien Testament a maudits. Gaspard, le roi noir, souffre d'un chagrin d'amour. Melchior, jeune prince dépossédé du pouvoir par son oncle, s'interroge sur le pouvoir. Et le quatrième, Taor, est obsédé par le thème de l'aliment. Il vient vers Jésus à la recherche d'un rahat loukoum inépuisable. Ce qui est légitime. Dans les Évangiles, on passe son temps à manger, on va de banquets en pique-niques.

G. L. – *Le quatrième roi est donc entièrement imaginaire. Les trois autres reposent sur un passage de Matthieu et sur la vision des peintres. En revanche, Hérode, qui occupe le centre de votre livre, est un personnage historique.*

M. T. – Oui. Tout ce que je dis à son propos est rigoureusement historique. J'ai puisé dans le grand historien du temps, Flavius Josèphe, qui naît à peu près quand le Christ meurt. Il aurait donc pu rencontrer des gens qui ont connu le Christ. Or, ce qui est inouï, c'est que Josèphe parle d'Hérode en long et en large mais il ne dit pas un mot de Jésus. Ça, c'est suffocant. Et personne ne parle de Jésus, personne. Il y a un vide.

G. L. – *Ne trouvez-vous pas bizarre que ces Rois mages, un seul des évangélistes en parle alors qu'en général, les quatre textes, sur les grands événements au moins, s'entrecroisent ?*

M. T. – Ah, il y a de grandes différences ! Vous avez, d'un côté, un groupe de trois, avec Matthieu, le plus littéraire, le plus riche, Luc et Marc, et, d'un autre côté, vous avez saint Jean. Et saint Jean est extraordinaire. Par exemple, pas un mot sur la nativité. Il la remplace par une réflexion métaphysique sublime (« Au commencement était le Verbe », etc.), il fait une « nativité métaphysique ». Pas de crèche, donc, encore moins de Rois mages.

Mais vous avez un autre moment étrange, dans saint Jean, c'est la Cène et Judas. Dans les autres Évangiles, Jésus dit : « L'un de vous me trahira. » A ce moment-là, saint Jean, qui était à côté de Jésus, se penche vers lui et dit en aparté : « Seigneur, lequel ? » (En aparté ! Je me demande bien comment les autres, Matthieu, Luc ou Marc ont pu entendre !) Mais enfin, Jésus répond : « Celui qui tendra la main en même temps que moi vers le plat », et à ce moment-là, Judas tend la main en même temps.

Mais saint Jean, lui, raconte tout autre chose et c'est horrible. Il escamote l'eucharistie ou plutôt, non, il y a une espèce d'eucharistie mais diabolique, démoniaque. Jésus dit : « L'un de vous me trahira. » Jean dit : « Seigneur, lequel ? » Et Jésus dit que c'est celui à qui il donnera à manger. En même temps, il prend de la mie de pain, la trempe dans la sauce, l'enfourne dans la bouche de Judas, et Jean commente : « En même temps, le diable est entré dans sa bouche. » Et Jésus dit à Judas : « Maintenant, ce que tu as à faire, fais-le vite. » Judas sort, et saint Jean ajoute : « Et la nuit était tombée. »

G. L. – *C'est horrible, oui, mais, vous savez, Judas est certainement monté au ciel, tout droit. Il y est arrivé le premier.*

M. T. – Ah, mais il s'est suicidé, tout de même!

G. L. – *Vous avez un grand savoir des Écritures saintes.*

M. T. – Il y a un personnage fondamental dans ma famille. Le frère de mon grand-père, donc l'oncle de ma mère. Quand les Prussiens ont occupé en 1871 le petit village de la famille, en Côte-d'Or, ce petit enfant qui avait alors onze ans a fait amitié avec un officier allemand qui lui a appris l'allemand et la flûte. Ces deux traditions se sont perpétuées. Moi, je suis germaniste et mon frère est flûtiste. Donc, ce Gustave Fournier est devenu prêtre, un encyclopédiste, professeur d'allemand, botaniste, organiste, et moi j'ai hérité de lui une Bible en vingt volumes qui est épatante. Vous avez un passage de la Bible et deux pages de commentaires très érudits par exemple sur les poissons, ou bien sur l'âne, ou sur le Jourdain.

G. L. – *C'est ce qui vous permet d'accumuler les précisions. J'ai été frappé par le soin apporté aux menus : « Il y avait des foies de carrelets mêlés à de la laitance de lamproies, des cervelles de paons et de faisans, des yeux de mouflons et des langues de chamelons, des ibis farcis au gingembre et surtout un vaste ragoût dont la sauce brune encore mijotante noyait des vulves de jument et des génitoires de taureaux. » Je ne sais pas si ça met l'eau à la bouche, mais ça dénote une grande science.*

M. T. – Mi-science, mi-invention. Voyez-vous, je m'entoure de beaucoup de précautions. Je pille à mort les documents mais, en revanche, je me tiens à une très grande distance de ce qui est fiction d'un genre voisin du mien. Par exemple, pendant les Rois mages, je me suis gardé de relire *Hérodiade* ou même *Salammbô*, de Flaubert ou *Les mémoires d'Hadrien*, de Marguerite Yourcenar.

G. L. – *Hérodiade, parfois j'y ai un peu pensé, et même ici et là Salammbô. Mais sûrement pas Hadrien.*

M. T. – C'est magnifique, *Hadrien*.

G. L. – *Oui, mais dans Gaspard, Melchior et Balthazar, le ton est complètement différent. Il y a aussi une cocasserie, une verve presque picaresque, des drôleries. Je pense au monologue de l'âne. (« La jument, eh bien, pour l'âne, c'est le fin du fin, c'est la grande dame hautaine et inaccessible. Oui, la jument, c'est la grande et sublime revanche de l'âne sur ce grand dadais de cheval. Mais comment un âne pourrait-il rivaliser avec le cheval sur son propre terrain, au point de lui souffler sa femelle ? ») Pour tout vous dire, s'il faut absolument vous chercher des précurseurs – mais c'est bien vain – je verrais plutôt Dame Tartine que Marguerite Yourcenar, en tout cas dans l'épisode de Taor et, d'une manière générale, je verrais les contes, les légendes, les fables. Mais, au sujet des animaux, j'ai aimé que le bœuf et l'âne soient si bien logés dans votre livre. En revanche, j'ai été un peu étonné. Certains catholiques, des théologiens même, regrettent que le Christ, et l'Église, s'occupent assez peu des animaux, à part l'âne de l'entrée à Jérusalem (puisque l'âne et le bœuf ne figurent pas dans les Évangiles) alors que les païens, les bouddhistes font au contraire une part royale aux bêtes.*

M. T. – Le Christ se veut animal. Le Christ se désigne lui-même comme « l'agneau de Dieu » et, du coup, il met fin au sacrifice des animaux. J'ai écrit un Noël des bêtes. Vous savez, ce qui se passe dans le Temple de Jérusalem le jour de certaines fêtes, dont la Pâque justement, c'est effrayant. Le Temple est un abattoir et les prêtres des bouchers. (« Les prêtres, transformés en équarrisseurs, massacrent des troupeaux entiers. Bœufs, béliers, boucs et même des nuées entières de colombes sont secoués en ces lieux par les convulsions de l'agonie. On les dépèce sur des tables de marbre, cependant que les entrailles sont jetées dans un brasier dont les fumées empoisonnent toute la ville. Te dirais-je que certains jours, quand le vent souffle du nord, ces puanteurs parviennent jusque sur ma montagne et sèment la panique dans mon troupeau ? ») Alors, qu'est-ce que ça veut dire, que le Christ dise : « Je suis l'agneau de Dieu » ? Ça veut dire qu'à partir de la Cène, on ne tuera plus les animaux, on tuera le Christ, le Christ qui est tous les animaux. Et voyez-vous, le merveilleux, c'est que le christianisme soit né au cœur de la fête judaïque par excellence, celle de la Pâque. Au sein de ce banquet de la Pâque judaïque, une petite fleur plus simple apparaît, c'est l'eucharistie, et le christianisme se déploie. Le christianisme n'est pas né à côté du judaïsme, ou contre le judaïsme. Il est né au cœur du judaïsme, mais il y a ce transfert : le Christ prend la place de l'agneau, de la bête et, à l'avenir, ce n'est plus l'agneau que l'on sacrifiera, c'est Jésus.

G. L. – *Tout au long de vos Rois mages, on surprend des échos d'un Testament à l'autre. Le Christ semble achever Adam, comme la Croix accomplit le sacrifice inachevé d'Abraham.*

M. T. – Quand le Christ dit : « Je suis l'alpha et l'oméga », oui, c'est Adam, c'est Adam avant la chute. Mais, vous savez, ces passerelles entre les deux Testaments, je ne fais que suivre les leçons de la théologie – certains théologiens vont jusqu'à apparier les trois jours de Jonas dans le ventre de la baleine et les trois jours du Christ dans les Enfers, c'est un peu audacieux peut-être, mais il reste que l'Ancien Testament a souvent les couleurs d'un rêve inachevé qui deviendra une réalité pleine dans le Nouveau.

G. L. – *Moi, je me suis demandé si les théologiens ne respireraient pas, chez vous, quelque parfum gnostique, l'idée qu'au début des choses, dans les parages de la Genèse, il y a eu un tour de passe-passe, que le diable s'est grimé en bon Dieu et que, depuis, tout est à l'envers, pervers et que le Christ a lancé une tentative pour remettre les choses sur leurs pieds ?*

Michel Tournier ne répond pas à cette question. Il fait un tournant, soudain, et il parle d'autre chose, ou peut-être répond-il, peut-être ne fait-il pas de tournant ?

M. T. – J'ai eu une éducation catholique; en ce sens, je suis catholique mais je dirais plutôt que je suis chrétien car, très tôt, j'ai vu que ce que j'avais reçu de bon dans mon éducation, c'était chrétien, de mauvais c'était catholique.

Ce que je rejette ? L'Église s'est trop trompée en deux mille ans, persiste à trop se tromper pour qu'on lui fasse confiance. Mon reproche, avant tout : sa nécrophilie. Elle ne s'intéresse qu'à Jésus mort sur la croix. C'est le crucifix. Or, l'important ce n'est pas sa mort – tout le monde meurt – ni la Croix – c'était courant à l'époque. Non, dans sa vie, ce qui bouleverse, c'est la transfiguration sur le mont Thabor, l'explosion de ce corps, beau comme le soleil, c'est dit en toutes lettres. Mais, dans l'Église catholique, ce culte du cadavre, du sépulcre, ce faste de la mort, non, ce morbide, rien de moins chrétien.

Imaginez un Romain du temps de Jésus voulant lutter contre les chrétiens. Il montrerait la croix et il dirait : « Fichez-nous la paix, il est mort ! » Or, l'Église dit cela. L'Église nous montre Jésus mort, agonisant, alors que Jésus est avant tout le vivant, le ressuscité. Les images de la vie, de la résurrection sont recouvertes par celles de la mort. C'est là, c'est cette haine profonde de la vie que je n'accepte pas. L'Église reste au fond exactement dans la ligne de l'Ancien Testament, dans le temps de la malédiction, alors que d'autres Églises, tenez, l'Église orthodoxe, savent que le Christ est aussi le Dieu triomphant, le Pantocrator plutôt que le cadavre.

On tient *La vie de Rancé*, le créateur de la Trappe, pour le chef-d'œuvre de Chateaubriand, et c'est en effet un livre admirable; mais quel goût de la mort, quelle horreur de la vie ! Rancé, ce type était ignoble. On ne peut imaginer un être plus totalement pervers, diabolique que ce monsieur qui disait que la maladie vaut mieux que la santé, la bêtise que l'intelligence, l'ignorance que le savoir, la souffrance que le plaisir. Voilà la perversion. Nietzsche avec l'inversion de toutes les valeurs est un petit ange à côté de Rancé, et c'est cela que je trouve inadmissible dans le catholicisme. La perversion même, car la perversion, ça consiste à retourner toutes les valeurs et à appeler *mal* ce qui est *bien* ou *noir* ce qui est *blanc.*

G. L. – Mal, *la sexualité, et bien, comme en Angleterre puritaine du XIXe siècle, les banques et la mort des enfants dans les fabriques, et les massacres coloniaux.*

M. T. – Aujourd'hui même, regardez la télévision. Pas une image de la sexualité, mais la violence, le sadisme, le sang partout.

G. L. – *Mais enfin, le mal, on ne le dissipera pas comme ça, ni la mort, ni le diable. Vos Mages, on dirait parfois qu'ils sont des « adamistes », des gens qui veulent, dans le monde du chaos, retrouver un univers purgé du mal, un univers d'avant la faute.*

M. T. – Le Christ, c'est la « bonne nouvelle », il ne vient pas annoncer le malheur. C'est la Rédemption. Et puis, parmi mes Mages, il y en a un qui est désespéré, c'est Melchior. Melchior a vu que le pouvoir politique est maudit. Il dit : « Nous sommes blessés à tout jamais par le massacre des Innocents. » Or, ce massacre, il ne faut pas oublier que les Rois mages, d'après Matthieu, en sont responsables puisqu'ils ne sont pas retournés voir Hérode. S'ils étaient retournés voir Hérode, il n'y aurait pas eu le massacre.

G. L. – *Mais, d'après Matthieu, c'est un ange qui leur conseille de ne pas retourner voir Hérode.*

M. T. – Qu'est-ce qu'il a voulu faire, cet ange ? C'est bien mystérieux. Hérode savait que c'était à Bethléem que ça se passait puisque c'est lui qui avait renseigné les Mages et les avait envoyés à Bethléem. Et d'autre part, la Sainte Famille de toute façon avait filé en Égypte, alors, pourquoi agit-il comme ça, l'ange ? Il y a eu une « bavure », là, une bavure non de la police, mais de l'ange.

G. L. – *Le Christ est la « bonne nou-*

velle *», bien, mais elle tombe dans un monde maudit, cette nouvelle.*

M. T. – Le monde d'Hérode, oui, tout était horrible. Le massacre des Innocents, oui, mais quand on lit la vie d'Hérode, on imagine peut-être pire. Hérode avait fait massacrer ses propres enfants tout de même, et il y a ce mot d'Auguste, quand on lui annonce la nouvelle de l'exécution des deux fils d'Hérode, un mot historique : « En somme, à la cour d'Hérode, il vaut mieux être un cochon que les fils du roi, car au moins, on y respecte l'interdiction de manger du porc. »

C'est vrai que si l'on songe à ce temps, la vie d'Hérode n'est peut-être pas pire que celle des grands de ce temps, il suffit de penser à Staline, par exemple, mais dans Hérode, il y a ceci d'étonnant : il fut aussi un grand roi. Trente-sept ans de paix et de prospérité pour son peuple.

Au fond, le triomphe d'Hérode et son malheur, c'est la même source. C'est qu'il n'était pas juif. Alors, ce pas tout à fait juif, il se trouve dans sa vie privée en conflit constant avec son peuple, avec les prêtres, mais surtout avec sa femme et la famille de sa femme, sa femme, qui, elle, était une pure Macchabée. En revanche, sur le plan international, la non-judéité d'Hérode en faisait un interlocuteur privilégié pour les Romains. Il comprenait les Grecs et les Romains, il les aimait, les admirait ; c'est même pourquoi Octave, après la bataille d'Actium, et bien qu'Hérode ait jusqu'au dernier moment envisagé de se joindre plutôt à Antoine, c'est pourquoi Octave recouronne quand même Hérode. Et une fois Hérode disparu, les Juifs sont gouvernés par des Juifs intégristes. Il n'y a plus de langage commun avec les Romains. La destruction du Temple et la diaspora ont lieu soixante-dix ans après la mort d'Hérode.

G. L. – *Ce qui frappe, dans votre livre, c'est qu'il y a une partie historique rigoureuse, tout ce qui concerne Hérode, et le reste, les Rois mages, en partie imaginaire puisqu'on ne sait rien d'eux, si ce n'est que Gaspard, dans l'iconographie, est un nègre.*

M. T. – C'était une des difficultés de fabrication du livre, marier les deux matériaux. Je ne crois pas avoir réussi complètement et je crains que les quarante pages consacrées à Hérode forment un massif un peu à part. Enfin, je ne sais pas. Il y a tout de même des racines communes, des échanges, des passerelles. Dans son long monologue, Hérode répond à chacun des Mages, à la question essentielle que chacun des Mages est venu pour résoudre – Gaspard, celle de l'amour et du racisme; Balthazar celle des images, des icônes, de l'art; Melchior, celle du pouvoir. A chacun, il parle. A Gaspard, il dit : « Voilà ce qu'ont été mes amours avec ma femme Mariamne et voilà ce qu'a été ma belle-famille, Salomé, ma sœur, qui est redoutable, Alexandra, ma belle-mère, qui est épouvantable. » A Balthazar, qui est obsédé par l'art, le musée, Hérode dit : « Voilà mon histoire. Toi, tu avais édifié un musée et, en ton absence, des ennemis des images l'ont détruit pour des raisons religieuses. Moi, voilà ce qui m'est arrivé avec l'aigle du Temple. » Et à Melchior, Hérode fait une leçon de politique tragique : « Tu n'as rien compris, Melchior, et ton père a été très coupable parce qu'il n'a pas fait assassiner tout de suite son frère, et son frère est monté sur le trône, t'a évincé. Ton père a eu tort. Si l'on est roi, il faut frapper le premier. Frapper dès que l'on a le plus léger doute. Ton père ne l'a pas fait. Résultat : ton oncle a fait un putsch. Du reste, ton oncle aussi a commis une faute impardonnable, il t'a laissé partir. » Voilà ce que dit Hérode à Melchior. C'est une leçon politique. D'une politique horrible.

G. L. – *Dans* Le Vent paraclet, *vous parlez de Sartre. Il fut votre maître, et puis, en 1945 je crois, il prononce une conférence : « L'existentialisme est un humanisme ». Et cela vous consterne. Est-ce qu'on ne pourrait pas dire la même chose à votre propos : l'auteur du* Roi des aulnes *délivre aujourd'hui une leçon d'humanisme, d'amour candide.*

M. T. – Sartre, nous étions encore adolescents. C'était le « père », donc il fallait le liquider. Nous étions des philosophes purs, intransigeants (Châtelet, Deleuze, qui sont restés philosophes, Butor et moi qui avons cessé de l'être). Alors, quand le « Philosophe », c'est-à-dire Sartre, débouche sur l'humanisme, nous n'acceptons pas. Que penser sur ce point aujourd'hui ? Ou, en d'autres termes, comment le philosophe exigeant que j'étais jugerait l'écrivain que je suis devenu ? Je crois qu'il aurait hurlé de colère, que j'aurais vomi le Tournier d'aujourd'hui. Pour moi, alors, il y avait la philosophie, et c'est tout, mais la philosophie au sens le plus austère du mot, Kant, Hegel, Heidegger – même pas Marx. C'est ainsi. Aujourd'hui je ne fais plus de philosophie, j'ai changé de métier.

G. L. – *Je pensais plutôt à vos soucis humanistes ou moraux. Du reste, à lire vos* Rois mages, *certains critiques se sont étonnés que le livre – il est vrai que c'est la moindre des choses pour une « nativité » – soit un livre d'amour. Ils ont écrit : mais enfin, qu'est-ce qui lui arrive ? Ce Tournier sulfureux, trouble, ogresque du* Roi des aulnes *ou des* Météores, *c'est un « ravi » de la crèche ?*

M. T. – Je vous répondrai deux choses. La corrosion est présente. Lisez les pages sur Sodome, puisque le quatrième Roi mage, Taor, qui rate la naissance de Jésus, passe des années dans les mines de sel de Sodome. J'ai eu beaucoup de mal à écrire ces dix pages sur cette civilisation, inventée, de Sodome. Il fallait parler juste. Éviter de faire une apologie des Sodomites, mais surtout ne pas les accabler, oui, c'était un problème très calé d'autant plus que je devais en faire quelque chose de grand, de cette civilisation de Sodome, car c'est quand même l'Enfer. Alors, à ceux qui disent que mon livre c'est du sucre candi, je conseillerai la lecture de ces pages sur Sodome.

G. L. – *Du « sel candi »...*

M. T. – Et la deuxième chose : un livre a sa volonté propre. Je ne fais pas le livre. Le livre me dit : « Je veux ceci. » Quelquefois je vais très loin. Il peut y avoir, dans certains romans, des pages d'une obscénité extrême, alors que ce n'est pas du tout mon genre, mais le livre l'exige, et je suis son serviteur. *Les Météores* m'ont fait suer sang et eau. Ils m'ont envoyé visiter des asiles d'enfants débiles mentaux, c'est affreux, j'ai été dans des dépôts d'ordures, ce n'était pas ragoûtant, mais le livre le voulait, moi je suivais. Même chose pour celui-ci. J'ai obéi. Il m'a envoyé en Israël, au bord de la mer Morte, en Afrique centrale aussi pour le passage de cette civilisation des baobabs. Un livre est un être vivant, c'est comme un enfant. On ne lui impose pas sa volonté, on respecte la sienne. Dans ce cas, c'est un livre chrétien, l'amour est le sujet du livre, j'ai donc obéi.

Il y a deux sortes d'écrivains. Ceux qui ne peuvent que parler d'eux – Montaigne, Rousseau, Chateaubriand, Gide, Nourissier, et puis les inventeurs de fiction qui ne sont pas à l'aise quand ils parlent d'eux-mêmes. Stendhal, Balzac, Zola, ils ne savent pas parler d'eux-mêmes. J'appartiens à cette deuxième catégorie. Dans *Le vent Paraclet,* j'ai essayé de parler de moi. Tant qu'il s'agit de l'enfance, ça va, parce que c'est loin, mais à mesure que je me rapproche du présent, je biaise, je finis par parler d'autre chose. Donc, quand on lit mes livres, il ne faut pas du tout se demander ce que je pense, mais ce que pense le livre.

G. L. – *Écrivain de fiction, mais vous êtes un peu plus que cela. On pourrait parler d'un créateur de mythes.*

M. T. – Les mythes, on ne les invente pas. On les trouve, et on les sert. J'ai trouvé les Rois mages, Robinson Crusoé, la gémellité, et j'ai irrigué ces grands mythes.

G. L. – *Bien sûr, on n'invente pas un mythe, mais on le « précipite ». Des don Juan, il y en a toujours eu, sans doute, mais un jour Tirso de Molina cristallise le mythe.*

M. T. – Don Juan, c'est un grand, un très grand mythe moderne, mais Molina ne savait même pas qu'il l'avait trouvé. Il a formé un personnage, et ensuite, ce personnage est devenu un mythe. Inventer un mythe sans le savoir, quel autre souhait formuler ? Qu'un jour votre nom soit oublié, mais qu'un de vos objets, un de vos personnages vive tout seul, ça c'est le vrai triomphe.

G. L. – *Dans* Le vent Paraclet, *encore, vous dites que jamais vous ne ferez du « fantastique » – type surréaliste, etc. Vous êtes du côté du réel, du précis, du rigoureux, et si le fantastique doit naître, c'est toujours d'un excès de réalisme. Or, là, vous avez un passage qui pourrait sortir du « voyage en grande Garabagne » de Michaux – quand Taor, le quatrième Mage, traverse le pays des baobalis (ce qui veut dire « les enfants du fils du baobab ») qui rendent un culte au baobab, et enterrent leurs morts dans le tronc creux de ces arbres pour qu'ils continuent de vivre sur un mode végétal.*

M. T. – Pas du tout. Ce Taor est un prince des Indes. Il voyage avec des éléphants, et l'éléphant c'est très important, dans son affaire. Or, quand je suis allé en Afrique centrale, un jour j'ai traversé une forêt de baobabs. Eh bien, un baobab, ça ressemble à un éléphant : ce tronc énorme, gris, ridé et un peu mou, avec des branches courtes et grêles. Un éléphant à vingt trompes. Et j'ai appris que certaines ethnies d'Afrique, notamment les Griots, enterrent leurs morts en les glissant dans la tête du baobab, qui est ouverte, comme on glisse un couteau dans son fourreau. Voilà tout. Je ne raconte rien d'autre dans l'épisode de Taor. Tout ça est du concret. De même, il y a des passages sur les tatouages, on pourrait croire que c'est du rêve, mais non. J'ai étudié la technique du tatouage. Et quand je fais dire à Gaspard : « Un tatoué ne m'a jamais trahi », c'est une phrase qui a été réellement prononcée. Quelle phrase profonde! Le tatoué ne donne pas sa signature. Il *est* lui-même une signature. Comment trahirait-il ?

G. L. – *Vous avez donné congé à la philosophie, mais il y a tout de même pas mal de philosophie, dans ce livre, comme dans les autres.*

M. T. – J'ai compris une chose : je ne pouvais pas être professeur de philosophie. En effet, j'aime passionnément les enfants, mais j'ai beaucoup moins le « contact » avec les adolescents. Je ne me sens bien qu'avec les adultes et avec les enfants – tant qu'ils jouent au cerf-volant, que tout les passionne (ensuite, qu'est-ce qui les intéresse? Le flipper, la moto, le rock). Donc, la seule classe que j'aurais aimé enseigner, c'était la sixième, mais en sixième on ne fait pas de philo. C'est une erreur, du reste. On devrait enseigner la philo dès le jardin d'enfants, mais enfin, c'est ainsi, alors qu'est-ce que je fais? J'écris des livres qui sont enfantins par leur sujet, mais qui contiennent une philosophie cachée. Prenez les livres que j'écris pour les enfants : *Pierrot ou les secrets de la vie, Amandine ou les deux jardins, Vendredi ou la vie sauvage* et *La fugue du Petit Poucet*, ce sont vraiment des livres de philosophie pour des enfants de dix ans. Malheureusement, je me heurte à la censure, car je parle du corps, de la sexualité, etc., et les libraires, les associations de parents n'aiment pas ça. Un jour, quelqu'un m'a dit : « Vous écrivez des livres d'enfants à ne pas mettre entre toutes les mains » – ce qui est vrai, mais je précise : « A ne pas mettre entre les mains de tous les adultes. »

Les Rois mages, je crois qu'un enfant ne pourrait pas s'y intéresser vraiment; c'est que je ne suis pas allé assez loin, je n'ai pas eu assez de talent, ou de génie, pour que ce livre soit un livre lisible pour les enfants de dix ans, mais c'est à cela qu'il faudrait tendre. Vous parliez de philosophie cachée. Là, dans le chapitre du vieux roi Balthazar, il est question de l'image, de la malédiction biblique contre les images, contre l'art par conséquent. Et à partir du texte de la Genèse, j'introduis un commentaire sur la différence entre « la ressemblance » et « l'image » (vous savez, Dieu a créé l'homme à « son image » et à « sa ressemblance ». Pourquoi ces deux mots, à la fois voisins et différents?). Eh bien! je suis convaincu que cette analyse, qui peut paraître subtile, elle est très simple, très simplement explicable à des enfants.

G. L. – *Tout le passage sur Taor, avec ses éléphants, sa gourmandise, ses rêves de pistache et de rahat loukoum, ça pourrait être lu par un enfant.*

M. T. – Il y aurait une difficulté, c'est le passage sur la sodomie, bien qu'on puisse expliquer très simplement à des enfants ce qu'est la sodomie – bien plus facilement même que les relations sexuelles ordinaires. Seulement, la censure s'y opposerait.

G. L. – *Une des choses que j'aime, que j'admire, dans votre œuvre, c'est que vous changez de jeu à chaque livre. Tant d'écrivains se répètent de livre en livre, alors que vous, c'est chaque fois un objet inédit, un thème nouveau, un autre décor – Robinson, Tiffauges, les jumeaux, les quatre Rois mages. Et en même temps chaque livre change de lieu. Il y a une espèce de géographie fascinante de Michel Tournier, un peu enfantine, qui va de l'Inde au Pacifique.*

M. T. – Je voyage beaucoup, et je déteste voyager. Dans *Les Météores*, j'ai une petite théorie. Il y a les gens qui se déplacent dans l'espace sans se transformer. On fait le tour du monde, et on revient tel quel. Moi, non, ça me modifie en profondeur, ça m'altère, ça me remue. C'est pourquoi je peux écrire sur des pays où j'ai passé trois semaines, par exemple dans *Les Météores*, le Japon ou l'Islande. Mais, à cause de cela même, le voyage est une épreuve. Surtout les longs voyages. Je suis allé trois semaines en Inde, eh bien, j'ai été malade pendant deux mois avant d'embarquer, ça me faisait peur.

Je parle là des pays qui ne me sont pas familiers, bien sûr, parce que si je vais en Allemagne, c'est un peu chez moi encore, ou si je vais en Afrique blanche, y compris le Sahara. Et puis, enfin, il y a cette maison-ci, où j'habite, le presbytère, ce jardin, cette église, ce cimetière, cette forêt, oui, j'y ai poussé des racines. Il y a des gens qui déménagent sans arrêt, c'est drôle, moi, je m'enfonce, ici, dans ce petit coin de la terre.

Il est tard maintenant. Le soir éclaire les rouges et les dorés de la forêt, on dirait des feux ou des lampes. Tournier s'enfonce sur la tête un drôle de petit chapeau, et quand il me dit au revoir, sur la place de l'Église, il ressemble à un clergyman bizarre, rusé, très gentil, un peu inquiétant.

IONESCO

« Un écrivain, c'est comme un lieutenant
voulant devenir maréchal de France ou un curé
voulant devenir cardinal. »

Septembre 1982

Né il y aura bientôt soixante-dix ans en Roumanie, Ionesco – il fait partie de ces auteurs célèbres dont on oublie le prénom, en l'occurrence Eugène – publie ce mois-ci chez Gallimard un texte de jeunesse qu'il avait écrit pour une revue à Bucarest : *Hugoliades ou la vie grotesque et tragique de Victor Hugo*. Sous les apparences d'un essai très sérieux, une féroce satire de notre écrivain national jugé vaniteux, nul, creux, boursouflé, illisible, etc. Démonstration que l'on lira d'abord pour sa drôlerie mais aussi parce qu'en filigrane se dessinent des thèmes que l'on retrouvera dans des pièces comme *La cantatrice chauve, La leçon, Les chaises, Rhinocéros, Le roi se meurt*. La critique du langage mécanique, de la monstruosité du grand homme ou du grégarisme, elle est déjà dans la dérision de Hugo. Plus généralement on le voit déjà à l'œuvre, ce soupçon fondamental à l'égard de la littérature qui aboutira à « l'anti-théâtre ». Ionesco, qui ne craint pas les contradictions, garde au fond, et même lorsqu'il joue les réactionnaires, l'insolence de ses débuts. Inversement, on se rendra compte que son pessimisme et son aspiration sans illusions à un monde plus authentique et à une écriture plus spirituelle ne sont pas récents. L'un de ses confrères académiciens (Jean-Jacques Gautier) a pu écrire naguère : « Je ne crois pas que M. Ionesco ait quelque chose à dire. Je crois que M. Ionesco est un plaisantin, un mystificateur donc un fumiste. » A condition que le reproche soit adressé à toute la littérature, au fond Ionesco n'est-il pas d'accord ?

Pierre Boncenne. – *Vous ne trouvez pas que l'interview est une situation très théâtrale au mauvais sens du terme ?*

Eugène Ionesco. – Je pense que certaines interviews, mais pas toutes, rassurez-vous, ont un caractère trop publicitaire.

Comme si on vendait des camemberts! Certaines interviews ne sont pas utiles. Il en va de même des explications que donne l'auteur pour les programmes de théâtre. En réalité, à force de s'expliquer auprès des lecteurs ou des spectateurs, on en arrive à des explications qui se prêtent elles-mêmes à explications d'où des explications de l'explication des explications et ainsi de suite.

P. B. – *Il n'empêche que vous vous êtes prêté au jeu. Au début de vos* Notes *et* contre-notes, *vous avez même avoué :* « *Je regrette un peu d'avoir trop parlé alors que mon affaire était d'inventer.* »

E. I. – Eh oui! C'est que, finalement, je cède à la coutume. En fait, je me défends parce qu'il arrive parfois que l'interviewer pose des questions inattendues en me faisant découvrir d'autres aspects des œuvres. Dans ce cas, je suis très embarrassé parce que j'ai une spontanéité lente.

P. B. – *Remarquez qu'un jour vous aviez trouvé une solution. Dans les* Cahiers du Collège de pataphysique *vous aviez présenté une* « *interview du transcendantal satrape Ionesco par lui-même* ». *C'était un dialogue entre* « *ego et alter ego* ». *Très commode, n'est-ce pas?*

E. I. – En effet, parce que les questions les plus inédites sont encore celles que l'auteur peut trouver. Mais, à propos de l'interview, l'histoire que je préfère est celle de Mark Twain qui, devant un journaliste venu lui demander un entretien, se précipita dans le dictionnaire pour chercher le mot interview : « Je ne sais pas ce que cela veut dire et encore moins comment cela s'écrit. » Le journaliste lui faisant remarquer qu'il aurait du mal alors à trouver, Mark Twain répliqua : « Il y a des images dans les dictionnaires. Peut-être vais-je trouver une image de l'interview... »

P. B. – *Est-ce que vous imaginez Victor Hugo se prêtant à une interview? Il aurait été pompeux et solennel à souhait.*

E. I. – Oh! là, là! Il n'en aurait plus fini de se pavaner et il aurait donné des interviews en alexandrins fabriqués spontanément ou soi-disant.

P. B. – *Vous auriez eu à interviewer Victor Hugo, quelles questions lui auriez-vous posées?*

E. I. – Vous savez, je ne connais plus Victor Hugo.

P. B. – *Vraiment? Vous le détestez au point de l'avoir oublié?*

E. I. – Je ne plaisante pas totalement. Car ce livre sur la vie grotesque et tragique de Victor Hugo, je l'ai écrit en Roumanie, il y a longtemps, à l'âge de vingt-cinq ans. Je travaillais alors d'une façon qui se voulait à la fois savante et drôle. D'où le ton sarcastique de cette étude mais aussi tout son côté sérieux.

P. B. – *Ces* Hugoliades, *on a l'impression en fait qu'il s'agit du pamphlet d'un universitaire surréaliste. Les surréalistes aussi avaient intenté un procès très sérieux à Barrès ou traîné dans la boue Anatole France en publiant à sa mort un texte violent intitulé* Un cadavre.

E. I. – Disons que moi, j'ai fait un procès à Victor Hugo. Je ne suis allé que jusqu'à l'âge de quarante-cinq ans. Mais il était déjà pair de France et complètement grotesque. Remarquez que, à mon avis, tout littérateur est grotesque...

P. B. – *En 1935, quelles étaient vos lectures en français?*

E. I. – Je découvrais les premières traductions françaises de Kafka. Et puis je lisais Proust ou Rimbaud, ou Mallarmé, ou Valéry. En tant que lecteur j'ai surtout été influencé par le fameux précepte de Verlaine : « Prends l'éloquence et tords-lui le cou. » Et c'est pourquoi Victor Hugo m'est apparu à l'époque comme un affreux rhéteur.

P. B. – *Et vous ne vous privez pas de dénoncer cette éloquence mais sur un mode presque sérieux comme pour une véritable étude critique.*

E. I. – J'ai complètement joué le jeu. Et ce qui m'a beaucoup amusé lorsque récemment on m'a rapporté ce texte sur Hugo que j'avais oublié, c'est de retrouver des citations de critiques qui ont complètement disparu ou presque. On connaît encore Thibaudet, mais plus personne ne cite Faguet, Doumic, Lanson ou Biret. Ils étaient en vogue dans les années 30 et maintenant on aurait l'air ridicule si on les invoquait. Je ne dirais pas la même chose de critiques comme Albert Béguin (qui considérait à juste titre Nerval et Rimbaud comme les vrais romantiques alors que Musset, Hugo et Lamartine c'est plutôt de l'éloquence), comme Marcel Raymond, l'auteur de l'étude *De Baudelaire au surréalisme,* ou comme Émile Auerbach qui a écrit *Mimésis.* Mais Béguin, Raymond ou Auerbach apparaissent déjà comme dépassés aujourd'hui par des critiques plus portés sur la linguistique.

P. B. – *Qui à vrai dire commencent eux-mêmes à être démodés.*

E. I. – Oui, ainsi va la critique. Elle ne signifie pas grand-chose. Des critiques, par exemple, ne pouvaient pas supporter mes pièces de théâtre parce qu'ils avaient une autre idéologie que la mienne. Dès lors, tout ce que je faisais était naturellement mauvais. D'autres critiques ont refusé de voir mes dernières pièces parce que j'avais cosigné avec Arrabal un manifeste contre Brecht. En fait, même les grands critiques comme Auerbach ou Béguin ont le défaut de croire un peu trop à la littérature.

P. B. – *Et on a d'ailleurs l'impression que cet essai sur Hugo est une manière de démontrer cette idée sur laquelle vous insisterez plus tard : il n'y a pas de critères dans la critique, on peut affirmer n'importe quoi.*

E. I. – Tout à fait. En 1934, justement, j'avais publié à Bucarest un autre livre qui sera bientôt traduit en français par ma fille et qui s'intitulait *Nu,* c'est-à-dire *Non.* C'était un recueil d'articles parmi lesquels une série d'études où j'essayais de prouver que le plus grand poète roumain de l'époque, que j'admirais par ailleurs, ne valait absolument rien, que c'était la nullité totale. Il y a eu un petit scandale, la critique a contre-attaqué et m'a couvert d'injures. Après l'orage, j'ai écrit une autre série d'études sur le même poète pour prouver que c'était un très grand poète ! Ma carrière de critique littéraire s'est terminée ainsi parce que je n'étais pas sérieux et un critique se doit d'être sérieux. Mon livre sur Victor Hugo est écrit dans le même esprit avec

un mélange de bonne foi et de mauvaise foi, avec une malhonnêteté intellectuelle délibérée.

P. B. – *Mais cela devient presque de l'honnêteté à la fin.*

E. I. – Oui, je finis moi-même par croire et j'espère convaincre que le littérateur Victor Hugo est un imposteur. Lorsque sa fille Léopoldine meurt, Victor Hugo se précipite pour écrire un poème. Quel exhibitionnisme ! Moi-même, quand j'écris des textes intimes, *Journal en miettes* ou *Présent-passé passé-présent,* et que je raconte ma vie, je suis un peu comme Victor Hugo et comme tous les écrivains du monde. La véritable confession, c'est le silence. Mais le silence est le contraire de la littérature. Que la littérature soit rhétorique comme du temps de Hugo, Musset, Vigny ou Lamartine, qu'elle soit hermétique, symboliste ou surréaliste, il y a au départ une imposture.

P. B. – *Vous dites que Hugo fait d'une mouche un éléphant alors que le véritable écrivain doit justement réussir le contraire. Et en affirmant que la poésie est un cri et non pas un discours, vous dénoncez le discours poétique de Hugo, sa prolifération de métaphores gratuites, son langage quasi mécanique. Or, ce langage mécanique, c'est exactement ce que vous allez dénoncer dans votre théâtre à partir de La cantatrice chauve.*

E. I. – Oui, mais les proliférations verbales chez Hugo ont tout de même un sens, tandis que moi, dans le théâtre, j'ai mis en scène des proliférations de mots absurdes. On peut cependant dire qu'avec quelqu'un comme Hugo, le langage est déjà mécanique, sans grande émotion, et que c'est pour cela que je l'ai attaqué.

P. B. – *Vous avez toujours insisté sur l'importance de l'œuvre d'un écrivain et non pas de sa vie. Dans des entretiens avec Claude Bonnefoy,* Entre la vie et le rêve *(Belfond), vous disiez : « Toute l'histoire littéraire telle qu'on la pratique est une histoire de concierge... Ce qui intéresse ce n'est pas la vérité universelle, mais l'aveu personnel, c'est-à-dire le trou de la serrure. » Mais c'est exactement ce* *que vous faites avec Victor Hugo : pour mieux démolir son œuvre, vous regardez par le trou de la serrure, vous racontez ses petites histoires, ses mesquineries et son arrivisme.*

E. I. – Mais qu'est-ce que vous croyez ? C'est que je suis moi-même concierge...

P. B. – *Et vous tournez le dos systématiquement à l'œuvre. Ainsi, vous attaquez le critique Brunetière...*

E. I. – Tiens, Ferdinand Brunetière ! Je l'avais oublié celui-là !

P. B. – *Il aurait eu la sottise d'écrire : « Les vers de Victor Hugo sont agréables, même à la relecture », alors que vous pensez, vous : « L'unique chance de survivance de l'œuvre de Victor Hugo est qu'elle ne peut même pas être lue une seule fois ! »*

E. I. – Je reconnais que cela fait un peu mot d'auteur. Un peu dans le genre de Gide répondant que le plus grand poète français était « Victor Hugo, hélas ! » Et, vous savez, autrefois, on blaguait beaucoup autour de Victor Hugo. Maintenant, c'est interdit. Attaquer Victor Hugo, c'est attaquer une certaine politique de gauche ou populaire, on ne peut donc plus le juger.

P. B. – *Allons, allons ! Vous le pouvez parfaitement, ne serait-ce qu'en ce moment dans* Lire.

E. I. – J'exagère. Mais admettez que Victor Hugo c'est un peu un tabou. A cause de ses opinions que l'on croit progressistes. Je n'ai pas continué sa biographie mais il serait facile de démontrer que son opposition à Napoléon III était avant tout une question personnelle et vindicative.

P. B. – *Il a tout de même écrit* Les châtiments *et pris ses responsabilités.*

E. I. – En fichant le camp à Guernesey. Ce n'était pas faire preuve d'un courage éblouissant.

P. B. – *Ce que vous reprochez à Victor Hugo c'est, je cite pêle-mêle, son insincérité, sa vanité, sa soif de parvenir, sa volonté éperdue d'être un génie, son éloquence, son manque d'émotion, sa débilité d'expression, sa solennité, j'en passe et des pires. Tant d'excès, n'est-ce pas*

une défense contre vous-même ? Au fond, vous ne détestez pas Victor Hugo ?

E. I. – Je déteste presque toute sa poésie et son théâtre. *Les Burgraves, Marie Tudor, Hernani,* très peu pour moi. Je me souviens d'avoir assisté avec ma femme à la fin des années trente à Paris à une représentation d'*Hernani.* Nous étions pliés en quatre sous l'œil réprobateur de notre voisin, un monsieur à barbe blanche et décorations. Mais il y a des œuvres de Hugo que je lisais avec plaisir, par exemple *Les misérables, Notre-Dame de Paris* ou les *Choses vues.* Dans ses grands romans épiques, il rejoint Balzac, il finit par ne plus parler de lui et, au lieu de vouloir être un homme glorieux, il crée tout un univers avec des personnages. La littérature à ce moment-là, quand elle tend vers l'épique, n'est plus une imposture, elle devient une image du monde. Malheureusement, Hugo était trop vaniteux pour s'en tenir là. Il a toujours voulu devenir Victor Hugo, et une fois qu'il l'est devenu, il n'a jamais oublié, même dans l'intimité, qu'il était le grand Victor Hugo. Ainsi, on raconte qu'en 1870, pendant la guerre, Victor Hugo à l'hôpital voit un blessé très grave à qui il manque un bras, il lui serre l'autre main et lui dit : « D'où êtes-vous mon brave ? » Le blessé lui répond : « De Besançon », et Victor Hugo tout fier : « Comme moi... » Moi, moi, toujours moi... On pourrait multiplier les histoires, raconter par exemple la façon ignoble dont il s'est conduit avec Thérèse Biard, sa maîtresse, quand il a été surpris en délit d'adultère : il l'a misérablement laissée tomber en essayant de protéger sa réputation du scandale. Non, franchement, Victor Hugo avait un côté monstrueux.

P. B. – *En fait, ce que vous dénoncez à travers Victor Hugo et que l'on retrouvera aussi dans vos pièces, c'est la monstruosité du grand homme ?*

E. I. – Évidemment. Le grand homme est monstrueux quand il sait qu'il est un grand homme. On ne peut lui pardonner que lorsqu'il l'oublie. Baudelaire ou Rimbaud ne savaient pas qu'ils étaient grands hommes. Et c'est pour cela que je les préfère mille fois à Victor Hugo. Mais chez tout écrivain sans doute y a-t-il un grand homme qui sommeille. Un écrivain, c'est comme un lieutenant voulant devenir maréchal de France ou un curé voulant devenir cardinal. Il y a chez lui de la vanité et du désir de gloire. Autrement, il se tairait.

P. B. – *La vanité, la soif de gloire de l'écrivain existent donc aussi en vous ?*

E. I. – Mais bien sûr ! C'est ce que je me reproche... J'aurais dû avoir une autre vie, être moine... trappiste, par exemple.

P. B. – *Dire cela maintenant alors que vous avez toute une œuvre derrière vous, c'est encore une vanité ou une coquetterie d'écrivain.*

E. I. – Vous pouvez l'interpréter ainsi.

P. B. – *Un autre reproche que vous adressez à Victor Hugo mais qu'il est difficile de vous adresser, c'est son manque d'humour. Il se prend au sérieux.*

E. I. – La seule excuse de l'écrivain c'est de se rendre compte qu'il joue, que la littérature est un jeu. Le pire pour un écrivain, c'est, au contraire, de se prendre au sérieux, et surtout, de se prendre pour un homme délivrant des messages. A cet égard, la meilleure attitude est celle de Nabokov, à qui on demandait s'il avait un message et qui répondit : « Non, je ne suis pas facteur. »

P. B. – *Rapportant l'anecdote selon laquelle Louis-Philippe se serait une fois endormi dans un fauteuil devant le poète, vous dites : « Ce sommeil, Victor Hugo l'a respecté avec déférence. Moi, j'aurais fait des grimaces devant un roi endormi. » Transposons : vous feriez des grimaces devant un président de la République s'endormant malencontreusement au cours d'une conversation avec vous ?*

E. I. – Ah oui ! Enfin, non... Peut-être serais-je parti sur la pointe des pieds. Disons que j'aurais fait des grimaces s'il y avait eu quelqu'un là pour les voir, sinon, ce serait inutile...

P. B. – *Vous aviez projeté de raconter l'agonie et la fin de Victor Hugo. Plus tard, en écrivant votre pièce* Le roi se meurt, *peut-être aviez-vous pensé à ce projet ?*

E. I. – Sans doute y a-t-il des réminiscences. Le côté le plus amusant et, à la fois, le plus pénible de la vie de Victor Hugo, ce fut vers la fin, à partir de son exil jusqu'aux funérailles. Des funérailles formidables où, paraît-il, les prostituées s'étaient mis des fleurs dans le sexe ! Victor Hugo correspond à la conception que j'ai d'un homme-roi avec sa pose et sa gloire. Cela vaut donc le coup de décrire sa mort. Et si l'on retrouve dans mes œuvres ce que j'ai pu dire sur lui, c'est que j'ai été sincère malgré moi.

P. B. – *Aujourd'hui, la notion d'écrivain national et quasi officiel a disparu.*

E. I. – Oui, pratiquement. Aragon reste le poète officiel du Parti communiste. Et en 1965, le prix Nobel a récompensé avec Cholokov une sorte d'écrivain officiel de l'URSS. Mais ce type d'écrivain national tend à disparaître. Reste chez nous une institution comme l'Académie française et... j'en suis.

P. B. – *Vous devancez mon objection.*

E. I. – Je suis académicien comme le peintre Alechinsky est belge. Alechinsky disait : « Je suis belge mais je me soigne. » Moi, je dis : « Je suis académicien mais je me soigne... »

P. B. – *Mais pour être à l'Académie, encore faut-il avoir déposé sa candidature. Vous avez donc désiré y entrer ?*

E. I. – Oui et non. J'avais des amis protecteurs : René Clair, Vladimir d'Ormesson et Paul Morand surtout. Ce sont eux qui m'ont convaincu d'accepter.

P. B. – *On trouve toujours d'excellentes raisons pour accepter.*

E. I. – En réalité, j'avais une raison plus profonde : il m'a toujours semblé que l'écrivain est une sorte de marginal à qui il est indispensable de donner une place prépondérante dans la société. J'ai toujours pensé que l'écrivain doit être protégé et très bien considéré dans le monde. Qu'il soit à la droite de la maîtresse de maison dans les dîners officiels où il y a des ministres, c'est normal. Et voilà pourquoi un établissement comme l'Académie ne me déplaît pas. Surtout que l'on y rencontre des grands érudits : le fondateur de la physique moderne :

Louis de Broglie, celui de l'anthropologie moderne : Lévi-Strauss, de la médecine psychiatrique moderne : Jean Delay, un important historien des religions : Georges Dumézil, ce n'est pas mal, non ? Et puis, l'Académie représente tous les partis et toutes les idéologies.

P. B. – *L'Académie ne se caractérise pas par sa population d'intellectuels de gauche.*

E. I. – Il y en a, par exemple Chamson, Druon...

P. B. – *Druon !*

E. I. – Il était communiste; il y avait Kessel aussi.

P. B. – *Au-delà de la politique, est-ce que franchement le Ionesco de 1935 se moquant avec insolence de Victor Hugo pair de France et académicien aurait pu imaginer qu'un jour lui-même signerait : « de l'Académie française » ?*

E. I. – D'abord, n'oubliez pas de noter que j'ai une supériorité sur Victor Hugo : je suis entré à l'Académie du premier coup ! Et puis, croyez-moi, même quand j'étais jeune en Roumanie, l'Académie française, c'était très tentant. De toutes les façons, nous vivons dans les contradictions et je n'en suis pas à la première.

P. B. – *L'écrivain doit être protégé, me dites-vous. Mais en même temps, dans* Antidotes, *on trouve un long article où vous expliquez que la culture n'est pas l'affaire de l'État.*

E. I. – Même si les écrivains et les artistes sont protégés, la culture doit être libre. Elle l'était sous le régime avant Mitterrand, elle a l'air de l'être encore.

P. B. – *Elle l'est, reconnaissez-le.*

E. I. – Je le reconnais d'autant plus volontiers qu'en plus, quelqu'un comme Jack Lang s'y connaît vraiment en théâtre. Et surtout que Mitterrand s'y connaît en littérature, c'est un authentique écrivain. Tandis que Giscard d'Estaing, que je soutenais pour sa politique, était un très mauvais écrivain qui ne connaissait pas la culture. Quand je songe qu'il allait au Palais-Royal voir des pièces de Françoise Dorin ! Au lieu d'aller voir de temps en temps Beckett, par exemple.

P. B. – *Ou Ionesco ?*

E. I. – Ou Ionesco, pourquoi pas ? Mais ceci dit, il faut reconnaître aussi qu'il n'y avait pas d'oppression contre la culture : ainsi, les metteurs en scène de gauche étaient très largement subventionnés. L'idéologie dominante, ce fut même longtemps celle de l'opposition. Dans les théâtres, les idéologies marxiste et brechtienne étaient au pouvoir et le restent. En face, malheureusement, les libéraux méprisaient la culture, sauf peut-être celle du XIXe siècle. Si vous voulez, les libéraux n'étaient pas dans le XXe siècle. Giscard d'Estaing n'y connaissait rien en culture moderne. Pompidou était un peu moderniste mais à tort et à travers; il voulait le modernisme mais je ne crois pas qu'il le comprenait vraiment. Et de Gaulle aimait certains grands auteurs comme Claudel, qui vraiment ne sont plus de notre temps.

P. B. – *« Ce qui devrait être fait, c'est de dépolitiser la culture et déculturaliser les hommes politiques », disiez-vous en 1978* (L'homme en question). *Vous n'avez pas de raison majeure de vous plaindre aujourd'hui, d'autant que le socialisme, ce n'est pas l'apocalypse que vous annonciez dans de multiples textes.*

E. I. – Nous allons voir... Une véritable politique, pour moi, c'est l'art d'organiser la vie en société de façon à permettre aux savants et aux écrivains de se réaliser. Le but de la politique, c'est donc la culture. Et je reconnais que, pour le moment, je n'ai pas à protester. Mais lorsque j'ai porté les jugements sur le socialisme auxquels vous faites allusion, c'est parce que j'avais comme modèle la Roumanie, l'URSS, la Tchécoslovaquie, la Pologne. Il n'est pas réjouissant le langage d'asservissement de la société socialiste.

P. B. – *Ce langage qui est justement l'un des thèmes principaux de vos pièces et cet asservissement ou « rhinocérité » que vous avez pu dénoncer dans* Rhinocéros.

E. I. – Le langage monstrueux constitué de slogans se retrouve dans toutes les sociétés mais surtout, me semble-t-il, dans les sociétés socialistes. Là-bas, ce langage avec toute sa phraséologie ne pense pas, il est devenu surréaliste comme dit Alain Besançon. Pas surréaliste dans la lignée de l'école littéraire mais dans le sens où il prend le pas sur la réalité. Jamais la célèbre formule n'a été aussi vraie : si la réalité ne se plie pas à l'idéologie, ce n'est pas la faute de l'idéologie, c'est la faute de la réalité. Et ce qui m'inquiétait le plus, c'est qu'en Occident on acceptait, on se soumettait à ce langage en refusant de le dénoncer. J'espère que maintenant, on va commencer à ouvrir les yeux.

P. B. – *En commentant la parution d'un dictionnaire de littérature française contemporaine, vous avez noté : « Quelle pauvreté ! Aucun des écrivains de notre temps, moi inclus bien entendu, ne présente une valeur spirituelle sauf les négateurs comme Cioran. Aragon joue habilement avec les mots. Peut-être que Malraux et Michaux présentent un peu d'intérêt dans la mesure où ils sont métaphysiciens mais ils le sont si insuffisamment. Tout le reste... n'est que vaine littérature. » Cette absence de valeur spirituelle vous paraît vraiment être la caractéristique de la littérature contemporaine ?*

E. I. – D'une manière générale, en fait, la littérature ne présente pas de valeur spirituelle sauf quand il s'agit des témoignages de Pères byzantins, des poèmes de saint Jean de la Croix ou des textes mystiques de sainte Thérèse d'Avila. Certains grands écrivains parviennent aussi à une forme de spiritualité en concevant une littérature épique. La littérature, je vous l'ai dit, est en grande partie une imposture. Quelquefois seulement, quand l'auteur oublie qu'il est un auteur, alors la littérature est tout près, disons à la porte du spirituel. Elle devient une sorte de compensation de la spiritualité. Tenez, on s'en rend compte dans l'une de mes lectures actuelles, *Le lys et la couronne* de Marguerite Yourcenar. Cette anthologie des poèmes grecs où l'on trouve notamment d'admirables textes sur la vieillesse et la mort est l'exemple même d'une littérature ou d'un art se rapprochant du spirituel. C'est ce côté substitut de la spiritualité qui fait défaut dans la littérature française contemporaine.

P. B. – *La littérature moderne dont vous avez été, avec votre anti-théâtre, l'une des figures de proue vous paraît donc dans une impasse ?*

E. I. – La littérature est arrivée à travers le nouveau roman ou le roman objectal à la négation de la littérature. Ce fut une impasse dont on semble maintenant sortir en revenant à des formes plus classiques, quoique un peu dépassées. Il en va de même avec le théâtre. J'ai été effectivement l'un de ceux qui ont écrit de l'anti-théâtre. Nous sommes arrivés au bout et, maintenant, on ne sait pas trop comment recommencer. D'ailleurs, il n'y a plus d'auteurs, il n'y a que des metteurs en scène !

P. B. – *Et vos remarques sont-elles valables pour la littérature venue de l'Est ou la littérature sud-américaine ?*

E. I. – A quelques exceptions près, comme *Cent ans de solitude* de Garcia Marquez, qui est un roman admirable, je connais mal la littérature de l'Amérique du Sud. Quant à la littérature de l'Est, apparemment, elle est d'une forme peu moderne. Un des protagonistes du nouveau roman, dont je préfère taire le nom et à qui je parlais avec enthousiasme de Soljénitsyne, m'a répondu avec suffisance : « Soljénitsyne ! Comme document à la rigueur, mais comme littérature cela ne vaut rien. » Or, je crois au contraire que la force spirituelle de Soljénitsyne est telle que ses livres dépassent les petits problèmes de style et de construction dans lesquels se complaisent la plupart de nos écrivains. Et, au bout du compte, Soljénitsyne fait de la grande littérature. Sans le vouloir. Il ne cherchait qu'à témoigner. Mais, finalement, sa puissance littéraire est incontestable. Des écrivains comme Zinoviev ou Kundera semblent également sortir de l'impasse de la littérature contemporaine parce que leur force spirituelle ou plutôt intellectuelle l'a emporté sur des petites querelles d'école et de vanité littéraire. Ce qui est sûr, c'est que la France, qui pendant très longtemps a été le pays numéro 1 de la littérature au sens le plus fort du terme à tel point que des auteurs comme

Kafka ou Joyce doivent une partie de leur célébrité au fait que les Français les ont reconnus, la France donc n'a plus cette place privilégiée.

P. B. – *Mais vous-même, vous sentez-vous dans cette impasse de la littérature?*

E. I. – Avec mes premières pièces, oui. Mais avec ce que j'écris aujourd'hui, j'espère que non. J'ai adopté le principe de Jean Paulhan qui disait à peu près ceci : il faut plonger dans le banal pour trouver de l'insolite, de l'étrange et du nouveau. Ce qui est sûr, c'est qu'il faut rester simple même s'il n'est pas nécessaire de suivre Anatole France lorsqu'il disait : « Imaginez-vous que vos lecteurs sont des idiots. » En tous les cas, je pense être un peu sorti de l'impasse. Mais il reste chez moi, dans ce que j'écris, un mélange de vanité et de sincérité. Le partage entre vérité et mensonge, littérature et document, sincérité et imposture est difficile à déterminer. Alors, si vous voulez bien, faites comme si je n'avais rien dit!

AIMÉ CÉSAIRE

« Où que j'aille,
je reste un nègre déraciné des Antilles. »

Novembre 1982

Mondialement connu, le nom d'Aimé Césaire est le symbole de l'alliance si rare et pourtant réussie entre littérature et politique. Pour dire son pays la Martinique – cette « Martinique charmeuse de serpents » selon les mots de son ami André Breton – il a d'abord choisi la voie de la poésie. Une poésie d'un style exubérant et dansant où se télescopent des images d'une féerie tropicale et d'où jaillit le cri de la révolte en écho à la nostalgie du paradis perdu africain.

Mais l'écriture d'esprit surréaliste n'a jamais empêché Aimé Césaire d'affronter les réalités. Élu député et maire de Fort-de-France en 1945, il représente maintenant encore la terre qui lui est si chère, luttant pour l'identité « nationale et culturelle » des Antilles tout en ne refusant pas le cadre politique né de circonstances historiques, c'est-à-dire l'appartenance à la communauté française. Rappelons aussi qu'après avoir été membre du Parti communiste, et non sans quelques difficultés, il quitta ses rangs en 1956.

Après un long silence poétique, entrecoupé il est vrai de pièces de théâtre, Aimé Césaire nous revient aujourd'hui avec un recueil à paraître dans une semaine aux éditions du Seuil : *Moi, laminaire...* A près de soixante-dix ans – il est né exactement en 1913 – Césaire a voulu, avec ces textes, établir une sorte de bilan intérieur. Le thème de la négritude, dont il fut avec son condisciple à l'École normale supérieure Léopold Sedar Senghor le militant acharné, est là bien sûr. Mais aussi les volcans, la mer, le soleil, les oiseaux, les mangroves, les baobabs, les monstres des forêts, les odeurs des Caraïbes ou l'Afrique des hypothétiques ancêtres.

> « J'habite une blessure sacrée
> j'habite des ancêtres imaginaires
> j'habite un vouloir obscur

> j'habite un long silence
> j'habite une soif irrémédiable
> j'habite un voyage de mille ans
> j'habite une guerre de trois cents ans
> j'habite un culte désaffecté
> entre bulbe et caïeu
> j'habite l'espace inexploité [...]
> ayant craché volcan
> mes entrailles d'eau vive
> je reste avec mes pains de mots
> et mes minerais secrets »

Essayons en écoutant Césaire de savoir dans quel sol s'est formée cette pierre précieuse : une grande poésie.

Pierre Boncenne. − *C'est d'abord le poète Aimé Césaire que je viens voir, mais aussi − comment l'ignorer? − l'homme politique. Cette distinction entre le poète et le politique vous paraît-elle absurde ou nécessaire?*
Aimé Césaire. − C'est une distinction utile et en même temps arbitraire. Je ne peux pas nier que je sois à la fois écrivain et homme politique. En scrutant plus loin on pourrait s'apercevoir qu'il y a même une très grande unité. Mais, si vous voulez que je réponde le plus franchement possible à votre question, eh bien, je vous dirais qu'en profondeur je me considère comme un poète et que le politique c'est l'accidentel.
P. B. − *Le fait d'être un poète a été une force ou un obstacle dans votre vie politique?*
A. C. − A priori ce devrait être un handicap. Souvenez-vous que déjà Platon rejetait les poètes à la porte de la Cité. Mais je crois que tout le secret de la vie c'est justement de transformer le handicap en avantage. Ce qui pourrait être une gêne, j'ai essayé au fond d'en profiter. Inversement je dois dire que je me suis parfois servi de la politique pour alimenter ma poésie.
P. B. − *Dans votre pièce de théâtre* Une saison au Congo *un des geôliers qui garde le héros de l'indépendance Patrice Lumumba dit : « Rien de plus emmerdant que ces nègres à monocle. » Et*

l'autre geôlier d'ajouter : « Et d'une prétention! Même que maintenant il fait des vers! » Être un Noir intellectuel et, qui plus est, un poète, c'est une forme suprême de révolte?
A. C. − Certainement. C'est en tous les cas l'une des formes majeures de la libération. Mais le problème c'est d'allier la révolte individuelle − car je crois que tout poète est d'abord un révolté, un ange rebelle −, d'intégrer cette révolte dans une révolte collective. Je crois n'avoir jamais oublié que la libération personnelle passait par une libération collective.
P. B. − *André Breton qui, en 1941, découvrait avec émerveillement votre* Cahier d'un retour au pays natal *disait notamment de vous : « C'est un Noir qui manie la langue française comme il n'est pas aujourd'hui un Blanc pour la manier. » Mais avant, lorsque vous étiez étudiant à Normale Sup avec Léopold Senghor, la langue française vous est-elle apparue comme une langue de Blancs?*
A. C. − Oui et non et c'est toute l'ambiguïté martiniquaise. N'exagérons pas : la langue française ne m'était pas complètement étrangère. Mais je rappelle que Senghor et moi, lorsque nous parlions − et, croyez moi, nous en avons longuement discuté −, la question pour nous à ce moment-là n'était pas de savoir si nous devions nous exprimer en français ou dans une autre langue. En fait nous

n'avions pas le choix : nous sommes les produits d'une civilisation, d'une culture, nous étions formés à l'école française et nous ne pouvions que l'accepter. La question était de savoir quel usage nous allions faire de cette langue, la langue n'étant pas une fin en soi mais un instrument. Et nous nous sommes aperçus que cette langue française formée au cours des siècles pouvait être un instrument extraordinaire d'expression comme un instrument de domination, d'écrasement. Nous avons donc cherché à nous servir du français en le pliant à nos exigences intérieures, en créant avec le français sinon une autre langue, du moins un autre langage. Et cela nous conduisait, Senghor et moi, vers la poésie parce que le poète est précisément celui qui refait la langue.

P. B. – *Mais vous n'avez jamais rêvé à une autre langue ?*

A. C. – Non, parce que je n'avais pas le choix. Je ne suis pas africain, je suis martiniquais. La Martinique est certes un pays bilingue : il y a le français qui est la langue officielle et le créole qui est la langue locale. A mon avis, le créole est une langue, pas un patois. Mais le créole est une langue régionale et à mon époque, pour ce que j'avais à dire, il n'était pas question que je m'exprime en créole. Le français était, et reste je l'avoue, l'instrument le plus approprié.

P. B. – *Vous êtes un poète de la « négritude ». Mais pourquoi n'acceptez-vous pas l'étiquette de poète « surréaliste » ? Le surréalisme dans ce qu'il avait de plus fort correspond à cette rupture avec le langage qui a été la vôtre.*

A. C. – Ah ! mais je ne renie pas le surréalisme : c'est un acquis formidable qui m'a apporté énormément. Je ne veux pas être ingrat, ce serait de la sottise, ma dette à son égard est considérable. Mais c'est vrai que je récuse le terme de surréalisme parce que, pour moi, c'est une forme d'assimilationnisme...

P. B. – *Votre rencontre avec Breton et le surréalisme a tout de même été capitale pour votre œuvre.*

A. C. – Il faut corriger un malentendu. Quand Breton en venant à la Martini-

que a découvert mes textes dans la revue *Tropiques*, il a cru que j'étais surréaliste. En fait nous avions plutôt des racines identiques, Breton et moi, par exemple la lecture de Lautréamont ou Rimbaud. Voilà pourquoi nous nous sommes retrouvés sans que je devienne un membre du groupe. Cela dit, le surréalisme m'a permis d'aller plus loin dans ma recherche, de me dépasser, de me libérer vraiment. Car c'était l'appel aux forces profondes de l'homme, une sonde jetée dans l'insondable, la remontée des forces enfouies. N'oubliez pas qu'à cette époque c'était la théorie de l'assimilationnisme qui dominait : nous, Martiniquais, apparaissions comme des Français à peau noire. Et d'autant plus français que nous étions élevés en France. Or le surréalisme nous permettait enfin de comprendre que la culture européenne n'était pour nous que le moi superficiel et que toutes les forces essentielles appelées plus tard la « négritude », il fallait les retrouver, leur permettre de surgir comme un geyser.

P. B. – *Et si Breton dénonçait les « négriers de l'esprit » qui enferment nos rêves sous la chape de la raison vous vous réclamiez, vous, de « la démence précoce, de la folie flambante, du cannibalisme tenace ».*

A. C. – En citant ces mots vous tiendrez compte, je l'espère, de leur côté provocation surréaliste...

P. B. – *Vous ne récusez pas pour autant votre « cannibalisme tenace ».*

A. C. – Ah non, j'approuve ! D'ailleurs, il ne faut jamais rien renier. C'est pour cela précisément que, tout en me méfiant du qualificatif « surréaliste » parce qu'il y a là un écueil, je n'ai jamais renoncé au surréalisme. Le surréalisme c'est le point de l'esprit où l'Europe et l'Afrique peuvent se rejoindre. Le surréalisme, c'est une révolte contre l'esprit européen traditionnel et l'on peut presque dire que l'esprit non européen est naturellement surréaliste.

P. B. – *Vous parlez de l'Europe et de l'Afrique. Mais la force du surréalisme est-ce que ce n'était pas d'abolir toutes les frontières ? Apollinaire, à qui vous avez* *emprunté le titre d'un de vos recueils de poèmes,* Soleil cou coupé, *rêvait aussi bien du pont Mirabeau que de l'Océanie.*

A. C. – Bien sûr. Il s'agit de s'enrichir de toutes les richesses, d'où qu'elles viennent. A l'heure actuelle, par exemple, vous constatez l'influence incroyable des mystiques orientales sur l'esprit européen. Le zen, à qui appartient-il? On ne le sait plus très bien. Mais s'il faut être à l'écoute de toutes les expériences d'où qu'elles viennent cela ne veut pas dire que l'on doit abolir les particularités. J'ai toujours refusé l'opposition du singulier et de l'universel. Et c'est cette vieille phrase de Hegel qui, pour Senghor et moi, a été le fil conducteur : « Ce n'est pas par la négation du singulier que l'on va vers l'universel, c'est par son approfondissement. » Une phrase qui vaut d'ailleurs aussi en politique.

P. B. – *Votre poésie, que je qualifierai de « primitive »...*

A. C. – Le terme me plaît beaucoup!

P. B. – *... On la récite, on la dit en Martinique?*

A. C. – Oh! je voudrais bien... mais ce n'est pas le cas, sans doute à cause des traditions ou des coutumes culturelles. Je le regrette parce que je crois que l'on peut proférer ma poésie.

P. B. – *Il y a plus de vingt ans que vous n'avez pas publié de poésie. Pourquoi ce très long silence?*

A. C. – D'abord parce que j'ai été dévoré, écrasé par la politique et ses tâches quotidiennes. Il m'est arrivé – je compte sur vous pour ne pas titrer là-dessus... – d'écrire des poèmes à l'Assemblée nationale pendant quelques séances ennuyeuses, mais ce n'était pas suffisant pour faire un livre. Et puis, dans les années 60, au moment de l'éclosion de ce grand phénomène qu'a représenté la décolonisation, j'ai trouvé un nouveau mode d'expression littéraire dans le théâtre. Maintenant, au point où j'en suis de la vie, je reviens à ce qui est pour moi la chose première : le poème. Ce qui ne veut pas dire que j'établis une coupure entre les genres.

P. B. – *Oui, parce qu'il y a beaucoup de poésie dans votre théâtre.*

A. C. – Mais j'espère qu'il n'y a pas trop de « théâtre » dans ma poésie!

P. B. – *Le titre de votre recueil,* Moi, laminaire... *comment l'interpréter?*

A. C. – La laminaire c'est l'algue qui se déroule mais qui fondamentalement reste toujours accrochée à son rocher. Ce travail, *Moi, laminaire,* a un peu des allures de bilan, je n'ose pas dire de testament. J'ai l'impression en effet qu'une boucle est bouclée. Et si j'examine ma vie avec un œil critique, je m'aperçois que j'ai toujours parlé d'une seule et même chose : de moi, bien sûr, mais aussi et surtout de mon pays. Il y a une identification fondamentale qui s'est accomplie entre moi et mon pays. Je vis mon pays avec tous ses handicaps, ses ambiguïtés, ses angoisses, ses espérances et, où que j'aille, je reste un nègre déraciné des Antilles, où que j'aille j'emporte avec moi mon pays, je reste lié à ce rocher volcanique qui s'appelle la Martinique et qui finalement est un petit point dans l'Océan à peine lisible sur une carte, rien d'autre. Mais le paradoxe c'est que mon aventure poétique est une tentative pour reconstruire le monde à partir de ce rocher, pour retrouver l'universel à partir de ce point singulier. Dès le *Cahier d'un retour au pays natal* j'ai dit mon pays avec ferveur, lyrisme, espérance, avec la fougue de ma jeunesse. Aujourd'hui, plus de quarante ans ont passé, quarante ans où il fallait traverser la vie et ses innombrables difficultés et ce *Moi, laminaire,* c'est un peu l'arrivée, la fin d'un voyage.

P. B. – *En vous lisant mais aussi en vous écoutant maintenant, je vous trouve d'une nostalgie teintée de pessimisme. Même si vous insistez sur la « force toujours de regarder demain ».*

A. C. – C'est l'éternel combat dans chaque homme entre l'ombre et la lumière. Ma raison, c'est vrai, est assez pessimiste, et qui ne le serait dans le monde tel qu'il va? Mais mon instinct qui est une force de vie m'oblige à ne pas désespérer. Et je ne crois pas que vous puissiez dire que ma poésie est pessimiste. Elle se veut plutôt lucide et nourrie par une sève qui n'est pas de l'ordre de la raison.

P. B. – *C'est ce que dans* Les armes miraculeuses *vous appeliez « les amandiers de l'espérance » tandis que dans* Moi, laminaire *vous dites : « J'habite une soif irrémédiable ». Vous n'avez jamais perdu espoir ?*

A. C. – Non, malgré toutes les raisons de désespérer. En fait, je suis incapable de désespérer, c'est viscéral. Désespérer ce serait démissionner, se croiser les bras. Et même si en poésie je suis resté longtemps sans publier, je n'ai jamais cessé d'être en activité comme un volcan. D'ailleurs, je dis souvent que ma poésie est « péléenne », à cause de la montagne Pelée, ce volcan de la Martinique qui explosa en 1902. La montagne Pelée était considérée comme un volcan éteint. Or, pas du tout. Ma poésie c'est un peu pareil : ça s'accumule, ça s'accumule et, un beau jour, ça explose.

P. B. – *Mais, sans vouloir vous vexer, votre poésie est un peu moins dangereuse qu'un volcan !*

A. C. – Je suis surréaliste, vous le savez bien...

P. B. – *Vous évoquez dans le* Moi, laminaire *quelques amis disparus : le peintre cubain Wifredo Lam, l'écrivain guatémaltèque Miguel Angel Asturias, mais aussi un poète assez mal connu, Léon G. Damas. D'où notamment ces vers : « Je vois des négritudes obstinées/les fidélités fraternelles/ la nostalgie fertile/la réhabilitation de délires très anciens. » C'est surtout avec Damas et Senghor que vous avez milité pour la négritude ?*

A. C. – Damas était un poète guyanais qui a fait ses études à la Martinique où je l'ai connu. Auteur d'un recueil intitulé *Pigments*, il a été très ami avec Queneau, Desnos, Prévert et il a été très influencé par la poésie comme par le rythme du blues négro-américain. Damas le Guyanais, Senghor l'Africain et moi l'Antillais, c'était ma jeunesse, c'était, malgré des différences, la fraternité et une grande aspiration, un grand effort pour exprimer le moi nègre.

P. B. – *Et vous vous reconnaissez dans la poésie de Senghor qui est très classique par rapport à la vôtre ?*

P. B. – Oui. On croit que le classicisme de Senghor c'est une poésie « classique » au sens où l'on dit que Virgile est un classique. Il y a de ça chez lui dans la mesure où il a été formé par l'École normale. Mais on oublie que chez Senghor il existe un autre classicisme : c'est celui de la poésie sénégalaise tout simplement, une poésie de cour très savante. En Afrique, le griot du village s'exprime de façon très classique. Senghor est donc authentiquement africain dans son classicisme et c'est pourquoi je me reconnais dans lui malgré nos différences de tempérament. Senghor c'est l'Africain, c'est l'Afrique de la sérénité et de la sagesse, c'est l'homme ancré dans des traditions. Moi, avec les Antilles, c'est la négritude déracinée, exilée, déchirée et cherchant à reprendre pied après le grand naufrage. Senghor et moi nous nous complétons. J'ajouterai ceci : j'ai peur, et je le vois à différents signes, que l'on soit actuellement injuste à l'égard de Senghor, de son œuvre poétique comme de l'action qu'il a menée à la présidence du Sénégal.

P. B. – *Vous aussi, en Martinique, parfois vous êtes contesté maintenant.*

A. C. – Mais c'est parce que les jeunes se rendent compte qu'ils sont tous mes fils ! Cela dit, je trouve tout à fait normale, enrichissante la contestation entre les générations. Je voudrais seulement rappeler que notre combat pour la négritude il y a cinquante ans, bien avant la décolonisation, ne fut pas aussi facile qu'on pourrait le croire. Et qu'à l'époque nous avions presque tout à inventer.

P. B. – *Dans le* Moi, laminaire *vous parlez des « capteurs solaires du désir :/ce sont mots/que j'entasse dans mes réserves /et dont l'énergie est à dispenser/aux temps froids des peuples », ou alors vous dites : « Avec un mot frais on peut traverser le désert d'une journée. » Vous avez toujours cru à la puissance des mots ?*

A. C. – Je n'ai jamais cessé d'être fasciné par la magie des mots. Le mot est démiurge, c'est lui qui organise le chaos, c'est avec les mots que nous passons de l'existence toute simple à l'être.

P. B. – *Quels seraient les mots pour vous qui évoquent le plus la Martinique?*

A. C. – Sans réfléchir : volcan, mer, oiseau, mangrove, couresse. Ce mot-là, « couresse », qui désigne un serpent d'eau, est plein de poésie pour moi. Mais j'aurais pu citer Caraïbes, je préfère en fait dire « Caribe ». Ou alors Afrique. L'Afrique, l'Afrique, je pourrais rêver des heures là-dessus.

P. B. – *Justement vous écrivez ceci : « J'ai le sentiment que j'ai perdu quelque chose : / une clef la clef / ou que je suis quelque chose de perdu / rejeté, forjeté / au juste par quels ancêtres? » Ou alors : « J'ai tiré au sort mes ancêtres. » Vous ne savez absolument pas quelle est l'origine de votre famille?*

A. C. – Je sais que je viens d'Afrique et c'est facile à voir! Mais d'où exactement? C'est difficile à savoir parce que la traite a couvert une surface considérable. Tout le golfe de Guinée, du Sénégal jusqu'au Congo, donc toute l'Afrique occidentale. Sans espoir de trouver avec précision, je n'ai pas pu ne pas m'interroger sur mes origines. Quand j'ai vu l'île de Gorée où étaient rassemblés les esclaves avant leur départ pour les Amériques, j'ai eu un choc. Je me souviens également que, dans les années 60, j'ai vu dans la région de Casamance, entre la Gambie et la Guinée, la reine Sebeth. Oh! rassurez-vous, ce n'était pas une reine à diadème, mais une reine de village aux pieds nus, une petite femme noire aux yeux étincelants de vivacité, d'intelligence, dont Malraux disait : « J'ai vu bien des reines et celle-là n'est pas la moins reine de toutes les reines. » Eh bien, quand j'ai vu cette reine paysanne qui rayonnait d'une sorte de puissance spirituelle, j'ai cru revoir ma grand-mère paternelle (cette grand-mère m'a beaucoup influencé puisque c'est elle qui, dans mon petit village de Martinique, m'a appris à lire), quand j'ai vu la reine Sebeth j'ai eu la certitude d'être originaire pour une part de cette région de l'Afrique occidentale. Et peu importe au fond de quelle ethnie, de quelle tribu.

Mais ce que j'ai toujours senti avec intensité et force, c'est que je suis un homme d'une diaspora, un homme qui a ressenti jusqu'à l'angoisse – je ne prétends pas que tous les Martiniquais éprouvent ce sentiment – une déchirure première. D'où ma nostalgie d'un paradis perdu.

P. B. – *Mais vous vous définissez quand même comme un homme des Caraïbes?*

A. C. – Ah oui! Là, je faisais un peu d'archéologie intérieure en parlant d'Afrique. Mais c'est évident que je me sens profondément des Caraïbes.

P. B. – *Parce que les Caraïbes c'est le seul lieu où se rejoignent l'Afrique, l'Europe et les Amériques?*

A. C. – Exactement. Voilà l'intérêt profond du phénomène caraïbéen : d'être un lieu de rencontre. Cela crée de terribles ambiguïtés mais ces ambiguïtés peuvent être transformées en richesses. Après tout Saint-John Perse, c'est un Blanc européen, mais la Guadeloupe où il est né ne peut pas le renier...

Quant à notre soubassement africain, il est heureusement de plus en plus évident. Je suis frappé par la présence africaine dans les Antilles. L'un des drames de l'aliénation colonialiste a été de nous faire oublier cette appartenance première à l'Afrique. On a essayé de la nier, de la rejeter au nom de la Civilisation. Nous savons maintenant ce que peut être cette civilisation... Je n'ai jamais dit pour autant que l'Antillais était seulement un Africain déporté. C'est l'élément fondamental, mais il y a aussi, par exemple, l'héritage des anciens habitants des îles qui furent massacrés et qui nous ont laissé notamment leurs poteries ou leurs vaneries.

P. B. – *Et quand vous vous souvenez d'Asturias ou de Wifredo Lam, finalement vous évoquez un esprit commun?*

A. C. – Oui, Asturias c'est la culture indienne. Et à travers Lam je retrouve tous nos problèmes. Dans sa peinture il y a l'apport africain, l'apport du surréalisme, l'apport de Picasso, l'apport des Caraïbes. La peinture de Lam c'est une terre de rencontre exactement comme notre pays.

P. B. – *Dans un de vos recueils vous évoquiez « l'heureuse tendresse des îles ». Mais cette tendresse des îles des Caraïbes il faut parfois lutter contre son envoûtement. C'est ce que vous voulez rappeler dans* Moi, laminaire *en intitulant l'un de vos poèmes « La justice écoute aux portes de la beauté » ?*

A. C. – Oui, parce que l'on peut s'endormir dans la beauté des Caraïbes. C'est le danger. Et ce piège, je crois l'avoir en partie évité grâce à la politique, au souci du collectif. Tout en admirant les paysages de la Martinique je pense m'être toujours dit : oui, mais l'homme ? Qu'est-ce qu'il est ? Comment vit-il ? Ses problèmes ? Ses angoisses ? Son histoire ? Du coup, la beauté du paysage se transforme en exigence pour une beauté plus complète, plus totale, qui est celle de la justice. Sans se complaire dans ce que l'on appelle – c'est un mot à la mode – la différence. Il ne faut pas s'enliser dans notre différence. De même, il ne faut pas se complaire dans l'unique beauté de nos paysages.

P. B. – *Il y a chez vous une corrélation entre révolte littéraire et révolte politique. Mais même ceux qui n'apprécient pas votre œuvre le reconnaîtraient : jamais votre poésie, votre style, votre esthétique n'ont eu à souffrir de votre politique. Alors que tant d'autres écrivains de gauche ont sombré parfois dans le « réalisme socialiste », vous n'avez pas succombé. Pourquoi, à votre avis ?*

A. C. – Parce que j'ai toujours refusé la littérature de slogan. Quelle qu'elle soit. La poésie ne peut pas, par essence, être simplificatrice ni réductrice. Et le réalisme socialiste est une effroyable simplification. Vous le devinez, à une époque cela n'a pas arrangé mes rapports avec le Parti communiste... Car, même quand j'étais membre de ce parti, je n'ai jamais, mais alors jamais renié André Breton. Au-delà de la personne de Breton à qui j'étais profondément attaché, mon attitude c'était le refus de toute une série de soumissions qu'il est inutile de détailler. Ce qui est sûr c'est que ma fidélité à Breton est une fidélité à l'esprit libre de

la poésie qui a vraiment été compromis chez d'autres.

P. B. – *Votre théâtre est très politique. Et pourtant on n'a pas envie de dire à son sujet non plus qu'il s'agit d'un théâtre engagé.*

A.C. – Je crois que le terme « engagement » n'est pas très heureux. Nous sommes profondément engagés dans la vie, dans l'existence, d'accord. Mais engagé parce qu'on a pris sa carte du parti ? Alors, non. Ce mot est vidé de sa substance, il n'a plus de sens. De plus, la politique fait partie de la vie, nous sommes plongés dedans, pas besoin de s'y engager. En tous les cas, moi, je n'en ai pas eu besoin. Et c'est peut-être parce que j'ai été nourri de politique comme d'une forme de la vie que j'ai écrit le plus librement possible de la poésie comme du théâtre. Il m'aurait paru répugnant et contraire à ma nature d'accepter des slogans, des consignes, des mots d'ordre. Là aussi c'est peut-être l'un des acquis du surréalisme : de vouloir toujours garder sa liberté.

P. B. – *« Dieu ? Je veux dire la liberté », avez-vous dit dans* Les armes miraculeuses.

A. C. – Liberté, c'est le mot le plus important pour moi. Si je devais me confesser en résumant le plus possible je dirais que je suis d'abord un sauvage ! Ou alors, pour prendre des références culturelles européennes, je dirais que je suis rousseauiste. La chose la plus épouvantable pour moi c'est la dépendance de l'homme à l'égard de l'homme. L'homme est libre lorsqu'on dépend du soleil, de la pluie, du climat. La malédiction et l'absence de liberté commencent à partir du moment où l'on dépend d'un homme, où l'homme écrase l'homme. C'est pourquoi je n'ai jamais été un homme de cour, de cénacle, d'antichambre et de slogan.

P. B. – *Il y a un passage célèbre du* Cahier d'un retour au pays natal, *quand vous glorifiez « ceux qui n'ont inventé ni la poudre ni la boussole / ceux qui n'ont jamais su dompter la vapeur ni l'électricité / ceux qui n'ont exploré ni les mers ni le ciel / mais ceux sans qui la terre ne serait pas la terre ». Est-ce que depuis* *que vous avez écrit ces vers il vous paraît que le fossé s'est élargi ou non entre ceux qui ont inventé la poudre et la boussole et ceux sans qui la terre ne serait pas la terre ?*

A. C. – Le grand phénomène mondial depuis la guerre c'est cette prise de conscience : nous dépendons tous les uns des autres, rien de ce qui se passe en un quelconque point de la planète ne peut plus être indifférent à un homme quel qu'il soit. Il y a des rapprochements, ne serait-ce que par la technique. Il se produit également des échanges de valeurs, par exemple la musique et le rythme noir, ou alors l'esprit oriental. L'échange n'a plus lieu à sens unique et l'Europe reçoit de plus en plus.

P. B. – *Êtes-vous partisan de l'indépendance de la Martinique ?*

A. G. – J'ai toujours lutté pour l'identité martiniquaise, pour la maintenance d'une communauté, pour le vouloir-vivre d'une communauté. Oui nous sommes petits, oui nous sommes pauvres, oui nous avons été aliénés, mais il faut que nous soyons, que nous existions et cela doit, malgré notre petitesse, importer au monde. Je refuse avec force la disparition et l'aliénation. C'est ma position fondamentale. Le reste est une affaire de circonstances. C'est le peuple martiniquais qui doit en définitive choisir. Et il ira aussi loin qu'il pense pouvoir aller. Je ne veux pas, moi, trancher pour lui en imposant une nouvelle tyrannie. Car il s'agit d'une prise de conscience collective. Je suis sûr que les peuples réajustent de manière permanente leurs revendications en fonction des nécessités.

P. B. – *Là, vous me faites une réponse un peu générale, je dirais presque d'homme politique. Mais vous, en tant qu'individu martiniquais, qui bien entendu est aussi député, franchement que souhaitez-vous ?*

A. C. – Dans l'état actuel du monde une nouvelle formule serait celle qui nous permettrait d'être nous-mêmes sans rompre les liens de solidarité que l'histoire a forgés. Je n'attendais pas du nouveau gouvernement de Mitterrand des miracles. Mais alors que nous étions depuis

des décennies dans un ghetto, il y a eu la volonté de reconnaître notre différence, il y a eu un esprit de dialogue qui aboutira dans peu de temps à un nouveau statut un peu comparable à celui de la Corse.

P. B. – *En dehors de l'exotisme avez-vous l'impression que les Français comprennent un peu mieux la Martinique ?*

A. C. – On en est resté à la carte postale, d'autant plus qu'il y a le phénomène de l'immigration qui s'est traduit dans la vie quotidienne par le facteur noir ou le conducteur de métro noir. Certains Français supposent, j'en suis sûr, que la réalité martiniquaise est plus complexe, mais comprennent-ils vraiment que même dans ces temps de crise il faut se préoccuper de ces petites îles lointaines apparemment sans importance ? Il me semble que le rôle de la culture et de la poésie en particulier c'est de rappeler que le sort de l'homme se joue partout dans le monde y compris sur le moindre rocher. Quant à la politique, son rôle c'est de vous rappeler constamment la souffrance humaine et la justice. La politique c'est ce qui permet d'être responsable en évitant l'angélisme ou l'abstraction. Je ne sais pas ce que l'histoire dira de moi mais, puisque vous avez cité quelques-uns de mes vers, permettez-moi tout juste de rappeler celui-ci : « J'ai guidé du troupeau la longue transhumance. » Je reconnais que c'est un peu orgueilleux, mais c'est de cette manière que je considère ma vie et mon travail.

P. B. – *Terminons alors par le dernier mot justement de* Moi, laminaire : *« Une nouvelle bonté ne cesse de croître à l'horizon. » Que voulez-vous dire par là ?*

A. C. – Encore une fois je reste en fait fidèle au surréalisme : il faut réinventer l'homme et de nouveaux rapports de l'homme avec l'homme. Il faut réinventer le monde, apporter un nouvel oxygène.

P. B. – *Breton disait : « La parole d'Aimé Césaire, belle comme l'oxygène naissant. » Mais la bonté est-ce que c'est un terme très surréaliste ?*

A. C. – En tout les cas, c'est un mot très nègre.

JEAN DUTOURD

*« Si l'on choisit le bien, qui est austère,
au lieu du mal, qui est marrant,
on n'a pas d'ennuis. »*

Janvier 1983

« Jean Dutourd n'est qu'un sale con, un vieux réac, une salope de droite et, pis encore, un académicien. [...] Cependant, cette immondice pensante est dotée d'une qualité surprenante chez elle : le sens de l'humour. [...] Son livre mériterait d'être inscrit au programme de toutes les écoles, tant son style impeccable et désuet provoque le rire. Un régal ! »
De qui, ces mordilleuses gentillesses ? De Gérard Mordillat. Parues où ? Dans... *Libération*.
S'il a lu cet article (consacré en 1981 à son livre *Un ami vous veut du bien*), Jean Dutourd a dû en être aussi ravi que de son élection à l'Académie française. Car, à sa façon, Mordillat lui signifiait que c'en était fini pour lui du temps des morsures.
Dès son premier livre, *Le complexe de César* (1946), Dutourd s'était fait mordre jusqu'au sang. *Au bon beurre* (1952), en lui valant les gros tirages, exacerba les haines. *Les taxis de la Marne* (1956) furent un révulsif pour les anticocardiers. Notre homme était depuis longtemps l'une des cibles favorites du *Canard enchaîné* quand Claude Roy définit son livre *L'école des Jocrisses* (1970) comme « le bréviaire de l'homme de gauche » – entendant par là que l'homme de gauche ne pouvait trouver ailleurs meilleur condensé de la pensée de droite.
Treize ans plus tard, le cercle de famille a cessé d'aboyer à pleine gueule dès que Dutourd paraît – ou dès que paraît un Dutourd (nous en sommes à trente-six). Le gros bon sens du chroniqueur de *France-soir* donne encore envie de mordre à certains. Mais même ceux-là se laissent prendre au charme d'une plume aiguë entre toutes. Peut-être ont-ils aussi découvert un écrivain de grande race dans des romans comme *Les horreurs de l'amour* (1963), *Pluche ou l'amour de l'art* (1967), ou *Le printemps de la vie* (1972)...
Tel qu'en lui-même enfin l'Immortalité le change, le narquois Jean Dutourd,

« grosse tête » aimée du bon peuple et esprit subtil enfin reconnu par l'intelligentsia la plus exigeante, garde, quoi qu'il en dise, la nostalgie des morsures. En tout cas son dernier roman, *Henri ou l'Éducation Nationale* (Flammarion), fait tout pour les provoquer. Pas sûr, cette fois, que Mordillat ne morde pas : les « soixante-huitards » et leur postérité en prennent pour leur grade, au passage, dans ce roman de formation où Jean Dutourd a mêlé la confidence et le pamphlet, le chant secret et la fiction.

Jean-Michel Royer. – *Commençons par le prénom. « Henri ou l'Éducation Nationale. » Pourquoi Henri ? A cause de votre éditeur Henri Flammarion, à qui vous dédiez ce livre comme à votre « frère d'esprit, frère de cœur » ?*
Jean Dutourd. – Oui... Enfin, tous les Henri ne sont pas Flammarion, quand même... Il y a eu un certain Henri Beyle, entre autres...
J.-M. R. – *Nous y voilà. Votre héros, c'est un Henri Brulard d'aujourd'hui ?*
J. D. – Non. Mon héros ne s'appelle ni Flammarion ni Brulard, il s'appelle Chédeville. Il a vingt ans. Et il raconte ce qui lui est arrivé quand il avait dix-sept ans, et avant, au cours de son enfance.
J.-M. R. – *Mais, dès la première page, quand il monte au Sacré-Cœur pour rejouer à sa manière la scène de Rastignac défiant Paris du haut du Père-Lachaise, il a son « Brulard » sous le bras.*
J. D. – Oh! C'est un jeune homme qui a tout lu... Stendhal, il l'aime bien, mais ça ne va pas plus loin... Ce n'est pas un Henri Brulard d'aujourd'hui : c'est un jeune homme de toujours, un jeune homme immémorial...
J.-M. R. – *Mais il vit aujourd'hui, il est plongé dans la société actuelle.*
J. D. – Croyez-vous qu'on la décrive si souvent, cette société actuelle ? Pas dans la littérature, en tout cas! Au cinéma, oui. Chez les chansonniers, oui. Elle fait les choux gras de l'infra-littérature... Mais elle n'est pas encore entrée dans notre littérature. Peut-être parce qu'elle est encore trop jeune, cette société nouvelle, et que la littérature a besoin de recul...
J.-M. R. – *Stendhal, Balzac n'avaient*

pas *tellement de recul par rapport à la société nouvelle qu'ils ont décrite.*
J. D. – Il y avait eu la Révolution, l'Empire, le début de la Restauration : le temps de mettre les choses en perspective. Nous, notre société nouvelle a vingt ans à peine. Tout a bougé vers 1960, par là...
J.-M. R. – *Et, de toute façon, on comprend les choses moins vite aujourd'hui qu'autrefois, c'est cela ?*
J. D. – Ne faites pas les demandes et les réponses... Bien sûr, on comprend les choses moins vite aujourd'hui qu'autrefois... Vous savez ce qu'écrivait Léautaud dans son *Journal littéraire* ?
J.-M. R. – *« On dit que je suis un homme d'un autre âge. Tant mieux. C'est plus chic ? »*
J. D. – Pile!
J.-M. R. – *Vous aimez bien citer cette boutade dans les interviews. Votre Henri porte un regard d'hier sur la société d'aujourd'hui ?*
J. D. – Il porte un regard de toujours. J'espère du moins...
J.-M. R. – *Dans quelle époque aimerait-il vivre, Jean Dutourd ?*
J. D. – Dans n'importe laquelle, sauf celle-ci.
J.-M. R. – *Parce que c'est plus « chic » d'être « d'un autre âge » ?*
J. D. – Depuis qu'elle existe, l'humanité n'a connu que des civilisations agraires et littéraires. Or, voici une cinquantaine d'années, elle est entrée dans quelque chose qui me dégoûte et qui m'assomme : une civilisation industrielle et scientifique. Donc, n'importe quelle époque sauf celle-ci.
J.-M. R. – *Mais encore ? Le XVIII* ? *Le XIX* ?*

J. D. – Le XVIIIᵉ? C'est une époque merveilleuse. Le XIXᵉ? Formidable! A condition de mourir en 1913... Ou en 1869... Ou encore en 1812 ou 13... Il y a un bonhomme, tenez, dont la destinée m'a toujours semblé enviable : le maréchal de Richelieu. Il avait été page de Louis XIV. Et, après tous les succès possibles et imaginables, il est mort en 1788. Toutes les veines!

J.-M. R. – *Vous, Jean Dutourd, vous êtes né en 1920, vous avez donc eu moins de veine : vingt ans en 1940. Mais votre Henri, qui a vingt ans en 1974, est plus chanceux, quand même. Et pourtant, puisque vous détestez votre époque...*

J. D. – ... Il la déteste lui aussi. Bon. « Madame Bovary, c'est moi » : c'est cela que vous voulez me faire dire?

J.-M. R. – *Je ne veux rien vous faire dire, ne faites pas les demandes et les réponses! Mais il y a un peu de cela, non?*

J. D. – Henri n'a rien de moi. Son caractère n'est pas le mien... Son âge n'est pas le mien... Ses idées? Il a certaines des miennes, bien sûr. Et après?

J.-M. R. – *« Madame Bovary, c'est pas moi, na! » Allons! Si Henri n'a pas toutes vos idées, évidemment, il n'en a quand même pas beaucoup qui ne soient pas à vous...*

J. D. Je n'ai pas fait un « portrait de l'artiste à dix-sept ans ». Croyez-moi ou ne me croyez pas, Henri ne me ressemble pas. Sauf peut-être quand il parle de l'enfance, de son enfance, de ses sentiments enfantins, de ses idées enfantines, de son orgueil enfantin... Alors là, oui, c'est moi.

J.-M. R. – *C'est la première fois que vous l'évoquez, cette enfance-là, la vôtre...*

J. D. – En effet, et pourtant, l'enfant est un thème qui me turlupine depuis longtemps. Peut-être parce que les autres ne l'ont pas traité – même Dickens chez qui il y a pourtant beaucoup d'enfants... C'est comme les chiens, il n'y en a pas beaucoup dans la littérature. De vrais enfants, de vrais chiens? Cherchez...

J.-M. R. – *Il y a un vrai chien dans* Pluche ou l'amour de l'art. *Y a-t-il un vrai enfant dans* Henri ou l'Éducation Nationale*?*

J. D. – J'espère. En tout cas, oui, c'est un *vrai* enfant que j'ai essayé de faire. Un *vrai...*

J.-M. R. – *Parce que tous les autres, Dickens compris, en avaient fait des faux?*

J. D. – Ne me faites pas dire ce que je n'ai pas dit. Tenez, chez Henry James, par exemple, il y a un vrai enfant : Maisie, cette petite fille dont les parents divorcent, à qui on cache tout, et qui pourtant sait tout – dans *Ce que savait Maisie*. Voilà une peinture très juste de l'enfance : on leur cache tout, et ils savent tout.

J.-M. R. – *Votre Henri, lui aussi, sait tout. Peut-être parce que vous le lui avez dit. Peut-être parce qu'il se balade dans la vie son* Brulard *sous le bras. Tout comme vous, Jean Dutourd, vous vous êtes toujours baladé dans la vie avec votre* Brulard *sous le bras... Votre essai sur Stendhal,* L'âme sensible, *une des belles choses que vous ayez écrites, vous ne l'avez pas défini comme un essai, mais comme un « roman d'amour ». Cet amour-là, il me semble qu'il imprègne toute votre œuvre. Surtout cet* Henri *où est encore plus sensible qu'ailleurs, si c'est possible, ce « ton stendhalien » dont on parle toujours à votre propos.*

J. D. – Oui, on en a beaucoup parlé. Mais il n'y a pas que de moi qu'on l'a dit. On l'a dit aussi de Giono, et de bien d'autres... Le « ton stendhalien »? Mais ça ne signifie rien du tout, ça! Quand Stendhal écrivait, on a dû dire qu'il avait le « ton voltairien », et ainsi de suite...

J.-M. R. – *Un écrivain français n'est jamais fils de personne. Mais il y a toujours de vieilles filiations. Vous, si vous êtes fils de quelqu'un, c'est bien de Stendhal, quand même?*

J. D. – Je ne sais pas. Peut-être bien... Il y a une certaine musique stendhalienne, oui, qui m'a plu, et que j'ai essayé de retrouver parfois. Mais ce n'est pas Stendhal qui a eu la plus grande influence sur moi.

J.-M. R. – *Qui, alors?*

J. D. – Dickens, par exemple. Proust,

aussi. Et même Aragon, d'une certaine façon. Vous voyez : ce n'est pas très stendhalien, tout cela.

J.-M. R. – *Et Oscar Wilde ?*

J. D. – J'oubliais. Si j'ai appris à penser chez quelqu'un, c'est bien chez lui. Son influence sur moi a été plus grande que celle d'aucun autre. J'avais lu, très jeune, son livre *Intentions*, où il développe toutes sortes d'idées sur l'esthétique, puis j'avais oublié. Je l'ai relu il y a quelques années, et j'ai poussé des cris de stupeur. A chaque page, je me disais : « Tout ça, c'est ce que je pense; tout ça, sans que je le sache, ça a fait son chemin en moi. »

J.-M. R. – *Vous avez payé votre tribut de reconnaissance en faisant de lui un personnage de roman dans vos* Mémoires de Mary Watson *l'an dernier.*

J. D. – J'ai essayé d'imaginer comment il parlait dans un salon, quelles idées il pouvait bien avoir dans la conversation. Il est gentil, hein, mon Oscar Wilde ?

J.-M. R. – *Gentil tout plein ! Vous citez Henry James, Charles Dickens, Oscar Wilde. Il faudrait ajouter Chesterton, dont vous avez traduit* L'œil d'Apollon. *Tout cela fait une culture très anglo-saxonne, pour un écrivain réputé « bien français » ! Je m'attendais à vous entendre citer, tenez, Anatole France, par exemple.*

J. D. – Anatole France est un homme de bonne compagnie, de lecture agréable. Mais il m'a toujours agacé, je l'avoue, avec son côté Louis XV mille neuf cent. Il pastiche le XVIIIᵉ siècle à la perfection, mais avec un petit peu trop d'arabesques, tout de même...

J.-M. R. – *Anatole France pastichait mal Voltaire, mais vous, vous pastichez bien Anatole France. Sans cela, vous n'auriez pas aussi bien réussi votre adaptation de son* Histoire contemporaine *pour la série télévisée de Michel Boisrond, l'an dernier – en retouchant doucement au passage, non ?*

J. D. – Oui, j'ai refilé quelques-unes de mes petites idées à monsieur Bergeret, il ne fallait pas ?

J.-M. R. – *Monsieur Bergeret était de gauche, lui...*

J. D. – De gauche ? Il balance quand même de sacrées vacheries, sans que j'y rajoute quoi que ce soit, à la gauche de son temps, en bavardant sous l'orme du mail !

J.-M. R. – *Votre Henri, en proie à une « Éducation Nationale » qui n'est guère de son goût, c'est une sorte de Pierre Nozière, sans son enfance, mais, en terminale, ça devient un petit Bergeret...*

J. D. – Si vous voulez... Mais, lui, à l'ironie et aux coups de patte, il préfère le chahut. Il faut dire qu'il ne peut pas encadrer son prof, ce Barnagaut qui exige que ses élèves l'appellent « Jean-Loup », et qui lit son bréviaire en surveillant les compositions...

J.-M. R. – *Un jour, le bréviaire – je veux dire* Le Nouvel Obs – *sera déchiré, et Jean-Loup ne le pardonnera pas. D'où un rapport secret où les méchants « bourgeois » du fond de la classe sont dénoncés comme des éléments dangereux « au niveau politique », des gens qui provoquent des désordres, qui sont plus ou moins suspects de « tendances nazies » – alors que, plus apolitiques qu'eux, on ne fait pas...*

J. D. – Et là, pour Henri, c'est le désespoir, c'est le drame... Jusque-là, le lycée l'avait confirmé dans la conception d'un monde fondé sur la morale. Si l'on choisit le bien (qui est austère) au lieu du mal (qui est marrant), on n'a pas d'ennuis... Les profs peuvent être parfois des vaches, mais ça ne dépasse jamais la limite des persécutions ordinaires qu'ils font subir, depuis le commencement des siècles, aux enfants qu'ils n'aiment pas. Avec le rapport secret de « Jean-Loup », c'est autre chose : Henri découvre un autre système de valeurs. Il est blessé jusqu'aux moelles. On l'a marqué au fer rouge pour un crime qu'il n'a pas commis... On l'a assimilé au genre d'imbéciles dont il a le plus horreur...

J.-M. R. – *Là, Henri, c'est vous, non ? Vous aussi, Jean Dutourd, on vous a beaucoup marqué au fer rouge, souvent « assimilé au genre d'imbéciles dont vous avez le plus horreur »...*

J. D. – Oh! moi, j'ai une peau de crocodile, de rhinocéros! Et puis il y a belle lurette que mes « Jean-Loup » personnels ont rangé leur fer rouge!

J.-M. R. – *Avec quarante et quelques années de plus, votre Henri écrirait les articles signés Jean Dutourd dans* France-Soir ?

J. D. – Qu'est-ce que cela veut dire, ça ? Ce que j'écris, c'est moi, bien sûr. Ce que j'écris dans *France-Soir*, c'est moi, au même titre que ce que j'écris dans mes romans... Mais c'est d'un autre ton, sur d'autres sujets... Le jugement que le journaliste porte sur l'actualité est beaucoup plus compliqué, plus nuancé que celui que porte un personnage de roman...

J.-M. R. – *Surtout quand ses idées sont aussi tranchées que celles de votre Henri...*

J. D. – Le roman est par essence même caricatural, simplificateur, je vous l'ai dit...

J.-M. R. – *Mais la chronique d'actualité l'est aussi : pour s'en aviser, il n'y a qu'à lire* De la France considérée comme une maladie, *votre album d'articles 1981 (Flammarion).*

J. D. – Simplificateur ? Je ne crois pas. Écrire des articles au jour le jour, c'est comme rédiger un journal intime, ou une correspondance... On a le temps de développer, de nuancer...

J.-M. R. – *Le repos du guerrier, ce sont les articles, le journalisme étant par définition « ce qui sera moins intéressant demain qu'aujourd'hui » ?*

J. D. – Ça, c'est la remarque – cruelle – de Gide que je cite au début de *De la France considérée comme une maladie.*

J.-M. R. – *Et que, justement, votre recueil d'articles dément...*

J. D. – Vous êtes gentil, n'en faites pas trop! De toute façon, ce n'est pas ça qui compte : moi, je me considère comme un artisan. Tout ce qui sort de l'atelier doit porter la marque de l'atelier. Si l'atelier sort de la camelote, les acheteurs ne viendront plus...

J.-M. R. – *Mais comment écrire des livres où l'on met énormément de soi, comme votre* Henri *ou comme* Les horreurs de l'amour, *le livre où peut-être vous vous êtes le plus livré, comment les écrire sans y penser tout le temps ?*

J. D. – L'essentiel est de ne penser à rien... Il faut que le livre se fasse dans une sorte de mystère obscur, à l'intérieur de l'être... A un moment donné, j'en ai assez de travailler, il y a un déclic, l'esprit est fermé, plus rien à faire... Alors, je plie bagage, je ferme la boutique, je pense à autre chose – à l'article que le cycliste va venir chercher, par exemple. Et le lendemain matin, retour au roman : sur la dernière ligne de la veille, j'enchaîne... L'esprit s'est rechargé tout seul. Mais je ne pense que quand j'écris : quand je n'écris pas, je ne pense pas...

J.-M. R. – *Ne craignez-vous pas que votre refus obstiné de la société* actuelle *vous rende très vite périmé pour les* générations *futures ?*

J. D. – Au contraire. C'est cela, précisément, qui fera mon succès plus tard. Ce qu'on n'a pas ici, on le rattrape ailleurs...

J.-M. R. – *Dans* De la France considérée comme une maladie, *il y a deux versants, de part et d'autre du 10 mai 1981 : d'abord vous êtes anti-giscardien, ensuite anti-mitterrandiste...*

J. D. – Oh! C'est pareil! Le mitterrandisme n'est que du giscardisme aggravé, non? Je n'ai pas vu de changement : une aggravation, c'est tout...

J.-M. R. – *Éternel nostalgique du gaullisme? Demi-solde, toujours?*

J. D. – Si je regrette le Général? Ah! oui, tous les jours! Il y a vingt ans, j'étais « gaulliste de gauche », vous vous souvenez? Depuis, j'ai trouvé mon étiquette exacte : « anarcho-gaulliste ». C'est exactement ce que je suis, je n'ai jamais été autre chose...

J.-M. R. – *Gaulliste de gauche, anarcho-gaulliste : voilà qui n'empêche pas les anarchistes, les gauchistes, beaucoup de gens de gauche de vous détester, surtout quand ils ne vous ont guère lu.*

J. D. – Eh bien, qu'ils me lisent! De toute façon, ça a beaucoup diminué depuis que je suis entré à l'Académie. C'est pour ça, entre autres choses, que je voulais le faire : je savais depuis toujours que, quand je porterais un uniforme, les imbéciles qui me crachaient sur les pieds se mettraient à me brosser les chaussures. Ça n'a pas manqué.

J.-M. R. – *Il y a des obstinés...*

J. D. – Rares. Et ils le font avec beaucoup moins de violence.

J.-M. R. – *Pourtant, vous leur agitez le chiffon rouge devant le museau, toujours. C'est votre exercice favori, on dirait?*

J. D. – Pas du tout. Ça aussi, c'est un numéro qu'on me fait sans arrêt : « Jean Dutourd, vous donneriez votre âme pour un joli paradoxe », etc. Idiot! Je n'ai jamais fait du paradoxe pour le plaisir. Je cherche simplement à aborder mes sujets sous un angle auquel nul n'a pensé : c'est comme cela qu'on a le plus de chance de rencontrer parfois la vérité. « Il faut aller à la vérité de toute son âme », recommandait Alain, qui était en cela disciple de Platon. Eh bien, moi, c'est comme cela que j'essaie d'y aller!

J.-M. R. – *La vérité a souvent une allure paradoxale...*

J. D. – Elle arrive toujours par le côté où on ne l'attend pas, en effet.

J.-M. R. – *Mais, à force de refuser le conformisme, de penser à rebrousse-poil, de planter des banderilles aux intellectuels dominants, marxistes ou non, on en arrive parfois à rejoindre le conformisme suprême : celui de la « majorité silencieuse »...*

J. D. – Ah! là, je ne suis plus dans la « majorité silencieuse », maintenant; je serais plutôt dans la « minorité silencieuse » – si les minorités étaient silencieuses, ce qui est rare! Depuis le 10 mai, on me cajole, on m'adore! Bon, soyons sérieux : je suis l'homme de la rue, si vous voulez. J'ai des idées peut-être quelquefois terre à terre, peut-être quelquefois un peu simplettes – mais il se trouve que je les écris convenablement. Alors « ça change un peu », comme disent les ménagères quand elles cessent de faire du bœuf pour faire du rôti de veau!

J.-M. R. – *Vous écrivez pour le plaisir de Mme Poissonnard?*

J. D. – Allons! Qui est-ce donc qui a brossé le portrait au vitriol de Mme Poissonnard? C'est bien moi, non? Vous croyez que ça lui a fait plaisir, à Mme Poissonnard, quand j'ai défendu Goldmann, et qu'il a été libéré, je crois bien, grâce à mes articles? Je pourrais vous donner dix autres exemples... J'ai défendu la Commune. J'ai dédié un de mes livres à Rossel. J'ai écrit cent éloges d'Aragon. Vous croyez que tout ça fait plaisir à Mme Poissonnard – si du moins elle connaît Rossel et Aragon?

J.-M. R. – *Vous êtes vous-même, vous vous fichez de ce que les autres peuvent en penser. Mais qu'en penserait le jeune homme que vous étiez à l'âge de votre Henri, par exemple?*

J. D. – Est-ce que je ressemble au jeune homme de vingt ans que j'ai été? Aucune importance; à cet âge-là, je m'étais complètement perdu de vue, comme on le fait toujours à vingt ans. Mais il y a une chose dont je suis sûr : c'est d'être identique à celui que j'étais... à cinq ans, tenez. Si *Henri* est assez réussi, je crois, c'est pour cela, exactement. A cinq ans, je savais qui j'étais. Et je suis maintenant tel que j'étais à l'âge de cinq ans...

J.-M. R. – *Pas modeste, ça.*

J. D. – Non, mais c'est. J'ai cette espèce de dureté, de cynisme des enfants, je ne l'ai jamais perdue.

J.-M. R. – *Votre Henri a horreur de beaucoup de choses, la famille, les profs, l'« Éducation Nationale », etc. Mais il y a une chose dont il a horreur par-dessus tout, c'est de l'avenir. Cela aussi, c'est une de vos idées d'enfant conservée dans l'âge mûr?*

J. D. – Exactement. L'avenir, quand j'étais petit, ça me faisait peur, déjà, ça me dégoûtait.

J.-M. R. – *Et ça vous dégoûte toujours?*

J. D. – Plus que jamais. J'en ai horreur, de l'avenir, horreur... Plus on va et plus c'est con, et plus c'est affreux, et plus les bombes sont puissantes, et plus l'art diminue. Je vous l'ai déjà dit : la société industrielle et scientifique, je n'en ai rien à faire. Moi, je ne suis bien que dans une société agraire et littéraire.

J.-M. R. – *Or on s'en éloigne de plus en plus.*

J. D. – C'est pour cela que l'avenir ne m'intéresse pas. Je suis un littéraire, moi, un artiste. Et dans ce monde de matheux, les littéraires n'ont plus leur place, les artistes ont la portion de plus en plus congrue.

J.-M. R. – *Pourtant, la France a remplacé un matheux par un littéraire, le 10 mai.*

J. D. – Oui, et de cela je me suis félicité dans *De la France considérée comme une maladie.* Quoi qu'il en soit de Mitterrand ou de Giscard en tant qu'hommes ou en tant que porte-drapeaux, la France a retrouvé un moment, ce jour-là, son vrai génie : préférer un littéraire à un matheux.

J.-M. R. – *Vous voyez bien : il ne faut pas désespérer de l'avenir!*

J. D. – Ouais... De toute façon, nous sommes dans un univers de matheux. L'avenir est de plus en plus emmerdant... Polytechnique partout! Eh bien! merde pour Polytechnique!

J.-M. R. – *Polytechnique nous a donné Stendhal, quand même... Je ne comprends pas que vous disiez que la technique tue la littérature, tue les artistes, quand la télévision, par exemple, à fait connaître votre* Bon beurre, *à vingt-cinq millions de Français.*

J. D. – Allons donc! Que voulez-vous que ça me fasse, que vingt-cinq millions de Français voient *Au bon beurre*? Ils l'oublient la seconde d'après. J'aimerais mieux qu'ils le lisent.

J.-M. R. – *Ça y contribue, non?*

J. D. – S'il y avait eu vingt-cinq millions d'exemplaires de vendus, je le saurais! Tenez, l'autre jour, j'ai rencontré quelqu'un qui m'a dit qu'il avait vu... *L'assiette au beurre,* et qu'il avait adoré. Cela dit tout!

J.-M. R. – *Ça n'empêche pas que la photo, le cinéma, la télévision, la vidéo réalisent des chefs-d'œuvre, inventent un art nouveau...*

J. D. – Arrêtez! C'est trop mignon, ce que vous dites là, je vais pleurer!

J.-M. R. – *Ne pleurez pas : on arrête.*

MICHEL TREMBLAY

*« Les Français nous traitent souvent
comme des auteurs folkloriques.
Pour nous, Québécois, c'est réciproque... »*

Février 1983

Dix-sept mille familles au Québec portent le nom de Tremblay et, dans le seul
annuaire téléphonique de Montréal, ils sont soixante-huit, pas moins, à
s'appeler Michel Tremblay! L'un d'entre eux a pourtant réussi à devenir une
célébrité que l'on ne saurait confondre avec un autre. Cet écrivain de quarante
ans au talent multiforme – il a déjà signé du théâtre, des romans, des
traductions, des scénarios de cinéma, des paroles de chansons, des comédies
musicales, des émissions de radio –, cet intellectuel issu du monde ouvrier
francophone de l'est de Montréal et qui fut violemment contesté à ses débuts
parce qu'il n'a pas renoncé au parler populaire (le joual), mais aussi parce
qu'il a critiqué avec rage une société traditionaliste, cet auteur est sans nul
doute l'un des plus représentatifs de sa génération. De tous ces artistes qui, en
littérature, dans la chanson ou au cinéma, ont amorcé, à partir de la fin des
années 1960, le grand réveil du Québec comme culture à part entière se
taillant une place spécifique entre les ancêtres français et les voisins
anglo-américains.
Juste retour des choses que la gloire soit donc venue à un Québécois nommé
Tremblay, une gloire dont l'Hexagone finira bien par comprendre qu'elle est
justifiée. Après *La grosse femme d'à-côté est enceinte* publié chez Laffont, une
nouvelle occasion de lire Michel Tremblay nous est en effet donnée avec la
parution chez Grasset de *Thérèse et Pierrette à l'école des Saints-Anges*.
S'inscrivant dans un cycle qui évoque la vie à Montréal depuis les années
1940, *Thérèse et Pierrette* décrit les mille et une aventures d'un collège de
jeunes filles tenu par des religieuses. Microcosme à partir duquel Michel
Tremblay dans son style savoureux brosse un tableau coloré, satirique et
attendri de toute une société. Et là, comme dans toute son œuvre, il a su
atteindre une certaine universalité littéraire non pas en tournant le dos aux
particularismes québécois mais en les approfondissant. Dans sa maison

d'Outremont – un ex-fief anglophone de Montréal – avec, sur l'un des murs, une toile signée Tremblay – mais c'est un autre... – il retrace son itinéraire d'écrivain qu'il est temps de découvrir.

Pierre Boncenne. – *Un* Guide culturel du Québec *publié récemment vous présente ainsi :* « *TREMBLAY Michel (1942). Auteur controversé à cause de l'utilisation du joual et des milieux populaires qu'il évoque, le dramaturge québécois le plus joué à l'étranger. Ses romans, ses pièces sont peuplés de marginaux, convaincants, émouvants, à la limite de la caricature. L'échange verbal se limite souvent à des monologues parallèles. Dénonce avec force le climat familial, social et religieux.* » *Cela vous paraît-il exact ?*

Michel Tremblay. – Tout à fait, même s'il y a un petit côté comique dans ce genre de définition : vous passez votre vie à essayer d'exprimer un tas de choses et l'on finit par vous résumer en trente-deux mots.

P. B. – *Le milieu populaire que vous évoquez c'est, bien entendu, celui où vous êtes né à Montréal en 1942.*

M. T. – Oui, je suis né dans le quartier qu'on appelle le plateau Mont-Royal et que je ne cesse de décrire. Mon père était pressier spécialiste de la couleur dans une imprimerie, ma mère ménagère et j'ai eu la chance de ne pas sortir tout de suite de ce milieu-là. A cette époque les riches allaient à l'école et les pauvres commençaient à travailler vers douze/treize ans pour aider leur famille. Moi, à treize ans j'ai gagné une bourse pour poursuivre des études classiques gratuitement. Mais au bout de quatre mois j'ai abandonné ces études parce qu'elles étaient, d'une certaine manière, la négation de mon milieu. On tentait de m'acheter dans le but au fond de m'obliger à renier mes parents. En simplifiant à peine on me disait : vous êtes intelligent et vous deviendrez la crème de la société mais à condition de changer de camp. J'ai résisté parce que j'avais une grande admiration pour mon père et en même

temps je m'intéressais vraiment à la culture classique, à la littérature, à la musique, à l'art. J'étais donc à cheval entre les deux camps : un fils d'ouvrier avec des goûts bourgeois.

P. B. – *Dans les années quarante la vie d'un tout jeune francophone dans les milieux ouvriers de Montréal se déroulait presque à l'intérieur d'un ghetto.*

M. T. – A tel point qu'avant l'âge de douze ans je n'ai vraiment pas su que les Anglais existaient. Nous étions catholiques francophones, ouvriers, nous vivions à l'est de Montréal et nous n'en sortions que pour aller travailler chez les Anglais dans la chaussure ou n'importe quelle autre industrie. A ce moment-là on découvrait l'ouest de Montréal, les Anglais et l'argent. La coupure était radicale entre les deux parties de la ville, les deux sociétés, les deux modes de vie et les deux cultures.

P. B. – *Très tôt vous avez eu l'impression que ces deux mondes allaient finir par s'affronter ?*

M. T. – Non, c'est venu beaucoup plus tard. On nous apprenait à nous soumettre, à rester petits, à avoir honte de ce que nous étions et surtout à ne pas se révolter. Et de fait on ne se révoltait pas. Les prêtres qui nous élevaient nous apprenaient à admirer la France lointaine mais à accepter notre triste sort. Et voilà pourquoi quand la société québécoise a explosé dans les années 60/70, la révolte a été si violente, si brutale.

P. B. – *Une grande partie de votre œuvre a pour décor la rue Fabre à Montréal. Ce quartier n'est plus qu'un souvenir pour vous ?*

M. T. – Il n'a pas disparu et on peut même dire qu'il n'a pas beaucoup changé depuis quarante ans. Ce n'est pas un quartier de grande misère, ce qu'on appelait, nous, « le faubourg à la mélasse » où il y avait vraiment des pauvres.

Mon quartier c'est un milieu d'ouvriers qui, au moins, gagnaient leur vie. Et j'ai apprécié ce quartier populaire (assez agréable d'ailleurs avec ses arbres) parce que j'ai été un enfant aimé. Cela peut vous paraître bizarre, mais c'est un point important que j'essaie souvent d'expliquer aux Français : la plupart des enfants, ici, n'ont pas été voulus. La femme se mariait, et la religion l'obligeait à se soumettre entièrement aux désirs de son mari. Jusqu'aux années soixante la majorité des Québécoises n'ont pas eu des enfants voulus et, même en ville, il était courant de voir des familles de quinze enfants. Or, il se trouve que, moi, j'ai été un enfant voulu, parce que, comme je le raconte dans *La grosse femme d'à-côté est enceinte*, j'ai eu un frère et une sœur qui sont morts des suites de la leucémie. Mes parents alors, c'était pendant la guerre, ont décidé de faire un enfant. Et c'est en ce sens que j'ai eu une enfance un peu privilégiée. Comme mes deux autres frères avaient dix ans de plus que moi, j'ai été élevé au milieu d'adultes, dans une maison où il y avait plusieurs familles regroupées, chéri et choyé, comme vous pouvez l'imaginer, et traité – ce qui est le rêve pour un enfant – comme une grande personne.

P. B. – *Une des particularités de votre enfance, qui aura bien des répercussions dans vos œuvres, c'est aussi que vous avez vécu dans un monde de femmes ?*

M. T. – Oui, j'ai été élevé par cinq femmes : ma mère, ma grand-mère, ma tante, mes deux cousines. J'ai ainsi été élevé à penser comme les femmes. Dans les années cinquante, les femmes québécoises commençaient à prendre conscience de certaines choses, bien qu'elles n'aient pas les armes pour devenir féministes. Et les premiers êtres que j'ai entendus réagir contre la société, ce furent les femmes. J'ai été amené à voir la société du côté des femmes, mes premières réactions ayant été les leurs. Or, ce qui est curieux, c'est qu'à l'école j'étais très bon en français et que j'ai commencé à écrire dans cette langue en parlant beaucoup des hommes de manière un peu

utopique : j'écrivais par exemple des récits de science-fiction, ou fantastiques, dont les héros étaient toujours des hommes. Et du jour au lendemain, vers vingt-trois, vingt-cinq ans, j'ai renoncé à ce type de littérature. Je me suis rendu compte que je n'étais pas fait pour la science-fiction, mais tout simplement pour parler de mon milieu, pour essayer de laisser un témoignage de la société dans laquelle je vivais. Et du coup, j'ai écrit en québécois une pièce avec quinze femmes.

P. B. – *Les fameuses* Belles-Sœurs *qui, en réalité, sont les femmes de votre enfance, transfigurées.*

M. T. – Oui, du jour au lendemain, les hommes ont complètement disparu de ce que j'écrivais et j'ai conçu une sorte de pièce très féministe, *Les belles-sœurs*, où quinze femmes, enfermées dans une cuisine, se rendent compte de leurs problèmes sans se poser les bonnes questions. Ces femmes n'arrivent pas à se rencontrer, et *Les belles-sœurs* étaient construites de telle façon que lorsque les femmes se parlaient, elles ne se disaient que des niaiseries, et que, lorsqu'elles avaient quelque chose d'important à dire, elles s'adressaient à un spectateur conçu comme un confesseur. J'ai toujours dit que si les « belles-sœurs » s'étaient vraiment parlé entre elles, une révolution aurait éclaté. Seulement, voilà : elles parlaient aux spectateurs du théâtre qui avaient acheté leur billet pour venir les voir souffrir...

P. B. – *Mais, précisément, pourquoi avoir choisi le théâtre comme premier mode d'expression ?*

M. T. – C'est la radio et surtout la télévision qui m'ont amené au théâtre. La télévision est arrivée au Canada vers 1952, quand j'avais dix ans, et le théâtre y a tout de suite occupé une place importante. Il y avait deux pièces par semaine, cela s'appelait des « télé-théâtres », un peu l'équivalent de « Au théâtre ce soir » chez vous. Je pense avoir été séduit par le théâtre parce que j'ai très vite compris qu'un auteur pouvait se cacher derrière d'autres êtres humains pour laisser passer sa sensibilité. Dans un roman, c'est évident que l'auteur est là, derrière les personnages. Au théâtre, il y a des acteurs en chair et en os, on ne perçoit pas tout de suite que derrière eux il y a un auteur. Quand je l'ai compris, j'ai voulu faire du théâtre. En plus, comme j'étais dans une société très fermée, non permissive, et que j'étais homosexuel, ce qui était impossible à vivre ouvertement, le théâtre a été une façon détournée de dire mon mal de vivre en me cachant, en prétextant que ces problèmes-là, ceux des femmes comme ceux de l'homosexualité, étaient vécus par d'autres et non par moi.

P. B. – *Ce qui est frappant dans votre théâtre, c'est que, dans un langage très populaire, vous représentez par exemple la vie quotidienne des femmes, mais avec des techniques assez sophistiquées venues en ligne directe de Beckett, Ionesco, Genet, voire des Grecs avec l'utilisation, notamment dans* Les belles-sœurs, *du chœur.*

M. T. – En fait, c'est grâce à la télévision française qui, vers la fin des années cinquante, proposa une production des *Perses* d'Eschyle avec Jean Négroni. Et je me souviens très bien avoir été stupéfié par l'utilisation du chœur dans le théâtre grec : je trouvais extraordinaire cette idée de prendre douze personnes d'une ville pour la représenter. A partir de là, j'ai commencé à me passionner pour les auteurs grecs. J'ai découvert l'histoire de Troie, des Atrides, etc. Puis, peu à peu, j'ai découvert d'autres auteurs, comme Beckett ou Ionesco. Et quand j'ai décidé de décrire mon milieu, mes lectures m'ont aidé, comme on dit, à le transcender. Je n'aime pas le théâtre réaliste, je n'aime pas que l'on me fasse croire que ce qui est dit est vrai.

P. B. – *D'ailleurs, vos pièces se présentent plutôt comme des fables.*

M. T. – Exactement, des fables sociales et politiques.

P. B. – Les belles-sœurs *ont déclenché des polémiques...*

M. T. – D'abord, personne n'en a voulu pendant trois ans...

P. B. – *Oui, quand cette pièce a été découverte, elle a suscité d'incroyables controverses qu'on a peine à imaginer aujourd'hui.*

M. T. – Parfois, je les regrette, ces controverses violentes : on a l'impression de perdre de sa crédibilité! Ce qui est dommage, c'est qu'au début de ma production théâtrale, on a beaucoup parlé de mon langage, on s'est beaucoup choqué du fait que j'employais la langue des ouvriers québécois, mais on a peu parlé de la valeur, ou de la non-valeur littéraire et théâtrale, de ce que j'écrivais.

P. B. – *Au début des années soixante-dix, mais encore maintenant, n'était-il pas normal que toutes les questions de langue au Québec deviennent des affaires d'État?*

M. T. – Je le reconnais, mais cet intérêt exclusif porté à la langue a caché souvent d'autres choses. *Les belles-sœurs,* par exemple, ont été l'objet d'invraisemblables débats, depuis les lettres d'insultes dans les journaux, jusqu'au ministre refusant que cette pièce sorte d'ici. En 1971, en effet, Jean-Louis Barrault nous avait invités à aller jouer *Les belles-sœurs* à Paris et nous avions demandé une subvention au gouvernement du Québec. Mais le ministre des Affaires culturelles, qui était une femme, a refusé de donner de l'argent, parce qu'elle avait honte qu'une pièce comme *Les belles-sœurs* représente le Québec en France. Officiellement, c'était en raison de la langue employée. Mais je suis certain que cet argument était une espèce d'écran : il était facile de dire qu'on n'aimait pas cette pièce parce qu'elle était écrite en joual pour ne pas devoir avouer que, peut-être, elle faisait mal ailleurs.

P. B. – *D'accord, mais est-ce que, après tout, l'emploi de la langue québécoise ne donnait pas à vos* Belles-sœurs *un aspect trop folklorique, trop provincial, voire péquenot?*

M. T. – Il est évident que, lorsqu'on est une petite culture, on se lave avant de sortir de chez soi : on veut projeter à l'extérieur de son pays une image de soi assez propre. Et c'est ce que le Québec a fait avant *Les belles-sœurs.* On envoyait en France des œuvres gentillettes, sans conséquence. Pour l'élite culturelle de chez nous, il était choquant que *Les belles-sœurs* (qui ont fini par être montées à Paris en 1973), cette pièce montrant des ouvriers et parlant dans leur langue, aille représenter le Québec en France. Surtout qu'une partie de l'élite québécoise était constituée de personnes venant de milieux populaires et qui l'avaient renié. Ils ne voulaient pas se souvenir qu'il existait encore une culture quotidienne, une culture peut-être pas très noble ni présentable, mais une culture tout de même. On se cachait donc derrière la question de la langue pour ne pas avouer les vraies raisons d'un refus.

P. B. – *Une autre partie de votre théâtre a gêné, et prêté à malentendu, parce qu'il décrit le monde des prostituées, des homosexuels et des travestis.*

M. T. – Là encore, il faut prendre cela comme une fable sociale. Je ne me suis servi des travestis que lorsque je voulais parler d'un problème d'identification. Si vous voulez, je mets en scène des travestis pour montrer un pays en quête d'identité, parce que je cherchais l'image théâtrale la plus forte pouvant représenter la situation du Québec. Notre culture a longtemps été déguisée en d'autres cultures et voilà pourquoi, dans l'une de mes pièces, *Hosanna,* il y a un petit Québécois qui a toujours rêvé d'être une femme et cette femme a toujours rêvé d'être une grande actrice et cette grande actrice a toujours rêvé d'être Elizabeth Taylor dans un film américain, et ce film américain tourné en Espagne aurait pour sujet le mythe égyptien Cléopâtre. *Hosanna* s'ouvre sur Cléopâtre qui entre en scène et la pièce devient une sorte de strip-tease psychologique où l'on retrouve à la fin un personnage débarrassé de toutes ses pelures. Il est bien évident qu'*Hosanna* n'a pas d'intérêt si l'on regarde juste l'histoire qui s'y raconte, celle d'un travesti, si l'on ne prête pas attention au double sens de la fable.

P. B. – *Mais on vous reproche de décrire de façon très satirique et ridicule le monde des travestis et surtout des homosexuels, comme si vous trahissiez votre propre camp.*

M. T. – Certains homosexuels, c'est vrai, m'ont beaucoup haï. Ils se trompent, parce que même dans ma dernière pièce, *Les anciennes odeurs,* montrant un ancien couple d'homosexuels, je ne me suis jamais servi de l'homosexualité en tant que telle. Et d'abord, parce que le théâtre n'existe pas pour donner des cours : cela ne m'intéresse vraiment pas d'aller expliquer à sept cent trente-deux spectateurs qui ont payé leur place ce qu'est l'homosexualité et la bonne manière de la vivre. Dans *Les anciennes odeurs,* ce n'est pas l'histoire de deux homosexuels qui m'a amené à écrire, c'est l'histoire d'un couple, et je me fiche pas mal de l'image que je peux en donner.

P. B. – *Comment vous situez-vous, alors, par rapport au mouvement « gay » qui a pris une telle ampleur en Amérique du Nord tant du point de vue social que politique et culturel ?*

M. T. – Je suis un peu en marge de cette importante marginalité. Je ne suis pas contre les gays, bien sûr, mais je suis contre tous les ghettos. Si l'on veut que la société apprenne à vivre avec nous, il faut que, nous aussi, nous apprenions à vivre avec la société. Je n'aime pas cette nouvelle mentalité gay selon laquelle tout ce qui n'est pas homosexuel est ridicule et à bannir. Je n'aime pas la littérature gay, écrite par les gays et pour les gays exclusivement. Cela dit, je comprends très bien, si l'on songe à l'oppression des homosexuels depuis le XIXe siècle, qu'ils veuillent parler entre eux, ce que je fais aussi. Et je ne renie absolument pas ce qui constitue une partie de mon public. Mais, voyez-vous, à travers ce problème-là comme d'autres, on touche au problème de l'universalité des petites cultures, au même titre que les grandes cultures. Moi, je trouve beaucoup mieux qu'une pièce, homosexuelle au départ, devienne universelle à l'arrivée.

P. B. – *Je me demande tout de même si vous ne cultivez pas les malentendus. Tenez, votre pièce Bonjour, là, bonjour, par-delà une histoire d'inceste entre un frère et une sœur, analyse surtout, et de façon très tendre, les rapports entre un* *père et un fils. Or, on vous a accusé de misogynie parce que dans* Bonjour, là, bonjour, *ce sont les femmes qui sont un obstacle entre ce* père *et ce* fils.

M. T. – A la différence de l'Europe, en Amérique du Nord, les relations père-fils n'ont pas dépassé ce que j'appelle les « relations base-ball » : un père et un fils, jusque dans la fin des années soixante, ne pouvaient que jouer au base-ball ensemble, ils ne se parlaient pas, ils se touchaient encore moins, c'était vraiment défendu. Voilà pourquoi les premiers films italiens que nous avons vus à la télévision nous ont stupéfiés parce qu'on y voyait des pères embrasser leurs fils. Comme cela ne se faisait pas, on en riait mais je me demande si, au fond, tout petit garçon québécois ne rêvait pas d'un père à l'italienne, En tous les cas, moi, au milieu du cycle théâtral des *Belles-sœurs* qui est avant tout sur le monde des femmes, j'ai eu envie d'essayer une réhabilitation des relations père-fils. J'ai pris comme exemple la relation que j'avais eue avec mon père, une relation privilégiée, parce qu'on s'aimait, même si l'on ne s'embrassait jamais, et qu'on ne se l'est jamais dit. En plus, mon père était sourd, ce qui théâtralement est une image assez forte, à condition d'être bien employée : dans *Bonjour, là, bonjour,* un fils dit à son père qu'il l'aime, mais celui-ci ne l'entend pas. A l'inverse, pour montrer la société non permissive, j'ai conçu en contrepoint six personnages de femmes empêchant les deux hommes de communiquer. C'était une nécessité pour l'œuvre, au nom de quoi on m'a taxé de misogynie. Mais après tout, on a ses faiblesses !

P. B. – *On l'a sans doute remarqué parce que* Bonjour, là, bonjour, *est une œuvre plus apaisée, moins violente.*

M. T. – Il est normal que les premiers textes d'un jeune écrivain soient hurlés, violents. Peu à peu on découvre la tendresse.

P. B. – *Tendresse que l'on retrouve justement dans les* Chroniques du plateau Mont-Royal, *un cycle romanesque ayant pour toile de font Montréal depuis les années quarante et dont, après* La

grosse femme d'à-côté est enceinte *(Laffont), le deuxième volet est publié chez Grasset maintenant :* Thérèse et Pierrette à l'école des Saints-Anges. *Pourquoi est-ce qu'il s'agit de chroniques ?*

M. T. – D'abord, parce que je ne voulais pas que chaque roman, même s'il peut se lire de façon autonome, soit une boucle fermée. Et ensuite, parce que j'ai voulu me faire le chroniqueur de ce monde-là. Je n'ai pas voulu tomber dans le genre reportage ou dans le style roman-vérité, comme on disait cinéma-vérité. Non, j'ai voulu réinventer le monde à ma façon, mais de telle sorte que le lecteur pense qu'il s'agit de la vérité, alors qu'il s'agit d'une version très subjective d'un écrivain ayant envie d'imaginer une époque.

P. B. – *D'où la phrase, en épigraphe au début de* Thérèse et Pierrette, *et signée John Irving : « Imaginer quelque chose, c'est mieux que se souvenir de quelque chose. »*

M. T. – Oui, c'est une phrase tirée du *Monde selon Garp* que je lisais au moment où je rédigeais *Thérèse et Pierrette à l'école des Saints-Anges.* Elle résume parfaitement la façon dont je veux écrire. Et c'est notamment la raison pour laquelle *Thérèse et Pierrette* met en scène des religieuses et des petites filles, plutôt que des religieux et des petits garçons : j'ai voulu imaginer l'autre, imaginer la version d'une vie au collège que je ne connaissais pas, ou que je ne connaissais que par ma mémoire collective.

P. B. – *Dans* Thérèse et Pierrette à l'école des Saints-Anges, *vous imaginez en tous les cas de façon étonnante la vie des collégiennes, leurs jeux, leurs secrets, leurs relations, leurs espoirs. Simone, la troisième du trio dont les deux éléments forts sont* Thérèse *et* Pierrette, *est opérée pour un bec-de-lièvre. Et c'est l'un des fils conducteurs du roman : la découverte de la beauté par une jeune fille. Un thème difficile à traiter.*

M. T. – Le thème de la laideur et de la beauté, dans ce roman, est surtout une fable, ou une image, montrant une société dans laquelle la beauté est condamnée. Quand j'étais enfant, j'ai entendu beaucoup de petites filles, cousines ou amies, se plaindre parce que, par exemple, les religieuses leur interdisaient telle coiffure ou telle couleur rappelant le diable. Pour moi, prendre une petite fille souffrant de laideur et à qui on fait cadeau de réparer son bec-de-lièvre pour trouver enfin une certaine beauté, c'était très intéressant. Surtout qu'à la fin, Simone décide de ne plus être belle, parce que c'est trop difficile. Et j'ai emmagasiné depuis longtemps toutes sortes de détails ou d'anecdotes me permettant d'écrire ce que peut ressentir de ce point de vue-là une jeune fille. Je ne suis pas un voyeur, mais...

P. B. – *Mais il y a, dans* Thérèse et Pierrette, *un voyeur qui est peut-être un double de l'auteur...*

M. T. – Oui, un voyeur-spectateur. C'est sans doute un restant, chez moi, de judéo-christianisme : l'auteur se sent un peu coupable de décrire un monde de femmes qu'il ne devrait pas connaître. Alors, je me suis mis dans la peau d'un voyeur fasciné par ce monde qui lui est défendu. J'ai beaucoup joué avec ces petites filles quand j'étais enfant. Et je n'ai eu aucune recherche à accomplir pour écrire *Thérèse et Pierrette*, sauf quelques journaux d'époque pour ne pas faire d'erreur grossière. J'ajoute qu'aujourd'hui encore je me lie d'amitié beaucoup plus facilement avec des femmes qu'avec des hommes.

P. B. – *Sartre, qui a vécu une enfance entourée de femmes, a dit qu'il pouvait, et aimait avoir de vraies conversations, par exemple à une terrasse de café, avec des femmes, mais pas avec les hommes. Il remarquait que les conversations avec les hommes tournent vite autour du métier, tandis que les femmes savent parler de tout et de rien.*

M. T. – Je ne connaissais pas cette réflexion de Sartre, mais comme je le comprends... Je n'aime pas du tout la mentalité propriétaire des hommes, c'est peut-être l'une des raisons pour lesquelles je suis homosexuel. De plus, très jeune, j'ai refusé les images d'hommes : fumer, boire, avoir une grosse voiture, etc. Et maintenant encore, malgré le féminisme, et malgré la tentative des hommes (souvent de mauvaise foi) pour comprendre les femmes, il subsiste chez eux une mentalité propriétaire et paternaliste que j'ai, comme on dit ici, « de la misère à prendre ». Je préfère me montrer du côté des femmes, d'où nous vient la seule parole neuve et originale du XXe siècle.

P. B. – *Les femmes, dans* Thérèse et Pierrette, *ce ne sont plus les « belles-sœurs », mais les « bonnes sœurs ». Or, ces bonnes sœurs, vous semblez plus vous en amuser que les dénoncer. Et y compris l'effroyable et tyrannique mère Benoîte des Anges, la supérieure.*

M. T. – Les curés, les religieux, je les hais franchement. Mais les bonnes sœurs, je m'arrange tout de même pour qu'elles aient des côtés touchants. Même Mère Benoîte des Anges a des moments de faiblesse qui sont désarmants. Je n'hésiterais pas à décrire un homme de façon complètement ridicule, une femme, je lui laisse toujours un petit côté humain. Je n'y peux rien : c'est naturel chez moi.

P. B. – *Un autre thème majeur de* Thérèse et Pierrette, *c'est donc la satire de la religion à travers la préparation, à l'école des Saints-Anges, de la procession de la Fête-Dieu, une cérémonie qui va tourner à la catastrophe météorologique. Vous avez participé à des cérémonies déguisé en ange ?*

M. T. – Pas en ange, mais, une fois, j'ai fait saint Joseph. J'étais aussi dans les Croisés, des petits enfants que l'on déguisait en satin blanc avec de petites collerettes jaunes. On se promenait dans les rues avec un costume, issu paraît-il des vraies Croisades. Ce qui me gêne, ce n'est pas le déguisement, mais le fait qu'on enrégimentait les enfants dans les processions pour faire joli. La Fête-Dieu, que j'évoque dans *Thérèse et Pierrette*, c'était une cérémonie très païenne, nous venant des Latins, et qui, dans un pays froid comme le Québec, apparaissait délirante. Essayez de vous représenter la drôlerie et le grotesque de ces enfants déguisés, outrageusement maquillés, et que l'on place dans un reposoir.

P. B. – *Votre description du reposoir de la Fête-Dieu est d'ailleurs très kitsch.*

M. T. – Tout à fait, et j'espère que l'orage final, on le sent vraiment venir, de telle sorte que ce ne soit pas Dieu, mais la nature qui se venge de la procession.

P. B. – *Vous êtes à l'égard de la religion plus moqueur et ironique que féroce. Avez-vous vraiment souffert du cléricalisme qui fut longtemps une caractéristique de la société québécoise?*

M. T. – Prenez par exemple la confession. Je me suis confessé pendant des années une fois par mois. Comme je le raconte dans *Thérèse et Pierrette*, j'inventais des péchés. Qu'est-ce qu'un péché, pour un enfant de neuf ans? Comment voulez-vous qu'il ne finisse pas par avoir honte de la vie? Moi, une de mes préoccupations, c'était de trouver des péchés avant la confession, parce que, très souvent, je n'avais pas eu l'impression d'en commettre. Mais j'aurais eu l'air d'un fou si j'avais dit : « Ne me pardonnez pas, mon père, parce que je n'ai pas péché. » Au lieu de nous expliquer la religion de l'intérieur, on nous l'imposait de force à coups de marteau. C'était une contrainte artificielle. Ce qui fait qu'il a été facile de s'en débarrasser, et, en trois ans, ma génération, prenant conscience de son absurdité, a délaissé une religion qui a pourtant été longtemps l'élément le plus important de la vie au Québec. Enfant, j'ai donc subi la religion comme une pénitence, une discipline inepte, mais son influence a été trop superficielle pour que j'en souffre profondément.

P. B. – *Après* La grosse femme d'à-côté *et* Thérèse et Pierrette, La duchesse et le roturier *vient de paraître au Québec, en attendant un quatrième tome. Ces* Chroniques du plateau Mont-Royal *connaissent un grand succès. Est-ce que vous n'avez pas touché un autre public, celui qui peut-être ne vous soutenait pas au moment des polémiques autour de votre théâtre?*

M. T. – J'ai la chance, ou la malchance – à vous de choisir – d'être très connu au

Québec parce que très tôt, au début de ma carrière d'écrivain, j'ai été obligé d'aller me défendre à la radio ou à la télévision. Maintenant, je suis aussi célèbre qu'un chanteur ou un acteur, et on m'arrête souvent dans la rue ou dans le métro. Or, depuis quelque temps, beaucoup de lecteurs ou de lectrices du *Plateau Mont-Royal* viennent me parler, me fournissant ainsi toutes sortes d'anecdotes ou de souvenirs qui nourrissent mon imagination. Et autant j'étais auparavant apostrophé et invectivé – au point qu'il y avait des prises de bec dans la rue entre mes partisans et mes défenseurs, auxquelles j'assistais avec étonnement –, autant, maintenant, depuis que *La grosse femme d'à-côté* est parue, il y a quatre ans, j'ai rencontré plus de sérénité. Les gens ont senti mon besoin de tendresse pour mes personnages alors qu'on m'avait beaucoup reproché ma dureté et mon agressivité. Une partie du public, surtout chez les plus de cinquante ans, qui me honnissait s'est mis à m'aimer, et c'est même l'un de mes problèmes, parce que je me dis toujours que seuls nos ennemis nous tiennent debout. Les gens m'aiment trop, aujourd'hui! Dans *Thérèse et Pierrette,* j'écris des choses assez méchantes, je pense, sur la religion, et pourtant, de vieux messieurs, et de vieilles dames, quoique en désaccord avec ce que je pense, me lisent et m'acceptent. Ce qu'ils acceptent, aussi, c'est que leur culture ne soit plus centrée sur Paris. Nous avons enfin compris que toute culture doit être son propre nombril du monde avant d'irradier ailleurs. Et c'est parce que les Québécois se sentent québécois qu'ils auront de l'influence, pas parce qu'ils tenteront de copier des modèles d'autres cultures. Voilà pourquoi je ne m'en vais pas vivre en France ou aux États-Unis pour faire carrière : c'est parce que le principal de mon propos se trouve ici, c'est ici que je veux œuvrer.

P. B. – *Vous avez du reste déclaré un jour :* « *C'est en se soumettant aux Français que nos aînés se sont fait chier sur la tête, se sont fait mépriser. C'est en essayant de ressembler à des Français*

qu'ils sont devenus ridicules. Nous autres, on se fait respecter parce qu'on se parle entre nous, sans penser à Paris, Paris s'intéresse à nous parce qu'on se désintéresse d'elle. » Franchement, est-ce que vous tiendriez les mêmes propos si vous aviez du succès en France?

M. T. – Mon Dieu, quelle question délicate... Je ne suis pas connu en France, mais je n'en tire pas, vous le savez bien, de l'amertume.

P. B. – *C'est vrai, mais je sais que vous le regrettez.*

M. T. – Je n'ai pas couru après la France et si, aujourd'hui, j'ai du succès aux États-Unis, je ne l'ai pas quémandé : on est venu me chercher. Maintenant, inutile de le cacher : je regrette que *La grosse femme d'à-côté* ait été un flop commercial. Dommage pour moi comme pour vous, et puis voilà tout. J'ajouterai seulement ceci : les Français nous traitent parfois comme des auteurs folkloriques. Il est temps qu'ils se rendent compte que, pour les Québécois, bien des auteurs français relèvent aussi du pur folklore.

P. B. – *La grosse femme d'à-côté est sortie au moment où Antonine Maillet décrochait le Goncourt pour* Pélagie la Charrette. *Dans la charrette du succès, il n'y avait apparemment pas deux places pour des Canadiens français.*

M. T. – C'est certainement la raison de mon échec. Mais je ne jalouse pas Antonine Maillet, ni Yves Beauchemin qui a rencontré du succès avec *Le matou.* J'aimerais qu'on me lise en France – je n'ai pas honte de l'avouer, puisque je publie – mais je ne ferai pas de concessions. J'écris de telle manière : prenez-le ou pas.

P. B. – *Pas de concessions sur la langue, qui, à vrai dire, est poétique jusque dans ses bizarreries?*

M. T. – Non, pas question de céder là-dessus. Je suis très content de continuer à publier en France mes textes tels quels : si je les avais francisés, je serais moins respectable. Le lecteur français qui va me lire sait qu'il y a un mot sur trois cents qu'il ne connaît pas, mais il sait aussi qu'il le comprendra dans le contexte. De toutes les façons, j'ai l'impression qu'après un premier temps d'étonnement les Français maintenant s'intéressent plus aux deux cent quatre-vingt-dix neuf mots qu'ils connaissent, au sujet et au style des livres québécois. Et s'ils hésitent sur quelques mots, ou des expressions, cela peut les inciter à rêver. D'ailleurs, je ne cache pas mon jeu, dès les premières lignes de *Thérèse et Pierrette*, il y a un mot mystérieux puisque le roman commence ainsi : « *Les lilas sont déjà finis. Sont déjà tout bruns, tout chesses.* »

P. B. – *Ce que je regrette, moi, c'est que de temps en temps, au milieu de votre style si savoureux, vous ayez laissé traîner une phrase comme : « Mère Benoîte des Anges avait beaucoup déçu au niveau humain » ou alors les clichés éculés du genre « un silence de mort » ou « beau comme un dieu ».*

M. T. – Je suis pris la main dans le sac! Je vais me défendre en disant que si des clichés comme « un silence de mort » sont des expressions que tout le monde emploie, cela ne me fait rien de les employer. Un écrivain comme Anne Hébert, on sent qu'elle a passé des semaines à ciseler chaque phrase : c'est admirable, mais ce n'est pas le genre de littérature qui m'attire, même si je prends un soin extrême à travailler les odeurs, les sensations, le bruit de la ville. Pour vous répondre honnêtement, il est probable que les clichés me choqueraient si je les lisais chez quelqu'un d'autre. La mauvaise foi de l'écrivain va jusqu'à trouver naturel ces laisser-aller qu'il refuse chez un autre.

P. B. – *Quel est votre programme de travail dans les mois qui viennent?*

M. T. – Je viens de terminer une nouvelle traduction française d'*Oncle Vania,* de Tchekhov. En la comparant à la traduction anglaise, on s'est rendu compte que la traduction d'Elsa Triolet est pleine de circonvolutions et de licences poétiques, alors que c'est un texte très direct. Puis j'ai un projet de cinéma. Enfin, je prépare le quatrième volume des *Chroniques du plateau Mont-Royal.*

P. B. – *Le troisième volume,* La duchesse

et le roturier, *n'est pas encore publié en France* : il décrit le monde du show-business et du music-hall à Montréal, à la fin des années quarante. *L'un de vos personnages n'est autre que Valéry Giscard d'Estaing!*

M. T. – Dans *La duchesse et le roturier*, comme tout bon voleur, j'ai utilisé, en les transfigurant, des personnages de ma famille. Mais j'ai eu envie aussi de me servir de personnages historiques. J'ai d'abord pensé à des gens d'ici : la Poune et Madame Petrie, des comédiennes de music-hall qui, à l'époque, officiaient dans un célèbre théâtre. Or, je me suis rendu compte que Valéry Giscard d'Estaing, qui a été professeur à Montréal à la fin des années quarante, fréquentait ce théâtre. J'avais l'opportunité d'intégrer un personnage mondialement connu dans mon roman. Je trouvais amusant de m'en servir.

P. B. – *Vous-même, vous avez participé à l'aventure du music-hall ?*

M. T. – J'ai écrit deux comédies musicales et des chansons pour Pauline Julien. Mais j'ai arrêté, parce que je me suis rendu compte que je me dispersais trop et que mon talent dans ce domaine est assez limité.

P. B. – *D'une manière générale, on a l'impression que la formidable explosion culturelle québécoise dans la littérature, la chanson, le théâtre, le cinéma, s'essouffle un peu.*

M. T. – Oui, on le sent très bien. C'est que nous sommes entre deux générations : la mienne, qui a entre quarante et cinquante ans, s'est imposée, en s'essoufflant, peut-être; celle qui suit ne s'est pas encore cristallisée. Je ne me sens pas encore vieux, mais, par exemple, avec ce qui se passe dans les cafés-théâtres de Montréal, je sais que des jeunes vont nous pousser dans le dos. Pour le moment, ils essaient plein de choses, et ils se fatiguent très vite. Mon Dieu! je parle des jeunes de façon docte...

P. B. – *Un coup de vieux. Ce qui est sûr, c'est que vous avez su très vite ce que vous ne vouliez pas.*

M. T. – Paradoxalement, ma chance, c'est d'être issu d'une société obscurantiste. Je savais qu'il fallait dire non et m'affirmer. La génération qui me suit est un peu sacrifiée. Elle ne peut ni nous approuver vraiment, ni nous condamner. Sans doute l'expression artistique des nouvelles générations va-t-elle prendre d'autres chemins que les nôtres, surtout du côté de la musique. Mais si l'on se révoltera contre nous, je suis prêt à parier que l'on ne nous reniera pas.

SAN-ANTONIO

*« J'ai envie de gueuler, de faire des rots,
n'importe quoi, d'écrire avec du goudron,
d'écrire des graffitis,
de faire des choses qui secouent. »*

Avril 1983

Format poche; papier médiocre; couvertures aguicheuses; titres d'une délicatesse incertaine, du genre : *Concerto pour porte-jarretelles*, *Remets ton slip, gondolier*, *La pute enchantée*, ou familiers, du genre : *T'es beau, tu sais!*, *Maman les petits bateaux*, *Bouge ton pied que je voie la mer*; près de 150 ouvrages déjà parus au rythme de 4 par an et vendus à plus de 500 000 exemplaires chacun : tel est en résumé le phénomène San-Antonio. Les truculentes aventures du commissaire séducteur et du gras et grossier Bérurier présentent, de la volonté même de leur auteur Frédéric Dard comme de leur éditeur Fleuve Noir, toutes les apparences de la littérature dite de gare. Et pourtant le style fleuri de San-Antonio, son époustouflante liberté de ton, sa dénonciation permanente de la « connerie », son langage bourré de jeux de mots, calembours, métaphores insolites et autres clins d'œil à tiroirs, séduisent bien des intellectuels. Qui ne se cachent pas avec honte pour le lire et vont jusqu'à lui consacrer des colloques universitaires. Certains ne vont-ils pas jusqu'à imaginer Frédéric Dard dans un fauteuil de l'Académie française? En l'occurrence, c'est mal connaître cet homme attachant dont l'ostensible réussite cache un caractère d'une amère tendresse et toujours prêt à se moquer de la gloriole littéraire. Sa propre reconnaissance l'amuse beaucoup plus qu'elle ne le flatte et l'inciterait à en rajouter dans la provocation : « Faut jamais craindre. En faire trop c'est encore rester loin du compte. » Le refus de la littérature n'est-il pas l'acte littéraire par excellence, son affirmation même? Question à laquelle on songera peut-être en lisant l'essentiel d'un entretien réalisé par deux étudiants : Marie-Geneviève Brochard et Norbert Dors, préparant tous deux à la Sorbonne un doctorat sur San-Antonio.
Dialogue instructif, drôlement sérieux ou sérieusement drôle sur le cas San-Antonio. (P. Boncenne.)

Lire. – *Quelle est votre définition de la littérature?*

San-Antonio. – Eh bien, dites donc, vous n'y allez pas de main morte, vous! Vous commencez bille en tête! Je ne suis pas tellement l'homme des définitions, je suis un type trop impulsif.

Lire. – *Disons alors : pour vous, existe-t-il une différence claire entre littérature et non-littérature?*

S.-A. – Bien entendu, il est certain qu'il doit y avoir une bonne et une mauvaise littérature. En ce cas, la mauvaise littérature est-elle de la littérature? Il faudrait se mettre d'accord : où commence la littérature? Toute lecture qui m'intéresse correspond pour moi à une littérature. Quelqu'un a quelque chose à me dire. A partir du moment où je reçois son message facilement, où tout se passe bien, je trouve qu'il y a acte littéraire. J'entre dans le jeu d'un monsieur qui a employé des mots pour s'adresser à moi. Ils m'ont plongé dans un état émotionnel. C'est ça la littérature. D'un autre côté, il est certain qu'un bouquin policier n'appartient pas à la littérature. Boileau et Narcejac ne seront jamais Balzac.

Lire. – *Tiens, pourquoi?*

S.-A. – Parce qu'il y a des tabous et parce qu'il est probable aussi que Balzac a quand même un autre souffle que Boileau/Narcejac. Je dis cela mais j'adore Boileau et Narcejac, je les cite parce que je trouve leurs livres très réussis.

Lire. – *Mais Balzac a écrit des romans policiers...*

S.-A. – Oui, c'est la raison pour laquelle je le compare à Boileau et Narcejac. Il a écrit des romans policiers avec un souffle, un style assez étonnants. La preuve, il a déjà traversé un siècle.

Lire. – *Le fait qu'un auteur franchisse les siècles signifierait qu'on a affaire à de la littérature?*

S.-A. – Je le constate, on est forcé de l'admettre. C'est presque la preuve par neuf! Au-delà des modes. Tenez, Mauriac, moi je n'en fais pas ma tasse de lait, je m'en fous du père Mauriac, mais son heure de gloire va peut-être revenir. Tous ces types, les Morand, les Girau-doux, tous ces grands littérateurs de mon adolescence vont peut-être réapparaître... La longévité, c'est donc un critère même s'il ne me fait pas toujours plaisir. En revanche, il y a des gens que j'ai beaucoup admirés, comme Marcel Aymé ou comme Giono qui, peut-être, ne survivront pas. Ils vont canner pour de bon!

Lire. – *Et San-Antonio, qui n'a pas subi l'épreuve du temps, appartient-il à la littérature?*

S.-A. – Oh, là, mollo! Ce n'est pas à moi de répondre à cette question. Les San-Antonio, je les commets, je les écris, c'est mon épanchement. Je ne peux pas vous dire : « C'est bon, c'est bien »... Ce serait vachement outrecuidant de ma part. Mais si vous voulez que je parle net, cela me semble être de la littérature assez facile, assez lâchée, assez bâclée avec quelques éclairs et quelques fulgurances de l'esprit. Il faut bien écumer les San-Antonio et, avant d'avoir le bon bouillon, il faut bien les filtrer. En tous les cas, je ne me suis pas mis à écrire des San-Antonio en me disant : « Je vais faire de la littérature. » Je suis un type qui crie « Au secours! » et je voudrais seulement que ce cri soit mélodieux.

Lire. – *Mais quand vous avez publié, certains intellectuels se sont rendu compte que vous faisiez de la littérature...*

S.-A. – Oui, des types comme Jean Cocteau ou Escarpit se sont mis brusquement à dire : « Attention, il y a littérature! » « Marchez pas dedans, c'est de la littérature! »

Lire. – *En effet, Cocteau vous appelait « l'écrivain de la main gauche » et disait : « San-Antonio, c'est de l'écriture en relief, un aveugle pourrait le lire avec la peau des doigts. » Quant à Escarpit, il a dirigé un colloque universitaire qui vous était consacré... Bref, vous êtes considéré comme un écrivain. Et pourtant vous publiez vos romans dans des séries de poche, de grande diffusion, avec des tirages phénoménaux. En général, on appelle cela de la littérature de gare...*

S.-A. – Là on arrive, en ce qui me concerne du moins, au point crucial. Il est bien certain que si depuis une quinzaine d'années j'avais pris la décision d'oublier tout ce qui fait le confort de ma vie, l'agrément d'avoir de l'argent, j'aurais agi autrement. Parce que c'est là la dégueulasserie de la chose : de vouloir bien vivre... On se dit « on n'a qu'une vie » et on souhaite bien la vivre. Et à partir du moment où on a trouvé un filon – je le reconnais, c'est un filon – eh bien, merde, on y va. Mais si j'avais eu suffisamment de ce que je pense pour dire « j'écrirai quand ça me fera plaisir », j'aurais pu améliorer mon écriture. Encore que je n'en sois pas certain car je n'écris que pressé, que dans le jaillissement. Je ne m'accomplis vraiment que bousculé. Ma pensée est chaotique, elle a besoin de recevoir des coups de pieds dans les fesses, d'être talonnée.

Lire. – *Vous écrivez parce que votre éditeur vous oblige à produire vos quatre livres par an...*

S.-A. – Oui, ce qui est énorme : mille pages à noircir dans une année... C'est écrire souvent à la « va comme je te pousse » mais, quand même, il faut les sortir ! Et ça doit en même temps continuer de me faire plaisir parce que je suis incapable d'écrire sans cela. Il y a des San-Antonio dans lesquels je me sens mal parce que je me suis forcé et que je les ai écrits sans joie. C'est mauvais. Je serais incapable de faire deux livres de suite comme ça, sans joie.

Lire. – *Mais vous êtes tenu par vos contrats avec le Fleuve Noir...*

S.-A. – Oh oui! *(rires)*.

Lire. – *Êtes-vous tenu par vos contrats d'écrire des San-Antonio avec tout ce que cela sous-entend de « scènes types »?*

S.-A. – Ah! non, non, non. De ce côté-là je ne suis pas contraint. Libre à moi de dire par exemple à mon éditeur : « Je n'en écrirai plus que deux par an. » Évidemment, il va me faire la gueule! Néanmoins, je peux faire ce que je veux, on ne peut pas contraindre un type à écrire. Et en tous les cas, il n'y a pas de recette fixe. Je peux varier, si j'ose dire, ma « recette ». Ma seule contrainte est d'écrire un roman d'aventures, un roman policier de préférence, ou d'espionnage avec toutes les variantes, y compris de la

science-fiction si je voulais. Ça doit être un livre de divertissement, bref de la littérature de gare.

Lire. – *Mais cela n'est pas stipulé dans vos contrats, c'est vous qui décidez?*

S.-A. – C'est un accord tacite. Pourquoi ai-je écrit *Y a-t-il un Français dans la salle?* et *Les clés du pouvoir sont dans la boîte à gants?* Justement parce que j'avais impérieusement besoin d'écrire sans affabulation policière. J'ai voulu descendre du train, sortir de la gare, j'ai eu envie, pour une fois, de prendre la route. Si je m'écoutais maintenant je n'écrirais plus que des livres de ce genre-là. Et je sortirais un San-Antonio par an qui ressemblerait plus ou moins à ce que j'ai déjà fait.

Lire. – *Les aventures du président Tumelat, le héros de* Y a-t-il un Français dans la salle? *et qu'on retrouve aussi dans* Les clés du pouvoir sont dans la boîte à gants *auront-elles une suite?*

S.-A. – J'ai fait avec lui deux bouquins parce que c'est un personnage et un climat qui m'avaient plu. J'avais encore des choses à dire mais je ne vais pas tirer à la ligne. C'est fini. Je passe à autre chose. Justement je prépare un troisième gros bouquin qui a un titre impossible : *Faut-il tuer les petits garçons qui ont les mains sur les hanches?* Ça va être tout à fait différent de ce que j'ai fait jusqu'ici. L'action se déroulera en Suisse, à Gstaad, chez les oisifs de ce ghetto des milliardaires que j'ai connus, et que j'ai côtoyés sans les fréquenter. Jamais je n'ai accepté une invitation, j'ai tellement horreur de ça : vous ne me voyez pas aller faire le con dans un salon avec tous ces banquiers londoniens! Mais je les voyais agir, je les rencontrais, bon gré, mal gré. Maintenant j'éprouve le besoin d'écrire sur ce sujet. Cette fois, ça y est, c'est mûr. Je vais écrire le Gstaad que j'ai connu, faire une espèce de San-Antonio dans ce climat où Sagan se complaît; mais revu et corrigé par San-Antonio! Par exemple je me souviens d'une histoire. J'étais avec un hôtelier de Gstaad. Arrive un Anglais, une espèce de gars oisif de sexe indéterminé, avec une Ferrari dernier modèle. Une voiture fantastique, un truc fabuleux, la voiture faite spécialement, vous voyez? L'Anglais dit au patron : « Tu vois, des Ferrari comme celle-là il n'en existe que deux au monde. » L'Anglais fout le camp. Deux heures plus tard il revient et s'écrie : « Il n'en reste plus qu'une ! » Il s'était planté à un passage à niveau et avait foutu sa bagnole dans un train qui arrivait !

Lire. – *Votre éditeur vous a-t-il parfois conseillé de vous autocensurer ?*

S.-A. – Une fois seulement : j'avais décrit un type qui était taste-merde. Je crois que j'avais été un peu loin. Chez mon éditeur les lecteurs avaient tous coincé sur l'outrance. J'ai rayé le passage incriminé. On ne peut pas appeler cela de la censure. Disons plutôt que c'est une espèce de prudence. Mais maintenant on est devenu tellement dépravé que plus j'en mets, mieux ça vaut ; alors qu'autrefois, quand j'avais des scènes osées, des descriptions de cul, on me disait : « Ah non, là tu y vas fort, ce n'est pas possible, on va se faire interdire à l'affichage. » Et un bouquin interdit à l'affichage, cela signifie qu'on n'a pas le droit de le mettre en vitrine. C'est tuer la carrière d'un livre.

Lire. – *La présentation aguicheuse de vos livres ne vous gêne pas ?*

S.-A. – Un livre, ça se vend comme ça, sur sa bonne mine, c'est comme une putain. La présentation aguicheuse, c'est pour attirer le client. Une putain qui reste dans sa chambre n'attire pas grand-monde. Il faut qu'elle aille dans la rue.

Lire. – *Nous avons cherché à repérer des filiations et des influences dans le style de San-Antonio. Nous avions pensé – excusez du peu – à Céline, Rabelais, Queneau, Boris Vian, Prévert, Cohen...*

S.-A. – Ben dites donc ! Dans l'ensemble je suis d'accord, sauf pour Boris Vian que j'ai découvert récemment. Céline, bien entendu. Je suis tellement nourri aux mamelles céliniennes. D'ailleurs, nous sommes toute une génération de gars qui ne se sont jamais remis de Céline, du choc Céline. Jusqu'à notre dernier souffle, nous serons marqués par

Céline et nous le restituons mal, par excès d'admiration. Alors, d'accord pour Céline. D'accord aussi pour Prévert, ce jongleur admirable. Quelle leçon ! Quelle démonstration ! C'est formidable ! Rabelais aussi bien sûr ! Pour Cohen, j'en suis moins conscient mais c'est peut-être de la ferveur.

Lire. – *Et Queneau ? Si votre écriture nous paraît ressembler à celle de Queneau, c'est par le côté* Exercices de style *et par l'emploi de jeux phonétiques, par exemple, lorsque vous écrivez « lis tes ratures », « je sue 100 et O », « chapitre pommier »...*

S.-A. – Alors là, je vais cracher dans la soupe : Queneau n'est pas allé assez loin. Il m'a toujours laissé sur ma faim ; j'ai l'impression qu'il m'a plutôt donné envie de « faire mieux ». Atention ! Je ne veux pas dire que j'ai réussi ! Mais Queneau, ça manque de couilles...

Lire. – *Lorsque vous vous amusez à faire des accumulations de mots comme, par exemple, dans* T'es beau, tu sais : *« Moi, de plus en plus dérouté, déconcerté, dé : sarçonné, contenancé, sabusé, primé, vasté, bilité, biné, bordé, boulonné, busqué, cati, cavé, çu, chu, confit... », est-ce un jeu, ou poursuivez-vous un but littéraire ?*

S.-A. – Le mot « littéraire » me freine parce que j'ai l'impression d'être à un stop et de passer à l'orange, quand on me le lance ! Il n'y a pas de but littéraire mais une espèce de volonté : il me semble que le pilonnage permet d'insister sur une idée. Marteler une chose, c'est lui conférer une réalité plus solide, l'affirmer.

Lire. – *Et le plaisir d'écrire ?*

S.-A. – Ah oui, bien sûr, il y a surtout le plaisir, ce plaisir incomparable... toujours cette jonglerie avec le vocabulaire qui est fascinant et plein de ressources. Vous sautez sur un dictionnaire et, brusquement, c'est l'enchantement. Ce matin encore, en écrivant, je parlais d'une fille que San-Antonio convoite. Je dis, elle est « en », deux points, « voûtante », « nivrante », et je me suis mis à chercher dans un dictionnaire. Au fond, cela n'est pas compliqué, c'est un truc. Mais c'est marrant. Après je relis le résultat et je me dis : « C'est assez drôle. »

Lire. – *Oui, mais ce jeu permanent ne tourne-t-il pas au procédé ?*

S.-A. – Je crois que le « truc » peut devenir une forme d'art. Mon art, si l'on me reconnaît en tant qu'artiste, c'est justement de savoir utiliser des trucs et de jongler avec, de les modifier, de les réinvestir au gré de l'inspiration et de la jubilation... Parce qu'il y a beaucoup de jubilation dans mon écriture.

Lire. – *Les San-Antonio sont bourrés d'allusions culturelles. Pour prendre un exemple simple, il vous est arrivé dans* Vol au-dessus d'un lit de cocu *de parodier* La légende des siècles *de Victor Hugo en écrivant :*

« Nous marchâmes, marchâmes, et marchâmes encor
Tant qu'à la nuit tombée nous étions comme morts.
Béru se déplaçait, vêtu de marécage.
C'est triste pour un homme dans la force de l'âge,
Reclus, comme Elisée, mais c'était de fatigue,
Nous finîmes par tomber, tous deux, en digue digue. »
Cela signifie bien qu'il existe plusieurs registres de lecture dans San-Antonio ?

S.-A. – Je pense plutôt qu'il s'agit d'une marotte, la marotte du clin d'œil; parce que ces bouquins s'adressent initialement à des littératures de casernes, de gares, faciles. Mais, me sachant lu par nombre d'intellectuels, j'éprouve de temps en temps le besoin d'établir une complicité, de leur montrer que je ne les oublie pas, qu'on est quand même un peu entre nous, aussi! C'est une façon de garder le contact. Il m'est arrivé de faire des allusions dont, à la relecture, le sens m'échappait. Je vous jure que c'est vrai. Dans certains San-Antonio j'ai même fait une allusion pour une personne uniquement, sans pour autant lui envoyer mon livre après. C'est-à-dire un truc absolument perdu...

Lire. – *Vous ne vous amusez pas seulement avec les mots. Il vous arrive aussi de vous amuser matériellement avec les éléments du livre. Dans certains de vos* romans comme Les Con, *de nombreuses pages sont imprimées en marron sur du papier jaune, ou même dans* La sexualité, *certains chapitres sont imprimés à l'encre violette. Pourquoi ?*

S.-A. – J'ai demandé récemment à Patrick Siry, qui est directeur littéraire du Fleuve Noir, si je pouvais faire des annotations en marge de mes livres, parce que je trouve que l'on ne va pas assez loin. Ça finit par devenir con, un livre. Ça a trente-deux lignes ou trente et une selon les caractères, tant de caractères à la ligne, tant de mots à la ligne... C'est tout bête. J'aimerais jouer avec les couleurs, avec les formes... Queneau a essayé avec la typographie. Moi, j'aimerais aller plus loin encore, avoir des pages en couleur, rejoindre presque une espèce de dessin. Que la typographie devienne un graphisme et pouvoir gambader là-dedans. Parfois, dans des passages de délirade, mais un peu léchés, je décris le soir qui tombe, je me paye cinq lignes hugoliennes, j'aimerais pouvoir mettre en marge : « Cf. Victor Hugo », « 8/20 », « Peut mieux faire », etc. Ce serait marrant. Mon éditeur me dit que l'on ne peut pas faire cela – mettre de la couleur, des signes typographiques incroyables – car ces livres sont imprimés par des machines suédoises gigantesques, comme pour les journaux. Un San-Antonio ça tire comme *France-Soir*! Il faudrait donc que j'en écrive un et qu'on l'imprime à la main en amateur pour que j'aille vraiment au bout de mon propos! En attendant, je fais joujou avec les mots aussi bien pour déconner que pour me révolter contre le côté « mes quatre bouquins par an ».

Lire. – *Vos San-Antonio sont tout de même un pavé dans la mare par rapport à ce qui se produit habituellement dans ce genre de littérature.*

S.-A. – Je regrette que le pavé ne fasse pas plus d'ondes, qu'il ne soit pas plus gros. Je voudrais que ce soit un rocher... Enfin, je fais ce que je peux. Cette société m'agace, tous ces gens m'agacent : on est tous en train de s'entre-faire-chier, de s'entre-emmerder. Tout cela m'horripile. J'ai envie de gueuler, de faire des rots, n'importe quoi, d'écrire avec du goudron, d'écrire des graffitis, de faire des choses qui secouent. Pas pour attirer l'attention sur moi, mais pour l'attirer sur eux, sur eux-mêmes.

Lire. – *Parfois, dans vos livres, on trouve des calligrammes. On trouve aussi des plages vides où le lecteur peut intervenir, par exemple quand vous écrivez, dans* J'ai essayé, *on peut :* « Des bouquins, du pain, du vin et du... C'est cela la véritable relaxation. » *Les points de suspension renvoient à une note qui dit :* « Emplacement publicitaire à louer. » *Est-ce aussi dans l'esprit de faire reculer les limites du roman policier ?*

S.-A. – Ah, bien sûr! Il faut que ça devienne une espèce de participation plus totale que de lire une histoire. « Il poussa la porte et entra » : c'est ce que je dis toujours à ma femme, le matin quand on boit un dernier café : « Je vais : il poussa la porte et entra »! Parce qu'écrire c'est ça : dans tous les romans, il pousse toujours la porte et il entre, le mec!

Lire. – *C'est comme les* « jambes gainées de nylon », *un cliché littéraire...*

S.-A. – Eh oui, tous ces clichés qui n'en peuvent plus! C'est amusant de s'en servir au second degré! Je prends des clichés et je m'en sers pour faire rire. Il faut qu'ils deviennent drôles. Le lecteur moyen, le connard qui va lire cela, je veux lui mettre le nez dans le cliché, je veux faire un sort à cette chose-là. Mon problème c'est que je suis à court de têtes de Turc parce qu'au fond je ne veux pas faire de peine. Avant que je connaisse Dutourd, je lui attribuais tous les clichés possibles. Ce qui m'étonne c'est qu'il ne l'ait jamais su. Un jour, j'ai fait sa connaissance à La Baule... Je faisais un slalom fou pour l'éviter, partout, dans la salle à manger, sur la plage... Dès que je le voyais avec ses lunettes sur la tête, je me barrais. Je me disais : « Il va m'insulter ce mec, quand je vais le rencontrer, on n'est pas là pour se fâcher. » Et un soir, je suis invité parmi tous les « gens bien » de l'hôtel... Je me suis retrouvé avec Dutourd. Présentations... Moi, je me disais : « Ça y est, il va me gifler » et Dutourd s'écrie : « Cher Dard, depuis le

temps que je voulais vous connaître... » J'attendais la suite avec inquiétude. Il ajoute : « Quelle joie, j'adore ce que vous faites! »

Lire. – *San-Antonio pourrait-il se passer d'une trame policière ?*

S.-A. – Dans les San-Antonio, il y a deux aspects. Il y a San-Antonio le héros, que j'ai campé en cent et quelques bouquins. Il est évident qu'on imaginerait mal maintenant un livre où San-Antonio le personnage vive une action autre que policière. Mais il y a aussi San-Antonio l'auteur, San-Antonio-style, ce qui est le plus important pour moi. C'est ma joie d'être. Le style, je voudrais ne garder que cela. L'autre San-Antonio me fait un peu chier. C'est toujours la même marionnette, « Béru »... « Il poussa la porte et entra »... Il y a une espèce de ronron qui m'emmerde.

Lire. – *Cette routine, essayez-vous de la combattre en travaillant vos San-Antonio ?*

S.-A. – Je les travaille et je ne les travaille pas d'une certaine manière. J'ai essayé de faire des canevas, d'avoir une trame sur vingt pages avec des paragraphes. Je me suis aperçu que ça m'émasculait, je ne bandais plus en écrivant, cela devenait une routine. J'ai besoin de me surprendre. Quand j'écris, il faut que ce soit toujours haletant. Mais il y a des moments où, dans mes délirades, je me fais plaisir, c'est mon cadeau, je m'offre ça... Alors là, je travaille, là je relis le passage. De même, quand je me remets au travail le matin et que je relis mes deux dernières pages pour raccrocher, je raye des choses, j'en rajoute. Si je travaillais plus les San-Antonio, j'en rajouterais énormément. Ce serait bien mieux puisque j'enrichis lorsque je relis. Malheureusement, je ne suis pas capable de relire plus de deux de mes pages!

Lire. – *San-Antonio a évolué. N'avez-vous pas l'impression que du roman policier à part entière qu'il était dans ses débuts, il est devenu aujourd'hui un* « roman policier prétexte » ?

S.-A. – Je trouve la qualification très bonne, je n'y avais pas pensé : merci, je m'en servirai! Oui, San-Antonio c'est le roman policier prétexte, c'est l'argument... Puisque je suis contraint d'accrocher mon linge toujours après le même fil, je continue d'avoir des fils, et je me moque qu'ils soient gros.

Lire. – *D'une manière générale, les San-Antonio renvoient de plus en plus à eux-mêmes comme dans un jeu de miroirs. Par exemple, toutes ces notes en bas de page avec leurs astuces et leurs sous-entendus.*

S.-A. – Je me sentais prisonnier du succès. J'ai compris que j'étais enfermé là-dedans, que c'était une muraille, un donjon. Et je me suis dit : « Panique pas, mon grand, il va falloir t'installer, on va faire tapisser la chambre, on va mettre des miroirs pour que ça fasse plus large, on va peindre des trompe-l'œil, des sous-bois. » Et c'est ça : je me suis installé! Et j'ai compris que plus je me ferais plaisir, plus je ferais plaisir au lecteur.

Lire. – *Au début, vous vouvoyiez votre lecteur. A partir de* J'ai essayé : on peut! *vous l'avez tutoyé. Cela signifie-t-il que le « tu » facilite votre communication avec le lecteur ?*

S.-A. – C'est pour aller plus loin. Même dans la vie courante j'ai le tutoiement spontané. Il m'est très difficile de vouvoyer. J'ai besoin d'aller vite, j'ai envie d'aimer tout de suite, de dire aux gens : « Je vous aime » puis de les tutoyer. Le « tu » facilite le prétexte et les pirouettes. On se gêne moins devant un copain : on change de slip devant lui. C'est toujours pour apprivoiser; en fait, c'est par souci de capter, de voler les gens... « Voler » dans le bon sens, c'est-à-dire les faire miens. Le tutoiement, c'est une des formes d'accaparement... Il y a peu de temps, ma femme et moi étions dans un restaurant russe; le patron vient à notre table et je commence à lui parler en le tutoyant. A ce moment, ma femme me dit : « Tu te rends compte que tu tutoies monsieur... » La même chose m'est arrivée avec mon garagiste de Genève. Un jour il m'a dit : « Vous savez que je suis le patron du garage ? » Je lui réponds : « Oui et alors ? » Il m'a avoué que, comme je le tutoyais, il pensait que je le prenais pour le pompiste!

Lire. – *Dans* Moi, vous me connaissez, *vous écrivez : « ... et une batterie de cuisine au complet t cv n c b erdS, k hgu, q è) » avec une note : « Un ange est venu déposer cette ligne incohérente et j'entends l'y laisser sans y changer un seul mot »...*

S.-A. – Oui, c'est ma fille qui était bébé. Elle est entrée dans mon bureau et a tapé à la machine. C'est une machine électrique et les notes foutent le camp comme un chargeur de revolver. Alors elle a fait ça : « Brrruuuuup »... et puis j'ai laissé ça en disant : « C'était une intervention extérieure. »

Lire. – *Mais pourquoi avez-vous laissé passer cela à l'impression ? Quelle était votre intention ?*

S.-A. – C'est une intention humaine. Ma fille, ce bébé que j'adore, se sera manifestée. Vous allez m'objecter que le lecteur n'est pas forcé d'en faire les frais : pourquoi lui foutre cette espèce de scorie à la gueule ? C'est parce qu'il y a, sous-jacente, cette certitude que tout ça n'a aucune importance. Regardez comme ce n'est pas sérieux! Ce livre va paraître avec ce passage et ça n'a aucune importance! Il va sortir et ça ne gênera en rien sa carrière! Rien n'a d'importance...

Lire... – *Votre langage est toujours très imagé! San-Antonio, c'est le temple de la comparaison, du genre « Je suis triste comme un chien castré qui assiste à une partouze », ou « Un nez dont la couleur évoque un conclave au Vatican ».*

S.-A. – Je crois qu'ayant un goût forcené de la comparaison, c'est pour moi un véritable exercice, c'est une colle que je me pose. Quand j'écris et que j'arrive à : « Il était tremblant comme... », je me dis : « Là, il va falloir que tu trouves quelque chose qui fasse rire. » Je me creuse la cervelle, je cherche... C'est une espèce de défi que je me lance. Il faut que je trouve quelque chose de drôle : « Allez, sois drôle, mon grand; épate-toi, vas-y, trouve! Allez, hop, saute! » Il m'arrive d'interrompre mon écriture sur une comparaison qui ne vient pas; mais je ne me fais pas de cadeau. Je passe outre, j'arrête. Je me lève, je quitte la pièce, je vais regarder mon courrier, je discute avec ma femme. Je retourne à ma machine, et il faut que ça vienne.

Lire. – *La drôlerie de vos comparaisons vient souvent du fait que le « comparé » (le deuxième terme de la comparaison) est extérieur au récit, inattendu. Vous écrivez par exemple : « Un silence lourd comme l'hérédité d'un hydrocéphale »...*

S.-A. – Ce n'est pas gratuit. C'est délibéré. Elles ne viennent pas spontanément, je les chiade, mes comparaisons, comme un peintre qui cherche ses couleurs. Ce sont des moments d'arrêt pour moi, des moments où le robinet ne coule plus pareil, il faut augmenter la pression.

Lire. – *Les diverses adaptations de San-Antonio au cinéma, en bandes dessinées ont toujours été des demi-échecs... A votre avis, est-ce votre style fleuri qui ne peut pas être transposé ?*

S.-A. – La bande dessinée, je n'y suis pour rien, ça a été une tentative de l'éditeur pour donner un prolongement à San-Antonio. Mais tout ce qui n'est pas San-Antonio n'a jamais marché. De même pour les films. San-Antonio, c'est deux cent vingt-quatre pages sur du papier de plus ou moins bonne qualité, avec une illustration choc, et hardi petit... six cent mille ! Tout ce qu'on veut faire en dehors, n'importe quel prolongement qu'on veuille lui donner, échoue. C'est parce qu'un succès, c'est très rare, ça doit réunir une foule de conditions plus ou moins obscures. Quand j'ai créé San-Antonio, j'ai trouvé un truc, mais sans le chercher. Il a eu du succès parce que c'était une somme : c'était un personnage

impertinent, qui se fout de tout, drôle, énorme, pas prétentieux. A partir du moment où vous voulez le projeter dans un autre univers, tout se déglingue. Il faudrait retrouver exactement la même chose, un autre langage pour le cinéma, pour la radio, pour les bandes dessinées. Il faudrait tout restructurer, retrouver d'autres éléments. Puiser dans ceux du bouquin, cela n'est pas suffisant. La preuve c'est que ça se ramasse, ça tombe comme des merdes de vache.

Lire. – *Au bout du compte, vous refusez le terme de « littérature », pourquoi ?*

S.-A. – C'est la postérité qui confirme le talent des écrivains, les vrais, les tout-grands, les pléiadés. Elle leur amène la gloire posthume, elle leur amène les tirages. Ils font partie d'un fonds que l'on réédite sans arrêt. Ils appartiennent au patrimoine. Ce sont des gens qui travaillent pour le futur. Moi, ma postérité, je la vis ! Ma postérité, c'est simplement ce que je fais puisque ça marche, puisque j'ai tout de suite ce que les autres ont morts ! Ça peut paraître simpliste mais cela me satisfait ! Pourquoi voulez-vous que je me casse le derrière : je n'ai pas de souci d'avenir, puisque la gloire je l'ai de mon vivant, puisque les gros tirages, je les ai aujourd'hui, puisqu'on s'occupe de moi maintenant. Pourquoi voulez-vous que je me soucie d'être dans le lot de ceux qui resteront ? Je m'en fous. Il y aura eu cent cinquante millions de livres de San-Antonio sur le marché, ce qui est quand même forcené !

NATHALIE SARRAUTE

*« Il y a des sensations très floues,
inexprimées, qui sans les mots bien sûr
ne sortiraient jamais, mais qui existent avant
et poussent les mots. »*

Juin 1983

A 83 ans – c'est en effet avec le siècle très exactement qu'elle est née à Ivanovo, en Russie –, Nathalie Sarraute vient de publier l'un des textes les plus touchants et les plus sensibles sur l'enfance que l'on puisse lire aujourd'hui. Loin des clichés habituels du genre, des révélations ou des illusions autobiographiques, et sans renoncer à cette exigence minutieuse qui lui vaut une place privilégiée dans la littérature moderne. *Portrait d'un inconnu* ou *L'ère du soupçon, Le planétarium* ou *Les fruits d'or, Vous les entendez?* ou *L'usage de la parole* : autant de jalons dans une œuvre commencée avant-guerre, traduite maintenant en vingt-quatre langues, et dont l'originalité reste intacte même si on a pu évoquer à son égard les prestigieuses filiations de Joyce, Proust ou Virginia Woolf, tout en la rattachant au « nouveau roman ». Personne comme Nathalie Sarraute pour cerner sous le flux banal des mots, des apparences et des gestes quotidiens ces mouvements impalpables de la conscience qu'elle nomme « tropismes », ces instants de violence cachée, ces réactions insolites à la source des sentiments, ces ruissellements indéfinissables de la voix intérieure.

Par-delà une histoire particulière où l'on découvre une petite fille tiraillée entre la Russie et la France, entre une mère et un père qui se séparent, mais aussi jouant, allant à l'école, se promenant, mangeant, inventant son monde, ayant peur, riant, rêvant, Nathalie Sarraute a donc composé maintenant un livre qui vibre de sensations d'enfance. Les siennes deviennent peu à peu les nôtres par l'effet d'un art admirable, effaçant au fur et à mesure toutes les traces de son minutieux travail. Sa patience et sa constance en quête de l'indicible, Nathalie Sarraute explique ici pourquoi elles sont un nécessité impérative et un absolu incomparable.

Pierre Boncenne. – *Vous avez publié il y a trente ans exactement* Les fruits d'or, *un roman très brillant qui a pour thème la parution d'un nouveau livre et les réactions, les remous que cette sortie entraîne. En venant vous voir à l'occasion de votre dernier texte,* Enfance *(Gallimard), je participe à une sorte de comédie sociale?*

Nathalie Sarraute. – Dans *Les fruits d'or,* je voulais en fait montrer la difficulté pour quelqu'un d'accéder à un livre. Au début, il y a comme un rideau d'opinions, par exemple une unanimité dans la louange interdisant de dire qu'il y a des défauts ou que c'est mauvais. Mais après, il arrive que cela tombe et que ce soit le contraire : on ne trouve plus rien de bon dans le livre. D'où la difficulté d'aller vers un livre. Mais dans *Les fruits d'or,* je n'ai pas décrit tout ce qui se passe quand paraît un livre : sa divulgation, l'intérêt qu'il suscite, la publicité, les explications, les interviews, etc. Je m'étais plutôt placée au moment où le snobisme commence à jouer, où s'établit une sorte de terrorisme autour du livre. J'ai assisté comme cela depuis cinquante ans à de véritables crises de délire sur des romans. Puis à des délires en sens contraire. Ce qui était intéressant dans *Les fruits d'or,* c'était de saisir les mouvements que cela peut susciter alors autour du livre. Des critiques, s'ils écrivent par exemple : « Il n'y a rien de mieux depuis Stendhal », préparent ce terrain de l'enthousiasme, puis du terrorisme autour d'un livre.

P. B. – *En ce moment, justement, la critique ne publie que des articles très élogieux sur* Enfance.

N. S. – Peut-être est-ce dangereux : on en dira du mal plus tard!

P. B. – *Vous n'êtes pas inquiète devant l'excès de compliments?*

N. S. – Ce qui est sûr, c'est que je n'ai pas connu ce genre d'inquiétude pour mes autres livres.

P. B. – *Depuis quinze ans, on ne peut vraiment pas dire que vos livres –* Vous les entendez?, « Disent les imbéciles » *ou* L'usage de la parole – *aient été mal reçus.*

N. S. – J'ai été reçue avec une certaine estime. Mais en même temps avec une certaine distance, parce qu'on trouve toujours mes livres difficiles.

P. B. – *Cette réputation d'auteur difficile, solitaire, à l'écart, vous croyez qu'elle a été construite comme pour éloigner les lecteurs de vos livres?*

N. S. – Peut-être, et pourtant « solitaire », ce n'est vraiment pas mon cas. Je ne suis pas comme d'autres écrivains qui sont des personnages impossibles à voir. Je suis quelqu'un d'accessible, il est rare que je refuse de rencontrer quelqu'un. Et s'il est vrai que je vis à l'écart parce que la vie sociale me fatigue et ne m'apporte pas grand-chose, ce n'est pas du tout une attitude profondément inhérente à ma personnalité. Il est possible que placée dans d'autres circonstances j'aurais été très différente. A l'étranger par exemple, où la vie sociale est moins formelle et rigide qu'ici, puisque j'y suis en visite, je me sens très bien avec les gens, j'aime beaucoup les rencontrer, parler. Donc, vous voyez, l'image que l'on semble avoir construite de moi me paraît curieusement distante.

P. B. – *On dit aussi que vous êtes excessivement attentive à ce que l'on écrit sur vous.*

N. S. – Cela m'a toujours stupéfiée! C'est phénoménal! Quand je songe à ce que j'ai pu avaler d'indifférence et de manque de sympathie depuis que j'ai commencé à écrire... Je connais peu d'écrivains qui dans ces conditions auraient continué. Voyant mon acharnement, quelqu'un m'a même dit : « Mais vous avez une peau d'éléphant! » Je ne comprends donc pas d'où vient cette réputation, sinon par un ou deux critiques qui ont écrit des phrases assez révoltantes sur mes livres. Comme je l'ai dit autour de moi, je suppose qu'on a dû le leur répéter. Autrement, je ne vois pas. Mon premier livre, *Tropismes,* paru en 1939, m'a valu trois lettres et un seul article. En 1948, pour le second, *Portrait d'un inconnu,* j'ai eu un seul article de quelques lignes et en 1953, pour *Martereau,* quelques comptes rendus encourageants. C'est seulement en 1956, au moment de

L'ère du soupçon, que l'intérêt de la critique a été éveillé. Après, il y a eu le mouvement du « nouveau roman », et *Le planétarium* a été bien accueilli : c'était en 1959, vingt ans après mon premier livre... Donc, si j'avais prêté tant d'attention à la critique, il y a longtemps que j'aurais arrêté. Et je connais des auteurs qui, pour quelques lignes où ils sont esquintés, écrivent aux critiques ou s'alitent pour une semaine. Moi, il m'arrive d'en parler dans mon entourage, mais je n'ai jamais envoyé une ligne de protestation à un critique. Et pourtant, j'ai eu droit quelquefois à des articles assez indécents.

P. B. – *C'est quoi, au juste, un article « indécent » ?*

N. S. – Quand le critique n'a visiblement pas lu le livre, quand au départ, n'ayant pas lu le livre, il cherche à montrer que c'est mauvais.

P. B. – *Quelques articles de cette nature, au milieu d'autres très chaleureux, au fond n'est-ce pas salutaire ?*

N. S. – Je crois surtout que si l'on commence à s'attacher trop à l'opinion des autres, on ne peut plus écrire. Quand j'ai commencé à écrire, mes meilleurs amis me disaient : « Je n'éprouve rien de pareil, d'où as-tu sorti cela qui ne correspond à aucune réalité ? » Et j'ai continué malgré tout. Puis, après, j'ai continué envers et contre les critiques. Avant le « nouveau roman », il n'y avait rien pour me soutenir, puisque j'ai justement été amenée à écrire les articles de *L'ère du soupçon* pour me prouver à moi-même pourquoi j'étais amenée à écrire dans la voie que j'avais choisie. Et cette voie, ce n'était pas un parti pris de faire nouveau. Je peux très bien soit ne pas donner de nom à mes personnages, soit en donner comme dans *Le planétarium* parce que les gens se voient comme des apparences et qu'ils se servent de noms quand ils parlent les uns des autres. Mais dans les deux cas, mon choix correspond à un réel besoin et non pas à une sorte de règle que je me serais imposée. Jamais, je crois, je n'ai tenu compte de la mode.

P. B. – *Il est vrai en tous les cas que, pour l'essentiel, vous n'avez rien changé depuis votre premier livre et qu'aujourd'hui encore vous êtes en quête de ces « pénombres secrètes », juste en dessous du langage, entre le conscient et l'inconscient. Aujourd'hui encore, on peut dire que dans vos livres vous êtes comme au début à la recherche des* tropismes, « *ces mouvements indéfinissables qui glissent très rapidement aux limites de notre conscience (et qui) sont à l'origine de nos gestes, de nos paroles, des sentiments que nous manifestons, que nous croyons éprouver » ?*

N. S. – Oui, et d'ailleurs, si je voulais faire quelque chose d'autre, je ne le pourrais pas, parce que ça ne m'intéresse pas. Je n'arrive pas à sortir de cet univers qui est le mien.

P. B. – *Et tous les matins, même le dimanche, vous continuez encore à aller écrire dans un café ?*

N. S. – Cela m'est absolument nécessaire comme un équilibre. Tous les jours à Paris, je vais à mon bistrot. A la campagne, j'allais aussi au bistrot de Vétheuil, à quatre kilomètres d'ici, mais depuis quelque temps, ils ont installé un juke-box. Les conversations, même très proches, je ne les entends pas. En revanche, le juke-box a quelque chose d'exigeant et d'insupportable. Pour écrire, j'ai donc arrangé une petite pièce qui était anciennement une étable. J'aime d'ailleurs plaisanter et dire : « Je vais dans l'étable ! »

P. B. – *Sinon, vous aimez écrire au bistrot ?*

N. S. – C'est délicieux, c'est comme si vous étiez en voyage. Et l'on n'a aucune distraction. Car il est difficile de se mettre à écrire, on saute dans le vide, à tel point qu'un écrivain a pu me dire un jour : « J'ai toujours l'impression que cette fois-ci je vais me casser les reins. » Chez soi, on fait donc tout ce que l'on peut pour ne pas écrire : on cherche une lettre perdue, on prend un bouquin, on écoute les bruits de la maison. Tandis qu'au bistrot, on est complètement seul, on sait que personne ne peut vous déranger et, en même temps, il n'y a pas l'angoisse de la solitude complète grâce aux gens, autour, que l'on voit passer.

P. B. – *Vous qui souvent décortiquez les mots, les expressions toutes faites, les lieux communs, au bistrot, vous n'éprouvez pas la nécessité de consulter un dictionnaire?*

N. S. – Pas du tout. Si j'ai un doute, je le note et je vérifie l'après-midi chez moi. Un dictionnaire au bistrot risque de me distraire, parce que ce qui surtout compte pour moi c'est le rythme de la phrase, son mouvement.

P. B. – *Vous venez de publier* Enfance *et pourtant – cette réputation-là est justifiée je crois – vous n'aimez pas parler de vous-même?*

N. S. – Quand on veut parler de soi-même, de ses sentiments ou de sa vie, c'est tellement simplifié qu'à peine dit, cela me paraît faux. Ou alors, il est possible d'affirmer le contraire (il en va de même avec les qualités et les défauts des gens). On finit donc par construire quelque chose qui est faux pour donner une image de soi. J'ai essayé de l'éviter. Avec *Enfance*, j'ai juste voulu assembler les images tirées d'une sorte de ouate où elles étaient enfouies.

P. B. – *Et* Enfance, *qui est construit comme un dialogue permanent entre vous et votre double, commence par ces mots avec lesquels celui-ci vous rabroue : « Alors, tu vas vraiment faire ça? " Évoquer tes souvenirs d'enfance "... Comme ces mots te gênent, tu ne les aimes pas. Mais reconnais que ce sont les seuls mots qui conviennent. Tu veux " évoquer tes souvenirs "... Il n'y a pas à tortiller, c'est bien ça. »*

N. S. – Oui, j'ai commencé ainsi parce que cela me paraissait justement aberrant de m'arracher au monde habituel dans lequel j'écris. Et je me suis vraiment dit : « Tu ne vas tout de même pas faire cela. » C'est ainsi qu'est né ce dialogue. J'ai écrit la phrase que vous citez, et j'ai continué.

P. B. – *Tout au long du livre, votre double va vous surveiller. Dès le début, il se demande ironiquement si avec* Enfance *vous n'allez pas « prendre votre retraite »?*

N. S. – Il se demande en effet : mais qu'est-ce qui se passe?... Et après, ce double m'a beaucoup servi pour remettre les choses en place. C'est mon côté plus raisonnable, un côté qui relit et demande : pourquoi tu dis cela, pourquoi tu parles de « pépiements » alors qu'il n'y en avait pas? Déjà, dans *Entre la vie et la mort,* j'avais employé, pour relire, un double, ce lecteur idéal que tout écrivain projette. Rappelez-vous ce mot magnifique de Gide : « Je compose dans la folie, et je relis dans la raison. »

P. B. – *Votre double ne cesse de se moquer de l'autobiographie et pourtant c'est un genre qui a ses lettres de noblesse?*

N. S. – Entre nous soit dit, je ne trouve pas, sauf Rousseau avec les *Confessions* : une très grande exception, une source pure.

P. B. – *Et le* Journal *de Gide?*

N. S. – Je ne considère pas que, parmi ses livres, ce soit ce qu'il y a de mieux dans la forme. Ma génération a beaucoup admiré et à juste titre *Paludes.* Le *Journal* est très en dessous.

P. B. – *Et pour rester dans des contemporains, dans des genres très différents, l'autobiographie telle que l'ont pratiquée Michel Leiris ou Sartre?*

N. S. – Franchement, cela m'ennuie de donner l'impression de critiquer...

P. B. – *Vous avez tout de même le droit de ne pas apprécier.*

N. S. – J'ai beaucoup d'estime pour l'œuvre de Michel Leiris. Mais s'il est vrai qu'il voulait « tout dire », je suis persuadée que c'est humainement impossible : on ne peut raconter qu'une partie de l'existence en sélectionnant dans l'immensité de ce que l'on a vécu. Le projet de tout dire me semble voué à l'échec d'avance, chacun de nous gardant dans son for intérieur des choses indicibles qu'il ne veut pas connaître ni voir de trop près et encore moins étaler devant les autres. Quant aux *Mots* de Sartre, c'est une sorte de construction qui ne me paraît pas être une autobiographie. Je suis persuadée qu'il était différent et qu'il était par exemple excessivement tendre. Il a écrit, avec *Les mots,* une démonstration presque inhumaine pour tâcher de retracer la formation intellectuelle d'un enfant. C'est une belle construction, mais qui ne correspond probablement pas à toute la réalité. J'ai d'ailleurs eu l'occasion de dire que j'étais d'accord avec Freud sur un seul point : quand il affirme que tout autobiographie est fausse.

P. B. – *Mais une certaine vérité de Sartre peut apparaître derrière la fausseté autobiographique des mots ?*

N. S. – On voit probablement son tempérament, ou bien sa manière de se projeter dans des personnages et de jouer devant lui-même ce qui n'apparaissait pas du tout – au contraire – quand on le rencontrait. Il n'en reste pas moins que l'ensemble des *Mots,* bien que très beau, sonne faux.

P. B. – *Dans* Enfance, *votre double ironise sur les « beaux souvenirs d'enfance », sans cesse il suspecte ces clichés et ces projections artificielles.*

N. S. – C'est pourquoi j'ai trouvé intéressant de raconter qu'un jour on nous avait donné à l'école communale un devoir avec comme sujet : « Mon premier chagrin ». Bien évidemment, je n'avais pas décrit mon véritable premier chagrin : il aurait été très impudique de raconter cela dans un devoir de français. Et d'abord, comment savoir quel est votre premier chagrin ? Mais j'ai pris alors le genre par excellence des premiers chagrins des petites filles modèles et choyées : « La mort du petit chien ». Cet exemple inventé m'avait donné l'occasion de faire du joli style, de la jolie copie, ce qui était vraiment important. Vous ne pensez pas que j'allais commencer à me raconter... Aujourd'hui comme hier à l'école communale, je n'aime pas ces étalages de soi-même et je n'ai pas l'impression qu'avec *Enfance* je me suis laissée aller. Comme dans *Tropismes,* ce sont plutôt des moments, des formes de sensibilité.

P. B. – *Des moments singuliers, tout de même ?*

N. S. – Oui, il y a des événements très personnels. Mais qui ne sont pas rattachés entre eux, qui sont espacés. Je n'ai pas essayé d'écrire l'histoire de ma vie, parce qu'elle n'avait pas d'intérêt d'un point de vue littéraire, et qu'un tel récit ne m'aurait pas permis de conserver un certain rythme dans la forme qui m'est nécessaire.

P. B. – *Et dans cette forme elle-même, il faut prendre garde à des facilités. Un moment, vous écrivez : « Je peux m'abandonner, je me laisse imprégner par cette lumière dorée, ces roucoulements, ces pépiements, ces tintements des clochettes sur la tête des ânons. » Hélas, votre double vous interrompt : « Ne te fâche pas, mais ne crois-tu pas que là, avec ces roucoulements, ces pépiements, tu n'as pas pu t'empêcher de placer un petit morceau de préfabriqué... c'est si tentant... tu as fait un joli petit raccord, tout à fait en accord... » Malgré la reprise en main par le double, il n'empêche que vous le publiez, votre petit morceau préfabriqué ?*

N. S. – Les roucoulements des colombes et les pépiements, c'est un tel cliché que le double ne peut pas ne pas intervenir. Alors d'accord, je me suis laissée aller, mais immédiatement je renonce : je donne raison à mon double.

P. B. – *Les souvenirs d'enfance, c'est la porte ouverte aux stéréotypes littéraires ?*

N. S. – Absolument. Tenez, rien de plus risible que « la mort du petit chien ». Or, je vous garantis qu'il y a des souvenirs assez célèbres dans lesquels on trouve ce passage ! Vous vous rendez compte : décrire une telle scène... En revanche, je crois qu'il est possible d'éviter ces clichés et d'écrire des livres vrais sur l'enfance. Je pense à l'admirable *Opoponax* de Monique Wittig où, en n'indiquant pas qu'il s'agit de ses propres souvenirs, elle a réussi à conserver tout le duvet de l'enfance. Une réussite rarissime.

P. B. – *Ce que vous cherchez dans* Enfance, *comme dans tous vos livres, c'est à retrouver des « petits bouts de quelque chose d'encore vivant », qui palpitent « hors des mots » ?*

N. S. – Vous savez que longtemps il y a eu une discussion – heureusement plus maintenant – pour démontrer qu'il n'y a rien avant les mots, que rien ne les précède, qu'au commencement est le

Verbe. On nous a rebattu les oreilles avec cela. Moi j'ai toujours dit qu'il y a des sensations très floues, inexprimées, qui sans les mots bien sûr ne sortiraient jamais, mais qui existent avant et poussent les mots. Ceux-ci nous servent à les communiquer. Ils peuvent aussi, si on les jette tout de suite sur les sensations floues, les figer et les étouffer. Tout ce que j'essaie donc, c'est de laisser vivre les sensations, jusqu'au moment où elles-mêmes suggèrent des mots.

P. B. – *Le langage, c'est d'abord la destruction ?*

N. S. – Le langage est un instrument rigide et très étouffant. Des termes et des définitions peuvent tuer. Mon père et ma mère étant séparés, je raconte que la bonne m'avait dit : « Quel malheur, quand même, de ne pas avoir de mère ! » Il faut savoir que cela ne m'avait jamais effleurée, que le mot « malheur » n'était jamais entré dans ma conscience, et je l'ai repoussé aussitôt.

P. B. – *Et vous écrivez que c'est la première fois que vous avez été « prise dans un mot », qui s'est « abattu » sur vous et qui vous a « enfermée ».*

N. S. – Le mot « malheur » m'est apparu jeté du dehors, m'enfermant tel un capuchon. Si je l'avais accepté, je serais devenue l'« être malheureux », un peu comme Sartre se projetait « enfant génial ». J'ai essayé de ne jamais accepter les mots et les définitions venus du dehors.

P. B. – *Tous vos livres, au contraire, nous incitent à la défiance vis-à-vis de ce genre de mots.*

N. S. – Dans *Portrait d'un inconnu*, on disait d'un homme : « C'est un avare, c'est un égoïste. » Or, tout le livre tendait à montrer que ce genre de définition est utile dans la vie pratique pour classer les gens, pour savoir par exemple qu'on n'ira pas demander à ceux-là de vous prêter de l'argent, mais, à l'intérieur d'une personne, la complexité de ce qui l'entraîne à avoir des conduites d'avarice est tellement immense que le mot « avare » relève de la simplification. Une simplification dont je ne me sers pas dans mes livres parce que, du coup, tous mes tropismes disparaîtraient, et que je n'en

resterais qu'aux apparences. J'essaie toujours d'aller au-delà des apparences, sous les apparences. Et s'il y a quelquefois des malentendus entre mes livres et les critiques, c'est que ceux-ci, en lisant beaucoup trop vite, en sont précisément restés aux apparences. En affirmant par exemple que *Les fruits d'or*, c'étaient des bavardages de cocktails littéraires. Il y a effectivement des conversations littéraires dans *Les fruits d'or*, mais on oublie de préciser que ces dialogues d'apparence bavarde sont l'aboutissement de véritables drames cachés, de toutes sortes de tropismes que j'ai essayé de mettre en valeur. En fait, certains critiques se comportent comme quand nous étions enfants : on lisait des livres pour les dialogues, pour comprendre l'histoire, et l'on sautait les descriptions.

P. B. – *L'une des grandes illusions, c'est de croire que vos livres sont composés de phrases saisies au vol, piquées sur le vif, même si en apparence cela donne cette impression ?*

N. S. – Absolument. Et je suis sensible à la critique, franchement, ce n'est pas pour une question de situation littéraire (à cet égard, je suis d'un cynisme total), mais c'est parce que je supporte difficilement que mon travail, pour lequel je me suis donné beaucoup de mal, soit déformé. Or, pour chaque livre, c'est ce qui m'arrive. Tenez, avec *Vous les entendez ?*, immédiatement, on a évoqué le « conflit des générations », parce qu'il y avait des adultes et des enfants...

P. B. – *Les adultes parlant au salon et les enfants riant à l'étage.*

N. S. – Oui. Or je voulais seulement décrire des personnes s'aimant énormément et voulant partager les mêmes valeurs, comme des parents et des enfants, mais qui ne peuvent y arriver et en souffrent beaucoup. Ce n'était pas le conflit des générations ou encore Mai 68 comme on l'a dit !

P. B. – *Donc on a tendance à mal interpréter votre travail ?*

N. S. – Écoutez : je viens de recevoir une thèse sur la condition féminine dans mes livres. Les bras vous en tombent ! Si vraiment j'avais voulu décrire la condition féminine, je n'aurais jamais écrit le genre de livres que j'ai pu faire. Comme les femmes ont tendance, pour des tas de raisons, à jouer plus que les hommes des rôles, quand j'avais besoin de personnages s'en tenant aux apparences, j'utilisais et je faisais parler des femmes. C'était une concession pour faire vraisemblable, pas du tout pour montrer la nature des femmes. Et le plus drôle, c'est qu'on a vu dans mes livres du féminisme, alors que justement les femmes y sont plutôt maltraitées... J'ai toujours été féministe, j'ai toujours voulu l'égalité des droits avec les hommes. En 1935, j'ai lutté pour le droit de vote. Mais la condition féminine, c'est la dernière chose à laquelle je pense en écrivant. C'est à peine si je songe que mes personnages sont des femmes ou des hommes. Vous savez que, dans *Le planétarium*, il y a une vieille dame qui n'arrête pas de s'occuper avec angoisse d'une poignée de porte mal posée. Après la parution du *Planétarium*, un jeune homme de vingt-neuf ans est venu m'intervicwer et m'a dit : « Cette vieille dame, c'est moi. » Il m'a expliqué qu'il venait de se marier, de s'installer dans un appartement et que toute cette histoire de la vieille dame et de sa poignée de porte était exactement la sienne. Il ne pouvait pas me faire plus de plaisir, quel bonheur! Mais si j'avais, dans *Le planétarium*, parlé d'un jeune homme, on m'aurait taxée d'invraisemblance.

P. B. – Enfance, *c'est aussi l'apparition des mots à travers l'orthographe, la dictée, la récitation, le premier devoir de français. Vous racontez d'ailleurs cette réflexion d'un ami de votre mère vous disant : « Avant de se mettre à écrire un roman, il faut apprendre l'orthographe. » Et vous ajoutez : « C'est un des rares moments de ton enfance dont il t'est arrivé parfois, bien plus tard, de parler, c'était si commode, on pouvait difficilement trouver quelque chose de plus probant : un de ces magnifiques " traumatismes de l'enfance "... »*

N. S. – Ma mère était écrivain sous un pseudonyme masculin qu'on n'a jamais découvert. Et comme un singe j'avais donc essayé moi-même d'écrire un roman d'amour, inspiré de toutes les platitudes que j'avais lues à l'époque. Je l'avais montré à un ami de ma mère, qui avait émis cette sentence sur la nécessité d'apprendre l'orthographe avant d'écrire. Beaucoup plus tard, quand j'ai raconté cette histoire, tout de suite on s'est précipité pour affirmer : ah, mais voilà le « traumatisme de l'enfance » qui l'a empêchée d'écrire avant l'âge de trente-deux ans...

P. B. – *Enfant, vous adoriez la dictée et la récitation?*

N. S. – Oh oui, parce que c'était du solide, un vrai travail sur les mots, sans élucubrations. Et j'ai découvert que j'aimais aussi le devoir de français avec un sujet donné, imposé. Jamais de ma vie je n'ai eu des satisfactions de cet ordre-là. Un travail académique, qui m'a fait comprendre quelle joie il y a à faire du beau style ancien, bien fignolé. On est satisfait, on se sent de plain-pied avec les classiques, à égalité avec les gens « bien ». Quand j'écris, je pars au contraire dans le vide, sans garde-fou, je balbutie, avec rien pour me rassurer.

P. B. – *Et vous avez toujours aimé être la première en classe?*

N. S. – C'était pour moi indispensable. Et d'ailleurs, aujourd'hui encore, je ne supporte absolument pas la comparaison. Le fait d'être première, ce n'est pas le désir de dominer, ce n'est pas un jugement sur moi ou les autres. C'est la volonté d'être hors comparaison.

P. B. – *Par exemple, vous n'admettez pas d'être comparée avec d'autres écrivains?*

N. S. – Je trouve cela indécent. Pour eux comme pour moi. Il s'agit là d'un absolu. Chacun est enfermé dans son univers, et s'il ne considère pas qu'il est un absolu, il ne peut pas écrire. Il est impossible d'écrire en se disant : « Je suis moins bon qu'un tel. » Et toutes les comparaisons me paraissent donc insupportables. Surtout cette manie qu'on a de comparer les femmes entre elles. Rien de plus différent que Marguerite Youcenar et Marguerite Duras, sauf leur prénom, et pourtant, il arrive qu'on les rapproche...

P. B. – *Il n'empêche qu'en acceptant l'étiquette du « nouveau roman », vous avez suscité la comparaison.*

N. S. – Il y a eu à un moment donné un effort très utile pour libérer les formes du roman : c'était une revendication de liberté pour la littérature, un peu en réaction contre la littérature engagée, afin qu'elle devienne un art comme les autres et qu'elle se transforme. J'étais d'accord avec cette revendication du « nouveau roman » mais, en dehors de ça, nous n'avions rien de commun puisque mon domaine c'était le for intérieur, et le leur la description extérieure. Nos livres étaient différents, nous avions des divergences profondes sur le contenu. Mais nous sommes restés d'accord sur une revendication. D'ailleurs, avec Robbe-Grillet, Claude Simon et Robert Pinget, nous nous sommes rencontrés récemment dans un colloque à New York en réaffirmant notre point de vue. J'admettais donc, et j'admets, d'être dans un groupe où les autres ont la même opinion que moi, où l'on partage une complicité, même si l'on aboutit à des contenus complètement différents. Le « nouveau roman », je l'ai défendu, je le défends encore et je suis persuadée que, grâce à ce mouvement, mes livres ont été beaucoup plus répandus à l'étranger. Mais le « nouveau roman », c'était pour moi une opinion en littérature qui ne touchait pas au contenu des textes. La question de la comparaison ne se posait donc pas du tout. Il me paraît difficile d'ailleurs de rapprocher un roman de Robbe-Grillet et un roman de moi.

P. B. – *Dans* L'ère du soupçon, *vous souteniez qu'il est urgent pour la littérature d'accomplir la transformation opérée, par exemple, en peinture. C'est toujours d'actualité ?*

N. S. – Toujours. On est encore très en retard, d'autant qu'il y a eu un retour en force de l'académisme. Au théâtre aussi. Mais je suis certaine que cette transformation de la littérature – qui n'a rien à voir bien sûr avec un progrès quelconque – aura lieu. Je suis tout à fait d'accord pour admettre qu'il y a eu de très mauvais suiveurs du « nouveau roman », décidant par exemple de ne pas donner de nom aux personnages par principe, systématiquement et sans aucune raison. Du coup, impossible d'entrer dans l'histoire, dans la conscience des personnages et les lecteurs ont fini par être découragés. Il en va de même avec les suiveurs de Mallarmé, qui ont construit une poésie à peu près illisible. Et voilà pourquoi viennent alors des périodes de régression comme celle que nous venons de vivre. Mais je suis persuadée qu'il y a une marche de la littérature comme de tous les arts. Les écrivains ayant une vision totalement personnelle, se moquant du goût à la mode et allant beaucoup plus loin s'affirment toujours. Qui aurait pu deviner que viendrait un jour Kafka ou Joyce ?

DANIEL BOULANGER

*« Figurez-vous qu'il y a, chez l'un
de mes voisins, un connard,
pardon, un canard qui m'ennuie. »*

Février 1984

Daniel Boulanger publie un nouveau recueil de nouvelles, *Les jeux du tour de ville* (Gallimard). Toujours l'art du détail, vrai et déroutant. Et toujours un humour insolite, où la tendresse se cache derrière des sautes de mauvaise humeur.

André Rollin. – *Dans la première nouvelle « Brasserie des Deux-Mondes », vous écrivez, page 15 : « ... Mathurin surgit à la fenêtre ouverte, regarda les époux qui trempaient leur pain dans un bol de café... » C'est votre habitude ?*
Daniel Boulanger. – Oui, oui, oui... Ah, c'est ça que vous me posez comme question ? Oui, j'ai toujours vu faire ça chez moi. C'est ce que je fais tous les matins...
A. R. – *A propos de bonheur, vous écrivez page 18 : « C'était bon comme lorsque l'on se trouve chez soi, en maillot de corps, avec un dimanche d'été à la fenêtre... » C'est l'idéal ?*
D. B. – Non. C'était l'idéal le jour où j'ai écrit ça. Je ne porte jamais de maillot de corps. Jamais. Allergique. Un été à la fenêtre c'est, pour la plupart des gens, l'image du bonheur, le maillot de corps étant l'image de l'aisance. Moi, je préfère être à poil. Un des moments du bonheur ? J'aurais pu écrire quarante autres choses là-dessus ! Ça ne m'intéresse pas ce genre de questions, je vous le dis le plus simplement du monde... Si j'écris ça, c'est que j'en ai envie. Je n'ai pas d'explication à donner. Vous pouvez l'écrire... Il ne faut pas m'en vouloir, je suis de mauvaise humeur ce matin. Je n'ai pas dormi, je viens de faire deux heures de route et j'ai eu trois rendez-vous manqués. Les gens ne commencent pas à travailler avant dix heures du matin ! C'est un monde complètement foutu ! Vous comprenez ce que je veux dire ? Qu'on ne vienne pas se plaindre de décrépitude, de dégénérescence. C'est un monde de fainéants, un point c'est tout ! Passons...
A. R. – *Dans votre deuxième nouvelle, « Le messager », vous écrivez page 27 : « "Le Messager des Flandres" est un*

journal libre et paie bien ses articles. »
C'est une expérience ?
D. B. – Non. Je n'ai jamais été journaliste. Sauf une fois. Comme j'ai été l'un des deux seuls Français à avoir assisté au procès Petkov, le dernier grand procès style Moscou, en Bulgarie... Quand je suis rentré, j'ai donné un texte au *Monde* qui l'a fait paraître. En le coupant. En me donnant, après avoir réclamé, de quoi m'acheter six paquets de Gauloises! Je me suis alors juré que je ne recommencerais jamais. Fini! Je n'achète d'ailleurs aucun journal. Je n'en ai pas acheté un seul depuis vingt-cinq ans : pas un magazine, pas un quotidien! Rien. Ça ne m'intéresse pas! Ainsi, je gagne une heure et demie par jour. J'écoute trois minutes les informations le matin, trois minutes le soir. A la radio. Quand il y a des articles qui me concernent, l'éditeur ou l'impresario de cinéma me les garde. Je les range. C'est tout.

A. R. – *Page 29 : « Les médiocres finiraient donc un jour par l'emporter. »*
Vous y croyez ?
D. B. – C'est sûr! Ça nous crève les yeux! C'est la bêtise, la médiocrité qui l'emportera, ça ne fait pas l'ombre d'un pli... puisqu'on est de plus en plus nombreux et qu'il y aura toujours la même proportion d'imbéciles, de doux, de forts, de calmes, d'abrutis, d'intelligents. Par-dessus le marché, les autorités, et spécialement les religieuses, vous demandent de faire de plus en plus de gosses : c'est l'absurdité absolue! Ça frise la malhonnêteté. On ne peut pas, d'un côté, craindre la fin du monde et penser qu'elle est proche et, d'un autre côté, inciter à faire des enfants. Il y a quelque chose qui ne va pas! Il y a quelque chose que Dieu n'admettrait pas, s'il y prêtait attention!

A. R. – *Page 31, vous écrivez : « Germain Faillez ne relisait jamais ses papiers de peur de rougir. »* *Ça vous arrive ?*
D. B. – Il y a encore des êtres qui prennent des notes, qui tiennent des carnets, qui inscrivent leurs pensées. Il y en a même qui écrivent! Ça existe encore... bien que ça disparaisse, ça aussi! Pour moi, que quelqu'un écrive son journal intime... ça rogne, ça gomme, ça abîme le personnage! Qu'est-ce que vous voulez que cela me fasse que Michelet écrive qu'il va regarder sa maîtresse faire pipi? Je sais que, quand on aime, on aime tout... mais il n'est pas besoin de l'écrire. On peut écrire un journal intime, mais il faut alors raconter des choses que le lecteur ne sait pas : raconter les meurtres que vous avez commis, par exemple. Ça, c'est une autre paire de manches! Encore faut-il en donner les preuves...

A. R. – *Dans votre troisième nouvelle, « La Madone », vous écrivez page 39 : « D'ailleurs, celles qui s'inondent comme ça de parfum, c'est parce qu'elles sentent fort. »* *C'est votre expérience ?*
D. B. – Oh oui alors! Lorsque les femmes se fardent, j'admets qu'il y ait des exceptions, c'est, en général, très douteux... par en dessous. Je vous parle d'expérience! Tout à coup, celle qui est toute simple, qui n'a jamais de fond de teint, rien, est toujours d'une extrême propreté, d'une exquise délicatese. De même que toutes celles qui ressemblent à des putes et qui vous font envie... les trois quarts font l'amour comme des sacs. Alors que la douce, la sainte, l'impeccable peut être un véritable démon entre les draps. Génial!

A. R. – *En page 44, on peut lire ceci : « ... la fille d'Henri Rambaud qui possède les viviers et l'usine de quenelles », et en page 132, cela : « ... dont le mari travaille à l'usine de petits pois ».* *Vous avez vécu en usine ?*
D. B. – Je les connais! D'abord, j'habite dans un pays de petits pois... et j'ai vécu, quelque temps, dans la plus grosse usine de quenelles de France. J'en étais l'hôte, voilà! C'est d'ailleurs un produit admirable! J'ai des souvenirs très heureux de cette époque. Donc, de parler de ces usines, ce n'est pas gratuit. Je ne pense pas qu'il y ait quelque chose de gratuit dans ce que j'écris : ce sont des rencontres, des choses que j'ai entendues, des choses que j'ai vécues. Tout est arrangé, travaillé, etc. Une rue commmence dans telle ville, et s'achève dans une autre, mais c'est la même rue!

A. R. – *Une préoccupation. Page 51, vous écrivez : «... alors que tu grignotes face à face avec ton mari qui fait tant de bruit en mangeant.» Vraiment vous ne le supportez pas ?*

D. B. – C'est vrai, je ne le supporte pas. Ce qui est très drôle, c'est que j'ai trouvé des gens qui se tenaient mal à toutes les tables, même les plus hautes. Ça me navre ! C'est la première chose que j'ai apprise à mes enfants. Je leur ai, d'ailleurs, appris deux choses : premièrement, vous vous tenez bien à table. Deuxièmement : qu'on puisse vous déshabiller partout, tout le temps et que vous soyez toujours impeccables. C'est tout ! Si la propreté du corps est une chose toute simple, toute bête, toute belle... elle doit être constante. Avec ça, vous avez les quatre cinquièmes de la morale !

A. R. – *Romain Beaufol, page 59, Fabian Massol, page 70, Omer Longpré, page 83, Édith Cabrin, page 123, etc. Tous vos noms font plus vrai que nature...*

D. B. – Je veux mettre dans chaque nom un peu du caractère de l'individu. Il ne faut pas croire que je suis à court de noms véridiques : les Tricouilles, les Courtecuisse, les Cocus, les Labitte, il y en a plein la Picardie. Je ne veux pas les utiliser, car ils feraient faux. Le père d'un ami passait son temps à observer les demandes de changement de nom à la Chancellerie : il m'a parlé d'une Mlle Lapoulecouac qui voulait s'appeler Couac ! Il y avait une Mlle Trocon qui habitait rue de la Condamine. Je n'invente rien ! Mes noms, je les cherche, j'en ai plein un cahier. Quand ils sont trop beaux, je ne les utilise pas. Je m'amuse beaucoup. C'est tellement drôle !

A. R. – *Vous écrivez page 60 : « Cette cendre provient du bûcher qui consuma Gandhi. » C'est une vénération ?*

D. B. – C'était un type bien, ça va de soi ! En vous écoutant, je pense immédiatement à la chaise sur laquelle est mort Rousseau. Je suis persuadé qu'elle est fausse. Mais on traverse l'Atlantique pour venir la toucher. On en arrache même les brins de paille. Tous les quinze ans, on refait entièrement la paille de cette chaise. Ce fétichisme des gens, c'est ça qui est merveilleux ! Je suis certain qu'il y a des milliers de petits bouts de bûcher de Gandhi et qu'avec les reliques de la vraie croix on pourrait construire un beau bateau !

A. R. – *La cuisine maintenant. Vous écrivez page 72 : «... mon faible [...] c'est d'aimer les sardines.» Et page 86 : «... l'odeur du lapin aux pruneaux... ». Le péché de gourmandise ?*

D. B. – Le lapin aux pruneaux, c'était le plat préféré de De Gaulle. Un plat typiquement flamand. Avec leur nouvelle cuisine, ce qu'ils ont pu m'ennuyer ! Tout à coup, on me sert avec un pâté une tranche de mangue... et on me dit : « C'est fabuleux, non ? » Depuis que je suis gosse, je mange du lapin aux pruneaux confits ! Ils s'imaginent géniaux parce qu'ils ont découvert des recettes de nos grand-mères... qu'ils servent d'une manière chiche, et qu'ils font payer très cher. Ça ne m'intéresse pas du tout ! Moi, quand j'ai des fringales, pendant trois jours je ne mange plus que des noisettes...

A. R. – *Page 74, vous écrivez : « J'ai horreur des musées.» C'est une allergie ?*

D. B. – Pas du tout ! Mais plus triste qu'un gardien de musée, il faut me le montrer. Même les gardiens de prison sont moins tristes.

A. R. – *Vous écrivez page 83 : « Le soleil est blanc, d'un sérieux de vierge.» Ça veut dire quoi ?*

D. B. – C'est comme ça ! Si je peux dire quelque chose en quatre mots, je ne vais pas le dire en quatre phrases, encore moins en quatre pages. C'est tout l'art de la nouvelle. Ici, dans ce livre, j'ai mis, entre chaque nouvelle, des textes qui ne sont pas des nouvelles, qui sont, comme je le dis, un verre d'eau. Vous ne pouvez pas lire un livre de nouvelles en une seule fois. Vous lisez une nouvelle, vous abandonnez, puis vous en lisez une autre. Entre temps, il faut boire un verre d'eau.

A. R. – *Dans l'un de vos « verres d'eau », vous écrivez page 94 : « Si l'on consulte les Mémoires du Père Brasseux (1825-1908)... » Qui c'est celui-là ?*

D. B. – Je ne le connais pas du tout. Mais pas du tout ! J'aime bien ces personnages qui n'ont pas existé. Avec des dates précises, pour que ça fasse vrai ! Car, enfin, tout est faux dans les livres. Par définition, c'est faux. Nous sommes tous les deux là – c'est dommage que vous ne soyez pas une femme – mais on aurait pu imaginer que nous nous embrassions, par exemple, et ce baiser aurait été, sans doute, délicieux. Je le raconte plus tard dans une nouvelle. Il deviendra tout à fait faux : ma mémoire l'aura transformé. Il n'y a pas de vraie histoire, pas de vraie mémoire, il y a une certaine façon de tenir la plume. C'est tout. Rien ne rendra ce baiser... ou ce coup de poing que nos allons échanger tout à l'heure... si nous n'y prenons pas garde !

A. R. – *Dans la nouvelle « La belle-famille », vous écrivez page 106 : « Ma mère pensait à en faire un prêtre. Nous n'aurons pas assez de toute la vie pour lui faire oublier ces années d'obscurantisme. » Vous pouvez expliquer ?*

D. B. – C'est mon cas. J'ai été au séminaire de la 6ᵉ à la philo. Je connais donc très bien ce monde, j'ai pourtant reçu des lettres d'injures : « Vous ne connaissez rien du tout aux sacrements ! » Mais si je n'aime pas les curés, c'est parce qu'ils jouent sur quelque chose qui est indéfinissable. Mon grand-père disait toujours : « Dieu oui, pas ses larbins ! » C'est une des phrases les plus terrifiantes que j'aie jamais entendues ! De plus elle est vraie ! Je raconterai, un jour, mes années de formation. Avec tendresse d'ailleurs... car, parmi la soixantaine de prêtres de cette sainte maison, il y en avait trois qui étaient admirables. Il fallait les chercher. Ils ne tenaient pas le haut du panier, bien sûr !

A. R. – *Avec la nouvelle « Au joli mois de mai », on arrive en 68. Vous écrivez : « Déjà la barricade s'élevait d'un côté à l'autre de la rue. Des explosions plus lointaines trouaient l'air où dérivait l'odeur acide des gaz lacrymogènes. » C'est un souvenir ?*

D. B. – J'avais mon dernier sur les épaules et je lui montrais ce qui se passait. Ça lui fait des souvenirs ! Non, je n'ai pas fait de barricades, une connerie pareille ! Un jour, je me suis présenté devant l'Odéon. Il était extrêmement gardé et c'était la grosse foule. Il y a un type qui me reconnaît, il m'avait vu dans le film de Godard *A bout de souffle*. « Tiens, Boulanger ! » crie-t-il. « Il faut le faire entrer ! » Il y a alors une bagarre pour me faire pénétrer à l'intérieur. J'ai été aspiré, alors que je ne demandais rien. Il faisait nuit, c'était fantastique. Si un copain avait pu filmer cette scène-là ! Voir un chauve, c'était moi, porté littéralement au-dessus de plusieurs rangs de personnes au coude à coude. Était-ce un roi qu'on allait sacrer, ou un mec qu'on allait buter ? C'était l'un ou l'autre. Grandiose et stupide !

A. R. – *Tout au début de la nouvelle « L'hôtel Martelé », la dixième nouvelle, vous écrivez page 134 : « Tout a sa marque, comme les rues en do majeur, en la et même, qui font un coude imprévu, en sol dièse mineur... » Ça veut dire quoi ?*

D. B. – Si vous vous baladez avenue Charles-Floquet, dans le septième arrondissement, ça n'a pas du tout le même ton que si vous vous baladez rue Maître-Albert. Là j'y entends le son un peu faux, légèrement acide, du hautbois. La rue Sébastien-Bottin, celle de mon éditeur ? J'y ramasse des chèques, c'est une rue en majeur !

A. R. – *Vous écrivez page 138 : « Mais où est la vénération aujourd'hui ? » C'est une question qui vous travaille ?*

D. B. – Oui, on ne respecte plus rien. On aborde tout le monde... J'ai mis quinze ans à rencontrer des gens que j'admirais. J'ai mis quinze ans avant de rencontrer Paulhan. J'avais des lettres admirables de Bachelard, je n'osais pas le voir. Vous comprenez ce que je veux dire ? C'était pareil pour Valéry. J'ai même une lettre de lui qui dit : « Moi, je n'ai pas de retraite, je ne suis pas dans l'administration, il faut gribouiller jusqu'au bout. » On ne le voit pas écrire ça. Cette lettre est accrochée à mon mur. J'ai un mur d'autographes. Des gens que j'aime. Pas nécessairement des lettres qui me sont adressées. J'en ai une de Napoléon Iᵉʳ.

Figurez-vous qu'en 1805 il est à Paris, mais il écrit en Espagne pour donner des ordres à propos de 47 soldats, de simples voltigeurs. C'est hallucinant!

A. R. – *Dans la nouvelle « Un dénouement », vous écrivez page 119 : «... il va orner l'exposition de dentiers. » C'est l'un de vos dadas?*

D. B. – Non, j'ai toutes mes dents. Tout va bien! Un beau jour, j'ai vu 27 cabinets de dentistes côte à côte : on voyait toutes leurs machineries, leurs appareillages, des dentiers qui pendaient au bout de longues ficelles. Sinistre! C'était dans un quartier fabuleux de Hong Kong. A ce moment-là, l'Extrême-Orient recevait tous nos déchets des années 1920-25...

A. R. – *Dans « Les lauriers », page 254, vous faites dire à un membre d'une académie littéraire de province : « J'en ai plein les urnes. Votons à main levée et tirons-nous. » C'est ce que vous avez dit chez Drouant, lors du dernier prix Goncourt?*

D. B. – Mais non! Cette nouvelle a été écrite bien avant. Je ne savais pas comment ça se passait. Je le soupçonnais simplement. C'est d'une drôlerie! Vous savez qu'on a mis des micros sous la table. J'ai d'abord trouvé ça dégueulasse, très médiocre. C'est Levaï qui, le lendemain, me l'a appris et qui me demande, sur Europe 1 : « Alors, qu'est-ce que vous en pensez? » J'ai dit : « Je trouve ça sale. Mais les lecteurs qui vont lire nos propos vont être déçus, croyez-le bien! » Ils l'ont été... parce qu'ils se sont aperçus que ces jurés discutaient, faisaient leur travail. A tel point que je me demande si ce n'est pas l'un d'entre nous qui a posé le micro. Pour bien montrer que nous sommes des gens sérieux! Tiens, je pourrais en faire une nouvelle...

Daniel Boulanger, comment écrivez-vous?

Décembre 1982

André Rollin. – *Avez-vous besoin du silence pour écrire?*

Daniel Boulanger. – Oui.

A. R. – *C'est le principal?*

D. B. – Oui.

A. R. – *C'est-à-dire aucun bruit?*

D. B. – Rien du tout.

A. R. – *Où trouvez-vous ce silence?*

D. B. – J'ai trouvé une maison tranquille avec des hauts murs et un jardin dans une ville où il n'y a pratiquement pas de bruit : Senlis. Mais quand j'étais à Paris, où je suis resté vingt-cinq ans j'avais mon coin aussi. J'avais réussi à me claquemurer, il est vrai, avec des boules Quies.

A. R. – *A Senlis, vous avez abandonné les boules Quies?*

D. B. – Non, sauf la nuit. Parce que figurez-vous qu'il y a, chez l'un de mes voisins, un connard, pardon, un canard qui m'ennuie. Et comme je ne peux pas...

A. R. – *Tuer le canard?*

D. B. – En fait, il est régulièrement tué et remplacé. Le problème reste donc entier et je garde mes boules Quies en m'enfermant pour écrire.

A. R. – *La pièce où vous écrivez est fermée à clef?*

D. B. – C'est inutile : je suis tout seul. Qui voulez-vous que je voie?

A. R. – *Pas de téléphone ?*

D. B. – Non, mais un répondeur automatique. Sauf si je sais qu'un appel délicieux va m'arriver. Et quand je dis délicieux, je pense, n'est-ce pas, à la comptabilité...

A. R. – *Comment est la table où vous écrivez ?*

D. B. – En bois blanc très simple. Dessus, à droite, il y a du papier blanc que j'achète au poids depuis une trentaine d'années. J'en achète par deux ou trois kilos près des Halles.

A. R. – *On vous pèse votre papier ?*

D. B. – Oui, j'aime bien les choses qu'on pèse. Ainsi, les cigares, je me les fais peser. Enfin, je me les faisais peser quand j'étais un peu plus splendide que maintenant. Et ce n'est pas en France que l'on vous pèse les cigares, c'était à Londres. Je dis cela avec simplicité, bien sûr !

A. R. – *Il y a toujours un cigare à côté de votre papier ?*

D. B. – En ce moment, je ne fume que la pipe parce que mes finances ne me permettent plus de fumer les très bons cigares.

A. R. – *Vous écrivez à la main ?*

D. B. – Oui, je n'ai jamais pu écrire à la machine malgré que j'en aie une.

A. R. – *A cause du bruit ?*

D. B. – Non, je n'y suis jamais arrivé. Or, figurez-vous que je tape relativement vite, c'est bizarre...

A. R. – *Vous utilisez un stylo plume ?*

D. B. – Oui, et j'ai tout un jeu de plumes dans des gobelets.

A. R. – *Vous changez de plume en fonction de l'inspiration ?*

D. B. – J'utilise plutôt des plumes fines. Mais j'en ai aussi des moyennes et des grosses, autrement dit, tout l'éventail, et j'aime bien changer de temps en temps. J'ai également des plumes Sergent Major mais, finalement, je ne m'en sers pas, c'est très ennuyeux.

A. R. – *Quand vous écrivez, vous remplissez toute votre page ?*

D. B. – Avec plein de ratures.

A. R. – *Et après, vous recopiez ?*

D. B. – Non, parce que par bonheur je connais depuis douze ans maintenant une vieille fille charmante qui sait me lire même avec toutes les ratures, les becquets, les rajouts. Elle tape très bien et me rend une page propre. Mais avec pas mal de fautes. Certaines, je les corrige à la plume. D'autres, qu'elle a pu commettre en prenant un mot pour un autre, par exemple, je les ai gardées parce que c'était très beau...

A. R. – *Outre le papier, qu'y a-t-il sur votre bureau ?*

D. B. – J'ai une lampe, pour le soir. C'est une dame assise sur un rocher.

A. R. – *Comment est-elle cette dame ?*

D. B. – Assez belle... C'est un objet en Galuchat datant de 1905. Je l'ai trouvé joli et je lui ai mis un abat-jour.

A. R. – *La présence de cette lampe est importante pour écrire ?*

D. B. – Pas du tout, je ne la regarde jamais.

A. R. – *Mais vous l'allumez quand même ?*

D. B. – Pas la dame, mais l'ampoule au-dessus, oui.

A. R. – *Quand écrivez-vous ?*

D. B. – Toujours le matin, très tôt. Lorsque j'étais au séminaire, je me levais tous les hivers à 5 heures et tous les étés à 5 heures et demie, car, bizarrement, on se levait l'été une demi-heure plus tard ! Je n'ai jamais compris pourquoi, mais passons... Ce qui est sûr, c'est que j'ai gardé l'habitude de me lever très tôt.

A. R. – *Mais vous ne faites plus vos prières le matin ?*

D. B. – Je les fais différemment.

A. R. – *A quelle heure exactement vous mettez-vous à votre table de travail ?*

D. B. – Entre 6 heures et 6 heures et demie.

A. R. – *Jusqu'à quelle heure ?*

D. B. – Cela dépend, mais de toutes les façons, cela s'arrête à midi. C'est l'heure limite. Après, c'est tout ce que l'on veut : la promenade, la lecture, le musée ou le film. Car j'oubliais de préciser que ce papier et ces plumes dont nous parlions ont deux directions : le livre ou le scénario.

A. R. – *Vous vous levez beaucoup de votre bureau ?*

D. B. – Oui, ne serait-ce que pour aller jeter des allumettes dans le feu. Un feu qu'il faut d'ailleurs alimenter.

A. R. – *Le feu vous distrait ?*

D. B. – Pas plus qu'une tapisserie.

A. R. – *Et personne ne vient vous déranger ?*

D. B. – Non, puisque je ne suis pas là : ma porte sur la rue est fermée, et je n'ai pas de sonnette; et si vous tapez, je n'entends rien, et le téléphone est aux absents sur le répondeur... Donc, je suis tranquille, c'est indispensable sinon vous êtes bouffé.

A. R. – *Devant vous, quand vous levez la tête de votre feuille de papier, qu'est-ce qu'il y a ?*

D. B. – Des fenêtres qui donnent sur un jardin, lequel est surélevé. C'est son petit côté babylonien. Ce jardin avec ses marronniers cache une rue qui passe en dessous et que je ne vois pas. Cette rue étroite est une vieille voie romaine pavée en sens unique où passent très peu de voitures. D'ailleurs, si une voiture passe plus de trois fois, il faut refaire les amortisseurs. Du coup, j'en entends très peu... De mes fenêtres, je vois aussi une vieille et très belle église qui servait de cinéma et de théâtre jusqu'à ces dernières années et qui s'appelle Saint-Aignan.

A. R. – *Que peut-on dire encore sur votre lieu de travail ?*

D. B. – Dans la pièce, il y a un piano. Et, à part les deux fenêtres devant moi, il y en a une autre à gauche et une autre encore dans mon dos. Quant à la maison, je ne sais pas grand-chose. Elle est de 1600. On dit qu'elle a appartenu à Sully, mais était-ce un hôtel (au sens de « hôtel particulier »), un caravansérail ou un couvent ? Je ne sais pas.

A. R. – *Vous vous servez du piano lorsque vous n'avez plus envie d'écrire ?*

D. B. – Oui, il me distrait. Quand j'étais petit, j'ai toujours eu des poupées que ma mère me donnait. Maintenant, avant d'aller me coucher, je fais toujours un peu de musique, quelques gammes. J'appelle cela « le rangement de mes poupées. »

A. R. – *Sur quoi êtes-vous assis pour écrire ?*

D. B. – Sur un fauteuil assez dur que j'ai fait recouvrir de crin de cheval. Soit dit au passage, il n'y a plus qu'une maison en France qui fait des tissus en crin de cheval.

A. R. – *Mais pourquoi en crin de cheval, c'est plus confortable ?*

D. B. – Non, c'est parce que cela lui convient. C'était un siège Louis XVI – mais très simple, je m'empresse de le préciser –, qui à l'origine était en crin de cheval. J'ai donc cherché à retouver son origine.

A. R. – *Pour écrire, vous êtes donc sur votre cheval, loin du bruit, loin de Paris, que vous avez quitté pour être tranquille ?*

D. B. – Écoutez : je suis écrivain. Tout passe après. Et je dis bien *tout*. Ainsi les amours, aussi profondes et aussi fécondes soient-elles (je pense aux enfants), passent malgré tout après. Je me suis aperçu de cela un beau jour. Cela ne veut pas dire qu'on n'aime pas mais que finalement c'est moins important que d'être écrivain. La famille que l'on fonde avec une femme vous détruit, contrairement à ce que l'on croit. C'est sans jugement, sans noirceur, sans amertume que je dis cela : c'est un fait. La famille vous mange votre vie tandis que la famille de papier et de plume vous conforte. L'écriture, c'est la charpente, le squelette, la colonne vertébrale qui me tient.

FÉLICIEN MARCEAU

*« Comme du temps de Casanova, nous allons
vers une société plus libre et plus pourrie.
La pourriture étant une des formes de la liberté. »*

Mars 1984

Le *Petit Larousse* et la plupart des manuels scolaires contemporains
l'ignorent. Est-ce parce qu'il a remporté trop de succès au théâtre, en
particulier avec *L'œuf*? Et pourtant, dans cette pièce, les effets boulevard qu'il
ne renie nullement – « Je n'arrive pas à comprendre, vous dit-il avec une
ingénuité feinte, pourquoi il est malséant de faire rire » – ne l'ont pas empêché
d'apporter des innovations formelles remarquables et très remarquées par la
critique. Serait-on agacé par les récompenses qu'il a collectionnées pour ses
romans et les honneurs qu'il n'a pas refusés? Il est vrai qu'il a décroché en
1953 le prix des Quatre Jurys pour *Bergère légère*, en 1955 le prix Interallié
pour *Les élans du cœur*, en 1969 le prix Goncourt pour *Creezy* et qu'il a
longtemps présidé le jury Médicis, réputé plutôt d'avant-garde, avant d'être
élu en 1975 parmi les Immortels à l'Académie française. Lui tient-on encore
rigueur d'une méchante affaire « entourée de chuchotis et de ragots » sur
laquelle il s'est expliqué sans détours dans son autobiographie *Les années
courtes*? C'est que Louis Carette, citoyen belge né en 1913 à Cortemberg, fut
condamné par contumace en 1946 pour avoir réalisé au début de la dernière
guerre, dans le cadre de son travail de fonctionnaire à la radio, quelques
émissions, paraît-il, sujettes à caution, malgré la confusion extrême régnant
alors dans son pays. Il faut croire ce procès d'intention un peu douteux pour
que des voix venues de la Résistance belge aient cru devoir défendre son
honneur et surtout pour que Louis Carette, réfugié en France et devenu
Félicien Marceau, ait été naturalisé par décision personnelle du général de
Gaulle.
Souvent primé et pourtant inclassable, reconnu et peut-être pas à sa vraie
place, cet écrivain très influencé par la culture italienne, dont la grâce du style
tient d'abord à sa rapidité, se retrouve dans la situation même des personnages
qu'il a créés : intégré mais contestant avec une élégante ténacité « le système »,

ses préjugés, ses conventions, sa morale et persuadé que le seul bonheur possible réside dans une quête de la liberté flirtant avec le nihilisme. Et ce n'est pas un hasard si à l'automne dernier il choisissait d'intituler *Une insolente liberté* son commentaire incisif des aventures de Casanova. Ces jours-ci, Félicien Marceau fait paraître chez Gallimard un nouveau roman : *Appelez-moi Mademoiselle*. Ce livre, ayant pour cadre une ville du sud de l'Italie, apparaît d'abord comme un amusant pastiche de la Série Noire où l'on voit s'affronter, d'un côté, « Mademoiselle », dynamique organisatrice d'un trafic de cigarettes, maîtresse femme qui a pour maîtresse adorée une femme surnommée « La comtesse », de l'autre côté, « le professeur » venu de la capitale représentant « l'Organisation », le pouvoir, la force. Et difficile de ne pas reconnaître dans ce combat de « Mademoiselle » celui de Félicien Marceau encore une fois réaffirmé : la liberté à n'importe quel prix.

Pierre Boncenne. – *On sait dans quelles circonstances, après guerre, vous avez choisi de venir en France, puis décidé d'abandonner votre nom, Louis Carette, pour celui de Félicien Marceau. Mais on ne sait pas bien pourquoi, au juste, ces pseudonymes de « Marceau » et « Félicien » ?*

Félicien Marceau. – Dans le choix d'un pseudonyme, on obéit un peu au hasard. Mais j'ai une petite superstition pour le chiffre sept : Marceau a sept lettres. D'autre part, un pseudonyme, puisqu'on peut le choisir, autant qu'il soit un peu frappant. Et comme Marceau ne l'était pas, j'ai donc choisi un prénom frappant. Peut-être dans « Marceau », nom que j'ai vraiment choisi par hasard, y avait-il une vague idée de bataille, mais ce n'est pas certain. Tandis que dans « Félicien » il y avait, c'est sûr, une idée de bonheur, d'un bonheur revendiqué. Ces histoires de pseudonymes sont parfois très amusantes : je pense par exemple à cet écrivain s'appelant Louis Frick qui, par simple utilisation de son prénom au complet, s'est transformé en Louis de Gonzague Frick. J'admire beaucoup!

P. B. – *Un pseudonyme – vous aviez près de trente-cinq ans quand vous avez choisi le vôtre – permet-il à un écrivain de se créer un être imaginaire, une nouvelle personnalité ?*

F. M. – C'est une question très intéressante et que l'on ne s'est sans doute pas assez posée. Quand un homme porte un nom ridicule, on comprend qu'il veuille en changer : que Louis Farigoule ait voulu s'appeler Jules Romains, c'est explicable. Encore que l'on puisse se demander pourquoi il a choisi « Jules Romains » qui est un nom de peintre. Mais, hormis les cas de ce genre, pourquoi certains écrivains choisissent-ils des pseudonymes et d'autres pas? Je n'ai jamais trouvé de réponse sérieuse. Constatons seulement qu'en France c'est une habitude beaucoup plus répandue que dans d'autres pays. Mais pourquoi? Pour un écrivain, un pseudonyme ne sert même pas à se cacher, c'est même une plaisanterie, puisque dès votre deuxième livre ou dans les annuaires, tout le monde s'empresse d'ajouter entre parenthèses votre vrai nom. Moi, je voulais surtout marquer une rupture. Mais là aussi, le pseudonyme est un désir sans effet : il suffit d'une photo pour marquer la continuité. Il est curieux toutefois de noter que mon prénom Louis a quasiment disparu et que même mes frères m'appellent Félicien. La naturalisation aidant, ce fut pour moi une sorte de nouvelle naissance...

P. B. – *Vous venez de publier* Appelez-moi Mademoiselle. *Cela fait neuf ans que vous n'aviez pas écrit de romans depuis* Le corps de mon ennemi *en 1975.*

F. M. – Je ne vois pas de rupture entre le roman et le théâtre ou toute autre forme d'écriture. Vous avez raison de souligner qu'il y a neuf ans d'intervalle entre ces deux romans. Mais depuis 1975, j'ai eu aussi une pièce, le feuilleton télévisé sur Mozart, un essai *(Le roman en liberté)* et, cet hiver, mon Casanova : *Une insolente liberté*. Quand un sujet me tracasse, je commence à griffonner n'importe quoi, et je ne sais vraiment pas quelle forme cela prendra. Mon roman *Creezy,* ce fut au début une scène. Inversement, pour ma pièce *La bonne soupe,* j'avais commencé par écrire un chapitre. Pourquoi ces changements ? Les raisons que j'avais un moment trouvées ne se sont pas vérifiées. En effet, j'ai longtemps cru que ce qui me portait vers le théâtre, c'était la colère et vers le roman plutôt la tendresse. Mais finalement, un roman comme *Le corps de mon ennemi* est plutôt un roman de colère.

P. B. – Appelez-moi Mademoiselle *aussi, c'est même un roman de colère violente.*

F. M. – Oui, de fureur. Vous voyez donc, mes raisons ne tiennent pas debout.

P. B. – *Entre le roman et le théâtre, il y a une continuité totale ? C'est vrai que votre roman* Chair et cuir, *qui met en scène un homme enserré dans les mailles et les réseaux des préjugés, des lieux communs, du « système », est devenu au théâtre votre fameuse pièce* L'œuf.

F. M. – En fait, en 1950, j'avais commencé une pièce mais en étant très prisonnier d'idées conventionnelles sur le théâtre : il fallait des actes, des scènes, etc. Ne voyant pas au théâtre la possibilité de ce que je voulais exprimer, j'ai écrit un roman, *Chair et cuir.* Puis, j'ai écrit une pièce, *Caterina,* qui était construite de manière traditionnelle. Mais en assistant aux répétitions, j'ai brusquement entrevu que mon théâtre pouvait être tout à fait autre chose, j'ai compris que les règles que je m'étais imposées, il n'y avait aucune raison de les respecter. J'ai tout cassé, et j'ai pu alors écrire à toute vitesse *L'œuf,* en reprenant *Chair et cuir.* L'un nourrit l'autre, et je suis par exemple persuadé – même si je suis gêné de parler de moi avec peu de modestie – que d'être passé par le théâtre m'a donné

dans le roman la vitesse et le rythme. Tandis que le roman m'a donné dans le théâtre ce que j'appellerai « l'arrière-faix », la dimension. Avec *Appelez-moi Mademoiselle* j'ai voulu écrire un roman qui ne soit pas un récit, mais un acte où, comme au théâtre, l'action se passe au moment où nous la regardons.

P. B. – *Vous aimez beaucoup ce mélange des genres, ce jeu avec les formes, une certaine ambiguïté. Ainsi,* Appelez-moi Mademoiselle *est un livre qui paraît dans la collection blanche de Gallimard, mais que l'on imaginerait aussi bien dans la « Série Noire ».*

F. M. – Je suis content que vous parliez de « série noire » et pas de polar. L'énigme policière du genre Agatha Christie, ce n'est pas du tout mon propos : dans *Mademoiselle,* quand on tue, tout le monde sait qui a tué. En revanche, j'accepte tout à fait le terme « série noire », parce que je crois profondément qu'avec des moyens frustes, c'est tout de même dans ce genre de romans qu'il y a la peinture la meilleure et la plus juste de la société contemporaine. Tenez : un événement aussi grave et important que l'assassinat du président Kennedy, eh bien, je suis persuadé que quelqu'un ayant lu une dizaine de « Série Noire » voit beaucoup plus clair dans cette affaire. La « Série Noire », terme qui malheureusement englobe à la fois des œuvres très épatantes, comme celles de Dashiell Hammet ou Goodis, et très médiocres, ce sont presque les seuls romans montrant le monde dans lequel nous vivons, par exemple le mécanisme d'une ville et les rapports avec l'administration. Il y a là une grande leçon à prendre, d'autant plus qu'en face, et particulièrement en France, on trouve une littérature très renfermée sur le romancier lui-même et son milieu, milieu où l'on exerce toujours des professions vaguement artistiques ou intellectuelles mal définies.

P. B. – *Un romancier qui n'a cessé de décrire la société, de s'intéresser à un tas de professions et de métiers, c'est Simenon.*

F. M. – Mais c'est une exception.

P. B. – *Le roman français ne vous paraît pas assez ouvert sur l'extérieur ?*

F. M. – Moi, en tous les cas, ce qui m'intéresse, ce que j'aime, c'est d'aller chercher le plus loin possible de moi, au bout du monde s'il le faut. Ce qu'il y a de passionnant dans un roman, ce n'est pas de parler de ce que l'on sait, mais de ce que l'on découvre. Et pour cela, il faut aller chercher loin. Je n'ai jamais été propriétaire d'une boîte de nuit, mais c'est le personnage principal du *Corps de mon ennemi*. Je ne suis pas une femme...

P. B. – *Et vous venez, dans* Appelez-moi Mademoiselle, *de mettre en scène une femme, de parler au nom d'une femme...*

F. M. – Il est vrai qu'elle a avec moi un point commun : elle préfère les femmes aux hommes !

P. B. – *Dans* Appelez-moi Mademoiselle, *vous avez aussi décrit toute une équipe de trafiquants de cigarettes, des personnes qui, je le suppose, ne sont pas vos fréquentations privilégiées. Mais quelle joie visible chez vous à nous parler de « Face d'Ange », « le Trapu », « Jo le Guatémaltèque », « Ducon la Soudure », « Salomé l'Inoubliable », « le Chinetoque » ou « le Balafré ». Sans oublier, aussi, « le Fakir »...*

F. M. – Il est appelé ainsi parce que, dans les casinos, il a mangé l'usine de clous que lui a léguée son père !

P. B. – *Je pourrais aussi citer « l'Ambulancier » qui, dites-vous, a acheté d'occasion quatre fauteuils pour mutilés. « Les jours des grands matchs, à l'entrée du stade, il les loue à des spectateurs ingambes qui préfèrent voir le match en avant du premier rang, privilège auquel donnent droit les fauteuils roulants. » Vous l'avez inventé, ce personnage ?*

F. M. – Non, ce genre de métier existe.

P. B. – *Visiblement, vous vous êtes donc beaucoup amusé à décrire ce monde. Mais c'est la première fois, me semble-t-il, dans vos livres, que des personnages sont réduits à leur surnom ou à leur fonction.*

F. M. – Oui : ou bien ils sont désignés par leur fonction – le Maire, le Commissaire – ou bien par leur surnom...

P. B. – *... Et leur surnom désigne leur particularité.*

F. M. – Cela me permet de les camper. « Le Trapu » : inutile d'expliquer en quatre lignes quel est son physique. J'ai donc eu envie d'aller vite, et en même temps j'en avais assez des habituels prénoms comme Eugène ou Albert. Je voulais m'amuser et frapper fort, tout en restant d'une violence goguenarde.

P. B. – *Le roman se situe dans une ville italienne innommée, voire innommable. Et pourtant, cette ville semble composée de monuments ou de quartiers venus de différentes villes italiennes : Naples, mais aussi Rome ou Venise.*

F. M. – C'est plus petit que Naples, et c'est plutôt du côté de l'Adriatique. La raison pour laquelle je ne la nomme pas, cette ville, c'est que justement je m'intéresse à l'homme dans la société. Or, aujourd'hui, à partir du moment où vous voulez parler d'autre chose que de vous-même, ou des amours du plombier avec la femme du garagiste – et encore ! –, vous ne pouvez pas nommer une ville. Si, dans un roman, je dis que le maire de telle ville est un pourri, j'ai dans l'instant un procès en diffamation. Ce problème, je l'ai rencontré dès l'un de mes premiers livres, *L'homme du roi*, où je voulais montrer les rapports d'un premier ministre avec son souverain : je ne pouvais pas préciser dans quel royaume cela se passait. Pour *Appelez-moi Mademoiselle*, je sais donc très bien où se situe le roman, je décris avec toute la précision nécessaire, mais j'enlève le nom de la ville. C'est l'inverse exact de ce que fait Michel Déon, qui donne un nom à une ville imaginaire. Mais je pourrais vous citer des dizaines d'exemples où se pose ce problème pour un romancier. Ainsi, voulez-vous me dire où se passe *Le cabinet des Antiques* ? Balzac commence par consacrer dix lignes aux raisons pour lesquelles il ne peut pas nommer la ville. Et *La terre*, de Zola ? Et le début du *Rouge et le noir* ? C'est que, là aussi, Stendhal parle du maire de la ville. Dans *Le roman en liberté*, j'avais essayé d'aborder cette question très délicate : celle du personnage unique qui, dans la réalité, risque d'être confondu avec celui que vous décrivez dans le roman. Ainsi le premier ministre ou le garde-barrière du kilomètre 223 de la voie ferrée Paris-Bordeaux.

P. B. – *Attention, il existe peut-être, ce garde-barrière.*

F. M. – Donc, je ne peux pas le nommer!

P. B. – *Votre « Mademoiselle », lesbienne de choc à la tête d'un trafic de cigarettes, ne semble pas être une marginale dans cette ville que vous ne nommez pas. Une ville où tout le monde est allègrement compromis, depuis le maire jusqu'aux douaniers.*

F. M. – Il n'y a pas un milieu de trafiquants, c'est la ville entière qui est ainsi. Quelque chose me frappe beaucoup et que j'ai essayé d'indiquer : dans une société en mutation comme la nôtre, s'installent des pouvoirs parallèles et, du fait souvent de l'extrême abondance des lois, la frontière entre le légal et l'illégal devient floue. Si bien que dans mon roman, les contrebandiers, en principe illégaux, n'hésitent pas à faire un cortège de protestation, au même titre que les postiers, parce que la différence n'existe plus. *Appelez-moi Mademoiselle*, c'est la lutte entre une bande constituant un pouvoir parallèle, puisqu'elle a la complicité du maire et des douaniers, et une autre bande, l'organisation, ayant la complicité de l'un des partis au gouvernement. Et j'ai été étonné de constater – le roman ayant été écrit dans le prolongement de mon *Casanova* – qu'à son époque justement on observait le même genre de situation et pour les mêmes raisons : la société du temps de Casanova allait, comme nous, vers de grands changements; elle était à la fois plus libre et plus pourrie, la pourriture étant comme chacun sait une des formes de la liberté.

P. B. – *Et votre Mademoiselle, toute trafiquante qu'elle soit, représente la force de la liberté contre l'organisation et la cynique saloperie du pouvoir?*

F. M. – Elle est la liberté, mais la liberté passant à côté des lois prises dans un sens strict. (Entre nous : la contrebande de cigarettes, cela ne fait de mal à personne sauf au monopole, dont nous nous foutons...) « Mademoiselle » exige de survivre, et cela déjà mérite le respect.

P. B. – *Vous pensez que* Appelez-moi Mademoiselle *est une description très réaliste de la société d'aujourd'hui?*

F. M. – Non seulement de la société d'aujourd'hui, mais peut-être aussi de celle de demain. Je crois que nous allons vers une société qui se défait et qui se délite, mais avec l'avantage que ce n'est pas mauvais pour la liberté.

P. B. – *Cette lutte éperdue pour la liberté, on la trouve chez la plupart de vos héroïnes, par exemple Marie-Jeanne dans* Bergère légère.

F. M. – Mais cette liberté est une solitude. Au fur et à mesure que « Mademoiselle » va vers plus de liberté, que son combat s'affirme, des tas de gens la lâchent. A la fin on ne trouve plus à côté d'elle que des femmes. Et par-delà le côté lesbien de « Mademoiselle », j'ai voulu marquer le courage des femmes. Elles sont beaucoup plus courageuses que les hommes, j'ai pu le vérifier au cours de ma vie. Si jamais, parce que vous êtes traqué, vous devez vous cacher, allez chez une femme, pas chez un homme. Lui raisonnera, pas elle, qui n'aime pas les lois. L'homme calcule, et le calcul est une forme de la lâcheté, tandis que la femme est une passionnée, ce qui est un gage de liberté. Et toutes les passions sont à respecter. Il n'y a de mauvaises passions que les tièdes.

P. B. – *Cette passion de la liberté fait inévitablement penser à « l'insolente liberté » de Casanova.*

F. M. – Il est difficile de ne pas reconnaître la parenté. « Mademoiselle » et Casanova sont des gens qui poussent leur liberté d'esprit jusqu'au point de ne pas avoir besoin d'affirmer leur liberté : ils la prennent. Et d'une certaine manière, ils trouveraient encore que c'est un jeu de dupes que de le justifier.

P. B. – *Vous écrivez dans* Casanova : « *Avec son chapeau à plumes et son habit rose pailleté d'or, parfaite illustration de* son siècle, Casanova est aussi un homme de notre temps. Nous y sommes dans ce temps, d'une liberté devenue sauvage. » Et aussi : « Casanova est l'homme qui ne se soucie même pas d'avoir raison. C'est là, dans cette indifférence, que gîte cette forme de liberté qui lui est si particulière : une liberté limitée à l'acte, d'où on n'extorque aucune doctrine. » On dirait un portrait de Mademoiselle.

F. M. – Oui, et comme lui, elle aime d'abord le plaisir. Mademoiselle est dans mon roman profondément amoureuse, ce que Casanova était rarement. Mais avant son amour pour la comtesse, Mademoiselle se comportait comme Casanova : « Autant de petites belles que j'oubliais dans le moment même où je les prenais », dit-elle en évoquant ses précédentes aventures.

P. B. – *Plusieurs fois, dans* Une insolente liberté, *vous insistez sur la distinction à établir entre Casanova et Don Juan. « Lorsque Don Juan et Lovelace exigent des femmes non seulement le don de leur corps, mais aussi la passion, mais aussi l'amour, bref le don de leur âme, certes, ils témoignent d'une exigence plus haute mais, en même temps, ils restent dans le système. Dans le système où l'amour et le plaisir, la passion et l'acte sexuel se recouvrent, où l'un sert de mobile, d'aboutissement ou d'alibi à l'autre, où cet acte sexuel a un sens. Chez Casanova, il n'y a plus rien, ni mobile, ni alibi, ni signification. Mais, du même mouvement, Casanova sort du système et s'en libère. » Casanova conteste le système en faisant semblant de le respecter ?*

F. M. – Le système, pour moi, ce sont les idées toutes faites, les tabous, les phrases du genre « il n'y a pas de fumée sans feu », toute cette sagesse des nations que j'ai essayé de démolir dans ma pièce *L'œuf*. Dans le système, l'acte amoureux est la traduction d'un sentiment : il faut conquérir pour arriver à la jouissance, cette jouissance n'étant que le signe de la conquête. Si vous me permettez cette expression un peu leste : pour Don Juan, planter son sexe c'est planter un drapeau et rien d'autre. A la rigueur, Don Juan pourrait se contenter d'une lettre dans

laquelle la femme lui dirait : « Je t'attends à neuf heures et je me donnerai à neuf heures quinze. » Voilà pourquoi, tout en trichant tout de même puisqu'il n'aime pas, Don Juan reste dans le système : il invoque la raison habituellement donnée à l'acte sexuel. Casanova, lui, s'en fiche. Il cherche la jouissance, et que l'amour s'y ajoute ou pas lui est indifférent. Il persuade même une femme de se servir de lui comme d'un remède. Casanova arrive ainsi à un acte sexuel n'ayant absolument pas le sens ni l'alibi que lui donne le système : l'amour.

P. B. – *Et pour vous, c'est un absolu de la liberté ?*

F. M. – Mais qui a les inconvénients des absolus : il est destructeur. L'absolu de la peinture serait le tableau que le peintre recommencerait tout le temps. De même pour un livre. L'absolu porte sa destruction et malgré cela nous devons tendre vers l'absolu.

P. B. – *Par rapport à Don Juan, je vous trouve d'une très grande indulgence vis-à-vis de Casanova. Vous n'arrêtez pas de le justifier même lorsque pour se débarrasser d'une femme il accomplit d'incroyables pirouettes, souvent très drôles, il faut en convenir.*

F. M. – La hauteur à laquelle Don Juan situe son débat est incontestablement plus élevée que celle de Casanova, son défi à Dieu est intéressant. Mais il y a chez Don Juan deux choses que je n'aime pas : d'une part, pour affirmer sa liberté, il s'attaque aux femmes, c'est-à-dire des personnes qui à son époque étaient des proies beaucoup plus faibles que lui; d'autre part, chez Don Juan comme chez ses émules, tel Valmont dans *Les liaisons dangereuses,* il y a foncièrement une méchanceté et une conscience ricanante qui me déplaisent. Je préfère le j'm'enfoutisme de Casanova qui, même si la liberté peut être nuisible, ne fait de mal à personne. Casanova n'abandonne pas les femmes, ce sont elles qui partent. Et quand la rupture vient de lui, Casanova leur laisse de l'argent ou leur trouve un entreteneur.

P. B. – *Allons, c'est de la rouerie, notam-*

ment pour échapper au mariage. Et là, il vous amuse beaucoup.

F. M. – C'est qu'il y a chez lui une sorte de vocation, vocation qui n'est jamais précisée. Mais Casanova sait qu'il doit rester libre pour elle. Je crois aussi que les femmes ont très bien compris Casanova, qu'elles n'ont pas été dupes : elles ont deviné son caractère profond qui est de ne pas prendre – sauf dans un lit. Elles le savaient depuis le départ, elles ont compris que c'était l'homme que l'on n'épouse pas, l'homme sur qui on ne peut pas compter dans la vie mais seulement pour un week-end ou pour trois semaines. Même sa petite fiancée, Manon Balletti, l'a compris malgré son jeune âge : lors de la rupture, elle reconnaît que Casanova n'est pas un monsieur sur qui on peut compter mais qu'elle ne le savait pas lorsqu'elle a été séduite.

P. B. – *Ne doit-on pas relire tous vos romans et vos pièces à travers le modèle de Casanova ?*

F. M. – C'est aller trop loin. Profondément je ne crois pas à une « bonne société ». Il y a les sociétés insupportables et les sociétés supportables. Et donc il faut s'arranger. C'est ce que constate mon personnage de *L'œuf* : il voit devant lui un système, il sait que ce système est mauvais, faux; mais au lieu de perdre son temps à le contester ou le démolir, il se met dedans un peu à l'écart. Casanova fait exactement de même : il ne s'en prend jamais ni aux lois ni à la morale...

P. B. – *... Il n'est ni révolté ni révolutionnaire.*

F. M. – Oui, mais cette forme de sape, de l'intérieur, me paraît plus efficace. « Mademoiselle » va dans le même sens : elle s'accommode et toute la ville d'ailleurs s'accommode en trichant ouvertement à tel point que les contrebandiers ont leur barque peinte en bleu sombre (allez à Naples, vous verrez que c'est un détail vrai). Mais dans cette tricherie générale règne une forme de liberté.

P. B. – *Casanova – et vous insistez sur ce point – est issu d'un milieu intermédiaire. Il se trouve autant à l'aise avec les gens simples qu'avec les grands de ce monde, il fréquente avec autant de naturel le sommet que le bas de la société. Je me demande si vous ne retrouvez pas chez Casanova les éléments qui vous sont autobiographiques. Dans Les années courtes, qui racontent votre jeunesse, vous dites à un moment : « Socialement, je continuais à ne me situer nulle part D'entrée de jeu, la disparate de ma famille m'avait débarrassé ou à peu près de toute notion de classe sociale. »*

F. M. – En effet... En effet... Ma famille, c'était un milieu bourgeois mais où je ne retrouvais pas ce qui, en général, entoure l'idée de bourgeoisie, par exemple la propriété. Et dans ma famille, il y avait des inégalités assez extraordinaires : un de mes oncles était peintre en bâtiment tandis qu'un autre était président de la Cour de cassation. D'un côté, ma mère était une bourgeoise en ce sens qu'elle n'aurait pas imaginé de sortir dans la rue sans chapeau, mais, de l'autre côté, il lui arrivait de nettoyer son trottoir à grands seaux d'eau. Sans doute ai-je gardé des traces de cette éducation : en traitant de la même manière un roi et un plombier !

P. B. – *Et vous êtes un peu comme Casanova, totalement intégré au système – académicien, même – mais sans illusion, sapant le système de l'intérieur. Disons que votre image académique ne correspond pas du tout au soufre et au nihilisme de vos livres.*

F. M. – J'espère que vous ne voulez pas insinuer par là qu'un académicien n'aurait pas dû écrire *Appelez-moi Mademoiselle*. D'autant plus que les livres antérieurs à mon élection à l'Académie étaient, je pense, aussi libres de ton que celui-là... Sérieusement parlant : oui, le système reste mon ennemi et je ne crois pas à la société. Mais il existe différents moyens de cohabiter avec elle. Le système n'est pas un ensemble de choses fausses. L'ennui c'est que ce n'est pas non plus un ensemble de choses vraies. C'est un ensemble de choses convenues, qui ne nous sont arrivées à l'état de conventions que parce qu'elles sont souvent vraies et parfois fausses. Si le système n'était que mensonge, il aurait été très facile de le démolir, mais ce n'est pas la réalité. Le système c'est le signalement convenu d'un homme, de la société et du monde. Mais ce peut être tout simplement de dire « en Italie, le ciel est bleu » ou des proverbes du genre « l'argent mène le monde ». C'est à la fois vrai et faux. Et quand on observe bien la littérature, on se rend compte que toutes les œuvres fortes se dressent contre le système, de Balzac à Flaubert ou Dostoïevski.

P. B. – *L'Italie, qui vous est chère, n'est-elle pas le lieu par excellence où l'on se comporte un peu comme vous : dans le système et à l'écart ?*

F. M. – Je crois que c'est sensible pour toute la partie occidentale du Bassin méditerranéen. Et c'est un peu cette vaste zone géographique que j'ai voulu évoquer dans *Appelez-moi Mademoiselle* : l'Italie, l'Espagne, la Grèce, Corfou ou même la côte méditerranéenne de la France. Il y a là une sorte de *modus vivendi* qui s'est installé, une espèce de non-rigueur se transformant en pouvoirs parallèles. La vie n'est supportable qu'à partir du moment où il existe une certaine élasticité : le droit commence au passe-droit... Et je pense que cette montée des pouvoirs parallèles, dont on a peu parlé jusqu'ici, préfigure l'avenir de notre société.

P. B. – *Vous vous définissez comme un nihiliste ?*

F. M. – Comme un libertaire en tous les cas. Et, soit dit au passage, je trouve qu'il est très inquiétant pour la gauche qu'on ne dise jamais plus de quelqu'un : c'est un anarchiste de gauche. Chaque parti a besoin de ses anarchistes.

P. B. – *Dans* Une insolente liberté *vous vous interrogez toujours sur le mensonge et la vérité chez Casanova pour déterminer si son récit est plausible ou pas. Or, dans* Les années courtes, *vous écriviez :* « Pendant un temps, j'ai été menteur. Pas par intérêt ou rarement (lorsque je mens par intérêt, je bafouille, je m'empêtre, mon mensonge éclate), menteur par beauté de la chose, incapable, entre deux versions, de ne pas choisir la plus frappante. En littérature, cela porte un nom :*

cela s'appelle le don du romancier. Quand j'ai commencé à écrire des romans, j'ai cessé de mentir. »

F. M. – C'est vrai, je mentais par amusement plus que par intérêt. Même si, bien sûr, il m'est arrivé comme tout le monde de cacher mon bulletin scolaire. Je me suis aperçu que c'était un travers de romancier. Mais chez les romanciers, ce ne sont précisément pas des mensonges : ils ont tous les droits. Alors j'ai cessé de mentir en écrivant. Et écrire, vous le savez, est une maladie dont on ne guérit qu'en écrivant...

P. B. – *Mais là, quand je vous interroge, c'est le romancier qui répond ?*

F. M. – Plutôt l'homme; mais j'avoue que je dois me donner des coups de pieds. Je préférerais répondre avec ma liberté de romancier ou pour parler de Dostoïevski.

P. B. – *Eh bien, pour finir, parlons, si vous voulez, des autres romanciers. Avant l'Académie française, vous avez été pendant longtemps président du prix Médicis, jury qui a récompensé beaucoup de nouveaux auteurs, souvent d'avant-garde. Comment jugez-vous le roman français contemporain ?*

F. M. – Il faut d'abord souligner un fait pas très ancien, datant d'il y a moins de cinquante ans : c'est que quelqu'un ayant envie d'écrire aujourd'hui pense neuf fois sur dix au roman. C'est très nouveau dans la littérature. En 1870, quelqu'un voulant écrire pensait d'abord à la poésie. Cette situation nous amène désormais à lire des romans qui sont écrits par des auteurs n'étant pas romanciers mais moralistes ou essayistes. Cette force d'attraction du roman est néfaste. Parce que le roman est un genre demandant des dons très particuliers : savoir raconter une histoire ou une aventure – même pour le « nouveau roman » –, avoir le sens du dialogue et une certaine ingénuité. Oui, il faut être très naïf pour écrire des romans, il faut y croire pour avoir une force de conviction. L'autre fait à souligner, mais il est plus récent celui-là, c'est qu'il y a un repliement de l'auteur sur lui-même le conduisant à parler de lui exclusivement ou de ce qui l'entoure. Nous l'évoquions tout à l'heure : toujours le même milieu intellectuel et des professions très vagues. Vraiment extraordinaire dans un monde où la première question que l'on se pose à propos de n'importe qui c'est : que fait-il ? Ce repliement sur soi-même est contraire à l'esprit du roman. Plus qu'un récit, le roman doit projeter une certaine vision du monde.

P. B. – *Ce monde des trafiquants, des contrebandiers et des combines que vous décrivez dans* Appelez-moi Mademoiselle, *on dirait que vous le connaissez de l'intérieur.*

F. M. – Vous me faites penser à une remarque de Montherlant me disant un jour à propos d'une pièce : « Mais, comment connaissez-vous ce langage que l'on parle dans les bars ? »... Que voulez-vous ! Je suis romancier, je regarde les mondes, je me documente et surtout j'écoute.

LÉO MALET

*« Sur ma carte de visite,
deux titres seulement : " Fétichiste moyen,
et obsédé sexuel total. " »*

Juin 1984

A l'image de son héros Nestor Burma, le détective de choc des *Nouveaux mystères de Paris*, Léo Malet – 75 ans – est un bonhomme assez inhabituel dans le paysage littéraire français. Non conformiste, individualiste forcené, canaille et jovial, il jouit en spectateur amusé d'une consécration aussi spectaculaire que tardive : le Fleuve noir achève à peine la réédition des quinze volumes des *Nouveaux mystères de Paris* que la collection « Bouquins », chez Laffont, annonce elle aussi une réimpression prochaine des fameuses enquêtes de Nestor Burma. Bourgois n'est pas en reste : trois titres parmi les plus goûtés de Léo Malet sont prévus en 1985 : *Brouillard au pont de Tolbiac*, *L'ombre du grand mur* et *La trilogie noire*. Bref, partout on encense et on s'arrache Léo Malet qui n'eut longtemps droit, en sa qualité d'auteur de romans policiers, qu'à sa part du ghetto – et encore lui fut-elle longtemps contestée par les parrains de la littérature noire.

Aux éditions de la Butte-aux-Cailles, un recueil de ses poèmes rappelle qu'il fut aussi, dans les années 30, aux côtés d'André Breton et d'Eluard, l'un des pionniers de l'aventure surréaliste, un étonnant créateur d'images auquel on doit en particulier *J'arbre comme cadavre*, *Hurle à la vie* ou *Hourrah dada!* Le seul texte inédit qu'il ait consenti à publier depuis longtemps est d'ailleurs un poème : *Treize roses éparpillées*, qui clôt ce recueil. Depuis plus de vingt ans, il vit au huitième étage d'une HLM, à Châtillon-sous-Bagneux, entre ses mannequins de cire et ses pipes à tête de taureau. La Société des Gens de Lettres vient de lui décerner le prix Paul-Féval pour l'ensemble de son œuvre, et ce n'est pas fini...

Jean-Louis Ezine. – *C'est curieux : on a commencé à vous découvrir au début des années 70, juste au moment où, après une très longue carrière dans l'ombre, vous cessiez de publier. Comment expliquez-vous ce méchant paradoxe ?*
Léo Malet. – On m'a peut-être cru mort : pour un écrivain français, c'est toujours un avantage. Alors, démentez je vous prie, vous me ferez une belle jambe, mais ne démentez pas trop vivement : les lecteurs pourraient refluer... Il faut mourir, chez nous, c'est le hic. A défaut, je ne saurais trop recommander aux artistes la plus extrême discrétion. Mettez-vous au vert, n'en fichez plus une rame. C'est comme ça que la célébrité m'est venue. Parole, c'est chouette : on vit mieux de ses rééditions, qui attirent toujours la curiosité des intellectuels, que des inédits, que se refilent de la main à la main des amateurs en général désargentés. Depuis que je n'écris plus, je peux enfin me prendre pour un écrivain. J'ai soixante-quinze ans, je suis devenu un petit peu vaniteux avec l'âge. Moi qu'on n'a jamais vu un chapeau sur l'oreille, à la casseur d'assiettes, j'ai bien mérité un brin de fierté, après tout. J'ai perdu toutes mes illusions : la dernière s'appelait la modestie. Alors, je fais la grande coquette, je joue à l'illustre, j'accorde des entretiens, comme d'autres des pianos : pas une fausse note, je suis devenu le mélomane du crime. Ouais... Il y a trente ans, je vous aurais fichu dehors.
J.-L. E. – *Ah bon ! Merci pour la chaise.*
L. M. – De rien, de rien, mettez-vous à l'aise. La chaise ne mérite pas qu'on s'y attarde. En revanche, la table, là... Une pièce de musée, patinée jadis par des coudes plus célèbres que les miens : elle a appartenu à Salvador Dali, mon vieux. Parfaitement. Et c'est là que j'ai écrit tous mes bouquins, campé tous mes personnages, et assassiné les plus faibles. C'est un détail que la postérité, je suppose, retiendra.
J.-L. E. – *Un cadeau du maître ?*
L. M. – Avant la guerre, je vendais les journaux du soir à la criée, au coin de la rue Sainte-Anne et de la rue des Petits-Champs, à l'endroit précis où j'ai installé, d'ailleurs, les bureaux de mon héros Nestor Burma. Dali, qui à l'époque résidait à l'hôtel Meurisse, était mon client. Je le voyais souvent venir à ma rencontre, tandis que je clamais les titres de *L'Intran*, *Paris-Soir* ou *Ce Soir*. C'était un type gentil, un peu excentrique. Quand il est parti aux États-Unis, en 39, on s'est partagé ses meubles, avec les copains. Ça fait des souvenirs.
J.-L. E. – *Tout ça ne nous dit pas pourquoi vous êtes tout d'un coup devenu la coqueluche du roman noir, après en avoir été, pendant trente ans et plus, le fantôme un peu marginal et très méconnu... et alors qu'apparaissait en librairie la nouvelle génération des Manchette, ADG et autres Demouzon !*
L. M. – Mieux que la coqueluche : le père. Il paraît que j'ai engendré tout ce monde-là. C'est du moins ce qu'affirme, après d'autres commentateurs bien intentionnés, Jean-Paul Schweighaeuser dans un « Que sais-je ? » consacré au roman noir, et qui vient de paraître. Je veux bien le croire. Mon idée, c'est que j'ai été redécouvert, ou découvert si vous préférez, par les anciens combattants de Mai 68. Ils ont trouvé dans mes livres – pourtant écrits vingt ou trente ans auparavant – des préoccupations qui rejoignaient les leurs. Ce sont eux, en tout cas, qui m'ont permis de connaître le succès.
J.-L. E. – *N'avez-vous pas été plutôt porté par la mode rétro ? La nonchalance fatiguée de Nestor Burma, sa silhouette de privé en trench-coat ont pu cristalliser une part de ce regain pour les clichés du genre...*
L. M. – Vous êtes en train de me dire poliment que je suis dépassé. Dépassé, je le suis certainement par la philosophie de mes contemporains. Je pourrais reprendre à mon compte le mot d'Albert Simonin : « Je suis bien dans ma peau, mais mal dans mon siècle. » Nestor Burma, lui, est mal dans son siècle, mais bien dans son trench-coat. C'est l'essentiel. Notez que, pas plus que moi, il n'a attendu Bogart pour en célébrer le confort. Un trench-coat malpropre, bien

entendu, comme il sied à cette carrosserie de légende. Le trench-coat doit être culotté comme une vieille pipe. C'est l'uniforme du vagabond international, dans lequel il s'enveloppe pour dormir.

J.-L. E. – *A quoi occupez-vous vos loisirs, depuis que vous n'écrivez plus de romans ?*

L. M. – Je réfléchis à ceux que j'ai écrits, encouragé par l'euphorie des afficionados, et l'application fiévreuse des commentateurs. Les bonnes volontés ne manquent pas autour de moi, je parle d'ailleurs sous leur contrôle. Dorénavant, je sais pourquoi Untel se gratte la fesse au deuxième alinéa du chapitre 5. Ce n'est sans doute pas du luxe pour un type mal dégrossi de mon espèce, qui a fait ses humanités dans les Pardaillan de Michel Zevacco et *La jeunesse illustrée des belles images*. Je suis, pour l'essentiel, originaire d'une famille d'illettrés. Rien ne me prédestinait à la littérature. Si un grand-père tonnelier et socialiste ne m'avait recueilli et élevé dans la religion du comte de Monte-Cristo, qu'il glorifiait presque à l'égal de Jaurès et de Hugo, que fût-il advenu de ma petite personne ? En tout cas, on ne m'aurait pas retrouvé soixante berges plus tard invité d'honneur de l'Oulipopo.

J.-L. E. – *Vous voulez dire l'Oulipo, l'Ouvroir de Littérature Potentielle, cette académie savante fondée par Queneau ?*

L. M. – Non, pas l'Oulipo, l'Oulipopo : l'Ouvroir de Littérature Potentielle Policière. Moi, je fais où on me dit de faire. Sur ce popo-là, on fait de la pataphysique. Je ne suis pas encore oulipien, mais je suis déjà oulipopien. Mes romans n'en reviennent pas, qui n'avaient jamais été nourris qu'au biberon de la vie réelle : ce sont des sortes de Mémoires, de chroniques, le recueil des histoires qui me sont plus ou moins arrivées. Et c'est peut-être pour ça que je n'écris plus : j'ai épuisé mes souvenirs.

J.-L. E. – *Allons! Vous allez laisser inachevés* Les nouveaux mystères de Paris ?

L. M. – Tatata... Il ne sera pas répondu à la question.

J.-L. E. – *Quinze volumes ont paru : un par arrondissement. Il en manque cinq pour que les aventures de Nestor Burma soient complètes.*

L. M. – J'ai loué un appartement à Cannes, où je vais descendre un de ces prochains jours avec ma vieille Underwood : présomption de travail. N'en faites surtout pas un *scoop*. On verra bien. Je suis paresseux. Je réprouve les confrères qui, sitôt frappé le mot « fin » au bas d'un manuscrit, glissent une nouvelle feuille blanche dans leur machine. D'un art d'agrément, ils font un boulot de forçats.

J.-L. E. – *Peut-être, mais de là à attendre dix ans avant de s'y remettre... Pourquoi, réellement, avez-vous cessé d'écrire ?*

L. M. – A sa parution initiale, au long des années 50, la série des *Nouveaux mystères de Paris* n'a pas été une catastrophe, non, mais enfin, ce ne fut pas un succès non plus. Je ne parvenais pas à trouver mon public. Dans les librairies, au lieu de m'installer dans le rayon *ad hoc*, mettons entre la Série Noire et le Fleuve noir, on me flanquait à côté de Sagan, allez savoir pourquoi. Le résultat ne fut ni désastreux ni mirifique, mais plus simplement médiocre. Certains déboires sentimentaux m'ont aussi affecté. En outre, j'ai été relogé en catastrophe dans une HLM, où vous me voyez encore, ce qui a fini de m'affliger. J'en fus bientôt réduit à des travaux de charcutage littéraire, Armand Lanoux m'ayant fait engager par Fayard pour ramener des bouquins de Zevacco et de Ponson du Terrail de 350 à 250 pages... C'est bien plus tard que Maurice Renault, le directeur de *Mystère Magazine*, se débrouilla pour faire paraître *Les nouveaux mystères de Paris* en livre de poche – et je parle du vrai, hein! Ce fut tout de suite la grosse diffusion.

J.-L. E. – *Comment se fait-il que vous, à qui l'on reconnaît aujourd'hui la paternité de l'école française, n'ayez jamais eu les honneurs de la plus célèbre des collections, la Série Noire ?*

L. M. – Je connaissais même très bien Marcel Duhamel, qui la dirigeait, et auprès de qui j'ai fait une ou deux tentatives. Peine perdue. Chaque fois,

Marcel m'a répondu : « Tu peux faire mieux. » Il estimait que ma littérature relevait de l'esprit populiste, et s'écartait des règles du roman noir. Aujourd'hui je le soupçonne d'avoir parcouru, plutôt que lu, mes bouquins. Un jour que je le relançais, il me concéda cette explication : « Un flic américain, vois-tu, c'est pittoresque. Un flic français, ça fait sordide. » Il condamnait du même coup mon univers. Marcel Duhamel était donc lui aussi victime du snobisme anglo-saxon qui régenta si longtemps la littérature policière.

J.-L. E. – *Vous-même, n'y avez-vous pas cédé, à vos débuts ?*

L. M. – Le moyen de faire autrement ? En 1941, j'avais rencontré à la terrasse du café de Flore Louis Chavance, un ami de Prévert, le futur scénariste du *Corbeau* de Clouzot. Je rentrais de captivité, je ne savais que faire. Louis Chavance animait une collection de romans policiers chez l'éditeur Georges Ventillard, et me proposa d'en écrire. Il n'y avait que deux impératifs : que l'action se passe en Amérique, et que ce soit signé d'un nom anglo-saxon. Une mode née d'un calcul opportuniste : dans la France occupée, on ne trouvait plus de littérature américaine, mais il fallait se tenir prêt pour le jour où les États-Unis entreraient en guerre.

J.-L. E. – *En somme, vous êtes entré en littérature sous un faux nom, une identité d'emprunt ?*

L. M. – D'emprunt, vous ne croyez pas si bien dire, et j'avais choisi une victime de haut rang : le 39e président des États-Unis, Harding, mort entre les deux guerres dans des circonstances assez mystérieuses. Louis Chavance m'avait recommandé de prendre un nom qui se retienne, dans le style Hutchinson, Underwood ou Remington. Harding, il trouva ça bien.

J.-L. E. – *Avec la caution posthume d'un président américain, ça ne pouvait faire que sérieux.*

L. M. – Ça, c'était pour la couverture. Si l'on soulève la couverture, on trouvera dessous un de mes nombreux fantasmes féminins : Anne Harding, à qui je rendais ainsi un subreptice hommage. Une actrice, bien entendu, qui fut la partenaire de Garry Cooper dans *Peter Ibbetson*. J'ai paré à toute éventualité : c'est au choix. Je laisse mes futurs biographes trancher ce point d'histoire, selon que leurs goûts les portent vers les hommes d'État ou les starlettes.

J.-L. E. – *Et vous avez alors créé, sous la signature de Frank Harding, le personnage de Johnny Metal, qui préfigure Nestor Burma.*

L. M. – Oui, c'est en quelque sorte son cousin d'Amérique. Metal est un nom qui sonnait bien, presque par définition. Je me suis aperçu seulement après coup que c'était l'anagramme de Malet. Naturellement, les exégètes n'en croient pas un mot : ils voient là une claire intention de dédoublement, alors que c'est pure coïncidence. Comme quoi il ne faut jamais s'en faire : le hasard pallie toujours les défaillances de la nécessité.

J.-L. E. – *Il faut dire qu'entre vous et les pseudonymes, c'est une valse à n'en plus finir : Frank Harding, mais aussi Omer Refreger, Lionel Doucet, Jean de Selneuves, Léo Latimer, et on en passe certainement.*

L. M. – Mais non, en une soixantaine de titres, je n'en ai jamais utilisé que cinq ou six, parfois pour distinguer entre les genres : il m'est arrivé d'écrire des romans de cape et d'épée, par exemple. En tout cas, à côté de Simenon, qui a usé d'une cinquantaine d'identités, je suis facile à pister !

J.-L. E. – *D'autant, Léo Malet, qu'il vous arrive parfois, sous votre nom véritable, de dédier vos œuvres à vos pseudonymes, ce qui est pour le moins facétieux. Pourquoi ces clins d'œil ?*

L. M. – Une précaution, une sage précaution. En établissant de la sorte un lien entre Léo Malet et Frank Harding, j'évitais qu'un fantaisiste à court d'emploi ou d'inspiration se piquât au jeu et prétendît qu'il était, lui, Frank Harding. Ce sont des choses qu'on voit tous les jours, dans la littérature. Me retrouver un matin en face de mon double a toujours fait partie de mes craintes, sinon de mes superstitions.

J.-L. E. – *Prévoyant et malin! Avant de devenir, dans les années 40, un auteur de polars, vous avez été un poète surréaliste, proche d'André Breton. Or, Breton avait jeté un interdit définitif sur le genre romanesque. N'est-ce pas cette raison, et la menace d'exclusion dont elle était assortie, qui vous a conduit à l'emploi de pseudonymes, au moins autant que la suggestion commerciale de votre éditeur?*

L. M. – Non. J'ai cessé d'avoir des contacts avec les surréalistes lorsque je me suis mis à écrire des romans, et à cause de cela. Je me suis exclu moi-même. Là, je dois dire, je me suis comporté comme un lâche, j'ai manqué de volonté. Mais j'aurais publié ces romans sous mon nom si la chose avait été possible, je vous le garantis.

J.-L. E. – *Vraiment? Aucun sentiment de honte, ou de culpabilité, du poète Léo Malet à l'égard de ses belles classes?*

L. M. – Non, je vous assure. Je suis même contre le recours aux pseudonymes. Je n'ai jamais cherché à me dissimuler derrière eux, au contraire j'ai cherché à les éventer. Il faut s'assumer, que diable!

J.-L. E. – *C'est étrange, pourtant, comme vos deux carrières semblent se tourner le dos, autour de l'an 40: qu'y a-t-il de plus opposé à un feuilletoniste de l'école populaire, formé par la lecture des « Pardaillan », qu'un poète surréaliste, confiné alors dans la religion de l'élite?*

L. M. – C'est complexe, mais pas contradictoire. Puisque vous avez la gentillesse de rappeler que j'ai été poète avant d'écrire des romans policiers, je vous dirai que cet « avant » n'est pas seulement chronologique, mais essentiel: je suis, et je reste, poète *avant tout*. Mes romans ont l'air d'être réalistes, mais ils ne le sont pas. Ils ont une tournure poétique, comme l'a dit Germaine Beaumont. Ils sont du domaine du rêve. D'ailleurs, dans un coin de presque tous mes livres, il y a un rêve. Voire une hallucination. J'ai été le premier à décrire une vision de drogué, dans *Les paletots sans manche.*

J.-L. E. – *Un roman de came et d'épée,*

celui-là? J'ai surtout remarqué que Les nouveaux mystères de Paris s'ouvraient toujours par deux sortes de considérations, au choix: le métro, ou la météo.*

L. M. – Ça, c'est le chic parisien. Le métro qu'on prend, le temps qu'il fait. C'est ça qui est bon. Nestor Burma dit quelque part : « Je me suis installé détective privé comme je me serais installé poète. » C'est un flâneur, il a la vocation de la liberté. Voilà pourquoi, d'ailleurs, il lui faut tuer toutes les femmes qui lui tombent dans les bras.

J.-L. E. – *Il ne les tue pas toutes!*

L. M. – Il les fait tuer par moi. Vivantes, elles finiraient par se crêper le chignon. Et il deviendrait un affreux don Juan papillonneur. Tandis que là, je l'accable de malheurs pour préserver sa vertu, et son rang de héros.

J.-L. E. – *Est-ce que vous n'écrivez pas toujours le même livre, au fond? L'intrigue se répète, de roman en roman: au cours d'une promenade, Nestor Burma découvre un cadavre. Puis il rencontre quantité de gens étrangers à l'affaire, reçoit un providentiel coup de gourdin sur la tête, et, à son réveil, détient la solution...*

L. M. – Que voulez-vous! C'est le génie de Burma qui veut ça! Nestor Burma, l'homme qui met le mystère knock-out! Je verrais bien ce slogan en lettres peintes sur une baraque foraine... Toujours le même bouquin? On dit ça de tous les écrivains, grands ou petits. Admettez pourtant qu'il y a beaucoup de variantes dans mes intrigues: ainsi, la maturation des cadavres est-elle plus ou moins avancée. C'est un détail qui a son importance.

J.-L. E. – *Nestor Burma les préfère-t-il à point? bien faits?*

L. M. – Il prend les cadavres comme ils viennent. Tout dépend de l'usage qu'on veut en faire. Il lui arrive même de les perdre en chemin, par négligence ou fatalité: vous voyez bien que je ne lui rends pas la tâche facile et que rien n'est sûr dans mes histoires, pas même le pire.

J.-L. E. – *Bah! On ne se fait pas de bile*

pour Nestor : un cadavre perdu, dix de retrouvés.

L. M. – Ça! Le bougre en dénicherait dans une blague à tabac. C'est un don, probable.

J.-L. E. – *Vous parliez de rêve, et l'on voit bien ce qu'il peut y avoir d'onirique dans votre petit monde, mais la ficelle de l'humour et de la parodie n'en est pas moins grosse.*

L. M. – Je l'ai un peu voulu, et là, j'ai eu tort. Ce côté baraque foraine m'a fait louper des affaires. Un grand éditeur que je sollicitais me répondit un jour : « Votre Nestor Burma? Il a un nom trop ridicule pour faire un héros! » Remarquez, ça n'a pas empêché l'éditeur en question de gagner une fortune avec un personnage au nom tellement entortillé qu'il aurait dû se marcher dessus à chaque page. Je ne dirai pas de qui il s'agit.

J.-L. E. – *Ce ne serait pas Hubert Bonisseur de la Bath, connu aussi sous le nom de OSS 117?*

L. M. – On ne peut rien vous cacher. Mais essayez plutôt de prêter une oreille neuve à des noms tels que Rouletabille, ou Arsène Lupin : vous croyez que ça fait sérieux, vraiment? Même d'Artagnan, qui est un patronyme authentique, à l'air d'un pseudo.

J.-L. E. – *Comment s'est passée votre rencontre avec Breton?*

L. M. – J'avais vingt ans, je me livrais à l'écriture automatique, j'y suis allé au culot. J'ai envoyé mes textes à Breton. Dans une longue lettre, il m'a répondu qu'il les aimait entièrement, et m'invitait à lui rendre visite au café Cyrano, place Blanche, où se réunissaient chaque jour les surréalistes, autour d'une table que le garçon leur réservait. Je m'y suis rendu pour la première fois le 13 mai 1931. Il y avait là, autour d'André Breton, Yves Tanguy, Paul Eluard, René Char, Giacometti, Aragon – dont je fis la connaissance de justesse : il allait quitter le groupe quelque temps plus tard, après qu'il eut tout à fait passé sous la coupe du stalinisme et de celle qu'on appelle Elsa Triolet.

J.-L. E. – *On a tort de l'appeler Elsa Triolet?*

L. M. – On l'appelait Ella, de mon temps, et dans ce groupe. Pourquoi est-elle devenue Elsa? Ella, Elsa : vous voyez, il y avait déjà quelque chose de louche dans le prénom de cette femme. Enfin, ce que j'en dis...

J.-L. E. – *Alors, ces fameuses réunions au Cyrano, en quoi elles consistaient?*

L. M. – Pas en ce qu'on a dit, en tout cas. Il n'y avait pas d'ordre du jour, pas de chaise réservée à l'usage exclusif de Breton, qui ne fut jamais le pape que la légende s'est complu à décrire. Il n'y avait là que des gens qui prenaient l'apéritif et s'adonnaient au plaisir simple et délicieux de la conversation de bistrot. Sans doute Breton était-il un peu cérémonieux, de nature, et conscient de sa valeur littéraire. Mais il ne m'a jamais donné l'impression de se prendre pour André Breton. Ce qui est sûr, c'est qu'il exerçait sur tous un magnétisme singulier. Il aurait pu être un meneur d'hommes. Je ne fus pas le plus assidu aux tournées apéritives : j'étais tantôt manœuvre dans une usine de carreaux de plâtre, tantôt crieur de journaux, et je ne pouvais pas toujours me libérer. J'ai ainsi appartenu au groupe surréaliste pendant une dizaine d'années, et quelques-unes de nos manifestations me sont restées en mémoire. Au cours d'une soirée houleuse où, en compagnie de Breton, Eluard et Georges Bataille, nous avions conspué Marcelle Géniat pendant une représentation des *Innocentes,* je me rappelle avoir été embarqué au poste avec Bataille, et condamné par le tribunal de simple police pour « cris dans un théâtre ». C'était la formule employée sur l'avis du greffe, que je me suis empressé d'afficher, dans une exposition surréaliste, au regard de ma carte de crieur professionnel. Le rapprochement ne manquait pas de drôlerie. Plus provocante fut l'exposition de 1936, où je présentais un mannequin féminin et décoré dont un ressort, manipulable par les spectateurs, titillait la pointe des seins, tandis que, dans un bocal placé délibérément à l'endroit le plus suggestif de l'anatomie, frétillait un poisson rouge. André Breton vint me voir : « Il ne faut pas faire ça. Le directeur de la galerie est mécontent. On a déjà eu des ennuis avec Max Ernst. » Je dus donc me résoudre à faire disparaître l'accessoire délictueux.

J.-L. E. – *Plus tard, lorsque vous avez quitté Breton, ne vous êtes-vous pas payé sa tête ? Dans votre livre* Erreur de destinataire, *il apparaissait sous son nom en psychiatre fou.*

L. M. – Ces petits bouquins, il fallait les écrire vite. Je n'avais guère le temps d'inventer des noms pour mes personnages. Alors, il m'arrivait de...

J.-L. E. – *Oh, quelle mauvaise foi! Si vous utilisez volontiers des pseudonymes pour votre usage personnel, on retrouve en revanche parmi vos héros nombre de personnages réels : Trotski par exemple, ou M. Boubal, le restaurateur, en capitaine de goélette.*

L. M. – La goélette « Café de Flore », c'est exact. Il faut bien s'amuser un peu. Et puis, que voulez-vous! l'opinion exige des noms. Pour Breton, l'ironie n'était pas d'intention, mais j'ai du remords. Je l'aimais comme un père. Je vais même vous faire un aveu : sa mort fut l'un de mes plus gros chagrins.

J.-L. E. – *Ouvrier du plâtre, crieur de journaux... Vous en avez fait d'autres, de ces petits métiers ?*

L. M. – Et de plus risqués. J'ai d'abord été clochard, lorsqu'à seize ans j'ai débarqué à Paris. A peine descendu du train de Montpellier, en plein hiver, je me suis retrouvé sous les ponts, sans un sou ni une adresse. J'aurais eu de la peine à me prendre pour Rastignac, même avec de l'imagination. J'ai pourtant réalisé ma première ambition : devenir chansonnier montmartrois. J'ai débuté à « La Vache enragée », un endroit bien nommé, la nuit de Noël 1925. J'ai pu assouvir là mon goût de la satire, que j'avais longtemps cultivé dans la fréquentation des milieux anarchistes de Montpellier et la lecture de leurs journaux. J'étais bourré d'illusions, c'est ma seule excuse. Je me suis souvent réconforté avec le mot de Clemenceau : « Celui qui n'a pas été anarchiste dans son adolescence est un imbécile. » Et il ajoutait : « Celui qui est resté anarchiste dans son âge mûr est

aussi un imbécile. » Ce qui fait qu'à deux époques au moins de ma pauvre vie, je ne me suis pas montré trop con. Tout ça pour vous expliquer que, de fil en aiguille, par relations en quelque sorte, je sois devenu le nègre d'un maître-chanteur analphabète. Maître-chanteur, encore un petit métier disparu, et c'est dommage : ces gens-là avaient de l'utilité. En faisant chanter plus canailles qu'eux, ils nettoyaient la société : c'étaient des éboueurs, à la manière des vautours curetant une charogne. Le mien était analphabète. Il avait donc besoin d'un nègre, pour ses « écritures ». Mais dans les années 25, j'ai été aussi gérant d'un magasin de mode.

J.-L. E. – *Ce devait être plus tranquille.*

L. M. – Ça aurait dû. Un copain avait hérité le fonds d'une très vieille dame, dont il avait fait récemment la conquête et qui venait de trépasser fort à propos. Il me nomma gérant, et me voilà dans les parfums et la dentelle. Pas pour longtemps. La famille a demandé l'autopsie de la vieille dame, ce qui eut pour effet de faire fuir mon copain en toute hâte. Il ne laissa derrière lui que trois mots sur la porte : « Fermé pour cause d'inventaire. » Ce que voyant, je jugeai préférable de déguerpir à mon tour. Ce coup-là, je me suis retrouvé dans un wagon de marchandises qui me déposa à Lyon, où je me fis embaucher comme ouvrier dans une usine de tréfilerie. Comme sinécure, vous repasserez. J'ai préféré être emballeur chez Hachette – comme Zola, dites donc. Ou même, figurant de cinéma.

J.-L. E. – *Ah oui ? Et vous avez figuré dans quels films ?*

L. M. – Dans une scène d'assises de *Forfaiture,* de Marcel Lherbier, j'étais dans la salle. On faisait la rumeur. Il y a eu aussi une scène des *Courriers de Lyon,* mais mon principal titre de gloire demeure une apparition dans *Quai des brumes* aux côtés de la vedette. Oui, monsieur, comme on vous le dit.

J.-L. E. – *Vous avez tourné avec Gabin ?*

L. M. – En personne. Même que dans ce plan-là, on le voit modestement de dos, alors que mézigue arrive de face, plein cadre, par la soi-disant rue du Havre, affublé en troufion. On se croise, en somme, tandis que Gabin s'attarde à la devanture d'un fripier. A mon avis, c'est le moment le plus intéressant du film.

J.-L. E – *Et que disiez-vous, avec Gabin ?*

L. M. – Rien. Je n'ai jamais eu que des figurations muettes. Je ne faisais que passer.

J.-L. E. – *Là comme ailleurs, apparemment.*

L. M. – En effet. Je n'ai pas donné de suite à ces étincelantes velléités, que je devais à l'amitié de Prévert. Ah, si, j'ai encore joué un bout de scène avec Michel Serrault, dans le film que Bob Swaim a tiré d'un de mes livres, *Nestor Burma détective privé.* Michel Serrault était Burma. Comme le fut aussi Galabru dans un autre film de Bob Swaim. Entre parenthèses, c'est bien la preuve qu'on tient Burma pour un comique.

J.-L. E. – *A tort ?*

L. M. – Certainement. Le personnage me ressemble : c'est un pessimiste joyeux, un rien désenchanté, tendre et vaguement libertaire. Pas spécialement un drôle. Il ricane, mais ne rigole jamais. Bob Swain est un charmant garçon, mais en choisissant Galabru ou Serrault, il a évidemment sacrifié à cette manie du contre-emploi, qui taraude les réalisateurs de cinéma. N'en parlons plus... Tout de même : depuis que j'écris des romans, ma concierge, mon crémier, mon voisin de palier ne cessent de me répéter : « Monsieur Malet, quels beaux films on ferait, avec vos livres ! » Si seulement les producteurs les entendaient !

J.-L. E. – *Que pensez-vous de la nouvelle génération des auteurs de römans policiers ?*

L. M. – Le plus grand bien, même si Manchette et Demouzon, plus intellectuels que moi, cèdent parfois à la tentation du maniérisme. Par exemple, ils n'hésitent pas à donner les références exactes du disque anglais que le héros pose sur la platine, ou de l'arme de poing qu'il brandit sous la moustache du visiteur. Moi, je réserve ces savantes précisions à mon percepteur, s'il lui prend un jour la fantaisie de venir écouter à la maison du Duke Ellington. Pour la musique, désolé, j'ai pas plus moderne.

J.-L. E. – *Votre célébrité, vous la devez au moins autant à votre pipe à cornes de taureau et à l'imper mastic de Nestor Burma, qu'à des prix littéraires qui ne vous ont pourtant pas manqué : le Grand Prix de littérature policière en 1948, et le Grand Prix de l'humour noir dix ans plus tard.*

L. M. – Ils ne m'ont pas fait connaître. Beaucoup plus tard seulement, le jour où on m'a proposé de réunir en recueil mes manuscrits inachevés, j'ai su que la gloire me visitait. Quelle drôle d'idée! J'ai refusé, évidemment. Je travaille sans fiches, sans aucun plan, de manière spontanée – ce qui fait que mes tiroirs sont remplis d'esquisses de romans, interrompus par une difficulté que je n'avais pas su prévoir, un piège que je n'avais pas su flairer. Mais je voyais déjà la bande qui aurait orné ces vils brouillons : « Les Inachevés de Léo Malet. » Une symphonie de couacs, oui !

J.-L. E. – *Et le poète ?*

L. M. – Encore plus spontané que le romancier, puisqu'il écrit dans l'inconscience de ce qu'il écrit. Tout est obscur dans ces pages-là, poésie oblige! L'obscurité a du talent, il faut lui faire confiance. Entre autres vertus, elle est prémonitoire : c'est parfois un événement réel qui, à des années de distance, vient donner son sens et sa lumière à un poème jusque-là inintelligible. C'est arrivé à Breton, ça m'est arrivé aussi. L'écriture automatique, c'est comme les rêves : on en découvre le sens après. Et encore, pas toujours. Je pourrais dire de mes poèmes ce que Goethe, interrogé sur la signification de son *Faust,* avait répondu pour lui-même : « Quand j'ai écrit *Faust,* nous étions deux à le comprendre : Dieu et moi. Aujourd'hui, il n'y a plus que Dieu. » Mon œuvre poétique m'échappe pareillement, Dieu seul peut la comprendre, je le crains. A cela près, bien entendu, qu'elle reflète mon inlassable passion pour le corps féminin – mon blason préféré. Suis-je bête! On parle, on parle, et je ne me suis même pas présenté.

(L'écrivain me tend dans un éclat de rire sa carte de visite, sur laquelle sont gravés ces mots : « Léo Malet, fétichiste moyen, et obsédé sexuel total. »)

J.-L. E. – *Robert Sabatier dit justement, dans son* Histoire de la poésie française, *que vous avez le goût des vampires, des assassins célèbres, des personnages à la Lautréamont, des visions nocturnes, des belles actrices et de l'amour...*

L. M. – Ah, oui, ça... Avant de mourir, j'aimerais réaliser un vœu, vivre une page de roman : je vois un balcon, en été, une nuit bleue, la mer à quelques mètres dont on entend le ressac, et je serre dans mes bras la femme que j'aime. C'est très mélo, je le reconnais.

J.-L. E. – *Et puis, ça manque un peu de vampires.*

L. M. – Eh! qu'en savez-vous? Cette femme-là va sûrement me vamper.

J.-L. E. – *Dites donc, Léo Malet, j'observe que vous vous accordez plus de libertés que vous n'en concédez à ce pauvre Nestor Burma.*

L. M. – Ne croyez pas cela, malheureux! Moi, l'auteur, je suis condamné à l'utopie, au désagrément, à la déception : dans la vie, la mer n'est jamais au nombre de pas voulu...

MARGUERITE DURAS
et *L'amant*

*« Comment ne pas être effrayée
par cette masse fabuleuse de lecteurs? »*

Janvier 1985

Auteur réputé difficile, Marguerite Duras connaît en 1984 avec *L'amant* un succès que l'on peut qualifier d'historique.

Un événement? Un coup de foudre plutôt, un raz de marée, du jamais vu, surtout s'agissant d'un auteur « difficile ». De mémoire de libraire... De mémoire d'éditeur... On cherche les mots pour expliquer le phénomène Duras. On évoque différentes raisons avant de verser dans un scepticisme digne de Gaston Gallimard – « On ne sait jamais rien du sort d'un livre » – ou de s'en remettre comme Jacques Chardonne au « miracle de l'édition », à cette improbable « magie » qui répand un même livre dans des centaines de milliers de foyers sans motif apparent.

Pourquoi *L'amant* s'est-il déjà vendu à plus d'un demi-million d'exemplaires?

Tout commence par un faux départ.

A l'origine, *L'amant* s'intitulait *L'image absolue* et ce n'était pas un roman mais un texte-légende de 80 pages qui devait courir le long d'un album réalisé par Jean Mascolo, le fils de Marguerite Duras, sur sa vie et ses films. Dédié à Bruno Nuytten, un directeur de la photographie parmi les plus doués et les plus appréciés des réalisateurs, ce livre éminemment pictural tournait autour d'images successives dont une, centrale, celle de la traversée d'un fleuve sur un bac, était invisible mais partout présente. Quand Yann Andrea, qui partage la vie de Marguerite Duras, eut achevé de taper le manuscrit, il la pressa aussitôt de reprendre son texte pour en faire un roman, le jugeant par trop pléonastique par rapport aux photos. Duras fit lire le texte à Hervé Le Masson, vendeur à la librairie La Hune (boulevard Saint-Germain), ainsi qu'à Irène Lindon, la fille de son éditeur, qui abondèrent dans le même sens. Elle n'eut pas de mal à reprendre son texte à l'éditeur de beaux livres à qui elle l'avait confié : peu enthousiaste, il avait programmé la parution de l'album pour 1986...

Le prétexte du livre restait intact ainsi que sa dimension visuelle, mais *L'image absolue* se métamorphosa en *L'amant* et l'écriture en fut profondément bouleversée. Rarement Marguerite Duras a été aussi peu sûre du destin d'un de ses livres. Elle doutait résolument. Elle craignait, en le publiant en pleine rentrée littéraire, que les critiques ne s'en préoccupent guère, préférant se consacrer aux romans en lice dans la course aux prix littéraires. Jusqu'à la correction des épreuves, elle relut avec une attention toute particulière les 142 pages, comme si c'était son premier livre, s'attachant à conserver des fautes de grammaire qui n'étaient pas des coquilles, hésitant encore à modifier certaines scènes après avoir sollicité l'avis de ses proches, son éditeur par exemple : « Je l'ai encouragée à laisser des passages que d'autres lui conseillaient d'enlever, dit Jérôme Lindon, celui sur Betty Fernandez notamment, un des plus intéressants du livre car il montre bien que le sujet ce n'est pas l'histoire d'une petite Française et d'un Chinois. Pour moi, c'est une histoire d'amour entre Marguerite Duras et ce qui est à l'origine de son œuvre. *L'amant* désigne plusieurs personnes... »

Dès la première lecture du manuscrit, l'éditeur fut conquis. L'ampleur du succès le surprendra mais pas le succès. *La maladie de la mort,* publié en 1982, s'était tout de même vendu à 40 000 exemplaires et il s'agissait d'un texte austère, beaucoup plus difficile d'accès que *L'amant.* Aussi décida-t-il de lancer un premier tirage de 25 000 exemplaires : pour les éditions de Minuit, qui emploient une dizaine de personnes depuis 1948, c'était une manière d'événement, le record maison étant de 10 000 exemplaires.

En pile dans toutes les librairies le 3 septembre, le livre commençait à être réimprimé dès le lendemain. Foudroyant ! La critique (Rinaldi dans *L'Express,* Poirot-Delpech dans *Le Monde,* Denis Roche dans *Le Matin* ou Claude Roy dans *Le Nouvel Observateur*) avait déclenché une salve d'honneur qui laissa pantois plus d'un lecteur. Dans la même semaine et parfois le jour même, des dizaines de colonnes étaient consacrées à *L'amant.* Dans un bel élan, on redécouvrait Marguerite Duras, 70 ans, dont quarante de littérature.

Le vendredi 28 septembre, pour la première fois Bernard Pivot prit le risque d'un « Apostrophes » en tête à tête, avec *un* auteur, en direct. La pari était à la mesure de l'enjeu. On eut du mal à deviner lequel eut le plus le trac, de l'interviewer ou de l'interviewée, mais on sut dès la fin de l'émission que son impact avait été immense. Les dizaines de lettres reçues quotidiennement par Marguerite Duras depuis la parution de son livre devinrent des centaines et des milliers qui, pour la plupart, faisaient référence à cet entretien percutant au cours duquel elle émut, passionna, irrita avec des mots, des réflexions, une logique, des références qui n'appartiennent qu'à elle. Le samedi 29 septembre, c'est la razzia sur *L'amant.* Et dès la semaine suivante, Le Seuil, diffuseur des éditions de Minuit, devra répondre à des commandes de plus de 10 000 exemplaires par... jour. Duras était devenue une vedette.

« Il y a encore un mois M. D. signifiait pour moi Marguerite Dura(z)oir, un auteur de livres soporifiques et compliqués qui a même fait des films incompréhensibles ! Depuis... j'ai découvert Marguerite Duras », écrivit un lecteur parisien au *Nouvel Observateur* qui publia sa lettre dans son courrier, tandis que *Libération* accordait une colonne à un abonné de Saint-Germainen-Laye : « ... Pour une fois l'apostrophe en vaut la chandelle... Il y a une justice... Quelle époque réconfortante puisque, dans ces années de TGV, la renommée fonce dix fois, mille fois plus vite qu'avant. Que tous ceux qui aiment la Duras se lèvent! »

Du côté des libraires aussi, on en redemandait, ils ont rarement autant aimé Marguerite Duras. On ne compte plus les vitrines qu'ils lui ont consacrées, mettant en valeur non seulement *L'amant* mais tous ses livres précédents y compris ses textes les plus obscurs, les plus oubliés.

« Par piles entières, on le vend! C'est incroyable. Tout le monde l'achète, des vieux, des jeunes, avant "Apostrophes" et encore plus après» (Payot, Lausanne)... « La plupart des clients nous demandent *L'amant* et non pas le Duras» (FNAC, Toulouse). «... On vend aussi beaucoup de *Moderato cantabile* qui est au programme dans certaines classes, et *Un barrage contre le Pacifique* marche très bien en Folio » (Guerlin-Martin, Reims)... Un grossiste (Société française du livre), qui fournit uniquement des libraires, a même constaté : « *L'amant,* c'est le seul livre que nos clients emportent par poignées... et ce n'est pas une image. C'est dû tant à son faible encombrement qu'au fait que les libraires sont assurés d'en vendre beaucoup »...

Roger Weil, propriétaire d'une importante librairie (25 employés) rue Caumartin à Paris, tient mensuellement depuis 1966 sa propre liste de best-sellers et, en la mettant en regard de celles publiées par les journaux, il constate parfois d'étonnantes distorsions. Sa librairie vend en moyenne un pour mille de la production romanesque. Aussi loin qu'il puisse remonter dans ses fiches, ses listes et ses souvenirs, Roger Weil ne trouve pas de précédent à ce phénomène : un livre d'un auteur réputé difficile qui se vende autant et dont l'avenir à court et moyen terme en librairie soit aussi prometteur.

L'attribution du Goncourt n'a fait qu'accentuer la puissance de la déferlante Duras. Ses voisins, au cœur du Quartier latin, ont trouvé que c'était justice car sur la façade de son immeuble on peut lire : « Ici vécut trente ans le poète Léo Larguier de l'Académie Goncourt... » En 1950, les jurés préférèrent *Les jeux sauvages* de Paul Colin à son *Barrage contre le Pacifique.* Ils ont rectifié leur erreur de perspective avec trente-quatre ans de retard. Marguerite Duras Donnadieu n'a jamais eu autant d'amis : le temps est loin où *India song* et *Le camion* faisaient jaser sinon bâiller même les intellectuels ou prétendus tels, égarés dans les salles obscures. La composition de la discrète foule qui se pressait le soir du 26 novembre au foyer du Théâtre du Rond-Point des Champs-Elysées, au cocktail offert par Marguerite Duras et Jérôme Lindon à l'occasion du Goncourt, était très significative : les gens de théâtre (Renaud, Barrault, Bulle Ogier, François Périer, Pierre Dux...) étaient plus nombreux et semblaient plus « proches» de l'heureuse élue que les éditeurs (Claude Gallimard, Claude Durand, Michel Chodkiewicz, André Balland, Christian Bourgois...) ou les écrivains (François Nourissier, Daniel Boulanger, Emmanuel Roblès, Alain Robbe-Grillet)...

Il ne faut pas en déduire que l'événement Duras fut uniquement parisien. Au même moment à Alençon, on n'avait même pas le temps de sabler le champagne. Le titre de l'édition locale d'*Ouest-France* annonçait à la « une » : « Chez Jugain on jubile »; un hebdomadaire local renchérissait dans un article intitulé : « Faites-vous imprimer chez Jugain, vous aurez des prix... littéraires! » tandis que les reporters de FR 3 tendaient micros et caméras.

« On a déjà eu des prix littéraires, dit M. Galley, directeur technique et commercial de Jugain Imprimeurs SA (64 employés). On a eu le Médicis à trois reprises, le prix des Critiques avec Pinget en 1963, le Nobel avec Beckett en 1969... Les éditions de Minuit sont un de nos principaux clients. Pour arriver à les satisfaire tous au mois d'octobre, nous avons imprimé la production normale le jour et nous nous sommes consacrés la nuit à *L'amant...* ». Cela ne s'invente pas.

Après le premier tirage de 25 000 exemplaires, les éditions de Minuit procédèrent immédiatement à seulement deux réimpressions à 15 000 et 18 000 exemplaires car elles ne pouvaient trouver suffisamment de papier du grammage (90 grammes) originellement choisi pour sa qualité. Pour une maison qui était habituée à des chiffres de sorties quotidiennes de trois ou quatre exemplaires par titre inscrit au catalogue, le choc fut rude : dans la semaine du Goncourt, 150 000 exemplaires furent commandés par les libraires et il y eut même une pointe de 50 000 pour une seule journée! On comprend qu'à la mi-décembre le tirage total de *L'amant* se monte à quelque 650 000 exemplaires...

Les éditeurs étrangers n'ont pas attendu l'attribution du Goncourt pour acheter les droits du livre : il paraîtra donc d'ici peu en norvégien, suédois, danois, finnois, allemand, anglais, portugais, brésilien, espagnol, italien, grec, néerlandais, japonais, hébreu, turc, serbo-croate, catalan. Enfin, signe indubitable du succès : déjà on enregistre ici ou là dans l'intelligentsia snob des réactions agacées vis-à-vis de *L'amant* dont la qualité s'estomperait au fur et à mesure que la quantité d'exemplaire croît!

La déferlante Duras ne connaît plus de frontières. Alors, l'explication! La presse (insurpassable), le prix (49 F), la longueur (142 p.), la popularité des thèmes traités (amour, exotisme, jeunesse, autobiographie...), le titre (séduisant), le contexte de la rentrée (Duras était le seul grand auteur consacré), son exigence littéraire (elle rend le lecteur subtil et intelligent), sa renommée (internationale), son public (fidèle) tout de même de plus en plus nombreux (450 000 exemplaires de *Moderato cantabile* ont été vendus depuis 1958), « Apostrophes », le prix Goncourt, l'air du temps, les mystères de la création et de l'édition...

Et si *L'amant* était un grand livre et Marguerite Duras un authentique écrivain ? Tout simplement...

Pierre Assouline. – *Que pensez-vous des réactions qu'a suscitées* L'amant ?
Marguerite Duras. – Je crois avoir conservé une certaine objectivité. *L'amant* est une date dans l'histoire des lecteurs. On en a déjà vendu plus de 450 000 exemplaires et nous sommes début décembre... J'y vois un geste d'avidité des lecteurs. Tout s'est passé comme si, depuis des années, ils étaient privés non d'une littérature accessible mais d'une littérature lisible. Un tel phénomène ne pouvait se produire que si l'auteur ne l'avait pas cherché, ce qui est le cas. Je craignais même que ce livre se vende moins que les précédents car il est en majeure partie composé de redites. Leur rôle est tout à fait positif, finale-

ment. Les lecteurs – les fidèles, les inconditionnels – connaissaient tous les personnages de mon livre : ma mère, mon frère, mon amant, moi, les lieux que je décris depuis la montagne de Siam jusqu'à la rue Catinat... Tout sauf les personnages de Marie-Claude Carpenter et de Betty Fernandez. Pourquoi ces deux femmes ? Ce fut la seule réticence généralement exprimée par les lecteurs. Je craignais que le connu du livre lasse le lecteur, or c'est l'inconnu qu'on m'a reproché.

P. A. – *Et les critiques, qu'en avez-vous pensé ?*

M. D. – J'ai lu l'article de Poirot-Delpech, celui de Rinaldi, de Roy... J'ai réagi normalement.

P. A. – *Mais encore ?*

M. D. – Le succès de *L'amant* était normal. J'ai relu le livre. C'est en effet un livre accessible à différents titres, à différents degrés. Et quand on sait que ce n'est pas un livre survolé ou parcouru mais lu, comment ne pas être effrayée par la masse fabuleuse de lecture que cela représente !

P. A. – *Chacun a sa version de l'histoire de* L'amant. *Quelle est la vôtre ?*

M. D. – Je n'en ai pas, je n'en aurai jamais. C'est un livre qui m'échappe. Il m'a échappé des mains et c'est pour ça qu'il est ce qu'il est. C'est le moins concerté des livres que j'ai faits. Il n'y a qu'une phrase n'entrant pas dans le cadre du récit, p. 14 et 15 : « L'histoire de ma vie n'existe pas, etc. » C'est la seule fois que je dis ce qu'est pour moi l'écrit : « Écrire ce n'est rien. » Tout le livre est là. Ce qui est étonnant, c'est la confirmation par le courrier que je reçois.

P. A. – *Ça a un sens d'obtenir le prix Goncourt en 1984 quand on est Marguerite Duras ?*

M. D. – Pour une fois, ils ne se sont pas empêchés de donner le prix au livre auquel ils avaient envie de le donner. Mais par rapport à *L'amant*, ça n'a pas de sens. Le livre est de taille à n'avoir pas été terni par le prix. Il s'en sort bien. Quant au Renaudot, je suis très contente qu'Annie Ernaux l'ait obtenu. Je trouve

que *La place* est un beau livre. Je regrette que l'année dernière Brigitte Favresse n'ait obtenu aucun prix pour *Paris-Plage* (Gallimard). C'est un livre admirable. C'est inintelligible qu'il n'ait eu aucun prix.

P. A. – *Le succès de* L'amant *change-t-il quelque chose à votre vie ?*

M. D. – Oui : la peur du temps passé dans une journée à refuser, au téléphone ou par lettre; cela finit par devenir le temps principal. Ça m'inquiète un peu. Mais ça ne change rien par rapport à mon œuvre. Et le Goncourt reste extérieur. Quand j'ai relu mon livre, j'ai compris qu'il était à l'abri.

P. A. – *Pourquoi avez-vous quitté Gallimard pour les éditions de Minuit ? On ne s'occupait pas assez de vous ?*

M. D. – Gallimard m'avait laissé dans la solitude. Je les ai quittés après la parution de *Nathalie Granger suivi de La femme du Gange* (1973). Le livre était sorti en octobre. Et en mars, chez Gallimard personne ne l'avait encore lu...

P. A. – *Allez-vous adapter* L'amant ?

M. D. – Il n'y aura ni pièce ni film, comme ce fut le cas pour *Le ravissement de Lol V. Stein*.

P. A. – *Que lisez-vous ?*

M. D. – Je viens de terminer la relecture des *Confessions* de Rousseau. Je ne peux pas me passer de la lecture des classiques. Depuis cinq ou six ans, tout se passe comme si la véritable lecture s'y trouvait. Je lis très peu de contemporains. J'ai cessé d'en lire.

P. A. – *Quand vous avez été invitée à* « Apostrophes », *vous avez demandé à plusieurs reprises, en vain, que l'émission ait lieu chez vous. Pourquoi ?*

M. D. – C'est un peu suicidaire de se lancer sans filets à la tête de trois millions de téléspectateurs. Pivot a insisté pour que ça ne se fasse pas chez moi. Il a eu la conviction qu'il devait m'interviewer en direct du studio en raison des risques que j'ai déjà pris dans la vie, de l'engagement politique à l'alcoolisme. Depuis cet « Apostrophes », je reçois tous les jours des demandes de la télévision. Je refuse systématiquement. Ce n'est pas parce que j'ai accepté une fois... Je ne débute tout de même pas une carrière télévisée !

P. A. – *Êtes-vous un auteur difficile ?*

M. D. – *Le Ravissement de Lol V. Stein, Le vice-consul* et *L'amour* étaient des livres très difficiles. Ils se sont pourtant bien vendus. Il y a donc deux sortes de difficultés : celle qu'on surmonte et qui ne fait pas abandonner le livre et l'autre, le contraire. C'est la nature de cette difficulté qui fait que certains livres passent et pas d'autres.

P. A. – *Qui est un « auteur difficile » selon vous ?*

M. D. – Blanchot, Bataille le sont, mais moins qu'on ne le dit. Et ils ont de plus en plus de lecteurs. On abandonne le livre quand il comporte, dans sa teneur, des faire-paraître de l'auteur. Celui qui veut paraître intelligent est foutu. L'auteur à citations, à références, c'est terrible... Certains auteurs, Sollers entre autres, cherchent le succès à la folie. Ils ratent leur coup.

P. A. – *Que pensez-vous du courrier que vous avez reçu ?*

M. D. – Il s'agit d'un fanatisme. En général, ce sont des gens qui n'attendent pas de réponse. Le fanatisme n'attend rien que de dire. Les critiques les plus aiguës, les plus profondes, le plus souvent sont dans ces lettres. Elles sont éblouissantes de la première à la dernière. Elles me font croire à une chose terrible : les gens qui écrivent ne sont pas exactement ceux qui devraient le faire. Ceux qui devraient écrire des lettres ne savent pas qu'ils pourraient le faire. Parmi mes correspondants il y a autant d'hommes que de femmes et beaucoup de jeunes.

P. A. – *En relisant* L'amant *avez-vous eu des remords, des regrets ?*

M. D. – Non, sauf à la fin. Le coup de téléphone dans les dix dernières lignes. Mais c'est arrivé comme le reste, alors pourquoi le cacher ! Mais ça fait dénouement. Et j'ai toujours fait des livres ouverts. Or ici, le départ fermait le livre...

PHILIPPE SOLLERS

*« J'ai joué à l'intellectuel
parce que les cartes, à un certain moment,
étaient distribuées comme ça.
La supercherie a été assez vite découverte. »*

Février 1985

D'*Une curieuse solitude* applaudi par Mauriac et Aragon à *Femmes* salué par le public, avec entre-temps des textes d'avant-garde et les revues *Tel Quel* puis *L'infini*, Philippe Sollers est le rayon laser de l'intelligentsia française. Dans *Portrait du joueur* (Gallimard), Sollers se décrit tel qu'en lui-même il s'apprécie. Avec beaucoup de talent. Presque trop pour certains.

André Rollin. - *Dès les premières lignes de votre nouveau roman* « Portrait du joueur » *vous attaquez :* « Avec, à mes trousses, la horde de la secte des bonnets rouges... » *Cette secte, c'est quoi ?*

Philippe Sollers. - Ce sont les gens importants, les gens d'influence aux vibrations malveillantes. Le narrateur veut y échapper ! Ces bonnets, représentant toute sorte de religiosité, ne veulent absolument pas qu'il y ait de littérature dans la mesure où la littérature serait la mise en question du sens du monde. Ce sont des gens qui croient fondamentalement que le monde a un sens. Or le narrateur, le joueur qui s'avance là, pense que le monde n'a aucun sens. Contre lui donc, une résistance acharnée, de la bile pustuleuse. Dès l'entrée du jeu, le joueur a, contre lui, tout le monde. Il faut qu'il mène une partie ser-rée sur deux cents échiquiers à la fois !

A. R. - *On trouve, page 16, une longue énumération de qualificatifs peu flatteurs. Vous aimez vous fustiger ?*

P. S. - J'ai repris, assez fidèlement, tout ce dont j'ai été traité, moi Philippe Sollers, en tant qu'image sociale. La formule « méduse amorphe », par exemple, est tirée d'un article de Dominique Fernandez, dans *L'Express*, sur *Femmes*... J'ai été traité de tout et du contraire de tout, ce qui est pas mal comme démonstration logique ! Ce qui revient le plus souvent, c'est cependant : girouette permanente, être instable, désinvolte, peu crédible, sorte de corps chimique désagréablement oscillatoire, quelqu'un qui n'a aucun poids, aucun sérieux, aucune consistance. Je constate ce qu'on dit de moi, c'est tout. C'est de la sociologie !

A. R. - *Est-ce par snobisme que vous*

parlez, page 16, de cette « encre bleue achetée à Venise... »?

P. S. – C'est vrai, j'achète mon encre à Venise pour mon stylo à pompe. Lorsque je le mets dans le flacon, pour le remplir, j'ai l'impression que quelque chose de l'air de Venise, du ciel, de l'eau de Venise est resté dans l'encre et qu'il y aura peut-être des atomes invisibles qui me porteront chance au bout de ma plume. Comme je vais souvent à Venise, j'ai accumulé une quantité considérable de flacons d'encre : je les contemple parfois en me disant que je serai mort depuis longtemps et qu'ils seront encore là !

A. R. – *Après Venise, le Sud-Ouest et « ces sacrés bourgeois »! Vous précisez, page 17 : «... Que de temps perdu à me déclasser... Quel acharnement à renier mes origines, mon identité [...]. » Vraiment, un acharnement?*

P. S. – Certainement ! J'ai, vraiment, été le traître à sa classe typique. Vous prenez quelqu'un, vous combinez le complexe œdipien et le désir de briser le conformisme qu'on trouve dans n'importe quelle couche de la société, vous obtenez cette espèce de fantôme qui peut éventuellement devenir un écrivain, jusqu'à ce qu'il se rende compte que la bataille pour sa liberté n'a plus de raison d'être. Il peut donc revenir à plus d'objectivité sur ses origines... Oui, que de temps perdu à me déclasser! C'est un constat amusé. C'est sans regret. C'est auto-ironique. Il fallait que je me déclassasse *(rires)*...

A. R. – *Au point d'écrire, page 17 : « Quel malentendu! Quelle farce! Quelle pitié! Toute une vie foutue en l'air par une niaiserie se croyant subversive! »?*

P. S. – La niaiserie consistait à croire qu'il existait quelque chose comme un groupe humain qui pouvait me recevoir plus authentiquement que ma famille d'origine. Il y a là comme une rêverie! Freud l'a très bien décrit dans ce qu'il appelle le roman familial : on imagine qu'on n'est pas de cette famille-là, qu'on a été déposé là par des bohémiens de passage... L'être humain, en général, cherche, par tous les moyens, à biaiser avec la reconnaissance de sa généalogie.

Toute une partie de ma biographie a été, en effet, romantique : j'ai pris presque le contre-pied, systématiquement, de mes origines familiales pour aller voir ailleurs. C'était absolument nécessaire! Mais il y a un moment où on peut se retourner, où on peut juger tout ça de haut, tout en revenant à l'endroit d'où on est parti. C'est le sens du livre.

A. R. – *Vous racontez que la propriété familiale, près de Bordeaux, a été rasée pour être remplacée par une grande surface, par un Suma. Suma que vous visitez, et vous écrivez page 24 : «... Voici sans doute ma chambre, la chambre verte, dans le fouillis des blousons, des vestons. » N'est-ce pas trop beau pour être vrai?*

P. S. – C'est tout à fait vrai. Notre maison a été rasée et à la place, il y a donc un Suma. En réalité, j'ai trop de répulsion pour pouvoir entrer dans ce magasin. Je ne l'ai donc pas visité, mais j'imagine cette visite. Et j'y vois, sous cette musique – cette musique d'ambiance visqueuse, tiédasse – les fantômes de mon enfance. Il y a une autre maison familiale qui a été rasée, mais cette fois par les Allemands, c'est celle de l'île de Ré. C'est une spécialité de la famille! Ça me paraît bizarre que ces deux endroits où j'ai habité aient été détruits... et, en même temps, ça me plaît assez d'être suivi par une sorte de doigt destructeur. Ça emphatise, ça rend précieux les souvenirs et les sensations.

A. R. – *Comme celles liées à votre vrai nom de famille! Pourquoi écrivez-vous, page 28 : « Diamant je m'appelle; Diamant je suis... »?*

P. S. – Mon vrai nom, en effet, est très proche du mot « diamant », je le révèle ainsi d'une manière détournée pour ne pas gêner ceux qui le portent. J'en ai pris un qui est presque le même, il renvoie à la même constellation d'images, d'obsessions. Jamais deux sans trois : comme j'ai deux noms en effet – puisque Sollers est un pseudonyme – autant s'en donner un troisième, ça fait une boucle! C'est pas mal d'avoir trois noms...

A. R. – *Votre nom de famille est-il donc si lourd à porter?*

P. S. – C'est un nom qui n'est pas neutre

et qui déclenche immédiatement des réactions de la part des autres. Où que vous entriez – à l'école, à l'armée, à l'université, dans les services administratifs, où que ce soit –, quand vous dites « je m'appelle Diamant », ou presque, ce n'est pas comme si vous disiez « je m'appelle Dupont ou Poirier ». C'est un nom qui évoque automatiquement une prétention extraordinaire. Pour qui vous prenez-vous en portant ce nom-là ? Toutes les plaisanteries sur mon nom m'ont fait beaucoup réfléchir parce que je crois, d'une part, que l'histoire du nom est constitutive de la vie d'un écrivain et, d'autre part, que le nom a une portée métaphysique intensive. C'est comme si j'avais un nom juif.

Mais j'ai pris un pseudonyme non pas parce que j'étais gêné par ce nom mais parce que j'étais mineur quand j'ai publié mon premier roman[1]. Ça me permet de faire des considérations sur la pseudonymie et les masques que ça suppose. Donc ça va avec le joueur : il peut jouer avec son nom et ses différentes identités qu'il a selon qu'il porte son vrai nom ou un pseudonyme. C'est un livre sur l'identité, sur la recherche de l'identité et le jeu avec l'identité.

A. R. – *Vous pourriez, aujourd'hui, reprendre votre vrai nom ?*

P. S. – En écrivant le mot Diamant, c'est une façon de le reprendre, de ne pas le laisser à l'extérieur de ce que j'écris, de m'introduire moi-même dans ma propre histoire comme un acteur d'une fiction. Oui, d'être un drame vivant comme aurait dit Balzac, auteur qu'il faut absolument lire d'ailleurs !

A. R. – *Et le nom de Sollers ?*

P. S. – Sollers était un nom de fiction que j'avais inventé lorsque j'avais 14 ou 15 ans. C'était un personnage superdoué, super-intelligent, très cultivé dont je notais les aphorismes, les pensées sur un petit cahier. J'étais alors sous l'influence de M. Teste de Valéry. Quand j'ai été obligé de choisir un pseudonyme, le nom de Sollers était tout prêt.

1. *Une curieuse solitude*, réédité en poche au Seuil.

A. R. – *Votre famille fabriquait vraiment des poubelles, comme vous l'écrivez page 31 ?*

P. S. – Exact ! C'était une usine de produits ménagers. C'est assez drôle d'avoir un nom qui évoque la bijouterie, les pierres précieuses...

A. R. – *C'est Joyaux votre vrai nom ?*

P. S. – Oui, Joyaux, au pluriel voilà ! C'est quand même drôle, épatant ce mariage du ciel et de l'enfer, du haut et du bas : se retrouver avec ce nom dans une usine qui fabrique des produits ménagers, notamment des poubelles !

A. R. – *Une autre vérité ? Vous écrivez page 35 : « Il a complètement oublié qu'il n'arrêtait pas de me coller pour indiscipline. »*

P. S. – C'est vrai, j'ai été renvoyé de tous les établissements scolaires où je suis passé. L'un de mes professeurs m'a, un jour, expliqué que c'était à cause de mon air insolent ! Même si je rêvassais, on prenait mon expression pour de l'ironie, de l'agressivité...

A. R. – *Comme aujourd'hui ?*

P. S. – C'est pareil ! C'est comme si j'étais au collège depuis toujours. Ça ne me change pas ! La société tout entière est une immense école où il y a des gens qui ont le pouvoir d'en embêter d'autres et puis c'est tout !

A. R. – *« ... Au fond quoi : je suis un demi-mort à demi célèbre. Un fantôme errant »* (page 47). *Un aveu ?*

P. S. – C'est ça la vie d'un écrivain aujourd'hui : vivant parmi les morts ou mort parmi les vivants. Une vie un peu fantomatique puisqu'on est toujours un peu en deçà ou au-delà de ce qui se passe. A demi célèbre ? Je crois que c'est objectif ! Car il ne faut rien exagérer ! A demi, car comme mon ambition est extrême, si je vais demain aux Philippines je ne déclenche pas une curiosité énorme. Je ne suis quand même pas célèbre planétairement, cosmiquement ! Donc, disons à demi... Tout ça est très transitoire. Je ne me fais pas tellement d'illusions là-dessus...

A. R. – *« Je n'ai plus d'amis depuis longtemps... »* C'est écrit page 49.

P. S. – C'est le personnage qui dit ça.

Nous sommes vraiment dans le roman. Le personnage prend son envol...

A. R. – *Votre personnage n'est donc pas Philippe Sollers ?*

P. S. – Oui et non. C'est Philippe Sollers s'il était un personnage de roman. C'est la façon que j'ai de décrire l'authenticité de mon existence en tant qu'elle serait la vie d'un authentique personnage de roman. Bien entendu, je ne suis pas tout le temps en train de me comporter en personnage de roman. Pas tout le temps... et encore, qui sait ? J'ai quand même plutôt l'impression que la vie est un roman et que c'est mieux de savoir la mener comme si on était un personnage de roman au milieu d'autres personnages de roman qui ne le savent pas forcément – ils croient vraiment que leur vie est la vraie vie et qu'il y aurait des romans en dehors de leur vie. Je crois que c'est une terrible damnation de ne pas se rendre compte qu'il y a une spirale de fiction rapide qui s'appelle une vie humaine au milieu d'autres vies humaines, aussi fictives et que tout ça se dissout dans le néant. Il vaut mieux le savoir. J'essaie de le savoir le plus possible. Ça paraît intéressant d'être le cobaye de cette découverte.

A. R. – *Mais c'est bien vous Philippe Sollers qui avez été renvoyé de l'armée, comme vous l'écrivez page 52 ?*

P. S. – Ça a été assez compliqué. C'était en pleine guerre d'Algérie. Ça m'a demandé une petite mise en scène qui m'a beaucoup appris, notamment savoir se taire pendant trois mois : je ne répondais plus, je regardais par terre... Bref, j'ai réussi avec l'aide d'André Malraux qui m'a fait libérer au moment où je commençais à délirer, à la suite d'une grève de la faim. Je l'ai remercié par écrit et j'ai eu cette réponse : « C'est moi qui vous remercie, Monsieur, d'avoir rendu au moins une fois l'univers moins bête. »

A. R. – *« J'étais prétentieux à vingt ans, je le suis encore, mais là, vraiment, sans réserve »* (page 52). *Alors ?*

P. S. – *(Rires.)* Que voulez-vous ajouter à cela ? C'est terrifiant ! « Tollé, à mort ! » Je fais la foule ! Non, ce sont simplement des effets de dandysme. Il est souhaitable de retrouver la couleur du dandysme que Balzac, Baudelaire ont eu l'extrême rigueur de nous léguer.

A. R. – *Du coup, page 62, vous allez déjeuner chez le Président...*

P. S. – Oui, chez le président actuel de la République française. Vous voyez, on passe du Suma au président de la République, c'est toujours l'enquête du sociologue que je suis. Et, hélas, il dérive tout de suite sur Fafner...

A. R. – *Sur ce Fafner, alias Jean-Edern Hallier, qui était déjà présent dans « Femmes », et vous écrivez page 62 : « Fafner qu'il a comparé autrefois, lui, le président de la République française alors dans l'opposition, à... Rimbaud !... Se tromper à ce point sur Rimbaud, c'est se tromper sur tout, aucun doute... »*

P. S. – Oui, car je mets la littérature au plus haut et qu'une erreur de jugement littéraire m'apparaît plus grave que toute autre chose ! Encore une preuve d'un dandysme exaspéré et d'un égotisme forcené. Joyce a dit, au moment de la déclaration de la Seconde Guerre mondiale : « Ils feraient mieux de lire *Finnegans Wake* », une belle parole ! C'est vrai que le président de la République a comparé Fafner à Rimbaud, ce qui me paraît une erreur de jugement. Ce qui est difficilement rattrapable ! Je disais également dans *Femmes* qu'à mon grand étonnement, ce même président avait déclaré qu'il n'aimait pas Baudelaire. Pour quelqu'un qui s'intéresse beaucoup à la littérature, qui aime s'entourer d'écrivains, qui écrit lui-même, ne pas aimer Baudelaire et prendre Fafner pour Rimbaud c'est mettre le bateau dans une situation très difficile !

A. R. – *Mais si ce même président avait pris Sollers pour Rimbaud ?*

P. S. – Ça aurait peut-être arrangé les choses, mais il ne l'a pas fait ! *(Rires.)* Au-delà de la plaisanterie, ce n'était pas possible, précisément... J'attire l'attention du lecteur là-dessus !

A. R. – *D'autres personnalités apparaissent : page 66, une certaine Émilie, femme de ministre...*

P. S. – C'est Élisabeth Badinter ! Je crois

qu'elle est reconnaissable. Ce n'est pas diffamatoire, c'est amusant!

A. R. – *Et Jacques Jacob, c'est Bernard-Henri Lévy?*

P. S. – Oui, c'est ça!

A. R. – *Justement, à son sujet, vous écrivez page 69 : « J. J. rigole... Il est habitué au cirque... C'est un expert... » C'est ce que vous pensez?*

P. S. – Oui, c'est un expert du cirque où nous sommes tous! Je ne m'excepte pas du cirque. Ce n'est pas un jugement de valeur. J'aime bien le cirque et je ne fais pas comme si j'étais extérieur au cirque! Vous savez, je ne suis pas pour cette religiosité construite autour d'un écrivain – il faudrait qu'il soit l'ascète mystérieux et silencieux qui, de temps en temps, laisse tomber une parole essentielle!

A. R. – *A propos d'essentiel, vous écrivez page 71 : « Je reste attaché spontanément au catholicisme apostolique et romain. » C'est le joueur qui parle?*

P. S. – C'est le joueur et c'est moi aussi. C'est drôle qu'on vive une époque où précisément les valeurs antérieures sont en train de se tordre et de muter d'une façon bizarre. Par exemple, voilà un livre qui, en gros, est l'apologie de l'art de vivre, du libertinage, de la causticité tous azimuts et qui pense que le catholicisme est de côté-là aujourd'hui! En réalité c'est un raisonnement de Polonais, de Polonais que je suis au fond. Ça me fait penser à une phrase merveilleuse de Balzac qui est, je crois, dans *La duchesse de Langeais* : « Mon bijou, je ne sais rien de plus calomnié en ce bas monde que Dieu et le XVIIIe siècle. » Voilà donc une prophétie de Balzac! Nous y sommes. En effet, Dieu et le XVIIIe – Watteau, Fragonard, sensualité, plaisirs et fêtes à Saint-Cloud – se retrouvent du même côté. C'est un événement assez bizarre, qui n'était pas pensable pendant les deux siècles que nous venons de vivre. C'est mon sentiment. Je ressens ça comme une ruse de l'histoire assez stupéfiante!

A. R. – *Une autre ruse de l'histoire : Mao peut-être! Vous écrivez page 78 : « C'est à ce moment-là que j'ai décidé d'aller en Chine, plus tard. Je l'ai fait. Sous couvert de "maoïsme" et toute la gomme, mais peu importe. » Et page 278, ce dialogue : « C'était quoi, "maoïste"? [...] – C'était le truc amusant à faire à l'époque. »*

P. S. – Le coup du maoïsme! C'est toujours là qu'on m'attend et qu'on m'attendra toujours, et qu'on ne me trouvera jamais. J'aurais dû m'excuser, faire mon autocritique, je n'ai jamais fait ça. Je maintiens que s'intéresser à ça, en France, pour ma génération, dans les années 70, c'était le truc amusant! Et tous les sages de se récrier : « Quelle responsabilité vous avez prise! » et patati et patata...! Claude Roy se fâche, trépigne... Je pense que c'était presque inévitable d'avoir un sursaut romantique maoïste à l'époque. Je ne regrette pas. Mais j'insiste : on n'est pas allé s'engager dans la police politique chinoise... Ça permettait d'introduire dans la société française une carte qui n'était pas prévue. C'était la carte de l'effervescence, de la critique de tout. Ça prenait tous les jeux bien installés à revers. Tout le monde était très mécontent, la gauche comme la droite. Bien entendu, il y eut ensuite la critique par rapport à la réalité chinoise : « Comment avez-vous pu dire du bien de ce sanguinaire Mao Tsé-toung? » Passons. Le tribunal devant lequel je devrais m'expliquer n'est pas fait pour entendre ce que j'ai à dire. Passons...

A. R. – *A partir de la page 113, apparaissent les Éditions de l'Autre, avec son directeur M. Bontemps « qui avait horreur de la littérature », et son comité de lecture, « la plus belle assemblée de tordus imaginables ». C'est un règlement de comptes avec les éditions du Seuil où vous avez travaillé et qui fut votre premier éditeur?*

P. S. – Mais non! C'est une construction mythologique. Ça m'a amusé de décrire, en passant, un fonctionnement d'édition où on s'occupe de tout sauf de littérature. Ça me paraît curieux : des gens qui vivent de littérature s'intéressent à tout sauf à elle... C'est assez répandu, disons que les Éditions de l'Autre sont en expansion!

A. R. – *Vous avez eu des réactions?*

P. S. – Ça ne va pas tarder et ça m'inquiète. Le lobby va se déchaîner!

Voyez comme je suis un méchant homme! Ça m'amuse d'écrire ce genre de choses. Ça rentre dans l'ensemble du livre qui est une prostestation, sans ressentiments, drôle, vive et nécessaire contre la satellisation des écrivains. L'écrivain est une sorte de petit être éphémère, de rien du tout. Il est là, il n'est pas là. C'est lui, c'est un autre. Nous sommes dans l'ère du Suma, du supermarché universel!

A. R. – *... Et du sperme stocké! Vous écrivez page 174 : « Mais les stocks de sperme, les fameuses paillettes, c'est plus sérieux, catalogué, en pleine expansion... » Ça vous fascine?*

P. S. – C'est une mutation sans précédent! J'essaie d'être le romancier de cette chose qui s'annonce et qui fout tout le reste en l'air. Les répercussions psychologiques, affectives de ce genre de plaisanterie vont être énormes!

A. R. – *Vous imaginez même, page 176, « des Sollers à l'infini »?*

P. S. – Je raconte, en effet, que j'ai fait des dépôts de sperme dont un en Suisse. Est-ce que c'est vrai, est-ce que c'est faux? On va laisser planer le doute...

A. R. – *Votre conception du roman, c'est quoi? Vous écrivez page 195 : « Le roman doit être d'abord une " histoire ", a story... Personnages typés. »*

P. S. – Ça, c'est le truc classique : «Ah! vous écrivez un roman, alors quelle est l'histoire? Racontez-moi l'histoire! » C'est le code, le canon. On tient là le marché dans son essence. C'est l'évaluation immédiate en « money » de la réalité que vous écrivez. Si ce n'est pas une histoire qu'est-ce que vous faites alors? Un écrivain qu'est-ce que c'est que ça? Moi, je ne joue pas ce jeu-là. Comment voulez-vous résumer ce bouquin? Aucun bon livre de littérature ne respecte la règle de la « story ». C'est pour ça que Balzac est si impressionnant. Il semble qu'il y ait

une story mais c'est tout à fait autre chose, il y a des digressions à ne plus finir. Vous commencez un récit puis, tout à coup, vous avez cinquante pages de digression sur le faubourg Saint-Germain dont Proust a tiré toute la sève.

A. R. – *Justement, vous écrivez page 244 : « Enfin un vrai roman, pas une de ces chroniques déguisées et nombrilistes produites par l'impuissance parisienne française!... » C'est encore l'une des critiques que l'on fait contre vous?*

P. S. – Ça me fait rire cette accusation de faire des chroniques et pas des romans! Tous les romans sont des chroniques déguisées. Prenez les Américains. Ils vous racontent aussi des petites histoires, Updike, Philip Roth et les autres... Tout le monde fait ça : Balzac fait ça, Stendhal fait ça, Proust fait ça!

A. R. – *Vous écrivez page 235 : « Si : j'aurais pu être un prêtre impeccable. » Aujourd'hui, vous pourriez devenir moine?*

P. S. – Tout à fait! Demain, sans blague! M'enfoncer indéfiniment dans les textes, pourquoi pas? Être tranquille, avec la perspective de lire des choses sublimes, ça me tente assez...

A. R. – *« Mais je n'ai pas, je n'ai jamais eu vraiment une existence d'intellectuel » (page 282). Qui peut vous croire?*

P. S. – C'est vrai! Tous les malentendus viennent de là en réalité. C'est un peu ma faute, j'ai joué à l'intellectuel parce que les cartes, à un certain moment, étaient distribuées comme ça. Et comme je peux avoir l'air convaincant si je m'y mets, j'ai pu passer pour un intellectuel. Puis la supercherie a été assez vite découverte : on sait très bien que je ne suis pas un intellectuel digne de ce nom! Je ne suis pas un intellectuel, je suis un écrivain, finalement assez physique... Aujourd'hui, je me suis mis vraiment à écrire. J'ai envie d'écrire des romans, ma petite comédie humaine à moi!

BERNARD FRANK

*« Ce qui a pu séduire dans Les rats,
c'est le scepticisme profond.
Une sorte de dérision des grandes causes...
J'étais peut-être en avance. »*

Mai 1985

Bernard Frank le solitaire. Le chroniqueur irrespectueux. Celui qui a déjà une légende pour toute une génération d'écrivains. Son premier roman, *Les rats*, publié en 1953, livre-miroir d'une certaine jeunesse intellectuelle, était introuvable. Flammarion le republie. Plus de trente ans après, son actualité est étonnante.

André Rollin. – *« Les rats » vont donc se retrouver en librairie...*

Bernard Frank. – Ce livre a tout de même 32 ans! J'ai commencé à l'écrire au tout début des années 50, en 49 même. Je réponds donc à la place d'un mort, le mort étant ce jeune garçon de 18-22 ans que j'étais alors...

A. R. – *Que ressentez-vous de le voir ainsi republier?*

B. F. – Une grande indifférence! Pour mon premier livre, *Géographie universelle*, j'avais l'impression que c'était un chef-d'œuvre... tandis qu'avec *Les rats*, je voulais échapper au chef-d'œuvre! De toute façon, ce roman est une fuite, une fuite devant l'idée de roman.

A. R. – *Bourrieu, votre porte-parole et sans doute celui qui vous ressemble le plus, déclare page 25 : « L'amour, ça* n'existe pas »*, et page 343, toujours Bourrieu : « Je n'aime pas. Je n'ai jamais aimé. » C'était important d'écrire ça, à l'époque?*

B. F. – Il faut prêter à ces propos l'importance que l'on peut donner à des propos d'un garçon de 20 ans! Ça simplifie les choses! C'est vrai et c'est faux... comme toutes les phrases définitives, elles demandent leur correctif.

A. R. – *Dans cette affirmation, page 57 : « Je tiens Merleau-Ponty pour un con », un rectificatif est également nécessaire?*

B. F. – C'est encore un truc de jeune homme! Il y avait, d'un côté, Sartre, de l'autre, Merleau-Ponty avec ses belles phrases à la Montesquieu et son côté prof. Moi, je me sentais plus proche de Sartre. Par « con », mot alors à la mode et très sartrien, j'entendais « esprit de sérieux ». Et j'étais très attaché à la littérature, donc avec Sartre contre Camus... alors qu'aujourd'hui, pour les nouvelles générations, Camus paraît être l'écrivain et Sartre le philosophe. Pour moi, et mes amis, dans les années 50, c'était Sartre l'écrivain et Camus le pontife!

A. R. – *On pose une question à Bourrieu, page 61 :* « *A propos, qu'aimeriez-vous faire ?* » « *Diriger un journal, dit Bourrieu, sans hésitation.* » *C'est votre plus grand regret de ne l'avoir jamais fait ?*

B. F. – Je pense que je pourrais en diriger un bientôt. Un journal, c'est toujours amusant. Quand on voit la sottise, en général, d'un journal, on est toujours heureux de penser qu'on pourrait le diriger... En fait, pourquoi pas? C'est comme si vous me demandiez si je voulais être reçu à l'Académie française... En fait, pourquoi pas? Si j'étais un jeune homme, faire un journal comme *Le Matin* et le diriger, oui! Maintenant, en être le conseiller... pourquoi pas?

A. R. – « *Il oubliait toujours de demander l'essentiel.* » *C'est écrit page 75. Si j'oubliais de vous le demander, ce serait quoi ?*

B. F. – Est-ce que ça vous a amusé de lire *Les rats?* Je suis incapable de savoir si c'est un roman qui peut amuser! Par certains, il est considéré comme mon plus mauvais livre, idée que je partagerais assez bien. Je veux dire, par là, que c'est mon roman le moins éduqué, le moins surveillé...

A. R. – *Pour beaucoup, ce fut le livre* « *référence* »...

B. F. – A cause, peut-être, de sa naïveté, de son côté invraisemblable... toute la dernière partie en Bolivie, par exemple. C'était en 1950, et Régis Debray n'était pas encore parti là-bas. S'il avait lu ce livre, il ne serait peut-être pas allé en Bolivie! Ce qui a pu séduire dans *Les rats,* c'est le scepticisme profond qui s'en dégage. Cette sorte de dérision des grandes causes... J'étais, peut-être, en avance!

A. R. – *Comme pour cette pensée (page 76) :* « *Les œuvres, c'est moche, ça défigure.* » *Vos œuvres vous ont-elles défiguré ?*

B. F. – Elles m'ont plutôt arrangé! Ça voulait sans doute dire que l'on est toujours mieux que ce que l'on écrit... Un écrivain, quand on le lit, c'est toujours suspect, tandis que sa légende, c'est pas mal!

A. R. – « *Le général de Gaulle est un fier con, dit Weil catégorique* » *(page 97). Et :* « *Mais cette baderne [de Gaulle] ne prendra pourtant jamais le pouvoir.* » *Vos héros se sont, peut-être, trompés...*

B. F. – Vous savez, à cette époque, au tout début des années 50, le nom de De Gaulle n'était pas beaucoup cité! Cette question que vous me posez est intéressante... car, justement, les Renseignements généraux sont venus chez mon éditeur, en 1953, à propos de certains personnages politiques cités dans ce livre. Pour revenir à de Gaulle, de très nombreuses personnes pensaient, à ce moment-là – nous n'étions pas encore en 58! – que le Général était fini. Moi, en 46-47, je me souviens avoir dit que c'était Blum qui était fini... et que de Gaulle reviendrait. La seule fois de ma vie où j'ai voté, c'est en 58, contre de Gaulle! Mais en 65, alors que Duras demandait de voter pour Mitterrand, moi, j'aurais voté pour de Gaulle qui n'avait pas été le dictateur annoncé!

A. R. – *Page 100, on trouve d'autres* « *vedettes* » *:* « *... la littérature c'était autre chose que du Bazin ou du Druon.* » *Vous maintenez ?*

B. F. – J'étais sûr que Bazin n'aurait aucune importance en littérature, je suis même surpris qu'il en ait autant aujourd'hui! Druon, à mon avis, c'est plus lisible... mais plus faisandé. *Les rois maudits,* c'est quand même assez amusant. Pour Bazin, je m'identifie très bien aux jeunes gens de mon roman : c'est de la très mauvaise littérature, très NRF! Cette sorte de littérature de famille me semblait dégoûtante! Bazin me semblait dégoûtant, voilà! Aujourd'hui, je dirais : « Le pauvre homme, pourquoi ne serait-il pas dans La Pléiade? »

A. R. – *Êtes-vous prophète, car il est écrit (page 158) :* « *Les hommes à surveiller, ce sont Maurice Petsche aux Finances et Faure au Budget. Mitterrand aussi.* »

B. F. – Mes « jeunes gens » sont des gens que la IVᵉ République n'embêtait pas du tout, contrairement à l'opinion générale. Ils s'en délectaient même! Si j'ai un regret pour *Les rats,* c'est de ne pas être entré assez dans les détails de cette IVᵉ qui est totalement désavouée aujourd'hui. Pourtant, c'est une République tout à fait passionnante. Avec la Vᵉ, on est presque entré dans une sorte de décadence de la République... A l'époque, on pouvait faire du Saint-Simon! La IVᵉ était littéraire...

A. R. – *Page 227 : «...je suis sérieux comme un pape et les femmes ne me prennent pas au sérieux!» C'est une douloureuse révélation?*

B. F. – N'est-ce pas une petite comédie de se présenter ainsi? Ça doit être un peu dans ma nature, on ne serait pas écrivain sans ça! En vieillissant, la part de comédie va en diminuant... ce qui ne veut pas dire que l'on prend mes propos plus au sérieux!

A. R. – *Vos articles dans « Le Matin », par exemple?*

B. F. – Quand j'écris sur un autre écrivain, je ne pense pas à mes livres. Je ne me dis pas : « Est-ce que j'aurais pu écrire ce roman? » Je suis un lecteur, un lecteur-écrivain! Quand je dis du roman de Bernard-Henri Lévy qu'il est truqué, je ne me demande pas si *Les rats* étaient truqués... Tout de même, je pense que mon roman était moins truqué que le sien! Par rapport à lui, je pense, cependant, que j'ai plus de talent que lui... Mais ça ne me paraît pas très difficile!

A. R. – *A propos d'écriture, on trouve cette phrase (page 229) : « Un jour, il écrirait un livre sur les phrases silencieuses. » Un beau projet?*

B. F. – Nos livres sont un peu le déchet des phrases silencieuses...

A. R. – *Un autre silence. Vous écrivez, p. 265 : « Il suffisait de jeter un nom d'écrivain mort pour immédiatement réveiller ce genre de garçon. » C'est très à la mode, aujourd'hui?*

B. F. – J'aime bien ça! D'abord, écrire sur un mort c'est plus facile. Ça permet de meilleurs papiers. On peut même dire des énormités sur les écrivains disparus,

ça leur donne de la vie! Sur les écrivains vivants, la moindre remarque devient une agression! Pourtant, on devrait parler des écrivains vivants comme on parle des morts : avec autant de liberté! Mais votre « vérité » peut être nuisible...

A. R. – *Donneriez-vous toujours ce conseil que l'on trouve page 273 : « Sois à gauche, mon petit. Sois à gauche surtout [...] »?*

B. F. – Oui, oui... surtout maintenant où la gauche a 40 %!

A. R. – *« Écrire pour écrire. C'était de mon âge. Après les idées seraient venues » (page 309). Vous êtes toujours d'accord?*

B. F. – Quand on écrit, on trouve toujours des idées. Il faut d'abord écrire...

A. R. – *«– Ça doit être une bonne planque d'être le secrétaire de Sartre. – J'ai même l'impression que ce poste a dû faire rêver plus d'un jeune homme. » Vous aussi?*

B. F. – Non, parce que le mot secrétaire ne me faisait pas rêver!

A. R. – *Justement vous dites de Cau, alors secrétaire de Sartre : « Il n'a pas l'air du type qui prend des notes sur son patron. » Il vient pourtant de publier des souvenirs sur Sartre...*

B. F. – Il l'a fait trente ans après! Je sais qu'à la mort de Sartre, *Paris-Match* lui a proposé des fortunes pour raconter cette période. Il a refusé. On ne peut donc pas dire qu'il ait abusé de sa position. Mais j'ai été le premier, en 1953, alors qu'il était encore aux *Temps Modernes,* à dire qu'il changerait de camp. Pour ma part, je l'ai toujours trouvé antipathique. Je pense qu'il représente un certain côté populaire... en sachant que le peuple c'est aussi, parfois, dégueulasse.

A. R. – *«– Tu es content de voir Sartre? – Oh! je suis sûr que ça vaut le déplacement. Il a bonne réputation. » Cette rencontre avec Sartre est le grand moment du livre...*

B. F. – Le chapitre consacré à Sartre a quelque chose de curieux : j'avais rencontré Sartre une dizaine de fois. Je m'en suis servi, bien sûr. Mais, et personne ne l'a remarqué, j'ai placé dans mes dialogues des phrases que Sartre avait prononcées dans des entretiens déjà publiés dans la presse. Il y avait là un côté anti-Claude Mauriac : on ne peut pas être écrivain si on se souvient trop. La réussite de ce chapitre vient peut-être du fait que je n'avais pas pris de notes lors de mes rencontres avec Sartre... Je me souviens que lui présentant mon manuscrit en lui signalant le passage sur lui, il me dit alors : « Mais pourquoi ne commencez-vous pas votre livre par moi ? »

A. R. – *Tout à la fin des « Rats », vos héros se retrouvent donc en Amérique latine et Bourrieu déclare : « Je voulais l'irréparable. » C'était ça, l'engagement ?*

B. F. – On revient aux « phrases silencieuses ». L'Amérique du Sud, c'est un peu une Amérique du Sud métaphysique. Mais également une Amérique du Sud de « Série Noire ». L'aspect « roman B » des *Rats*. Comme les films. Avec cette fraîcheur des commencements. C'est ce côté de ces très jeunes gens qui pensent qu'ils vont mourir. Cette Amérique du Sud était aussi un fantasme... le fantasme de mon premier livre, *Géographie universelle*, qui était un livre pour ne plus écrire de livre.

JULIEN GREEN

« Je suis un homme en exil dans mon temps.
C'est peut-être pour cette raison
que j'aime tant voyager. »

Juillet 1985

Quel tonus! A quatre-vingt-cinq ans, Julien Green force l'admiration : alors qu'il publie deux pièces de théâtre (*Demain n'existe pas, L'automate*, Seuil) inédites et un journal de voyages (*Villes*, Éd. de la Différence), il annonce comme à paraître prochainement le tome XIII de son *Journal*, qu'il tient depuis soixante ans, une autre pièce de théâtre, un roman et un essai sur le langage. Dans la pénombre de son grand appartement parisien, entre deux voyages, l'écrivain travaille tous les jours : le matin au roman, l'après-midi au journal. L'âge n'a rien entamé, au contraire il lui donne l'envie de mettre les bouchées doubles : « J'arrive à l'âge où l'on commence enfin à savoir ce qu'est le temps perdu. »

Catholique et pessimiste : on a souvent accolé cette double épithète à un auteur né à Paris avec le siècle de parents américains « sudistes » (l'un est de Géorgie, l'autre de Virginie). A quatorze ans, le jeune Julien Green, dernier de sept enfants, perd sa mère; à seize, il abjure le protestantisme pour le catholicisme; à dix-sept, il s'engage sur le front comme ambulancier, avec les troupes américaines; à dix-neuf, il part pour trois ans aux États-Unis et y découvre son homosexualité. C'est en 1926 qu'il publie son premier roman, *Mont-Cinère*. « Une nouvelle vie commençait ».

Au total, quatorze romans (citons *Léviathan, Le visionnaire, Moïra*, ou *Chaque homme dans sa nuit*), cinq pièces de théâtre, une dizaine d'essais (parmi lesquels en 1983 *Frère François*), douze tomes de journal et quatre volumes de Mémoires : une « nouvelle vie » décidément bien remplie. En 1971, Julien Green est élu à l'Académie française au fauteuil de François Mauriac. Ce dernier, huit ans plus tôt, écrivait avec prémonition dans son *Bloc-Notes* : « Une réforme qui ne s'accomplira jamais à l'Académie française et qui étendrait son rayonnement à la planète serait de réserver deux de ses fauteuils à des écrivains étrangers de langue française. Ainsi pourrions-nous en ce moment accueillir le Belge Simenon, l'Américain Julien Green. » Par un étrange tour du destin, celui qu'il appelait de ses vœux prit finalement sa place... On a souvent d'ailleurs comparé Julien Green et François Mauriac : tous les deux catholiques, tous les deux issus d'une solide tradition bourgeoise provinciale; L'un du « Sud », l'autre du Sud-Ouest; Tous les deux hantés par l'angoisse de vivre et la part du péché, l'un orphelin de mère, l'autre de père. François Mauriac lui-même s'intéressait beaucoup à l'œuvre de son cadet, s'interrogeant quelques mois avant sa mort : « Qui de nous deux a raison : Green, qui rédigeait son *Journal* au long des années tragiques où les démocraties, frappées de paralysie, laissaient le monstre naître, s'accroître, s'épanouir, perdant toutes les occasions de l'abattre jusqu'à ce qu'il pût parler et agir en maître – Green, qui ne traitait guère dans son *Journal* que du roman qu'il avait sur le métier, de ses conversations avec Gide – ou moi qui ai ouvert ce *Bloc-Notes* (certes plein de moi-même) à l'histoire en train de se faire ? » Bien des choses opposaient encore les deux écrivains et en particulier ce qui fait peut-être la grande originalité de Julien Green par rapport au châtelain de Malagar : la tradition très anglo-saxonne du fantastique et la forte emprise du rêve sur son écriture.

Antoine de Gaudemar. – *En lisant* Villes, *on découvre un Julien Green moins connu, sauf des lecteurs assidus du* Journal *que vous tenez depuis des dizaines d'années, un Julien Green voyageur, visitant les villes étrangères comme on va au musée et écrivant « Là-bas est l'un des mots magiques que j'aurai aimés sur cette terre... »*
Julien Green. – Pendant des années, je n'ai pas voyagé. Je suis resté à Paris. Les circonstances l'ont voulu ainsi. Et puis un jour, il y a vingt-cinq ans environ, mon ami Eric Jourdan m'a dit : « Tu devrais voyager, cela te ferait du bien. » C'est un peu lui qui m'a transmis ce goût pour les voyages, cette curiosité. Peu à peu, j'y ai pris plaisir et voyager m'est devenu nécessaire. J'ai voulu voir tout ce qui restait de l'Europe libre...
A. G. – *Et qu'en avez-vous rapporté ?*
J. G. – Le sentiment que même sans connaître le passé de toutes ces cités, on peut pressentir leur âme. A Madrid, malgré l'excessive circulation automobile, malgré la saleté et l'obscurité de la vieille ville, j'ai reconnu l'ancienne splendeur de la capitale. J'ai deviné ce qu'elle avait pu être; des images me sont venues, au-delà même de ce que je voyais. La part du

rêve compte beaucoup pour moi dans le voyage, dans l'écriture aussi d'ailleurs. Les villes sont comme des personnes, on a pour elle les mêmes élans ou les mêmes rejets. Comme dans toute rencontre humaine, chaque ville visitée a une longue histoire à raconter. C'est sans doute avec l'Italie que j'ai le plus vieux dialogue : j'y ai fait la guerre comme ambulancier en 1917 et deux de mes sœurs y ont vécu, l'une à Gênes et l'autre à Rome. J'en connais presque toutes les villes, Assise, Florence, Bologne, Lucca, Venise...
A. G. – *Vous citez là quelques-unes de celles que vous appelez « mes villes » : quel est le sens de ce possessif ? Faut-il comprendre des lieux de prédilection ou, plus encore, des lieux d'appropriation ?*
J. G. – Je dis « mes villes » car je ne prétends pas les décrire de manière objective mais comme moi je les ai vues, quand elles se sont données à moi. Quand je suis dans une ville étrangère, c'est comme si je me promenais dans la vie et les rêves d'une autre personne, d'une autre civilisation, d'une autre humanité. J'aime bien la précision dans les voyages; en ce sens, je suis un touriste traditionnel, je vais voir les quartiers, les

monuments, les musées qu'il faut voir. Mais ce qui me plaît davantage encore, c'est de me perdre dans ces villes si lointaines, d'y flâner en rêvant au point de devoir demander mon chemin. La rêverie est la vraie magie du voyage. Elle commence avec les noms mêmes des villes de tous ces pays. Le seul nom d'Anvers a exercé sur moi un tel charme que j'ai longtemps hésité à m'y rendre de peur d'être déçu. Celui d'Edimbourg me rendait triste à mourir. Et je me suis longtemps demandé si partir n'était pas tout simplement partir à Hambourg...

A. G. – *On vous a toujours défini comme un écrivain du Sud et vous-même revendiquez cette appellation. Pourtant, dans* Villes, *vous montrez une grande passion pour les pays du Nord, la Scandinavie, l'Écosse, la Frise...*

J. G. – Cela tient sans doute au climat. Bien sûr, je suis un homme du Sud et même du Sud profond, comme on dit aux États-Unis, mais je souffre beaucoup de la chaleur. Les villes du nord de l'Europe m'ont beaucoup séduit, c'est vrai. A Hammerfest, la ville la plus septentrionale du continent, j'ai vu les plus beaux exemplaires du Nouveau Testament. Dans les vieilles forêts qui entourent Copenhague, où l'on finit par voir timidement s'approcher les cerfs et les daims, j'ai enfin compris le sens des tragédies de Shakespeare. J'ai toujours trouvé la paix dans les forêts. A Berlin, la forêt entre dans la ville, c'est extraordinaire.

A. G. – *Et pourtant Berlin ne figure pas dans votre géographie sentimentale?*

J. G. – Berlin est une chose tellement immense que j'espère y consacrer très bientôt un livre entier! Je l'ai déjà fait pour Paris.

A. G. – *Si vous adorez l'Italie, vous semblez en revanche déçu par la Grèce...*

J. G. – D'une certaine manière, oui, j'ai longtemps été hanté par la Grèce, je croyais que ce qui n'était pas grec n'était pas beau. Évidemment l'Acropole est unique mais tout a été dit sur ce sujet. Cet art classique grec est parfait, il n'est rien de plus. Pour la même raison, le château de Versailles suinte d'ennui mais les hommes aiment ces chefs-d'œuvre qu'ils saluent par de longs bâillements admiratifs. Et puis Athènes est une ville si inconfortable, si bruyante que je l'ai quittée avec soulagement. Au contraire, la Grèce primitive est passionnante, Mycènes par exemple. Ce n'est pas la Grèce douce et lisse de l'âge classique. A Mycènes, l'Histoire est là, violente, elle parle et j'avais bien souvent des frissons en parcourant ces palais obscurs et terribles, plus noirs que noirs. Même les bougies s'y éteignaient... L'ombre de Clytemnestre semblait rôder encore et j'avais le sentiment d'être au cœur de la tragédie grecque.

A. G. – *Vous ne vous êtes guère aventuré hors d'Europe, si l'on excepte vos séjours aux États-Unis. L'Orient ne vous attire pas beaucoup.*

J. G. – Ce n'est pas vrai. J'ai eu un vrai choc à Istanbul. En fin d'après-midi, la lumière y poudroie. Et le sens de la prière des musulmans m'impressionne. Et j'ai eu la chance de pouvoir aller, toujours sur les traces de Pierre Loti, en Iran, juste avant la révolution islamique. J'ai pu visiter les jardins de Chiraz, cette ville des *Mille et une nuits...*

A. G. – *La fin de l'après-midi est pour vous le moment privilégié pour découvrir la vérité profonde d'un paysage, d'une ville?*

J. G. – Oui, il existe à cette heure exquise un mystère. Une sorte d'apaisement, de silence, même dans les plus grandes cités. A midi, la lumière écrase et décolore tout, le soir elle révèle. J'aime ces moments-là, je suis très sensible à la lumière.

A. G. – *Avez-vous ramené de vos voyages autre chose que des souvenirs?*

J. G. – Presque rien. Une fois, j'ai ramené de Tunisie un disque de chants berbères. Là-bas, ils m'avaient paru fort beaux. Ici, je ne les ai jamais écoutés. Les choses sont bien là où elles sont. Ces voyages ont surtout renforcé mon métier d'écrivain, ils en font désormais partie. Il n'est pas bon pour l'écrivain de rester toujours au même endroit. Il doit bouger. Il faut avoir vu New York, Venise ou Bruges comme il faut avoir lu tel livre, c'est indispensable. Car, à travers autant de diversité, on se rend compte de l'unité de l'aventure humaine. Quand je voyage, je me sens solidaire. Je n'aime pas les frontières.

A. G. – *Parmi toutes ces villes que vous avez visitées, dans lesquelles auriez-vous pu ou voulu vivre?*

J. G. – Oxford, si cette ville n'était pas enfermée dans un cérémonial bien encombrant. Rome, si le régime politique et social de ce pays n'était pas si instable... Mais en fait, chaque fois qu'un endroit me plaît, je déclare que je m'y installerais bien et mes amis se moquent de moi.

A. G. – *Serait-ce un vieux réflexe d'exilé, que de prévoir et d'imaginer sans cesse un nouveau port d'attache?*

J. G. – Je ne sais pas si je suis un exilé. Sans doute suis-je en exil dans mon temps. Je ne suis pas chez moi au XXe siècle, ça non! Je ne suis pas contre mon époque, elle a aussi engendré des choses admirables, mais je ne m'y suis jamais senti à l'aise. Je serais plutôt un homme du XVIIIe siècle, si ce dernier s'était arrêté avant la Révolution, ou en tout cas si celle-ci s'était déroulée autrement. C'est peut-être pour cette raison que j'aime tant voyager : dans certaines églises byzantines de Rome ou certaines villes moyenâgeuses de la Frise, j'échappe à mon siècle. Je suis dépaysé et en même temps chez moi... Aujourd'hui, plus personne ne veut du passé, moi je l'aime, il me retient.

A. G. – *Y a t-il des villes ou des lieux où vous n'êtes pas allé et où vous aimeriez aller?*

J. G. – J'aimerais pouvoir retourner à Prague, à Weimar, deux villes encore où j'aurais bien vécu, ou à Budapest. J'aimerais me perdre dans Moscou... ou dans les ruines de Machu Picchu, au Pérou. Mais le temps m'est compté et mon âge m'interdit certaines excursions. Tout compte fait, la ville parfaite, idéale reste celle d'une nostalgie : c'est le Paris de mon adolescence, des années 1910, un Paris qui a totalement disparu aujourd'hui.

A. G. – *Parallèlement à* Villes, *vous publiez le texte inédit de deux pièces de théâtre,* Demain n'existe pas *et* L'automate. *Quelle place a tenu le théâtre dans votre vie?*

J. G. – J'aime beaucoup le théâtre et pourtant je n'ai écrit que cinq pièces. Je crois malheureusement que rien n'est fait pour encourager les écrivains à écrire pour le théâtre. C'est d'autant plus dommage que l'on entend toujours dire que le théâtre manque d'auteurs! Mais il est tellement difficile de monter une pièce aujourd'hui. Cela dépend de tant de paramètres que l'écrivain, qui a l'habitude de travailler seul, a du mal à s'adapter. Vous écrivez une pièce, c'est une autre qui se joue et le public en voit une troisième. Le théâtre vous échappe et c'est peut-être la raison pour laquelle j'ai toujours écrit mes pièces en très peu de temps. On y pense longtemps et soudain on l'écrit, presque d'un jet. *L'ennemi*, que je considère comme ma meilleure pièce, a été tapé directement à la machine.

A. G. – Demain n'existe pas *est alors une exception puisque vous avez commencé à l'écrire il y a longtemps?*

J. G. – Oui, c'est même ma première tentative théâtrale que j'ai ensuite abandonnée pour écrire *Sud*. C'était après la guerre. J'avais envie depuis un certain temps déjà d'écrire pour le théâtre et je tenais un sujet : le tremblement de terre qui détruisit Messine en 1908. A cette époque, je voyais beaucoup Louis Jouvet qui me disait régulièrement : « Écrivez donc une pièce de théâtre! Vos dialogues, dans vos romans, c'est du théâtre! » Et comme je lui répondais : « Mais je ne sais pas... », il rétorquait : « Asseyez-vous à votre table, écrivez et ça viendra tout seul... » Il a fini par me convaincre. Mais au fur et à mesure que j'écrivais, ma pièce a changé de nature et c'est devenu *Sud* qui fut jouée avec succès à l'Athénée en 1953. Malheureusement, Louis Jouvet était mort entre-temps. Je regrette aujourd'hui encore de n'avoir pu travailler avec lui, c'était un homme dont l'apparente froideur cachait un charme étrange et un cœur très généreux. Il y a quelques années, à la mémoire de Louis

Jouvet, j'ai repris mon idée initiale du tremblement de terre de Messine et j'ai écrit _Demain n'existe pas._

A. G. – _Dans le dernier tome paru de votre journal,_ La lumière du monde, _vous écrivez que Michel Bouquet, à qui vous faites lire cette pièce, la décrit comme une_ « apocalypse douce ».

J. G. – Une image m'a guidé, celle d'un cataclysme que précèdent des pluies diluviennes. Je voulais parler de gens qu'une catastrophe guette : certains la pressentent, les autres continuent de faire des projets quelques secondes avant leur anéantissement. Tout a l'air si tranquille. Comment savoir quand le séisme se produira ? Et si quelques-uns songent à fuir, ce sera trop tard. Tous vont mourir, mais ils n'auront pas le temps de souffrir.

A. G. – L'automate, _qui est une pièce récente, se déroule aussi dans une atmosphère de pré-catastrophe, non plus naturelle mais due à la folie de l'homme : la guerre._

J. G. – C'est un peu notre époque, non ? Des gens en sont conscients, d'autres pas. Mais c'est une pièce que j'ai voulue drôle, qui oscille sans cesse entre l'humour et le drame.

A. G. – _Il y a dans_ L'automate _une charge très violente contre les Trissotins de la psychanalyse. N'est-ce pas un peu paradoxal de votre part, quand on connaît votre intérêt pour la psychanalyse et l'intérêt des psychanalystes pour votre œuvre ?_

J. G. – Je suis resté ignorant de la psychanalyse très longtemps, jusqu'à ce que Mélanie Klein fasse une lecture analytique extrêmement perspicace de l'un de mes livres, _Si j'étais vous._ Mais j'ai lu depuis tant d'interprétations fantaisistes, pour ne pas dire plus, de certains de mes ouvrages que je me méfie beaucoup d'une certaine psychanalyse de bazar. Le psychanalyste de _L'automate_ s'appelle Pazzo, qui veut dire en italien fou. C'est aux Pazzo de la psychanalyse que j'en ai. Les vrais psychanalystes ne s'y tromperont pas, croyez-moi.

A. G. – _Croyez-vous, comme l'un des personnages de_ L'automate, _que_ « la phobie de la catastrophe imminente est la maladie du monde actuel » ?

J. G. – Nous vivons une époque grave, de terreur latente : c'est le cauchemar de l'équilibre des forces. On fait durer la paix comme on peut, c'est presque de l'acharnement thérapeutique. Les gens s'habituent au pire, ils sont esclaves de cette fameuse actualité qui force leur porte tous les jours; dans les journaux, à la radio et à la télévision. Bien sûr, il faut s'intéresser au monde tel qu'il va mais il ne faut pas le subir. Je n'écoute pas la radio et ne regarde pas la télévision. Autrement je n'écrirais plus. Et puis, finalement, je n'ai vécu que des époques graves : la Première Guerre mondiale, la Seconde et aujourd'hui cette guerre éclatée à travers la planète...

A. G. – _Vos héros, la plupart du temps, ont très peur d'exister !_

J. G. – Mettez-vous à leur place. Ont-ils des raisons de ne pas avoir peur ? Si vous trouvez dans les journaux des bonnes nouvelles, découpez-les et envoyez-les-moi. Je me ferai un journal rien qu'avec ces bonnes nouvelles comme le faisait ce magnat de la presse américaine, William Hearst.

A. G. – _Une telle situation ne manifeste-t-elle pas d'une certaine manière l'échec de l'Évangile auquel vous croyez tant ? Le monde est-il vraiment en route vers le Royaume de Dieu ?_

J. G. – L'humanité a-t-elle jamais été en route vers ce Royaume ? Peut-être, au XIIe siècle, du côté d'Assise en Italie, où vivait un certain frère François. Toutes les époques ont été désastreuses. Mais l'histoire de l'homme n'en est qu'à ses débuts et l'Évangile ne fait que commencer. C'est un arbre qui grandit. Il y a dans l'Évangile bien des passages qui nous restent encore incompréhensibles. L'Évangile, plus que jamais, reste la seule vérité en ce monde.

A. G. – _On vous a toujours considéré, cependant, comme un écrivain pessimiste._

J. G. – C'est vrai que mes romans dégagent une impression pessimiste. Mes personnages ont souvent des conversations très noires. Vous n'allez surtout pas croire que c'est moi qui parle à travers eux. Ils ont tort de désespérer. J'essaie de leur dire : regardez plus loin, il y a de la lumière mais vous ne la voyez pas. Je cultive en fait des idées simples; à commencer par celle de l'espérance. Contrairement aux apparences, je suis plutôt optimiste. J'aime la vie, la gaieté, le bonheur : mes amis me reprochent souvent mon manque de sérieux. L'humour et l'ironie que je mets dans mes livres sont mal perçus, sinon mal compris : il n'y en aurait pas si je n'avais pas en moi cet optimisme profond. Pour bien comprendre, il vaut mieux lire mon journal que mes romans...

A. G. — *Il y aura précisément en 1986 soixante ans que vous tenez votre journal. C'est un record?*

J. G. — Je le tiens depuis plus longtemps, mais cela fera effectivement l'an prochain soixante ans de publication. Seuls André Gide et l'abbé Mugnier ont tenu un journal aussi longtemps, devant Tolstoï et Claudel... Un bien dérisoire record même s'il est vrai, comme on dit, qu'un chien vivant vaut mieux qu'un lion mort!

A. G. — *Pour quelles raisons tient-on un journal pendant soixante ans?*

J. G. — Parce que je trouve la vie vraiment intéressante. Je suis un spectateur très curieux de ma vie et de mon siècle. Je lis, je voyage, je rencontre des gens, j'écoute le bruit du monde et je prends des notes. Tout cela pour essayer, peut-être, de me comprendre moi-même. Il y a en chacun de nous un mystère incompréhensible. Une part de nous-même échappe à l'analyse, échappe aux mots. On ne se voit pas tel qu'on est. Tenir un journal contribue sans doute à mieux comprendre comment on vit et comment tourne le monde. Au moment de la publication, le problème est celui du choix. Je choisis toujours ce qui me semble apte à intéresser la plus grande variété de lecteurs. Mon journal est un patch-work, comme la vie. Le tout est de choisir. La terre ne pourrait pas contenir les livres qu'il faudrait pour décrire ce qu'un homme éprouve en une seule journée, disait Stevenson.

A. G. — *En revanche, vous avez souvent dit que vous aviez écrit vos romans en vous laissant guider par une impulsion première, sans aucune préméditation.*

J. G. — Je dirais plutôt que je les ai écrits pour savoir ce qu'il y avait dedans. Je suis mon premier lecteur et je ne veux pas gâcher mon plaisir : je me laisse porter par le livre qui naît. J'écris en ce moment un nouveau roman. Il comporte déjà plus de cinq cents pages et j'ai le sentiment que je n'en suis encore qu'au début. Je ne le saurai vraiment que lorsque ce sera terminé. Je crée les personnages et les personnages font le roman. J'ai toujours travaillé ainsi. Louis Jouvet en définitive m'avait bien percé à jour quand il me disait d'écrire sans réfléchir. Et bien des surréalistes, à l'époque de mes premiers romans, affirmaient que je pratiquais l'écriture automatique. Ils avaient en grande partie raison. Dans un livre magnifique, *Le tournant*, qui vient d'être traduit en français, Klaus Mann rapporte une conversation que nous avons eue ensemble à ce sujet : « Mes livres, lui aurais-je dit, ont été écrits par un étranger que je ne connais pas. » C'est tout à fait cela.

A. G. — *Voilà pourquoi sans doute Julien Green intéresse autant les psychanalystes!*

J. G. — Sûrement. L'une d'elles a même comparé ce phénomène de dédoublement dans l'œuvre de Flaubert et dans la mienne! Mais aucune explication ne me satisfera jamais. J'ai visité à Vienne l'appartement de Freud : au-delà du style légèrement concierge de son aménagement, j'ai été frappé par le grand nombre de statuettes humaines étranges, aux visages bien énigmatiques et parfois cauchemardesques qui se trouvent dans son bureau, comme si elles signifiaient cette part d'inexprimable qu'il y a en chacun. Depuis que nous avons commencé cet entretien, nous avons beaucoup parlé mais avons-nous dit la vérité?

A. G. — *Décidément, vous en voulez beaucoup au langage!*

J. G. — C'est un moyen de communiquer trop compliqué, comparé à la musique par exemple. La musique est au-delà des mots et pourtant elle parle de ce qui est en nous. Et elle est un langage universel : faites écouter une symphonie de Brahms à mille personnes en même temps, chacune des mille entendra sa propre symphonie. L'émotion de chacun aura été différente mais toutes auront communiqué. Je ne pourrais pas vivre sans musique. J'en écoute tous les jours.

A. G. – *Quels sont vos musiciens préférés ?*

J. G. – Beethoven; Brahms; Gluck et Schubert. Le plus proche de la perfection, c'est Bach, mais celui que je sens le plus proche de moi reste Schumann.

A. G. – *Vous pensez donc qu'aucun écrivain n'a égalé ces musiciens dans leur manière de communiquer avec nous ?*

J. G. – N'exagérons rien. Beaucoup d'écrivains ont compté pour moi. Baudelaire tout d'abord, que j'ai lu très jeune et qui m'a ébloui. La langue de Baudelaire est extraordinaire, utilisant les mots de tous les jours tout en étant toujours inattendue. Nathanaël Hawthorne, ensuite, dont l'œuvre reste aujourd'hui encore si mystérieuse; personne ne l'a égalé en matière de nouvelles. Et puis Dostoïevski, dont je me suis méfié longtemps, un peu comme Conrad qui ne l'a lu que très tard de peur d'être influencé. J'ai attendu d'avoir cinquante ans pour lire *Crime et Châtiment*. Parfois, je trouvais ce livre tellement beau et mon cœur battait si fort que je devais le poser à côté de moi. Dostoïevski est sans doute le plus grand romancier de tous les temps. On n'écrira pas deux fois comme lui, c'est impossible.

A. G. – *Est-il vrai qu'avant de devenir écrivain, vous avez voulu être peintre ?*

J. G. – Tout à fait. Cela a été un rêve de jeunesse. Quand j'eus vingt ans, mon père , à qui j'avais fait part de mon désir, m'emmena voir un de ses amis collectionneur. Cet homme possédait une série impressionnante de Matisse dont l'un m'a fortement frappé; il s'agissait d'un étrange portrait – ainsi le jugeai-je alors –, de la femme de l'artiste : visage vert comme pomme, traits de travers, chapeau invraisemblable... En voyant cette toile, je me dis que jamais je ne pourrais peindre de cette manière et renonçai sur-le-champ à devenir peintre. Évidemment, plus tard, mon jugement sur Matisse s'est modifié ! Mais j'ai continué de porter en moi cette passion de la peinture. Pendant des années, je suis allé tous les jours au Louvre. Je n'y ai jamais rencontré personne. Sauf Mauriac une fois. Mais il considérait la peinture en écrivain : « Quel roman ! » s'extasiait-il devant une toile. Et je lui répliquais : « Vous voulez dire " Quelle peinture ! ", mon cher François! »

A. G. – *Faut-il voir dans votre très ancien goût pour la photographie un rapport avec celui, déçu, pour la peinture ?*

J. G. – Bien sûr. Je fais de la photo depuis soixante ans un peu comme un amoureux déçu. L'instinct du peintre est resté en moi. Et puis la photographie permet de fixer des choses, des instants peut-être uniques, qui ne reviendront jamais et qui prennent valeur de document. J'ai ainsi des photos rares du Sud profond américain des années vingt ou de Paris de l'entre-deux-guerres.

A. G. – *A l'occasion du dernier Salon du livre,* Libération *a repris à son compte la fameuse enquête faite en 1919 par les surréalistes auprès des écrivains de leur temps et a posé à quatre cents écrivains contemporains du monde entier la question : pourquoi écrivez-vous ? On s'étonne de ne point vous trouver parmi les quatre cents...*

J. G. – On m'a posé la question, mais j'ai refusé de répondre.

A. G. – *Pourquoi ? Parce que c'était une question indiscrète ?*

J. G. – Non. Gide disait qu'il n'y a pas de questions indiscrètes mais des réponses indiscrètes. Disons que l'on aurait mieux fait, peut-être, de demander à certains : « Mais pourquoi *diable* écrivez-vous ? » Le jeu eût sans doute été plus amusant.

A. G. – *Vous trouvez qu'il y a trop de livres ou trop d'auteurs ?*

J. G. – Mettons que la profession d' « écrivain » est aujourd'hui bien encombrée.

2.

HISTOIRE

De la longue durée jusqu'à l'événementiel
par Pierre Assouline

INTERVIEWS :

EMMANUEL LE ROY LADURIE

ALAIN DECAUX

HENRI AMOUROUX

GEORGES DUBY

DE LA LONGUE DURÉE
JUSQU'À L'ÉVÉNEMENTIEL

par Pierre Assouline

« Le bilan est globalement positif... » Si l'histoire avait un secrétaire général, c'est probablement dans ces termes qu'il résumerait, modestement, les dix dernières années de recherche, de publication et d'agitation historiques en France. Et nul ne songerait à le démentir. C'est que Clio a souverainement vécu dans les années quatre-vingts : une inflation de livres d'histoire, le retour en force de la biographie, un débat public sur l'enseignement de l'histoire, de violentes polémiques excommunicatrices entre historiens, la consécration du phénomène « nouvelle histoire », des tendances de la recherche historique se révélant comme autant de faits de société...

N'est-ce qu'une pure coïncidence, ou ce hasard est-il appelé à devenir une coupure épistémologique, toujours est-il que cette fameuse décennie trouve son acte de naissance dans un livre phare, un livre qui fait date car il est on ne peut plus symbolique de l'air du temps : *Montaillou* (1975) d'Emmanuel Le Roy Ladurie. Un authentique best-seller que cet ouvrage épais, assez ardu en ce qu'il suppose un certain nombre de connaissances, un livre qui comporte des notes érudites au bas de toutes les pages et présume chez le lecteur une familiarité avec l'histoire médiévale. Pourtant les estivants l'emmenèrent dans leur sac de plage et *Montaillou* obtint un franc succès en langue anglaise aussi. Très vite, et bien au-delà des cercles intellectuels, on se mit à parler « comme si on y était » de ce village occitan en haute Ariège, et de la vie quotidienne de ses 250 habitants montagnards et bergers, entre 1294 et 1324.

Grâce à un formidable document – le registre d'inquisition de Jacques Fournier, évêque de Pamiers et futur pape d'Avignon – Le Roy Ladurie a ressuscité la chronique intime d'une réalité cathare il y a six cent cinquante ans. Il l'a fait en professeur au Collège de France, auteur de livres fondamentaux sur *Les paysans de Languedoc* et sur l'*Histoire du climat depuis l'an mil*, mais aussi en chercheur passionné soucieux d'être lu et compris. Grâce à ces qualités et à cette exigence, on voit et on sent vivre,

respirer, aimer, se battre, mentir, mourir les gens de Montaillou, le bayle Bernard Clergue et son frère Pierre, curé et agent double, Raymond Maury le tisserand, Fabrisse Rives la tavernière, Frère Gaillard de Pomiès, redoutable enquêteur, la châtelaine Béatrice de Planissoles et surtout Fournier, policier consciencieux qui, par son registre, ne donne pas seulement le récit méticuleux de la répression mais restitue aussi la vie dans ce village pendant trente ans tout en léguant à la postérité un texte qui, de l'avis de Le Roy Ladurie, « constitue en langue latine l'un des monuments de la littérature occitane ». Comment expliquer le succès de *Montaillou* : fascination pour la déviation cathare ? Conséquence de l'engouement pour le régionalisme ? Phénomène de mode ? Caractère policier de l'enquête ?... Autant d'explications qui auraient été suffisantes si l'impact de *Montaillou* n'avait pas dépassé le cadre de l'Hexagone. Peut-être ce bon livre doit-il sa fortune inattendue à son opportunité. Il venait à point en ambassadeur auprès du grand public d'un phénomène intellectuel qui ressortit avant tout à la sociologie des médias : « la nouvelle histoire ».
Cette appellation incontrôlée, qui autorise bien des débordements, est vite devenue un label de qualité désignant pêle-mêle aussi bien les travaux de Le Roy Ladurie que de Fernand Braudel, de Pierre Goubert que de Pierre Chaunu, de Jacques Le Goff que de Robert Mandrou, de Georges Duby que de Philippe Ariès... Certes, l'un avait bien été l'élève de l'autre, celui-ci avait été influencé par les recherches de celui-là, tel œuvrait de concert avec tel, mais ce n'était pas suffisant pour constituer une « école ». Le séduisant concept demandait à être approfondi et analysé à une époque où, déjà, le label « nouveaux philosophes » ne recouvrait pas grand-chose. On assura alors que tous ces historiens portaient les mêmes jugements sur leur commune « science » : l'histoire doit s'émanciper des spécialités étroites, des théories marxistes, de la stricte chronologie événementielle, des comptabilités et des graphiques pour vraiment devenir une discipline pluridisciplinaire, une histoire totale se nourrissant de l'apport des autres sciences humaines et de l'enquête non seulement dans les archives mais aussi sur le terrain, forçant le chercheur à se muer simultanément en ethnologue, démographe, psychologue, linguiste, psychanalyste même..., les vampirisant à son seul profit. Cet impérialisme n'alla pas sans heurt. Qu'on la qualifiât d'« histoire sociologique » ou d'« anthropologie historique », elle n'en restait pas moins aux yeux du public la « nouvelle histoire » même si certaines de ses notions clefs – la longue durée plutôt que la chronologie à court terme, l'étude des structures plutôt que des événements... – étaient déjà celles de la revue des *Annales* lancée par Lucien Febvre et Marc Bloch en... 1929.
On constata alors que ladite « nouvelle histoire » s'apprêtait à fêter brillamment son demi-siècle. Le phénomène n'en était pas moins révélateur de la position hégémonique occupée par la célèbre et austère revue grâce à de multiples, informelles et solides ramifications dans la presse, l'édition et, bien sûr, l'Université. « Histoire nouvelle » ou « nouvelle histoire », elle n'était neuve que par sa consécration (incarnation de la tendance dominante, faveurs du grand public, révérence et admiration de l'étranger pour l'école historique française...) et par son évolution : comme l'a montré avec brio *Montaillou*, les chercheurs en histoire sociale sont passé « de la cave au grenier », délaissant

quelque peu une histoire économique et démographique très en vogue dans les années soixante pour se consacrer plutôt à une histoire culturelle explorant les mentalités (modes de pensée, folklores, traditions religieuses...).

Dans les librairies comme au sommaire des revues spécialisées, le prix du blé sous l'Ancien Régime et les variations climatiques au Moyen Age se sont progressivement estompés au profit d'études consacrées à la vie sexuelle, l'hygiène, les phantasmes, l'accouchement, la peur, la mort, le diable, les maladies, les manières de table... Parallèlement, les traditionnels héros de l'histoire s'effaçaient, un temps, pour laisser la place aux marginaux, ceux-là mêmes qui n'avaient jamais voix au chapitre, dans la vie comme dans les livres d'histoire : pauvres, délinquants, détenus, prostituées, lépreux... On fit une ovation à l'Anglais Theodore Zeldin pour l'originalité et le talent avec lesquels il raconta la France et les Français de 1848 à 1945, dans son *Histoire des passions françaises* (1979), évoquant sans entraves et tous azimuts, souvent à partir d'une documentation neuve, l'orgueil et l'intelligence, l'amour et l'ambition, le goût et la corruption, la colère et la politique, l'anxiété et l'hypocrisie.

Un peuple étudié à travers ses émotions et ses enthousiasmes ? Nous voilà bien loin des engouements des années soixante. Mais cela ne signifie pas pour autant que l'histoire des mentalités ait fait table rase du récent passé historiographique. On en veut pour preuve la continuité et la permanence avec lesquelles Fernand Braudel, « le pape des historiens », poursuit son œuvre. Ils se réclament tous de lui, peu ou prou, en France ou à l'étranger et bien peu s'aventureraient à chercher des erreurs dans ses travaux. Son magistère intellectuel, l'impact de ses livres et de ses articles, la profondeur de sa marque sur des générations d'étudiants, sa haute position stratégique au confluent du Collège de France, de la direction de la revue des *Annales,* de l'École des hautes études en sciences sociales et de la Maison des sciences de l'homme ont fait de Braudel, à quatre-vingt-trois ans, un historien qui a le rare privilège d'avoir été canonisé de son vivant par ses pairs.

Il règne souverainement, seul, et cette situation n'a rien à voir avec le mandarinat traditionnel. Longtemps après son désormais classique *La Méditerranée et le monde méditerranéen à l'époque de Philippe II*, il nous a donné en 1979 une œuvre énorme et déroutante, absolument pas dans l'air du temps, mais qui n'en remporta pas moins un certain succès : les trois volumes de *Civilisation matérielle, économie et capitalisme. XVe-XVIIIe siècle*, répartis en trois axes : consommer, communiquer et échanger, produire. Pour comprendre le langage d'une civilisation, Fernand Braudel, formidable brasseur d'archives à l'insatiable curiosité, familier des dépôts de vieilles liasses de papiers de Dubrovnik et de Simancas, de Florence et de Madrid, a repris le même schéma structurel que pour sa *Méditerranée*, celui d'une maison à deux étages : au rez-de-chaussée la vie matérielle, au premier la vie économique et au second le capitalisme. Au fur et à mesure que l'on s'élève dans le bâtiment, on passe de la routine presque naturelle à la sophistication des jeux de l'échange.

Tout y est : nourriture, habitat, vêtement..., mais replacé dans le plus vaste ensemble des ensembles, dans la perspective aux trois dimensions chère à Braudel : un temps court qui est celui de la guerre et de la politique, la longue durée de la civilisation et de l'économie et les cycles sans cesse recommencés. Étourdissant par son érudition et l'ampleur de son étreinte, par sa clarté d'exposition et l'acuité de ses analyses, Fernand Braudel incite le lecteur non historien à accroître son effort d'attention et de concentration pour réfléchir quasiment en dehors de l'espace et du temps, en se débarrassant des bornes chronologiques strictes et des frontières géographiques.

Un maître-livre qui fait trépigner d'impatience ceux, nombreux, qui attendent la parution prochaine du premier tome de son *Histoire de France* qui s'annonce comme le couronnement de son œuvre. Et les rares lecteurs qui douteraient de la dimension poétique de ce brasseur de chiffres et de cycles, humaniste qui s'est longtemps battu pour l'enseignement du latin, pourront se reporter utilement aux discours qu'il prononça en mai dernier, à la mémoire d'André Chamson, quand il fut reçu par l'Académie française.

Braudel est de ceux qui déplorent la désaffection dont souffre l'histoire ancienne, période cruciale dans la formation de tout historien. Il est persuadé que nous ne nous remettrons jamais de la mort des études classiques et que certains chantiers des études grecques et romaines seront petit à petit abandonnés. Il faut dire que le panorama de la production historique des dix dernières années lui donne raison.

Certes, les ouvrages de Dover et Sergent ont renouvelé le savoir sur l'homosexualité dans la Grèce ancienne, Claude Nicolet nous permet d'avancer dans notre appréhension des mœurs et des structures politiques grâce à son *Métier de citoyen dans la Rome républicaine* (1976), Marcel Détienne nous a étonné avec ses *Jardins d'Adonis ou la mythologie des aromates en Grèce*. Sir Moses Finley – il l'a encore prouvé avec son *Esclavage antique et idéologie moderne* (1981) –, Jean-Pierre Vernant – qui a pris sa retraite du Collège de France –, Louis Robert et Édouard Will sont toujours des maîtres, mais leurs successeurs sont peu nombreux : Nicole Loraux et surtout Paul Veyne, l'iconoclaste et revigorant « sociologue historique » du *Pain et le cirque* (1976) et essayiste de *Les Grecs ont-ils cru à leurs mythes ?* (1983).

L'histoire médiévale semble mieux partie pour l'avenir : la lecture de *La naissance du purgatoire* (1981) d'un Jacques Le Goff qui bâtit les livres comme d'autres les cathédrales, ou les livres de Georges Duby – *Les trois ordres ou l'imaginaire du féodalisme* (1978) et *Le chevalier, la femme et le prêtre* (1981), – qui reflètent les exigences d'écriture d'un authentique écrivain, suscitent bien des vocations. Grâce notamment à ces hommes et à leurs élèves, les Français commencent à savoir que le Moyen Age ne fut pas la nuit noire complaisamment présentée – ou ignorée – pendant des décennies.

Mais ce sont probablement les chercheurs en histoire moderne et en histoire contemporaine qui sont les plus portés à l'optimisme. Leur terreau est fécond et exploité. Mona Ozouf nous a entraînés dans la fête révolutionnaire (1977) tandis que François Furet, reprenant sa polémique avec les historiens communistes de la Révolution française et ses études sur Alexis de Tocqueville et Augustin Cochin, les deux à avoir proposé une conceptualisation rigoureuse de la question, nous invitait à *Penser la Révolution française* (1978) comme produit dudit Ancien Régime et comme avènement de la civilisation qui lui est postérieure. L'écrivain Claude Manceron nous donna une fresque historique sur *Les hommes de la liberté* en plusieurs tomes (on en attend encore) qui privilégia avec talent et un grand souci du détail les acteurs de l'histoire (Danton, Robespierre...) au détriment des contextes, ce qui ne manqua pas de susciter des controverses chez les historiens du sérail. Daniel Roche, quant à lui, grâce aux inventaires après décès tenus par les notaires, nous permit, dans *Le peuple de Paris* (1981), de mieux connaître à travers l'évolution des salaires et des patrimoines, des loyers et du mobilier les quelque 800 000 personnes que comptait la capitale à la veille de la Révolution; tandis que l'Américain Robert Darnton nous donnait un exemple de ce qui pouvait se faire de mieux dans l'histoire intellectuelle du XVIII⁰ siècle avec son *Aventure de l'Encyclopédie, un best-seller au siècle des Lumières* (1982).

Plus près de notre temps, à la délicate frontière de l'histoire immédiate, Pascal Ory présentait un exposé vif, documenté, impitoyable et écrit sur *Les Collaborateurs 1940-1945* (1976) qui n'était pas seulement une suite biographique sur le personnel de l'Occupation. Surtout, Jean-Pierre Azéma publiait, dans l'excellente collection de poche « Nouvelle histoire de la France contemporaine », un ouvrage qui est aussi un modèle d'honnêteté : *De Munich à la Libération 1938-1944* (1979), remarquable de rigueur dans l'analyse, de prudence dans le commentaire, de circonspection dans les sources. Dans un autre registre, celui de la fresque en plusieurs tomes, deux journalistes venus à l'histoire révélaient chacun à leur manière des aspects inconnus de notre histoire grâce à des documents inédits : Henri Amouroux qui, dans sa *Grande histoire des Français sous l'Occupation*, nous restitue l'atmosphère et la vie quotidienne des inconnus de l'histoire à une époque dense et complexe; Claude Paillat qui, avec une rigueur de notaire, exploite les papiers inédits de généraux et de ministres, d'industriels et d'ingénieurs dans ses *Dossiers secrets de la France contemporaine* (1979) couvrant pour l'instant la période allant des lendemains de la Première Guerre mondiale au désastre de 1940.

Nous aurons assisté, aussi, au retour avec tambours et trompettes de la biographie, un genre un peu délaissé depuis la fin de la guerre. Ivan Cloulas (*Catherine de Médicis* et *Laurent le Magnifique*), Jean Favier (avec *Philippe le Bel* et *François Villon*), Paul Murray Kendall (*Louis XI*) et, plus près de nous, le *Pétain* du Herbert Lottman et le *Pompidou* d'Éric Roussel remportèrent de nombreux suffrages, mais c'est probablement le *Guillaume le Maréchal* de Georges Duby qui étonna et enthousiasma le plus durablement, car l'historien sut rendre l'itinéraire du meilleur chevalier du monde, d'Artagnan du XII⁰ siècle, à travers tournois et récits de guerre, dans une langue superbe et avec une érudition parfaitement maîtrisée grâce à l'exploitation d'un grand texte – comme Le Roy Ladurie dans *Montaillou* –, en l'occurrence un récit panégyrique de Guillaume dû à un trouvère anonyme. Enfin Jean Lacouture, après *Blum* (1977), *Mauriac* (1980) et *Mendès France* (1981), prouva avec le premier tome de son magistral *De Gaulle* (1984) qu'il restait un maître en biographie.

Certes, la décennie 1975-1985 ne fut pas uniquement une succession de livres. Il y eut quelques dates qui seront peut-être un jour des repères dans l'histoire de l'histoire. La mort de Philippe Ariès, historien de la mort, certainement. Il nous manquera. Il avait su creuser son sillon en dehors du chemin avant d'y mettre ses pas lui aussi. Sans ce pionnier et ce défricheur, bricoleur de génie qui se disait historien du dimanche, l'histoire des mentalités n'aurait pas le même visage... En 1984, Pierre Nora, éminence grise de la « nouvelle histoire », a longuement interviewé Alain Decaux dans sa revue *Le Débat* (1984). Quelques-uns ne s'en sont pas encore remis... Vingt-sept ans après les États-Unis, l'histoire orale (témoignages recueillis au magnétophone) a été portée sur les fonts baptismaux avec les archives de la Sécurité sociale (1975)... Le philosophe Michel Foucault intriguait, fascinait ou irritait les historiens par sa nouvelle façon d'écrire l'histoire : il étudiait dans *Surveiller et punir* (1975) la métamorphose du système répressif vers 1800 en comparant l'exécution de Damiens en 1757 et l'emploi du temps d'une maison de jeunes détenus sous la monarchie de Juillet, privilégiant quelques données au détriment d'acquis historiographiques délibérément ignorés... Deux historiens furent excommuniés et manquèrent d'être brûlés comme hérétiques en place publique. Pis encore : leurs détracteurs et néanmoins collègues nièrent leur qualité d'historien. Philippe Robrieux, franc-tireur en marge de la communauté des historiens spécialistes du communisme français, publia dans le quatrième tome de son *Histoire intérieure du PCF* (1984) des biographies de dirigeants qui provoquèrent anathèmes et invectives, moins du côté du Comité central que de celui d'historiens en désaccord avec ses méthodes d'enquête et son ton. A la même époque – signe des temps ? – l'Israélien Zeev Sternhell, auteur de *Ni droite ni gauche, l'idéologie fasciste en France* (1983), troisième volet d'une recherche qu'il avait menée de Barrès et le nationalisme aux origines de la droite révolutionnaire française de 1885 à 1914, fut violemment attaqué par de nombreux historiens français qui se relayèrent en une campagne de presse informelle pour l'accabler et lui dénier, lui aussi, sa qualité d'historien : il avait osé s'en prendre à des hommes comme Emmanuel Mounier, Georges Sorel, Bertrand de Jouvenel (ce dernier lui fera même un procès) et, tout en s'appuyant sur des sources très riches et rigoureusement exploitées, il avait donné du fascisme tricolore une définition extensive qui fit bondir plus d'un. Fallait-il pour autant en venir aux insultes, aux insinuations et recourir aux tribunaux ? Certainement pas. Cela dit, le débat provoqué par ce livre est en soi révélateur du climat intellectuel de l'époque.

Il s'inscrit dans une période qui n'a pas seulement vu un engouement public pour les « nouveaux historiens » aux auditoires généralement plus restreints, mais aussi, parallèlement – et c'est pour le moins contradictoire –, d'inquiétantes faiblesses dans l'enseignement de l'histoire. On eut tôt fait de constater que toute une génération d'écoliers et de lycéens avaient servi de cobayes à ceux qui prétendaient leur faire appliquer les méthodes d'étude des chercheurs et des étudiants, remplaçant les traditionnelles chronologies, les grandes batailles et la vie des rois par d'amples perspectives sur les sociétés et les civilisations prises dans la longue durée. Tollé et scandale certes, mais feutrés. Dans un discours à l'Unesco (1978) le président Giscard d'Estaing plaida pour que l'histoire retrouve sa vraie place dans l'éducation. Mais ce sont surtout le débat organisé par la revue *Historia* (1980) et la couverture du

Figaro-Magazine où Alain Decaux pointait un doigt accusateur – « Français, on n'enseigne plus l'histoire à vos enfants! » – qui firent bouger les hommes et les institutions. Le 31 août 1983, alors que pour la première fois l'histoire tout à fait immédiate (de 1944 à 1983) faisait son entrée dans les manuels de Terminale, le président Mitterrand frappait du poing sur la table lors d'un Conseil des ministres : « La carence de l'enseignement de l'histoire à l'école est devenue un danger national », lança-t-il en se disant « scandalisé et angoissé par la perte de la mémoire collective qui peut être constatée dans les nouvelles générations et qui indique la nécessité d'une réforme de l'histoire... Un peuple qui perd sa mémoire perd son identité. »

L'appel fut entendu. On enseigne à nouveau l'histoire à nos enfants... Rendez-vous dans dix ans dans les écoles, les universités et les librairies.

EMMANUEL
LE ROY LADURIE

*« Paradoxalement, la " nouvelle histoire "
s'intéresse à des mondes qui changent peu. »*

Juillet 1977

Professeur au Collège de France dont il est à quarante-sept ans l'un des plus jeunes membres, Emmanuel Le Roy Ladurie a obtenu en 1975 ce qui manque souvent à un universitaire prestigieux : le succès auprès du grand public. Et ce, non pas grâce à un ouvrage abordant des problèmes d'histoire contemporaine, mais avec la chronique indiscrète et ô combien savoureuse de Montaillou, un village occitan et cathare à la fin du XIIIᵉ siècle. Étonnant engouement que celui dont a bénéficié ce livre, *Montaillou,* vendu depuis lors à plus de 130 000 exemplaires : voilà que les Français, plus enclins semblait-il à s'intéresser aux grands noms de leur histoire, qu'ils soient rois ou révolutionnaires de 1789, se passionnaient tout d'un coup pour de simples paysans de la fin du moyen âge.

En fait, le succès de *Montaillou* est loin d'être accidentel et il a été, si l'on ose dire, « longuement préparé ». Il était d'abord la conséquence logique d'un énorme travail opéré depuis plusieurs années par des historiens d'un nouveau genre. Il se situait ensuite dans la lignée de toutes sortes d'études sociologiques ou journalistiques sur ce qu'on pourrait appeler « la France des profondeurs ». Et, enfin, il s'inscrivait dans un contexte socio-économique où des thèmes comme le retour au terroir, le regard rétrospectif vers les origines, ou même l'écologie, avaient une place de plus en plus marquée. Les buts et les méthodes de la « nouvelle » histoire, le modèle paysan que l'on redécouvre, et la nostalgie d'un ancien monde rural, tels sont les trois grands thèmes à propos desquels Emmanuel Le Roy Ladurie a bien voulu s'expliquer ici. Au moment même où de nombreux Français profitent de leurs vacances pour fuir les métropoles urbaines et découvrir ces vieilles provinces pleines de contrastes trop ignorées le reste de l'année, il nous a semblé en effet intéressant d'écouter le propos de l'un de nos plus brillants historiens. Car au-delà d'une solide érudition dont il vient encore de nous dévoiler quelques facettes, à travers deux livres récemment parus, on découvrira peut-être qu'au fond cet homme, parlant de l'histoire dans toute son épaisseur temporelle, nous parle de notre histoire. Et que « le territoire de l'historien » (titre de l'un de ses livres) est lui aussi le nôtre et... « vaut le voyage », comme dirait un célèbre guide.

Pierre Boncenne. – *Avant de parler d'histoire, si nous parlions un peu de votre histoire ? D'où venez-vous, disons, en termes de classe sociale ? Je crois que vous êtes fils d'agriculteur ?*
Emmanuel Le Roy Ladurie. – En fait, mon père appartenait à une bourgeoisie urbaine redevenue rurale. Il était fils d'officier et il est devenu, dans sa jeunesse, agriculteur en Normandie : il n'était donc pas un paysan mais un agriculteur exploitant. Il a aussi été un militant syndical agricole puis ministre du temps de Vichy, puis résistant, et ensuite, après la guerre, député indépendant-paysan. C'est une carrière d'homme politique plutôt de droite et en même temps s'intéressant au mouvement agricole.
P. B. – *Vous êtes né et vous avez vécu en Normandie ?*
E. L. R. L. – Oui, je suis né dans un village au sud de Caen. Mais je ne prétends pas être un paysan, ce serait ridicule et ce n'est pas vrai. Dans la mesure où je me suis séparé de mes origines géographiques, j'ai seulement un intérêt, une attirance après coup, pour les questions paysannes.
P. B. – *Votre nom, Le Roy Ladurie, m'a toujours intrigué.*
E. L. R. L. – Je reconnais que c'est un nom un peu bizarre et un peu trop long. Mais son origine n'est pas noble : cela provient d'un monsieur au XVIIe siècle qui se nommait Le Roy et qui avait une terre s'appelant Ladurie. Pour être identifié de son voisin, il avait mis Le Roy Ladurie.
P. B. – *Au vu de votre* curriculum vitae, *votre carrière est strictement universitaire : la khâgne, Normale Sup, agrégation, etc.*
E. L. R. L. – Oui, rien d'extraordinaire, fonctionnaire tout à fait classique...
P. B. – *L'agriculture ne vous a pas du tout attiré ?*

E. L. R. L. – J'aurais peut-être dû prendre la succession de la ferme paternelle et puis je ne l'ai pas fait. En un certain sens je le regrette un peu, mais voilà...
P. B. – *Cette terre en Normandie existe toujours ?*
E. L. R. L. – Elle existe toujours. Hélas, mon frère qui aurait dû prendre la succession, est mort tragiquement et très jeune dans un accident d'avion. Du coup, puisqu'il n'avait plus de successeur, mon père l'a louée à des fermiers.
P. B. – *Ainsi le monde paysan n'est plus qu'un souvenir pour vous ?*
E. L. R. L. – J'ai quand même des contacts : une de mes sœurs s'est mariée avec un agriculteur du nord de Caen; dans la famille de ma femme aussi il y a des agriculteurs; et de par mes voyages actuels je connais de vieux paysans – à Montaillou par exemple. Néanmoins, et je suis le premier à le regretter, je suis essentiellement un citadin qui s'intéresse aux problèmes ruraux. Il est possible, du moins je l'espère, que j'aie une sorte d'intuition pour ces problèmes. Mais pas plus.
P. B. – *Et pourquoi parmi toutes les disciplines universitaires avoir choisi l'histoire ?*
E. L. R. L. – C'est plutôt par éliminations successives. En réalité, vers quatorze-quinze ans, j'ai vaguement voulu être prêtre. Ensuite, lorsque j'ai fait la khâgne, je ne me suis plus tellement préoccupé de ce côté prêtrise. Alors, quoi devenir ? Professeur. C'est-à-dire, une sorte de prêtre laïc, enseignant et marié. On ne peut pas dire que l'enseignement me passionnait, mais, comme à l'époque j'étais assez à gauche, mes opinions politiques ne me permettaient pas d'envisager une carrière dans le « business ». Finalement, comme pour beaucoup de jeunes, j'ai choisi l'enseignement. Quant

à l'histoire, c'est un domaine qui m'a toujours attiré. Est-ce parce que mon père et mon grand-père avaient une bonne bibliothèque historique ?...

P. B. – *Vous étiez « assez à gauche », c'est-à-dire, plus précisément ?*

E. L. R. L. – J'ai été membre du Parti communiste pendant sept ans, puis du PSU. Et comme tout le monde, j'ai eu des déceptions au moment de la déstalinisation. C'est alors que je me suis totalement retiré vers l'histoire, vers une attitude moins active et plus contemplative.

P. B. – *Vous avez été un « stalinien » ?*

E. L. R. L. – J'ai eu une phase très stalinienne. Mais vers 1953-1954, je me suis rendu compte qu'on s'était trompé, qu'on s'était fait avoir par Staline, et qu'on avait cru à un certain nombre de mensonges. Toutefois, je n'ai pas quitté le PC tout de suite et j'y suis resté dans l'espoir que quelques changements interviendraient. Puis, en 1957, je suis parti définitivement.

P. B. – *La politique ne vous tente plus ?*

E. L. R. L. – C'est une passion qui m'a un peu quitté. Je continue à m'intéresser à la politique comme spectateur et Mitterrand ou Giscard, je les regarde « vus de l'extérieur ». Non sans sympathie, du reste.

P. B. – *Et vous n'avez pas été attiré par autre chose que la recherche historique ? En vous lisant, j'ai parfois l'impression que vous en avez assez des chiffres ou des statistiques. Comme pour vous détendre, il vous arrive souvent alors d'évoquer les bons vins ou les bons fromages...*

E. L. R. L. – Eh oui! J'en parle un peu trop peut-être...

P. B. – *Je ne serais pas étonné de vous voir publier un roman un jour.*

E. L. R. L. – C'est une forme d'expression qui me paraîtrait extrêmement intéressante. Seulement voilà : d'abord, le roman a beaucoup changé, on ne peut plus en écrire comme autrefois et, ensuite, je connais assez bien le métier d'historien, la façon de faire l'histoire. La littérature serait donc quelque chose de trop nouveau pour moi. Sur Montaillou,

j'avais pensé écrire un roman; finalement j'ai préféré écrire un livre d'histoire plutôt qu'un mauvais roman.

P. B. – *Et le cinéma ?*

E. L. R. L. – Le cinéma m'attire beaucoup. Mais, là encore, l'histoire est pour moi un substitut. Pour faire un film, il faut pas mal d'argent, du métier, recruter des comédiens; alors qu'en un certain sens, il est plus facile d'écrire un livre qui coûte moins cher et qui demande, le plus souvent, un travail purement individuel.

P. B. – *Pourtant certains de vos travaux d'historien sont le fruit d'un travail d'équipe ?*

E. L. R. L. – Oui, j'ai beaucoup travaillé en équipe à un certain moment, comme on peut le voir dans mon livre *Le territoire de l'historien*. Maintenant, moins. De la même manière, j'ai eu des phases où je faisais plutôt de l'histoire quantitative et d'autres, moins. Le travail d'équipe demande énormément d'énergie pour diriger les gens. De plus, voyez-vous, j'en reviens un peu à la petite boutique, au travail du cordonnier tapant sur une semelle de chaussure. On fait du travail moins ample, sans doute, mais plus soigné. Je continue quand même à faire du travail à deux avec des gens très qualifiés.

P. B. – *Parmi vos nombreuses œuvres, il y a trois morceaux qui émergent très nettement : L'histoire du climat depuis l'an mil, Les paysans de Languedoc, qui vient justement d'être réédité [1], et Montaillou. Qu'est-ce qui vous a incité à écrire sur les paysans de Languedoc ? C'est parce que vous étiez professeur à Montpellier ?*

E. L. R. L. – A l'époque, comme j'étais très marxiste, je m'intéressais à l'histoire du capitalisme au XIXᵉ siècle. Mais il était impossible de travailler là-dessus à Montpellier : il aurait fallu, pour avoir accès à des archives, habiter Paris, Londres ou New York. J'ai donc assez rapidement renoncé. C'est alors qu'un de mes amis, professeur de géographie à

---

1. Dans la collection « Champs » chez Flammarion.

Montpellier, m'a signalé l'existence de certains documents, les « Compoix », qui permettaient de faire l'histoire du capitalisme agricole. Mon maître, F. Braudel, me poussant à étudier ce domaine, je m'y suis mis et j'ai finalement trouvé tout autre chose que ce que je cherchais : pas l'histoire du capitalisme, mais l'histoire de la petite entreprise.

P. B. – *Or, après* Les paysans de Languedoc *est venu* Montaillou, *l'histoire d'un village occitan. A tort ou à raison, on a tendance ainsi à vous situer comme un historien du sud de la France.*

E. L. R. L. – Il y a de cela. Bien que je sois Normand, j'ai des intérêts intellectuels dans le Midi. Le mouvement occitan, que je ne soutiens pas entièrement, m'a fait réfléchir. Effectivement après *Les Paysans de Languedoc*, il y a eu *Montaillou* et, maintenant, je viens de publier une longue préface pour *La pierre et le seigle* [2], un livre consacré à l'Aveyron et à Villefranche-de-Rouergue. Et déjà, j'envisage des travaux sur le Gard et sur la Drôme. Mais aussi, vous voyez, je reviens quand même à ma terre d'origine, à la Normandie.

P. B. – *Le succès inespéré de* Montaillou *vous a changé ?*

E. L. R. L. – Moi, j'escomptais un certain succès.

P. B. – *Allons ! Quand même pas 135 000 exemplaires !*

E. L. R. L. – Non. Disons 20 000. En réalité, j'ai été agréablement surpris, mais pas profondément surpris. Ce qui est surtout étonnant, c'est que le petit livre que Duvernoy avait publié sur le même sujet dix ans auparavant chez Privat ait eu aussi peu de succès. Et pourtant, toute l'histoire de Béatrice de Planissoles et du curé Clergue s'y trouvait déjà. Peut-être le montage de textes que j'avais fait avait plus de force que de simples citations, car il s'agit à la fois d'un texte original et qui est très beau et... parfois ennuyeux ? Je ne sais pas. En tous les cas, mon succès m'a certainement donné plus de confiance en moi,

mais il n'a pas changé ma façon d'écrire. Vous savez, je mène malgré tout une vie assez retirée, sans compter que les gens vraiment connus on les reconnaît dans la rue, ce qui ne m'arrive pas souvent.

P. B. – *Et le village de Montaillou, a-t-il changé ?*

E. L. R. L. – A un moment, pas mal de gens sont venus y faire un pèlerinage et ont voulu y acheter des maisons. Même moi. Les prix ont d'ailleurs dû augmenter...

P. B. – *Là, c'est de votre faute !*

E. L. R. L. – De toute manière, ce ne sont pas les résidences secondaires qui seront responsables de la mort de Montaillou. Ce village qui avait résisté à tout est aujourd'hui malheureusement assez mal parti : il est peuplé de gens âgés, dont les enfants sont partis. Montaillou, où il existe encore des descendants de la population occitane du XIVe siècle, et qui avait survécu à l'Inquisition, est en mauvaise passe, il faut dire la vérité, en raison de son vieillissement.

P. B. – *En lisant* Montaillou, *j'ai eu l'impression que vous avez été fasciné par le catharisme, sans trop vouloir y toucher.*

E. L. R. L. – Tout à fait. Le catharisme est un sujet très dangereux. Georges Duby m'a dit un jour : « C'est un piège à cons. » Il y a beaucoup de gens fort honorables qui ont écrit sur le catharisme, des Méridionaux ou des Allemands, par exemple, mais trop souvent on a publié de mauvais livres écrits de seconde main et se répétant les uns les autres. Si bien qu'en écrivant uniquement sur le catharisme, j'aurais eu peur, suivant l'expression, de « retrancher quelque chose au trésor des connaissances humaines ». Mais, en même temps, j'ai été intrigué : le fait même d'une hérésie au XIVe siècle est un événement passionnant dans la mesure où ce sont des gens qui partent battus et qui néanmoins partent. Au XVIe siècle, les protestants gagnent au moins dans certaines nations tandis que les cathares, eux, sont très vite devenus des gens purement et simplement réprimés. Et malgré tout, ils tiennent le coup. Et c'est à Montaillou précisément qu'on retrouve les derniers cathares.

2. *La pierre et le seigle*, par Bernard Dufour, Préface d'E. Le Roy Ladurie, Le Seuil.

P. B. – *Vous avez donc eu peur de partir battu ?*

E. L. R. L. – Voilà pourquoi j'ai écrit un livre regardant le catharisme de profil et pas de face. Si j'avais fait un livre sur le catharisme, je pense effectivement que j'aurais perdu, d'abord parce que je ne connais pas bien les histoires très compliquées de doctrines. Il y a par exemple des controverses terribles du genre : « Qu'est-ce que le néant ? »...

P. B. – *C'est sartrien !*

E. L. R. L. – Oui ! Il y a des chercheurs très honorables et que je ne citerai pas qui se sont brouillés entre eux tout simplement parce que les uns disent que le néant cathare c'est le néant, et les autres que le néant c'est quelque chose ! Alors moi, si j'allais me plonger dans une dispute ou une polémique de ce genre, je n'en sortais pas vivant... J'ai donc écrit plutôt un livre sur un village occitan au XIVᵉ siècle, village peuplé d'hérétiques ayant pris des risques ahurissants pour l'époque. Un de mes amis m'a dit : « Au fond, Montaillou c'est Astérix. » En ce sens qu'Astérix raconte l'histoire du dernier village gaulois et Montaillou l'histoire du dernier village cathare. Sauf évidemment que Montaillou, c'est vrai. Vous savez, il est très rare dans l'histoire de voir les derniers, de voir des personnages qui vont totalement disparaître et d'assister à la fin totale d'un courant de pensée. Remarquez, le catharisme a bien refleuri aux XIXᵉ et XXᵉ siècles, mais de façon totalement indépendante et sans continuité avec autrefois.

P. B. – *A la télévision, il y a eu un film sur les cathares qui a eu un grand retentissement.*

E. L. R. L. – Oui, ce film a créé un choc important et cela montre bien que le néo-catharisme, même sans avoir une filiation directe avec le catharisme, est un état d'esprit qui persiste et qui est intéressant.

P. B. – *A propos, vous, l'un des chefs de file de la nouvelle histoire, que pensez-vous du traitement de l'histoire à la télévision ? De ce que font, par exemple, André Castelot ou Alain Decaux ?*

E. L. R. L. – Moi, je ne méprise pas le travail d'un Decaux ou d'un Castelot – qui du reste ne sont pas assimilables l'un à l'autre – parce que s'ils ne font pas du tout le même métier que moi, ils ont le mérite d'avoir prospecté et découvert un marché de lecteurs où parfois d'autres historiens plus scientifiques peuvent faire un certain travail. En France, il existe une situation assez originale qui provient de l'existence d'un goût national pour l'histoire. Chose curieuse, du reste, les programmes scolaires apparemment n'en tiennent pas compte et considèrent les mathématiques comme plus utiles. Mais, dans le public, ce goût, cet engouement pour l'histoire, est une originalité typique de la culture française. On le retrouve, par exemple, en Roumanie, qui est justement un pays très marqué par la culture française. Maintenant, qu'il faille essayer d'éduquer ce public plus que ne le font les mass media, j'en suis convaincu. L'essor d'une revue très sérieuse comme *Archeologia* montre bien que si des historiens de notre école voulaient prendre le temps de concevoir une revue rédigée selon les formules de l'histoire nouvelle, et destinée au grand public, ils auraient sans doute du succès.

P. B. – *Votre suggestion va peut-être mettre la puce à l'oreille de quelques responsables de presse, d'autant plus qu'on assiste depuis un certain temps à un véritable renouveau de l'histoire. Avez-vous l'impression que ce renouveau est profond et durable ?*

E. L. R. L. – Il y a des indices révélateurs. Ainsi, alors que dans une science comme la physique, les Français sans être mauvais n'ont pas un prestige particulier à l'étranger, en histoire il se trouve que les historiens français peuvent vraiment être considérés comme égaux ou supérieurs aux Américains, aux Anglais, aux Allemands ou aux Italiens. Bien entendu, je reconnais qu'à première vue l'histoire n'a pas l'importance de la physique nucléaire. Mais puisque l'histoire marche bien et qu'elle ne coûte pas très cher, les pouvoirs publics se devraient peut-être de subventionner et soutenir ces historiens français qui ont su s'imposer parmi les premiers du monde. Autre signe révélateur : alors que dans bien des disciplines scientifiques on ne publie plus qu'en anglais, nous les historiens, nous publions et nous sommes lus en français. Au fond, les Français ne savent pas tout cela.

P. B. – *Et au moment même où la recherche historique française est en pleine expansion, voilà que dans les lycées l'histoire devient une matière secondaire. N'est-ce pas inquiétant ?*

E. L. R. L. – C'est peut-être grave. Il est certain qu'il existe un double mouvement : régression dans l'enseignement secondaire et une certaine expansion dans le public adulte et dans l'université. Est-ce que les gens qui nous gouvernent ont conscience de ce problème ? Je pense qu'un soupçon et un malentendu persistent selon lesquels l'histoire est subversive; or, ce n'est pas vrai. Il y a des disciplines dans les sciences humaines qui ont parfois tendance à donner dans une logomachie révolutionnaire en se bornant à répéter un discours pseudo-marxiste. En histoire, beaucoup moins. Parce que depuis l'Antiquité, depuis Hérodote ou Thucydide, l'histoire est un corps de discipline bien constitué où l'on ne peut pas tenir un discours vide.

P. B. – *Les historiens ne sont-ils pas en train de remplacer dans le public les romanciers d'autrefois ?*

E. L. R. L. – Il me semble que le roman est un peu au bout de son rouleau et que le public cherche plutôt des témoignages directs sur le vécu. D'où le succès des enquêtes et aussi de l'histoire. De plus, les historiens français ont su adapter certains de leurs travaux universitaires pour les publier en collections de poche. D'un autre côté, d'ailleurs, cela n'empêche pas des livres chers, comme *L'histoire de la France rurale* (Le Seuil), d'être des succès de librairie. D'après moi, les prix littéraires de fin d'année sont dépassés quant à leur conception; et il est étonnant de voir l'institution même de la récompense littéraire négliger les sciences sociales et l'histoire.

P. B. – *L'une des caractéristiques de l'histoire nouvelle, c'est de faire appel à des méthodes quantitatives en ayant parfois recours à l'ordinateur. En 1968, vous écrit : « L'historien de demain sera programmeur ou ne sera pas. » Vous maintenez ?*

E. L. R. L. – Je maintiens. J'ai été aux États-Unis et j'ai été frappé par la facilité avec laquelle les étudiants en histoire ont accès aux ordinateurs et deviennent programmeurs. Alors, récemment, un historien catalan m'a attaqué en disant que cette phrase que vous citez est idiote. Mais je crois que si nous ne voulons pas qu'à l'avenir l'histoire ne s'écrive qu'en américain, il faudrait que les jeunes soient initiés à l'informatique. Ce n'est pas une fin en soi, c'est un moyen.

P. B. – *Aux USA, l'utilisation de l'ordinateur en histoire a-t-elle vraiment débouché sur des résultats ?*

E. L. R. L. – Là-bas, le moindre historien utilise l'ordinateur à tout bout de champ. Le résultat est loin d'être toujours excellent parce que souvent ils utilisent l'ordinateur aussi bêtement que leurs crayons ou leurs machines à écrire. Mais quand le chercheur est doué, les résultats sont très intéressants en raison des quantités énormes de données qui sont manipulées. En France, l'ordinateur est cher et il n'est pas d'un accès facile. De plus, il reste beaucoup de préjugés : avant d'être au Collège de France, j'ai été professeur à l'université de Paris VII (Jussieu). Eh bien! dans cette université, à caractère scientifique pourtant, certains de mes collègues d'histoire continuaient à dire : « L'ordinateur, c'est de la technocratie. »

P. B. – *Vous avez beaucoup utilisé l'ordinateur ?*

E. L. R. L. – Oui. Pour des études sur les conscrits ou les climats par exemple, et je continue. Mais je ne veux pas donner justement dans la technocratie et depuis quelque temps je suis revenu, sans me renier, à des formes d'histoire moins quantitatives et plus qualitatives. L'histoire reste un métier artisanal à l'image de celui des ébénistes du faubourg Saint-Antoine au XVIIIe siècle d'où sont sortis les Sans-Culottes. Je connais un historien aux États-Unis qui dirige une véritable usine avec vingt personnes sous ses ordres. A priori je me méfie. D'une manière générale, si vous voulez, il y a deux catégories d'historiens : les rameurs et les plongeurs. Les rameurs, ce sont ceux qui couvrent d'assez vastes surfaces d'histoire en essayant d'observer et de regarder ce qu'il y a au fond. Si le temps est clair, et si la mer le permet, ils peuvent observer certaines choses. Les plongeurs, c'est différent : ils plongent au plus profond possible – parfois même il leur arrive de perdre un peu la respiration – et ils essayent de trouver l'huître perlière. C'est ce que j'ai voulu faire avec Montaillou. Mais ma chance est d'avoir été à la fois rameur et plongeur et je crois qu'il faut être les deux.

P. B. – *Il reste un paradoxe pour le rameur : n'est-ce pas absurde d'utiliser des ordinateurs pour étudier les sociétés qui, historiquement, sont à mille lieues de l'âge de l'ordinateur ?*

E. L. R. L. – Effectivement. Mais, en première analyse, cela en vaut quand même la peine. Prenez mon étude sur les conscrits et imaginez un œil de mouche avec ses innombrables facettes. Lorsque vous avez des bureaucrates comme au XIXe siècle, ou des curés, cochant systématiquement naissances, baptêmes, mariages, etc., eh bien, chacun de ces personnages est l'une des facettes de l'œil de la mouche. Mais à l'époque, personne n'était capable de restituer le regard global. L'intérêt de l'ordinateur c'est d'être l'œil de la mouche : on ne sait pas trop si ce que l'on voit est vrai mais on restitue en un seul regard dix mille regards partiels. Cela dit, vous avez quand même raison. Il arrive un moment où, si l'on veut comprendre les gens, il ne suffit pas de les mesurer ou de compter le nombre de leurs vignes ou de leurs champs : il faut savoir aussi les écouter et les entendre parler. C'est le travail qu'ont fait certains ethnologues comme Evans-Pritchard. Il a trouvé en Afrique certaines tribus où beaucoup de choses sont centrées sur l'élevage bovin. Tout pour la vache! si j'ose dire. Un peu comme les Normands de jadis... Qu'est-ce qu'a fait Evans-Pritchard ? Il s'est

assis au milieu des hommes et des vaches, il a pris son petit carnet, il a parlé avec les gens, il a essayé en prenant des notes de comprendre en profondeur leurs systèmes de vie et de pensée. Et Malinovsky de même... Tout cela pour dire qu'à un certain moment un historien doit avoir une grande oreille et savoir écouter, tout simplement.

P. B. – *Au-delà des méthodes, l'autre caractéristique de l'histoire nouvelle est de vouloir traiter des phénomènes d'ensemble ou de masse en délaissant quelque peu les individus célèbres. C'est le marxisme qui est responsable de cette mutation ? Et est-ce que les biographies d'individus sont condamnées ?*

E. L. R. L. – Le marxisme a certainement joué un rôle. Quand un historien se frotte un peu au marxisme, il reste pas mal d'éléments qu'il finit par acquérir : la notion de classe sociale, de lutte de classes, de mode de production et une certaine façon de regarder la société en la décomposant en groupes. Soit dit au passage, Marx n'a pas inventé cette manière de travailler et il s'est inspiré, justement, des historiens français de l'Ancien Régime et de la Révolution, Guizot, Thiers, Augustin Thierry, etc. Néanmoins, la biographie bien maniée reste un moyen de voir une époque à travers un homme. Surtout la nôtre. Car il faut reconnaître que l'histoire nouvelle s'applique assez mal aux périodes contemporaines avec leurs changements très rapides. Paradoxalement, l'histoire nouvelle s'intéresse à des mondes qui changent peu.

P. B. – *C'est le même paradoxe que pour l'ordinateur : l'histoire nouvelle marche très bien avec des sociétés lentes.*

E. L. R. L. – Exactement. On a tout le temps de voir les choses comme F. Braudel étudiant le monde méditerranéen sur des centaines d'années. Mais le XXe siècle, on ne peut pas le voir comme le Moyen Age et là je reconnais que les sociologues ou les journalistes sont souvent mieux armés que l'historien.

P. B. – *Est-ce que les historiens n'ont pas tendance à se faire dévorer par les autres* *sciences sociales, la sociologie ou l'anthropologie ?*

E. L. R. L. – Pendant quelques années, les sciences sociales ont proféré un mépris superbe pour l'histoire. C'était absurde parce que c'était se priver de toute épaisseur : l'humanité est certes faite par les vivants, mais on ne la comprend qu'en faisant référence à l'épaisseur historique. En réalité, ce qui se produit actuellement, pas assez à mon goût du reste, c'est que l'histoire cannibalise les sciences sociales. Les historiens sont un peu comme des charognards occupés à prendre les idées des autres et à les appliquer à leur domaine. Les historiens, en fait, n'ont pas tellement d'idées personnelles mais ils en prennent beaucoup aux sociologues, aux anthropologues ou aux économistes. Et c'est très bien ainsi.

P. B. – *Alors, après avoir pris beaucoup d'idées aux économistes et aux sociologues, j'ai l'impression que vous en prenez de plus en plus aux ethnologues et aux anthropologues... Et que vous devenez ainsi une sorte d'ethnologue de l'intérieur, de la France.*

E. L. R. L. – Oui. C'est une tendance. Mais je dirai plutôt qu'il s'agit d'une balance continuelle chez moi. Par exemple, je viens de publier une étude très économique destinée au deuxième volume de *L'histoire économique et sociale de la France*[3].

P. B. – *N'y aurait-il pas chez vous une philosophie implicite du retour au terroir ou d'un « modèle » paysan ?*

E. L. R. L. – D'abord, l'intérêt de la France est d'être un échantillon de l'humanité assez extraordinaire et d'avoir été pendant très longtemps une société qui n'a pas bougé. Vers 1300, vous avez déjà 16 à 17 millions de Français dans l'hexagone et, quatre siècles après, vous en avez 20 à 21 millions. Donc, peu d'augmentation. Il y a là une masse énorme un peu amorphe où la religion catholique, tout en se modernisant, reste la même et où plusieurs langues survivent – on ne parle

toujours pas beaucoup le français vers 1700. Il est donc possible de constituer un « modèle » et c'est ce que j'ai appelé le modèle néo-malthusien c'est-à-dire une société avec des équilibres.

P. B. – *Et vous ne croyez pas justement qu'il y aurait comme une nostalgie de ce modèle ?*

E. L. R. L. – Je me demande s'il n'y a pas une certaine culpabilité des gens se disant : « Au fond, qu'est-ce qu'on fait là dans les grandes villes ? Est-ce qu'on n'a pas abandonné ou trahi quelque chose qui était le village, qui était plus dur, moins distrayant, mais qui était peut-être la vraie vie ? » C'est quelque chose que je ressens personnellement et il est probable que si certains de mes ouvrages ont eu du succès, c'est qu'ils répondaient à ce sentiment confus.

P. B. – *Mais ne risque-t-on pas d'idéaliser cet ancien monde perdu ?*

E. L. R. L. – Des ouvrages comme *L'histoire de la France rurale* n'idéalisent pas et présentent bien des côtés sombres : ainsi, démographiquement, au XVIIe siècle, sur quatre enfants qui naissent, deux mouraient avant l'âge de vingt ans. De même, dans ma récente étude sur l'Aveyron, j'insiste beaucoup sur les épidémies et la pauvreté à un tel point que des Aveyronnais m'ont reproché d'avoir présenté tant de misère. L'idéalisation ne vient donc pas de l'historien.

P. B. – *Dans cette étude* (La pierre et le seigle) *vous écrivez : « L'absence de scolarisation et d'alphabétisation est la meilleure garantie pour une longue conservation de la langue occitane, en toute sa pureté locale et aveyronnaise... A quelque chose malheur est bon. » On pourrait dire, à la limite bien sûr, que vous défendez un certain archaïsme.*

E. L. R. L. – Je ne défends pas du tout l'analphabétisation, mais c'est un fait : il est certain que l'Aveyron a gardé un occitan pur à cause de l'analphabétisme. D'autre part, il faut aussi retourner le problème : la plus grande révolution de l'histoire entre le sixième et le huitième millénaire avant J.-C. et qui vaut largement la découverte de l'énergie nucléaire, c'est l'invention de l'agriculture et de

---

3. *Histoire économique et sociale de la France,* PUF.

l'élevage. Or ce sont des analphabètes qui ont accompli cette révolution. Je ne crois donc pas du tout à la supériorité de la personne alphabétisée. Autre chose : à Montaillou, par exemple, je connais un vieux paysan plein d'humour dont le fils vend des tickets de métro à Paris. Je ne vois pas trop le progrès même si par ailleurs ce fils de paysan peut participer à une vie urbaine assez riche.

P. B. – *Dans les dernières lignes de cette même étude vous écrivez : « Je suis rouer-gophile. J'apprécie la manière dont ce petit pays (l'Aveyron) a su en un siècle et demi se dépêtrer de sa misère et de son sous-développement. Et cela sans pollu-tion, sans tapage et sans chichis, sans surpopulation, sans mégalopoles; sans trop de cheminées crachantes et fumantes (...) Je souhaite à notre planète en majo-rité paysanne et pauvre une contre-utopie d'avenir, aussi verdoyante qu'irréalisable. Je forme le vœu, pour le XXIe siècle, d'un Aveyron global en sa figure de 1925, à l'échelle de l'humanité tout entière. »* J'avoue que c'est la première fois que je trouve sous votre plume une envolée lyri-que de ce genre.

E. L. R. L. – Écoutez, l'Aveyron en 1925, c'est un pays qui a réussi à sortir de son sous-développement, qui sans être très riche n'est plus dans la misère des famines; les habitants y vivent pauvre-ment mais dignement. Eh bien, je voulais seulement dire dans cette conclusion que, si seulement les pays sous-développés, avec leur immense misère, pouvaient atteindre le niveau des provinces françai-ses du XXe siècle, ce ne serait pas le rêve mais ce serait vivable. D'autant plus qu'on se rend très bien compte mainte-nant qu'il est impossible de donner à tout le monde le niveau de vie américain. J'ajoute qu'on m'accusera d'être pétai-niste, mais il est évident que certaines valeurs, jugées de droite il y a trente ans – le culte de la nature ou le retour à la région –, ont migré à gauche. (Ce que je viens de dire ne peut être compris qu'à mots couverts... Mais je suis couvert.)

P. B. – *Il n'est donc pas exagéré de prétendre qu'il existe une sorte de modèle*

paysan qui, selon vos propres termes, *« n'était pas nécessairement moins sédui-sant, moins rationnel ou plus absurde que celui, solaire et cartésien, qui finalement prévalut [4] ».* Qu'est-ce que les sociétés paysannes, ou la civilisation rurale, peu-vent apprendre à nos sociétés d'au-jourd'hui ?

E. L. R. L. – Prenons un cas. Par exemple, la civilisation suisse – qui n'a certes pas que des mérites comme l'a suggéré Jean Ziegler. Nous nous vantons d'avoir tout inventé avec la Révolution de 1789; or, au XIIIe siècle, les Suisses avaient inventé la démocratie communale et la communauté paysanne avait déjà abouti à des résultats. Mais qu'on me comprenne bien : ce que je défends, ce n'est pas l'ancienne communauté pay-sanne mais, disons pour simplifier, la France de la IIIe République. Je crois que le modèle américain, avec une indus-trialisation effrénée et un énorme secteur tertiaire, n'est pas une fin en soi et que la France de 1880 ou de 1925 ou même de 1950 avait atteint certains équilibres auxquels on devrait se référer. Je ne renie pas du tout les progrès du niveau de vie accomplis depuis trente ans. Mais si dans le modèle américain on a bien fait de prendre certaines choses, l'ordinateur peut-être, en revanche, je ne vois pas du tout en quoi la violence américaine telle qu'elle s'exprime dans les films est un modèle de progrès. Cette violence, nous pouvions très bien nous en passer et justement la société traditionnelle fran-çaise s'en passait.

P. B. – *Mais je crois que vous travaillez en ce moment sur le carnaval de Romans (1580-1588). Ce carnaval n'était-il pas lui aussi une forme de violence ?*

E. L. R. L. – Il y a eu à Romans des violences, mais elles n'ont rien à voir avec les violences actuelles. En réalité, c'était un psychodrame urbain très révélateur avec l'unité déchirée d'une petite ville où des gens jouaient une forme de théâtre ou de fête.

P. B. – *Ces fêtes étaient des manifesta-*

---

4. *Histoire économique et sociale de la France* (PUF), premier tome, second volume, p. 859.

tions très importantes dans les civilisations rurales.

E. L. R. L. – Oui, ces fêtes étaient précisément une manière d'exprimer un accord profond entre la société et la nature. Par la fête, on arrivait à se représenter à la fois la marche du temps, la marche des saisons, la marche de l'agriculture et la société dans son ensemble. La fête était parfois révolutionnaire, mais c'était surtout une façon pour les gens de se comprendre et de se décrire dans leur interaction avec la nature ou le temps. Et c'est un peu ce que nous avons perdu, ce contact avec la nature qui se révélait dans le cycle des fêtes. Moi, j'ai eu une enfance catholique et je sentais en moi la montée du temps, la sève allant de l'hiver vers le printemps, avec le rythme des fêtes : Noël, Mardi-Gras, le Carême et Pâques. Je ne demande pas qu'on revienne aux croyances religieuses mais, d'un autre côté, il faut savoir ce qui a été perdu avec les fêtes. (Un de mes amis, Gaignebet, a remarqué que, dans une étude récente sur le temps, les fonctionnaires français ont oublié de signaler les fêtes!) Dans un même ordre d'idées, on joue un peu trop avec le temps : la fête de Pâques était liée au cycle lunaire et décider des vacances scolaires de Pâques sans en tenir compte, c'est risqué : je sais aussi qu'il faut économiser le pétrole, mais décaler l'heure – avec l'horaire d'été – sans tenir compte de l'horloge biologique, c'est un signe du mépris que l'on a pour le temps. Alors que les cultures anciennes savaient s'organiser en fonction du temps. Une remarque toutefois : dans le Midi, j'ai l'impression que certaines cultures urbaines ont bien retrouvé le sens de la fête, par exemple avec le rugby.

P. B. – *Vous auriez à étudier l'histoire de la France depuis vingt ans, qu'est-ce que vous feriez en priorité ?*

E. L. R. L. – J'étudierais par exemple un fait très intéressant : le recul (sans doute excessif) de la fécondité depuis 1964, dans l'Europe de l'Ouest en liaison avec l'influence des mass media. Là, on joint les deux bouts de la chaîne : histoire démographique et histoire des mentalités.

ALAIN DECAUX

« Je suis un défenseur de l'anecdote,
et, je tiens à l'affirmer sans hésitation
ni complexe, ce que je fais est tout aussi utile
que la " nouvelle histoire ". »

Mars 1979

Homme orchestre de l'histoire, Alain Decaux est aussi à l'aise plume en main
que devant une caméra ou un micro. Créateur, en 1951, avec son complice
André Castelot, de l'émission radiophonique *La tribune de l'histoire*, il est
lui-même devenu cette tribune *(Alain Decaux raconte*, sur *Antenne 2*,
conférences devant des publics nombreux) tout en continuant de courtiser
assidûment Clio par le livre (ses trois derniers titres : *Blanqui l'insurgé, Les
face à face de l'histoire, Alain Decaux raconte)*.
Fondateur de la revue *L'histoire pour tous*, ancien directeur d'*Historia*, Alain
Decaux a rencontré la notoriété et la ferveur des foules avec *La caméra
explore le temps*. Depuis, les gouvernements passent, les hommes d'État
changent, les révolutions succèdent aux contre-révolutions, la crise secoue le
monde, mais Alain Decaux demeure. Il est le permanent de l'Histoire. Précis,
disert, chaleureux, passionné, c'est un conteur tout terrain, capable de parler
aussi bien des Rosenberg que de Mayerling, de Staline que d'Offenbach. Cet
éclectisme qui a fait son succès n'est pas du goût de tout le monde, notamment
des tenants de la « nouvelle histoire », spécialisée dans l'étude des sociétés à
des époques bien déterminées.
En juillet 1977, nous avions donné la parole à Emmanuel Le Roy Ladurie,
l'un des chefs de file de la « nouvelle histoire ». Aujourd'hui, nous avons
rencontré le champion incontesté de l'histoire... classique ? traditionnelle ?
populaire ? En tout cas, bien vivante – et immortalisée, puisque Alain Decaux
vient d'être élu à l'Académie française.

Bernard Pivot. – *Sur votre passeport, à la rubrique profession, qu'y a-t-il de marqué?*

Alain Decaux. – « Écrivain ». Et depuis toujours.

B. P. – *Vous avez considéré, dès votre premier livre, qu'un historien est avant tout un écrivain?*

A. D. – Oui.

B. P. – *Croyez-vous que les romanciers, les poètes, admettent si facilement que les historiens soient des écrivains?*

A. D. – Je ne sais pas, mais ils devraient l'admettre. De même, les historiens devraient admettre qu'ils sont des écrivains. Parce que la question que vous posez s'applique aussi aux historiens dont un grand nombre, je dirai même la majorité, seraient offusqués si on disait qu'ils sont des écrivains. Il est certain que, depuis quelques années, l'histoire, qui a été pendant très longtemps, pendant des siècles, une branche de la littérature, s'en est éloignée. Elle s'en est éloignée pour tenter de se présenter comme une science. La preuve en est que les facultés où l'on apprend l'histoire s'appellent maintenant « Sciences humaines ». Et ce divorce entre la littérature et l'histoire est préjudiciable à l'histoire. Je pense pour ma part que l'historien ne devrait pas se contenter de faire un travail auquel il tente de donner des bases scientifiques – et ce faisant il a raison, il a raison! – je dis « il tente » parce qu'à mon avis il ne pourra jamais donner à son travail des bases totalement scientifiques. Mais il ne devrait jamais oublier qu'à partir des matériaux scientifiques qu'il aura réunis, il doit aussi faire une œuvre littéraire. Je vais vous citer un exemple qui, à mon sens, montre l'orientation néfaste vers laquelle on est allé. Une amie écrivain, qui n'a pas publié de livres mais beaucoup d'articles dans de nombreux journaux et revues pendant vingt ans, a eu envie de faire un doctorat. Elle l'a fait, et on lui a dit : « Style trop littéraire. » Voilà qui est très grave. Très grave! Je lis beaucoup de thèses parce que, m'adressant au grand public, je tiens à lui donner les informations les plus sûres qui se trouvent juste-ment dans ces thèses sur lesquelles les chercheurs ont travaillé pendant dix ou quinze ans. Mais je constate qu'il n'y a jamais de préoccupations littéraires chez les gens qui écrivent des thèses, et c'est bien dommage. Pourtant je pense souvent à la thèse de Georges Duveau : *La vie ouvrière en France sous le Second Empire* (Gallimard, 1946). Sujet très délimité : il s'agit d'étudier une couche de population, à une époque déterminée. Naturellement Duveau a plongé au sein des archives les plus exhaustives, il en a rapporté des informations fabuleuses quant à leur nombre. Or *La vie ouvrière en France sous le Second Empire,* par Georges Duveau, se lit comme du Zola! Mon souhait est que lorsqu'on fait une œuvre d'histoire, on songe aussi à faire une œuvre littéraire.

B. P. – *Si je vous entends bien, il y a, d'un côté, les historiens qui se réfèrent plutôt à la science et, de l'autre côté, les historiens qui se réfèrent plutôt à la littérature?*

A. D. – Non, parce que ceux qui pensent comme moi qu'il faut faire œuvre littéraire sont également convaincus qu'il faut faire œuvre scientifique. Ce qui nous sépare, c'est que nous pensons, nous, qu'il faut donner à cette œuvre scientifique une forme.

B. P. – *Je pose ma question autrement : pourquoi croyez-vous que les autres refusent la littérature?*

A. D. – Parce qu'ils craignent qu'une forme littéraire donnée à une œuvre d'histoire lui ôte sa crédibilité scientifique.

B. P. – *Il y aurait donc deux sortes d'historiens – je simplifie : ceux qui écriraient pour leurs confrères, pour l'université, pour les professeurs – en gros les tenants de la « nouvelle histoire » – et ceux qui écriraient pour le public?*

A. D. – Oui, et je pense que cette séparation n'est pas bénéfique pour l'histoire. Les historiens universitaires se sont volontairement enfermés dans une sorte de ghetto. Il y a, dans leur démarche, un certain aristocratisme de la pensée qui est contestable. Ce n'est pas le cas des Anglo-Saxons : chez eux, les livres d'histoire qui sont des best-sellers, et que la dactylo lit avec passion, sont des livres écrits par des universitaires, en Amérique notamment. Rien de semblable en France, et c'est dommage. C'est dommage parce que, finalement, moi, fréquentant intellectuellement les universitaires, puisque je les lis beaucoup, je sais parfaitement que ce sont des gens remarquables, pas tous, pas tous, mais enfin un grand nombre sont remarquables, et justement ces gens remarquables sont plus aptes que personne à satisfaire cette soif immense d'histoire qui existe dans le public français. Et je suis ravi, personnellement, quand M. Le Roy Ladurie se décide à écrire *Montaillou*.

B. P. – *Comment expliquez-vous le succès de* Montaillou ?

A. D. – Parce que *Montaillou* est un livre accessible. *Montaillou* n'est pas un livre que ne peuvent lire que les gens qui ont fait une licence d'histoire. Or, la plupart des ouvrages de grands universitaires ne sont accessibles qu'à des gens qui ont déjà une formation intellectuelle très avancée. Le grand public, qui a quitté l'école à seize ans, ce grand public ne peut pas lire de tels ouvrages, c'est trop difficile. Alors, bravo quand M. Le Roy Ladurie écrit *Montaillou* ! Parce que tout le monde peut lire *Montaillou*. Je voudrais bien que cette démarche soit imitée, et le jour où les historiens universitaires seront nombreux à publier des *Montaillou*, il n'y aura plus le divorce dont vous parliez : tous les historiens seront rassemblés dans un seul camp.

B. P. – *Dans son* Napoléon, *Jean Tulard cite un ouvrage de votre ami Castelot et le qualifie d' « anecdotique », ce qui paraît être un reproche.*

A. D. – Je suis un défenseur de l'anecdote. Par rapport à un personnage ou à un événement, l'anecdote est un trait saillant qui illustre le comportement de ce personnage ou le déroulement de cet événement. Il ne faut pas que l'anecdote soit inventée; il faut qu'elle soit vraie. Et si l'anecdote est vraie, elle frappe, elle symbolise, elle retient l'attention. Je pense profondément que, quand on fuit l'anecdote dans l'enseignement de l'his-

toire, aujourd'hui, on empêche les enfants de posséder ces jalons auxquels naguère ils s'accrochaient et qui leur étaient bénéfiques. Des professeurs m'ont confirmé récemment que mes craintes étaient fondées.

B. P. – *Les professeurs vous ont dit quoi ?*

A. D. – Ils m'ont dit que lorsqu'ils font un contrôle des connaissances et qu'à propos de tel événement historique ils ont raconté une seule anecdote, on la trouve dans toutes les copies. Parce que c'est d'elle que les élèves se souviennent. C'est pourquoi je dis : il ne faut pas privilégier l'anecdote, mais il ne faut pas non plus l'éliminer. L'histoire, on a voulu en faire un sujet de réflexion pour les enfants, bravo ! Il est vrai qu'avant on ne réfléchissait pas, on se contentait d'une liste de dates qu'on marquait au tableau. Ce n'était pas satisfaisant. Mais quand quelque chose n'est pas bien, on fait tout le contraire. Alors, aujourd'hui, plus de dates, plus d'anecdotes ! On réfléchit ! Mais on réfléchit sur quoi ? Sur des bases inexistantes. Alors réfléchir sur ce qui n'a aucune consistance, c'est très embêtant !

B. P. – *Alain Decaux, vous venez de prononcer l'éloge de l'anecdote dans l'enseignement. Mais l'anecdote dans les livres que vous écrivez ?*

A. D. – C'est la même chose !

B. P. – *J'ai quand même l'impression que sous la plume de Jean Tulard, « anecdotique » n'est pas un éloge.*

A. D. – C'est son opinion, et j'ai la mienne.

B. P. – *C'est en gros l'opinion de l'Université ?*

A. D. – C'est l'opinion d'une certaine Université. Avez-vous lu l'article que le professeur Raoul Girardet a publié, il y a un an et demi, dans *Le Figaro* ? Girardet dit à peu près : « Oui, il existe une certaine histoire, qui est l'histoire qu'on enseigne et que les enfants absorbent ou non, sans plaisir. Et puis un soir ils ouvrent la télévision et que voient-ils ? Ils voient *L'affaire du collier de la Reine*. On ne leur a jamais parlé de l'affaire du collier de la Reine : c'est anecdotique. Ils suivent cela comme un roman policier et ils se disent : " C'est diablement intéressant, l'histoire ! " » Ce que dit Girardet s'applique aux enfants, mais s'applique aussi aux honnêtes gens. Il y a à la télévision des émissions de réflexion historique et j'y applaudis tout à fait. Quant M. Duby ou M. Le Roy Ladurie parlent des mentalités au Moyen Age, je les écoute avec passion parce que ce qu'ils disent est très intéressant. Moi, c'est autre chose que je veux faire. L'autre semaine, j'ai raconté l'affaire Rajk. Un homme, ministre des Affaires étrangères de Hongrie, l'un des plus importants dignitaires communistes du pays, est arrêté subitement parce que Staline l'a décidé. Je raconte ce qui lui arrive. Je dis par le détail son arrestation, ses interrogatoires, ses aveux. Pourquoi avoue-t-il ? Ne croyez-vous pas qu'en racontant cette histoire, je fais réfléchir les gens ? Que de gens, qui, depuis ce samedi, m'arrêtent dans la rue étonnés, bouleversés ! Résumons-nous : je pense que la réflexion, l'analyse des mentalités, la « nouvelle histoire », c'est important. Je suis un lecteur de cette nouvelle histoire. Mais je dis, et j'en suis sûr, et je tiens à l'affirmer sans hésitation ni complexe, que ce que je fais est tout aussi utile, ni moins ni plus, mais aussi utile.

B. P. – *N'empêche que, depuis le succès, notamment, de* La caméra explore le temps, *vous êtes très jalousé par les historiens de l'Université ?*

A. D. – On me le dit, vous me le dites, mais personne de l'Université ne me l'a jamais dit en face. Les universitaires qui me parlent ne me font que des éloges. M. Soboul n'est pas rien : c'est le professeur d'histoire de la Révolution à la Sorbonne, c'est l'homme qui a enseigné l'histoire de la Révolution à des générations. Eh bien ! M. Soboul a bien voulu me dire, à propos de *La Terreur et la vertu,* que j'avais fait avec Lorenzi, qu'on ne pouvait pas rêver mieux. M. Ernest Labrousse, qui est le père de la « nouvelle histoire » – les historiens de la « nouvelle histoire » le tiennent justement pour leur maître – M. Labrousse m'a dit : « Vous avez donné à la vulgarisation ses lettres

de noblesse. » Alors il paraît que les universitaires me critiquent, mais ceux qui me parlent me couvrent d'éloges.

B. P. – *Quand, à la télévision, vous racontez l'affaire Rajk ou l'affaire du collier de la Reine, êtes-vous toujours sûr de ce que vous avancez ? Est-ce que le doute, tout d'un coup, ne vient pas vous titiller l'esprit ?*

A. D. – Sûrement ! L'objectivité de l'historien, à mon sens, n'existe pas. Elle ne peut pas exister. Ce qu'on peut exiger, c'est l'honnêteté de l'historien. Un historien qui, sciemment, fait glisser les informations dont il dispose vers une explication qui le satisfait au point de vue de ses propres conceptions idéologiques, cet historien est malhonnête. Mais l'historien qui le fait inconsciemment – et tout le monde le fait, parce que le même sujet traité par un historien marxiste ou non marxiste, croyant ou non croyant, produira des différences – cet historien-là ne sera pas malhonnête. C'est la différence entre l'action consciente et l'action inconsciente. L'action consciente, je la condamne totalement. L'action inconsciente, on n'y peut rien. Mais il faut lutter de toutes ses forces contre elle pour avoir le maximum d'honnêteté.

B. P. – *Le Point a raconté récemment une conférence que vous avez donnée à Rennes sur les derniers jours d'Hitler dans son bunker. Vous avez dit à un moment : « Le tapis d'Orient, dans le couloir, est trop grand, on a dû en relever les bords. » Comment savez-vous qu'il y avait un tapis d'Orient dans le bunker, et comment savez-vous que les bords en étaient relevés ?*

A. D. – Mais parce qu'il y avait beaucoup de gens dans le bunker et que nous disposons d'un grand nombre de témoignages.

B. P. – *Ce détail m'a paru trop beau, digne d'un bon romancier. Je me suis dit : Decaux invente !*

A. D. – Tout est vrai. On sait avec certitude qu'il y avait dans le bunker un tapis d'Orient aux bords relevés, et aussi des tableaux de maîtres, Hitler étant un amateur d'art.

B. P. – *Peut-on écrire un livre sur un*

personnage pour lequel on n'a aucune sympathie?

A. D. – Oui, sûrement.

B. P. – *Vous l'avez fait?*

A. D. – Oui, j'ai écrit un livre sur le général Malet. Le général Malet est un personnage horriblement antipathique, pas seulement parce que c'était un paranoïaque. Écrire ce livre ne m'a pas fait plaisir, parce qu'il n'est pas agréable de passer deux ans avec un personnage qu'on n'aime pas. Maintenant, je choisis des personnages qui me sont sympathiques. J'écris actuellement avec Stello Lorenzi une série de six heures sur Victor Hugo. Ah! si vous saviez dans quel climat de joie et de bonheur je vis! Il y a peut-être quinze ans que je n'ai pas été aussi heureux. Je vis avec le père Hugo dans la joie la plus absolue. Il vaut donc mieux vivre dans ce climat-là qu'avec quelqu'un qu'on n'aime pas!

B. P. – *Votre Blanqui, vous l'avez écrit par sympathie pour le personnage?*

A. D. – Bien sûr.

B. P. – *De la sympathie aussi pour Letizia Bonaparte?*

A.D. – Oui. C'était un de mes tout premiers livres. Il y a trente ans!

B. P. – *Quelle sympathie aviez-vous pour cette femme?*

A. D. – Eh bien, à travers elle, c'était l'attirance pour un destin extraordinaire. A côté de la sympathie pour une femme admirable, il y avait aussi que le jeune historien était épaté. Voilà un autre ressort de la création : quand l'historien est épaté par son personnage ou par l'histoire qu'il raconte. On est sidéré, on essaye d'expliquer, on essaye de comprendre...

B. P. – *Mais peut-on faire de la bonne histoire avec de bons sentiments?*

A. D. – Oui, à condition de ne pas être aveuglé par la sympathie. Vous parliez de Blanqui. C'est vrai que j'ai été retenu par lui. Voilà un homme qui a fait trente-trois ans de prison pour ses idées! Aussitôt libéré, il recommençait à se mettre en contradiction totale avec le régime au pouvoir. Alors on le refichait en prison. Il était assez motivé par ses idées pour envisager très délibérément,

très sereinement, de retourner en prison tout le temps. Étonné, admiratif, je suis parti de là. Je crois malgré tout n'avoir pas été aveuglé par le personnage, parce que, s'il est très attachant, il a aussi des côtés très antipathiques, irritants, que je n'ai pas cachés. Il ne faut pas tomber dans l'hagiographie et je crois n'y être jamais tombé. Vous connaissez la comtesse de Castiglione? Là aussi, je suis assez épaté par cette femme, par le rôle politique qu'elle joue : envoyée en mission auprès de Napoléon III pour contribuer à l'unité italienne. Et puis les passions que cette femme déchaîne! Pourtant elle m'a souvent irrité et je crois l'avoir laissé sentir dans le livre que je lui ai consacré. Ce qui m'irritait chez elle c'était surtout l'humilité totale des hommes qui lui faisaient la cour. Je le sais par la lecture des huit mille lettres qu'on lui avait adressées et des doubles des lettres qu'elle leur avait envoyées, trésor épistolaire auquel j'ai été le premier historien à avoir accès. Elle déclenchait de telles passions, la Castiglione, que tous ces hommes, qui sont parmi les plus illustres du XIXe siècle, lui ont écrit des lettres pour le moins gênantes. On peut aimer une femme jusqu'à la passion, j'y applaudis, mais ramper littéralement dans la poussière, lécher moralement le sol devant elle, cela me gênait. Et je l'ai dit.

B. P. – *Quand vous écrivez la vie d'un personnage historique, que ce soit Letizia Bonaparte, Blanqui ou la Castiglione, n'est-ce pas une façon pour l'historien de vivre une autre vie?*

A. D. – C'est vrai. J'en reviens à Hugo. Il est exact que, depuis deux mois, je vis entièrement la vie de Hugo.

B. P. – *Vous êtes le père Hugo?*

A. D. – Je ne le suis pas, hélas! Je voudrais bien. Mais j'ai une seconde vie qui est la vie de Hugo. Stello Lorenzi et moi, nous sommes Hugo et nous passons des heures à nous dire : mais pourquoi fait-il ça?

B. P. – *Et votre grand dessein, je suppose, à Lorenzi et à vous-même, c'est que tous les téléspectateurs se prennent pour Hugo, vivent d'une certaine manière à la place de Hugo?*

A. D. – Sûrement.

B. P. – *Vous est-il arrivé dans votre carrière d'historien de vous apercevoir que telle chose que vous teniez pour certaine il y a vingt ou trente ans est maintenant considérée comme fausse, ou douteuse?*

A. D. – Oui, bien sûr. Car l'hsitoire s'enrichit sans cesse de nouvelles informations. Et puis n'oublions pas l'évolution personnelle de l'historien. Fatalement, on n'est pas le même trente ans après. Par son exemple, mon point de vue sur Napoléon s'est beaucoup modifié. Il y a trente ans, j'étais très napoléonien. Je le suis beaucoup moins maintenant.

B. P. – *Pourquoi?*

A. D. – Ce qui me plaisait il y a trente ans en Napoléon est peut-être ce qui me plaît le moins aujourd'hui.

B. P. – *Parce que vous vous preniez un petit peu pour Bonaparte à ce moment-là?*

A. D. – Oh oui, sûrement, à vingt ans, on se prend toujours pour quelqu'un. La carrière extraordinaire de Napoléon m'émerveillait et me rendait un peu aveugle sur les arrière-plans : l'ambition, la tyrannie, la suppression des libertés. Je les sentais mal à cette époque-là, je les ressens très fort aujourd'hui.

B. P. – *Imaginez que je suis Méphistophélès. Je vous apparais et je vous dis : « Monsieur Decaux, vous m'êtes sympathique, je vais vous révéler, document à l'appui, la vérité sur l'énigme historique de votre choix. » Laquelle choisissez-vous?*

A. D. – J'aimerais connaître la vérité sur le saint suaire de Turin. Est-ce que c'est vraiment le linceul du Christ? Oui, j'aimerais bien le savoir...

B. P. – *Évidemment, en échange de mes révélations, vous me donnez votre âme?*

A. D. – Non, je ne donnerais pas mon âme pour une énigme, même pas pour le saint suaire de Turin. Je suis prêt à payer très cher la vérité historique, pas au prix de mon âme.

B. P. – *J'ajoute le Masque de fer...*

A. D. – Je m'en fiche complètement! Non, n'insistez pas...

B. P. – *Est-ce qu'en privé vous racontez des histoires?*

A. D. – Pas tellement. Je ne suis pas très bavard. Je suis même plutôt taciturne. Je peux passer une soirée avec des amis à les écouter et à parler très peu.

B. P. – *Avant de vous consacrer à l'histoire, aviez-vous fait quelques tentatives du côté du roman?*

A. D. – J'ai écrit un seul roman. Il devait avoir douze pages. J'avais neuf ans. Il s'intitulait *Le secret du grand roi.* Vous voyez, c'était déjà...

B. P. – *... Et la poésie?*

A. D. – Oh! non. En revanche, j'ai été très attiré par le théâtre. J'ai même cru pendant toute ma jeunesse que je serais un auteur dramatique. J'ai écrit beaucoup de pièces. J'en ai encore quelques-unes dans mes archives. Injouables, elles sont tout à fait charmantes parce que naïves. Mais enfin, cette passion-là a tourné court.

B. P. – *Encore que vos émissions à la télévision et vos conférences en province soient une forme de théâtre. Quel a été votre premier livre d'histoire?*

A. D. – *Louis XVII retrouvé.* J'avais vingt-deux ans, j'étais vraiment trop jeune. C'est un livre que je renie entièrement aujourd'hui. Il n'a jamais été réédité.

B. P. – *Il ne figure pas dans vos œuvres complètes?*

A. D. – Si, il y est indiqué quand même, mais avec la mention « épuisé ». Le premier livre d'un trop jeune historien, c'est fatalement une passion d'adolescence. Je m'étais beaucoup excité sur Louis XVII quand j'avais dix-huit ans. Je lisais tout ce qui paraissait sur Louis XVII. Au fond, j'étais très exactement, à l'époque, dans la perspective d'une – comment dire? – d'une option des Français, à savoir qu'ils aiment se passionner pour des choses qui n'ont aucune importance. Un soir, à un « Dossier de l'écran » sur Anastasia, nous étions plusieurs historiens, dont un Américain qui venait de publier un livre sur les derniers jours des Romanoff. Il y eut pendant deux heures et demie de débat une empoignade terrible. C'est tout juste si les participants ne se levaient pas pour aller s'égorger. Seul l'Américain disait très peu de chose. Après, je l'entends encore nous dire : « Vous avez été passionnés pendant deux heures et demie, vous vous êtes injuriés, ça a été terrible, vous deveniez tout rouges, et quand on y réfléchit, ça n'a aucune importance. » Et je lui ai répondu : « Monsieur, vous êtes dans le vrai. Anastasia, vraiment, ça n'a *aucune* importance. Mais les Français adorent se passionner pour les choses qui n'ont aucune importance. » J'étais donc dans le droit fil de la conscience française quand j'ai publié à vingt-deux ans un livre sur Louis XVII, sujet dont je considère aujourd'hui qu'il n'a aucune importance, alors qu'à l'époque, je le tenais pour essentiel.

B. P. – *Est-ce que les Français se passionnent plus pour l'histoire que les Américains, les Allemands, les Anglais ?*

A. D. – Oui, sûrement. Les statistiques de ventes de livres le prouvent. Prenez les revues d'histoire : en France, on en vend 600 000 exemplaires par mois. En Angleterre, pays dont on ne peut pas dire que l'histoire ne soit pas aussi riche que celle de la France, il n'existe qu'une revue d'histoire, et elle tire à 30 000 exemplaires.

B. P. – *Est-ce à dire que les Anglais ne s'intéressent pas beaucoup à l'histoire parce qu'ils s'intéressent surtout à leur présent ou à leur avenir, alors que les Français, négligeant ce qui se passe autour d'eux, se réfugient dans l'histoire ?*

A. D. – C'est le grand problème. Je me suis déjà posé la question sans, je vous l'avoue, pouvoir y répondre.

B. P. – *Je vais prendre ma grosse voix et je vais vous dire : « M. Alain Decaux, je vous accuse, vous historien, par vos livres, par vos conférences, par vos émissions à la télévision et à la radio, je vous accuse de détourner les Français de la lutte des classes. »*

A. D. – Voyons, vais-je plaider coupable ou non coupable ? Je n'approuve pas personnellement la lutte des classes. Léon Blum, qui est un homme que j'admire profondément, voulait à la fin de sa vie qu'on remplace dans la terminologie du parti socialiste l'expression « lutte des classes » par « action de classes ». En l'occurrence, je suis d'accord avec Léon Blum. Donc, si je détourne les Français de la « lutte des classes », bravo!

B. P. – *Mais peut-être les détournez-vous aussi de l'« action de classes » ?*

A. D. – Soyons sérieux : je ne pense pas qu'évoquer des problèmes du passé puisse avoir une action néfaste sur un combat social.

B. P. – *Ce qui paraît certain, c'est que l'histoire aura apporté le bonheur ?*

A. D. – Personnellement, oui. J'ai eu la chance de naître curieux, je suis curieux de tout, même de choses dont je ne me sers pas pour mon métier. J'ai envie de tout savoir, et c'est pour cela que je m'intéresse à des époques et à des personnages tellement différents, et que je ne veux pas être un spécialiste. Peut-être mes détracteurs me diront-ils que je ne vais pas au fond des choses, parce que m'intéressant à beaucoup de choses. Je répondrai que tout de même j'essaye, si, d'aller au fond des choses. Ayant choisi l'histoire pour le plus grand nombre, je suis à même de satisfaire constamment ma curiosité. Je change de sujet à chaque instant, et les moments, les semaines ou les années que je passe sur tel événements ou avec tel personnage font que je retrouve ma fraîcheur d'esprit à chaque fois. D'où le bonheur. Et ce bonheur, cette curiosité, j'espère qu'ils m'accompagneront jusqu'au bout.

B. P. – *A propos, quel est le personnage historique que vous estimez le plus ?*

A. D. – Le Christ.

B. P. – *Mais vous n'avez rien écrit sur lui ?*

A. D. – Par pudeur.

HENRI AMOUROUX

*« Si on réunissait tous les Français
qui ont fait sauter des trains allemands
pendant la dernière guerre,
on ne remplirait pas la place des Vosges... »*

Décembre 1979

Depuis plus de vingt ans, Henri Amouroux, en écrivant sa *Grande histoire
des Français sous l'Occupation*, s'attache à réviser bien des idées reçues. Non,
la France de l'époque n'était pas divisée en résistants et en collabos. Les
parents et grands-parents des Français d'aujourd'hui étaient, pour la plupart,
des hommes comme les autres qui devaient, malgré la présence des
Allemands, gagner leur vie, élever leurs enfants, s'occuper du ravitaillement,
ce qui n'était pas une mince affaire. Et dont l'existence était entrecoupée de
petites lâchetés, plus rarement d'héroïsme. Henri Amouroux ne s'est pas
contenté de compulser des dizaines de kilos de dossiers, il a passé au crible des
milliers de témoignages inédits provenant de résistants, de déportés du travail,
de mères de famille... D'où la richesse et la prodigieuse diversité de son
Histoire. Reporter, puis éditorialiste et directeur de journal, il a rédigé en
journaliste cette chronique où apparaissent non seulement les personnages
historiques (de Gaulle, Pétain) et les officiels de Vichy et de Londres, mais
aussi les travaux et les jours d'un peuple « occupé ». L'auteur évoque ici
l'ensemble de son travail et surtout, après *Le peuple du désastre*, *Quarante
millions de pétainistes* et *Les beaux jours des collabos,* le quatrième volume, *Le
peuple réveillé* (paru ces jours-ci chez Robert Laffont) où il traite des débuts
de la Résistance en historien impartial et documenté.

Jacques Jaubert. – *Après la fin de la
guerre, on a longuement parlé de la
Résistance, de la déportation mais, dans
l'ensemble, la vie des Français sous l'Occupation a été occultée. Pourquoi ?*
Henri Amouroux. – Occultée... oui et

non. L'*Histoire de Vichy*, de Robert
Aron, publiée dès 1953, est un livre
d'une grande honnêteté et d'une grande
rigueur, qui apporte sur cette période un
regard nouveau. Mais nous avions été
battus en quarante, nous ne voulions pas

le reconnaître, nous ne voulions pas nous l'avouer. Le général de Gaulle avait tendu un paravent derrière lequel se cachaient beaucoup de vérités. La Résistance, c'était plus glorieux que l'Occupation; alors on a fait croire aux Français qu'ils avaient tous été résistants, ce qui naturellement est une vaste blague. Il faut un certain temps pour se débarrasser des mensonges, pour rétablir les choses dans leur vérité. La grande malhonnêteté, ou la grande bêtise, puisque ce n'était pas toujours volontaire, a été de considérer, après coup, cette période comme monolithique. Or la situation en 1942, par exemple, n'est plus ce qu'elle était en 1940, ni en 1941.

J. J. – *Vous citez à ce propos une phrase de Voltaire : « On dit d'un homme : il était brave tel jour. Il faut dire d'une nation : elle était telle sous tel gouvernement, telle année. »*

H. A. – Eh oui! ce qui est vrai pour les hommes est vrai pour les peuples. Les Français de 1940 à 1944 sont conditionnés par les événements militaires. Si l'on regarde en arrière, en 40-41 il ne paraît pas du tout fatal que l'Angleterre gagne. S'il y a une probabilité, elle se trouve plutôt du côté allemand que du côté anglais [1]. C'est pour cela que le quatrième tome de mon *Histoire*, intitulé *Le peuple réveillé*, est autant un livre sur la solitude qu'un livre sur la Résistance. Parce que la Résistance, dans ses débuts, c'est la solitude. Les gens qui sont là, aussi bien dans les réseaux que dans les mouvements, sont très peu nombreux. Et tout ce qui se fait tient du bricolage.

J. J. – *Ils sont même étrangers à de Gaulle...*

H. A. – ... Comme de Gaulle leur est étranger. Le phénomène gaulliste prend corps, pour la Résistance, dans l'été 42, quand le Général devient véritablement le chef des mouvements. Jusque-là, son nom n'est presque pas cité dans les journaux de la Résistance. N'oublions pas que de Gaulle est parfaitement inconnu des Français, quand il gagne Londres. S'il n'y a pas la radio, qui retransmet ses appels, pas de De Gaulle. Mais il y a la radio. J'ai consacré un chapitre à ce phénomène très important.

J. J. – *Vous révélez à ce propos que l'appel du 18 juin 40 a paru dans plusieurs journaux de la moitié sud de la France...*

H. A. – Bien sûr. Des journaux de Lyon, de Nice, de Montpellier l'ont donné en résumé. *Le Petit Marseillais*, lui, l'a reproduit in extenso en première page sur deux colonnes. Et le journal n'avait qu'une seule feuille recto-verso. C'était le 19 juin; les gens se précipitaient sur les nouvelles. Eh bien, je n'ai jamais rencontré quelqu'un qui m'ait dit : « J'ai *lu* l'appel du général de Gaulle. » Il est admis, par un phénomène de cécité collective assez amusant, qu'on l'a *entendu*. Pas lu. C'est pourquoi je suis assez sceptique sur cette « audition ».

J. J. – *D'où venait le communiqué parvenu aux quotidiens français ?*

H. A. – Du bureau de Londres de l'agence Havas, où travaillaient des hommes comme Jean Marin, Pierre Bourdan. Et ce qu'il y a de curieux, c'est que le texte publié par le journal de Marseille n'est pas tout à fait le même que celui donné par le Général dans ses *Mémoires*. Il y a de petites différences.

J. J. – *A l'époque, la France est littéralement fragmentée par les Allemands : zone occupée, zone non occupée, zone interdite, territoires que les occupants considéraient comme annexés. Or, vous arrivez à reconstituer la vie des Français avec des détails surprenants. D'où les tenez-vous ?*

H. A. – D'abord cela fait plus de vingt ans que je travaille sur cette période de notre histoire. Je le fais avec passion, aidé par ma femme et ma fille Agnès. J'essaie d'écrire l'Histoire en journaliste. Le journalisme nous apprend à ne pas être ennuyeux. On peut très bien racon-

---

1. En mai 1941, les Allemands s'emparent de la Crète. Ils viennent d'occuper la Yougoslavie, la Grèce et les Balkans. L'Afrikakorps de Rommel, venant de Libye, a franchi la frontière égyptienne. Les sous-marins allemands, par les pertes qu'ils infligent aux navires marchands et aux navires de guerre britanniques, contestent à l'Angleterre la maîtrise des mers.

ter des choses sérieuses de façon vivante, intéressante.

J. J. – *Vous avez accès à beaucoup d'archives ?*

H. A. – Beaucoup. Celles du ministère de la Guerre notamment, et les archives départementales, et la bibliothèque de documentation internationale contemporaine de Nanterre, surtout pour les journaux, et le centre de documentation juive. Mais je ne veux pas que mes livres donnent cette impression d'un pare-brise éclaté après un accident d'auto, où vous avez des milliers de morceaux de verre et ne retrouvez rien. J'examine chaque situation, je la résume, l'explique, la commente, et puis je cite un cas particulier.

J. J. – *Par exemple ?*

H. A. – Par exemple l'histoire du cochon. Le 21 août 1942, le maire d'"une petite commune de l'Allier écrit au préfet. Un de ses administrés, plus ou moins braconnier, a été arrêté et fusillé par les Allemands parce qu'il possédait des armes à feu (probablement des armes de chasse). Sa concubine, qui était sans doute sa dénonciatrice, a disparu. Leurs quatre enfants ont été confiés à l'Assistance publique. Mais il reste un porc d'environ quarante kilos. Personne ne veut se charger de sa nourriture. Et, pour le vendre, il faut une autorisation. Le maire écrit donc successivement au procureur de la République, au juge de paix, au préfet. Uniquement préoccupé par le sort de ce cochon ! Voilà aussi comment les choses se passaient. Ne croyez pas qu'une lettre de ce genre soit la seule. Si vous n'avez pas de tels exemples, vous racontez une histoire qui n'a plus aucune racine dans la réalité.

J. J. – *Vous avez également en votre possession de nombreuses correspondances privées ?...*

H. A. – Oui. Dans tous mes livres, depuis le premier, un feuillet est inséré, demandant que l'on m'adresse des témoignages personnels. Je reçois des lettres, des journaux intimes. Leur nombre s'est multiplié depuis que j'ai fait à la radio des émissions sur cette époque. Tenez, j'ai reçu d'un lecteur quarante lettres,

toutes celles qu'il a écrites à ses parents quand il était au Service du Travail Obligatoire (STO) en Allemagne. Et il les a numérotées. Par cette personne, qui se nomme Jean Tamarelle et habite en Gironde, j'ai des précisions remarquables sur les bombardements, sur le ravitaillement, qui était le premier souci des STO... Ce document est précieux. Je n'en tirerai peut-être qu'une page, mais elle en vaudra la peine, elle sera authentique.

J. J. – *Je n'aurais jamais cru que vous ayez surabondance de documents sur ces temps-là. Combien avez-vous reçu de lettres ?*

H. A. – Plusieurs milliers, dont beaucoup constituent des documents extraordinaires. Le drame, pour l'historien, ce n'est pas ici la pénurie, c'est la surabondance. Supposez que vous ayez cinq bouteilles de Mouton-Rothschild et qu'on vous demande de les transvaser dans une seule... Vous en perdrez fatalement quatre. Devant cette masse de papiers il faut faire un travail de réducteur de têtes.

J. J. – *Y a-t-il des points sur lesquels vous avez peu de témoignages, ou des documents partiels, truqués, des affaires économiques comme la construction du Mur de l'Atlantique, par exemple ?*

H. A. – Pour le Mur, tout le monde sait à peu près ce qui s'est passé. Il y a eu des procès à la Libération. Seulement, à l'heure actuelle, tout cela a été amnistié et, si l'on en reparle, on est passible des tribunaux. Les firmes qui ont travaillé pour les Allemands, et qui sont toujours là, ont gagné beaucoup d'argent, elles ont même vendu des brevets aux Allemands. Et elles s'en sont tirées avec une petite amende. Quand on met en parallèle les faits et gestes des dirigeants de ces firmes et ceux d'un gamin de dix-huit, dix-neuf ans qui est allé se battre sur le front de l'Est, le véritable collaborateur, à mes yeux, ce n'est pas le second. Le gamin, ou la fille qui a couché avec des Allemands, en 1945 on ne les loupe pas. L'industriel qui peut s'offrir un bon avocat, surtout si cet avocat est de surcroît un homme politique, il s'en sort très bien en versant sa modeste amende.

J. J. – *Parmi les choses que l'on peut reprocher au maréchal Pétain, au temps où il y avait, comme vous dites, « quarante millions de pétainistes », il y a son attitude, ou celle de son gouvernement, vis-à-vis des Juifs.*

H. A. – Il y a un autre reproche que l'on peut adresser à Pétain, nous y reviendrons. Mais vis-à-vis des Juifs, incontestablement Vichy a pris des mesures que n'exigeaient pas les Allemands. Ils les auraient peut-être exigées plus tard, mais le gouvernement de Vichy a agi le premier sans qu'on lui demande rien. Que ce soit Pétain lui-même, je ne le pense pas. Plutôt son entourage. Pétain avait beaucoup d'amis juifs, sa femme aussi. Il était plus anti-maçon qu'antisémite. Il avait quatre-vingt-quatre ans et ses ministres ont emporté sa décision. Il faut reconnaître que, pendant au moins deux ans, la zone libre a protégé de très nombreux israélites. Beaucoup de ceux qui se trouvaient en zone occupée franchissaient la ligne de démarcation, souvent avec des passeurs qui leur faisaient payer très cher. Je sais bien qu'il y a une mythologie du passeur bénévole. Oui, il y a eu des héros, certains passeurs ont été déportés. Certains aussi ont fait fortune. Je ne dis pas : la zone libre, c'était très bien. Je dis : c'était moins mal. Et dans les époques troublées, le moins mal ça compte.

J. J. – *Êtes-vous arrivé à savoir qui avait pris ces mesures ?*

H. A. – Pétain, puisque c'est lui qui a signé. Mais en réalité, je crois, Alibert, son ministre de la Justice. Cependant, il faut voir les choses comme elles sont. Nous jugeons l'époque à travers ce que nous savons aujourd'hui, les déportations, les camps de concentration... En 1940, et même en 43 et 44, on ne savait pas. Cavanna, dans son livre *Les Russkoffs*, le dit à plusieurs reprises en note. Et il se trouvait en Allemagne.

J. J. – *Je n'ai personnellement appris l'existence des camps qu'à la Libération...*

H. A. – C'était vrai pour tout le monde, ou presque. A l'époque dont nous parlons, les Français ne savaient pas ce qui allait se passer. Donc, en 1940, Vichy prend une décision sans en soupçonner toutes les implications dramatiques. N'oublions pas que la France, avant le déclenchement du conflit, vivait dans un climat de pré-guerre civile : il y avait les pro-Russes, les pro-Anglo-Saxons, les pro-Espagnols républicains, les pro-franquistes... La défaite arrivée, il existe, parmi les Français, un clan vainqueur et un clan vaincu. Les Juifs étaient dans ce dernier. Qui vient au pouvoir autour de Pétain ? Des hommes violemment hostiles au Front populaire, parfois à la démocratie, antisémites, lecteurs de *Gringoire*. Ils prenaient leur revanche sur 1936, cette année où pour la première fois la France avait vu un Juif, Léon Blum, devenir président du Conseil. Des journaux comme *Je suis partout* avaient relevé tous les noms à consonance juive des cabinets ministériels du ministère Blum. En outre, de 1933 à 1939, il y avait eu des naturalisations en masse. Survenant dans un pays qui connaissait des problèmes de chômage, elles avaient déconcerté les uns, irrité les autres.

J. J. – *Le climat était à l'antisémitisme ?*

H. A. – Oui. Alors Vichy a fait passer les premières mesures pour des mesures de protection professionnelle. Tenez, il y a quatre ans, je participe à l'émission « Aujourd'hui Madame » pour parler de mon premier livre devant six ou sept téléspectatrices, selon la règle du jeu. Ces femmes avaient mon âge, puisque le thème du jour était « Le peuple du désastre ». D'abord, remarque préliminaire, toutes se souvenaient avoir appelé de tous leurs vœux l'armistice. Et puis, lorsque nous avons parlé du « climat », une des téléspectatrices, israélite, me dit une chose que je n'aurais jamais dite moi-même : « Mais, Monsieur, quand nous autres, Juifs français, nous avons vu arriver de Pologne tous ces Juifs qui s'entassaient à douze ou treize dans un petit appartement et venaient nous prendre notre travail parce qu'ils cassaient les prix, nous n'étions pas d'accord. » Si l'on veut dire la vérité, et c'est la seule chose qui importe, il faut bien reconnaître que même à Drancy, il y avait des clivages comme celui-ci. Beaucoup de Juifs français considéraient les Juifs étrangers comme responsables de leurs malheurs.

J. J. – *Lors des procès de la Libération, tous les responsables de l'époque se sont renvoyé la balle, Peyrouton, ministre de l'Intérieur, Xavier Vallat, commissaire aux Questions juives, Alibert, garde des Sceaux...*

H. A. – Alibert, qui avait certainement une très lourde responsabilité, n'est jamais passé en justice. Il s'est réfugié dans un couvent en Belgique, si ma mémoire est fidèle, et il a noirci des pages (que j'ai là) pour se décharger, parce que tous ont fui leurs responsabilités. Cela dit, ces mesures ont été déplorables, mais il serait faux de les confondre avec les mesures allemandes. La zone libre a malgré tout constitué un refuge, et peut-être plus encore cette zone où se trouvait l'armée italienne. Les Italiens ne faisaient pas d'antisémitisme, ils ont même quelquefois empêché la police française d'exercer des représailles contre les Juifs.

J. J. – *La trop célèbre interview de Darquier de Pellepoix, commissaire aux Questions juives à partir de 1942, parue il y a un an dans L'Express, et divers ouvrages récents remettent à l'ordre du jour le problème de l'antisémitisme. Pensez-vous que celui-ci renaisse actuellement?*

H. A. – C'est la question que j'ai posée hier à un chauffeur de taxi avec qui je bavardais. Il est Juif. Il a perdu à à peu près toute sa famille, arrêtée en juillet 1943. Il m'a répondu : « Oui, on ressent actuellement un regain d'antisémitisme. Des petits riens, dans les attitudes, les conversations. Un sentiment qui ne trompe pas. » Fallait-il publier l'interview de Darquier? Oui, dans la mesure où elle n'était pas truquée (ce qui a été avancé). Moi, je l'aurais fait précéder d'un chapeau différent, expliquant mieux qui était Darquier, c'est-à-dire un homme excessif, un fou, un personnage qui a toujours tenu des propos extravagants (et qui peut-être, en 1978, était

gâteux). Voyez-vous, le drame des dictatures, c'est qu'elles donnent toute licence aux malades mentaux, aux mégalomanes, aux méchants, aux malhonnêtes gens d'aller jusqu'au bout de leur folie, de leur mégalomanie, de leur méchanceté, de leur malhonnêteté. Du moment qu'ils sont dans le sens du poil. En dictature, il n'existe pas de contre-pouvoir. En démocratie il y en a un.

J. J. – *Par qui la famille de votre chauffeur de taxi avait-elle été arrêtée?*

H. A. – Par des policiers français. Là encore, la police française n'est ni toute blanche ni toute noire : dans la rafle de juillet 42, les policiers ne sont pas innocents, puisque ce sont eux qui arrêtent. Mais les Allemands ne retrouvent, à l'arrivée, que la moitié des gens qu'ils comptaient emprisonner et déporter. L'autre moitié, il faut bien qu'elle ait été prévenue pour s'enfuir avant quatre heures du matin. Et par qui? par des flics. C'est le drame de l'Occupation. Ou bien les administrés restent seuls en face de l'occupant, ou bien l'administration demeure en place, et fatalement elle collabore.

J. J. – *Vous disiez qu'il y avait autre chose à reprocher à Pétain que le statut des Juifs?*

H. A. – Oui. Un Français moyen ne peut pas savoir si un chef d'État ment ou ne ment pas, il n'est pas intellectuellement préparé, surtout en 1940-1941, à démêler le faux du vrai. Surtout avec Pétain qui jouissait d'un très grand crédit. En lui faisant confiance, en suivant le chef – « suivons le chef », c'était le grand mot de l'époque –, certains Français se sont engagés beaucoup trop loin, sans raisonner. Ils n'auraient suivi ni Laval, trop pro-allemand, ni l'amiral Darlan, pour les mêmes raisons, et encore moins un Darnand, chef de la milice. Ils ont suivi Pétain. C'est là la responsabilité morale du Maréchal, en particulier à partir de novembre 1942, date de l'invasion de la zone libre. De même pour les otages : le gouvernement, et par conséquent Pétain qui en était le chef, a pris des mesures qui ont sans doute épargné des vies humaines, mais qui l'ont rendu complice des Allemands. Six communistes, notamment, ont été condamnés à mort par un tribunal d'État créé par Vichy et guillotinés. Or, ils n'avaient rien fait, n'avaient participé à aucun attentat. Cette condamnation est criminelle.

J. J. – *C'est ausi l'histoire de Pucheu, secrétaire d'État à l'Intérieur, qui voulut, après l'exécution d'un officier allemand à Nantes, sauver des otages anciens combattants, et leur substituer d'autres noms sur les listes.*

H. A. – Oui. Mais des anciens combattants ont aussi été fusillés à Nantes. Et il y a eu les fusillés communistes de Châteaubriant. J'ai rencontré le préfet Le Cornu, alors sous-préfet, qui m'a raconté l'histoire. Il avait demandé aux autorités allemandes d'épargner le lycéen Guy Môquet, dix-sept ans, ainsi qu'un autre détenu qui allait être libéré et un troisième homme dont la très jeune femme était venue plaider la cause. Le commandant acceptait à la condition que le sous-préfet choisisse lui-même trois autres communistes. Bernard Le Cornu refusa. Je cite à ce propos une phrase de Mme de Staël : « Se permettre de mauvais moyens pour un but que l'on croit bon, c'est une maxime singulièrement vicieuse dans son principe. » Pucheu avait tort, Le Cornu avait raison. Quant au Maréchal, il aurait mieux fait, comme il en avait eu l'intention, d'aller lui-même se livrer comme otage unique. Son geste aurait eu un profond retentissement et il en serait sorti grandi devant l'Histoire.

J. J. – *L'exécution des otages correspond aux premiers attentats à la vie d'officiers allemands...*

H. A. – Oui, aux premiers assassinats, qui sont le fait de jeunes communistes.

J. J. – *Sur l'ordre de qui ?*

H. A. – Pour l'instant, on l'ignore encore. Vous parlez tout à l'heure des zones d'ombre qui subsistent. En voilà une. Jusqu'au 22 juin 1941, date à laquelle les troupes allemandes envahissent la Russie, le Parti communiste avait surtout mené des actions anti-Vichy. Cependant, certains éléments, moins attentistes, com-

mençaient à lutter contre les Allemands. Et, à partir du 22 juin, l'engagement devient total. Il y a des appels aux sabotages, aux grèves, mais pas encore aux attentats. Ce qui me frappe d'ailleurs, c'est que *L'Humanité* clandestine, le plus régulier et le mieux fait des journaux de la Résistance, ne revendique pas du tout les premiers attentats. Pourquoi ? parce qu'ils ne sont pas populaires. La population sait qu'elle subira des représailles, le couvre-feu avancé, des brimades et, naturellement, des exécutions d'otages. Le premier attentat est commis par le futur colonel Fabien, autrement dit Pierre Georges, qui exécute à la station de métro Barbès l'aspirant Moser. Or les historiens du parti laissent à Fabien la responsabilité de son acte. Est-ce Moscou qui est intervenu directement auprès des jeunes communistes ? On ne sait pas. J'ai rencontré, avant d'écrire là-dessus, Brustlein, qui a tiré sur un officier allemand à Nantes, déclenchant ainsi le mécanisme des représailles de Châteaubriant. Il avait dix-neuf ans à l'époque. Il m'a dit qu'il ne connaissait pas l'origine des ordres, ce qui est compréhensible, le Parti communiste vivant dans la clandestinité. Au début il se peut que la décision de tuer des Allemands ait été une réponse à l'exécution du jeune Juif Samuel Tyszelman qui avait été pris dans une manifestation organisée par les Jeunesses communistes le 14 juillet 1941 et fusillé par les Allemands avec un autre manifestant. Car ce sont les Allemands qui ont commencé à fusiller. L'attentat du métro Barbès a lieu le 20 août 1941, un autre attentat meurtrier a lieu à Paris le 16 septembre, un officier allemand est tué à Nantes le 20 octobre, un autre à Bordeaux le 21. Les attentats ne sont pas populaires; les représailles, évidemment, le sont encore moins, mais elles vont jouer un rôle de « sergent recruteur » pour la Résistance, elles « cassent » la collaboration. Les otages de Châteaubriant sont exécutés le 24 octobre, un an après la poignée de main entre Hitler et Pétain à Montoire.

J. J. – *Les attentants ont été condamnés*

aussi bien par de Gaulle, à Londres, que par Marcel Cachin en France.

H. A. – Et naturellement par Pétain. Cachin qui, rappelons-le, était l'un des chefs historiques du Parti communiste, se trouvait incarcéré à la Santé. Il a été amené à écrire au chef de la police militaire allemande à Paris une lettre en date du 21 octobre 1941, dans laquelle il désavoue les attentats. Les garçons qui en furent les auteurs, à l'exception de Fabien, qui avait une expérience de la guerre d'Espagne, ne les accomplissaient pas sans hésitations. Ce n'est pas si facile de tuer un homme! C'est pourquoi par la suite beaucoup des attentats seront commis par des Espagnols, des Polonais, des Yougoslaves, des hommes moins enracinés et dont certains, ayant cruellement souffert des Allemands, eux ou leur famille, ont quelque chose à venger.

J. J. – *Le problème moral des représailles – a-t-on le droit de tuer un homme, fût-ce un ennemi, quand on sait que cet acte entraînera automatiquement la mort d'une cinquantaine d'innocents? – n'a jamais été résolu.*

H. A. – Il n'a pas été posé là ni pour la première fois ni pour la dernière. Les premiers attentats de 1941 ont donné lieu à de vives discussions à l'intérieur des mouvements de Résistance non communistes de zone occupée. Il ne faut pas oublier qu'en zone libre il n'y avait ni attentats contre les personnes, ni attentats contre les biens à l'exception de quelques attaques contre les locaux de mouvements très collaborateurs. Cette différence entre les deux zones, différence qui se poursuivra jusqu'en novembre 1942, date de l'invasion de la zone libre, est capitale.

J. J. – *Vous-même, Henri Amouroux, où vous trouviez-vous à cette époque?*

H. A. – Au moment de la débâcle, à dix-neuf ans et demi, j'étais journaliste à Paris. J'ai voulu m'engager pour la défense de Paris, mais c'était une telle pagaille... on ne m'a pas pris. Je suis rentré à Bordeaux où vivaient mes parents. Et toute ma famille a vite penché du côté de la Résistance. Mon père a abrité un certain temps un poste émet-

teur qu'il devait réparer (il n'a jamais pu y arriver; mais le risque, quand on détenait un tel instrument, était le même, qu'il fonctionne ou non). Moi-même j'ai rejoint un groupe de résistants. J'ai découvert après coup que mon groupe était relié à un réseau anglais. Je n'en savais rien. On ne savait pas toujours avec qui on était. A la Libération, il y a eu ainsi les « bons » et les « mauvais » réseaux, les « mauvais » étant ceux qui travaillaient avec les Anglais. Mais pendant l'Occupation, bien malin était celui qui pouvait dire exactement pour qui on faisait quoi, et les Anglais, aux yeux des Français, qui ignoraient tout des querelles des gaullistes de Londres, étaient avant tout des alliés.

J. J. – *Peu de récits font état de ces incertitudes.*

H. A. – Bien sûr. Après coup on donne à penser que la voie était toute tracée, ou que les gens de la Résistance travaillaient pour leurs réseaux du matin au soir. Je n'y crois guère, sauf pour quelques exceptions. Frenay, d'Astier, quelques dizaines d'hommes en 1941-1942. Il fallait vivre, manger, chercher du ravitaillement. De toute cette époque on a voulu oublier le quotidien pour ne retenir que l'extraordinaire. Certains ont fait des choses extraordinaires, mais vous savez, si on réunissait tous les Français qui ont fait sauter des trains allemands, on ne remplirait certes pas la place des Vosges...

J. J. – *Jusqu'en 1942, le général de Gaulle semble ignorer les conditions de la vie réelle en France et l'activité de la Résistance?*

H. A. – C'est que lui-même est très solitaire. Grâce à une étude du capitaine Vincent, nous avons les chiffres exacts des Français qui se trouvaient à ses côtés : le 13 juillet 1940, il ne dispose en Angleterre que de 194 soldats de l'armée de terre, dont 101 officiers et 125 sous-officiers.

J. J. – *Et pourtant il voyait loin?*

H. A. – C'est un homme qui, lorsqu'il arrive à Londres, est beaucoup moins naïf, beaucoup moins « puceau » politiquement qu'on ne le croit. Son « accrochage » à Paul Reynaud avant la guerre (dans le sens où l'on accroche un wagon à une locomotive) lui a permis de connaître les hommes politiques, de les juger, de se méfier d'eux. A Londres, il se sert de sa solitude pour rester maître de son petit mouvement. Il se sert de l'intransigeance de son caractère pour l'imposer et s'imposer aux Anglais, puis aux Américains. Il met à profit toutes ses médiations antérieures et son étonnante connaissance de l'Histoire pour, dès le 18 juin 1940, en plein désastre, voir et dire comment les événements évolueront et pourquoi ils évolueront dans un sens alors parfaitement surprenant pour l'immense majorité des Français. C'est cela le génie.

J. J. – *Les Français qui arrivent à Londres ne paraissent pas toujours avoir été accueillis avec chaleur...*

H. A. – Il faut lire là-dessus le beau livre de Christian Pineau : *La simple vérité.* Christian Pineau a vécu la Résistance en territoire occupé et en zone libre, il a pris des risques, il s'est mouillé. Et le général de Gaulle, lorsqu'il le reçoit, ne lui demande absolument rien, ne lui parle même pas d'un voyage qui n'avait pas été de tout repos.

J. J. – *Le Général lui parle de ses difficultés avec les Anglais.*

H. A. – Pour lui, l'ennemi immédiat, c'est l'Anglais. L'ennemi, c'est celui à côté de qui on vit. Sur de Gaulle à Londres, il faut lire aussi le livre de Mangin...

J. J. – *Que de livres ne faut-il pas lire sur cette époque! La bibliographie de votre dernier volume comporte environ 480 titres. Comment avez-vous fait?*

H. A. – Je lis complètement la plupart des ouvrages. J'en parcours d'autres et, dans certains, je cherche uniquement un renseignement très précis. Il en va de même pour les journaux et les documents. Pour chaque tome de mon *Histoire des Français sous l'Occupation,* après lecture de 300 000 pages, j'en retiens environ 7 à 8 000 de documentation qui vont dans mes dossiers.

J. J. – *Travail de bénédictin!*

H. A. – J'attache beaucoup d'importance à ma méthode, qui est celle d'un historien, mais aussi d'un journaliste : elle compte, je crois, dans le succès de mes livres et – aussi et surtout – dans la compréhension de l'Histoire. Les faits et gestes des généraux et ministres, les documents officiels, c'est capital. Mais si l'on ne reconstitue pas l'ambiance, l'atmosphère, on s'expose à n'y rien comprendre. Les foules pèsent sur les décisions politiques. C'est vrai pour l'armistice, c'est vrai pour la Libération.

J. J. – *C'est sur ce plan que les témoignages personnels sont d'une valeur inestimable.*

H. A. – Inestimable. J'ai, par exemple, les lettres qu'un israélite incarcéré à Drancy écrivait à sa famille. Ou plutôt les cartes. Que demandait-il à sa femme ? De la poudre contre les puces et les poux, un vêtement chaud et un cadenas pour sa valise. C'était le leitmotiv. La guerre, il ne pouvait pas en parler. Et les grands sentiments, les cartes ne s'y prêtent guère. A travers ces humbles demandes, on voit bien tout le poids de la vie quotidienne. Je suis très attentif aux petits problèmes, aux difficultés, au ravitaillement, aux révélations qu'apportent les journaux du temps, même censurés, à qui sait les lire.

J. J. – *Retrouvera-t-on des témoignages inédits dans vos prochains volumes?*

H. A. – Certainement. On sait qu'en 1944 les Allemands pendirent une centaine de personnes à Tulle. J'ai obtenu le témoignage d'un homme qui, à l'époque, travaillait avec les jeunes des équipes nationales : avec ses compagnons, il a eu la triste mission de décrocher les victimes et de les enterrer. C'est un texte de première importance. Et, pour vous montrer que le cocasse voisine dans mes dossiers avec le tragique, une dame m'a communiqué des notes que sa mère prenait à Bordeaux. C'est le journal des bobards, des bruits non vérifiés qui couraient dans la ville : une madame Dupont avait acheté un poisson dans le ventre duquel elle avait trouvé le doigt d'un soldat allemand. Et l'on disait partout que les Allemands avaient essayé de débarquer en Angleterre. A preuve, le soldat noyé qui avait laissé son doigt au poisson! Je pourrais citer des centaines d'autres exemples.

J. J. – *Henri Amouroux, si quelqu'un voulait lire, en dehors de votre « Histoire », bien entendu, un livre sur la Résistance, un livre sur la déportation, un livre sur la France libre, quels titres conseilleriez vous?*

H. A. – Le choix est difficile. Pour la Résistance, *La simple vérité*, de Christian Pineau. Pour la déportation, *Rue de la liberté*, d'Edmond Michelet, qui est un grand livre. Il faudrait ajouter *La nuit sans ombre*, d'Alban Vistel, sur la Résistance en zone non occupée, ainsi que les livres de Frenay et de Rémy. Et le plus beau livre sur de Gaulle, ce sont les *Mémoires de guerre* du général de Gaulle, parce qu'il est à la fois peintre et modèle. De Gaulle est un merveilleux peintre d'autoportrait.

GEORGES DUBY

*« Le Moyen Age est un monde merveilleux,
c'est notre western. »*

Octobre 1984

Il faut prendre le chemin de la Chaîne puis celui de la Poudrière. Ensuite, il faut monter à travers les vignes par un dernier chemin de terre rouge et de pierres blanches. La maison de Georges Duby est tout en haut, au bout de ces petites routes aux noms guerriers, au pied de la pinède noire qui escalade la rocaille. Derrière, tellurique sentinelle, se dresse la falaise tourmentée de la Sainte-Victoire. Dans ce coin de Provence, à quelques kilomètres d'Aix, chaque paysage est toujours un tableau, depuis que des peintres du siècle dernier, l'un d'eux s'appelait Paul Cézanne, ont littéralement sanctifié ces lieux. Seule, en contrebas, gronde l'autoroute qui fonce vers les Maures et l'Estérel en éventrant les collines.

La maison, tuiles vieillies, murs blanc-gris, pierres dallées et gravier sur le terre-plein, cyprès et platanes, est blottie en haut du vallon. Depuis trente ans l'historien Georges Duby vit ici : « J'ai tenu à venir enseigner à Aix. J'aime ce pays. » A Paris, où il est pourtant né dans une famille d'artisans, il ne vient qu'avec parcimonie, le temps d'un cours de trois mois au Collège de France où il enseigne l'histoire médiévale depuis 1970. Symbolique raccourci, il succède à ce poste, entre-temps jamais occupé, à ... Jules Michelet! Aux honneurs dont il est comblé (il est membre de l'Institut, de plusieurs académies étrangères et docteur honoris causa de maintes universités), Georges Duby a toujours préféré sa retraite provençale. Car c'est un homme discret, d'une élégance légèrement austère et si ce n'était le timbre de voix qui rappelle étrangement celui d'un autre professeur célèbre, Raymond Barre, la passion qui l'anime resterait secrète, comme une lointaine présence.

Pour fêter son soixante-cinquième anniversaire, Georges Duby s'est fait un beau cadeau : il publie dans une nouvelle collection animée par Jean Montalbetti, chez Fayard, sa première biographie, consacrée à l'un des personnages les plus célèbres de l'histoire de la chevalerie et curieusement méconnu, *Guillaume le Maréchal, le meilleur chevalier du monde.* Ainsi, la Nouvelle Histoire, née de l'école des Annales de Marc Bloch et Lucien Febvre, pénètre, par l'intermédiaire de l'une de ses vedettes, dans le dernier sanctuaire de l'histoire traditionnelle : la biographie. Mais c'est une biographie d'un genre nouveau : Georges Duby profite du récit de la vie de Guillaume le Maréchal pour faire le point de tout ce que l'on sait sur le deuxième des trois ordres qui fondent la société féodale : les hommes de guerre. Quelle surprise ainsi de découvrir le caractère secrètement mais profondément homosexuel de la chevalerie, et de voir balayés en quelques pages brillantes tant de sots discours sur l'amour courtois! Ce n'est pas le moindre mérite de ce livre lyrique et pétillant, où l'art d'écrire rivalise avec la finesse de l'érudition, le plaisir des mots avec la rigueur des commentaires.

« Être écrivain, pour un historien, écrivait récemment Pierre Nora à propos de Georges Duby, c'est appartenir à la fois et complètement à son temps et à celui dont il parle, c'est être le plus moderne et le plus naturel au moment où il se veut le moins. » Ainsi voyage Georges Duby dans notre archaïque mémoire, en utilisant le langage d'aujourd'hui : ici, il évoque les « happenings » des chevaliers, là les « intellectuels » cléricaux...

En d'autres livres, l'historien interrogeait des pierres, des vitraux. Cette fois, Georges Duby interroge une autre sorte de chef-d'œuvre : une chanson de geste de vingt mille vers tout entière attachée à perpétuer la gloire de celui qu'elle célèbre. De ce dialogue entre un parchemin et un historien, renaît sous nos yeux le théâtre de la chevalerie. Et si, grâce à Guillaume le Maréchal, le voile se lève à nouveau sur cette grande parade, se dessine aussi en filigrane le visage de moins en moins énigmatique du trouvère qui en fit la chronique et surtout de la société qui tint sa plume. On avance alors dans la compréhension d'un des mécanismes fondamentaux de la mémoire de l'homme : la fabrication de l'histoire de l'histoire.

Antoine de Gaudemar. — *Avec votre livre* Guillaume le Maréchal, *vous innovez doublement, d'abord parce que votre ouvrage est le premier d'une nouvelle collection dirigée par Jean Montalbetti et intitulée « Les inconnus de l'histoire » et ensuite parce que vous publiez votre première biographie.*

Georges Duby. — C'est vrai, jusqu'ici je ne m'étais jamais risqué à organiser mes recherches autour d'un seul personnage. Je travaille sur une période, le Moyen Age, où il est difficile d'atteindre des destins individuels qui éclairent la société dans son ensemble. Mais j'ai toujours aimé les stimulations extérieures et presque tous mes livres sont des commandes. La proposition de Jean Montalbetti m'a

beaucoup séduit : mettre en évidence des gens peu connus mais susceptibles, par leur histoire et leur personnalité, de mieux évaluer des zones mal connues du passé. Je disposais pour cela d'un témoignage connu des spécialistes mais ignoré du grand public, un texte qui raconte la vie et les exploits de Guillaume le Maréchal, dont on disait à la cour de Philippe Auguste qu'il était « le meilleur chevalier du monde ». C'est un texte qui nous permet de comprendre un élément fondamental de la société féodale, la chevalerie. Alors que nous possédons des écrits de l'intelligentsia ecclésiastique du temps, le récit de la vie de Guillaume le Maréchal est un des très rares textes qui nous soit parvenu de l'autre partie de la classe dominante, la partie laïque, celle des hommes de guerre.

A. G. – *Les extraits de ce récit que vous donnez à lire laissent deviner un texte magnifique...*

G. D. – Sa beauté a peut-être évité sa disparition. Les chefs-d'œuvre ont la vie plus dure. Écrit sur cent vingt-sept feuilles de parchemin dont pas une ne manque, c'est un poème de dix-neuf mille neuf cent quatorze vers composé après la mort de Guillaume le Maréchal et par l'entremise de son fils aîné. L'auteur est un trouvère anonyme. Le poème est écrit en français, bien que Guillaume fût anglais, car le français est en ce début du XIIIe siècle la langue de l'aristocratie. Il s'agit d'un panégyrique, d'un monument funéraire destiné à fixer le souvenir d'un homme jugé exceptionnel par ses pairs. Nous tenons là, je tiens à le souligner, la première biographie en langue française. L'auteur a utilisé tous les documents à sa disposition et recueilli les témoignages des proches du disparu, et en particulier de celui qui fut son écuyer et son plus fidèle ami et qui rapporta les faits et gestes de Guillaume le Maréchal de la même manière qu'un siècle plus tard, Joinville immortalisera les actes et paroles de son seigneur Saint Louis. Le poème, dont la rédaction demanda sept ans, est d'une précision extraordinaire et concorde *grosso modo* avec ce que nous savons par ailleurs de l'époque. Cette crédibilité impressionnante en dit long sur la force de la mémoire des gens d'alors. Dans une société où l'écriture n'est pas encore très répandue, la mémoire individuelle est extrêmement entraînée.

A. G. – *La vie et le destin de votre héros sont tellement exemplaires qu'on s'étonne qu'il soit aussi peu connu.*

G. D. – Guillaume le Maréchal pourrait être le d'Artagnan du Moyen Age et si ce livre contribue un peu à le faire connaître, tant mieux. C'est un personnage qui devrait exciter romanciers et scénaristes au moins autant que Perceval ou Lancelot! Car il est l'archétype du chevalier du XIIe siècle. Quand il meurt, en 1219, c'est un vieillard de près de quatre-vingts ans, mais il est presque une relique déjà, en tout cas le symbole d'un modèle culturel un peu dépassé.

A. G. – *Pourquoi?*

G. D. – Ce qui se passe alors en Europe est comparable au grand boom de la fin du XIXe siècle. Explosion démographique, décollage économique, mise en circulation massive de l'argent, urbanisation, construction des cathédrales, naissance de la littérature française et de l'université : les comportements et les valeurs de la chevalerie traditionnelle vont vite apparaître désuets, d'autant plus que l'émiettement féodal disparaît peu à peu au profit d'États forts. C'est l'heure de la grande croissance capétienne, qui place le royaume de France au premier rang européen, et de la naissance des principautés, notamment celles des Plantagenêts, qui regroupe autour de l'Anjou et de la Normandie, l'Aquitaine et le royaume d'Angleterre. Guillaume le Maréchal appartient à la maison des Plantagenêts, les grands rivaux des Capet, il est donc anglais.

A. G. – *En quoi avez-vous utilisé le récit de la vie de Guillaume le Maréchal différemment d'autres historiens?*

G. D. – Jusqu'à présent, ceux qui ont utilisé ce texte ont fait de l'histoire politique, ils ont, grâce à lui, comblé des trous en ce qui concerne le conflit entre la France et l'Angleterre ou le fonctionnement des institutions. Pour ma part, j'étudie depuis plus de trente ans les structures et les idéologies de la société féodale. Le récit de la vie de Guillaume m'est infiniment précieux : il est la mémoire chevaleresque presque à l'état pur. Il me permet donc de reconstituer tout un pan de la société féodale : la chevalerie. Et le fait que ce texte ait été écrit à un moment où celle-ci se sent menacée le rend encore plus passionnant car l'auteur n'a de cesse de rappeler avec force les valeurs fondamentales de cet ordre.

A. G. – *Comment s'est constitué cet ordre?*

G. D. – L'ordre chevaleresque s'est édifié face à la toute-puissance de l'ordre ecclésiastique. Les chevaliers sont pieux certes, ils respectent l'Église et le culte, ils partent en croisade quand il le faut mais ils ne veulent pas être prisonniers de la morale cléricale. L'idéologie chevaleresque trouve là son ancrage : elle façonne peu à peu ses propres lois, ses propres rituels, sa propre morale, par opposition à l'Église. Une preuve : dès 1130, l'Église condamne les tournois, ces simulacres de batailles où se libèrent trop de violences profanes et qui se multiplient en France du Nord. Et Guillaume sur son lit de mort s'écrie, alors qu'on le presse de tous côtés de distribuer ses richesses à l'Église pour le repos de son âme : « Les gens d'Église s'acharnent contre nous ; ils nous rasent de trop près. J'ai pris pendant ma vie au moins cinq cents chevaliers dont je me suis approprié les armes, les chevaux, les harnais. Si le royaume de Dieu pour cela m'est refusé, je suis refait. Qu'y puis-je ? Comment voulez-vous que je rende tout ? »

A. G. – *Quelles sont les valeurs de la morale chevaleresque ?*

G. D. – Il y en a trois principales. La « prouesse », c'est-à-dire le courage, bien évidemment. La « loyauté », qui fait qu'on ne trahit pas la foi donnée aux gens de son sang, à son seigneur ou au roi : remarquons au passage que le lien de fidélité vassalique est plus fort que celui de fidélité au roi ; le roi n'a pas encore l'importance qu'il aura par la suite. Et enfin, la « largesse », la générosité qui se fait plus fastueuse encore à mesure que l'argent circule : elle distingue les chevaliers des nouveaux riches, les bourgeois qui amassent l'argent. Un chevalier ne s'attache pas à la richesse, il distribue et, s'il prend aux autres, c'est pour donner davantage.

A. G. – *Ces belles valeurs morales ne cachent pas cependant l'aspect turbulent, pour ne pas dire plus, de la chevalerie.*

G. D. – Nous sommes alors dans une société violente marquée par des discordes interminables dont la guerre est un des temps forts. Et les batailles, qui ne durent jamais bien longtemps, ne suffisent pas à calmer l'ardeur des hommes de guerre. C'est ainsi que l'on peut comprendre le développement formidable des

tournois dans la France du Nord-Ouest au XXe siècle. Des milliers de vers de la biographie de Guillaume le Maréchal sont consacrés à décrire par le menu les hauts faits du chevalier dans les tournois. La chanson devient alors un chef-d'œuvre de la littérature sportive. Les tournois sont à la fois des exercices d'entraînement, de sélection et de défoulement pour les chevaliers et de grands spectacles pour l'aristocratie. Chaque semaine, se retrouvent dans telle ou telle ville des bandes venues de partout avec leurs supporters et qui se constituent en équipes nationales, sous la bannière des différentes familles ou provinces. Les matches sont de grandes empoignades sur de vastes étendues au cours desquelles il s'agit de mettre en déroute les adversaires, de faire des prisonniers et de saisir le plus gros butin. Le soir, se déroulent de grandes fêtes. Les chevaliers construisent leur renommée dans ces tournois. Guillaume devient célèbre en commençant par être un grand champion, un as.

A. G. – *Est-ce à dessein que vous employez ce vocabulaire sportif ?*

G. D. – Tout à fait. Il y a une similitude certaine entre les tournois féodaux et le sport contemporain. Comme aujourd'hui le sport, le tournoi est alors un moyen politique de rehausser le prestige d'une famille, d'une maison, d'une province et un moyen sûr de s'enrichir.

A. G. – *Ce qui frappe à vous lire, c'est le caractère masculin de l'univers chevaleresque.*

G. D. – Sans aucun doute et c'est là que j'ai le plus appris. La chevalerie est un monde d'hommes et les femmes n'y jouent qu'un rôle tout à fait secondaire. Le seul événement important de la vie sociale de ces dernières est le mariage. J'ai montré dans *Le chevalier, la femme et le prêtre*, l'importance donnée par l'église à l'institution du mariage et celle accordée par l'aristocratie aux stratégies matrimoniales. C'est le mariage qui fait le pouvoir : le chevalier ne convoite une femme que pour les richesses qu'elle peut lui apporter et celui qui réussit un bon mariage se hausse au rang des puissants. Guillaume attend longtemps avant de se marier, il a presque cinquante ans et son mariage le fait presque changer de classe. Telle est la place des femmes dans le monde chevaleresque et ce que l'on appelle l'amour courtois me semble très différent de tout ce qu'on a bien voulu raconter à ce propos. Un indice intéressant : sur les vingt mille vers de la chanson de Guillaume le Maréchal, quelques-uns à peine sont consacrés à des femmes. En dehors de sa mère et de ses sœurs, seulement trois femmes apparaissent dans la vie de Guillaume. La première le soigne lorsqu'il est blessé à un tournoi : il se porte au secours de la seconde sur une route. La troisième est l'épouse de son seigneur, avec qui on l'accuse d'entretenir de coupables relations. Situation classique du roman de chevalerie, type *Tristan et Iseult* : gagner l'amour de la femme de son maître fait presque partie des figures imposées du parcours du chevalier. Dénoncés, les amants sont chassés par le seigneur. L'exil mortifie profondément Guillaume qui a toujours plaidé non coupable et qui a perdu l'amour de son maître. Mais il sera assez vite rappelé et l'idylle reprendra entre Guillaume et Henri Plantagenêt. Comme quoi ce qu'on appelle l'amour courtois sera resté avant tout une affaire d'hommes, de honte et d'honneur, et d'amour viril. On s'aperçoit, autre indice, par l'usage du mot amour qui est fait dans la chanson de Guillaume, que ce qui est sous-jacent aux mimiques de l'amour courtois, c'est l'amour des hommes entre eux.

A. G. – *Voulez-vous dire que la société chevaleresque était une société secrètement mais profondément homosexuelle ?*

G. D. – Une apologie funéraire se doit bien entendu une certaine discrétion et l'Église a toujours condamné le péché de sodomie. Cependant je lis ce que je lis et je ne me contraindrai pas à parler d'amitié là où il y a plus que de la tendresse, là où il y a de l'amour. Je ne sais pas s'il faut parler d'homosexualité au sens contemporain du terme mais disons plutôt que la chevalerie est une société de guerriers cimentée par l'amour viril.

Nous possédons également, venant du monde des clercs, d'autres témoignages, très discrets mais très clairs. Mais parmi les chevaliers, l'amour viril est une relation institutionnalisée et l'amour courtois semble faire écran ou en tout cas être l'expression acceptable de ce sentiment particulier qu'éprouvent les guerriers entre eux.

A. G. – *Si tel est le cas, il faudra réviser tout ce que l'on a dit à propos de l'amour courtois !*

G. D. – Soyons prudent ! Il existe, j'en suis convaincu, une forte tendance homosexuelle dans la société chevaleresque et, après tout, ce n'est pas très étonnant, puisqu'il s'agit d'un monde d'hommes. Cette tendance est alors tout à fait taboue et très fortement réprimée, d'où l'écran de l'amour courtois. Ce problème sera le thème de mon cours de cet hiver au Collège de France. J'espère bien parvenir à montrer le rapport entre l'homosexualité de la chevalerie et la naissance de l'amour courtois. Ce qui me semble d'ores et déjà évident, c'est que parler, comme ici ou là, d'une soi-disant émancipation de la femme dans la société chevaleresque est une absurdité. Si parfois les femmes sont mises sur le piédestal, c'est pour le parti et la dot qu'elles représentent. Le silence des quelque vingt mille vers de la chanson de Guillaume le Maréchal en dit long à lui seul sur la condition féminine ou plutôt sur la considération que les chevaliers avaient alors pour les femmes : négligeable !

A. G. – *Un monde d'hommes, violent mais bien encadré, très hiérarchisé mais solidaire, généreux mais méprisant les autres ordres, telle apparaît donc la chevalerie. Il faudrait ajouter : une société du spectacle.*

G. D. – En quelque sorte. Effectivement, tous les actes de la vie d'un chevalier sont ritualisés et prétextes à des spectacles : l'adoubement (la remise de l'épée, l'intronisation en somme), les tournois, le mariage, la mort. A cette époque, on distingue les gens à leurs apparences. L'habit fait le moine et le spectacle l'événement. Toutes les sociétés traditionnelles sont ainsi. La mort de Guillaume le Maréchal est somptueuse et nous qui cachons la mort, l'évacuons au plus vite, pouvons assister à tout le rituel de la mort du chevalier, un spectacle lent et réglé, un passage solennel d'un état à un autre.

A. G. – *Ce que vous dites de la mort est symptomatique de la distance entre cette société chevaleresque et la nôtre.*

G. D. – Les chevaliers nous paraissent très loin, très étranges. Ils sont à la fois nous et pas nous, nos ancêtres et nos impossibles ancêtres. Ils sont un peu à nous ce que les héros de western sont à la société américaine. Des êtres marginaux, souvent hors la loi bien que régis par des règles et une morale. Pourtant, les chevaliers ont promu des valeurs qui se sont peu à peu diluées dans toute la société, même si, apparemment, il en reste peu de chose aujourd'hui, dans le langage amoureux par exemple.

A. G. – *N'y a-t-il pas quelque risque à extrapoler à partir de l'étude d'un seul cas pour énoncer un système de vie, en l'occurrence celui de la chevalerie?*

G. D. – J'ai déjà dit le sérieux avec lequel le trouvère anonyme qui a composé le texte qui me sert de base avait travaillé. Son témoignage est aussi crédible que ceux des historiens ou chroniqueurs patentés de son temps. Tout ce que j'ai appris depuis des années sur la société féodale me permet d'être catégorique à ce sujet. J'ai dit aussi qu'effectivement, c'était la première fois que j'écrivais un livre à partir de l'histoire d'un seul personnage. J'ai tenté d'en dégager tout ce qu'il était possible car le respect d'une source va de pair avec son questionnement. Comme tout historien prisonnier de ses sources, j'essaie de voir tout ce qu'elles disent mais aussi tout ce qu'elles ne disent pas. Il faut savoir interpréter les silences de l'histoire.

A. G. – *Mais la rareté des sources, et en particulier pour le Moyen Age, ne vous a-t-elle jamais posé problème?*

G. D. – Au risque de vous surprendre, je vous répondrai : au contraire. On me demande souvent pourquoi j'ai choisi le Moyen Age comme objet d'étude. Parmi les multiples raisons, en voici une : pour cette période, le territoire de l'historien est bien délimité, il n'y a pas de découverte majeure à attendre, le nombre de sources est bien répertorié, bref l'historien peut dominer assez aisément tous les documents existants. J'ai toujours trouvé cela confortable et même stimulant. Car la rareté des sources exige des qualités particulières qui me semblent indispensables comme l'imagination et l'aptitude à capter le message des témoins. Sur le Moyen Age, subsistent beaucoup de trous, de vides, d'interrogations, mais la parcimonie m'a toujours moins dérouté que la profusion. Je plains mes collègues qui ont pris le XXe siècle comme centre de leurs travaux. Ils auront du mal, même avec l'aide des ordinateurs!

A. G. – *Êtes-vous historien par vocation?*

G. D. – Non, et je n'ai pas honte de le dire. J'ai d'abord été géographe. C'est un de mes maîtres de faculté qui m'a enthousiasmé pour l'histoire médiévale, qu'il enseignait. Après l'agrégation, j'ai écrit ma thèse de doctorat sur la société féodale de Cluny. Mon poste d'assistant à l'université m'a tout de suite permis de combiner enseignement et recherche, deux activités selon moi indissociables. Quelque chose a sûrement changé le jour où un éditeur que je ne connaissais pas, Albert Skira, m'a demandé si je voulais bien écrire une série de trois livres sur le rapport entre l'organisation de la société moyenâgeuse et la création artistique, question qui me passionnait depuis longtemps. Cela a donné *Le temps des cathédrales,* ouvrage qui m'a permis d'accéder à un public plus large et a satisfait mon désir d'écrire des livres d'histoire comme des livres de littérature. Il existe en France une telle curiosité pour l'histoire que le devoir des historiens professionnels est aussi d'être de véritables écrivains. Je ne serais pas ce que je suis si je n'avais eu, tout au long de ma vie, commerce avec les livres, notamment le roman, et si je n'avais pas eu le goût d'écrire, plaisir qui est à la fois si douloureux et si gratifiant.

A. G. – *Quels sont les écrivains qui ont le plus compté pour vous?*

G. D. – L'éventail est large. Il pourrait aller de Stendhal, dont j'ai relu sept fois *La chartreuse de Parme*, à Giono, ou encore de Montaigne à Chateaubriand, en passant par Laclos et Saint-Simon, mais aussi par Dickens et Tolstoï.

A. G. – *Dans ce panthéon, il n'y a pas beaucoup d'écrivains contemporains.*

G. D. – A vrai dire, je suis là sur ma faim, notamment en matière de roman français. Heureusement, nous pouvons lire des romans qui nous viennent d'Europe centrale ou d'Amérique latine mais, là aussi, la veine semble s'essouffler, sinon se tarir.

A. G. – *Peintre à vos heures, vous êtes également grand amateur d'art?*

G. D. – Comment ne pas aimer l'art? J'ai depuis très longtemps des amis artistes, peintres pour la plupart comme Soulages ou Zao Wou-ki. J'ai écrit des textes pour Vieira da Silva, Alechinsky ou André Masson. Tout cela fait partie de ma vie et aussi de mon métier car si l'histoire est une science, elle est aussi un art. Transmettre une émotion devant les vestiges d'un passé relève de l'art. L'histoire exige de la clarté, de la lucidité, de la patience mais aussi du style et de l'imagination. Du lyrisme en somme. J'ai souvent dit que je ne croyais pas à l'objectivité de l'historien. Il doit être un homme passionné, il doit savoir se mettre en cause car c'est alors qu'il fera le mieux comprendre les temps dont il parle.

A. G. – *On retrouve ce même souci d'accessibilité et de communication dans votre manière de vous intéresser en tant qu'historien à la télévision ou au cinéma.*

G. D. – Tout à fait. Et puis le Moyen Age et notre époque ont peut-être quelque chose en commun : un même désir d'image, de représentation. Nous sommes nous aussi pris dans cette fameuse société du spectacle et c'est à ce titre que m'intéressent le cinéma ou la télévision qui sont les médias de masse. D'une part, je travaille avec Serge July, le directeur de *Libération,* comme scénariste, et avec Miklos Jancso, comme réalisateur, à l'adaptation cinématographique de mon livre *Le dimanche de Bouvines.* D'autre part, je participe à la fabrication d'une série télévisée sur la guerre de Cent Ans qui, je l'espère, aura autant de succès que la précédente, *L'Europe au temps des cathédrales.*

A. G. – *Comment est-il possible, pour Bouvines par exemple, d'éviter tous les travers de la reconstitution historique?*

G. D. – C'est un réel problème, qu'ont réussi à surmonter, chacun à leur manière, Rossellini ou même Bresson. Si l'on sait tout du XIXe siècle ou presque, en revanche que de questions à propos du Moyen Age! Comment s'habillaient les gens, que mangeaient-ils, quels gestes faisaient-ils, quels mots employaient-ils? Questions triviales en apparence, mais qui sont fort embarrassantes en vérité : l'historien sait des choses de façon sûre et, pour le reste, il devine, il imagine...

A. G. – « *La trace d'un rêve n'est pas moins réelle que celle d'un pas* », avez-vous écrit. *De la même manière, l'historien rêve...*

G. D. – Oui, il rêve même s'il s'agit d'imagination contrôlée! L'adaptation cinématographique met l'historien au pied du mur de ses rêves, il bute contre les obstacles de la représentation, il a quantité de problèmes à résoudre. Travailler à ce type de projet m'a forcé à de nouvelles recherches. Vous voyez que je ne perds pas mon temps.

A. G. – *Que pensez-vous de l'engouement actuel pour le Moyen Age?*

G. D. – Les gens font de plus en plus du tourisme intelligent et le fait de pénétrer par milliers dans la cathédrale de Chartres ou dans l'abbaye de Fontevrault n'est peut-être pas étranger à ce phénomène. Ensuite, le Moyen Age est un monde merveilleux, c'est notre western, et en cela il répond à la demande croissante d'évasion et d'exotisme de nos contemporains. Enfin, c'est une époque mal connue, la moins enseignée à l'école alors que c'est notre arrière-pays commun.

A. G. – *Vous êtes modeste car vous passez sous silence tout ce que vous autres, historiens de la Nouvelle Histoire, avez fait pour mieux faire connaître notre* *passé et mieux faire comprendre notre présent à la lumière de ce passé!*

G. D. – Peut-être, encore qu' a priori il soit plus facile de saisir l'influence sur notre époque du mouvement ouvrier au XIXᵉ siècle que celle de la chevalerie. Mais il est incontestable que la crise actuelle du mariage nous renvoie à l'histoire de ce sacrement et aux raisons de son institution au Moyen Age. Tout le succès de la Nouvelle Histoire tient au fait que cette discipline a dû et a su répondre aux défis successifs des sciences humaines, de l'anthropologie, de la sociologie, et même de la psychanalyse. C'est parce qu'elle a su assimiler l'apport de ces nouvelles recherches que l'histoire est devenue si importante. En ce qui me concerne, je dois beaucoup à Fernand Braudel bien sûr, mon maître, mais aussi à des savants comme Georges Dumézil, Claude Lévi-Strauss, ou comme Michel Foucault, que j'admirais beaucoup. Ce qui fait la force de l'histoire aujourd'hui, en France tout au moins, c'est qu'elle a une volonté affichée de tout mettre en rapport, elle est une science de synthèse. Mais pour véritable que soit le succès de la Nouvelle Histoire, attention à ne pas l'exagérer! Ce que nous faisons aujourd'hui, Michelet laissait déjà entendre qu'il faudrait le faire. Et puis il y a des échecs.

A. G. – *Des échecs?*

G. D. – Je ne parlerai que d'un, mais il est de taille. La Nouvelle Histoire a complètement raté son entrée à l'école et n'est pas étrangère à ce que l'on appelle la crise de l'enseignement de l'histoire. On a introduit dans les classes, spécialement dans les lycées et les collèges, et sans assez de précautions, l'histoire des structures dans l'enseignement de l'his-

toire. Cela a été une catastrophe pédagogique car trop d'enseignants ont alors tourné le dos à l'histoire événementielle. Sous prétexte de rénovation, on a démoli le cadre sans lequel on ne peut rien comprendre à l'histoire des structures et des mentalités. Bien entendu, il y a d'autres raisons à la crise de l'enseignement de l'histoire, notamment le problème de la formation des maîtres et de la dignité de la condition d'enseignant. La dégradation du statut et de la fonction du professeur est telle dans nos sociétés modernes qu'on peut dire sans exagérer qu'un professeur d'université aujourd'hui compte bien moins qu'un instituteur sous la IIIᵉ République.

A. G. – *Est-ce que, d'une manière plus générale, vous aimez intervenir dans les affaires de la cité?*

G. D. – Non. Si l'historien a encore une fonction dans notre monde, c'est celle de perpétuer chez ses concitoyens le sens du civisme et l'esprit critique. Et c'est pour cela que je me bats pour la défense de l'enseignement de l'histoire. L'historien doit éclairer la réalité des choses par-delà les apparences trompeuses et les témoignages contradictoires. Dans l'univers de surinformation qui est le nôtre, dans lequel notre cerveau doit faire face en permanence à un bombardement d'images et de mots, de faits et de commentaires, cette fonction-là me paraît fondamentale.

A. G. – *A vous écouter et à observer l'importance prise par l'histoire ces dernières années, on a le sentiment que l'historien est en train de devenir la nouvelle figure de l'intellectuel contemporain. Est-ce votre avis?*

G. D. – Non, je ne le crois pas. Pour moi, c'est toujours le philosophe.

3.

IDÉES

Dix thèmes pour une décennie
par Alain Jaubert

INTERVIEWS :

RAYMOND ARON
FRANÇOISE DOLTO
BERNARD-HENRI LÉVY
MICHEL FOUCAULT
ROLAND BARTHES
ANDRÉ GLUCKSMANN
CLAUDE LÉVI-STRAUSS
GEORGES DUMÉZIL

DIX THÈMES POUR UNE DÉCENNIE

par Alain Jaubert

Extraire du continuum temporel une tranche de dix années est une démarche absurde. La vie, la mort, les événements, les idées sont emportés par le flux du temps, et le chiffrage du calendrier n'a aucune influence sur l'irrésistible écoulement. Et pourtant – ainsi fonctionne la pensée humaine – nous ne pouvons nous empêcher de découper, de trier, de classer, de ranger et de trouver à nos arrangements une logique imperturbable. Ainsi faisons-nous, même avec le temps, et l'aune de la décennie est depuis longtemps passée dans nos systèmes de mesure (les années cinquante, les années soixante...), se superposant souvent à des échelles plus diffuses ancrées sur des dates historiques (les années de Gaulle; Mai 68; Giscard d'Estaing, 1974; Mitterrand, 1981...). Tous les dix ans, les journaux tentent d'analyser la décennie écoulée, recensent son vocabulaire, ses vedettes, ses idées, ses événements marquants. Or, la tranche qui court du milieu d'une décennie à une autre, tout aussi arbitraire, n'en est pas moins intéressante. Qu'on la justifie par la politique (« De la chute de Saigon à l'avènement de Gorbatchev »), par l'histoire des mouvements (« De la nouvelle histoire au post-moderne »), par la carrière des uns ou des autres (« D'*India Song* à *l'Amant* »), elle nous semblera toujours une entité cohérente, suffisante, analysable en soi. Illusion d'optique pour illusion d'optique, arbitraire pour arbitraire, et en nous bornant bien entendu à la vie intellectuelle française, dix thèmes pour dix années...

1. *La fin des grands systèmes*

Au cours de la décennie précédente on avait vu se former une étrange et monstrueuse nébuleuse d'idées réunissant marxisme, linguistique, structuralisme et psychanalyse. Le système avait tout l'aspect d'une solide idéologie, tenait presque de la religion, prétendait à l'universel. Pendant un temps, certains avaient cru que la recherche linguistique allait incessamment leur révéler tous les secrets de l'apparition du langage et des mécanismes de la pensée, que le structuralisme était une vraie science capable de remonter aux origines de la logique, que le marxisme et la psychanalyse parfaitement unifiés allaient combler tous les manques de la connaissance. Cette folle utopie d'un savoir total, heureusement limitée au Ve arrondissement de Paris et à quelques universités, n'a tenu qu'un temps. La linguistique, après avoir tout envahi, revues, colloques, maisons d'éditions, est retournée sagement dans les universités, et le structuralisme, réduit au rang d'outil, est revenu au laboratoire d'anthropologie. La psychanalyse a limité d'autant mieux ses prétentions que la gauche arrivée au pouvoir la reconnaissait comme science à part entière (science « humaine », mais science tout de même) et l'introduisait au CNRS. Quant au marxisme, soudain, il n'était plus du tout l'horizon indépassable de l'époque, et ses variantes trotskystes, titistes, guévaristes, maoïstes ou althussériennes désertaient aussi rapidement les UV vincennoises qu'elles les avaient brutalement envahies quelques années plus tôt.

2. *L'universel naufrage des utopies politiques*

Peut-être doit-on lier ce rapide effrondrement des savoirs à dominante marxiste aux bouleversements de la politique internationale. Et d'abord au renforcement du système communiste dans le monde. L'arrivée des Khmers rouges à Phnom Penh (17 avril 1975) marque le début d'une période de déportations, de massacres, de dictature démente. La chute de Saigon, saluée par beaucoup comme une « libération » (30 avril 1975) n'est que la première étape d'une colonisation du Vietnam du Sud par le nord communiste (exode des *boat people*) et le prélude à des manœuvres militaires d'envergure (guerre frontalière avec la Chine, invasion du Cambodge en janvier 1979). L'armée soviétique entre en Afghanistan (27 décembre 1979) et occupe le pays. Mao Tsé-Toung meurt (1976) et la Chine commence à s'ouvrir au commerce occidental, sans qu'on puisse pour autant parler de libéralisation (purges massives, camps, exécutions publiques, etc.). Après dix-huit ans de pouvoir absolu, Leonid Brejnev meurt (novembre 1982). Lui succèdent Andropov, puis Tchernenko, puis Gorbatchev. Disparition d'autres grands chefs historiques du communisme : Tito (1980), Enver Hodja (1985). Mais l'événement marquant dans les pays de l'Est, c'est le coup d'État du général Jaruzelski (13 décembre 1981) et tout ce qui suit : résistance du syndicat libre Solidarité, manifestations, emprisonnements, état de siège, « normalisation », prix Nobel de la Paix pour Lech Walesa.
Dans le monde occidental, on observe au contraire une déstabilisation accélérée des dictatures de droite : le régime des colonels grecs s'effondre (1974), le franquisme ne survit pas à Franco (1975). Le Portugal (1974), l'Argentine (1984), le Brésil (1984) reviennent à la démocratie. Mais la chute du Shah d'Iran (janvier 1979) saluée comme une victoire de la liberté n'est que le prélude à la sinistre révolution islamique de l'ayatollah Khomeiny (février 1979). Et le Moyen-Orient reste le point le plus brûlant de la planète avec la guerre du Liban et sa succession de bombardements et

de massacres (à partir de 1975), l'assassinat de Sadate, la guerre entre l'Iran et l'Irak.

Les démocraties restent cependant fragiles, confrontées en permanence aux terrorismes. Terrorismes d'extrême droite avec les attentats-massacres de Munich ou de Bologne. Terrorismes d'extrême gauche avec les actions militaires de la Fraction armée rouge en Allemagne, celles des Brigades rouges en Italie (assassinat d'Aldo Moro, le 9 mai 1978), celles d'Action directe en France. Terrorismes d'origine plus incertaine mais de propos très sûrement antisémite comme ceux de la rue Copernic (3 octobre 1980) ou de la rue des Rosiers (9 août 1982). Et les prises d'otages, qui n'ont cessé de se multiplier, sont devenues l'ordinaire du dialogue politique entre les nations ou entre les factions.

L'arme nucléaire ne s'est pas dispersée comme on semblait le craindre quelques années auparavant, mais le chantage entre les deux grandes puissances est toujours aussi prégnant (bombe à neutrons, négociations sur les euromissiles, « guerre des étoiles »). D'autant plus que des événements insolites ont quelque peu brouillé le jeu (élection d'un pape polonais en 1978, suivi d'une tentative d'assassinat, vraisemblablement à l'instigation du KGB, en 1981).

La redistribution des cartes politiques, le retournement de certaines situations – les victimes d'hier devenant les bourreaux d'aujourd'hui –, la dérision et la fragilité de la politique traditionnelle mises en évidence par le terrorisme brutal et omniprésent ont détruit en quelques années bien des certitudes politiques; mais, point positif, ont ouvert un débat sérieux et permanent sur le devenir de la démocratie.

3. *Disparition des maîtres à penser*

La conjonction est curieuse, on se devait de la relever : en quelques années ont disparu la plupart des figures marquantes de la culture française. Ce fut d'abord André Malraux (1901-1976) qui ne survécut que quelques années au général de Gaulle à qui il avait lié son destin d'homme public. Du moins Malraux avait-il eu le temps de parachever quelques textes autobiographiques, dont les superbes *Antimémoires*.

Il n'en fut pas de même pour Roland Barthes (1915-1980), mort des suites d'un accident qui ressemble à un suicide. Il avait été élu au Collège de France trois ans plus tôt. Ses derniers livres avaient connu un grand succès et laissaient présager une autre manière, de nouvelles curiosités, peut-être des incursions dans le roman.

Trois semaines après la mort discrète de Barthes, celle de Jean-Paul Sartre (15 avril 1980) fut, par contre, un événement considérable : obsèques qui, pour ne pas être nationales, n'en furent pas moins tumultueuses, les adieux et les réflexions de toute une génération d'intellectuels, et aussi quelques polémiques sur les dernières années du philosophe qui, presque aveugle, n'écrivait plus mais accordait volontiers à quelques proches des entretiens sur lesquels on s'interroge encore.

Vénéré par les uns, détesté par les autres, le docteur Jacques Lacan (1901-1981) régnait avec panache sur la psychanalyse française. Un an avant sa mort, las de ses moutonniers disciples, il avait dissous son « École freudienne », laissant à quelques proches le soin de reformer le groupe qui aujourd'hui tente de perpétuer son enseignement.

En octobre 1983, Raymond Aron disparaissait. Depuis quelques années, il avait soudain connu un regain de célébrité : la publication de ses *Mémoires* et de recueils d'entretiens, la réédition de ses anciens ouvrages avaient remis au premier plan de l'actualité le professeur qui avait marqué profondément plusieurs générations d'étudiants, le sociologue qui avait dénoncé les totalitarismes longtemps avant les nouveaux philosophes, et l'éditorialiste qui avait la réputation de ne s'être jamais trompé dans ses prévisions.

Si Aron achevait à soixante-dix-huit ans une vie bien remplie, Michel Foucault, lui, n'avait que cinquante-sept ans lorsqu'il est mort en juin 1984. Il venait juste de publier deux volumes de son *Histoire de la sexualité* sur lesquels il avait peiné plusieurs années, changeant à la fois son approche et ses méthodes, renversant des notions bien établies sur l'antiquité gréco-romaine et sur les premiers siècles chrétiens. La pensée de Foucault était en pleine effervescence, on attendait encore beaucoup de lui et sa disparition, tellement brutale et inattendue, a bouleversé le monde intellectuel.

Vladimir Jankelevitch, mort en juin 1985, initia superbement à la philosophie tous ceux qui, durant trente ans, passèrent par la vieille Sorbonne : une voix fascinante, une grande rigueur intellectuelle et des engagements passionnés. Un peu oublié au cours des années soixante, le philosophe avait retrouvé une nouvelle audience avec la publication de ses œuvres principales.

Cette disparition rapide des maîtres à penser d'au moins trois générations a créé un vide et une situation bizarre. Alors même que le pouvoir de la classe intellectuelle est plus grand que jamais, il n'y a plus de ces figures phares rassurantes et stimulantes. Est-ce la fin des grands intellectuels, ou bien seront-ils un jour remplacés ?

4. *Les nouveaux philosophes*

Lancée par Bernard-Henri Lévy lui-même (dans un gros dossier des *Nouvelles Littéraires* publié en juin 1976), mais aussitôt après récusée par lui, « la nouvelle philosophie » est une de ces formules miracles qui relèvent plus de la science publicitaire que du monde littéraire ou philosophique classique. Ni une école, ni un mouvement théorique (les méchants ont vite dit « ni nouveaux, ni philosophes »), mais le regroupement de quelques essayistes brillants appartenant à la même génération, maîtrisant parfaitement les médias, et sachant même parfois lancer leur pensée sous forme de slogans. D'ailleurs Maurice Clavel en personne s'était penché sur le berceau des nouveaux philosophes et avait clamé *urbi et orbi* qu'une irrésistible mutation de la pensée s'était produite. En fait, Christian Jambet, Guy Lardreau, Jean-Paul Dollé, Philippe Nemo, Jean-Marie Benoist ont surtout en commun d'être publiés par le même éditeur, Grasset, et dans les collections mêmes que dirige Bernard-Henri Lévy. Bien qu'il ait refusé l'amalgame, André Glucksmann a été assimilé aux nouveaux philosophes.

On aurait tort cependant de ramener le phénomène à une série de coups éditoriaux, ou de s'acharner sur les petites erreurs historiques, les extrapolations abusives, les déclarations péremptoires de Bernard-Henri Lévy, ou bien sur le style de plus en plus amphigourique d'André Glucksmann (peut-être la cadence de parution, la course à la publication, l'émulation éditoriale sont-elles responsables de ces manques ou de ces excès?). Car ce qui semble le plus intéressant dans ce courant (où, disons-le, les individualités restent malgré tout distinctes), c'est qu'il a émergé en réaction contre les grands systèmes philosophiques qui dominaient jusqu'alors (existentialisme sartrien, marxisme althussérien), que, dans le sillage de Soljenitsyne, il a fait du goulag une des questions fondamentales de notre temps, et qu'il a placé les droits de l'homme au centre de toute réflexion politique. Même si, dans cette quête de l'éthique, les « nouveaux philosophes », philosophes pressés, avançant à coups de grands concepts généralisateurs, ont éclipsé des travaux plus anciens, plus réfléchis, plus mûris (Claude Lefort, Cornelius Castoriadis), on doit reconnaître qu'ils ont contribué à une certaine transformation des mentalités.

5. *Nouvelle droite et vieux fantasmes*

Juste après la « nouvelle cuisine » et la « nouvelle philosophie », on découvrait la « nouvelle droite » (1979). Le terme est lancé par Louis Pauwels qui ouvre largement les colonnes du *Figaro-Magazine* à Alain de Benoist et à ses amis issus des groupuscules fascisants des années soixante. A la faveur de l'énorme battage publicitaire mené à droite comme à gauche et qui, l'espace d'une saison, érige en « pensée » toute une pacotille intellectuelle (le sang, la race, les racines, l'hérédité, l'élite) qui avait disparu de l'horizon européen depuis quarante ans, les intellectuels de gauche découvrent avec horreur que la « nouvelle droite », grâce à ses clubs, ses groupes de pression, ses bulletins, ses revues, s'est infiltrée partout. « La vraie politique c'est la biologie » écrit *Nouvelle École*. Et les thèses anti-égalitaires trouvent un écho certain chez les hommes politiques de la droite libérale, à commencer par le président Giscard d'Estaing lui-même (et aussi plusieurs de ses proches comme Michel Poniatovski dont on dit que les essais auraient largement puisé dans les dossiers préparés par Alain de Benoist et ses amis). L'excitation autour de la droite dite nouvelle est vite retombée. Mais les clubs, les bulletins, les journaux ont continué à diffuser les vieilles théories fascisantes revernies de notions scientifiques mal assimilées, rencontrant certainement un écho dans une France profonde travaillée par le racisme, le chômage et la peur. L'émergence soudaine dans le champ politique d'une droite musclée ne s'embarrassant plus de nuances philosophiques et clamant ouvertement son racisme, sa soif d'ordre moral et de discipline a fait passer au second plan la « nouvelle droite ». Celle-ci se reconnaît-elle en Le Pen? Sans doute pas. Du moins peut-elle mesurer désormais la distance entre l'élite et les spadassins.

6. *Le retour d'Auschwitz*

Lorsque les manifestants de Mai 68 scandaient « Nous sommes tous des juifs allemands! », ils transgressaient un sévère tabou : depuis 1945, en France, le mot juif était difficilement prononçable. Quelques années de plus et, au contraire, de nombreux écrivains, philosophes ou romanciers, nourris des écrits d'aînés prestigieux comme Elie Wiesel, Emmanuel Lévinas ou Edmond Jabès, revendiquent ouvertement leur judaïté. Mais le phénomène ne se réduit pas à la prise de conscience d'une différence ou à la manifestation d'une identité juive. En quelques saisons on a assisté en effet à un fantastique retour du refoulé politique et, de même qu'il y avait eu, juste auparavant, un « effet goulag », on a connu ce que les observateurs ont appelé un « effet holocauste » : les déclarations de l'ancien commissaire aux questions juives Darquier de Pellepoix fin 1978 (« A Auschwitz, on n'a gazé que des poux ! »), l'énorme émotion soulevée par la projection du médiocre feuilleton télévisé « Holocauste » (1979), les polémiques engendrées par l'affaire Faurisson (1980-1981), par l'extradition de Klaus Barbie (1983), par la publication des faux carnets d'Hitler (1983) ou par l'exhumation des restes du présumé docteur Mengele (1985), et surtout la multiplication des attentats antisémites en Europe ont ramené la question du nazisme au tout premier plan de la réflexion historique et politique. Comme le résume simplement Alain Finkielkraut : « Depuis Auschwitz, nous ne savons plus situer la frontière entre l'humain et l'inhumain dans l'homme. Penser la solution finale, c'est affronter cette énigme. »

7. *Émergence de la biopolitique*

La loi Veil autorisant l'interruption volontaire de grossesse (janvier 1975) a ouvert symboliquement l'ère de la biopolitique. Jamais la réflexion sur les sciences biologiques et sur leurs conséquences n'avait été aussi générale, n'avait pénétré aussi profondément toutes les couches de la société. Il ne s'agit pas seulement du retour que les biologistes ont fait sur leur histoire et sur leurs méthodes (François Jacob, *Le jeu des possibles*; Jacques Ruffié, *Traité du vivant*; Albert Jacquard, *Éloge de la différence*; Pierre Changeux, *L'homme neuronal*), ni d'une grande quantité de travaux de médecins ou d'historiens sur la mort (Léon Schwartzenberg et Pierre Viansson-Ponté, *Changer la mort*; Philippe Ariès, *L'homme devant la mort*; Michel Vovelle, *La mort et l'Occident*; Maurice Tubiana, *Le refus du réel*), ni même des rapports commandés par le pouvoir politique à des scientifiques de haut niveau (*Service de la vie et société*), mais bien d'interrogations, de débats, d'angoisses et d'espoirs suscités par les banques du sperme, l'insémination artificielle, les manipulations génétiques, le clonage, les mères porteuses, les transplantations d'embryons ou d'organes, les soins aux cancéreux ou aux vieillards, l'euthanasie, la drogue, le SIDA. Tous ces thèmes, devenus vite populaires, signalent l'apparition d'idéologies biologiques proliférantes et aussi bien partagées par la gauche que par la droite. La vie, la mort, la race, la santé, le corps, les gènes sont devenus, mieux encore que des sujets scientifiques ou philosophiques, des enjeux politiques.

8. *Du moderne au post-moderne*

Jamais on n'avait tant parlé de modernité. Le mot s'est retrouvé aussi bien dans le vocabulaire politique que dans l'industrie, la publicité ou la mode.

Depuis l'inauguration du Centre Pompidou (31 janvier 1977), d'immenses expositions ont tenté l'analyse d'un siècle qui s'achève bientôt et dont les grands courants demeurent encore énigmatiques aux observateurs qui y sont immergés : « Paris-New York » (1976), « Paris-Berlin » (1978), « Paris-Moscou » (1979), « Les réalismes » (1981), « Les immatériaux » (1985). Comme le concept de « moderne » date des alentours de la Première Guerre mondiale (entre le cubisme et Marcel Duchamp, sans remonter à Baudelaire...) et qu'on ne cesse depuis soixante ans d'essayer de démêler ce qui est moderne de ce qui ne l'est pas, le concept pratique de « post-moderne » a fait son chemin. Le moins qu'on puisse dire, c'est qu'il ne signifie pas la même chose chez les uns et chez les autres. Né dans les milieux de la danse, et plus exactement dans le sillage des recherches de Merce Cunningham, il désigne aujourd'hui aussi bien plusieurs courants rétro en musique ou en architecture que la prolongation des principes expérimentaux des anciennes avant-gardes. Dans son livre, *La condition post-moderne* (1979), Jean-François Lyotard s'interroge sur les actuelles mutations et sur les outils qui les ont permises : « Depuis quarante ans, les sciences et les techniques dites de pointe portent sur le langage : la phonologie et les théories linguistiques, les problèmes de la communication et la cybernétique, les algèbres modernes et l'informatique, les ordinateurs et leur langage, les problèmes de traduction des langages et la recherche des compatibilités entre langages-machines, les problèmes de mise en mémoire et les banques de données, la télématique et la mise au point de terminaux intelligents, la « paradoxologie » : voilà des témoignages évidents et la liste n'est pas exhaustive. »
Autre penseur de la modernité, le sociologue Jean Baudrillard. Après avoir, au lendemain de Mai 68, analysé la société de consommation, il s'est intéressé dans la dernière décennie aux signes, aux simulacres, à la séduction, à l'espèce d'extase de la simulation qui affecte désormais les masses dans la vaste explosion des médias...

9. Grandes manœuvres médiatiques

La décennie 1975-1985 aura vu un double phénomène : l'explosion de l'audiovisuel et le déclin du monopole étatique sur les grands moyens de communication. L'avènement de Giscard d'Estaing à la mort de Georges Pompidou en 1974 s'est traduit immédiatement par le démantèlement de l'ORTF, avec maintien du monopole mais création de sociétés indépendantes. On connaît la suite : apparition de la télévision en couleur (1976 ?), opposition du pouvoir giscardien au câblage (1976), petite guerre des radios d'abord « pirates » puis « libres » (1977-1981), développement de la télématique, vogue des magnétoscopes, introduction de la publicité sur deux puis trois chaînes, plan de câblage pour la France (1982), réforme des industries cinématographiques (1982), création de la Haute Autorité de l'audiovisuel (1982) lancement de Canal Plus (1984).
A cette formidable inflation de l'audiovisuel, qui a même fini par mobiliser en permanence tous les partis politiques, correspond aussi un véritable affolement dans la presse et dans l'édition, avec la constitution de groupes « multi-medias ».

Dans la crise grave et générale qui affecte la presse nationale, on aura cependant observé la montée éclatante du quotidien *Libération* dont l'influence (plus importante que la diffusion) marque la consécration de la génération soixante-huitarde.

Mais quels que soient ces hauts et ces bas, ces réussites et ces déclins, ces dispersions ou ces rassemblements, ce qui marque véritablement ces dix dernières années est la montée d'un nouveau pouvoir, celui des journalistes. Pouvoir sans limite et presque sans freins, qui digère tout, qui réduit tout à ses propres normes. Les journalistes ont découvert qu'ils pouvaient contrôler la vie politique ou littéraire, voire créer eux-mêmes l'événement, et ils ont parfois confondu ce pouvoir, devenu exorbitant, avec une pensée en soi.

10. *Le pouvoir intellectuel*

En fait le pouvoir des journalistes s'est renforcé parallèlement à celui des intellectuels. La limite entre les deux est désormais difficile à percevoir : les journalistes prétendent à la maîtrise des idées et les intellectuels on su conquérir la presse. La constellation presse-radio-télévision-édition-publicité conditionne aujourd'hui la vie intellectuelle en France. La chose ne serait pas en soi trop grave si la bonne tenue des publications et des débats était assurée. Mais les stratégies éditoriales, la demande des médias, les rivalités imposent au monde intellectuel leurs cadences infernales. Les idées nouvelles sont lancées comme des produits industriels. On a vu des philosophes difficiles, réservés, secrets, se mettre à publier tous les dix-huit mois des livres de plus en plus bâclés. L'analyse et la critique des mœurs de la tribu (Régis Debray, *Le pouvoir intellectuel en France, Le scribe*; Hervé Hamon et Patrick Rotman, *Les intellocrates*; Pierre Bourdieu, *Homo academicus*) n'ont que peu d'influence sur leur évolution. D'autant que certains des pourfendeurs se livrent à des attaques contre les médias pour le moins primaires!

« Les chefs de l'intelligentsia française, note l'historien britannique Theodore Zeldin, jouent un rôle qui, en Angleterre, incombe à l'Église anglicane et à l'opposition officielle de Sa Majesté. Ils expliquent les maux de la société et s'indignent qu'on ne suive pas mieux leurs conseils. Leurs plaintes font partie du système; on les respecte. » L'accoutumance au pouvoir intellectuel est en effet telle que lorsque soudain, après l'arrivée de la gauche au pouvoir, « ils » se sont tus, ce fut l'affolement, l'état de manque. « Où sont les intellectuels? » a demandé en substance Max Gallo au cours de l'été 1983. Les réponses ont quelque peu tardé. Les « grands intellectuels » se sont bien gardés d'intervenir, laissant ce soin à leurs seconds. Mais ces opérations de séduction estivale ont surtout confirmé le diagnostic de Zeldin. Et, qu'on l'estime rassurant ou inquiétant, ce pouvoir intellectuel est une donnée récente avec laquelle il faut désormais compter.

RAYMOND ARON

*« J'aurais été volontiers le conseiller
d'un prince, mais aucun prince ne m'a demandé
de le conseiller... »*

Février 1977

Raymond Aron occupe, dans le paysage intellectuel français, une place bien à
part. Où le situer ? On peut difficilement dire de lui qu'il est est un
intellectuel de gauche. Serait-il alors un intellectuel de droite ? C'est à la fois
inexact et un peu simpliste, vu la connotation d'habitude accolée à cette
étiquette. Quand on veut classer Raymond Aron, on s'accorde donc sur une
notion beaucoup plus générale : il serait un représentant du courant libéral.
Mais le libéralisme, terme par lequel on désigne un mouvement d'idées assez
précis dans les pays anglo-saxons, se réduit en France à quelque chose d'assez
flou et de trop vague.
En analysant d'une manière plus précise la personnalité de Raymond Aron,
on se heurte aussi à quelques problèmes dus à la diversité de ses activités. De
qui faut-il en effet parler d'abord ? Du journaliste qui écrit depuis bientôt
trente ans dans *Le Figaro* ? Du professeur de sociologie dont les cours au
Collège de France font salle comble ? De l'écrivain ayant publié toutes sortes
d'ouvrages, depuis les polémiques acerbes, comme *L'opium des intellectuels* ou
Les marxismes imaginaires, jusqu'aux réflexions sur le monde d'aujourd'hui,
comme *Dix-huit leçons sur la société industrielle* en passant par des livres de
philosophie, comme *Histoire et dialectique de la violence*, sans oublier *Penser
la guerre*, ce commentaire sur Clausewitz, le père de la stratégie moderne ?
Ou bien de l'homme qui a toujours été fasciné par la politique et qui, tout en
n'ayant jamais été directement appelé à seconder un « Prince », fait figure de
véritable autorité, aux avis sollicités et écoutés ? Quant à l'itinéraire de
Raymond Aron, on reste d'emblée perplexe : voilà, par exemple, quelqu'un
qui n'a pas ménagé les marxistes en leur envoyant parfois quelques volées de
bois vert, et qui, sa vie durant, dissèque l'œuvre de Marx sous ses moindres
coutures. Dans le même registre, on pourrait évoquer ce dialogue unilatéral et
impossible qu'il poursuit, par écrits interposés, avec son ancien ami et

condisciple Jean-Paul Sartre. Plus généralement, on peut se demander ce qui pousse cet homme, appréciant apparemment l'ordre, à tant réfléchir sur le désordre, les guerres et les révolutions.

Raymond Aron publie ce mois-ci chez Laffont un nouveau livre, *Plaidoyer pour une Europe décadente*, dont la dernière partie au moins. « L'Europe victime d'elle-même », suscitera à coup sûr des commentaires contradictoires. Tout le monde s'accordera quand même sur un point : à soixante-douze ans, l'intelligence de Raymond Aron reste étonnante, et, qu'elle séduise ou qu'elle irrite, elle conserve le mérite rare de savoir déranger.

Pierre Boncenne. – *En regardant l'ensemble de votre œuvre, on peut la diviser en quatre parties complémentaires : journalistique, sociologique, politique et philosophique. Existe-t-il des écrits inédits qui viendraient modifier un peu ce tableau ?*

Raymond Aron. – Il existe une demi-douzaine de cours qui auraient pu être publiés et, par exemple, un grand cours sur Montesquieu, mais il n'en reste pas de traces ; il y a un cours dont la sténotypie existe et qui porte sur les régimes qui ne sont ni de type marxiste-léniniste ni de type occidental. C'est-à-dire sur les différents régimes des pays du tiers monde. Ce cours aurait pu faire l'objet d'un 4e volume de la série comportant *Dix-huit leçons sur la société industrielle*, *La lutte de classes* et *Démocratie et totalitarisme*. Mais en gros je répondrai qu'il n'y a rien dans ce qui est inédit qui ait de l'importance. Il n'y a rien qui mérite d'être sauvé de ce que je n'ai pas publié jusqu'à présent et, même si dans tel ou tel cours il existait ici ou là des notations intéressantes, cela n'ajouterait rien à ce que j'ai voulu dire.

P. B. – *Dans vos fonds de tiroir il n'existerait pas quelque chose comme un roman de jeunesse ? En somme, quelque chose qui ne soit ni de la sociologie ni de la philosophie ?*

R. A. – Un roman, je n'en ai certainement pas écrit. A différentes reprises, j'ai essayé de tenir un journal, mais je ne suis pas doué : je n'ai jamais pu m'obliger, en revenant le soir chez moi, à prendre note des conversations intéressantes que j'avais eues ou à entretenir un dialogue avec moi-même. Mes problèmes personnels ont probablement orienté dans tel ou tel sens mes intérêts ou mes curiosités, mais le lien n'est pas évident. La mort d'une petite fille à six ans, d'une leucémie, m'a marqué plus que tous les événements de ma vie, mais elle m'a marqué au fond de moi-même. Je ne pense pas qu'elle ait changé ma manière de penser. Ce n'est intéressant pour personne sauf pour ceux qui m'ont aimé. Ce n'est pas intéressant pour le grand public.

P. B. – *Justement, ce grand public vous imagine volontiers passant votre temps dans la sociologie, la philosophie ou la politique.*

R. A. – Ce n'est pas vrai! Quand j'étais jeune, avant que je fasse de la philosophie, ma plus grande passion c'était le tennis. J'ai été un joueur « classé » – à 2/6 – et à l'époque j'ai joué dans beaucoup de championnats de tennis. D'autre part, pendant très longtemps, j'ai lu de nombreux romans et je n'étais pas du tout enfermé dans la philosophie ou la sociologie. Donc, si on imagine que je suis un homme perpétuellement sombre, obsédé de politique ou de philosophie, eh bien non!

P. B. – *Vous en lisez encore, des romans ?*

R. A. – De temps en temps. Mais plus le temps passe et, c'est curieux à dire, plus je suis accablé de travail, probablement faute de la capacité de dire non. Alors, de temps en temps, je lis des romans, ceux que les auteurs m'envoient ou ceux qui intéressent ma curiosité. De temps en temps aussi je relis les romanciers que j'aime, Dostoïevski, ou Stendhal. J'ai très souvent lu Stendhal.

P. B. – *Vous pourriez me citer un romancier contemporain qui vous a particulièrement intéressé ?*

R. A. – Patrick Modiano [1]. Je l'aime beaucoup personnellement, bien que je ne l'aie vu qu'un petit nombre de fois, et j'ai lu avec sympathie ses livres.

P. B. – *Comment interprétez-vous cette façon chez Modiano de faire resurgir un passé qu'il n'a pas vécu ?*

R. A. – Il est clair que ses origines juives, ou partiellement juives, ont agi sur lui comme une espèce d'obsession, de détonateur alors même qu'il a vécu à une époque où, dans une large mesure, la question juive ne se posait plus avec autant d'acuité que pour moi-même dans les années 30. Mais c'est comme s'il avait vécu rétrospectivement, et par sympathie disons, les épreuves d'une génération antérieure. Pourquoi est-ce le cas chez lui ? Je n'en sais rien, il faut lui demander. Mais j'ai été frappé de l'intensité avec laquelle il vit ce qui fut, disons, une expérience vécue par une génération qui précédait la sienne. Tout cela n'est pas pour dire que personnellement j'aie jamais été obsédé par le fait que j'étais né d'une famille juive.

P. B. – *Donc vous ne vous retrouvez pas dans cette obsession de l'origine chez Modiano ?*

R. A. – Pas du tout. Je la comprends, mais de l'extérieur. J'ai été élevé dans une famille juive déjudaïsée. A l'École normale supérieure, la question n'intéressait personne et pour ceux que je fréquentais le plus, disons Sartre, Nizan, Canguilhem ou Lagache, le fait que j'étais juif était parfaitement indifférent. J'ai été en Allemagne pour la première fois en 1930 et j'ai rencontré de face le national-socialisme. Il n'en est pas

résulté pour moi un bouleversement intérieur mais il en est résulté une décision que j'ai prise une fois pour toutes : c'est qu'à partir du moment où la persécution des Juifs apparaissait à l'horizon tout proche, jamais je n'essaierais de dissimuler mon judaïsme. Je l'ai toujours non pas projeté devant les autres, mais j'ai, dans toute la mesure du possible, évité de le dissimuler ou de donner l'impression aux autres que je le dissimulais et que j'en étais sois honteux soit fier, et j'ai vécu avec mon judaïsme sans aucun drame particulier. Puis est venue la création de l'État d'Israël à laquelle je n'ai eu aucune part, bien entendu, et à laquelle je ne m'intéressais pas de manière particulière : tout à fait conscient de mon judaïsme, je ne pensais pas mon judaïsme comme une nationalité. Cela dit, à partir du moment où l'État d'Israël existe, je crois, pour un ensemble de raisons difficiles à rationaliser, que j'éprouve à son égard, disons, une dilection particulière, une relation émotionnelle. Étant bien entendu que je ne suis pas, et ne veux pas être, Israélien. Je veux être Français.

P. B. – *On retrouve souvent le thème de « l'exclusion » chez des penseurs d'origine juive. Pas chez vous ?*

R. A. – En général, on se forme soi-même à l'égard de son être, jeune. Or, étant enfant, je n'ai jamais eu ce sens d'exclusion. Étant jeune homme, certains de mes amis étaient juifs, d'autres ne l'étaient pas. De temps à autre, je faisais la distinction entre les uns et les autres, mais pas d'une manière accentuée. Quand je suis allé en Allemagne pour la première fois, en 1930, j'avais vingt-cinq ans et j'étais déjà formé. J'avais, comme la plupart des hommes, mes problèmes, mes difficultés intérieures, ma difficulté de vivre. Mais le judaïsme ne faisait guère partie de mes problèmes intérieurs. Pendant la guerre, quand j'ai été en Angleterre, ma femme et ma petite fille étaient restées en France, et j'ai porté un nom d'emprunt pour ne pas leur compliquer l'existence. Mais dès que j'ai pu, j'ai repris mon nom pour affirmer ce que j'étais. C'est tout. Sans agressivité,

---

1. Né en 1947, Patrick Modiano a situé l'action de ses trois premiers romans, *La Place de l'Étoile, La ronde de nuit, Les boulevards de ceinture*, sous l'Occupation qu'il n'a pas connue. Patrick Modiano est aussi l'auteur du scénario de *Lacombe Lucien*.

sans ostentation mais aussi sans aucune réserve.

P. B. – *Et pourtant, dans ce livre très important que vous avez récemment publié sur Clausewitz*[2]*, il y a, dans la conclusion où vous affirmez que « l'adieu aux armes » est une illusion, ces dernières lignes assez frappantes : « D'autres hommes vivront demain d'autres passions. Français, d'origine juive, comment pourrais-je oublier que la France doit sa libération à la force de ses alliés, Israël l'existence à ses armes, une chance de survie à sa résolution et à la résolution américaine de combattre, si besoin est. Avant de me sentir coupable, j'attends qu'un tribunal décide qui, des Israéliens ou des Palestiniens, revendique à bon droit la terre sacrée pour les trois religions du Livre. »*

R. A. – Oui. Tout le monde l'a remarqué et tout le monde y a attaché de l'importance. J'ai lu récemment un article qui n'est pas encore paru, à propos de mon livre sur Clausewitz; cet article prétend que le livre tout entier est passionné, que le livre tout entier est terriblement subjectif. Ce n'est pas à moi de présenter mon livre tel que je le pense, mais les dernières lignes du deuxième volume prennent l'exemple d'Israël parce que c'est l'exemple le plus frappant de ce fait : la force militaire reste, dans certains cas, la condition d'existence ou de survie d'un État.

P. B. – *Mais voilà : ce sont quand même les dernières lignes...*

R. A. – Alors, supposez que je ne sois pas juif et que j'eusse écrit un livre avec cette conclusion, « L'adieu aux armes » ou « La grande illusion », n'aurait-il pas été aussi logique et raisonnable pour un non-Juif de prendre comme exemple de la survie par la force le cas d'Israël ? D'autre part, il y a la référence aux religions. Or, nulle part le contraste entre le message de salut qui s'adresse à tous les hommes et les conflits entre les États n'apparaît avec autant d'éclat que dans le cas d'Israël ! Quand j'ai reçu un doctorat « Honoris Causa » à l'université

de Jérusalem, j'ai dit à peu près ceci : « Jérusalem, ville sacrée pour les fidèles des trois religions du Livre; Jérusalem, où retentirent les pas des conquérants et les tragédies de l'histoire; Jérusalem, cité de la foi transcendante et centre des conflits entre les États. » C'est qu'Israël symbolise ce qui constitue une partie de ma réflexion : la vérité de la raison ou la vérité de la foi s'adresse à tous les hommes, mais les États n'existent les uns face aux autres que par la capacité de se défendre... Enfin, il est possible que, si je n'étais pas juif, je n'aurais pas terminé mon livre de cette façon.

P. B. – *Parlons un peu de votre manière de travailler : est-elle très planifiée ?*

R. A. – Je n'ai pas de plan d'existence, j'ai en revanche une très grande discipline. Je ne suis pas capable de dépasser un certain nombre d'heures de travail par jour. Si je dépasse le nombre, je ne dors plus et alors je ne peux plus travailler le jour suivant. En revanche, je travaille tous les jours; tous les matins j'écris, je lis, je prépare mes livres. Mon existence normale c'est travailler tous les matins, trois heures au moins, cinq heures au plus, une moyenne de trois/quatre heures tous les matins. Je ne sors jamais de chez moi le matin.

P. B. – *Samedi, dimanche compris ?*

R. A. – Samedi, dimanche compris. Surtout. Comme j'ai moins à faire dans l'après-midi, je suis plus disponible. On me dit toujours : comment pouvez-vous faire tout cela à la fois ? Je réponds : je ne travaille pas beaucoup, mais tous les jours.

P. B. – *C'est peut-être à cause du journalisme. Justement, quand a commencé votre activité de journaliste ?*

R. A. – Mon premier contact avec la politique politicienne, c'est la revue *La France libre* à Londres entre 40 et 44. Je reviens en France et j'ai commis ce jour-là une erreur que j'ai regretté longtemps : l'université de Bordeaux m'avait demandé si j'acceptais de prendre la chaire de sociologie qui était vacante. Je revenais de quatre années d'absence, je n'ai pas voulu habiter Paris et faire mes cours à Bordeaux; je n'ai pas voulu non

---

2. *Penser la guerre*, 2 t., Gallimard.

plus habiter Bordeaux. Le résultat, c'est que je suis sorti de l'Université pendant quelques années et qu'au lieu d'arriver à la Sorbonne comme j'aurais dû y arriver normalement en 48/49, j'y suis arrivé plusieurs années plus tard. Il fallait que je gagne ma vie puisque je n'avais aucune fortune, je n'avais rien que ce que je gagnais et, par hasard, par l'intermédiaire d'André Malraux j'ai commencé à écrire dans *Combat*.

P. B. – *C'est Malraux qui vous avait fait commencer ?*

R. A. – Oui et non. J'ai été directeur du cabinet de Malraux quand il a été pour la première fois ministre de l'Information, entre décembre 45 et la fin janvier 46. Malraux était très lié au directeur de *Combat*, Pascal Pia, et quand j'ai quitté le ministère, il fallait que je gagne ma vie. Il m'a suggéré d'écrire dans les journaux ; j'ai été voir Pia et j'ai commencé ma carrière de journaliste en écrivant une série d'articles dans *Combat* sur les différents partis politiques. A ma grande surprise, car je ne savais pas que je pouvais écrire des articles de journaux, ces articles, qui doivent encore exister dans les collections de *Combat*, ont eu un certain retentissement dans le monde journalistique. Et j'ai donc commencé vers le mois de mars ou avril 46 à écrire des éditoriaux dans *Combat ;* puis, quand la première équipe du journal est partie, deux journaux m'ont demandé d'écrire : l'un, c'était *Le Figaro* de Pierre Brisson [3] et l'autre, c'était *Le Monde* de Beuve-Méry [4]. Quoi qu'on en ait dit ici ou là, mon choix n'a pas été guidé par des considérations financières puisque les offres qui m'étaient faites étaient du même ordre de grandeur des deux côtés. J'ai décidé finalement en faveur du *Figaro* pour deux raisons. D'abord, Malraux m'a dit que je m'entendrais mieux avec Pierre Brisson qu'avec Beuve-Méry et l'expérience a prouvé qu'il avait vu juste ; et, deuxièmement, parce que je voulais conserver ma matinée pour mon travail scientifique.

3. Directeur du *Figaro* jusqu'en 1964.
4. Directeur du *Monde* jusqu'en 1969.

P. B. – *Oui, et en raison de la parution du* Monde *l'après-midi vous n'auriez pas pu travailler le matin. Mais c'était le même genre de travail ?*

R. A. – Je n'ai pas poussé la discussion avec Beuve-Méry très loin, mais c'était la même chose, c'est-à-dire écrire une ou deux fois par semaine un article comme j'en ai écrit maintenant...

P. B. – *Combien ?*

R. A. – Oh, je ne sais pas. Tout ce que je puis dire c'est que j'ai commencé à écrire au *Figaro* au printemps de 1947 et que cette année je fête, si je puis dire, mes 30 ans au *Figaro*.

P. B. – *Vous n'avez jamais fait autre chose que du travail d'éditorialiste ? Vous n'avez jamais fait de reportage, d'enquête ?*

R. A. – Du travail de reportage, on ne peut pas dire, sauf que de temps à autre j'ai fait des voyages à l'étranger : aux États-Unis, au Japon, et à chaque fois que j'ai fait un voyage, j'écrivais un article qui était différent de mes chroniques ordinaires. Mais, comme mon milieu le disait volontiers, pas tellement. On disait en plaisantant que c'était un peu un voyage autour de ma chambre. Je n'ai jamais véritablement fait du reportage, au sens courant du terme tout au moins : c'était un reportage à caractère semi-intellectuel et pas tellement différent des reportages que publie *Le Monde*... En d'autres termes, c'étaient des analyses d'une situation locale à la faveur d'un voyage qui m'avait permis des conversations avec des hommes publics de ces pays.

P. B. – *Et vous ne regrettez pas de ne pas avoir fait d'enquêtes, de reportages ?*

R. A. – Il n'y a pas de raison de le regretter. Je pense seulement ceci : j'ai le sentiment que je fais plutôt mieux que la plupart les articles d'analyse politique, diplomatique, ou éventuellement économique, encore qu'il y ait des journalistes économiques plus compétents que moi. Mais précisément parce que je ne suis pas un professionnel de l'économie, il est possible que j'arrive aussi bien qu'eux à faire comprendre les problèmes économiques difficiles pour le grand public. Mon registre est déjà extrêmement étendu puisqu'il va des problèmes diplomatiques jusqu'aux problèmes de politique intérieure française, des problèmes de l'économie française et mondiale jusqu'aux problèmes économiques monétaires. Pourquoi démontrer que je peux aussi faire du reportage ? Il faut essayer de faire ce pour quoi on pense être plus doué que les autres ou bien aussi doué que les meilleurs.

P. B. – *A l'intérieur de votre registre, qu'est-ce qui vous intéresse le plus : la politique intérieure, la diplomatie ?*

R. A. – Dans l'ensemble, ce qui m'amuserait le plus, c'est la politique extérieure. Mais je vous dirai très volontiers que m'intéressent les articles difficiles ou les articles de tempérament. Les articles de polémique par exemple : rien n'est plus facile que les articles méchants ou les articles à contre-courant, comme les articles de 68 : c'est ce qu'il y a de plus facile à faire.

P. B. – *Ces fameux articles de 68, ce n'était pas trop facile ?*

R. A. – Il fallait, disons, un certain courage civique pour s'opposer à la mode, se faire huer par les étudiants, courir le risque de ne plus pouvoir parler dans une université; mais je considère tout cela comme facile. De la même façon, je n'ai pas eu le sentiment d'avoir eu besoin de beaucoup de courage pour écrire en faveur de l'indépendance algérienne en 57. Il fallait seulement avoir le minimum de clairvoyance et la volonté d'affirmer ce que l'on pensait juste.

P. B. – *Vous êtes depuis peu « directeur politique » du* Figaro. *Qu'est-ce que cela signifie ? Est-ce que l'on peut dire que vous êtes l' « idéologue » du* Figaro ?

R. A. – Je ne dirai pas ça. Je dirai qu'il est probable que, pour beaucoup de lecteurs et surtout dans le milieu politique, mes opinions politiques ont en tant que telles plus de poids que les opinions politiques de la plupart des autres collaborateurs du Figaro. Quand on me cite dans la revue de presse, on cite plutôt Raymond Aron que Le Figaro. C'est que j'ai une vie en dehors du *Figaro; Le Figaro* m'a offert, il y a une trentaine d'années, une tribune excellente et j'es-

père continuer à donner au *Figaro* ce que je peux représenter. Mais le fait essentiel me paraît être que, au moins dans les milieux politiques, on est habitué à moi, que j'écris depuis trente ans et que je ne me suis pas trompé plus que les autres sur la majorité des sujets. Mes articles ont donc un certain poids. Les journaux soviétiques me présentent toujours comme l'idéologue officiel du régime. Mais ils me prêtent une influence beaucoup plus grande que je n'en ai et ils m'attribuent un rôle dans la France de la Ve République que je n'ai jamais joué. Ils s'imaginent que je suis l'officiel du régime parce qu'ils imaginent tous les régimes à l'image du leur. Il n'y a pas d'idéologue officiel. Je n'ai jamais été gaulliste au sens rigoureux du terme. Le général de Gaulle avait peu de goût, sauf pendant une courte période, pour ma personne ou mes idées. Le fait que je sois directeur politique du *Figaro* tient à la réorganisation du journal à la suite de l'entrée de Robert Hersant [5], à la personnalité de Jean d'Ormesson [6] et ainsi de suite.

P. B. – *Mais Robert Hersant a quand même dit qu'il mettrait tout le poids de ses journaux dans la bataille politique. Vous aurez donc un rôle important...*

R. A. – Il a en effet dit cela et il a raison. Mais au moment des élections de 73 j'ai écrit un certain article qui s'appelait *Le cercle carré*, contre le Programme commun, qui a été repris intégralement par *L'Express* et qui était une prise de position du *Figaro*. En 74, pendant plusieurs semaines, il y a eu plusieurs articles pour et contre Mitterrand et Giscard d'Estaing. La dernière semaine, *Le Figaro*, par mon intermédiaire et par l'intermédiaire de d'Ormesson, a pris position de la manière la plus résolue en faveur de Giscard d'Estaing. Un journal d'opinion, un grand journal d'information et d'opinion, comme *Le Figaro*, peut publier toutes les opinions, cela ne choque pas ses lecteurs, mais le journal doit représenter une certaine tendance de

---

5. Propriétaire du *Figaro*.
6. Directeur général du *Figaro*.

l'opinion. Nous, nous représentons une tendance de l'opinion qui, si je puis dire, englobe à la fois Giscard et Chirac, mais qui, en revanche, se situe contre le Programme commun et ce qu'il représente. Tout le monde a commenté la déclaration de Robert Hersant comme si pour la première fois *Le Figaro* allait s'engager. *Le Figaro* se serait engagé de toute façon, que le directeur fût Robert Hersant, Jean d'Ormesson, Raymond Aron ou même Pierre Brisson.

P. B. – *Mais, vu les querelles à l'intérieur de la majorité, Chirac-Giscard...*

R. A. – Eh bien, vous avez lu mes articles à ce sujet. J'en ai écrit deux. L'un s'appelait *Un seul rassemblement suffit* et l'autre, *Du bon usage des maladies*. J'ai essayé de convaincre aussi bien l'un que l'autre qu'ils étaient tous les deux utiles et nécessaires à condition qu'ils ne commissent pas l'erreur d'entrer en conflit ouvert. M. Giscard d'Estaing est le président de la République, il n'a pas à entrer en conflit avec le chef d'un des partis de sa majorité. Alors, que Chirac énerve par instants le président de la République, cela fait partie de la nature humaine. Politiquement, on fait abstraction des états d'âme et c'est mon cas : je n'ai pas d'état d'âme. Je ne suis pas dans le jeu politique, je ne suis candidat à rien, je n'ai jamais été candidat à quoi que ce soit en politique, c'est l'une de mes forces.

P. B. – *Là c'est le journaliste qui se retranche derrière le sociologue. C'est parce que vous êtes sociologue que vous analysez la politique plus froidement ?*

R. A. – Je pense ceci : je me suis toujours intéressé à la politique et j'ai toujours craint de devenir un homme politique ; je n'ai jamais voulu, sauf ici ou là, devenir un homme politique parce que je mettais la pensée pure ou la philosophie plus haut que la politique. J'ai trouvé ma voie vers ma vingt-sixième année lorsque j'ai choisi le thème de ma réflexion philosophique : les rapports entre l'action et l'histoire, et c'est de cette question, les rapports entre l'action et l'histoire, que sont sortis tous mes livres. D'abord *L'introduction à la philosophie de l'histoire*

qui était, pour ainsi dire, les fondements d'une politique philosophiquement pensée et tout le reste en est sorti. Cela dit, les événements que nous avons vécus à notre époque ont renouvelé perpétuellement les thèmes, mais l'interrogation fondamentale date de 1931. J'ai publié ce livre en 1938, mais j'ai commencé à y penser en 1931 ou 1932.

P. B. – *Pour parler du sociologue, on vient de rééditer* Les étapes de la pensée sociologique *(dans la collection Tel) ; dans ce livre vous écriviez, en 1967, une introduction dans laquelle vous brossiez un tableau de la sociologie mondiale. Dix ans plus tard, est-ce que vous trouvez que ce tableau est toujours valable, est-ce qu'il a changé ? Vous parliez notamment des rapports entre la sociologie américaine et la sociologie soviétique...*

R. A. – Je vais vous dire : depuis cette date, j'ai cessé de fréquenter les congrès internationaux de sociologie. Je suis fatigué des congrès internationaux, je travaille pendant l'été et les congrès ont lieu en été. Jusqu'à un certain point, j'ai perdu le contact avec la sociologie qui se pratique dans les pays de l'Est. Ce que j'en connais m'amènerait probablement à corriger ou modifier quelque peu le tableau un peu trop simplifié que je présentais du rapport entre les deux. Autrement dit, certains des sociologues polonais ou même russes utilisent maintenant assez volontiers les concepts de la sociologie objective américaine pour analyser eux-mêmes la société soviétique ; ils se bornent à ajouter au début ou à la fin que les principes fondamentaux du marxisme restent valables quelle que soit la part de la réalité soviétique qui ressortit à l'analyse de type américain. Pour vous donner un exemple, j'ai lu récemment un article où il était question de l'analyse de la stratification sociale en Union soviétique, faite par un sociologue soviétique, analyse de stratification sociale caractéristique de la sociologie occidentale ou en tout cas américaine. Et ce sociologue soviétique ajoutait que, par ailleurs, il y avait les principes fondamentaux de la sociologie marxiste, la théorie des classes par rapport à la propriété, mais qu'il n'excluait pas la diversité des groupes sociaux en fonction des rôles, de la spécification des tâches et ainsi de suite. Je pense qu'il y a en sous-teinte une partie de sociologie occidentale dans ou sous la sociologie officielle marxiste. Même de l'autre côté du rideau de fer.

P. B. – *Donc il y aurait une évolution ?*

R. A. – Certainement il y a dans cet ordre d'idées une évolution. Ce qui n'atténue pas, d'ailleurs, le caractère obligatoire et orthodoxe des vérités marxistes qui deviennent de plus en plus des vérités politiques et qui sont de moins en moins impératives pour les recherches concrètes. En effet, même les dirigeants soviétiques ont conscience d'avoir besoin de connaître la réalité telle qu'elle est, pas seulement telle qu'elle devrait être ou telle qu'ils souhaiteraient qu'elle fût. De telle sorte qu'ils donnent un peu plus de place à la sociologie empirique et objective qu'ils condamnaient il y a vingt-cinq ans.

P. B. – *Parce que cela leur est utile.*

R. A. – Oui. Cela leur est utile. Cela fait partie des informations dont les gouvernements ont besoin, qu'ils ne recueillent pas non plus intégralement parce qu'ils ne veulent pas l'entendre intégralement, mais ils lui laissent une place croissante.

P. B. – *Comment jugez-vous la sociologie française ou les jeunes sociologues, disons depuis mai 1968 ?*

R. A. – Les patrons actuels de la sociologie de la génération après la mienne, on les connaît : Alain Touraine [7], Pierre Bourdieu [8], et Michel Crozier [9]. Touraine et Bourdieu sont, au sens banal du terme, de gauche ; Crozier est plutôt un réformiste et plutôt un modéré. Mais la grande mode de la sociologie me semble déjà un peu passée, de même que la grande mode du marxisme althussérien. Les modes parisiennes changent si vite... Qu'est-ce qui est à la mode aujourd'hui ?

P. B. – *Baudrillard [10] ?*

R. A. – Oui...

P. B. – *Vous n'avez pas l'air de...*

R. A. – Oui, oui... C'est astucieux. Mais son thème fondamental, le monde des objets, était connu... J'ai oublié de noter celui qui me paraît à beaucoup d'égards le plus sérieux et le moins public ; c'est Raymond Boudon dont le livre *L'inégalité des chances* me paraît, dans l'ordre de la sociologie empirique et rigoureuse, le meilleur qui ait été écrit ces dernières années. Comme il écrit à la manière d'une scientifique, c'est-à-dire de manière neutre, et, comme diraient ses adversaires, de manière plate, comme il ne prête pas à l'exploitation dans aucun sens, il n'a pour véritables lecteurs que ceux qui s'intéressent à la vérité. Donc un nombre limité de lecteurs. Il ne flatte aucune passion et tous les autres flattent des passions. Moi aussi probablement.

P. B. – *Je vous trouve très sceptique à propos des nouveaux sociologues.*

R. A. – Non. je ne suis pas sceptique. Je dirais volontiers qu'ils en savent tous plus que moi, qu'ils sont tous très intelligents, qu'ils ont tous fait des tas d'études empiriques que je n'ai jamais pratiquées ; et donc, comme il est normal en science, qu'ils découvrent des méthodes que je n'ai pas suivies et des faits ou des idées que je ne connais pas. Je ne suis pas du tout critique. Ils ont tous des qualités remarquables. Seulement voilà : chacun d'eux est enfermé dans son système. Crozier par exemple, que j'aime beaucoup, et avec qui j'ai les meilleures relations, a trouvé l'image de la « société bloquée », de la bureaucratie. Or, tout se passe comme si son évolution intellectuelle l'avait amené à une certaine représentation de la société française qu'il développe, raffine et subtilise, mais c'est

---

7. Alain Touraine a notamment publié *Sociologie de l'action, Le mouvement de mai ou le communisme utopique, La société post-industrielle, Vie et mort du Chili populaire, Lettres à une étudiante*.
8. Pierre Bourdieu a notamment publié *Les héritiers, L'amour de l'art, Le métier de sociologue, Théorie de la pratique*.
9. Michel Crozier a notamment publié *Le phénomène bureaucratique, La société bloquée*.

10. Jean Baudrillard a notamment publié *Le système des objets, La société de consommation, L'échange symbolique et la mort*.

un peu toujours la même ; il a trouvé son système d'interprétation et il l'applique à un nombre X d'institutions ou de sujets. Touraine est un esprit vif, très investif, et il écrit sur un grand nombre de sujets. Mais il y a chez lui une alternance entre des livres de témoignage personnel sur le Chili ou ses *Lettres à une étudiante* et des constructions extraordinairement abstraites et compliquées qui sont parfois très loin des problèmes concrets. Quant à Bourdieu, qui est un garçon très intelligent et brillant, qui écrit volontairement dans un style difficile dont il joue, lui aussi j'ai l'impression qu'il a créé son système intellectuel relativement tôt et qu'il le retrouve un peu dans les différents sujets. Cela dit, ils ont peut-être raison ; si j'ai fait autrement c'est probablement que j'ai traité de trop de sujets différents et ils diraient « superficiellement ». Ils me retourneraient la politesse.

P. B. – *Toujours dans cette introduction aux* Grandes étapes de la pensée sociologique, *vous disiez qu'en vieillissant vous vous rapprochiez des auteurs maudits. Et vous, vous sentez-vous un auteur maudit ?*

R. A. – En fait, je suis de moins en moins maudit, au contraire. Il m'arrive ce que Malraux m'avait annoncé à l'avance : « Attendez, attendez, quand vous aurez soixante-dix ans, ça s'arrangera, on vous reconnaîtra. »

P. B. – *Vous trouvez qu'on vous reconnaît en ce moment ?*

R. A. – Je trouve que, dans l'ensemble, on me reconnaît au moins autant que je le mérite et peut-être plus. Je n'ai pas du tout le sentiment d'être méconnu. Je pense même que le fait que je sois seul à défendre certaines thèses et que j'ai été à l'époque du stalinisme un auteur maudit me donne aujourd'hui, aux yeux de pas mal de gens, plutôt plus d'autorité ou de prestige que je n'en mérite. Cela dit, dans la bonne intelligentsia, ce que j'appelle l'intelligentsia bien pensante, on continue à me refuser. Mais prenez un homme comme Jean Daniel [11] qui n'est

pas tellement proche de moi : quand je ne suis pas là, il est très généreux à mon égard dans ses propos. Je dirais volontiers qu'aujourd'hui je suis beaucoup moins maudit que je ne l'ai été la plus grande partie de mon existence.

P. B. – *Parce que, d'après vous, l'histoire vous donnerait raison ?*

R. A. – Dans l'ensemble, beaucoup des choses que j'ai dites depuis trente ans ont été démontrées vraies par les informations que nous possédons aujourd'hui.

P. B. – *Puisqu'on parle un peu de votre postérité, ce qui est apparemment étonnant c'est que parmi ceux qui vous « reconnaissent », il y a des néo-gauchistes, des gens que vous avez violemment attaqués.*

R. A. – Parmi ceux qui me reconnaissent, il y a deux catégories : ceux qui sont libéraux et ceux qui sont libertaires. Ceux qui sont libertaires et gauchisants – j'en connais quelques-uns qui m'ont envoyé leurs livres avec des dédicaces très chaleureuses – sont des gens qui, revenus du communisme, veulent aller au-delà. D'autres, au contraire, se contentent de cette honnête démocratie bourgeoise qui demeure, parmi tous les régimes existants, le moins insupportable, disons pour les gauchistes. C'est le seul régime qui les tolère. C'est le régime que les gauchistes vomissent mais qui les tolère.

P. B. – *Oui, mais il y a toute une génération de « gauchistes » qui a refusé de vous lire à cause de mai 68. Vous regrettez ce que vous avez écrit en mai 68 ?*

R. A. – Absolument pas.

P. B. – *Mais vous avez conscience tout de même que vous vous êtes coupé à ce moment-là de lecteurs potentiels ?*

R. A. – Ces lecteurs potentiels, s'ils étaient vraiment des lecteurs dignes de ce nom, ils ont dû me lire depuis.

P. B. – *Maintenant, il y en a qui reconnaissent, par exemple, que votre livre sur Clausewitz est une œuvre importante.*

R. A. – Ça existe, ça ? Des gauchistes qui lisent le *Clausewitz* ?

P. B. – *Je ne dis pas que ça court les rues. Mais j'en connais qui vous ont lu au moins.*

---

11. Directeur de la rédaction du *Nouvel Observateur*.

R. A. – Ça me fait plaisir. Vous savez, il y a eu beaucoup de malentendus dans ces histoires de 68. En fait, j'ai surtout attaqué mes collègues qui capitulaient devant les étudiants. Je trouvais personnellement qu'il n'était ni convenable ni opportun de détruire l'Université et de traiter les universitaires comme un certain nombre de jeunes gens l'ont fait. A partir du moment où nous entrions en confrontation, il n'y avait pas de raison que ceux qui étaient d'un certain côté comme moi disent aux étudiants comment ils devaient se conduire. Je pouvais dire à mes collègues ce qu'ils ne devaient pas faire. Ils ne devaient pas capituler. Je m'adressais surtout aux professeurs auxquels j'avais suggéré depuis dix ans des réformes qu'ils avaient toujours refusées et qui, lorsque la maison s'était effondrée, s'étaient précipités pour suivre les démolisseurs.

P. B. – _Et malgré tout, vous ne regrettez nullement d'être rejeté par une importante fraction de la jeunesse?_

R. A. – C'est une question que je ne me suis jamais posée. Il y a des hommes qui, au fur et à mesure qu'ils vieillissent, s'inquiètent de savoir s'ils conservent des lecteurs parmi les jeunes. Je n'ai jamais cherché à avoir tels ou tels lecteurs et je ne me suis jamais demandé qui me lira. J'ai toujours écrit ce que j'avais envie d'écrire. Je sais très bien que, quand je suis entré au _Figaro_, j'ai perdu une certaine catégorie de lecteurs que j'avais quand j'écrivais à _Combat_ et qui ont dit : « Il n'existe plus puisqu'il va au _Figaro_. » De la même façon, quand j'ai écrit sur mai 68 je me suis aliéné un certain nombre de lecteurs. Tant pis! Quand j'écrivais sur Staline en 1949, 50 ou 51, un petit peu moins que ce qu'en a dit Khrouchtchev en 56, je m'aliénais aussi une certaine catégorie de lecteurs. Il faut laisser le temps faire son œuvre.

P. B. – _Pourquoi avez-vous écrit que vous étiez un « spectateur impur de la politique »?_

R. A. – J'ai toujours beaucoup aimé le jeu : tout ce qui est jeu et sport m'amuse par le côté de conflit ordonné, institutionnalisé, dans lequel se révèlent à la fois la logique d'un jeu, la dialectique des volontés opposées et les incertitudes des sentiments ou des passions humaines. Or, la politique, c'est cela par excellence. Donc je pense être un spectateur impur à la fois parce que je suis engagé lorsqu'il s'agit de causes fondamentales et aussi parce que je prends une espèce de plaisir, disons coupable, aux rivalités entre les personnes, que je me fais des opinions sur la psychologie des acteurs. Par exemple sur la psychologie du président de la République et de son ancien Premier ministre. Mais malgré tout, et à la différence de beaucoup d'autres, je m'intéresse à la politique parce qu'elle est la condition d'une vie humaine et je ne m'intéresse pas réellement à la politique en tant qu'aventure révolutionnaire. Si vous voulez, André Malraux s'intéressait beaucoup plus à l'histoire qu'à la politique, aux périodes de crise, de transformations violentes et soudaines. Je m'intéresse bien sûr, et comme tout le monde, aux révolutions mais je cherche quel est le régime stabilisé qui est le meilleur ou le moins mauvais pour les hommes. Et les révolutions me paraissent une manière coûteuse de changer les régimes.

P. B. – _Cette opposition Malraux-Aron me fit penser à l'un de vos articles des_ Études politiques : _« Machiavel et Marx ». Là, vous opposiez la figure de Machiavel « conseiller du prince » à celle de Marx « confident de la Providence ». Vous seriez plutôt un « conseiller du prince »?_

R. A. – Oui. Je ne suis pas du tout un confident de la Providence, je ne sais pas du tout ce qu'elle fera de nous.

P. B. – _De toutes les façons, vous êtes très opposé à tout ce qui est romantisme ou utopie?_

R. A. – Je suis très opposé à l'utopie et au romantisme surtout parce que ces sortes d'attitudes ont coûté trop cher à notre siècle. Si nous étions dans un siècle bourgeois et conservateur, probablement je laisserais une plus libre expression à mon romantisme spontané. Mais comme notre siècle a vécu Staline, Hitler et des massacres épouvantables, par réaction à ces catastrophes, j'ai plutôt développé la moitié rationnelle de mon âme. Je ne suis pas raisonnable et froid par nature : je suis raisonnable et froid par volonté.

P. B. – *Et vous vous retrouvez un peu dans les figures froides de Machiavel ou de Clausewitz ?*

R. A. – Oh, je ne me retrouve dans aucune de ces figures qui, d'ailleurs, n'étaient pas froides. Je n'ai jamais commandé de troupe, j'en serais bien incapable, et je n'ai jamais été conseiller du prince. J'aurais été volontiers le conseiller d'un prince mais aucun prince ne m'a demandé de le conseiller. Même pas M. Giscard d'Estaing qui a pourtant pour moi de meilleurs sentiments qu'aucun des princes qui l'ont précédé.

P. B. – *Mais vous l'auriez été volontiers ?*

R. A. – Probablement.

P. B. – *Mais pourquoi ce « conseiller du prince » que vous auriez voulu être a-t-il entretenu un si long dialogue, quasi-obsessionnel, avec Marx, ce « confident de la Providence » ?*

R. A. – Je ne m'en serais pas tant occupé s'il n'obsédait pas mes contemporains. Marx n'a pas aujourd'hui la place qu'il mérite : celle d'un penseur puissant mais inégal, avec des explosions de romantisme révolutionnaire, apocalyptique, avec une incapacité d'aller jusqu'au bout, de formuler son propre système... C'est uniquement parce qu'il a servi d'alibi, de justification à des mouvements qui m'ont paru redoutables que je m'en suis occupé. Et que je vais m'en occuper pour la dernière fois dans mon cours de cette année au Collège de France qui s'intitule *Le marxisme de Marx*. Là je vais expliquer à mon ami Clavel ce qu'il m'a demandé plusieurs fois; il m'a dit : « Pourquoi n'écrivez-vous pas un grand livre sur Marx ? » Je vais lui répondre :

puisque Marx ne l'a pas écrit, personne ne peut l'écrire pour lui. Marx était tumultueux, contradictoire, génial et absurde et on ne peut pas dire ce qu'il a au fond pensé car il a tout pensé à la fois et son contraire.

P. B. – *Je reste quand même assez étonné par votre itinéraire. Finalement, vous avez passé votre temps à initier les autres : vous avez initié Sartre à Husserl, beaucoup d'étudiants à Max Weber, d'autres au marxisme, d'autres encore à Clausewitz. Être perpétuellement un initiateur, n'est-ce pas un peu frustrant ?*

R. A. – Non. D'abord, j'ai fait beaucoup d'autres choses. Je me sens très heureux d'avoir contribué à rendre, mettons, à Tocqueville, la place qu'il méritait dans la conscience politique française. Je connais très bien la différence entre les vrais grands et moi-même et je suis très heureux de leur servir d'intercesseur; mes propres limites me facilitaient ce rôle d'intercesseur. De plus, je n'ai pas été, comme la plupart des patrons de la sociologie de 40 à 45 ans, fixé très tôt dans mon propre système. Ma flexibilité, qui je crois est grande, me permettait de comprendre les autres et de les présenter tous. Peut-être les ai-je tous présentés sous un jour aronien, peut-être tous mes personnages ont-ils un air de famille qui est dû au peintre plutôt qu'au modèle; c'est possible. Mais, tout de même, j'étais moins cristallisé que le sont la plupart de ceux qui appartiennent à la génération suivante. Cette non-cristallisation, j'en suis conscient, est à la fois une bonne fortune et une faiblesse. C'est pourquoi il n'y a pas à la fois de groupe ou de secte aronienne. C'est aussi la raison pour laquelle on peut dire que je suis à l'origine d'un grand nombre de mouvements.

FRANÇOISE DOLTO

« On ne peut pas être uniquement psychanalyste
d'enfants : la plupart de leurs troubles réactionnels
sont dus à des difficultés des parents
avec eux ou entre eux. »

Décembre 1977

Août 1976 : le directeur de France-Inter téléphone à Françoise Dolto alors en vacances pour lui proposer de « participer pour la rentréc à une émission traitant des problèmes des parents vis-à-vis de leurs enfants ». Octobre 1976 : après bien des hésitations, et parce que « oui, c'était vrai, il y avait beaucoup de choses à faire pour l'enfance », d'autant plus qu'il y avait « beaucoup de demandes de la part du public », Françoise Dolto accepte de répondre chaque après-midi sur France-Inter aux lettres des parents s'interrogeant sur leurs enfants. Octobre 1977 : la voix de Françoise Dolto est devenue célèbre et les éditions du Seuil publient *Lorsque l'enfant paraît*, un volume où sont recueillies et classées par thème quelques-unes de ses émissions de radio.
On aura beau dire : la rapidité d'un tel succès ne s'explique pas seulement par l'effet d'amplification des mass media. Mais alors, pourquoi cette femme de soixante-neuf ans, mère de trois enfants – dont l'un est bien connu dans le monde de la chanson sous le nom de Carlos –, a-t-elle réussi à devenir dans l'esprit du grand public « la » spécialiste de l'enfance et celle à qui des milliers de parents s'adressent lorsqu'ils sont confrontés aux difficultés quotidiennes de l'éducation ? Et pourquoi l'écoutent-ils ? N'est-il pas problématique, d'ailleurs, cet appel vers une femme qui, avec un merveilleux naturel, peut tout aussi bien répondre en se réclamant du bon sens qu'en se référant à son expérience de psychanalyste ? Car Françoise Dolto est psychanalyste et, plus exactement, psychanalyste d'enfants. (On peut lire le récit détaillé de l'une de ses cures dans un remarquable livre paru en 1971, *Le cas Dominique*.) N'est-ce pas cette aura psychanalytique avec son côté magique qui serait la clé du phénomène Françoise Dolto ? Mais, aujourd'hui, ne demande-t-on pas tout et trop à la psychanalyse au point d'en abuser et d'en faire une religion ? Françoise Dolto est d'autant mieux placée pour répondre à cette question qu'elle vient de faire paraître chez Delarge *L'Évangile au risque de la*

psychanalyse, un texte étonnant où elle confronte sa foi chrétienne aux découvertes de Freud. Après les enfants, voici donc que Jésus se retrouve sur le divan.

Pierre Boncenne. – *Des centaines de milliers d'auditeurs, et surtout d'auditrices, connaissent votre voix, et cependant, je ne crois pas que l'on sache très bien qui vous êtes. Vous vous occupez d'enfants, mais quelle a été d'abord l'enfance de Françoise Dolto ?*

Françoise Dolto. – Je suis née en 1908 dans une famille parisienne de la bourgeoisie moyenne. J'étais la quatrième de sept enfants et j'étais la seule fille, après le décès de l'aînée, quand j'avais douze ans.

P. B. – *La seule fille au milieu de cinq garçons !*

F. D. – Oui, et il me semble que, très jeune, j'ai réfléchi ou réagi aux réactions des humains les uns avec les autres. C'est une chose que j'ai dans ma nature. Je me souviens très bien que vers sept/huit ans, je m'apercevais que les enfants, enfin mes jeunes frères, avaient des réactions caractérielles qui étaient la conséquence de leurs difficultés avec les personnes qui s'occupaient d'eux. Et j'étais très étonnée : ils avaient des réactions fonctionnelles plus ou moins somatiques, mais le médecin qu'on appelait ne s'en occupait pas du tout. Il prescrivait des régimes, empêchait qu'on sorte, ou donnait des médicaments. Mais moi, je me disais : « Ma mère ne sait pas ce qui s'est passé tout à l'heure à la cuisine, et c'est à cause de cela que mon petit frère a vomi. » Et je me disais : « Lorsque je serai grande, je serai médecin d'éducation. » Car les médecins devraient savoir ce qui se passe dans l'éducation. Je ne critiquais pas mes parents – pour tous les enfants, ce que font les parents ou les adultes, c'est très bien – mais je m'aperçois que certains troubles physiques étaient dus, en fait, à des difficultés d'éducation.

P. B. – *Quand vous aviez sept/huit ans, c'était justement la période de la guerre 1914-1918. Vous vous en souvenez bien ?*

F. D. – Très bien, et cet événement a été très important pour moi. J'ai été extrêmement frappée, pendant la guerre, par les réactions des gens devant la mort de leurs proches. Je me souviendrai toujours, parce que cela m'a bouleversée, d'une amie de mes parents racontant la disparition de son fils en riant sans arrêt : je savais qu'elle avait beaucoup de chagrin et, en même temps, elle riait. J'ai compris alors que le rire peut être nerveux et que l'on peut rire même quand on n'a pas du tout envie de rire. Pendant la guerre, j'ai également été très troublée par l'ambiguïté de certains mots : pourquoi donnait-on la Légion d'honneur à ceux qui étaient morts ? Moi, je me disais : « C'est étonnant qu'on dise que c'est bien de donner sa mort, alors qu'il est tellement mieux de garder sa vie. » On décorait les gens qui avaient donné leur mort, et je ne comprenais pas que la mort ait plus de valeur que la vie. Je me rappelle que je posais des questions et qu'on ne comprenait rien à mes questions. Je me rappelle aussi mon étonnement lors de l'armistice : ma mère m'avait emmenée dans un taxi pour voir Paris dans la liesse et, en même temps, je pensais aux gens qui souffraient. Je ne comprenais pas qu'il n'y eût plus que de la joie. Et puis, après la guerre, j'ai été encore plus étonnée qu'on n'en parle plus. Mais je ne veux pas insister trop longtemps là-dessus. Disons seulement que c'est au cours de mon enfance pendant la guerre que les réactions somatiques des deuils m'ont beaucoup frappée.

P. B. – *C'est-à-dire ?*

F. D. – C'est-à-dire qu'au lieu d'être tristes, certaines personnes tombaient malades de leur corps et ne disaient jamais rien de leur chagrin. Ces personnes se fermaient totalement et ne parlaient que de leur maladie, alors qu'elles auraient dû parler de la mort de leur mari, par exemple, et du manque d'argent dont elles souffraient. Mais elles en avaient honte, et la maladie avait alors une fonction de « refuge ».

P. B. – *Très jeune, vous avez donc été attirée par la médecine et surtout par son côté psychologique et social?*

F. D. – Tout à fait. Mais c'était très mal vu dans ma famille...

P. B. – *D'avoir choisi de faire des études de médecine?*

F. D. – Non : de désirer faire des études au-delà du bac. D'autant plus que j'étais seule fille. Dans une famille bourgeoise, on devait se marier, mais moi, j'étais très active, et intéressée par beaucoup d'autres choses. Alors j'ai très longtemps attendu l'autorisation de mes parents pour commencer la médecine : jusqu'à l'âge de vingt-cinq ans...

P. B. – *Jusqu'à vingt-cinq ans!*

F. D. – Oui. Je n'ai pas fait d'études entre quinze ans et demi et vingt-cinq ans. J'ai eu mon bac très tôt – à quinze ans et demi – et après, j'ai dû aider à la maison. Heureusement, je lisais beaucoup : mon père avait une très grande bibliothèque dans laquelle je pouvais tout lire. Et puis tout m'intéressait et, par exemple, ce que disaient mes frères qui étaient dans de Grandes Écoles. Chaque fois qu'on se voyait, on parlait énormément, ou alors on faisait de la musique. Il n'empêche que j'étais absolument décidée à avoir plus tard un métier : j'avais trop vu de femmes qui, devenues veuves, ne pouvaient plus donner à leurs enfants le nécessaire. Ou même leur faire faire des études.

P. B. – *Lorsque vous réussissez à vingt-cinq ans à commencer vos études, votre famille...*

F. D. – ...s'est fâchée complètement. Mais, heureusement, mon père pas totalement. J'ai dû quand même quitter mes parents, et d'ailleurs, pourquoi pas? Il reste que j'ai souffert moralement de cette ségrégation parce que je faisais médecine.

P. B. – *Mais est-ce que vous décidez tout de suite de devenir psychanalyste?*

F. D. – En réalité, ma brouille avec ma famille, et surtout avec ma mère et mes frères, m'a beaucoup pesé. J'avais appris la couture, j'étais très douée en dessin et en peinture sur faïence, et j'aurais d'ailleurs pu en faire mon métier. Mais voilà : depuis l'âge de huit ans, je voulais étudier la médecine, j'ai attendu et je l'ai fait. Seulement, pour résoudre tous ces conflits et mon désarroi face au rejet familial, j'ai aussi décidé d'entreprendre une psychanalyse.

P. B. – *Au moment de commencer vos études?*

F. D. – Exactement, si bien que j'ai fini ma psychanalyse bien avant d'être médecin. C'était une cure nécessaire pour moi, parce que je vivais avec un sentiment de culpabilité dont je n'arrivais pas à me débarrasser. Mais je n'avais pas du tout entrepris une psychanalyse pour en faire plus tard, pas du tout. Encore une fois, c'était une cure pour me sortir de mes contradictions, de mes sentiments de culpabilité, d'infériorité et de souffrance intime.

P. B. – *Vous aviez découvert Freud entre quinze et vingt-cinq ans?*

F. D. – Avant, même, puisque j'ai pris Freud comme matière à option pour le bac de philosophie.

P. B. – *Freud était déjà au programme du bac, à cette époque?*

F. D. – Pas sur les programmes officiels. Mais les matières à option étaient totalement « libres », et j'ai donc choisi Freud que je connaissais grâce à la bibliothèque de mon père.

P. B. – *Je suis pour le moins étonné par votre famille : d'un côté, on vous interdit jusqu'à vingt-cinq ans de faire des études de médecine et, de l'autre, on vous permet de lire Freud...*

F. D. – Je reconnais que c'est extrêmement étonnant. J'ai eu une éducation bourgeoise dans les mœurs, et très libérale dans la pensée. C'était ainsi : une femme devait s'occuper de la maison et y rester et, d'autre part – et pourquoi pas? – elle pouvait être intelligente et s'intéresser à tout.

P. B. – *Par quels cheminements en êtes-vous venue à devenir psychanalyste d'enfants?*

F. D. – Je vais essayer de résumer. Ayant toujours voulu être pédiatre, j'ai, d'abord et tout naturellement, commencé par faire des études de pédiatrie. Puis je me suis rendu compte que la pathologie mentale pouvait m'intéresser et j'ai fait des remplacements dans l'internat des asiles. A l'époque, en pleine crise, l'internat des asiles, c'était épouvantable : on voyait tous les jours des jeunes de milieux défavorisés entrer pour une dépression ou une tentative de suicide. Après avoir été soignés à l'hôpital Sainte-Anne, on les envoyait dans un asile de la périphérie, là où je travaillais justement, parce que leurs familles ne pouvaient pas s'occuper d'eux, même pas pour les nourrir. Mais je me suis dit que ce n'était pas à ce niveau-là qu'il fallait les prendre, mais au niveau de l'enfance. C'est pour cette raison que je suis revenue alors, et jusqu'à la fin de mes études, aux *Enfants Malades*.

P. B. – *Avec toujours comme préoccupation première le côté psychologique de la relation malade-médecin?*

F. D. – Exactement, et je dois d'ailleurs dire que, si j'étais restée infirmière, j'aurais été assez contente (car j'ai oublié de vous raconter que si mes parents m'avaient empêchée d'être médecin, en revanche, ils m'avaient autorisée à préparer le diplôme d'infirmière. J'avais évidemment sauté sur l'occasion).

P. B. – *Mais les infirmières avaient-elles les moyens d'aider les malades?*

F. D. – C'était là tout le problème. Je me suis rendu compte que seules les infirmières avaient la compréhension et le contact psychologique avec les malades. Malheureusement, le médecin, qui ne connaissait pas les malades, avait un tel prestige qu'il s'en servait pour annuler le dialogue psychologique que les infirmières pouvaient avoir avec eux. Étant seulement infirmière, je n'aurais donc, effectivement, pas eu les moyens réels d'aider les malades.

Maintenant, pour répondre à votre question : « Pourquoi êtes-vous devenue psychanalyste? », eh bien! c'est tout simple. Laforgue, qui était mon analyste, m'a dit : « Vous ne vous rendez pas compte

que vous êtes très douée pour la psychanalyse. Nous manquons beaucoup d'analystes, et il faudrait que vous le deveniez. » Moi, je voulais seulement rester un pédiatre qui connaît l'influence de la psychologie sur la santé. Mais Laforgue m'a convaincue d'aller plus loin. Comme à l'époque on ne faisait aucune formation spécifique à la psychanalyse d'enfants, j'ai donc commencé par une formation de psychanalyste d'adultes, puis j'ai eu des adultes en analyse et, enfin, on m'a admise à la Société de Psychanalyse.

P. B. – *A quelle date?*

F. D. – En 1937 j'ai été adhérente et, en 1939, j'étais titulaire à la Société psychanalytique de Paris.

P. B. – *Et c'est aussi en 1939 que vous soutenez votre thèse* Psychanalyse et Pédiatrie?

F. D. – Oui, car en même temps je travaillais depuis deux ans à l'hôpital Bretonneau sous la responsabilité du docteur Pichon, à cette époque président de la SFP et qui avait un service d'enfants.

P. B. – *Dans votre livre* Lorsque l'enfant paraît, *vous faites une allusion aux réactions du monde médical à la psychanalyse.*

F. D. – A l'époque, c'était extrêmement mal vu : on se moquait beaucoup des psychanalystes...

P. B. – *On en rigolait!*

F. D. – Oh oui! On en rigolait! Et puis, en même temps, dans les services des consultations, on était très content de se débarrasser, et de confier à ceux qui voulaient bien s'en occuper ces enfants qui sont des piliers de consultation parce qu'ils ont sans cesse des patraqueries; on en soigne une, et immédiatement il y en a une autre qui surgit. Les pipis au lit qui ont toujours cassé les oreilles des médecins, les tics, les bégaiements, face à toutes ces choses, on ne savait plus quoi faire. Tant et si bien que l'on m'envoyait tout ce qui ne répondait pas aux normes habituelles, tous ces enfants avec lesquels on avait déjà essayé je ne sais combien de moyens : médicaments, calmants, excitants, bonnes paroles, sévérité des parents, etc. Et c'est ainsi qu'à la consultation de l'hôpital, j'ai vu le très grand intérêt de l'écoute psychanalytique pour comprendre les réactions psychosomatiques des enfants.

P. B. – *La médecine officielle vous considérait, vous les psychanalystes, comme des guérisseurs ?*

F. D. – C'est tout à fait vrai. Et de plus, dans un groupe, lorsqu'on vous savait psychanalyste, plus personne ne vous parlait, parce qu'on croyait que vous étiez une sorte de voyeur regardant perpétuellement à l'intérieur des gens. C'était ridicule ! Je n'ai jamais fait de la psychanalyse sauvage en société : la psychanalyse suppose un contrat avec quelqu'un qui vous demande de l'écouter parce qu'il a besoin d'être écouté. Mais dans la vie courante, nous sommes comme tout le monde. Peut-être ressentons-nous mieux certaines choses...

P. B. – *Aujourd'hui encore, les rapports entre psychanalyse et médecine ne sont pas faciles.*

F. D. – Oui, mais Balint a beaucoup fait pour faire comprendre que très souvent, dans la détresse, il n'y a que le médecin à qui l'on peut venir parler. Et à partir du moment où celui-ci comprend que c'est une relation que le malade cherche, il peut diminuer beaucoup la médication et ne pas s'arrêter aux seuls symptômes.

P. B. – *Inversement, il y a des thèses – je pense à Thomas Szusz – qui dénoncent la « médicalisation » de la psychanalyse.*

F. D. – Il est évident que cela ne peut pas être la même personne qui donne des médicaments et qui parle... Certes, autrefois, les « médecins de famille » étaient les deux à la fois d'une manière intuitive, et sans connaître la psychanalyse : ils étaient médecins et en même temps consoleurs, conseillers. Mais, en réalité, ils n'analysaient pas le transfert, ils n'analysaient pas les raisons pour lesquelles les gens avaient confiance en eux. Leur situation était donc tout à fait particulière et liée à des conceptions d'une autre époque. Aujourd'hui, nous savons que, dans certaines situations, le corps lui-même devient un langage, lorsque la voix et l'intelligence ne sont plus des médiations entre les êtres. Et nous

savons alors que de nombreux troubles physiques ne sont pas du ressort de la médecine...

P. B. – *Et c'est à ce moment-là qu'on vient vous voir ?*

F. D. – C'est cela : on vient me voir en tant que psychanalyste. Les enfants qui viennent me voir, s'ils ont des troubles neurologiques associés, ont leur médecin ou leur neurologue qui leur donne les médications qu'il juge nécessaires. Mais pour ce qui est de la relation des parents avec l'enfant ou de l'enfant avec lui-même, il y a des symptômes qui sont dus à des troubles précoces que l'enfant a compensés comme il le pouvait. Les médicaments pourraient le calmer momentanément, mais ils ne calmeront jamais vraiment, parce que ces troubles répètent perpétuellement sur un premier traumatisme les mêmes angoisses que l'enfant a eues...

P. B. – *Le fait d'être une psychanalyste femme ne vous a-t-il pas également posé des problèmes ?*

F. D. – Au début, il y avait bien sûr très peu de femmes psychanalystes. Je crois pourtant que c'est une facilité d'être psychanalyste et femme, ne serait-ce qu'en raison du comportement d'écoute de la femme. Il est possible que les êtres humains des deux sexes aient a priori plus de facilité à parler à quelqu'un qui ne fait que les écouter lorsque c'est une femme.

P. B. – *Pourquoi ?*

F. D. – Parce qu'étant jeunes, nous avons tous été au contact de femmes, alors que nous n'avions encore rien à dire et que nous étions des êtres de besoin et de manque. Peut-être alors devant une femme psychanalyste, mais je ne dis pas une femme dans la vie, avons-nous moins de retenue ou de respect humain à dire toutes nos souffrances et nos douleurs sans craindre de réveiller chez l'autre de l'angoisse et de la pitié. Peut-être y a-t-il moins de trucages, avec une femme. Inversement, avec un homme, peut-être y a-t-il, au début, des réflexes de prestance. Cela dit, après, lorsque la cure est vraiment engagée, il n'y a plus de différences, que l'analyste soit un homme ou une femme. Le rôle d'un psychanalyste, c'est d'écouter l'histoire du sujet par rapport à ce qu'il projette sur la personne et on projette sur le psychanalyste aussi bien le père que la mère.

P. B. – *Nous avons évoqué les difficultés que la psychanalyse a eues pour se faire reconnaître. Mais aujourd'hui nous sommes dans une situation contraire : c'est un raz-de-marée du « psy », et les psychanalystes sont un peu considérés comme les sorciers des temps modernes.*

F. D. – Oui, tout à fait. Et pourtant, s'ils ont un peu plus de savoir sur l'inconscient, je crois qu'il y a également une façon d'être au ras du sol avec tout un chacun qui fait partie du psychanalyste et de l'éthique de la psychanalyse. Malheureusement, c'est vrai : on croit les psychanalystes des gens formidables alors même qu'on les prenait avant pour des gens épouvantables! Mais nous ne sommes ni l'un, ni l'autre. Les psychanalystes sont une partie de la population qui cherche et qui, par la souffrance qu'ils ont vécue eux-mêmes et qu'ils ont dépassée, sont capables de comprendre la souffrance chez d'autres. Vous me parliez aussi du « raz-de-marée » de la psychanalyse, et j'avoue que je suis, comme vous, perplexe. On a beaucoup trop abâtardi la psychanalyse, et je crois qu'il faut se méfier de cette inflation verbale : la psychanalyse n'est ce qu'elle est que dans le colloque singulier entre quelqu'un qui souffre et quelqu'un qui l'écoute.

P. B. – *Votre travail n'est-il pas plus difficile depuis que vous êtes célèbre?*

F. D. – Oui, et c'est pourquoi je vais cesser en partie mon activité médicale. Ce n'est plus possible! Maintenant trop de gens arrivent avec un *a priori* selon lequel je suis celle qui sait. Certes, lorsqu'on vient se confier à un autre, c'est parce que l'on suppose que celui-ci sait. Mais à partir du moment où vous devenez une personne vedette, le rapport n'est plus analysable. On projette sur vous n'importe quoi; c'est pourquoi je vais arrêter ma pratique médicale, tout en poursuivant la formation des psychanalystes d'enfants, et en continuant à

travailler en consultations d'hôpital, pour rester au contact de la clinique. Je suis obligée d'adopter cette solution : que voulez-vous, les gens viennent à mon domicile avec la notion selon laquelle je suis la « grande » Françoise Dolto, alors que je connais beaucoup de jeunes analystes qui travaillent mieux que moi. je ne dis pas du tout cela par modestie, mais parce que c'est vrai. Et puis, d'une manière générale, en psychanalyse, plus on a du métier, moins on est « vrai » devant des cas nouveaux.

P. B. – *Vos émissions de radio ont bouleversé votre vie?*

F. D. – Oui, et j'ai d'abord été très perplexe devant leur succès, et devant la demande du public. Et puis, en même temps, je suis en présence d'un extraordinaire document sur la société française et sur l'intelligence du cœur de beaucoup de parents sans instruction et sans formation intellectuelle.

P. B. – *Vous êtes à la radio en tant que « psychanalyste » ?*

F. D. – Non, je suis à la radio une voix qui répond à des parents en difficulté avec leurs enfants. J'en ai eu moi-même et on me sait psychanalyste. Au départ, on ne m'écoutait pas du tout parce que j'étais psychanalyste...

P. B. – *Vraiment?*

F. D. – Non, c'était des gens qui m'écoutaient par hasard, parce qu'ils écoutaient France-Inter... Et au départ, on ne l'a pas dit, que j'étais psychanalyste, pas du tout! On a dit : « Françoise Dolto, qui a l'expérience des enfants, répondra aux questions que vous vous posez dans la relation avec vos enfants. »

P. B. – *Vous pensez donc que vos émissions ne sont pas assimilables à d'autres émissions sur d'autres postes de radio, où l'on utilise beaucoup, et peut-être beaucoup trop, la psychanalyse?*

F. D. – Mes émissions ne sont pas du tout faites dans le même esprit. On n'empêchera pas les autres de continuer, parce que les gens sont curieux de la psychanalyse. Mais moi, dans mes émissions, j'essaye surtout d'apporter quelque chose qui est de l'ordre du respect de l'humain dans son originalité foncière, et de la compréhension de la difficulté pour les enfants à vivre une croissance où, fatalement, ils s'identifient à ceux qui les éduquent, qui exigent beaucoup d'eux et ne comprennent plus leur logique, car les mots n'ont pas le même sens pour les enfants et pour les adultes, les actes non plus.

P. B. – *Vous écrivez : « C'est en femme qui, bien que psychanalyste, est en âge d'être grand-mère, et plus, que je parle. »* *Dans vos émissions, ce qui compte avant tout, c'est votre expérience de femme ?*

F. D. – Exactement. Je veux parler en tant que femme dont les propos ne sont pas contradictoires avec le bon sens, et qui, en même temps, déplace les questions des auditrices vers d'autres questions. Je ne ferme pas les questions. Et c'est ce qui est important. Pourtant, Dieu sait qu'avec ma notoriété, je pourrais fermer les questions; on dirait alors : voilà le dernier mot qui a été dit, voilà le dernier truc...

P. B. – *Justement! Vous dites, et vous écrivez, que vous ne voulez pas donner de « trucs » tout faits. Bien. Mais êtes-vous bien sûre de ne pas être écoutée comme une grand-mère qui donne des trucs et des recettes ?*

F. D. – Vous avez raison, c'est inévitable. Mais admettez que j'essaye surtout d'éclairer les relations entre les êtres humains et de chercher le sens des difficultés dont il est question. et c'est après seulement que je donne des « trucs ». Par exemple, ne pas supprimer la boisson aux enfants qui font pipi au lit. Parce que le lit sera moins mouillé, mais cela ne changera absolument rien à l'énurésie. Et cela, je l'explique aux gens : ils voient moins de liquide dans le lit, ils sont contents, mais ils nuisent à leurs enfants. C'est pourquoi je conseille de mettre de l'eau à côté du lit. C'est un conseil de bon sens. Tout le monde peut avoir besoin de boire la nuit, aussi bien les adultes que les enfants, et pourquoi donc priver ces derniers ? Alors, évidemment, je crains beaucoup qu'on utilise mal mes conseils. Mais il me semble que les conseils que je donne sont avant tout des conseils d'humanisation par le langage. J'essaye de

montrer pourquoi il ne faut jamais humilier un être humain qui n'est pas conforme à ce que les parents en attendent. Car un enfant a des raisons pour ne pas pouvoir humaniser encore sa propre vie et être au niveau de développement d'autres enfants de son âge. Freud lui-même a d'ailleurs dit que si la pédagogie était plus conforme aux difficultés que traverse un enfant, il y aurait beaucoup moins de névroses.

P. B. – *Hormis le cas du petit Hans, Freud ne s'est pas beaucoup intéressé à la psychanalyse des enfants.*

F. D. – Je reconnais qu'il n'a pas été très loin. Cependant, cette étude a été le déclenchement de l'écoute des phobies des enfants et des épreuves par lesquelles ils passent par rapport à leur sexe, et par rapport à la sexuation différente de leur petite sœur ou de leur petit frère. C'est un coup dur pour le narcissisme de l'enfant de voir les autres différents de lui en sexe, en âge, en pouvoir, en savoir. Il pose des questions implicites et explicites : on ne l'entend pas ou, parce qu'il déroute l'adulte, on le fait taire.

P. B. – *Venons-en à un point crucial : une psychanalyse d'enfants, c'est, d'une certaine manière, une psychanalyse de ses parents ?*

F. D. – Pas seulement. C'est la psychanalyse des interrelations des désirs de cet enfant et de ceux de ses parents. Et c'est d'ailleurs pour cette raison qu'il ne faut pas accorder trop d'importance à la distinction entre psychanalyste d'enfants et psychanalyste d'adultes : on ne peut pas être psychanalyste d'enfants uniquement, ce n'est pas possible, puisque huit sur dix des enfants qui viennent au psychanalyste ont des troubles réactionnels dus à des difficultés anciennes ou actuelles des parents avec eux ou entre eux. Bien souvent, l'enfant est la raison pour laquelle les parents viennent. Mais, en fait, les parents nous amènent leurs enfants dans la mesure où les enfants ont des symptômes qui gênent la vie familiale ou qui les font mal accepter en société ou à l'école. Les parents voient leur enfant qui ne va pas bien, et ils veulent que leur enfant aille bien parce qu'ils sont blessés narcissiquement, ou inquiets devant un enfant qui ne se développe pas. Seulement, un jour, l'enfant allant mieux, dans sa santé et dans ses échanges en société, ils découvrent que ce sont eux qui doivent supporter l'angoisse que l'enfant buvait et dont il était le détecteur. L'enfant n'était plus le tampon entre eux, ils sont placés devant leurs propres troubles.

P. B. – *Avez-vous l'impression que le monde des enfants a beaucoup changé par rapport à celui que vous avez connu avant la guerre?*

F. D. – Psychanalytiquement, il n'a pas du tout changé. Mais les parents se projettent beaucoup plus dans les enfants qu'autrefois. Du fait des difficultés économiques, et du contrôle des naissances, les enfants sont investis d'une façon beaucoup plus narcissique par leurs parents. Lorsqu'on a seulement un ou deux enfants, il y a de nouvelles exigences vis-à-vis de ces enfants : les parents cherchent à combler, grâce à la réussite de leurs enfants et à l'aspect qu'ils donnent, leur sentiment de frustration, de manque, d'impuissance. Ils attendent tout de cet enfant, ou de ces deux enfants qui portent le poids de toutes leurs souffrances. Cependant, lorsque j'ai commencé la médecine, il n'y avait presque pas d'enfants autistes, c'était extrêmement rare. Il y avait des enfants débiles, mais l'enfant autiste, c'est-à-dire l'enfant fou précoce, ça n'existait pas. Or, l'autisme est le signe d'une détresse, de la détresse précoce chez des enfants qui ne sont plus nourris au sein, qui n'ont pas cette continuité nécessaire dans le petit âge, dans la relation à la mère, qui sont changés sept ou huit fois de nourrice ou de gardienne avant trois ans, et qui, en plus, sont soignés dans des hôpitaux où ils sont trop tôt et trop longtemps séparés du milieu qui fait leur vie symbolique.

P. B. – *Si j'avais à résumer la manière dont vous conseillez d'aborder les enfants, je dirais que, pour vous, il y a trois points importants : 1. dédramatiser; 2. le langage; 3. le bon sens. Mais c'est quoi, le bon sens?*

F. D. – Le bon sens? Oui, je sais, c'est très flou, mais... comment dire? Le bon sens, c'est que la bouche soit à la place de la bouche, que les yeux soient à la place des yeux, que les oreilles soient à la place des oreilles, et que le sexe soit à la place du sexe. Le bon sens, c'est aussi de ne pas donner des compensations à l'enfant par rapport aux divers plaisirs qu'il recherche. Par exemple, donner des bonbons tout le temps à un enfant, c'est l'obliger à se taire, au lieu de lui dire : « Je ne te donne pas de bonbons parce que je n'ai pas d'argent et que je trouve que c'est mauvais pour ta santé. Je t'en donne quand j'estime que c'est nécessaire et, quand ce n'est pas nécessaire, je ne t'en donne pas. » Le bon sens, c'est parler les désirs de l'enfant et satisfaire le nécessaire de ses besoins, et pas plus. C'est l'aimer pour lui, soutenir ses expériences, parler ses déboires, l'encourager dans ses efforts d'autonomie. Répondre à ses questions. Faire ce que l'on dit et dire ce que l'on fait.

P. B. – *Sans aucune transition – même si nous avions pu parler de la religion chez les enfants – je voudrais que nous terminions en parlant de ce livre étonnant que vous venez de faire paraître :* L'Évangile au risque de la psychanalyse. *Ce texte va surprendre...*

F. D. – Oui, je vais me faire vilipender par les psychanalystes...

P. B. – *D'autant plus que vous déclarez d'emblée parler en médecin psychanalyste et chrétien. Est-il possible de tout lier ensemble?*

F. D. – Mais pourquoi pas? Il se trouve d'abord que, si je n'avais pas la foi dans l'être humain, je ne ferais pas ce métier. D'autre part, il n'y a qu'une religion qui ait parlé de l'être humain en tant que corps représentant une image d'une autre communication que celle que nous avons avec les autres, et cette religion c'est la religion judaïque, réformée, si je puis dire, par l'arrivée de Jésus de Nazareth. Jésus dans la Bible se présente comme l'homme de la douleur, ce qui signifie pour moi l'acceptation du destin parce que ce destin est l'image d'un autre destin qui est la relation à Dieu.

P. B. – *L'Église est-elle capable d'accepter la psychanalyse ?*

F. D. – Bien sûr dans la mesure où l'Église, ce n'est pas l'institution ecclésiale mais tous les humains qui ont foi dans le message du Christ.

P. B. – *N'empêche que plus d'un croyant risque d'être surpris par certains passages de votre livre. Par exemple, lorsque vous analysez les rapports entre Lazare et Jésus comme étant de type homosexuel.*

F. D. – Les relations homosexuelles n'ont rien de bien ou de mal. C'est une dynamique entre deux êtres, le moyen trouvé par certaines sensibilités pour s'exprimer. Alors cela choquera les gens qui croient que c'est un péché, mais tant pis !

P. B. – *Je pense aussi que vous allez surprendre à l'intérieur d'une autre église : celle de la psychanalyse. Vous écrivez : « Rien du message du Christ n'est en contradiction avec les découvertes freudiennes. » Est-ce qu'on peut retourner la phrase ?*

F. D. – Certainement. Rien chez Freud n'est en contradiction avec les évangiles. Il était inconsciemment pétri par la Bible et, en fait, son travail de réhabilitation du désir est un travail chrétien, quoique inconsciemment.

P. B. – *En octobre 1918 Freud écrit au pasteur Pfister : « Je ne peux que vous envier, au point de vue thérapeutique, la possibilité de la sublimation dans la religion. Mais ce qui est beau dans la religion n'appartient certainement pas à la psychanalyse... Pourquoi la psychanalyse n'a-t-elle pas été créée par l'un de tous ces hommes pieux, pourquoi a-t-on*

attendu que ce fût un Juif tout à fait athée ! » N'est-ce pas en contradiction avec ce que vous venez de dire ?

F. D. – C'est une question difficile, mais je vais essayer d'y répondre. D'abord, Freud était obligé de se proclamer athée car, sinon, il aurait trouvé des solutions toutes faites dans la religion et il n'aurait pas fait avancer la compréhension humaine. Il était donc obligé de tourner le dos à la religion. Ensuite, dans le texte que vous citez, Freud parle de sublimation. Mais il y a autant de sublimation par la religion que de refoulement et probablement plus. Et c'est le refoulement qui est grave. Voilà pourquoi Freud a fait le deuil de toute consolation et c'est en ce sens qu'il se proclame athée : il s'est tellement intéressé ici et maintenant aux êtres humains qu'il n'a pas cherché à se consoler par l'idée d'une autre vie. C'est une attitude héroïque que très peu d'hommes sont capables de conserver. Moi, je n'en suis pas capable : j'ai la foi et cela me soutient.

P. B. – *La religion n'est-elle pas une névrose obsessionnelle ?*

F. D. – Très souvent, oui : en rester aux rites par prudence et par phobie, c'est obsessionnel. Mais, encore une fois, il faut distinguer : il y a une différence entre névrose obsessionnelle et névrose tout court. Pourquoi ne pas être névrosé, si cela vous aide à vivre ? La névrose n'est pas quelque chose de mal, contrairement à l'idée répandue : c'est une souffrance parfois nécessaire. Et si cette névrose peut être « consolée » par une foi chrétienne qui ne soit pas vécue comme refoulement mais comme ouverture aux autres, pourquoi pas ?

Françoise Dolto défend Lacan

Décembre 1984

Lui est devenu célèbre grâce à un séminaire où il distillait des paroles obscures. Elle, grâce à des émissions de radio sur l'éducation des enfants. Mais leur longue solidarité de psychanalystes n'a jamais cessé.

Pierre Boncenne. – *De quand date votre première rencontre avec Jacques Lacan ?*

Françoise Dolto. – C'était bien avant-guerre, à la Société psychanalytique de Paris, où je suivais des conférences. Parmi les auditeurs, il y avait là deux garçons qui n'arrêtaient pas de discuter, en nous dérangeant même. L'un c'était Lagache, l'autre Lacan. Plus tard, nous avons commencé à mieux nous connaître, et à nous rencontrer quelquefois. Je lui ai souvent avoué : « Je ne comprends rien à ce que tu écris » (on s'est toujours tutoyé lui et moi, par fidélité à une tradition dans le milieu, celle des « anneaux freudiens »). Lacan s'intéressait parfois à mon travail clinique. Mais quand je lui en donnais des comptes rendus, il me disait : « Je n'ai rien à ajouter. Tu as dit ce qu'il faut dire. »

P. B. – *Ses théories, en particulier la primauté du langage dans l'inconscient, vous ont-elles apporté quelque chose ?*

F. D. – Non, pratiquement rien. Je suis sûre que je n'aurais pas été différente dans mon travail si je ne l'avais pas rencontré. J'étais d'accord avec cette idée de primauté du langage, mais Lacan ramenait tout à la linguistique tandis que moi, dans la psychanalyse d'enfants, je me suis intéressée à d'autres formes de langage, le langage pictural par exemple. Voilà pour la théorie. En pratique, je peux témoigner que les analystes formés par Lacan furent de très loin les meilleurs quand il s'agissait de s'occuper éventuellement d'enfants.

P. B. – *Vous avez raconté qu'en 1960, à la sortie d'un congrès, après votre intervention sur la sexualité féminine, Lacan vous a dit : « Eh bien ! pour parler comme tu parles, tu es culottée ! » Vous lui avez donc demandé : « Alors, tu t'inscris en faux sur tout ce que j'ai dit ? » « Je n'ai pas dit ça, vous a-t-il répondu, j'ai dit que tu étais culottée. » Pourquoi à votre avis vous a-t-il dit cela ?*

F. D. – Mais vous savez, j'ai vainement essayé de l'interroger. Il s'est même tourné vers mon mari et, comme s'il le prenait à témoin, il lui a répété : « Elle est vraiment très culottée. » En fait, j'ai certainement heurté ses conceptions et sa manière d'être en traitant de la sexualité féminine dans son vécu réel, avec mon expérience d'analyste et non pas en termes philosophiques. A mon avis, Lacan était quelqu'un de très masculin dans ses conceptions ou ses écrits et de très féminin dans son comportement. Ce serait presque l'inverse pour moi.

P. B. – *C'est-à-dire ?*

F. D. – Je suis carrée, disciplinée. Lui, Lacan, dans son école par exemple, était indécis. Il n'arrivait pas à refuser. Il avait toujours besoin d'une espèce de groupe autour de lui, et peut-être n'a-t-il pas su parfois se séparer de certains proches. [...]

P. B. – *Franchement, n'y a-t-il pas eu, avec Lacan ou autour de lui, une sorte*

de charlatanisme hyperintellectuel ?
F. D. – Lui-même un jour m'a dit :
« Tu sais, je demande parfois à être
payé très cher, en espérant que cela
découragera. Eh bien! pas du tout, ils
en redemandent encore plus. » Il faut
bien se rendre compte de cela : Lacan a
été un point de fixation, y compris pour
ceux voulant associer la psychanalyse à
une image de charlatanisme. On a
critiqué ses séances courtes de cinq
minutes. Mais il faut bien comprendre
que, dans l'esprit de Lacan, ces séances
étaient couplées avec une présence
indispensable à son séminaire où se
manifestait toute sa culture. Les charlatans ont été plutôt dans l'entourage
de Lacan, même s'il les a encouragés,
par faiblesse ou par jeu.
P. B. – *En somme, il faut se méfier des
lacaniens mais pas de Lacan ?*
F. D. – Vous savez ce qu'il m'a dit un
jour : « Les lacaniens, ah! les lacaniens,
ah! les cons... Moi, je suis freudien. »
Et l'essentiel est là : Lacan avait par-
dessus tout une passion immense pour
Freud.

BERNARD-HENRI LÉVY

« J'ai inventé le mot " nouvelle philosophie ".
Nos adversaires ont inventé la chose. »

Mai 1978

Il est des débats au plutôt des pugilats dont il vaut mieux, dans un premier temps, se tenir à distance. Non pas qu'ils soient futiles ou sans objet – bien au contraire – mais parce que justement, on finit par ne plus discerner leur objet à force de se complaire dans les seuls effets polémiques. L'affaire des « nouveaux philosophes » – le seul fait d'employer le mot « affaire » est d'ailleurs significatif – est l'exemple type de ces joutes où l'agression simpliste tient lieu d'échanges d'idées.

A *Lire* nous n'avons pas ignoré les « nouveaux philosophes » et nous avons parlé de leurs livres en diverses occasions. Mais, volontairement, nous ne nous sommes pas trop étendus sur le sujet, nous réservant la possibilité d'y revenir le jour où les injures céderaient la place au dialogue et, d'une manière générale, où le souci d'information prévaudrait sur le manichéisme primaire vous obligeant, quoi que vous fassiez, à être pour ou contre, dans un camp ou dans l'autre. Ce moment, nous semble-t-il, est arrivé, ne serait-ce qu'en raison de la fin d'une longue campagne électorale et voilà pourquoi on trouvera ci-dessous un entretien avec Bernard-Henri Lévy. De plus, le calendrier, pour une fois, faisant bien les choses, nous publions cette interview un an exactement après la sortie de *La barbarie à visage humain* et dix ans après Mai 68 dont il est inutile de souligner l'importance culturelle et politique. Ancien élève de Normale Sup., agrégé de philosophie, journaliste, éditeur, auteur doté d'une belle plume et brillant « débatteur » sachant très bien se servir des médias au point d'avoir été bêtement réduit par certains à son seul physique, Bernard-Henri Lévy séduit les uns, agace les autres, provoque en tous les cas et ne laisse pas indifférent.

Pierre Boncenne. – *Combien d'exemplaires de* La barbarie à visage humain *ont été vendus depuis sa sortie il y a juste un an?*

Bernard-Henri Lévy. – Je sais que dans *Lire,* vous avez fait récemment d'intéressantes distinctions enre la « vente » et le « tirage » des livres. En tenant compte de votre article, je peux donc dire que *La barbarie à visage humain* a été *vendu,* je dis bien vendu, à 80 000 exemplaires en édition courante de librairie.

P. B. – *Et combien de traductions ont été publiées ou sont en préparation?*

B.-H. L. – Le livre a été ou sera traduit en dix langues. Les traductions italiennes, espagnole et japonaise sont déjà parues et il y a eu, en Italie notamment, un débat intéressant, plus intéressant peut-être qu'ici.

P. B. – *Un an après, pourriez-vous faire un petit bilan de tout ce qui s'est passé?*

B.-H. L. – Oui, je vais essayer... Et je dirai d'abord une première chose : la « Nouvelle Philosophie », c'est fini, et il reste maintenant à faire de la philosophie, à approfondir les intuitions, à déplacer les pierres d'angle posées dans *La barbarie à visage humain*...

P. B. – *« La nouvelle philosophie, c'est fini!» Venant de votre part, cette déclaration va faire sursauter ou sourire...*

B.-H. L. – Je veux simplement dire par là que le débat qui dure depuis un an autour de cette fameuse « nouvelle philosophie » a été, dans une large mesure, un faux débat, un débat avorté, un débat où l'on a trop souvent occulté les quelques questions théoriques que j'avais cru devoir soulever. Et cela, je le regrette, et j'en tire même, tout compte fait, quelque amertume. D'ailleurs, c'est bien simple : à de rares exceptions près, je n'ai pas lu de comptes rendus de mon livre. Bien sûr, il y a eu de la « presse » comme on dit dans le métier. Mais quelle presse! Des masses et des masses d'articles, terriblement répétitifs, qui n'ont pas cessé pendant un an de nous seriner la même leçon : *La barbarie à visage humain* est un livre réactionnaire, manipulé par la droite, le patronat, ou Pechiney. Person-

nellement, je n'appelle pas ça un débat. Cela, dit, attention! Quand je dis que la « nouvelle philosophie » a fait obstacle au débat philosophique, ça ne veut pas dire que, sur un autre plan, sur le plan politique si vous voulez, la *Barbarie* et les *Maîtres penseurs* n'aient pas produit leurs effets. L'effet principal, à cet égard, c'est sans doute un effet de dégel intellectuel. Un déplacement, un mince mais important glissement dans l'espace des discours de la gauche française. Disons qu'un an après ce débat confus, il y a probablement des choses qu'à gauche on ne peut plus tout à fait dire comme avant. Des choses qui, d'une certaine manière, sont comme « censurées »...

P. B. – *Par exemple?*

B.-H. L. – Eh bien, par exemple, ce fait qu'il est moins facile de dire aujourd'hui que Soljénitsyne est un spiritualiste réactionnaire, vendu à la CIA. Moins facile d'expliquer à des téléspectateurs que l'URSS ou le Cambodge sont des « États ouvriers dégénérés » dont les bases demeurent saines, réserve faite de quelques « déviations ». Même chose pour ce culte de l'État, de l'État providence et jacobin, à quoi s'est résumée si longtemps la pensée politique de la gauche officielle. Je ne dis pas, bien entendu, que tout cela ait disparu soudainement, mais que – et c'est déjà beaucoup – un certain nombre de thèmes sont en train de tomber en discrédit. Je ne dis pas non plus que les nouveaux philosophes en sont les artisans uniques, mais qu'ils sont le symptôme – pas plus que le symptôme peut-être – d'un mouvement d'ensemble qui, parti du combat pour les droits de l'homme à l'Est, est en train de se poursuivre, ici, en Occident.

P. B. – *Vous m'avez dit d'emblée : « La nouvelle philosophie c'est fini. » Alors, franchement, est-ce que cette expression « nouvelle philosophie » n'était pas très malheureuse?*

B.-H. L. – Écoutez : dans cette affaire, il faut être clair. Il est vrai que c'est moi qui ai inventé le *mot* « nouvelle philosophie » : c'était il y a deux ans, dans des circonstances tout à fait anecdotiques et contingentes. En revanche, ce sont nos adversaires qui ont inventé la *chose* et qui ont patiemment donné corps et cohérence à quelques chose qui n'en avait pas réellement. Nous passons notre temps à dire que nous ne sommes pas une école, un groupe, une chapelle. Et, de l'autre côté, on répond par une invariable et monotone logique de l'amalgame. Voilà pourquoi je dis à présent : l'effet de groupe de la « nouvelle philosophie » est en train de faire obstacle à notre réflexion et à la manière dont nous sommes reçus par le public. Et c'est pourquoi je dis aussi que la « nouvelle philosophie » c'est fini : car le thème a finalement fonctionné comme machine à ne pas lire, voire à interdire de lire. Il y en a donc marre de la « nouvelle philosophie »... Je redoute, autrement dit, que la « nouvelle philosophie » ne devienne une machine dogmatique, une machine à refouler le dire. Et qu'au lieu d'un débat réel, on ne voie se créer une nouvelle vulgate autour de la « nouvelle philosophie »...

P. B. – *Elle existe déjà, cette vulgate...*

B.-H. L. – C'est vrai. L'autre jour j'entendais à la radio un feuilleton policier où un malfaiteur, maltraité par la police, disait : « Ce n'est tout de même pas le goulag, ici ! ». De même, je lis souvent des déclarations faisant un usage complètement galvaudé du terme « dissident ». Donc il est vrai qu'il y a là un commencement de « vulgate » et il faut le rompre.

P. B. – *Bien. Mais ce dangereux effet de vulgate n'était-il pas déjà inscrit dans La barbarie à visage humain où vous ne cessez de parler par formules qui sonnent bien ?*

B.-H. L. – Le fait de parler par formules ou par slogans – parce que c'est vrai et je l'assume intégralement : je fais parfois, plutôt qu'une philosophie par slogans, une philosophie « analphabète » –, ce fait-là a un objectif précis : être entendu par les gens. Écrire *pour* ne pas être entendu c'est non seulement dérisoire et vain mais aussi, par certains côtés, totalement irresponsable. Voilà le premier point. Mais l'effet de vulgate ne vient qu'après : quand les idées sont effectivement passées chez les gens. C'est à ce

moment-là que notre devoir est d'essayer d'aller plus loin, de remettre sur le métier cette nouvelle vulgate. Et ces deux mouvements ne sont pas contradictoires : d'un côté, il est très positif que tout le monde parle de goulag, de l'autre, il y a un risque de stérilisation qu'il faut conjurer.

P. B. – *Qu'avez-vous fait depuis la parution de* La barbarie à visage humain ? *Je crois que vous avez beaucoup voyagé ?*

B.-H. L. – Oui. Car, contrairement à ce que pensent beaucoup de nos marchands de papier, l'univers de la pensée ne s'arrête pas aux portes de Paris. Il y a de rudes parties politiques et idéologiques qui se jouent en Italie, en Espagne, en Allemagne ou aux États-Unis. Et j'y porte au moins autant d'attention qu'à nos querelles parisiennes et à nos annuelles cantonales.

P. B. – *Votre voyage au Mexique a été particulièrement mouvementé, paraît-il.*

B.-H. L. – Au Mexique, nous avons eu droit à une intelligentsia entièrement mobilisée contre nous par l'appareil d'État *et* les appareils politiques, notamment le Parti communiste. Il y a eu des manœuvres d'intimidation de tous ordres qui ont pu aller, dans certains cas, jusqu'à l'appel au meurtre pur et simple. Avec œufs et tomates pourries, bombes à l'ammoniaque et alerte à la bombe à notre menu quotidien. Et des amphithéâtres archicombles, souvent largement hostiles et contrôlés par les groupuscules. Même chose, d'ailleurs, en Italie où il m'est arrivé de faire le procès du terrorisme devant des assemblées d'extrême gauche qui me menaient la vie dure, c'est le moins qu'on puisse dire ! Cela étant, je me demande si, bien souvent, le débat n'a pas été plus sérieux à l'étranger qu'en France.

P. B. – *Eh bien, justement, essayons de l'aborder un peu, ce débat. Premier élément : on vous accuse pêle-mêle d'avoir fait de la « pub-philosophie », du marketing des idées, et de vous être commis avec les médias. Comme si parler à la télévision, à la radio ou dans la grande presse était indigne d'un philosophe.*

B.-H. L. – A ce sujet-là, je réponds deux choses. Premièrement : il y a dans ce type d'argument la marque d'un formidable mépris à l'égard du public. Moi, je considère que le jugement d'un auditeur de l'émission *Apostrophes* est infiniment plus important que celui des barons et des lettrés qui jusqu'à présent faisaient la loi dans la république des lettres. Au demeurant, avec les mass-médias nous avons seulement changé d'échelle : il n'y a jamais eu, au temps jadis, d'époque de pureté absolue où les textes étaient lus sans caisse de résonance et sans publicité. Il y avait déjà des caisses de résonance et de la publicité, sauf qu'elles étaient élitaires et confinées dans des petites serres chaudes, celles de l'intelligentsia classique. La seule nouveauté d'aujourd'hui, c'est la diffusion de ces appareils culturels et la multiplication des instances de jugement qui passent à présent par les médias, c'est-à-dire par les simples gens. De sorte que ceux qui rejettent cet état de fait montrent là le bout de l'oreille : nostalgie d'une époque où les critiques et le corps constitué des docteurs faisaient la loi; rage de voir ce pouvoir leur échapper au profit de l'homme de la rue. Deuxièmement : il ne faut tout de même pas exagérer, car la « pub-philosophie » ne date pas de la « nouvelle philosophie ». Il y a un grand best-seller dans l'histoire, c'est la Bible, et il n'aurait pas eu tout ce succès sans le formidable appareil de « publicité » qu'est l'Église chrétienne. Il y a eu d'autres best-sellers plus contemporains, je pense aux textes du marxisme, et ils ont bénéficié, eux aussi, du formidable appareil de pub-philosophie que sont les appareils de l'Internationale communiste et des partis communistes. Donc la pub-philosophie n'est pas une invention de Bernard-Henri Lévy et *La barbarie à visage humain* ou *Les maîtres penseurs* ne sont pas les premiers textes soutenus par un appareil de propagande : il y a vraiment eu pire. Et, je le répète, je préfère les vertus des grands médias de masse à celles des partis et des églises. Je crois qu'accepter la logique des premiers, c'est le seul moyen de casser la dictature des

seconds. Le seul moyen surtout de court-circuiter les petits chefs de l'intelligentsia et leurs critères scolastiques. Alors, il faut les comprendre : c'est de là que vient sans doute une grande partie de cette hystérie collective qui s'est emparée d'eux au moment de la parution de nos livres : c'est la première fois qu'un mouvement intellectuel non seulement leur échappait, mais surtout se fichait de leur verdict. Et ça, croyez-moi, c'est très, très important : car c'est ainsi qu'un jour peut-être les gens oseront penser avec leur propre tête, sans le secours des savants et des experts... Un dernier mot encore : vous savez bien que nous ne sommes pas les seuls, loin de là, à être « passés à la télé » : bien d'autres l'on fait avant nous, mais qui se sont empressés de se dédouaner en crachant élégamment dans la soupe.

P.B. – *Passons à un autre point : dans* La barbarie à visage humain *vous n'arrêtez pas d'analyser la fatalité du pouvoir et de la « maîtrise ». Mais vous ne parlez jamais de votre propre pouvoir, à savoir concrètement votre pouvoir d'éditeur, de journaliste et de professeur.*

B.-H. L. – J'ai dit une première chose : le pouvoir est une fatalité et cette fatalité porte en elle le malheur et la détresse. J'ai dit, d'autre part : sauf cette magnifique énigme qui s'appelle la rébellion, la logique de la maîtrise est inscrite dans le réel, et l'histoire n'est rien d'autre que le passage d'une forme de maîtrise à une autre forme de maîtrise. Et j'ai dit enfin que la seule question concrète qui puisse se poser à partir de là est une question de type moral : quel est le moindre pouvoir, la moins mauvaise des maîtrises ? Pratiquement : lorsque dans une société on occupe des positions de pouvoir, la question qu'il faut poser, ce n'est pas la question masochiste de l'abolition de ce pouvoir comme tel, mais c'est la question éthique de savoir ce qu'on fait du pouvoir que l'on exerce. En d'autres termes : comment exercer ce pouvoir non pas de manière bonne, car il n'y a pas de bon usage du pouvoir, mais de la manière la moins mauvaise possible. Très platement et très simplement, je vous dirais alors que, s'il m'arrive d'être en position de pouvoir, j'essaye de l'exercer de la manière la moins oppressive possible. En tant qu'éditeur, j'essaye d'exercer mon métier le plus honnêtement possible; en tant que journaliste, je me suis fixé une règle depuis *La barbarie à visage humain* et j'essaye de m'y tenir : en dehors d'articles de combat sur des gens qui me sont proches – Glucksmann ou Clavel par exemple – ne prendre la plume que pour défendre des livres que j'aime et qui sans cela passeraient peut-être inaperçus.

P. B. – *Et en tant que professeur, même si vous ne l'êtes plus maintenant?*

B.-H. L. – ... Mais c'est comme si je l'étais puisque je continue de vaticiner...

P. B. – *Eh bien, justement! Depuis quelque temps l'enseignement de la philosophie en France est très concrètement menacé par une réforme : réduction des postes et du nombre d'heures d'enseignement. Et malgré votre célébrité en tant que philosophe et donc votre « pouvoir », vous n'avez pas dit un mot à ce sujet-là.*

B.-H. L. – C'est probablement une erreur... Mais on ne peut pas parler de tout et certains problèmes politiques, à l'Est notamment, m'ont paru plus urgents... Cela dit, l'un n'empêche pas l'autre et j'ai sans doute eu tort de ne pas parler de cette dangereuse tentative de mettre l'enseignement de la philosophie à la botte du pouvoir. Une tentative qui ne doit pas faire oublier l'autre : celle de soumettre la philosophie à la botte du pouvoir intellectuel. Et ce pouvoir intellectuel, vous savez comme moi où il est.

P. B. – *Autre critique que l'on vous a adressée : vos thèses en viendraient à réduire l'histoire à une production d'idées. Et dans cette perspective on vous reproche votre équation : goulag = socialisme = marxisme.*

B.-H. L. – C'est une critique d'idéologue et d'intellectuel. Ce n'est pas moi qui identifie le socialisme au goulag. Ce n'est pas moi qui dis : le marxisme = le goulag, mais ce sont les victimes du goulag et les martyrisés du socialisme.

Les « zeks [1] » qui crèvent dans les camps, c'est pour eux et à leurs yeux que le marxisme engendre les camps. Et ce sont les intellectuels en chambre qui agiotent sur ces thèmes en arguant de je sais quelle coupure du marxisme ou de je ne sais quelle virgule du *Capital* pour dire toujours en définitive : les « zeks » ne voient pas juste, ils sont aveugles au sens profond de leur malheur tandis que nous, les intellectuels, nous savons la vérité, la vérité du marxisme et de la souffrance. Pour les gens qui, eux, ont éprouvé la torture dans leur chair, le socialisme c'est le goulag, et aucun intellectuel ou petit savant parisien ne pourra rien faire pour me prouver le contraire.

P. B. – *Un penseur est-il responsable de ses lectures fanatiques? En d'autres termes et en exagérant un peu : si l'hitlérisme s'est servi de Nietzsche, Nietzsche est-il responsable ou si le stalinisme s'est servi de Marx, Marx est-il responsable?*

B.-H. L. – Il ne s'agit pas de responsabilité. Je me contente de lire les textes de Nietzsche et ceux de l'hitlérisme : à moins d'être intellectuellement malhonnête, on ne peut guère nier que Nietzsche est un penseur antisémite et qu'entre les forces qui ont ébranlé l'halluciné de Sils-Maria jusqu'à la folie et les forces qui ont ébranlé l'Allemagne jusqu'au « Viva la Muerte » final, il y a, sinon une relation de cause à effet, du moins un écho et une parenté. Et quand on lit sérieusement Marx, on y trouve un magnifique exemple de philosophie de la servitude et d'idéal de l'État. On s'aperçoit aussi que chaque fois que Marx a eu devant les yeux une rébellion concrète, il l'a toujours déniée devant et au nom d'un tribunal de l'histoire prolétarienne dont il est le seul à détenir les clefs. Je prétends donc que Marx et Nietzsche sont des prêcheurs de soumission et de malheur à défaut d'être responsables de cette soumission et de ce malheur.

P. B. – *Dans* La barbarie à visage humain, *à propos du philosophe Gilles Deleuze, vous écrivez pour le critiquer :*

1. Diminutif de « prisonnier » en russe.

« Je tiens qu'une pensée se mesure aussi, sinon d'abord, à l'aune la plus vulgaire : celle de ses effets de vérité, c'est-à-dire de ses effets tout court; il n'y a pas de meilleur critère que le plus immédiat et le plus trivial, le type d'inscription concrète qu'elle provoque dans le réel. » Et vous dites aussi que les lectures « savantes » à l'université de Vincennes vous importent moins que les lectures « sauvages et pirates ». Retournons le raisonnement : ne doit-on pas alors juger les « nouveaux philosophes » et votre livre par leurs lectures les plus triviales et les plus vulgaires ?

B.-H. L. — Ce qui existe concrètement, ce qui est important et ce qui pèse dans la société où l'on vit, ce n'est pas le texte momifié et rangé dans les bibliothèques, mais le texte tel qu'il existe et fonctionne concrètement. Dans le cas du marxisme je me refuse à entrer dans les débats académiques sur *Le capital* : la seule chose qui m'intéresse c'est le marxisme *réel*. Même chose pour Deleuze : entre vous et moi, nous pouvons très bien avoir une discussion d'intellectuels pour savoir si Deleuze est un bon philosophe (personnellement c'est mon avis), mais ce qui m'importe vraiment, c'est l'usage « vulgaire » du deleuzisme. Même chose, bien sûr, pour la « nouvelle philosophie », et c'est la raison pour laquelle je vous ai dit qu'il y avait déjà des effets de vulgate autour de nos livres. En d'autres termes, je ne crois pas qu'il y ait des lectures illégitimes d'une pensée et cela vaut bien entendu pour la mienne. Car j'en reviens toujours à ceci : ce qui permet de trancher en philosophie, c'est le critère du réel; et quand je dis ça, je vous signale que je ne fais rien d'autre qu'appliquer le vieil argument matérialiste : la preuve du pudding, c'est qu'on le mange, la preuve du marxisme c'est ce qu'il fait. Je demande que l'on juge les pensées de manière matérialiste et ce sont les marxistes qui raisonnent de manière idéaliste en prétendant qu'il y a une souveraineté des idées, une éternelle virginité quelles que soient leurs incarnations. Non, les idées ne sont jamais vierges.

P. B. — *Autre critique que l'on adresse : votre attaque contre la raison et les « lumières » avec des formules clinquantes du genre : « Qu'est-ce que le goulag ? Les lumières moins la tolérance. »*

B.-H. L. — D'abord, vous en conviendrez : une formule est toujours clinquante lorsqu'on la sort de son contexte. J'ai voulu dire ceci : il y a eu une grande révolution intellectuelle au XVIIIe siècle, les « lumières », dont l'héritage est double. D'une part, les droits de l'homme et la leçon de Kant, penser avec sa propre tête, hors des principes d'autorité. D'autre part, le « progressisme » et la fondation du premier État totalitaire moderne, l'État robespierriste du Comité de salut public avec la guillotine. Or, sur ce dernier point, dans les schémas mis en place à cette époque, dans les textes politiques de Robespierre et surtout de Saint-Just, je dis que l'on trouve un certain nombre d'éléments qui sont les premiers jalons du totalitarisme contemporain. Si l'on veut expliquer le goulag il ne faut donc pas seulement remonter à Staline et à Marx, mais aussi à la configuration textuelle et conceptuelle qui s'est mise en place à l'époque des « lumières ». Je n'attaque pas la Raison en tant que telle, mais une certaine conception de la Raison, du destin, de l'histoire et de l'État qui, sans en être la cause directe, ont pu rendre possible l'avènement de l'État total.

P. B. — *Mais qu'est-ce qui a fait sauter la « tolérance », qu'est-ce qui a disjoint la « tolérance » des « lumières » ?*

B.-H. L. — C'est un mécanisme complexe que j'ai tenté de décrire dans mon livre et au cœur duquel on trouve la crise des religions et le déclin du sacré. Car qu'est-ce, au fond, que le totalitarisme moderne ? C'est, à la lettre, la barbarie comme lien social. La barbarie à la place du lien social. La barbarie à la place de la religion. Si Saint-Just est l'inventeur de l'État moderne, c'est d'abord parce qu'il est régicide *et théicide*. Par ailleurs, il y a aussi, bien entendu, les résistances et les révoltes du siècle contre les machines d'État, les grands mouvements d'insoumission contre le nouveau lien social, a quoi les Princes de ce monde répondent par plus, toujours plus de pouvoir – et moins, toujours moins de tolérance.

P. B. – *Vers la fin de votre livre vous déclarez, curieusement, que critiquer les militants communistes comme étant des sortes de nouveaux prêtres vous paraît être une mauvaise critique. Et vous ajoutez :* « *Vive l'idéal ascétique comme exercice éthique !... Le monde serait meilleur si nous étions encore pieux.* » *C'est une défense du mysticisme ?*

B.-H. L. – Non. C'est d'abord un constat. Depuis toujours les résistances au pouvoir et les grandes rébellions de masse ont été teintées de spiritualisme, qu'il s'agisse, hier, des grandes hérésies juives en Europe centrale et en Allemagne; avant-hier, des effrois paysans du Moyen Age type Thomas Münzer; aujourd'hui, des dissidents de l'Est dont la résistance se fonde largement sur ce principe de spiritualité. C'est ensuite une hypothèse : dans la mesure où je pense que le tout de l'homme est soumis à l'emprise de la maîtrise et au poids des appareils de pouvoir, pour que la résistance soit possible il faut bien qu'il y ait quelque chose en l'homme qui excède cette dimension du pouvoir et du réel. Et cette autre dimension, qu'on l'appelle comme on voudra, elle a quelque chose à voir avec ce que les mystiques nomment la transcendance. Enfin, si j'ai de l'indulgence à l'égard du mysticisme, c'est qu'à l'époque où nous vivons la conception religieuse du monde est l'une des alternatives pour casser le feu infernal de la conception politique du monde. Le recours au sacré peut devenir dans certains cas, à l'égal du discours esthétique et du discours éthique, un moyen de rompre. Alors, pour ces trois raisons je crois que si l'on veut comprendre les phénomènes de résistance, il faut vaincre cette terreur panique à l'égard du phénomène religieux, terreur léguée par l'État patriote et jacobin dans son effort de maîtrise totale sur les âmes et les corps. Je travaille en ce moment sur la mystique juive, et s'il y a un exemple concret d'une résistance millénaire à l'égard de la forme État, c'est bien celle du peuple juif. Celle d'un peuple qui à partir d'un certain nombre de principes écrits dans les livres saints et ritualisés dans des pratiques religieuses quotidiennes, a inventé une forme de révolte quotidienne aux forces de l'oppression. Il me paraît donc un peu léger, au nom de je ne sais quel radical-socialisme hérité des fondateurs autoritaires de notre république, de condamner le phénomène religieux et de le rayer d'un trait de plume.

P. B. – *Passons enfin à un dernier point : votre critique de Mai 68, et il se trouve justement que nous sommes aujourd'hui en Mai 78, juste dix ans après. Dans* La barbarie à visage humain *vous écrivez :* « *Il faut en finir avec le sot lieu commun qui dit qu'avec Mai 68 s'ouvre une ère de dégel intellectuel et de subversion des orthodoxies.* » *Pour vous, Mai 68 n'est pas une rébellion ?*

B.-H. L. – Si, si, Mai 68 a été une grande explosion libertaire. Mais, comme vous avez lu mon livre, vous savez bien que j'ajoute : c'est une grande explosion si on la juge du point de vue de *l'éternité*, à long terme. Or je vous rappelle que *La barbarie à visage humain* a été écrit au moment de la montée de l'Union de la gauche, à une époque ou les intellectuels de gauche se ralliaient tous comme des veaux au Parti socialiste triomphant, à une époque ou Mitterrand avait deux cents ministres de la culture en puissance et au moment ou le marxisme du Parti communiste avait une emprise de plus en plus marquée sur la gauche française. Et j'ai voulu montrer dans mon livre que pour le *temps présent,* à court terme, cette hégémonie du marxisme était liée à l'explosion de Mai 68.

P. B. – *Donc vous condamnez Mai 68 ?*

B.-H. L. – Non, bien sûr. Sérions les problèmes. Un premier héritage de Mai 68, c'est la naissance d'un gauchisme d'État qui s'appelle le giscardisme : Giscard est en effet un héritier de 68 et il prétend appliquer à la lettre le mot d'ordre des étudiants de 68 : « L'imagination au pouvoir ! » Le deuxième héritage de Mai 68, c'est qu'au Parti socialiste des énarques-staliniens-qui-n'ont-pas-connu-la-vie ont retenu du mouvement la langue dans laquelle il s'exprimait, et cette langue qui était l'une des seules que les révoltés avaient à leur disposition : le marxisme. De là vient que Mai 68, c'est aussi un bain de jouvence pour la pensée marxiste. Donc, *à court terme*, à l'heure où j'écrivais mon livre, Mai 68 consolidait des effets de ventriloque marxiste. Ce qui n'empêche pas, troisième et essentiel héritage, qu'*à long terme* Mai 68 ait eu des effets de fracture fantastiquement positifs.

P. B. *Est-ce que la récente campagne électorale de 1978 ne vous oblige pas à modifier un peu vos analyses ?*

B.-H. L. – Peut-être. Il est possible que mon pessimisme quant à la marxisation intégrale de la gauche française n'était pas totalement justifié. Peut-être la gauche n'est-elle pas aussi « bluffée » par le Parti communiste et aussi inféodée à son modèle de socialisme que je pensais à l'heure où j'écrivais. Mais attendons avant de trancher. Attendons de voir, par exemple, ce que va devenir le serpent de mer euro-communiste, ou national-communiste si vous préférez. Une seule chose me paraît sûre aujourd'hui : Marx n'est pas mort, et il ne s'est jamais si bien porté.

P. B. – *Il n'empêche tout de même que votre point de vue sur Mai 68 reste très pessimiste.*

B.-H. L. – Il est vrai que lorsque je parle de Mai 68, il y a une certaine amertume, cette amertume que j'éprouve à l'égard de toutes les insurrections manquées. Car, tout de même, une des leçons de Mai 68 c'est qu'une fois de plus et comme toujours, le Maître a eu raison, et que l'utopie s'est incarnée, a échoué dans un appareil d'État élargi, dont tout indique désormais qu'il inclut les grandes organisations politiques et syndicales de gauche. Alors, non, pas de pessimisme mais de la déception et aussi, comment dirais-je, de la « tendresse de pitié »...

P. B. – *Oui, mais votre « tendresse de pitié », je ne la trouve pas toujours très tendre. Tenez, dans votre livre vous écrivez par exemple : « Désertez, filez vite ailleurs, c'est la devise de nos nouveaux*

utopistes, nomades et décadents, dérivant de Vincennes en Corrèze, c'est surtout la simple redite des vieux adages stoïciens, avec la grandeur en moins et l'abjection en plus. »

B.-H. L. – Il est vrai qu'il y a *aussi* dans l'héritage gauchiste de Mai des discours qui me sont, personnellement, insupportables. Le passage que vous citez s'intègre dans la critique que j'adresse au naturalisme en politique : l'idée qu'ailleurs, en un autre temps, en d'autres lieux, subsiste une bonne nature soustraite à l'emprise du mauvais pouvoir. Il y a aussi tout le discours moderne de la « libération » que je tiens, au sens lacanien, pour un semblant, et pour un semblant qui fait mourir plus que vivre. Il y a, d'une manière générale, toute une vulgate néo-gauchiste, entièrement fossilisée, qui ne fait souvent qu'« élargir », à tous les sens du terme, la vieille dogmatique stalinienne, et dont le nouveau terrorisme est le meilleur exemple. Alors, résumons si vous voulez. Il n'y a pas « un » Mai, mais plusieurs, éclatés et contradictoires. Il y a le Mai des appareils de la gauche qui ont trouvé là de quoi revitaliser un marxisme qui se perdait à l'époque dans la pensée sirupeuse des Garaudy de tout poil. Il y a le Mai des Princes, qui y ont trouvé de quoi renouveler l'arsenal de leurs semonces, affiner les termes de leur conception du monde, lier plus subtilement le fil du lien social. Il y a le Mai de nos nouveaux décadents, disciples de Jdanov ou de Maurice Sachs selon les cas, qui me paraît animé par une fantastique pulsion de mort. Et puis il y a le Mai de Mai, si j'ose dire, celui de cette grande insurrection contre les pouvoirs, de la première grande révolte anticommuniste de masse, celui où on a appris, enfin, à penser *avec sa propre tête*, où les intelligences ont vacillé, et où l'histoire s'est *interrompue*. Voilà. Comme vous voyez, je me refuse à avoir sur l'événement un jugement unilatéral. Et puisque, dix ans après, on parle d'héritage, parlons-en jusqu'au bout.

P. B. – *Revenons dix ans après. Il vient d'y avoir en France des élections législatives. Au fait, avez-vous voté ?*

B.-H. L. – J'ai voté blanc au premier tour. Mais, profondément et pour être franc, je me fichais des résultats des élections et j'ai toujours considéré que les problèmes concrets des Français ne passaient ni par la victoire de l'Union de la gauche ni par les maintien de la droite au pouvoir, que les critères pour trancher dans le réel de la misère et de la souffrance ne sont plus politiques au sens classique du mot. Mais il y a au moins une chose qui m'a parue saine dans cette affaire : c'est que le peuple français a su déceler le mensonge et la mascarade; et qu'apparemment il a bien vu le sens de l'« Union de la gauche » : ni unie, ni à gauche...

On ne peut pas raconter n'importe quoi aux gens ni leur faire avaler n'importe quelle farce. Sur un autre plan, je voudrais ajouter aussi que l'ignoble hallali contre François Mitterrand que l'on a vu naître juste après les élections, cette « chasse à l'homme » si parfaitement symétrique au mouvement de ralliement en masse à l'époque où on allait à la soupe, m'a paru d'un race indécence.

P. N. – *Mais c'est votre ami Maurice Clavel, entre autres, qui a pris la plume pour évoquer le départ de Mitterrand !*

B.-H. L. – Maurice Clavel n'a pas parlé d'un *retrait* de Mitterrand mais d'une *retraite*, avec toute la référence spiritualiste que cela peut comporter pour lui. Ce n'est pas la même chose.

P. B. – *A quoi travaillez-vous maintenant? Vous préparez un nouveau livre?*

B.-H. L. – Oui, bien entendu. Un essai, encore une fois. Mais dont je ne tiens pas à parler pour le moment. Disons que ça ne sera pas très loin de ce « traité de morale » dont j'ai parlé plusieurs fois déjà. Et que je ne crois pas qu'on puisse réfléchir sur l'éthique sans en passer, à un moment ou à un autre, par le détour de la mystique juive.

P. B. – *Ce thème de la mystique juive compte beaucoup plus pour vous désormais?*

B.-H. L. – A vrai dire la vérité, je ne cesse de me rendre compte que tous les points aveugles de *La barbarie à visage humain,* tous les concepts en suspens, tous les chapitres inachevés ou tous les points obscurs, ne l'auraient peut-être pas été si j'avais relu plus attentivement le Maharal de Prague ou le Rabbi de Polnoye. Et que tout se passait comme si – mais cela pose tout le problème de *l'identité juive* – un certain nombre de thèmes ou d'attitudes intellectuelles talmudiques étaient, par un effet de réminiscence, présentes dans la *Barbarie* à titre de traces, de jalons ou d'intuitions avortées. Tous ces problèmes-là ne sont pas nouveaux pour moi, mais le fait que j'y travaille, oui.

P. B. – *Vous avez dû en parler avec Albert Cohen que vous avez rencontré très récemment, je crois?*

B.-H. L. – Oui, nous en avons parlé, bien sûr.

P. B. – *Albert Cohen est l'un de vos auteurs préférés?*

B.-H. L. – Ah, j'ai toujours eu une réelle admiration pour lui, pour l'homme comme pour l'œuvre. *Belle du Seigneur* est à mes yeux la plus juste, la plus implacable description de la passion amoureuse. Non pas du point de vue de sa « cristallisation » comme chez Stendhal, mais du point de vue de sa « démolition » et de son rapport intime, incontournable, avec la mort. Il se trouve d'ailleurs que le roman va être porté à l'écran et que Cohen tient à m'y donner le rôle de Solal. Je vous raconte ça pour l'anecdote car, très franchement, je crois être un médiocre comédien.

P. B. – *On va tout de même vous voir dans une adaptation d'*Aurélien *d'Aragon?*

B.-H. L. – Ou, dans un rôle de mineur. Mais puisque nous en sommes aux projets, en voici un autre : porter à l'écran *La barbarie à visage humain* en essayant de mettre en images l'histoire du XXᵉ siècle, l'histoire de la barbarie moderne.

P. B. – *Et vos projets en tant qu'éditeur?*

B.-H. L. – En finir une fois pour toutes, et si j'en ai le moyen, avec la « nouvelle philosophie ». Pour aider mes amis, philosophes ou non-philosophes, à publier de beaux livres qui témoignent pour le temps présent.

MICHEL FOUCAULT

*« La naissance des sciences humaines
va de pair avec l'instauration
de nouveaux mécanismes de pouvoir. »*

Juillet 1978

En 1978, Michel Foucault avait accepté, au cours d'un long entretien qu'il compléta par un texte, de revenir sur son itinéraire philosophique et de dissiper, éventuellement, quelques malentendus. Ces documents sont restés inédits dans Lire. Mais au lendemain de sa disparition en juin 1984, ils ont été publiés par l'*Express*.

Parmi les théoriciens qui, au confluent des sciences humaines et de l'Histoire, ont, dans les années 60-70, occupé en France le devant de la scène, devenant parfois, à leur corps défendant, des « maîtres penseurs », Michel Foucault fut sans nul doute la figure centrale. A la différence de Lacan, Barthes, Lévi-Strauss, Deleuze ou Althusser, dont l'emprise se manifesta principalement dans l'Université, de lui seul on a pu dire qu'il avait pris, par ses œuvres comme par son engagement politique, la place d'un Sartre. Il s'en défendait, refusant le rôle de l'intellectuel universel et se définissant comme un simple « marchand d'instruments ». Mais, à ce titre déjà, Michel Foucault exerça une singulière influence. *L'Histoire de la folie*, ou *Surveiller et punir*, *Les Mots et les choses* ou *La Volonté de savoir* ont été des boîtes à outils où beaucoup sont venus puiser des analyses liées surtout à la notion du pouvoir.

Pierre Boncenne. — *En 1961, vous publiez votre premier livre,* Histoire de la folie à l'âge classique. *Pourquoi; à l'époque, vous êtes-vous intéressé au problème de la folie?*

Michel Foucault. — Il serait difficile de donner les vraies raisons et je ne peux vous donner que des souvenirs. Je dirais d'abord que je ne me suis jamais senti une vocation d'écrivain : je ne considère pas qu'écrire soit mon métier et je ne pense pas que tenir un porte-plume soit — pour moi, je ne parle que pour moi — une sorte d'activité absolue dépassant tout le reste. C'est donc une série de circonstances — avoir fait des études de philosophie, avoir fait des études de psychopathologie, avoir traîné dans un hôpital psychiatrique et avoir eu la chance de n'y être ni comme malade ni comme médecin, c'est-à-dire avoir pu porter un regard un peu vide, un peu neutre et hors des codes – qui m'ont amené à prendre conscience de cette réalité extrêmement étrange qu'est l'enfermement. Ce qui m'a frappé, c'est que cette pratique de l'enfermement était vécue par les uns et par les autres comme absolument évidente. (...) Or je me suis aperçu que c'était loin d'être évident et que c'était le résultat d'une très longue histoire, résultat acquis au début du XIXᵉ siècle seulement.

P. B. – *Qu'un professeur de philosophie entame des recherches sur l'« histoire de la folie », c'était très étonnant ?*

M. F. – Ce n'était effectivement pas un sujet pour philosophe, par exemple pour passer une thèse de doctorat. Et il a fallu la compréhension assez exceptionnelle des professeurs que j'ai eus pour me convaincre d'en faire une thèse. Mais laissons ces côtés universitaires, car votre question va, bien entendu, plus loin. Ce type de sujet n'était certes pas bien reçu dans l'Université, mais surtout pas – et c'est cela qui est étonnant et continue encore à me faire problème – dans les milieux qui auraient dû être sensibes à ce genre de question. Disons, pour aller vite, les « intellectuels de gauche » (étant entendu qu'« intellectuel » et « intellectuel de gauche », c'est presque la même chose : la domination de l'intellectuel de gauche sur le monde intellectuel était déjà écrasante à cette époque). Eh bien, dans ces milieux-là, ma recherche sur l'histoire de la folie n'a suscité littéralement aucun intérêt. Il n'y a eu que des gens venant de la littérature, comme Blanchot ou Barthes, pour s'intéresser à ce genre de texte. Mais, en dehors d'eux, aucune revue intellectuelle et politique digne de ce nom n'aurait accepté de parler d'un livre pareil sur un sujet pareil : « Les Temps modernes » ou « Esprit », vous pensez bien, n'allaient pas s'occuper de cela...

P. B. – *Pourquoi ?*

M. F. – Je pense que c'était lié au fait que la discussion théorique et politique était entièrement surplombée par le problème du marxisme entendu comme théorie générale de la société, de l'Histoire, de la révolution, etc. Faire apparaître dans le champ politique ce genre-là de problèmes, c'était donc une sorte d'indécence par rapport à la hiérarchie acquise des valeurs spéculatives. Et c'était aussi – mais là je ne m'en suis pas du tout rendu compte – lever un lièvre que, pour un tas de raisons, les partis communistes et, à leur traîne, les intellectuels de gauche ne voulaient pas lever.

P. B. – *Parce qu'en arrière-fond de* L'Histoire de la folie *se posait le problème des pays de l'Est.*

M. F. – Bien sûr. J'ai fini la rédaction de ce livre en Pologne et je ne pouvais pas ne pas penser, au moment où je l'écrivais, à ce que je voyais autour de moi. Cependant si, par une espèce de rapport analogique et non généalogique, je saisissais une parenté, une ressemblance, je ne voyais pas exactement comment fonctionnait le mécanisme général d'enfermement et de disciplinarisation de la société. En d'autres termes, je ne voyais pas comment mes recherches dans l'Histoire et ce que je pressentais autour de moi pouvaient être intégrés dans une analyse globale allant de la formation des sociétés capitalistes en Europe au XVIIᵉ siècle jusqu'aux sociétés socialistes du XXᵉ siècle. En revanche, certains le savaient ! Et je n'ai su qu'ils le savaient que bien plus tard. Bien avant moi, au lendemain de la Libération, les psychiatres français s'étaient beaucoup préoccupé du fonctionnement des asiles pour essayer de voir dans quelle mesure on pouvait en transformer très profondément le sens. Et puis, disons, à partir des années 1950, cette réflexion a été bloquée pour un certain nombre de raisons. L'une de ces raisons c'était que, parmi ces psychiatres, les marxistes ont substitué à la réflexion sur la pratique même de l'internement psychiatrique, la réflexion théorique sur l'utilisation du matérialisme dialectique pour l'explication et la guérison des maladies mentales. Et ils se sont précipités sur Pavlov en essayant, les malheureux, de bâtir une psychiatrie basée sur ses hypothèses et ses travaux. Du coup, la réflexion sur leur pratique quotidienne a reculé, est rentrée dans l'ombre ou ne s'est plus manifestée que sous formes de revendications syndicales et catégorielles. Pourtant, certains de ces psychiatres ont été en U.R.S.S., ne serait-ce que pour voir ce qu'était cette fameuse psychiatrie inspirée de Pavlov, la psychiatrie dite « réflexologique ». Et ils y ont vu des choses! Le plus communiste de tous les psychiatres français est allé à Moscou dans les années 50, il a vu comment on y traitait les « malades mentaux ». Or, quand il est revenu, il n'a rien dit! Rien! Non pas par lâcheté, mais, je crois, par horreur. Il a refusé d'en parler, et il est mort quelques années après sans avoir ouvert la bouche sur ce qu'il avait vu, tellement il en avait été traumatisé... Je suis donc convaincu que soulever le problème de la pratique réelle de l'internement, de ce qu'était cette pratique psychiatrique qui, depuis le XVIIᵉ siècle jusqu'à nos jours, avait envahi l'Europe entière, n'était pas possible pour des raisons politiques.

P. B. – *Mais les psychiatres ne pouvaient tout de même pas ignorer votre* Histoire de la folie. *Dans un premier temps, m'avez-vous expliqué, il y a eu, chez eux, un blocage politique. Et après? Vous ont-ils lu, ou bien ne vous ont-ils jamais pardonné ce livre?*

M. F. – Les réactions ont vraiment été très curieuses. Dans un premier temps, aucune réaction de la part des psychiatres. Puis Mai 68 arrive. Juste après, en 1969, certains psychiatres se sont réunis pour un congrès à Toulouse et, marxistes en tête, toutes trompettes dehors, ils ont déclaré que j'étais un idéologue, un idéologue bourgeois, etc. Ils ont littéralement constitué un tribunal de psychiatres condamnant ce livre. Mais, entre temps, il y avait eu Mai 68, et le profond courant « antipsychiatrique » de Laing et Cooper, dont on discutait beaucoup, avait fini par éclater au grand jour. En 1968, les jeunes générations de psychiatres ou ceux qui, d'une façon ou d'une autre, com-

mençaient à être familiarisés avec les idées de l'antipsychiatrie ont donc, eux aussi, dénoncé ouvertement certaines méthodes de la psychiatrie. Du coup, mon livre a été assimilé à un ouvrage d' « antipsychiatrie » et, aujourd'hui encore, il ne m'est pas pardonné, en tant que tel, ce qui est particulièrement désopilant. Je connais plusieurs psychiatres qui, parlant de ce livre devant moi, l'intitulent, par une espèce de lapsus à la fois flatteur et rigolo, « L'Éloge de la folie »! J'en connais qui le considèrent comme une apologie des valeurs positives de la folie contre le savoir psychiatrique... Or il n'est absolument pas question de cela dans *L'Histoire de la folie*, il suffit de la lire.

P. B. – *Après* l'Histoire de la folie, *vous publiez* Naissance de la clinique, *puis une étude critique,* Raymond Roussel. *Qu'est-ce qui vous a incité à faire paraître un livre sur cet étrange écrivain qu'était Raymond Roussel et que les surréalistes admiraient tant?*

M. F. – Ce fut, justement, un hasard absolu. Je voulais parler de José Corti. J'étais donc dans sa grande librairie et en regardant ses livres, je suis tombé sur *La Vue*, une œuvre signée de Raymond Roussel, quelqu'un dont littéralement – je dois l'avouer à ma honte – je n'avais jamais entendu parler. J'ai lu quelques lignes de *La Vue* et j'ai été ahuri de leur ressemblance extraordinaire avec des textes de Robbe-Grillet qui venaient de paraître : *La Jalousie* et *Le Voyeur*. J'ai alors demandé à José Corti qui était l'auteur de *La Vue*, et avec sa merveilleuse générosité, il a bien voulu ne pas rire de mon ignorance. Du coup, j'ai lu *La Vue*, puis toutes les œuvres de Raymond Roussel. Et en lisant *Comment j'ai écrit certains de mes livres*, j'ai découvert que Roussel avait été soigné par Janet, si bien que je retombais en plein dans le problème de la folie. Mais ce croisement était totalement dû au hasard : en commençant à lire les œuvres de Raymond Roussel, j'étais à cent lieues d'imaginer qu'il avait été considéré comme malade mental.

P. B. – *En 1966, vous faites paraître un*

livre devenu depuis lors célèbre, Les Mots et les choses. *Cet ouvrage difficile...*

M. F. – ... Oui, et permettez-moi de faire tout de suite une remarque : c'est le livre le plus difficile, le plus emmerdant que j'aie écrit et il était authentiquement destiné à 2 000 universitaires s'intéressant à un certain nombre de problèmes concernant l'histoire des idées. Pourquoi a-t-il eu tant de succès ? Mystère. Mon éditeur comme moi, nous nous sommes d'ailleurs beaucoup interrogés, puisqu'il a été fait trois tirages successifs des *Mots et les choses* avant qu'un seul article de presse leur soit consacré...

P. B. – *Justement, le succès de ce livre difficile n'a-t-il pas entraîné des contresens de lecture ? Prenons, par exemple,* Le Petit Larousse, *qui est vendu chaque année par centaines de milliers d'exemplaires. Voilà ce qu'on y lit :* « Michel Foucault : ... Auteur d'une philosophie de l'histoire fondée sur la discontinuité. » *Or vous n'êtes pas du tout d'accord avec ce résumé. Pourquoi ?*

M. F. – Cette idée de la « discontinuité » à propos des *Mots et les choses* est, en effet, devenue la vulgate. Peut-être en suis-je responsable ? Il n'empêche que ce livre dit exactement le contraire... Je m'excuse d'être dogmatique, mais enfin : il suffit de connaître un peu les domaines dont je me suis occupé dans cet ouvrage – c'est-à-dire l'histoire de la biologie, l'histoire de l'économie politique ou l'histoire de la grammaire générale – pour voir tout de suite, au premier regard, des sortes de failles ou de grandes ruptures qui font, par exemple, qu'un livre de médecine datant de 1750 est, pour nous, un objet folklorique désopilant, auquel nous ne comprenons pratiquement rien; en revanche, soixante-dix ans après, vers 1820, il paraît des livres de médecine qui, même s'ils comportent pour nous plein de choses erronées, insuffisantes ou approximatives, font cependant partie du même type de savoir que le nôtre. Dans *Les Mots et les choses*, je pars donc de ce constat évident de la discontinuité, et j'essaie de m'interroger : est-ce que cette discontinuité est bien une discontinuité ?

Ou, plus exactement, quelle a été la transformation nécessaire pour qu'on passe d'un type de savoir à un autre type de savoir ? Pour moi, ce n'est pas du tout une manière d'affirmer la discontinuité dans l'Histoire; c'est, au contraire, une manière de poser la discontinuité comme un problème, et surtout comme un problème à résoudre. Ma démarche est donc tout le contraire d'une « philosophie de la discontinuité ». Mais, comme ce livre est en effet difficile et que ce qui saute aux yeux, c'est l'indication fortement soulignée – et, si vous voulez, parfois exagérée à des fins pédagogiques ou de démonstration – de ces discontinuités vues en surface, bien des lecteurs en sont restés là. Sans voir précisément que tout le travail du livre consistait à partir de cette discontinuité apparente – sur laquelle les historiens s'occupant de biologie, de médecine ou de grammaire sont, je crois, d'accord – pour essayer, en quelque sorte, de la dissoudre.

P. B. – *Après* Les Mots et les choses *(que vous avez complétés avec* L'Archéologie du savoir*), vous publiez, en 1975,* Surveiller et punir. *Autant* Les Mots et les choses *est un ouvrage difficile, autant* Surveiller et punir *veut s'adresser à un public beaucoup plus large.*

M. F. – Pour *Surveiller et punir*, mon idée était d'essayer d'écrire un livre en liaison directe avec une activité concrète à propos des prisons. A l'époque, il s'était développé tout un mouvement de contestation du système carcéral remettant en question les pratiques d'enfermement des délinquants. Je me suis trouvé lié à ce mouvement en travaillant, par exemple, avec d'anciens prisonniers, et c'est pourquoi j'ai voulu écrire un livre historique sur la prison. J'ai voulu, non pas raconter, ni même analyser la situation actuelle, car il aurait fallu pour cela une expérience autrement plus longue que la mienne et un rapport avec l'institution pénitentiaire autrement plus profond que le mien, mais faire un livre d'histoire dont les éléments pourraient permettre de comprendre la situation présente et, éventuellement, d'y réagir. Si vous voulez, j'ai essayé d'écrire un

« traité d'intelligibilité » de la situation pénitentiaire, j'ai voulu la rendre intelligible et, donc, critiquable.

P. B. – *Rendre intelligible la situation pénitentiaire, c'est aussi vouloir s'adresser, disons, au grand public?*

M. F. – Oui, c'était effectivement très important. *Surveiller et punir* ne présente, je crois et je l'espère, aucune difficulté de lecture. Même si j'ai essayé de ne rien sacrifier en ce qui concerne l'exactitude ou la méticulosité historique. Je sais en tous les cas que beaucoup de gens qui ne sont pas des universitaires au sens strict du terme, ou qui ne sont pas des intellectuels au sens parisien du terme, ont lu ce livre. Je sais que des personnes s'occupant des détenus, avocats, éducateurs, visiteurs de prisons, sans oublier des prisonniers aussi l'ont lu; et c'était exactement à ces gens-là que je m'adressais d'abord. Car ce qui m'intéressait vraiment, avec *Surveiller et punir*, c'était de ne pas être lu que par des étudiants, des philosophes ou des historiens. Qu'un avocat puisse lire *Surveiller et punir* comme un traité d'histoire de la procédure pénale, moi, cela me plaît. Ou, si vous voulez un autre exemple : je suis content que les historiens n'aient pas trouvé une inexactitude majeure dans *Surveiller et punir,* et qu'en même temps des prisonniers dans leur cellule aient pu lire le livre. Permettre ces deux types de lecture est quelque chose d'important, même si tenir les deux ensemble n'est pas facile pour moi.

P. B. – *Venons-en enfin à votre dernier livre paru,* La Volonté de savoir, *qui est le premier tome d'un énorme projet : une « histoire de la sexualité ». Comment cette recherche sur la sexualité se rattache-t-elle à vos précédents ouvrages?*

M. F. – Dans les études que j'avais faites sur la folie ou la prison, il m'avait semblé que la question au centre de tout, c'était : qu'est-ce que le pouvoir? Et plus précisément : comment s'exerce-t-il, comment cela se passe-t-il lorsque quelqu'un exerce un pouvoir sur l'autre? Il m'a semblé alors que la sexualité, dans la mesure où elle est, dans toute société et dans la nôtre en particulier, fortement

réglementée, était un bon domaine pour tester en quoi consistaient les mécanismes de pouvoir. D'autant plus que les analyses qui avaient cours pendant la décennie 1960-1970 définissaient le pouvoir par l'interdit : le pouvoir, disait-on, serait ce qui interdit, ce qui empêche de faire quelque chose. Moi, il m'a semblé que le pouvoir était quelque chose de beaucoup plus complexe.

P. B. – *Pour analyser le pouvoir, il ne faut pas a priori le lier à la répression...*

M. F. – ... Exactement...

P. B. – *C'est pourquoi, dans* Surveiller et punir, *vous montrez avec l'exemple des prisons qu'il était plus utile pour le pouvoir, à un moment donné, de surveiller que de punir. Dans* La Volonté de savoir, *avec l'exemple de la sexualité, vous voulez donc montrer qu'il était plus utile pour le pouvoir de faire avouer le sexe que de l'interdire?*

M. F. – On dit souvent que la sexualité est quelque chose dont on n'ose pas parler dans nos sociétés. S'il est vrai qu'on n'ose pas dire un certain nombre de choses, j'ai tout de même été frappé par ceci : quand on songe que, depuis le XIIe siècle, tous les catholiques occidentaux sont obligés d'avouer leur sexualité, leurs péchés contre la chair et toutes les fautes dans ce domaine commises en action ou en pensée, on ne peut pas dire que le discours sur la sexualité soit purement et simplement interdit ou réprimé. Le discours sur la sexualité est organisé d'une certaine façon, en fonction d'un certain nombre de codes, et je dirais même qu'il y a eu en Occident une très forte incitation à parler de la sexualité. Or j'ai été surpris de constater que cette thèse quasi évidente a été très mal reçue. Je pense qu'encore une fois nous sommes en présence d'un phénomène de valorisation exclusive d'un thème : il faut que le pouvoir soit répressif; puisque le pouvoir est mauvais, il ne peut être que négatif, etc. Dans ces conditions, dire sa sexualité serait forcément une libération. Moi, il m'a semblé que c'était tout de même beaucoup plus compliqué que cela.

P. B. – *Dans un entretien que vous avez*

eu avec Gilles Deleuze en 1972, vous disiez ceci : « C'est le grand inconnu actuellement : qui exerce le pouvoir ? et où l'exerce-t-il ? Actuellement, on sait à peu près qui exploite, où va le profit, entre les mains de qui il passe et où il se réinvestit. Tandis que le pouvoir... On sait bien que ce ne sont pas les gouvernants qui détiennent le pouvoir. Mais la notion de " classe dirigeante " n'est ni très claire ni très élaborée. » Pourriez-vous m'expliquer plus en détail cette analyse du pouvoir ?

M. F. – Je serais bien hardi si je vous disais que j'ai à ce sujet des idées plus claires qu'à l'époque. Maintenant encore, je pense donc que la manière dont le pouvoir s'exerce et fonctionne dans une société comme la nôtre est finalement assez mal connue. Certes, il existe des études sociologiques nous montrant qui sont actuellement les patrons de l'industrie, comment se forme et d'où vient le personnel politique; il existe aussi des études plus globales, en général inspirées du marxisme, concernant la domination de la classe bourgeoise dans nos sociétés. Mais, sous cette espèce d'enveloppe générale, les choses me semblent beaucoup plus complexes. Dans les sociétés occidentales industrialisées, les questions : qui exerce le pouvoir ? comment ? sur qui ? sont certainement les questions actuellement vécues avec le plus d'intensité. Le problème de la misère et de la pauvreté qui avait hanté le XIXᵉ siècle n'est plus, pour nos sociétés occidentales, primordial. En revanche : qui prend les décisions à ma place ? qui m'empêche de faire telle chose et me dit de faire telle autre ? qui programme mes gestes et mon emploi du temps ? qui me force à habiter à tel endroit alors que je travaille à tel autre ? comment se prennent ces décisions sur lesquelles ma vie est complètement articulée ? Toutes ces questions me paraissent aujourd'hui fondamentales. Et je ne crois pas que cette question du « qui exerce le pouvoir ? » puisse se résoudre sans que soit résolue en même temps celle du « comment ça se passe ? ». Bien entendu, s'il s'agit de désigner les responsables, on sait qu'il faut s'adresser,

disons, aux députés, aux ministres, aux directeurs de cabinet, ou qui sais-je encore. Mais ce n'est pas le point important. Car on sait bien que même si l'on arrive à désigner exactement tous ces gens-là, ceux qui ont pris les décisions, les « décisions-makers », comme disent les Anglais, on ne saura pas réellement pourquoi et comment la décision a été prise, comment il se fait qu'elle ait été acceptée par tout le monde, et comment il se fait qu'elle blesse telle catégorie de personnes, etc.

P. B. – *On ne peut donc pas étudier le pouvoir sans étudier ce que vous appeliez les « stratégies du pouvoir »...*

M. F. – Oui, les stratégies, les réseaux, les mécanismes, toute cette technique qui fait qu'une décision est acceptée et que cette décision ne pouvait pas ne pas être prise comme elle l'a été.

P. B. – *Toutes vos analyses tendent à montrer qu'il y a du pouvoir partout, jusque dans les fibres de notre corps, par exemple dans la sexualité. On a pu reprocher au marxisme de tout analyser sous l'angle de l'économie et même de tout réduire, en dernière instance, à un problème économique. Est-ce qu'on ne peut pas vous reprocher, à vous, de voir du pouvoir partout et, en dernière instance, de tout réduire au pouvoir ?*

M. F. – C'est une question importante. Le pouvoir, pour moi, c'est ce qu'il faut résoudre. Prenons un exemple, celui de la prison. Je veux étudier la manière dont on s'est mis – et tardivement dans l'Histoire – à utiliser l'emprisonnement comme méthode punitive plutôt que le bannissement ou les supplices. Voilà le problème. Il y a eu d'excellents historiens et sociologues allemands de l'école de Francfort qui, après l'avoir étudié, ont tiré la conclusion suivante : dans une société bourgeoise, capitaliste et industrielle, le travail étant la valeur essentielle, on a considéré que les gens qui étaient condamnés ne pouvaient pas être condamnés à une peine plus utile que d'être obligés de travailler. Et comment les faire travailler ? En les enfermant dans une prison et en les forçant à travailler tant d'heures par jour. Telle est, en la résumant, l'explication du problème donnée par ces historiens et sociologues allemands. C'est une explication de type économiste. Or, moi, le raisonnement ne me satisfait pas totalement, pour l'excellente raison... qu'on n'a jamais travaillé dans les prisons! La rentabilité du travail dans les prisons a toujours été nulle, c'était du travail pour rien. Mais regardons-y de plus près. En réalité, lorsqu'on examine comment, vers la fin du XVIIIe siècle, il a été décidé de choisir la prison comme le mode de punition essentiel, on s'aperçoit que ce fut après toute une longue élaboration de techniques diverses permettant de localiser les gens, de les fixer à des endroits précis, de les contraindre à un certain nombre de gestes et d'habitudes. En un mot et littéralement : de les « dresser ». C'est ainsi qu'on voit apparaître des casernes qui n'existaient pas avant la fin du XVIIe siècle; c'est ainsi qu'on voit apparaître des grands collèges-internats de type jésuite qui n'existaient pas encore au XVIe siècle; c'est ainsi qu'au cours du XVIIIe siècle on voit apparaître des grands ateliers avec des centaines d'ouvriers. Il s'est donc développé toute une technique du dressage humain par la localisation, l'enfermement, la surveillance, le contrôle perpétuel du comportement et des tâches, bref, toute une technique de « management » dont la prison n'a été que la manifestation ou la transposition dans le domaine pénal. Or, toutes ces techniques nouvelles qui ont été utilisées pour dresser les individus, à quoi répondent-elles ? Je le dis très clairement dans *Surveiller et punir* : quand il s'agit des ateliers, ces nouvelles techniques répondent bien entendu à des nécessités économiques de production; quand il s'agit de la caserne, elles sont liées à des problèmes à la fois pratiques et politiques, au développent d'une armée de métier ayant des tâches assez difficiles à accomplir (savoir tirer au canon, par exemple); et quand il s'agit des écoles, à des problèmes de caractère politique et économique. Tout cela, je le dis dans mon livre. Mais ce que j'essaie aussi de faire apparaître, c'est qu'il y a eu, dès le XVIIIe siècle, une

réflexion spécifique sur la manière dont on peut étendre, généraliser et perfectionner ces procédures de pouvoir et de dressage des individus. Autrement dit, je montre sans cesse l'origine économique ou politique de ces méthodes; mais, tout en ne mettant pas le pouvoir partout, je pense également qu'il y a une spécificité de ces nouvelles techniques de dressage, je crois que les procédures utilisées, jusque dans la manière de conditionner le comportement des individus, ont une logique, obéissent à un type de rationalité et s'appuient les unes sur les autres pour former une sorte de couche spécifique.

P. B. – *A partir d'un moment, les « techniques spécifiques de pouvoir », ainsi que vous les appelez, auraient donc fonctionné pour elles-mêmes, sans aucune justification économique ?*

M. F. – Il n'y avait aucune raison économique véritablement « rationnelle » pour forcer les condamnés à travailler dans les prisons. Économiquement, cela ne servait à rien et pourtant on l'a fait. Il y a comme cela toute une série de méthodes d'exercice du pouvoir qui, sans avoir aucune justification économique, ont pourtant été transposées dans l'institution judiciaire.

P. B. – *L'une de vos thèses, c'est que les stratégies du pouvoir iraient jusqu'à engendrer du savoir. Contrairement à l'idée reçue, il n'y aurait pas incompatibilité entre pouvoir et savoir ?*

M. F. – Les philosophes ou même, plus généralement, les intellectuels se justifient et marquent leur identité en essayant d'établir une ligne presque infranchissable entre le domaine du savoir, qui serait celui de la vérité et de la liberté, et le domaine de l'exercice du pouvoir. Ce qui m'a frappé en observant les sciences humaines, c'est que le développement de tous ces savoirs ne peut absolument pas être dissocié de l'exercice du pouvoir. Bien sûr, vous trouverez toujours des théories psychologiques ou sociologiques indépendantes du pouvoir. Mais, d'une manière générale, le fait que les sociétés puissent devenir l'objet d'observation scientifique, que le comportement des hommes soit devenu, à partir d'un certain moment, un problème à analyser et à résoudre, tout cela est lié, je crois, à des mécanismes de pouvoir. Qui, à un moment donné, justement, ont découpé cet objet – la société, l'homme, etc. – et l'ont présenté comme un problème à résoudre. De sorte que la naissance des sciences humaines va de pair avec l'instauration de nouveaux mécanismes de pouvoir.

P. B. – *Votre analyse des rapports entre savoir et pouvoir s'effectue à partir de l'exemple des sciences humaines. Elle ne concerne pas les sciences exactes ?*

M. F. – Ah non, pas du tout! Je n'ai pas cette prétention. Et puis, vous savez, moi, je suis un empiriste : je n'essaie pas d'avancer des choses sans voir si elles sont applicables. Cela dit, pour répondre à votre question, je dirais ceci : on a souvent souligné que le développement de la chimie, par exemple, ne pouvait pas se comprendre sans le développement des besoins industriels. C'est vrai et c'est démontré. Mais ce qui me semblerait surtout intéressant à analyser, c'est comment la science, en Europe, s'est institutionnalisée comme un pouvoir. Il ne suffit pas de dire que la science est un ensemble de procédures par lesquelles on peut falsifier des propositions, démontrer des erreurs, démystifier des mythes, etc. La science exerce aussi un pouvoir : elle est, littéralement, un pouvoir qui vous contraint à dire un certain nombre de choses, sauf à être disqualifié non seulement comme vous étant trompé, mais, en plus, comme étant un charlatan. La science s'est institutionnalisée comme pouvoir à travers un système universitaire et à travers tout un appareillage de laboratoire et d'expérimentation proprement contraignant.

P. B. – *La science produit des « vérités » auxquelles nous nous soumettons ?*

M. F. – Bien sûr. Du reste, la vérité est sans doute une forme de pouvoir. Et par là même, je ne fais que reprendre l'un des problèmes fondamentaux de la philosophie occidentale lorsqu'elle pose ces questions : au fond, pourquoi sommes-nous attachés à la vérité ? pourquoi plutôt la vérité que le mensonge ? pourquoi plutôt la vérité que le mythe ? pourquoi plutôt la vérité que l'illusion ? Et je pense que, au lieu de chercher à savoir ce qu'est la vérité en l'opposant à l'erreur, il serait peut-être intéressant de reprendre le problème posé par Nietzsche : comment se fait-il que, dans nos sociétés, on ait accordé à « la vérité » ce prix et cette valeur, la rendant pour nous absolument contraignante ?

P. B. – *Vous faites une distinction entre l'« intellectuel universel » d'antan, parlant et s'exprimant à propos de tout et de rien, et un nouveau type d'intellectuel : l'« intellectuel spécifique ». Pourriez-vous revenir sur cette distinction ?*

M. F. – Un des traits sociologiques essentiels de l'évolution récente de nos sociétés, c'est le développement de tout ce qu'on peut appeler à la fois la technologie, les cols blancs, le tertiaire, etc. A l'intérieur de ces différentes formes d'activités, je crois qu'il est tout à fait possible, d'une part, d'en connaître et d'en pratiquer les rouages, c'est-à-dire d'exercer son métier de psychiatre, d'avocat, d'ingénieur ou de technicien, et, d'autre part, de faire dans ce domaine-là, dans un domaine « spécifique » donc, un travail qu'on peut dire d'intellectuel, un travail essentiellement critique. Quand je dis « critique », je n'entends pas un travail de démolition, de rejet ou de refus, mais un travail d'examen qui consiste à suspendre autant que possible le système de valeurs auquel on se réfère pour essayer de le tester et de le jauger. Autrement dit : qu'est-ce que je suis en train de faire au moment où je le fais ? Actuellement, et cela devient de plus en plus sensible depuis ces quinze dernières années, des psychiatres, des médecins, des avocats, des juges font sur leur propre métier un travail d'examen critique et de mise en doute qui est un élément essentiel de la vie intellectuelle. Et je pense qu'un intellectuel disons de métier – un professeur ou quelqu'un qui écrit des livres – trouvera plus facilement son champ d'activité et rencontrera plus facilement la réalité qu'il cherche dans l'un de ces domaines dont je viens de parler.

P. B. – *Vous vous considérez comme un « intellectuel spécifique » ?*

M. F. – Oui, je travaille dans un champ précis et déterminé, et je ne fais pas une théorie du monde. Même si effectivement, comme chaque fois que l'on travaille dans un domaine particulier, on ne peut le faire qu'en ayant ou en débouchant sur une perspective. (...)

P. B. – *Invité par Bernard Pivot à l'émission « Apostrophes » à l'occasion de la sortie de* La Volonté de savoir, *vous avez en quelque sorte cédé votre temps de parole pour attirer l'attention des téléspectateurs sur le cas du Dr Stern, alors emprisonné par les autorités soviétiques.*

M. F. – Sur cette question des médias, je ne voudrais pas qu'il y ait d'ambiguïté. Je considère comme tout à fait normal que quelqu'un n'ayant pas beaucoup de possibilités d'être entendu ou d'être lu passe dans les médias. Que des écrivains même connus participent à des émissions, parfois excellentes d'ailleurs, et disent dans ce cadre autre chose que ce qu'ils pourraient dire normalement, parce qu'il est vrai que le rapport à la télévision, à l'écran, à l'interrogateur ou au téléspectateur leur fait sortir des choses qu'autrement ils n'auraient pas dites, je le comprends très bien. Mais, pour ma part, je crois avoir eu suffisamment la possibilité de m'exprimer et avoir eu suffisamment la possibilité d'être à peu près entendu pour ne pas encombrer les médias avec la présentation de mes propres livres. Si je veux dire quelque chose à la télévision, je ferai ou je proposerai un film pour la télévision. Mais venir parler de mon livre, pour quelqu'un comme moi qui n'est pas frustré quant à ses possibilités d'expression, cela me paraît indécent. De sorte que, lorsque j'interviens à la télévision, ce n'est pas pour un substitut ou un doublage de mes propres expressions, mais pour quelque chose qui peut être utile et n'est pas connu des téléspectateurs. Et en cela, je le répète, je ne critique ni les émissions parlant de livres ni les gens qui y viennent. S'ils sont jeunes, par exemple, qu'ils veulent se battre pour leur livre et être entendus, je les comprends très bien : je l'aurais sans doute fait autrefois. Mais moi, maintenant, je préfère leur céder la place.

P. B. – *Quelles réflexions vous inspirent votre succès et, plus généralement, l'engouement, depuis les années 60, pour les sciences humaines et les essais philosophiques ?*

M. F. – En ce qui concerne mon succès, il faut tout de même prendre les choses dans leur exacte proportion. Reste qu'il y a eu ce phénomène de débordement de l'auditoire au-delà de l'amphithéâtre. C'est un phénomène qui a commencé avant moi avec Lévi-Strauss et son livre *Tristes Tropiques* : brusquement, l'ethnologue ne s'adressait plus à 200 personnes, ni même à 2 000, mais à 20 000, voire à 200 000 personnes. Ce phénomène-là, dont j'ai fait partie comme Lévi-Strauss ou Barthes, est en effet troublant. Il est absolument certain que nous avons été cueillis à froid, pris de court, ne sachant pas très bien comment s'adresser à ce public et quoi faire avec lui. Et c'est d'ailleurs pourquoi nous n'avons peut-être pas su nous servir des médias précisément. Entre nous et ce public qui existait et nous lisait, le rapport n'a jamais été clairement établi. Tout se passe comme si on demandait moins aux livres ce supplément imaginaire qu'on leur réclamait autrefois : on leur demande plutôt une sorte de recul réflexif.

ROLAND BARTHES

*« Nul pouvoir, un peu de savoir,
un peu de sagesse et le plus de saveur possible. »*

Avril 1979

L'œuvre de Roland Barthes – près d'une quinzaine de livres parmi lesquels des titres devenus célèbres : *Le degré zéro de l'écriture, Mythologies* et, récemment, *Fragments d'un discours amoureux* – se caractérise d'abord par sa diversité : on y trouve aussi bien des études critiques sur Michelet et Racine qu'une analyse méthodique du langage de la mode ou encore un étonnant essai sur « l'empire des signes », le Japon. Cette polyvalence n'est pas seulement apparente. Roland Barthes, au lieu de chercher à construire un système de pensée, s'est toujours promené à travers les savoirs passant tranquillement d'une théorie à l'autre en puisant, par exemple, une notion chez Marx pour la mettre à l'épreuve dans la linguistique, ou vice-versa. Et si à l'occasion il s'est arrêté pour fabriquer une machine à analyser, ainsi la « sémiologie », il s'en est quelque peu détourné le jour où celle-ci risquait de devenir un carcan rigide et une grille unique d'interprétation.

L'itinéraire de Roland Barthes, malgré ses détours, ses dérives et ses explorations de traverse, présente pourtant une constante : une attention privilégiée au langage. D'une part, pour en dénoncer l'oppression, c'est-à-dire ces formes figées que sont le sens commun, le « ce qui va de soi » ou le stéréotype (et là où il y a stéréotype, mieux même, bêtise, Roland Barthes accourt). Mais, d'autre part, pour en magnifier les extraordinaires possibilités de jubilation et d'explosion du sens offertes grâce à un exercice se renouvelant depuis des siècles : la littérature. Et c'est justement le Roland Barthes amoureux de la littérature que j'ai avant tout essayé d'interroger. Celui qui vient de publier un recueil d'articles consacrés à son ami l'écrivain Philippe Sollers dont les expériences littéraires sont jugées par les uns « d'avant-garde », par les autres d'une soporifique « illisibilité ». Mais également celui dont les derniers ouvrages parus – et en particulier *Fragments d'un discours amoureux* – sont considérés, de par leur écriture surtout, de plus en plus proches de l'espace littéraire à tel point que l'on parle plutôt aujourd'hui de Roland Barthes écrivain que de Roland Barthes critique. Qu'en est-il exactement ? Comment envisage-t-il son travail actuel, ce professeur au Collège de France qui dit être arrivé à l'âge désigné en latin par le terme « sapientia » et qu'il traduit par « nul pouvoir, peu de savoir, un peu de sagesse et le plus de saveur possible » ? Ou, en simplifiant beaucoup : structuraliste hier et romancier demain ? C'est à ce genre de questions que Roland Barthes a accepté de répondre, situant sa place parmi les intellectuels, précisant son point de vue sur la littérature d'avant-garde, et répondant au passage à ceux qui l'accusent de jargonner. Un dernier mot tout de même avant de lui laisser la parole : juste pour souligner dans la voix et le regard de cet homme cet équilibre indéfinissable entre une véritable tolérance, une extrême finesse et un discret hédonisme. Peut-être ce qu'on appelait autrefois la *politesse* et que Roland Barthes, à sa manière, remet à la mode.

Pierre Boncenne. – *J'aimerais commencer cette interview en vous demandant justement : pour vous, qu'est-ce qu'une interview ?*

Roland Barthes. – L'interview est une pratique assez complexe sinon à analyser tout du moins à juger. D'une manière générale les interviews me sont assez pénibles et à un moment j'ai voulu y renoncer. Je m'étais même fixé une sorte de « dernière interview ». Et puis j'ai compris qu'il s'agissait d'une attitude excessive : l'interview fait partie, pour le dire de façon désinvolte, d'un jeu social auquel on ne peut pas se dérober ou, pour le dire de façon plus sérieuse, d'une solidarité de travail intellectuel entre les écrivains, d'une part, et les médias, d'autre part. Il y a des engrenages qu'il faut accepter : à partir du moment où l'on écrit c'est finalement pour être publié et à partir du moment où l'on publie il faut accepter ce que la société demande aux livres et ce qu'elle en fait. Par conséquent, il faut se prêter à l'interview tout en essayant parfois de freiner un peu la demande.

Maintenant, pourquoi les interviews me sont-elles pénibles ? La raison fondamentale tient aux idées que j'ai sur le rapport de la parole et de l'écriture. J'aime l'écriture. Et la parole je ne l'aime que dans un cadre très particulier, celui que je fabrique moi-même, par exemple dans un séminaire ou dans un cours. Je suis toujours gêné quand la parole vient en quelque sorte doubler l'écriture parce que j'ai alors une impression d'inutilité : ce que j'ai voulu dire je ne pouvais pas le dire mieux qu'en écrivant et le redire en parlant tend à le diminuer. Voilà la raison essentielle de ma réticence. Il y a aussi une autre raison qui tient plus à l'humeur : je ne crois pas que ce sera le cas avec vous, mais très souvent, vous le savez, dans les interviews des grands médias il s'établit un rapport un peu sadique entre l'interviewer et l'interviewé, rapport où il s'agit de pourchasser chez ce dernier une sorte de vérité en lui posant, pour le faire réagir, des questions soit agressives soit indiscrètes. En somme il y a des risques de manquer à la délicatesse qui me choquent.

Ce que je viens de dire ne répond pourtant pas à l'un des sens de votre question : à quoi sert une interview ? Je sais seulement que c'est une pratique assez traumatisante qui provoque chez moi un « je n'ai rien à dire » relevant d'une défense plus ou moins inconsciente. Pour celui qui écrit, et même pour celui qui parle, l'aphasie est une menace perpétuelle contre laquelle il doit lutter (étant entendu qu'une forme de l'aphasie c'est le bavardage ou la logorrhée). Tout cela tourne autour d'une écriture et d'une parole juste ou, pour employer un mot pédant, « homomètre », c'est-à-dire où il y a un rapport métrique juste entre ce que l'on a à dire et la façon dont on le dit. Votre question, enfin, relève d'une étude générale qui manque et que j'ai toujours eu envie de prendre comme objet d'un cours : un vaste tableau médité des pratiques de la vie intellectuelle d'aujourd'hui.

P. B. – *C'est pourquoi l'un de vos projets de livre dans* Roland Barthes par lui-même *porte comme titre* Ethologie des intellectuels ?

R. B. – Exactement. L'éthologie s'intéresse d'habitude aux mœurs des animaux. Il faudrait à mon avis accomplir le même travail à propos des intellectuels : on étudierait leurs pratiques, les colloques, les cours, les séminaires, les conférences, les interviews, les signatures, etc. Il y a toute une pratique des intellectuels dans laquelle nous vivons et dont à ma connaissance on n'a jamais fait la philosophie.

P. B. – *L'instrument qui est là entre nous, le magnétophone, embarrasse, voire inquiète beaucoup les intellectuels aujourd'hui. Et vous ?*

R. B. – Il est vrai que le magnétophone me gêne un peu mais, selon l'expression bizarre, « je prends sur moi ». Le magnétophone ne laisse pas lire ses moyens de rature. Dans l'écriture, et c'est merveilleux, les moyens de rature sont immédiats. Et dans la parole il existe un code grâce auquel on peut raturer ce que l'on vient de dire : « non, je n'ai pas voulu dire cela », etc. Avec le magnétophone il y a une telle rentabilité de la bande enregistreuse que l'on a du mal à se reprendre et qu'il devient plus risqué de parler.

P. B. – *Le magnétophone, dit-on aussi, est considéré comme un risque pour l'écriture et, partant, pour la littérature.*

R. B. – *Les Nouvelles Littéraires* ont publié à ce propos un dossier dans lequel on trouvait le témoignage de jeunes écrivains qui semblaient tout à fait libres vis-à-vis du magnétophone. Moi, et c'est une question de génération, je vis sous la fascination d'une maîtrise de la langue

qui reste encore de type classique et, par conséquent, la critique de la langue en tant que je la fabrique est très importante. On retrouve là le problème de la rature. Et puis le corps humain qui est médiatisé par l'écriture manuelle est différent du corps humain médiatisé par la voix. La voix est un organe de l'imaginaire et avec le magnétophone on peut avoir ainsi une expression moins refoulée, moins censurée et moins soumise à des lois internes. L'écriture, au contraire, implique une sorte de légalisation et de fonctionnement d'un code assez sévère portant notamment sur la phrase. La phrase n'est pas la même avec la voix et avec l'écriture.

P. B. – *Vous n'utilisez donc pas le magnétophone. Et la machine à écrire ?*

R. B. – J'écris toujours mes textes à la main puisque je les rature beaucoup. Ensuite il est essentiel que je les transcrive moi-même à la machine à écrire parce que vient alors une seconde vague de corrections, corrections allant toujours dans le sens de l'ellipse ou de la suppression. C'est le moment où ce que l'on a écrit, qui reste très subjectif dans l'apparence graphique de l'écriture manuelle, s'objective : ce n'est pas encore un livre ou un article mais, grâce aux caractères de la machine à écrire, il y a déjà une apparence objective du texte et c'est une étape très importante.

P. B. – *En 1964, en publiant vos* Essais critiques *puis en 1966 dans* Critique et vérité *vous affirmiez que le critique est un écrivain. Or, récemment en 1977, au colloque de Cerisy qui vous était consacré, vous avez déclaré :* « Il y a une offensive journalistique qui consiste à faire de moi un écrivain. »

R. B. – Bien entendu, il s'agit d'une phrase-astuce, volontairement truquée. Je voudrais beaucoup être un écrivain et je l'ai toujours voulu, sans pétition de valeur puisque ce n'est pas pour moi un tableau d'honneur mais une pratique. J'ai donc simplement observé avec amusement que ma petite image sociale s'est mise depuis quelque temps à muter vers le statut d'écrivain en s'éloignant du statut de critique. Ce que j'ai écrit depuis quelques années y a aidé et je ne le regrette donc pas du tout. Reste que l'image sociale est toujours l'objet d'orchestration et c'est pourquoi j'ai pu parler d'offensive dans la mesure où l'on sent bien comment cette image sociale se construit et se déplace souvent indépendamment de soi-même.

P. B. – *Mais, à votre avis, pourquoi cette offensive ?*

R. B. – Si je continuais à être le rationaliste que j'ai un peu été autrefois, je dirais : parce que la société intellectuelle française d'aujourd'hui a besoin d'écrivains. Il y a des places vides et je suis là avec quelques éléments pour pouvoir remplir l'une de ces cases.

P. B. – *Vous êtes aujourd'hui professeur au Collège de France, l'un des lieux les plus prestigieux de l'université française. Il y a pourtant un thème qui revient avec insistance chez vous et jusque dans votre leçon inaugurale au Collège de France : vous êtes, dites-vous, « sujet incertain » ou un « sujet impur » par rapport à l'Université, notamment parce que vous n'avez pas passé l'agrégation.*

R. B. – Il est évident que c'est un thème subjectif très important qui n'est pas bien liquidé en moi. J'ai toujours eu une envie forte et pulsionnelle de faire partie de l'Université, envie originée dans mon adolescence à un moment où l'Université était très différente. Or, je n'ai pas pu m'intégrer par un cursus normal à l'Université ne serait-ce que parce que j'ai été malade à chaque fois qu'il fallait franchir un échelon. Une première fois j'ai été malade en classe de philosophie et je n'ai pas pu préparer l'École normale supérieure comme je le voulais, puis j'ai eu une rechute quand il s'agissait de préparer l'agrégation. Ma carrière même prouve que je suis toujours resté attaché à l'idée de faire partie de l'Université, mais j'en ai fait partie – ce qui a été ma chance – à travers des institutions marginales qui ont pu m'accepter sans les diplômes requis ordinairement : le CNRS, l'École pratique des hautes études et maintenant le Collège de France. Ces institutions sont marginales pour des raisons de style mais aussi pour une

raison objective qui n'a pas été bien comprise lorsque j'en ai parlé dans ma leçon inaugurale : le Collège de France et, en grande partie, l'École pratique des hautes études, ne délivrent pas de diplômes. On n'est donc pas entraîné dans un système de pouvoir, ce qui crée une marginalité objective.

P. B. – *Ce léger décalage vis-à-vis de l'Université vous satisfait finalement ?*

R. B. – Du point de vue professionnel j'ai eu la meilleure vie que je pouvais avoir puisque j'ai été accueilli – quitte à être contesté – dans cette Université que j'aimais bien depuis le début, mais accueilli dans des lieux assez maginaux et hors pouvoir. Je n'oublie pas pour autant qu'au Collège de France, qui est une institution au fonctionnement très difficile à expliquer à un étranger, il y a des contradictions entre des attitudes très novatrices et un aristocratisme incontestable.

P. B. – *J'ai souvent remarqué dans les librairies que vos livres ne sont jamais classés au même endroit et que selon le cas on les trouve dans le rayon linguistique, philosophie, sociologie ou littérature. Cette difficulté à vous classer correspond bien à votre démarche ?*

R. B. – Oui, et si nous dépassions un peu mon cas, je crois que cela correspond à un travail de brouillage qui a commencé avant moi. Avec Sartre en particulier qui a été un très grand polygraphe : il a été philosophe, essayiste, romancier, dramaturge et critique. C'est sans doute à partir de ce moment-là que le statut de l'écrivain a commencé à se brouiller, en rencontrant, pour bientôt s'y mêler, le statut de l'intellectuel et celui du professeur. Aujourd'hui on va vers une sorte de péremption ou de suppression des genres traditionnels d'écriture mais ce brouillage n'est pas bien suivi par le commerce éditorial qui a encore besoin de classification.

P. B. – *Même si l'on considère qu'il a échoué, Sartre a tout de même essayé de construire un grand système. Ce qui n'est pas du tout votre cas. Alors quel est le Sartre qui a compté pour vous ?*

R. B. – D'abord, s'il est vrai que Sartre,

avec une puissance philosophique que je ne possède pas, a essayé de produire un grand système de pensée, je ne dirais pas qu'il a échoué. De toute manière, à l'échelle de l'histoire aucun grand système philosophique ne réussit : il devient à un moment une grande fiction, ce qu'il est d'ailleurs toujours à l'origine. Je dirais plutôt que Sartre a produit une grande fiction philosophique qui s'est incarnée dans des écritures diverses et qui a pu prendre la forme d'un système. Alors quel est le Sartre qui a compté pour moi ? Celui que j'ai découvert après la Libération, après mon passage au sanatorium où j'avais surtout lu des classiques et non des modernes. C'est avec Sartre que j'ai débouché dans la littérature moderne. Avec *L'être et le néant*, mais aussi avec des livres que je trouve très beaux, que l'on a un peu oubliés et qu'il faudrait reprendre : *Esquisse d'une théorie des émotions* et *L'imaginaire*. Et puis il y a surtout son *Baudelaire* et *Saint Genet, comédien et martyr* que je tiens pour de grands livres. Ensuite j'ai moins lu Sartre, j'ai un peu décroché.

P. B. – *Quand, à un moment donné, vous parliez d'une « science de la littérature », c'était comme d'un modèle impossible, d'une science qui n'existera jamais ?*

R. B. – Dans la phrase à laquelle vous faites allusion, j'écrivais : « la science de la littérature... (si elle existe un jour) ». Ce qui est important c'est la parenthèse. Même à ce moment-là, où j'avais des impératifs scientistes beaucoup plus marqués, je n'y croyais pas. Maintenant, bien entendu, j'y crois encore moins. Mais les attitudes scientifiques, positives ou rationalistes doivent être traversées par un sujet. A l'heure actuelle j'en suis sorti. Que d'autres continuent des analyses littéraires en essayant des formalisations, pourquoi pas ? Cela m'agace un peu mais je le comprends très bien.

P. B. – *En quel sens avez-vous pu écrire : « Ne suis-je pas fondé à considérer tout ce que j'ai écrit comme un effort clandestin pour faire réapparaître un jour, librement, le thème du " journal " gidien ? »*

R. B. – Adolescent, la lecture de l'œuvre de Gide a été très importante pour moi et ce que j'aimais par-dessus tout, c'était son *Journal*. C'est un livre qui m'a toujours fasciné par sa structure discontinue, par son côté « patchwork » s'étendant sur plus de cinquante ans. Dans le *Journal* de Gide, tout y passe, toutes les irisations de la subjectivité : les lectures, les rencontres, les réflexions, et même les bêtises. C'est cet aspect-là qui m'a séduit et c'est ainsi que j'ai toujours envie d'écrire : par fragments. Pourquoi, me direz-vous alors, je n'écris pas un journal ? C'est une tentation que beaucoup d'entre nous ont, et pas seulement les écrivains. Mais cela pose le problème du « je » et de la sincérité qui était peut-être plus facile à résoudre du temps de Gide – en tous les cas que lui a bien résolu sans complexe et avec maîtrise – et qui aujourd'hui est devenu beaucoup plus difficile après les transformations de la pyschanalyse et le passage du bulldozer marxiste. On ne peut pas recommencer intégralement une forme passée.

P. B. – *Vous écrivez par « fragments ». Le terme fragment n'est-il pas ambigu en donnant l'impression qu'il s'agit de petits morceaux d'un tout ou de petits morceaux d'un édifice ?*

R. B. – Je comprends votre objection. Mais je pourrais vous répondre d'une manière spécieuse en vous disant que ce tout existe et qu'effectivement l'écriture n'est jamais que le reste souvent assez pauvre et assez mince de choses merveilleuses que tout le monde a en soi. Ce qui vient à l'écriture ce sont de petits blocs erratiques ou des ruines par rapport à un ensemble compliqué et touffu. Et le problème de l'écriture, il est là : comment supporter que ce flot qu'il y a en moi aboutisse dans le meilleur des cas à un filet d'écriture ? Personnellement, alors, je me débrouille mieux en n'ayant pas l'air de construire une totalité et en laissant à découvert des résidus pluriels. C'est ainsi que je justifie mes fragments.

Cela dit, j'ai maintenant la tentation très forte de faire une grande œuvre continue et non pas fragmentaire. (Une fois de plus, c'est un problème typiquement proustien, puisque Proust a vécu la moitié de sa vie en ne produisant que des fragments et que, tout d'un coup, en 1909, il s'est mis à construire ce flot océanique de *La recherche du temps perdu*.) Cette tentation est telle, chez moi, que mon cours au Collège de France est construit par le biais de nombreux détours à partir de ce problème. Ce que j'appelle le « roman » ou « faire un roman », j'en ai envie non pas dans un sens commercial mais pour accéder à un genre d'écriture qui ne soit plus fragmentaire.

P. B. – *Le succès de* Fragments d'un discours amoureux *vous a vraiment étonné ?*

R. B. – Sincèrement oui. J'ai failli ne pas lâcher ce manuscrit dont je ne pensais pas qu'il intéressait plus de 500 personnes, c'est-à-dire 500 sujets qui auraient de l'affinité pour ce type de subjectivité.

P. B. – *Au colloque de Cerisy, vous avez déclaré que* Fragments d'un discours amoureux *avait eu du succès parce que vous en aviez travaillé l'écriture. Seulement à cause de cela ?*

R. B. – C'est une justification après coup qui n'est pas forcément fausse : le fait d'avoir travaillé l'écriture de ce livre a peut-être permis de transcender l'extrême particularité de cette subjectivité. Car n'oubliez tout de même pas qu'il s'agit d'un type d'amoureux très particuliers appartenant à une tradition romantique plutôt allemande, ce qui pouvait laisser prévoir bien des résistances du public français et surtout du public intellectuel. Vu le succès de ce livre, je me pose bien sûr des questions, mais que je ne pouvais vraiment pas imaginer avant. Et c'est d'ailleurs ce qu'il y a de passionnant dans « le métier d'écrire » comme disait Pavese : au fond, on ne sait jamais ce qui va arriver. On apporte un soin fou à essayer de prévoir et de savoir, tout simplement parce qu'on a besoin d'une réponse d'amour lorsqu'on écrit. Mais rien n'y fera : on ne le saura pas et il n'y a pas de marketing des livres.

P. B. – *Vous pensez beaucoup à vos lecteurs ?*

R. B. – De plus en plus. Par le fait même d'avoir abandonné un statut scientifique, voire un statut strictement intellectuel, je suis forcément travaillé par des envies non pas de grand public mais de réponses affectives d'un certain public. Je me pose ainsi des questions de style, de clarté, de simplicité. Ce qui n'est pas toujours très facile, puisqu'il n'y a pas la forme, d'un côté, et le contenu, de l'autre : s'exprimer simplement ne suffit pas, il faut aussi penser et sentir simplement.

P. B. – *Le succès de* Fragments d'un discours amoureux *aurait modifié votre écriture ?*

R. B. – Il peut y avoir un tel effet en retour. Lorsqu'on écrit on est très sensible à l'écoute et je peux effectivement être téléguidé par l'envie de retrouver un rapport simple comme celui que j'ai eu, semble-t-il, avec ce livre. Mais je suis très prudent parce qu'il ne faut pas que cela détermine des attitudes de complaisance.

P. B. – *Vous venez tout juste de publier un nouveau livre :* Sollers écrivain. *Un premier point d'abord : vous réclamez dans ce livre, qui est en réalité un recueil d'articles, le droit de pratiquer une critique affectueuse »*, *c'est-à-dire de ne pas dissocier votre lecture de Sollers de l'amitié que vous lui portez. Toute critique étant plus ou moins affectueuse, je ne vois pas qui pourrait vous dénier ce droit.*

R. B. – Il vaut mieux l'affirmer. Je connais Sollers depuis longtemps, j'ai des rapports d'affection intellectuelle très vifs avec lui et je ne pense pas qu'il faut les séparer de la manière dont je parle de son œuvre. Je répète toujours que Michelet tenait beaucoup à une distinction historique à laquelle il avait donné des noms quasi mythologiques : d'un côté, il y avait « l'esprit guelfe », c'est-à-dire l'esprit du scribe, du législateur ou du jésuite, un esprit sec et rationaliste et, de l'autre côté, « l'esprit gibelin », un esprit féodal et romantique, de dévotion de l'homme à l'homme. Moi, je me sens plus gibelin que guelfe : au fond j'ai toujours envie de défendre des hommes et pas tellement des idées. Ainsi je suis attaché à Sollers par des liens affectifs intellectuels et je le défends globalement comme personnalité et comme individu. Vous dites aussi que toute critique est affectueuse. Oui, très souvent, et je suis content que vous le disiez. Mais il faudrait aller plus loin et presque théoriser l'affect comme moteur de la critique. Il y a quelques années encore la critique restait une activité très analytique, très rationnelle, soumise à un sur-moi d'impartialité et d'objectivité et c'est un peu contre cela que j'ai voulu réagir.

P. B. – *Je ne peux pas entrer ici dans le détail mais disons, pour aller vite, qu'avec les textes de Sollers comme avec d'autres textes d'avant-garde littéraire se pose avant tout pour un lecteur la question de la lisibilité ou de l'illisibilité.*

R. B. – Effectivement on ne peut pas dans le cadre d'une interview traiter vraiment ce problème très complexe des règles de lisibilité. Mais, en gros, je rappellerai d'abord qu'il n'y a aucun critère objectif de la lisibilité ou de l'illisibilité. Ensuite, je dirai qu'être lisible est un modèle classique venu de l'école : être lisible c'est être lu à l'école. Mais, en réalité, si l'on observait les parties vivantes de la société, les paroles vivantes que les gens échangent entre eux, toute cette subjectivité qui s'exprime dans notre vie quotidienne et urbaine, il y aurait certainement des tas de zones qui nous paraîtraient illisibles et qui peuvent très bien être des zones populaires. Enfin je fais l'hypothèse que si des textes comme ceux de Sollers sont considérés comme illisibles c'est que l'on n'a pas trouvé le bon rythme de lecture. On n'a jamais bien étudié cet aspect-là de la question.

P. B. – *Pour beaucoup de lecteurs l'illisibilité est tout simplement le synonyme de l'ennui.*

R. B. – Eh bien, justement : peut-être qu'en lisant plus lentement certains textes on s'ennuierait beaucoup moins. Des auteurs comme Alexandre Dumas, il faut les lire très vite à défaut de quoi ce serait d'un ennui mortel. En revanche, des auteurs comme Sollers sans doute faut-il les lire à un rythme plus lent d'autant plus qu'il s'agit d'un projet de subversion et de transmutation de la langue très lié à des expériences de parole. Cela dit et je vous tends presque un argument dont je ne saurai pas me sortir : lorsqu'on confronte des textes dits illisibles on commmence à voir ceux qui, pour employer un langage grossier, sont bons ou mauvais.

Car les critères du goût sont aussi modifiés. Mais ces critères, on ne les connaît pas du tout. Pourquoi ce texte sonne-t-il mieux qu'un autre ? On ne le sait pas. Mais il faut de la patience car tout cela fait partie d'une sorte de marqueterie de la culture actuelle en train de se faire et très vivante par sa diversité.

P. B. – *En attendant, le vieux critère ou mythe de la clarté fonctionne toujours.*

R. B. – Moi-même, j'ai beaucoup souffert de ce mythe de la clarté puisque très souvent, et encore récemment, j'ai été accusé de jargon obscur. Pourtant je ne pense pas que la clarté soit un bon mythe. De plus en plus on sait qu'on ne peut pas séparer le fond de la forme et que la clarté ne veut pas dire grand-chose. Mais on peut opter pour des esthétiques ou de la fausse clarté, ou de la subjectivité, ou du leurre de clarté, par des sortes de second ou troisième classicisme qui, dans l'histoire de la littérarure, peuvent apparaître comme des attitudes d'avant-garde. Personnellement, mon travail n'est absolument pas dans la ligne et dans l'aventure de celui de Sollers et j'ai envie maintenant d'arriver à une pratique de la langue de plus en plus simple. Ce qui n'empêche pas du tout d'être sensible à la vie qu'il y a dans la tentative de Sollers.

P. B. – *Vous qui n'aimez pas du tout les stéréotypes, ne trouvez-vous pas tout de même qu'il y en a de beaux dans l'avant-garde ?*

R. B. – C'est certain. Il y a des stéréotypes de la non-stéréotypie, il y a un conformisme de l'illisibilité. Qu'est-ce qui peut faire alors la preuve ? Je vais employer un critère un peu démodé et très « kitsch » dans l'expression que je lui donne : c'est la « souffrance » de l'écrivain. Et la souffrance, pour moi, ce n'est pas le fait de peiner une journée sur une page mais le fait que toute la vie de quelqu'un comme Sollers est visiblement fascinée, travaillée et presque crucifiée par la nécessité d'écrire. C'est en cela que l'illisibilité de Sollers a un prix et qu'elle cessera sans doute un jour d'être perçue comme telle.

P. B. – *Si je vous suis bien, votre intérêt pour des textes d'avant-garde, comme ceux de Sollers, ne vous conduit pas à vous détourner de textes plus classiques avec des histoires et des personnages ?*

R. B. – Bien sûr. Ma subjectivité demande ce classicisme. Et si j'avais à écrire une œuvre je la doterais d'une apparence classique très forte. Je ne serais donc pas d'avant-garde, au sens courant de l'expression.

P. B. – *Dans* Sollers écrivain, *vous vous référez à la « crise de la représentation » en peinture, c'est-à-dire au passage de l'art figuratif à l'art abstrait. Pourquoi cette crise de représentation a-t-elle été finalement bien acceptée par le public en ce qui concerne la peinture abstraite et assez mal en ce qui concerne la littérature ?*

R. B. – C'est une question fondamentale à laquelle je ne peux que donner une réponse très générale. La difficulté tient au fait que le matériau de la littérature c'est le langage articulé et que ce matériau est déjà lui-même immédiatement signifiant : un mot veut déjà dire quelque chose avant même d'être utilisé. Par conséquent défaire toutes les procédures d'analogie, de figuration, de représentation, de narrativité, de description, etc., devient beaucoup plus difficile en littérature puisqu'il faut lutter avec un matériau déjà signifiant. Une fois posé ce cadre, on retrouve une question éthique : faut-il lutter ou non ? Doit-on lutter pour périmer le sens, le détruire, le transmuter, pour atteindre par les mots une autre zone du corps ne relevant pas de la logique syntaxique ou, au contraire, faut-il ne pas lutter ? Là, je dis que les réponses ne peuvent être que tactiques et que cela dépend de la manière dont on juge soi-même le point de l'histoire où l'on est arrivé et le combat que l'on doit mener. C'est, me semble-t-il, le sens de toute notre conversation. Moi, et

c'est un point de vue absolument personnel, je crois que le moment est peut-être venu où il faudrait moins lutter, moins militer pour des textes, se replier un peu. Tactiquement, j'ai une vue de léger repli : déconstruire moins les textes et jouer davantage la lisibilité (même à travers des leurres, des feintes, des astuces ou des ruses), en somme moins lutter avec les données sémantiques du langage. Mais, encore une fois, n'oubliez pas qu'une époque culturelle est faite de plusieurs essais tactiques concomitants.

P. B. – *Dans* Le Nouvel Observateur, *vous avez écrit dernièrement : « Rien ne dit que Kouznetsov soit un " bon " écrivain. Je penserais même volontiers qu'il ne l'est pas, non plus que Soljénitsyne... »* *Pour vous, Soljénitsyne n'est pas un « bon » écrivain ?*

R. B. – Soljénitsyne n'est pas un « bon » écrivain *pour nous :* les problèmes de forme qu'il a résolus sont un peu fossilisés par rapport à nous. Sans qu'il en soit responsable – et pour cause – il y a soixante-dix ans de culture qu'il n'a pas traversés et que nous avons traversés. Cette culture n'est pas forcément meilleure que la sienne, mais elle est là et nous ne pouvons pas la nier, nier par exemple tout ce qui s'est passé dans la littérature française depuis Mallarmé. Et quelqu'un écrivant, disons comme Maupassant ou Zola, nous ne pouvons pas le juger de la même façon que quelqu'un qui soit écrivain maintenant chez nous. Reste que je connais mal les littératures étrangères, j'ai un rapport très aigu et très sélectif à la langue maternelle et je n'aime vraiment que ce qui est écrit en français.

P. B. – *Au début de* Sollers écrivain, *vous dites : « L'écrivain est seul, abandonné des anciennes classes et des nouvelles. Sa chute est d'autant plus grave qu'il vit dans une société où la solitude elle-même, en soi, est considérée comme une faute. »* *Pourquoi ce constat très pessimiste ?*

R. B. – Tout simplement parce que, depuis 1945, il y a eu un terrible désenchantement de la classe intellectuelle et d'abord un désenchantement politique survenu à travers certains événements mondiaux, comme les goulags, Cuba, ou la Chine. Le progressisme est une attitude très difficile à tenir pour un intellectuel aujourd'hui. D'où l'apparition des « nouveaux philosophes » qui, à des titres divers, ont enregistré ce pessimisme historique et établi la mort provisoire du progressisme.

P. B. – *Et vous écrivez dans* Roland Barthes par lui-même : *« Dans une situation historique donnée – de pessimisme et de rejet – c'est toute la classe intellectuelle qui, si elle ne milite pas, est virtuellement dandy. »*

R. B. – Oui, tout ce qui effectivement consiste à assumer une marginalité extrême devient une forme de combat. A partir du moment où le progressisme politique n'est plus simple et possible, on est reporté vers des attitudes de ruse ou détournées. Car l'ennemi principal devient alors ce que Nietzsche appelait la « grégarité » de la société. Et il est fatal qu'il y ait des statuts de solitude comme peut-être on n'en avait jamais connu. C'est pourquoi l'écrivain, aujourd'hui, est fondamentalement et transcendantalement seul. Bien sûr, il a accès à des appareils de presse et d'édition. Mais cela n'élimine pas sa solitude de créateur qui est très grande. L'écrivain aujourd'hui n'est soutenu par aucune classe sociale repérable, ni par la grande bourgeoisie (à supposer qu'elle existe encore), ni par la petite bourgeoisie, ni par le prolétariat qui, culturellement, est petit-bourgeois. L'écrivain est dans une marginalité si extrême qu'il ne peut même pas bénéficier de l'espèce de solidarité existant entre certains types de marginaux ou de minorités. Vraiment, l'écrivain est terriblement seul en 1979 et c'est ce que j'ai voulu diagnostiquer à travers le cas de Sollers.

P. B. – *Mais vous, vous ne vous sentez pas dans la même solitude ?*

R. B. – Non, parce que j'ai décidé depuis quelques années de « cultiver » une certaine affectivité dans mon rapport avec un certain public. Par là même, chaque fois que je trouve cette réponse affective, je ne suis plus seul. Si je combattais pour une idée de la littérature, je serais sans

doute très seul. Mais comme j'ai changé la portée tactique de ma pratique, aussi bien dans ce que j'écris que dans mes cours, la récompense en quelque sorte est différente.

P. B. – *Estimez-vous que l'on voit se manifester actuellement un certain anti-intellectualisme dont vous-même avez pu être la cible à travers un pastiche*[1] ?

R. B. – Sûrement. En réalité, l'anti-intellectualisme est un mythe romantique. Ce sont les romantiques qui ont commencé à porter le soupçon sur les choses de l'intellect en dissociant la tête et le cœur. Ensuite, l'anti-intellectualisme a été relayé par des épisodes politiques, comme l'affaire Dreyfus. Puis, périodiquement, la société française, en contradiction d'ailleurs avec son goût du prestige, pique des crises ou des accès d'anti-intellectualisme. Sans pousser l'analyse, on peut considérer que c'est lié aujourd'hui au remaniement des classes sociales. En France, et pour parler en termes anciens, il y a une poussée « petite-bourgeoise » incontestable dans les institutions et dans la culture. L'intellectuel devient alors une sorte de bouc émissaire puisqu'il use d'un langage dont les gens se sentent séparés. On revient toujours au langage et cette malédiction qui fait que les hommes ont un langage séparé et qu'ils ne peuvent produire un langage unitaire que d'une façon artificielle. La recrudescence de l'anti-intellectualisme est centrée sur les problèmes d'expression et c'est en ce sens-là que j'ai fonctionné dernièrement comme un bouc émissaire. Dans le petit groupe des intellectuels, à cause de *Fragments d'un discours amoureux*, j'étais l'un des intellectuels les plus « écrivains » et donc l'un des plus connus en dehors de ce petit groupe. Par là même on pouvait fabriquer et monter une opération mettant en cause l'intellectuel « hermétique » sans s'adresser à quelqu'un d'absolument inconnu.

Ce n'est pas la première fois que l'œuvre de Roland Barthes est l'objet d'un pamphlet dénonçant son style

---

1. *Le Roland Barthes sans peine,* par M.-A. Burnier et P. Rambaud, Balland.

d'expression et son langage. En 1963, considéré comme l'un des représentants de « la nouvelle critique » qui, refusant de recourir à une vague psychologie, s'efforçait d'analyser les textes par leur structure interne, il publie un essai à propos de l'un de nos grands classiques : Sur Racine *(ouvrage qui vient précisément d'être réédité en poche dans la collection « Points », Le Seuil). Quelques mois plus tard, Raymond Picard, professeur à la Sorbonne et spécialiste de Racine, fait paraître chez Pauvert un pamphlet :* Nouvelle critique ou nouvelle imposture. *Roland Barthes y répondra en 1966 avec* Critique et vérité. *Comme je l'interrogeais sur les rapports possibles entre ce pamphlet de Raymond Picard et le pastiche de Burnier-Rambaud, Roland Barthes m'a précisé que, pour lui, ce dernier ouvrage était* « effectivement une opération Picard avec plus de dix ans de retard à cette différence près que le théâtre de l'opération a changé : parce que je suis plus connu, on est passé de l'enceinte de l'université à celle des médias. Mais, au fond, le problème reste le même, lié au langage ».

P. B. – *Au colloque de Cerisy vous vous êtes étonné que les journalistes ne vous interrogent jamais sur votre* Michelet *par lui-même, « le livre de moi, disiez-vous, d'une part, dont on parle le moins et,* d'autre part, que je supporte le mieux ». *Je ne voudrais pas terminer cet entretien sans précisément vous demander pourquoi vous aimez bien ce livre ?*

R. B. – Ah, vous me tendez un piège redoutable ! Mais, c'est vrai, je reconnais que je trouve la thématique de ce livre assez bien faite. Et puis, Michelet reste assez novateur parce que c'est un historien qui a vraiment introduit le corps humain dans l'histoire. On peut bien sûr lui adresser des tas de reproches de type scientifique : il a commis beaucoup d'erreurs historiques. Mais toute l'École des annales devenue l'École historique vivante avec Duby, Le Roy Ladurie ou Le Goff, reconnaît ce que l'histoire peut devoir à Michelet. Michelet qui a réexaminé et repensé le corps dans l'histoire avec ses souffrances, ses humeurs, le sang, les physiologies ou les nourritures. Et Michelet qui a fondé l'ethnologie de la France en s'éloignant de la chronologie pour regarder la société française comme des ethnologues regardent les sociétés autres.

P. B. – *Et un peu à la manière de Michelet repensant le corps dans l'histoire, vous aussi vous êtes de plus en plus attentif à la saveur des choses et du savoir.*

R. B. – Un peu, oui. Pour cela je prends alors le détour de la subjectivité. Disons que je m'assume davantage comme sujet.

ANDRÉ GLUCKSMANN

« Que la gauche ait considéré les informations sur le goulag comme un complot réactionnaire était révélateur d'un certain retard mental. »

Novembre 1981

Hormis une réédition augmentée de son premier livre, *Le discours de la guerre*, André Glucksmann n'a pas publié depuis *Les maîtres penseurs* (début 1977, Grasset). Et s'il a été très actif dans l'opération de secours « Un bateau pour le Viêt-nam » dont il fut l'un des animateurs aux côtés de Jean-Paul Sartre et de Raymond Aron, on peut difficilement soutenir qu'il a joué un rôle sur cette scène de la vie parisienne où certains croyaient le cantonner. Quant à ceux – les mêmes en général – qui réduisaient ses idées à sa coupe de cheveux (sic!) ou le traitaient de suppôt du patronat (resic!), oublions-les.

Aujourd'hui, Glucksmann revient en librairie avec *Cynisme et passion* (Grasset). Un essai qui semble d'abord avoir été suscité par des événements très récents puisqu'il commence avec une analyse du suffrage universel, mais qui se révèle être en réalité une réflexion sur l'homme occidental et la crise. Après Auschwitz et le goulag, à l'ère de la menace nucléaire et à l'heure des incertitudes sociales, économiques, scientifiques, morales, que sommes-nous en fait ? Et que peut-on penser ? A quarante-quatre ans, ce philosophe passé par le communisme puis le maoïsme (« du temps où j'étais très gauchiste », dit-il souvent avec une ironie un peu feinte), avant d'opérer une critique du marxisme à l'aune de Soljénitsyne (*La cuisinière et le mangeur d'hommes*, Seuil), s'interroge en relisant notamment les écrits de Jean Bodin, un juriste du XVIe siècle ou *L'Orestie* d'Eschyle. Pas pour fuir dans le passé. Au contraire : pour tenter de mieux comprendre les temps présents. Difficile parfois dans ses formulations, cette pensée ne manque ni d'exigence ni de gravité. Ce qui ne signifie pas qu'elle soit indiscutable. Mais elle témoigne d'une qualité méritant vraiment l'écoute.

Pierre Boncenne. – *Un philosophe ne doit-il pas se méfier des interviews et du risque de déclarations intempestives?*
André Glucksmann. – En règle générale, un philosophe doit se méfier. Et d'abord de se qualifier « philosophe ».
P. B. – *Vous ne vous considérez pas comme un philosophe?*
A. G. – Quand j'ai fait mes études de philosophie, je n'ai jamais pensé que passer des examens et suivre des cours de philosophie me qualifiaient en quelque façon comme philosophe. D'autant que j'avais dans l'idée qu'il existait une quinzaine de philosophes dans l'histoire de l'humanité, pas plus. Me compter parmi eux ne m'a évidemment jamais traversé l'esprit. Cela dit, puisque l'on emploie le terme « philosophe » par extension, en l'appliquant à une foule de gens, je ne me sens pas le droit de refuser ce qualificatif. Mais, dans ce cas-là, j'interpréterai ce que l'on appelle « philosophie » non pas comme une pensée originale et fondamentale mais comme quelque chose qui relève de l'essai. « Philosophe » en France ne correspond pas à « philosophe » en Allemagne. Ici le philosophe est très proche de l'essayiste, là-bas du penseur.
P. B. – *Dans votre nouveau livre* Cynisme et passion *vous évoquez d'ailleurs l'essayiste comme quelqu'un qui « n'invente nul style particulier » mais qui est toujours en recherche, en « exercice ». Et vous semblez désigner Montaigne comme votre modèle.*
A. G. – Le style de l'essayiste c'est de ne pas avoir de loi pré-inscrite. Quand j'ai commencé mes études, la plupart des textes en sciences humaines étaient des textes de méthodologie, des sortes de canons expliquant parfois pendant tout un livre comment on écrit des bons livres. Dans l'essai il se passe exactement l'inverse : on cherche d'abord à écrire et à penser et ensuite seulement on s'intéresse aux questions de méthode et aux recettes. Mes livres, je les considère donc comme des essais et effectivement j'aimerais bien qu'ils soient des parents, petits-cousins ou bâtards des *Essais* de Montaigne.
P. B. – *Depuis deux ou trois ans on a*

l'impression d'un relatif silence de votre part. Ou plus exactement, puisque vous avez notamment été l'un des animateurs de l'opération « Un bateau pour le Viêt-nam », d'un silence en ce qui concerne la France. Au cours des dernières élections présidentielles on ne vous a pas entendu alors qu'en 1977 l'une de vos déclarations, « les tribunes du Programme commun sont vides », avait suscité quelques remous.
A. G. – Les élections, j'en parle pendant une centaine de pages de mon nouveau livre. Ce n'est tout de même pas mal !
P. B. – *Il s'agit plutôt d'une réflexion générale sur les élections et leurs mécanismes où j'ai tout juste noté cette incise concernant l'actualité : « Les intellectuels de gauche ont apostrophé le pouvoir personnel de De Gaulle. Ils ont oublié de rédiger un pamphlet dénonçant le 18-Brumaire de Louis-Napoléon Mitterrand. »*
A. G. – Vous trouvez que ce n'est pas vrai ?
P. B. – *Je constate seulement, à part cette phrase, votre silence relatif sur les élections récentes.*
A. G. – Le rythme de l'actualité politique et celui de la pensée personnelle ne coïncident pas nécessairement. Et pour écrire un livre, pour essayer de le penser, de le préparer, de le méditer, puis pour le rédiger, je mets au moins cinq ans. Quant à ma déclaration sur le Programme commun à laquelle vous faisiez allusion, lorsque mon précédent livre, *Les maîtres penseurs*, était sorti, j'avais eu effectivement l'occasion de remarquer que, pour la première fois, des intellectuels, connus ou célèbres, Sartre en tête, n'avaient pas pris position pour la gauche. Heureusement pour eux d'ailleurs, puisque le Programme commun s'est effondré et que l'idée d'une alliance programmée entre le Parti socialiste et le Parti communiste n'a plus eu cours. Le succès de Mitterrand est explicable entre autres choses par le fait qu'il n'y ait pas eu de programme commun. Ce fut même déterminant pour une fraction de l'électorat.
P. B. – *Il n'empêche que PC et PS sont*

aujourd'hui au gouvernement ensemble et surtout nombre d'intellectuels connus sont au pouvoir.

A. G. – C'est un fait très important mais je pense que la mutation n'a pas eu lieu aujourd'hui. Le succès des *Maîtres penseurs*, si j'y réfléchis maintenant, est sans doute lié à cette mutation. J'ai écrit ce livre pour régler des comptes personnels, pour me mettre en accord avec moi-même dans mes changements. Mais le succès des *Maîtres penseurs* n'est pas dû en fait à mon itinéraire de militant, ni même à cette « nouvelle philosophie » à laquelle j'ai été trop vite assimilé. Il était dû à quelque chose que je n'avais pas prévu et dont je me suis aperçu plus tard : c'est que l'image des « maîtres penseurs » était devenue d'une brûlante actualité. Cela a commencé en 1976 lorsque, en face de la crise du pétrole, le Premier ministre de l'époque, Raymond Barre, fut nommé parce qu'il passait pour être le « meilleur économiste ». Du coup, discuter les décisions du gouvernement, c'était discuter les décisions du meilleur économiste et donc se poser en crétin. Les « intellocrates », au sens étymologique du terme, cela a existé en France depuis 1976 non pas parce qu'il y a des messieurs qui sont professeurs et qui, d'autre part, sont ministres ou apparentés – cela a toujours existé – mais parce qu'ils sont ministres en tant que professeurs, voire en tant que « le meilleur professeur de France ».

P. B. – *Aujourd'hui il y aurait continuité ?*

A. G. – Cela continue en se multipliant. Nous avions un meilleur économiste à la tête du gouvernement. Maintenant il y a plusieurs meilleurs, chacun dans leur spécialité, y compris le meilleur révolutionnaire ou le meilleur marxiste. Les intellectuels gouvernent parce qu'ils sont intellectuels et qu'ils se proclament ou sont proclamés les meilleurs intellectuels.

P. B. – *La gauche, dites-vous dans* Cynisme et passion, *s'est découverte « pantelante et déchirée du coup de Soljénitsyne ». Vraiment ?*

A. G. – J'ai toujours écrit en fonction d'événements difficiles à assimiler, choquants, brûlants. Pour *La cuisinière et le mangeur d'hommes*, ce ne fut pas en fonction du goulag comme on l'a souvent dit, mais en fonction de la fermeture à Soljénitsyne, très forte en France. Il était assez extraordinaire qu'il y eût une telle hostilité à un témoignage sur quelque chose qui existait depuis une quarantaine d'années et qui n'avait tout de même pas été tenu complètement secret. Que la gauche ait considéré comme une sorte de complot réactionnaire des informations sur le goulag connues depuis longtemps était tout de même révélateur d'un certain retard mental. Je vous rappelle seulement qu'on avait voulu faire silence autour de Soljénitsyne sous prétexte qu'il risquait de troubler nos élections cantonales ! Et aujourd'hui encore, malgré les apparences, Soljénitsyne reste un gêneur pour la gauche parce qu'il refuse la théorie assez commode consistant à réduire les déboires du socialisme en URSS à l'atavisme russe. Si Soljénitsyne était venu nous dire : nous, Russes, nous ne sommes pas assez modernes, pas assez civilisés pour assimiler les glorieux idéaux du socialisme et voilà pourquoi nous avons tant de malheurs, tout le monde l'accepterait, il ne gênerait personne. Il se trouve, au contraire, que Soljénitsyne vient dire : c'est l'occidentalisation de la Russie, ce sont les idées les plus modernes et marxistes qui nous ont conduits à notre malheur. Et il dit aussi : c'est Pierre le Grand qui a commencé en imitant Richelieu, en voulant le rattraper. Voilà ce qui gêne la gauche. Tant que le mal est localisé, tant que l'on dit : « c'est l'atavisme russe » ou « ce sont des Jaunes » ou « ils sont retardés » ou « c'est une autre culture », tout se passe très bien parce qu'on désigne l'autre, l'étranger à nous. Mais si le mal est beaucoup plus proche, si nous-même, en sommes capables et pas le primitif, le barbare ou l'allogène, si tuer ou les camps de concentration sont notre œuvre, alors il y a une inquiétude. Au début du fascisme en Italie, dans le mouvement ouvrier le plus éclairé de l'époque, le mouvement allemand, communistes et socialistes, qui se détestaient, s'entendaient au moins sur un point : le fascisme, disait-on, était un phénomène proprement italien tenant au retard culturel et économique de ce pays. Et, grâce à son avance, jamais l'Allemagne ne pourrait subir de telles avanies. Aujourd'hui rien n'a changé. Il y a chez les gens qui sont à juste titre choqués par les excès fascistes ou marxistes, une volonté de bannir, d'éloigner l'inquiétude. Soljénitsyne nous l'a interdit.

P. B. – *Et Soljénitsyne reste donc inquiétant.*

A. G. – D'autant plus inquiétant qu'il a commencé par s'inquiéter lui-même. S'il avait commenté les idées de Staline pour dire qu'elles sont affreuses, tout le monde aurait opiné et passé outre. Soljénitsyne s'est demandé ce qui en lui, jeune communiste, jeune intellectuel mathématicien, le rendait complice de Staline. Et l'inquiétude, elle est là. Parce que ce qu'il dénonce, nous pouvons aussi le découvrir en chacun de nous, à savoir par exemple le goût des épaulettes, l'idée que l'intellectuel est supérieur au manuel ou le mépris des petites gens, toutes choses qui sont fort ordinaires et dont nous ne nous inquiétons pas d'habitude.

P. B. – *Votre* Discours de la guerre *avait été écrit au moment de la guerre du Viêt-nam.* La cuisinière et le mangeur d'hommes *puis* Les maîtres penseurs *après Soljénitsyne. Qu'est-ce qui a suscité aujourd'hui* Cynisme et passion ?

A. G. – Il n'y a pas *un* événement. Je me suis rendu compte qu'à un moment il faut bien se demander : où sommes-nous ? Or j'ai été frappé par la permanente dénégation de ce que nous sommes. Par exemple, moi, je suis né à Paris qui est une ville d'Occident. La première réaction, et la plus courante, est celle de la dénégation par rapport à son lieu de naissance. On peut presque dire que la principale valeur de l'Occident fut de critiquer l'Occident sous tous ses aspects, culturel, économique, politique. Ce travail de critique ayant été fait et archifait, je me suis demandé : que reste-t-il en fin de compte ? Je me suis dit : je peux continuer les critiques, dénoncer ceci ou cela mais, au fait, que puis-je énoncer ?

P. B. – *Votre question, en somme, c'est « qu'est-ce qu'un Européen occidental ? »*

A. G. – Exactement. Or la réponse que nous avons tous tendance à donner c'est d'abord de dire ce qu'un Occidental n'est pas ou bien n'aurait pas dû être. Le travail de critique n'est nullement négligeable. L'Occident a été et continue d'être impérialiste, il est et a été lui-même porteur des idéologies contre l'Occident qui ont durement révolutionné la planète. Mais c'est vrai aussi que les Européens ont plutôt réussi de temps en temps à maîtriser leurs démons. Et c'est cette capacité de faire face aux démons que nous portons en nous que j'ai voulu interroger. Il y a encore beaucoup à critiquer mais qu'est-ce qui fait que l'on peut critiquer ? Et dans dix ou vingt ans, si nous sommes encore en vie, qu'est-ce qui nous aura permis de subsister ? Je me suis donc interrogé sur la faculté, la capacité qu'avait l'Occident de surmonter des crises. Pas une crise en particulier, mais des crises.

P. B. – *La notion de crise nous paraît récente mais elle est aussi ancienne que, disons, la philosophie.*

A. G. – Oui. Nous avions oublié la crise. C'est justement ce qui m'intéresse. De 1945 à 1975, l'Europe occidentale a vécu dans un univers finalement sans problèmes de fond. Nous avons vécu à partir de ruines, sans arrières, avec un modèle – la société de consommation américaine – et avec une stabilité – à commencer par la stabilité du prix des matières premières – qui nous était en quelque sorte donnée par essence. Nous avons vécu dans ce que j'appelle un univers « nomologique » : optimiste et légitimé par une sorte d'*a priori* qui n'était pas remis en question. En économie, par exemple, il y avait des débats entre les partisans de plus de social et ceux de plus d'industrie, mais il n'y avait pas de question concernant l'existence même de l'expansion. Elle était acquise.

P. B. – *La nouvelle situation atomique n'influait-elle pas sur le comportement de l'Occident ?*

A. G. – Je cite à ce propos un article de

Maurice Blanchot sur un livre de Jaspers. Le titre de l'article résumait tout : « L'Apocalypse déçoit. » La situation atomique ne change pas grand-chose quant à ce que l'on peut dire de l'ordre du monde.

P. B. – *Un ordre du monde où, après la guerre 39-45, l'Européen occidental n'a plus eu un rôle prépondérant.*

A. G. – En effet. Ce sont les empires américain et russe qui depuis lors dominent. D'où le calme dans lequel a vécu l'Européen sans avoir à se frotter au chaos mondial. C'est avec le pétrole que nous nous sommes aperçus que la crise n'était pas hors de nos frontières. Le chancelier Schmidt n'a-t-il pas un jour déclaré que le pétrole pourrait être le seul motif d'une guerre enclenchée par l'Europe occidentale ? Mais le pétrole n'a été qu'un intermédiaire. Il aurait pu y en avoir un autre. Et ce qui est miraculeux c'est que la crise n'ait pas fait partie de notre univers quotidien de 1945 à 1975. Ce sont trente années exceptionnelles, la « Belle Époque », dira-t-on plus tard.

P. B. – *Un philosophe que vous citez souvent, Husserl, avait réfléchi avant-guerre sur la notion de crise. Il étudiait notamment « la crise des sciences comme l'expression de la crise radicale de la vie dans l'humanité européenne. » Ce n'est pas dans ce sens-là que vous réfléchissez ?*

A. G. – C'est dans le sens contraire. Husserl dit : il y a crise parce qu'il y a un désordre actuel et l'actualité en 1936 c'est Hitler. Mais pour Husserl la crise est anormale. La normalité serait qu'il n'y ait point de crise. Je pense exactement le contraire : ce qui est anormal c'est qu'on pense qu'il n'y ait pas de crise alors que la condition normale de l'Occidental depuis 2000 ans ce sont les crises.

P. B. – *D'où votre relecture dans* Cynisme et passion *de* L'Orestie *d'Eschyle comme une œuvre dramatique pensant déjà la crise. Mais, avant d'en arriver là, votre livre s'ouvre sur une longue analyse du système électoral intitulée « Éloge du suffrage universel ». Pourquoi ?*

A. G. – Parce qu'il y a comme une difficulté intellectuelle à penser les élections. Et j'aime ce genre de difficulté. Les foules se passionnent pour les élections. Les intellectuels tout autant puisqu'ils font partie de la foule. Mais, curieusement, l'intellectuel a du mal à écrire sur les élections quelque chose qui ne soit pas ou bien une signature au bas d'un appel ou bien un traité juridique.

P. B. – *Vous, vous réfléchissez entre autres choses sur le rapport entre le hasard et les élections.*

A. G. – Il est évident que dans tous les pays d'Europe occidentale les élections se jouent dans un mouchoir. 2 à 3 pour 100 de la population décide en fait d'un gouvernement, d'une majorité, mais 99 pour 100 de la population accepte ce procédé. En retournant aux textes grecs et surtout à ceux d'Aristote, je me suis aperçu que ce fait était déjà noté. Les élections ne sont pas un jeu de hasard mais un jeu avec le hasard dont l'Européen occidental est, au fond, assez satisfait. Je crois que c'est intéressant à examiner.

P. B. – *Peu à peu vos analyses des élections vous amènent à étudier l'État. Vous vous interrogez pour savoir s'il s'agit d'une forme invariable. Et vous dites que, de même que la naissance de la géométrie est datable, l'État aurait commencé en France au XVIᵉ siècle avec un théoricien que l'on ne connaît pas assez, Jean Bodin.*

A. G. – Les spécialistes du droit le connaissent bien.

P. B. – *Certains considèrent en effet Bodin comme aussi important que le fut Machiavel en Italie ou Hobbes en Angleterre. Bodin (1530-1596) fut partisan d'un pouvoir monarchique souverain.*

A. G. – Comme très souvent, le XVIᵉ siècle est la clef du monde contemporain. On le voit bien avec Bodin. Car Bodin, l'auteur des *Six livres de la République*, est le premier penseur de l'État moderne. Pour des raisons historiques, la France, dont la population était le tiers de celle de l'Europe, avait besoin d'un État fort, ayant de l'autorité. Le problème était d'autant plus brûlant que nous sommes à l'époque de Bodin en pleine guerre de Religion. La France risque de disparaître, les catholiques étant alliés avec les Espagnols et les protestants avec les princes allemands. La France n'a plus ni frontières ni capitale et pratiquement plus de roi. C'est dans ce désordre total que Bodin pense l'État un peu comme Descartes pense la vérité. Pour l'anecdote j'ajouterai que Bodin finira ligueur, ce qui prouve que tout intellectuel est incohérent...

P. B. – _Pour aller vite, disons que Bodin a pensé un État fort, souverain, légitime en lui-même._

A. G. – Oui et je crois que c'est justement l'esprit des institutions de la Ve République que de Gaulle a probablement repris inconsciemment à Bodin. C'est l'esprit de l'État français à travers les âges. Mais il faut bien préciser qu'il ne s'agit pas d'un État absolutiste. D'ailleurs on pourrait même faire de Bodin un théoricien du libéralisme et de la décentralisation.

P. B. – _Vous opposez tout de même Bodin, la figure de l'homme d'État, à Montaigne, la figure du philosophe, comme le principe de sécurité s'oppose au principe de liberté._

A. G. – Je les oppose dans une certaine parenté. Montaigne s'oppose à ce côté étatiste de Bodin qui l'amène par exemple à brûler les sorcières ou à exercer la censure. Montaigne est l'un des rares hommes tolérants à l'époque, en pleine guerre de Religion, qui s'opposent à ce monopole étatique de la pensée, du savoir et de la communication qui n'est rien d'autre que le terrorisme d'État. Mais en même temps Montaigne pense, comme Bodin, que l'État est indispensable puisque la lutte entre les hommes ne finira pas.

P. B. – _Bodin-Montaigne c'est une opposition complémentaire qui peut expliquer le titre de votre livre_ Cynisme et passion.

A. G. – C'est cela. Si j'opérais une grande coupe transversale, je dirais que le cynisme est un principe de certitude maximale tandis que la passion est une forme d'incertitude. Bodin c'est en définitive : « L'État vous juge » tandis que Montaigne c'est : « Jugez l'État. »

P. B. – _« Il revient souvent au même, dites-vous, de se penser occidental et de s'admettre cynique. » Le cynisme, aussi bien le cynisme d'État que le cynisme individuel, nous est en quelque sorte consubstantiel ?_

A. G. – J'ai été sensible à l'ambiguïté du terme cynisme : un terme à la fois péjoratif et non péjoratif. Dans ce flottement sémantique il y a le sentiment d'une nécessité et d'une insuffisance du cynisme. La nécessité c'est qu'il n'est pas possible de ne pas être cynique sauf à l'être sans le dire ou sauf à être imbécile. L'insuffisance c'est qu'on peut être autre chose que seulement cynique. Donc mon livre est à la fois une apologie et une critique du cynisme.

P. B. – _Oui, vous êtes par exemple à la fois critique et non critique vis-à-vis de Bodin et de la raison d'État._

A. G. – Voyez-vous, c'est peut-être le rapport à l'État et à un souvenir inconscient des guerres de Religion qui a empêché la naissance du terrorisme en France dans la mouvance du gauchisme. Ni l'Allemagne ni l'Italie n'ont été épargnées. J'essaye donc d'opérer un effort de lucidité en ce qui concerne le cynisme même si c'est la passion qui me... passionne.

P. B. – _Et la grande figure du cynisme sur laquelle vous méditez est celle de Diogène, le philosophe au tonneau, en marge, semble-t-il. En fait, vous dites que « ni historiquement, ni politiquement, ni intellectuellement le cynisme n'est demeuré simple marginal »._

A. G. – Diogène est le grand révélateur du cynisme. Et si l'on interroge la cité grecque comme le font J.-P. Vernant ou P. Vidal-Naquet, on voit que le tonneau de Diogène est le centre de la cité grecque. D'où peut-être cette formule que l'on attribue à Alexandre, l'unificateur de la Grèce : « Si je n'étais pas Alexandre, je serais Diogène. »

P. B. – _Impossible d'entrer dans le détail, mais, à partir du cynisme tel qu'il a pu être pensé avec quelqu'un comme Diogène, vous définissez donc l'Européen occidental jusqu'à aujourd'hui._

A. G. – J'essaye en effet de montrer en quoi on retrouve le cynisme dans l'économie politique, la guerre, le pouvoir ou la sexualité (en relisant Sade) et, par là, en quoi le cynisme est constitutif de l'Occidental. Marx se demandait : « Qu'est-ce qui fait que l'Occident envahit la planète ? » Il répondait : « C'est le pouvoir de l'argent. » Je crois que dans le pouvoir de l'argent il y a le pouvoir du cynisme.

P. B. – *Au cynisme vous opposez la passion, un terme qui est pour le moins indéfinissable.*

A. G. – La passion n'est nullement définie comme le cynisme. C'est un terme qui est complètement vague pour nous aujourd'hui, même si on oppose passion et raison ou que l'on établit un subtil distinguo entre passion et sentiment. Je pars de ce vague du terme passion pour essayer progressivement de retrouver une scène, la scène tragique du théâtre grec, et, en l'occurrence, *L'Orestie* d'Eschyle. Pour le cynisme, j'étais parti du cynisme de Diogène pour le retrouver peu à peu dans l'Occidental contemporain. Pour la passion, je pars du vague actuel de ce terme pour le retrouver sur la scène du théâtre grec.

P. B. – *C'est l'itinéraire d'Oreste qui est pour vous le modèle même de la « passion » ?*

A. G. – Il y a trois journées dans *L'Orestie*. Dans la première journée, Agamemnon, revenant de la guerre de Troie, se fait tuer par sa femme Clytemnestre qui exerçait la régence et qui avait pris un amant entre-temps. Cette première journée de *L'Orestie* nous montre, je crois, que l'humanité occidentale se définit dès l'origine, bien avant Auschwitz, dans l'horizon du génocide. Car Troie c'est d'abord l'extermination complète d'un peuple. Dans la deuxième journée, Oreste, le fils d'Agamemnon et de Clytemnestre, revient *incognito* et avec l'aide de sa sœur Electre, il venge son père en tuant sa mère. Oreste accomplit ce geste sans prendre le pouvoir. Il devient fou, entouré par les démons du remords, les Erynnies. La troisième journée c'est le jugement d'Oreste à Athènes et son acquittement. En général, les commentateurs écrivent que cette troisième journée c'est l'installation du tribunal et le passage de la loi traditionnelle à la loi écrite, de la vendetta familiale au Droit. La passion dans *L'Orestie* c'est d'abord que nous vivons dans l'horizon du génocide. Ensuite que ce génocide, nous luttons contre, comme Oreste lutte contre les assassins, non sans être nous-mêmes porteurs de ce génocide. D'où la folie d'Oreste. Enfin nous nous en sortons en faisant partager à nos proches et à nos concitoyens les mêmes problèmes. C'est-à-dire que l'amour ne consiste pas à vivre ailleurs mais à affronter le danger ensemble. Cela vaut pour un couple, aussi éphémère soit-il, comme pour un peuple ou l'humanité.

P. B. – *L'Orestie est une tentative pour penser le mal en le regardant.*

A. G. – Mais n'oublions pas que voir le mal sans l'interpréter est quelque chose de très miraculeux. Nous nous en défendons toujours. La preuve c'est que le goulag choque encore quarante ans après. On ne peut pas supporter l'existence d'une « banalité du mal » comme le disait Hanna Arendt à propos du procès du tortionnaire nazi Eichmann. Hanna Arendt ajoutait qu'il ne faut pas faire du mal un événement extraordinaire, bref l'apanage d'un docteur Mabuse, mais au contraire considérer que ceux qui font le mal c'est nous à peu de chose près. Et *L'Orestie* nous le disait déjà puisque les héros tragiques se pensent non pas en fonction d'un idéal qui les dépasse mais des drames, des meurtres qui les séparent. D'où le principe d'incertitude qui se dégage de *L'Orestie* puisque le mot d'ordre de la troisième journée c'est « ni anarchisme, ni despotisme ». Ni l'un ni l'autre. Donc on oblige chaque opinion à travailler intérieurement sur elle-même et à se rendre incertaine, à désarmorcer son propre fanatisme. Le travail, il est accompli par Eschyle, par Montaigne et il est à proprement parler le travail de la philosophie.

P. B. – *Mais vous essayez aussi de montrer que ce principe d'incertitude on peut le retrouver partout, jusque dans les mathématiques.*

A. G. – La philosophie, depuis quelques siècles, a été essentiellement orientée vers les sciences. Les philosophes ont beaucoup plus réfléchi aux sciences et à leur développement qu'aux mœurs et à la littérature. J'essaye l'effort inverse. Mon support ce sont les mœurs – le courage, la tempérance, la tolérance, etc. – et la littérature – Eschyle, Montaigne, Sade, etc. Mais cela n'implique pas du tout que l'on doive abandonner la réflexion sur les sciences, notamment en France où, sous l'influence du christianisme, l'opinion courante est que les mathématiques sont le support d'une volonté de certitude. On devrait enfin s'apercevoir qu'il y a eu une crise dans les mathématiques et que, depuis lors, elles ne sont plus tenues en laisse par le principe de non-contradiction, que là aussi on pense avec l'incertitude, ce qui d'ailleurs fait la force des mathématiques modernes.

P. B. – *La dernière phrase de* Cynisme et passion, *elle est pour dire que rien n'est plus inquiétant que de ne pas être inquiet, que rien n'est plus inquiétant qu'une « cohorte de mortels portés du même pas vers un bonheur sans nuages et une vérité qui ne déroute pas ».*

A. G. – Il y a chez l'Européen une incroyable faculté platonique.

P. B. – *D'où, au passage, votre expression singulière : « l'Europlatonique » pour désigner l'homme européen.*

A. G. – C'est cela. Eh bien, cet homme « euro-platonique » se caractérise par sa volonté de marcher du même pas en se posant le minimum de problèmes. L'une des pires illustrations c'est la guerre de 14 où les forces en présence ont exigé une capitulation sans conditions de l'adversaire. La paix aurait peut-être pu se faire en 1916 mais elle n'a même pas été essayée. La suite a été le carnage que l'on sait... Des deux côtés du Rhin on pensait que l'autre avait entièrement tort. C'est cela que j'appelle l'Europlatonisme qui n'est évidemment pas limité à la guerre de 14 : on marche à l'unisson au pas cadencé pour ne pas être dérouté. En tant qu'Européen du XXᵉ siècle j'ai cette sensation profonde que le déroutant on le refuse. Dans la guerre du Viêt-nam le

déroutant ce fut d'abord la défaite militaire des États-Unis. Et puis, après, pour les partisans des Viêtnamiens du Nord dont j'étais, le déroutant, on n'a pas voulu le voir, à savoir les risques énormes de la victoire communiste. D'accord, nous avons assumé après coup avec une opération comme « Un bateau pour le Viêt-nam », mais il aurait mieux valu prévoir tout cela avant coup, en pensant le déroutant. Et si aujourd'hui je relis *L'Orestie* c'est que Eschyle, j'en suis sûr, a monté une machine théâtrale pour nous montrer ce qu'il y a de déroutant dans les rapports humains.

P. B. – Cynisme et passion *pose des questions graves et importantes. Seulement voilà, je crains que votre style très dense où fleurissent des néologismes nuise à votre essai.*

A. G. – Ce qui vous déroute, c'est que je m'exprime comme tout le monde sur des questions où vous semblez préférer les termes en « isme ».

P. B. – *Pas du tout. Ce n'est pas cela que je vous reproche. Ce sont des obscurités nées sans doute de raccourcis.*

A. G. – Il est vrai que je préfère Mallarmé à l'Université. J'aime réfléchir en frottant des savoirs partiels les uns contre les autres. J'aime à provoquer ainsi des chocs plutôt que de me perdre dans des digressions. Et puis qu'est-ce qui fait l'unité d'un essai de philosophie ? Est-ce la chose dont on parle ou la manière d'en parler ? Je crois que l'un des grands dangers pour un livre de ce genre c'est que la manière d'en parler fasse disparaître la difficulté de la chose dont on parle. Moi, je souhaite que l'on s'interroge surtout et avant tout sur les choses dont je parle. Je voudrais que l'on s'interroge par exemple sur *L'Orestie*. Y a-t-il vraiment dans cette pièce une perception du mal ? L'idée du génocide était-elle chez les Grecs ? En d'autres termes, Auschwitz est-il un événement impensable avant la guerre 39-45 ou bien Auschwitz n'est-il pas le maximum d'une chose qui a déjà été préméditée depuis 2000 ans chez les Grecs ? Ce sont des questions qui me paraissent importantes.

P. B. – *Oui mais, moi, je me demande si vous ne les posez pas en vous laissant aller parfois à des comparaisons hasardeuses, en effectuant de surprenantes acrobaties conceptuelles.*

A. G. – Tout à fait franchement, je jubile que vous réagissiez ainsi. C'est la question que l'on doit toujours se poser en face de tout livre. Qu'est-ce qu'il raconte ? Peut-être même : qu'est-ce qu'il se raconte ? Et, à la limite, n'est-il pas fou ? Ce qui me choque dans les livres autoritaires, c'est que la question de la folie de celui qui écrit n'est jamais posée. Or il y a toujours un risque de lire des folies même si l'auteur est décoré par l'Université ou reconnu par ses pairs. C'est le risque de la lecture. Auquel certains auteurs comme Montaigne répondent merveilleusement. On se demande toujours qui est Montaigne. Était-il catholique ? athée ? libre penseur ? conservateur ? révolutionnaire ? un philosophe ? un littéraire ? etc. Cette indécision, cette incertitude est formidable. Pourquoi le théoricien jouirait-il de ce prestige qui, dans notre pays, doit être réservé au seul président de la République : considérer qu'il n'est pas fou ?

CLAUDE LÉVI-STRAUSS

« Plus nous recevons les leçons venues de sociétés primitives, plus il est trop tard pour pouvoir les entendre. »

Mai 1983

L'intellectuel français le plus influent aujourd'hui ? D'après un référendum réalisé en 1981 par *Lire* auprès d'écrivains, de journalistes, ou de personnalités des arts de la politique, ce serait Claude Lévi-Strauss qui est né en 1908. Quand on connaît la « distance » de son œuvre ethnologique par rapport à la société contemporaine, réponse un peu surprenante et d'abord pour l'intéressé lui-même, cet homme réservé et volontairement à l'écart. Mais réponse que l'on ne saurait attribuer à un engouement passager : depuis longtemps déjà les miroirs déformants de la mode ont délaissé le structuralisme, cette méthode mise au point en linguistique, grâce à laquelle on décèle dans les mythes par exemple, ces récits poétiques apparemment incohérents, une combinatoire très précise. La recherche anthropologique sait en tous les cas ce qu'elle doit à ces titres majeurs que sont *La pensée sauvage* ou la série des *Mythologiques*.

En fait, la place centrale occupée par Claude Lévi-Strauss tient précisément à son *Regard éloigné*, le titre de son dernier livre qui paraît ces jours-ci chez Plon. Analysant avec science et tendresse les institutions, les règles de parenté, les rites ou les arts de sociétés en voie de disparition, il ne peut pas ne pas juger en retour le monde moderne. Peu à peu Claude Lévi-Strauss en vient ainsi à porter ce « regard éloigné » sur la crise de l'Occident, nos rapports avec la nature, le racisme, l'éducation des enfants, la situation de la peinture ou les développements de la biologie. Très sévère sur notre temps qui aurait troqué les nécessités de la contrainte pour les illusions de la liberté, sa voix n'est-elle pas d'autant plus proche et imposante qu'elle a pris le détour des « tristes tropiques », d'une sagesse ancestrale et primitive dont il a voulu apprendre avec obstination la leçon ?

Pierre Boncenne. – *Vous êtes un homme réservé qui n'aime guère parler, et encore moins être interviewé. Du reste, vous dites que la retranscription de vos propos peut vous « dégoûter ». Pour quelqu'un qui a passé une bonne partie de sa vie à recueillir et interpréter des matériaux venus de la tradition orale, n'est-ce pas un paradoxe ?*

Claude Lévi-Strauss. – Si je parle avec réserve, c'est parce que je pense lentement et que le mot juste ou le bon exemple ne viennent pas quand je voudrais. Parfois même, il me faut huit jours pour trouver le terme exact. Ensuite, ce paradoxe que vous remarquiez vient aussi du fait que j'ai passé cinquante ans de ma vie à enseigner, c'est-à-dire à parler ! En fait, au Collège de France et à l'École pratique des hautes études, j'ai toujours conçu l'enseignement comme un banc d'essai pour des choses qui n'étaient pas encore écrites et dont je faisais l'épreuve sur un auditoire. En les parlant, et en les pensant pendant que je les parlais. Voilà d'ailleurs pourquoi je n'ai jamais accepté qu'un de mes cours soit enregistré : parce qu'en cours je prenais la liberté de dire des sottises, de dire des choses que je regretterais d'avoir dites mais que j'avais besoin de dire pour voir si cela collait ou pas. Tandis que dans une interview, je ne peux pas me rétracter et c'est la raison pour laquelle je m'exprime très peu de cette manière.

P. B. – *Vous avez pris tout récemment votre retraite de l'enseignement. C'est une rupture difficile ?*

C. L. S. – Pour moi, cinquante ans d'enseignement se sont en effet terminés, jour pour jour, depuis mon premier poste : j'avais commencé au lycée de Mont-de-Marsan le 1er octobre 1932 et j'ai pris ma retraite au Collège de France le 1er octobre 1982. Mais cela ne va pas me manquer parce que mon enseignement avec l'âge devenait de plus en plus laborieux. A force on épuise les sujets sur lesquels on avait réfléchi et qui vous tiennent au cœur. Du coup, il faut aborder des thèmes de plus en plus marginaux et qui, de ce fait, demandent de plus en plus de travail. Je me sens donc plutôt soulagé. Je m'aperçois par ailleurs que j'ai des quantités de dossiers et de fiches sur des problèmes de mythologie ou d'organisation sociale. Il est certainement trop tard pour écrire les sept ou huit livres qui seraient nécessaires, mais peut-être est-il possible d'en rédiger une espèce de synopsis simplifiant le travail d'autres qui viendront après.

P. B. – *« Pendant ces dix dernières années, écrivez-vous, mes recherches se sont portées dans des voies pour moi nouvelles. » Lesquelles ?*

C. L. S. – Je me suis, beaucoup plus que dans le passé, occupé d'art, notamment avec mon étude *La voie des masques*. D'autre part, dans les dernières années de mon enseignement au Collège, je me suis occupé de tout un secteur d'organisation sociale que j'avais laissé de côté. Il s'agit de sociétés primitives où les structures de filiation et de mariage ne sont pas claires, qui résistent à la problématique traditionnelle et dont je montre que pour les comprendre il vaut mieux parfois se référer à l'histoire de nos propres sociétés.

P. B. – *Il y a dix ans exactement, vous avez été élu à l'Académie française : votre présence à l'Académie relève-t-elle de l'anecdote ou est-elle le symbole de votre respect pour ce qui dure à travers le temps ?*

C. L. S. – C'est incontestablement la marque de mon respect pour les institutions, pour ce qui est durable. Je n'ai pas essayé de rentrer à l'Académie française. Mais lorsqu'on me l'a proposé avec insistance, j'ai accepté, considérant que c'était pour moi une sorte de devoir de participer au maintien d'un système de valeurs et d'une institution plongeant assez loin dans l'histoire. J'ai un grand respect pour les monuments historiques. Eh bien, de même, je considère que l'Académie est un monument historique que nous avons le devoir d'essayer de maintenir.

P. B. – *« L'ethnologie – ou l'anthropologie, comme on dit plutôt à présent... », écrivez-vous dans votre dernier livre,* Le regard éloigné. *Il me semble qu'il y a* *encore une ambiguïté pour le public : doit-on vous qualifier d'ethnologue ou d'anthropologue ?*

C. L. S. – L'un n'empêche pas l'autre. Pour moi, il y a en réalité trois mots – ethnographie, ethnologie et anthropologie – qui correspondent à trois étapes de la recherche. Il y a certains moments où je me sens plus ethnographe : lorsque je parle d'une expérience de terrain; d'autres moments où je me sens plus ethnologue : lorsque j'essaie de penser de façon systématique sur des matériaux recueillis pour partie par moi, pour partie par un autre mais relevant d'un domaine limité; enfin, je me sens anthropologue quand il s'agit de tirer les conséquences dernières des recherches précédentes. Cela dépend donc du niveau de réflexion où l'on se place.

P. B. – *C'est donc quand vous êtes anthropologue qu'à tort ou à raison on vous prend aussi pour un philosophe ?*

C. L. S. – Je ne dirai pas que c'est à tort : j'ai une formation philosophique qui m'a marqué et j'ai été professeur de philosophie. Consciemment ou inconsciemment, volontairement ou involontairement, il n'y a aucun doute que j'essaie toujours de pousser ma recherche jusqu'à certaines conséquences, soit philosophiques, soit antiphilosophiques. Mais ces conséquences, si je ne les nie pas, me paraissent différentes de ce qu'on entend aujourd'hui par philosophie. J'essaie de réfléchir sur l'homme à partir du plus grand nombre possible d'expériences objectives dont nous pouvons disposer. Le philosophe, lui, travaille sur une seule expérience ou sur un très petit nombre, sur lui-même par introspection ou sur les problèmes de notre société, de notre histoire, de notre moment présent. J'ajoute que je me laisse aller à quelques petites divagations philosophiques plutôt par satisfaction personnelle, pour me mettre en règle avec ma conscience, et pas du tout pour proposer un système.

P. B. – *Oui, vous avancez des idées générales un peu par surprise, vous permettant, pour reprendre l'une de vos expressions, quelques « braconnages dans les chasses gardées des philosophes ».*

C. L. S. – Et c'est du petit braconnage!

P. B. – *Il n'empêche que, d'un côté, vous avez souvent dit : le structuralisme, c'est une « méthode de travail, n'apportant pas de message ni de conception du monde ». Et, d'un autre côté, page 165 du* Regard éloigné, *on peut lire notamment : « Par des voies jugées à tort hyperintellectuelles, le structuralisme redécouvre et amène à la conscience des vérités plus profondes que le corps énonce déjà obscurément; il réconcilie le physique et le moral, la nature et l'homme, le monde et l'esprit, et tend vers la seule forme de matérialisme compatible avec les orientations actuelles du savoir scientifique. » Cela me paraît être un point de vue de philosophe, plus que du petit braconnage, presque de la chasse officielle !*

C. L. S. – Je suis d'accord avec vous, mais si vous faites le total des pages que j'ai consacrées à des spéculations de ce genre dans mes écrits, c'est tout de même très modeste. Ce sont des espèces de petites fenêtres que j'essaie d'ouvrir à droite et à gauche, de temps en temps, sans jamais m'y engager et sans y attacher, croyez-moi, beaucoup d'importance.

P. B. – *Les sciences humaines aujourd'hui ne sont-elles pas de plus en plus soumises au développement de sciences comme la biologie ou la neurologie ?*

C. L. S. – Pour vous répondre franchement, j'espère qu'elles le seront de plus en plus! Mais on en est encore loin. Et pour des raisons légitimes : rien ne serait plus dangereux que d'essayer de sauter par-dessus les discontinuités et de faire comme si elles n'existaient pas. Or, il est bien certain qu'entre des phénomènes dont s'occupent les biologistes ou les neurologues, d'un côté, et les ethnologues ou les sociologues, de l'autre côté, il y a une discontinuité formidable. Certes, notre ambition, aux uns et aux autres, c'est à l'évidence de réduire cette discontinuité. Mais de s'imaginer qu'elle n'existe pas en sautant immédiatement par-dessus et en rendant compte de phénomènes ethnologiques ou sociologiques par des considérations par exemple biologistes, c'est la catastrophe. Pour preuve, ce désastre qu'est la sociobiologie prétendant expliquer les coutumes ou les mœurs par notre patrimoine génétique. Non pas que le problème de l'inné et de l'acquis dans le comportement humain ne constitue pas une affaire de première importance et que l'ethnologie ne doive pas tenir compte du développement de la génétique des populations. Il n'y a pas de sujet tabou pour la connaissance scientifique. Mais le caractère réducteur des hypothèses sociobiologistes, leur simplisme, leur naïveté ont faussé un débat qui, de plus, a pris une tournure politique. Et il n'est pas inutile de se souvenir qu'en France ce sont des auteurs d'inspiration gauchiste qui, les premiers, ont lancé la sociobiologie. Voilà qui est révélateur d'une confusion générale.

P. B. – *Cette confusion, on a l'impression parfois, à vous relire, qu'elle nous vient, en partie, de Mai 68. Vous avez dit un jour : « Le structuralisme, heureusement, n'est plus à la mode depuis 68. Le malentendu est dissipé. » Mais vous ajoutiez avec ironie : « Les salons parisiens sont retournés au modèle existentialiste. » De même, vous dénoncez maintenant le « spontanéisme » ambiant, le désordre et le fouillis dans les idées.*

C. L. S. – J'ai l'impression que ce spontanéisme continue et peut-être plus gravement qu'en Mai 68. A l'époque, cela se manifestait seulement dans l'opinion des étudiants ou des journalistes. Tandis que, maintenant, ce spontanéisme fait des ravages chez des auteurs très respectés. Ne me demandez pas de prononcer des noms. Mais, d'une manière générale, j'ai l'impression qu'aussi bien chez les philosophes que chez les sociologues les plus cotés actuellement, on voit s'installer une espèce d'exaltation de la spontanéité individuelle. Comme s'il y avait contradiction entre la turbulence et l'ordre, alors que la turbulence est une invitation à aller chercher l'ordre des choses à un niveau plus profond. Et puis nous voyons de plus en plus se répandre entre la littérature pure et le travail scientifique une sorte de genre hybride où l'on écrit un peu n'importe

quoi. En exprimant sa spontanéité, et sans se soumettre à des disciplines que nous sommes encore un certain nombre à considérer comme des nécessités tout à fait impérieuses. Il y a quelques règles élémentaires qui ne sont pas assez respectées, et d'abord de ne rien écrire sans l'avoir longuement médité et sans s'être assuré d'un appareil critique quelquefois considérable. On peut prendre des semaines et des mois pour écrire trois lignes parce qu'il faut avoir des raisons précises pour les écrire.

P. B. – *Cette précision et cette méticulosité vous conduisent, vous, à vivre entouré de globes, de cartes, de traités les plus divers, et à faire appel, s'il le faut, à la géographie, la zoologie, la botanique.*

C. L. S. – N'exagérons pas, j'ai peu de connaissances dans ces domaines. Je fais de mon mieux. Disons que c'est un sens de la responsabilité. Et une cruelle nécessité que l'on ressent parce qu'on a été élevé ainsi et que l'on a appris son métier à la dure. Je crains maintenant que ce ne soit plus le cas. Je ne dis pas que 68 est la cause de la confusion mentale actuelle. Mais c'est la première fois qu'elle s'est clairement manifestée.

P. B. – *Mai 68, ce fut aussi l'émergence de thèmes qui vous sont chers, comme celui de l'écologie ou du respect de la nature.*

C. L. S. – Il me semble que cela existait avant. Et pour autant que ces thèmes se soient manifestés en 68, c'était sous une forme hybride et douteuse : d'une part, de façon très politisée et, d'autre part, se prêtant à toutes sortes d'équivoques. Pour preuve, encore une fois, le fait que cette tendance écolo-néorousseauiste ait lancé la sociobiologie en France.

P. B. – *Vous publiez ces jours-ci* Le regard éloigné, *avec en épigraphe cette citation de Rousseau : « Le grand défaut des Européens est de philosopher toujours sur les origines des choses d'après ce qui se passe autour d'eux. » Ce titre,* Le regard éloigné, *c'est la caractéristique même de votre attitude et de votre démarche?*

C. L. S. – En fait, je suis tombé un jour, au hasard d'une lecture, sur une phrase attribuée à Massillon : « Le monde vu de près ne se soutient pas contre lui-même. Mais en éloignement, il en impose. » Cette phrase m'avait beaucoup frappé et je m'étais dit qu'elle pourrait être la devise de l'ethnologue. Comme j'ai quelques scrupules, j'ai cherché, avec l'aide de mon collègue Orcibal, spécialiste de la littérature chrétienne au XVIIᵉ siècle, à connaître la référence exacte de ce propos de Massillon. Or, je me suis aperçu, en retrouvant le texte, qu'il voulait dire absolument le contraire de ce que je voulais lui faire dire : au XVIIᵉ siècle, « en imposer » signifie faire illusion, tromper, mentir. J'aurais fait offense à la mémoire de Massillon en utilisant sa phrase comme épigraphe de mon livre. Mais j'ai tout de même gardé l'idée du « regard éloigné » en l'accompagnant d'une épigraphe de Rousseau, plus près de ce que je voulais exprimer. Car c'est bien cela l'attitude de l'ethnologue : attribuer des vertus particulières au fait de regarder les choses de très loin, parce qu'elles apparaissent ainsi simplifiées, réduites à leurs contours essentiels, et que la distance même permet peut-être d'apercevoir certaines propriétés fondamentales masquées en général par des faits accessoires.

P. B. – *Ce « regard éloigné » est celui de l'ethnologue à la fois sur d'autres sociétés et sur la nôtre ?*

C. L. S. – A force de pratiquer cette gymnastique qui est d'introduire une grande distance entre lui-même et le sujet, l'ethnologue en arrive sans doute à regarder ce qui est près de lui comme si c'était très loin.

P. B. – *Nous sommes d'après vous à un moment de l'histoire où deux humanités se croisent avant de s'éloigner à jamais l'une de l'autre. C'est peut-être la dernière fois où, pour reprendre l'une de vos célèbres distinctions, se rencontrent les « sociétés chaudes » comme les nôtres, et les « sociétés froides », dites primitives. Cette ancienne humanité des sociétés froides est vraiment condamnée à mort ?*

C. L. S. – C'est encore plus vrai aujourd'hui qu'au moment où je l'ai dit. Cela va à une vitesse effroyable. Je ne crois pas cependant que ces sociétés disparaîtront totalement et de façon inéluctable pour autant qu'elles vont se fondre dans cette espèce de civilisation mondiale qui envahit la planète et qu'elles vont la contaminer. Ces sociétés renaîtront donc, ici ou là, de façon métisse ou créole. Mais la question se pose de savoir si, au fur et à mesure qu'une même civilisation tend à se répandre sur toute la terre habitée, il n'y aura pas à l'intérieur des ruptures et des nouvelles différences qui vont apparaître.

P. B. – *Les leçons que nous pouvons tirer des « sociétés froides » en voie de disparition arrivent toujours trop tard ?*

C. L. S. – On ne les comprend pas au moment où on les reçoit. Le moment idéal pour étudier la société américaine, c'était l'époque de la découverte. Mais les leçons qu'on aurait pu en tirer, on ne les a pas comprises parce qu'on avait un seul souci : détruire. Cela a toujours été ainsi. Et je dirai même : plus nous recevons les leçons que nous pourrions en tirer, plus il est trop tard pour pouvoir les entendre.

P. B. – *De là le pessimisme amer de tous vos textes ?*

C. L. S. – En réalité, ce n'est pas un pessimisme philosophique, mais je dirai un pessimisme biographique : le siècle où je vis n'est pas celui où j'ai le plus plaisir à vivre. J'ai le sentiment que j'aurais vécu beaucoup mieux dans d'autres époques.

P. B. – *Au XIXᵉ siècle ?*

C. L. S. – Oui, je pense.

P. B. – *Vous écrivez, dans* Le regard éloigné, *que la science commence à comprendre que « ces vastes systèmes de rites et de croyances qui peuvent nous apparaître comme des superstitions ridicules ont pour effet de conserver le groupe humain en équilibre avec le milieu naturel ». Toutes ces croyances et ces rites ancestraux, c'est maintenant seulement qu'on peut les comprendre, alors qu'ils sont pratiquement détruits ?*

C. L. S. – Il y a quarante ans on aurait pu les comprendre. Mais on croyait encore que c'étaient des superstitions absurdes, et que le progrès de la raison devait en venir à bout. Un grand ethnologue comme Frazer qui a fait plus que personne pour sauvegarder tout un corpus de superstitions n'a jamais pensé que cela pourrait être autre chose que des superstitions ridicules.

P. B. – *Et vous expliquez au contraire que les généticiens de la population, par exemple, comprennent aujourd'hui que certains interdits sexuels, certaines formes de polygamie, ou même l'infanticide pouvaient avoir un rôle très positif de régulation dans des sociétés et des groupes humains. N'empêche que l'infanticide ne peut pas ne pas nous apparaître choquant.*

C. L. S. – Du point de vue de notre morale. Je ne prétends pas bien sûr qu'il faille remettre à l'honneur la pratique de l'infanticide. Mais je note un fait et je ne pense pas que nous ayons à juger d'autres morales au nom de la nôtre. Dans ce cas-là, le jugement pourrait d'ailleurs s'exercer en sens inverse : après tout, ces gens qui pratiquaient l'infanticide des filles, comme cela se passait dans de nombreuses sociétés, ne pratiquaient pas, eux, le massacre à une grande échelle comme celui qui se produit dans une guerre mondiale. L'idée leur inspirerait probablement une horreur aussi insurmontable que l'infanticide pour nous-mêmes. Il n'y a donc pas à dire que c'est bien ou que c'est mal : aucune société n'est vraiment bonne, aucun système de morale n'est satisfaisant. On peut constater seulement que les systèmes sont équilibrés.

P. B. – *Un chapitre important du* Regard éloigné *reprend la conférence que vous avez donnée à l'Unesco sur « Race et culture », et qui a suscité quelques remous. Après avoir montré que la notion de race est balayée par toutes les recherches actuelles en génétique, vous dites en effet qu'il ne faut pas se payer de mots et voir du racisme partout comme on a tendance maintenant à le faire. La différence et l'opposition entre les cultures, ce n'est pas du racisme ?*

C. L. S. – On met le terme à toutes les sauces : dès qu'il y a antagonisme entre deux groupes humains, entre un système et un autre, on nous dit que c'est du racisme. Alors que ce sont les conditions normales et permanentes de l'existence de l'humanité.

Il est certain que nous devons combattre des formes d'antagonisme quand les cultures essaient de se détruire et de s'asservir les unes les autres. Mais il y a des formes d'antagonisme – le peu de goût pour communiquer, le peu de goût pour les échanges, la volonté de s'en tenir à un système sans le laisser contaminer par un autre – qui me semblent une condition banale d'existence de l'humanité. Et nullement du racisme.

P. B. – *Vous ajoutez aussi : « On ne peut se dissimuler qu'en dépit de son urgente nécessité pratique et des fins morales élevées qu'elle s'assigne, la lutte contre toutes les formes de discrimination participe de ce même mouvement qui entraîne l'humanité vers une civilisation mondiale, destructrice de ces vieux particularismes auxquels revient l'honneur d'avoir créé les valeurs esthétiques et spirituelles qui donnent son prix à la vie, et que nous recueillons précieusement dans les bibliothèques et les musées parce que nous nous sentons de moins en moins capables de les produire. » Cette tendance vers une espèce de culture mondiale, niant les différences, vous paraît très dangereuse ?*

C. L. S. – Pour être exact, je la trouve moins dangereuse qu'illusoire. Mais ce qui est certain, c'est que, transformant toutes les cultures en consommatrices réciproques les unes des autres, on les dépouille de leur potentiel productif. Or, le potentiel productif d'une culture tient à ses particularités. Pour que quelqu'un soit producteur, il faut en effet qu'il soit profondément convaincu que ce qu'il fait est non pas meilleur, mieux encore : convaincu que c'est cela qu'il doit faire, pas le reste.

P. B. – *Pourtant, le rôle de l'ethnologue, c'est aussi de nous montrer un fonds commun chez tous les hommes ?*

C. L. S. – Bien sûr. Mais le problème de l'ethnologie, c'est précisément de montrer comment l'existence d'un fonds commun peut se manifester par toutes sortes de productions particulières. Chaque culture, chaque style de vie, chaque système moral, chaque forme d'art, chaque type d'organisation sociale : tout cela représente autant de choix dans une combinatoire dont les règles sont communes à l'ensemble de l'humanité, mais dont les réalisations sont particulières.

P. B. – *En regardant les autres, peut-on arriver à faire abstraction de son système de référence, de sa culture ?*

C. L. S. – Jamais. Mais on peut arriver à en prendre conscience, et à savoir qu'à chaque instant il faut lutter contre cette déformation. Vous savez qu'il y a en ce moment aux États-Unis une polémique folle, jusque dans les grands journaux, contre Margaret Mead : on conteste comme fausse sa fameuse enquête dans les tribus des îles Samoa et le livre qu'elle en a tiré, *Mœurs et sexualité en Océanie*. Sans connaître les détails, je peux dire d'emblée que la querelle est absurde : Margaret Mead avait vingt-trois ans quand elle est allée à Samoa, c'était sa première expérience de terrain et elle a pu commettre des erreurs, des imprudences et des excès. Il n'en reste pas moins que Margaret Mead a été une très grande ethnologue et l'on ne peut ignorer quelque chose qu'elle a fait, même très jeune. Mais l'essentiel n'est pas là. Personne en effet ne viendrait faire un procès à un historien parce qu'il a pris du passé de notre société une vue partiale et biaisée. Quand nous voulons connaître la Révolution française, nous savons qu'il faut lire plusieurs historiens (Mathiez, Blainville, Seignobos, etc.) et que c'est en recoupant leurs témoignages que nous pouvons essayer de nous faire une opinion. Ce qui est vrai en histoire vaut pour l'ethnologie et il est certain qu'il nous faut sans cesse critiquer les témoignages en sachant que chacun d'entre eux représente un aspect de la question vu à travers une équation personnelle.

P. B. – *Vos réflexions sur le racisme, ou sur l'ethnologue devant la condition humaine, aboutissent toujours à cette sorte de morale : le monde avant la vie, et la vie avant l'homme.*

C. L. S. – Je crois qu'un humanisme bien compris doit remettre l'homme à sa place dans la nature. Depuis un demi-siècle, nous commençons à percevoir les dangers d'un humanisme exclusif qui établit un fossé entre l'homme, d'un côté, et le reste de la création, de l'autre. A partir du moment où l'homme s'arroge un pouvoir absolu sur toutes les autres formes de vie, rien ne peut empêcher certains hommes de s'arroger, au nom des mêmes principes, un pouvoir absolu sur d'autres hommes. Ce fut le cas du colonialisme comme des camps de concentration. Aujourd'hui, on commence à concevoir qu'il faut d'abord respecter la vie, la nature et le monde. Mais, dans la réalité, on n'en tient aucun compte. Prenez l'exemple des parcs nationaux en France, faits au nom de l'idéologie du respect de la nature. Ces parcs sont une entreprise de destruction de la nature parce qu'on fixe dessus une horde de touristes venant endommager rapidement ce qui était là.

P. B. – *Il est toujours nécessaire de dire, comme à la fin de* Tristes tropiques : « *Le monde a commencé sans l'homme, et il s'achèvera sans lui* » ?

C. L. S. – Et même si c'est à très longue échéance, il ne faut pas seulement en prendre conscience, il faut en tirer les conséquences. Mais on ne le veut pas.

P. B. – *Parce que cette soumission à l'ordre du monde est une contrainte ?*

C. L. S. – Évidemment. Toute soumission implique une contrainte. Si vous estimez qu'il est impératif d'empêcher les espèces naturelles existant encore de disparaître, pour les maintenir il faut se soumettre à certaines contraintes.

P. B. – Le regard éloigné *se veut justement une réflexion sur le thème de « contrainte et liberté »...*

C. L. S. – ... Oui car, au fond, c'est la grande leçon de l'expérience ethnologique...

P. B. – *Et vous indiquez d'emblée qu'il faut dissiper cette « illusion contemporaine, que la liberté ne supporte pas d'entraves ». Une illusion à la source de la crise de l'Occident ?*

C. L. S. – Ce n'est pas la seule cause de

cette crise. Mais c'est l'une des manières dont elle se manifeste : de ne pas vouloir reconnaître que vivre, penser, c'est se soumettre à des contraintes. Et que si on ne respecte pas certaines contraintes, plus rien n'est possible. Pour reprendre une formule célèbre : le langage n'est pas « fasciste » parce qu'il impose certaines contraintes à l'expression. S'il n'y avait pas ces contraintes, nous ne pourrions pas nous exprimer.

P. B. – *Vous faites allusion à Roland Barthes qui, au Collège de France, avait déclaré : la « langue est fasciste » parce qu'elle « oblige à dire » ?*

C. L. S. – Barthes effectivement l'a dit une fois. Mais, en fait, c'est dit par tout le monde à l'heure actuelle, et dans une quantité de domaines. Par exemple, dans l'éducation, où l'on nous explique qu'il faut enlever toute contrainte pour que la spontanéité de l'enfant puisse se manifester. Dans l'art aussi on pense qu'il ne faut plus aucune contrainte et qu'il est indispensable de bousculer toutes les barrières d'école, de discipline. C'est une tendance générale.

P. B. – *Vous prenez l'exemple de la peinture, un art qui vous est cher, ne serait-ce que parce que vous êtes fils de peintre. Déjà, dans* L'anthropologie structurale II, *vous aviez parlé de l'irritation que suscite chez vous Picasso. Dans* Le regard éloigné *vous évoquez la « grande décrépitude de l'art ».*

C. L. S. – Attention, c'est une citation de Baudelaire. Il est vrai qu'elle est prophétique...

P. B. – *La peinture, après l'impressionnisme et le cubisme, est en pleine décomposition ?*

C. L. S. – Je pense même que ce qu'on a appelé peinture autrefois n'existe plus. Le travail, cette condition même de l'art, la connaissance d'un métier d'une complexité extraordinaire, le très long apprentissage des mécanismes donnant naissance aux choses, tout cela a disparu. Le peintre autrefois devait s'astreindre aussi bien à une gymnastique du poignet qu'à la connaissance des pigments, de leur composition physico-chimique et de

leurs réactions. C'est fini. Il y a d'ailleurs un livre très récent de Jean Clair, *Considérations sur l'état des beaux-arts* (Gallimard), qui reprend cette thèse; les musées d'art moderne se multiplient, mais jamais on n'a aussi mal peint.

P. B. – *Peut-on tenir le même genre de propos sur l'art oriental, et notamment japonais ?*

C. L. S. – Le Japon a réagi aux problèmes qui se posent à nous tous de façon très particulière : il a conçu une sorte de civilisation à deux registres ou deux régimes. Dans l'un, on s'ouvre complètement aux influences du dehors, dans l'autre on maintient farouchement les traditions anciennes. Si l'on parle du premier registre, la décadence est la même que chez nous. Mais si l'on parle de l'autre, alors on peut dire qu'il y a encore des plages où l'on maintient, tant dans le domaine de la peinture que dans celui de la musique, ce qui a fait l'essentiel de la culture japonaise.

P. B. – *D'une manière générale, votre thèse n'est-elle pas la reprise d'une idée de Gide : « L'art vit de contrainte et meurt de liberté ? »*

C. L. S. – Je ne me souvenais pas du tout de cette phrase, mais j'y souscris totalement.

P. B. – *Vous comparez un peu votre travail sur les mythes aux collages de Max Ernst. La peinture de Max Ernst comme celle des surréalistes n'était-elle pas plutôt du côté de la liberté que de la contrainte ?*

C. L. S. – Les surréalistes ont essayé de briser un certain nombre de contraintes comme tous les artistes doivent le faire. Pourtant, Max Ernst, que j'ai très bien connu à New York en compagnie d'André Breton, avait une peinture extrêmement pensée, méditée, travaillée. Et je peux vous certifier que sa peinture s'appuyait sur un savoir technique considérable. Je ne prétends pas que ce savoir technique n'existe plus chez les peintres actuels, mais je constate qu'ils essaient de faire comme s'il n'existait pas.

P. B. – *L'opinion que vous exprimez sur la peinture, vous la transposez à l'école en* *formulant ce que vous appelez des « propos retardataires sur l'enfant créateur ».*

C. L. S. – Apprendre, c'est se soumettre à des contraintes. Je ne vois pas le moyen d'en sortir. Et si j'ai qualifié ces réflexions de « retardataires », c'est qu'il s'agit de propos que j'aurais dû tenir dans un symposium, mais que je n'ai pas prononcés par découragement : j'étais au milieu de pédagogues estimant qu'il faut laisser l'enfant entièrement libre et sans contrainte. Or, comme l'ont montré les travaux neurophysiologiques de Jean-Pierre Changeux, il est vrai que le cerveau de l'enfant dispose d'une importante quantité de possibilités. Mais justement, une bonne partie de ces possibilités doivent disparaître, être éliminées par l'éducation, faute de quoi aucune ne vient à maturité. C'est ce que l'on constate malheureusement quand on veut laisser s'exprimer dans une liberté totale les dons prétendus créateurs de l'enfant.

P. B. – *Vos propos apparaissent d'autant plus « retardataires » que vous dénoncez au passage un « monde de facilité et de gaspillage » cherchant le nouveau pour le nouveau. N'est-ce pas excessif ?*

C. L. S. – Eh bien, que voulez-vous : le nouveau est quelque chose de précieux et de très rare. Il ne faut pas s'imaginer que l'on crée du nouveau à jet continu. Le nouveau a besoin de mûrir très lentement afin de se forger sa voie contre les contraintes.

P. B. – *En fait, vous regrettez surtout que l'on oublie « les humbles gestes » de la création, en citant le cas de ces deux jeunes Américaines découvrant à la campagne la vraie vanille et la vraie mayonnaise.*

C. L. S. – Ce sont les nièces de ma femme qui, venant pour la première fois en France et arrivant chez nous à la campagne, ont fait cette découverte fantastique! Elles n'avaient aucune notion de ce que pouvait être en réalité une mayonnaise faite à partir d'un œuf. Pour elles, c'était seulement quelque chose dans un tube...

P. B. – *Franchement, vous ne trouvez pas qu'il y a maintenant une évolution,* un retour à l'artisanat au sens premier du terme ?

C. L. S. – Il y a des tendances auxquelles il faut être attentif et qu'il faut encourager. Mais n'oublions pas que c'est très largement illusoire et que les gens s'en allant faire du tissage en Auvergne se livrent à quelque chose d'assez artificiel : ils ne peuvent le faire que parce qu'ils sont entourés par une civilisation technique et administrative. La vraie solution me paraît être plutôt de réincorporer tout cela à l'enseignement, et dès les premières années. Par exemple, en donnant beaucoup plus de place dans les écoles aux activités techniques et aux sciences naturelles.

P. B. – *Êtes-vous retourné chez ces Indiens d'Amérique du Sud qui vous ont tant appris ?*

C. L. S. – Non, je ne tiens pas à pleurer sur les souvenirs d'un monde condamné, je le sais, au changement et à la disparition.

P. B. – *Il y a vingt-trois ans, vous terminiez votre leçon inaugurale au Collège de France par un hommage émouvant à ces Indiens, « ces sauvages dont l'obscure ténacité nous offre encore le moyen d'assigner aux faits humains leurs vraies dimensions, ces Indiens des tropiques, et leurs semblables par le monde, qui m'ont enseigné leur pauvre savoir où tient, pourtant, l'essentiel des connaissances que je suis chargé de transmettre à d'autres et envers qui j'ai contracté une dette dont je ne serais pas libéré, même si je pouvais justifier la tendresse qu'ils m'inspirent et la reconnaissance que je leur porte, en continuant à me montrer tel que je fus parmi eux, et tel que je voudrais ne pas cesser d'être : leur élève et leur témoin ». Est-ce que vous estimez maintenant avoir un peu payé cette dette ?*

C. L. S. – Je l'aurai un peu payée si des sociétés d'Afrique et d'ailleurs, qui se lancent maintenant dans l'indépendance politique et la vie moderne, reprennent assez tôt conscience de leurs racines et de leur prix pour ne pas faire ce que l'Europe a tenté : se couper de son passé. D'une manière générale, les ethnologues auront joué leur rôle si un jour très incertain ces peuples, voulant reconstruire leur propre humanisme, éprouvent le besoin de se servir de nos livres, ces livres où nous avons essayé de conserver pour eux leur passé. Mais peut-être ces sociétés ne voudront-elles plus jamais entendre parler de ce passé, auquel cas le travail des ethnologues n'aura servi à rien.

GEORGES DUMÉZIL

*« Depuis l'âge de six ans, la mythologie
me fait flamber : j'ai baigné là-dedans
plus que dans la comtesse de Ségur. »*

Mars 1985

Comment dire : un savant ? un érudit ? un intellectuel hors catégorie ? On
hésite à classer Georges Dumézil. On renonce et c'est tant mieux car ce serait
réduire sa personnalité, son champ d'action, l'ampleur de ses travaux et
l'impact de ses recherches. Cet homme qui a fait son miel de la linguistique et
de la philologie, de l'histoire et de la philosophie, de la sociologie et de
l'anthropologie est probablement, avec Claude Lévi-Strauss et Fernand
Braudel, celui qui, à l'étranger, incarne le mieux et depuis longtemps la
qualité française en sciences humaines et sociales. Son prestige international
est immense, disproportionné avec sa « célébrité » dans son propre pays. Il a
tourné sa vie tout entière vers la recherche et uniquement elle, et non vers
l'enseignement. Il n'a pas cédé à la séduction des médias ou à l'engagement
politique... A 87 ans, il continue, se définissant simplement comme un
comparatiste dont le jeu consiste à repérer en toutes choses des discordances et
des concordances.

De ses longs séjours à l'étranger il a conservé ce goût du « terrain » qui fait
défaut à tant de chercheurs en bibliothèque, une certaine humilité devant les
faits et les hommes, un indomptable scepticisme et une faculté permanente de
toujours tout remettre en question. Il a publié des milliers d'articles et des
dizaines de livres dont les titres disent bien la direction de l'œuvre : *Les
mythes romains* (1942), *L'héritage indo-européen à Rome* (1949). *L'idéologie
tripartite des Indo-Européens* (1948), *La religion romaine archaïque* (1966),
Les dieux des Indo-Européens (1952)...

Dumézil débusque les idéologies et, à travers elles, les structures des
sociétés indo-européennes, derrière leurs mythes. Familier des anciennes
théologies grecque, romaine, indienne, iranienne, celte, qu'il étudie et
compare sans désemparer depuis des décennies, il a établi une « tripartition
fonctionnelle » dans les sociétés indo-européennes, hiérarchisées en guerriers,

prêtres et producteurs. Autrement dit la Force, la Religion et la Richesse, une tripartition qui s'observe aussi bien dans d'autres domaines de la société.

En découvrant cette « clef », Georges Dumézil a bouleversé l'histoire des religions et, au-delà, des sociétés anciennes et médiévales en Orient comme en Occident.

C'est un homme qui aime peu parler de lui. Son œuvre avant tout. Je l'ai rencontré à plusieurs reprises chez lui à Paris, entre Montparnasse et Luxembourg, parmi ses innombrables livres et dossiers posés dans un inextricable désordre qu'il est seul à maîtriser. A l'occasion de la parution de son nouveau livre *L'oubli de l'homme et l'honneur des dieux ou vingt-cinq esquisses de mythologie* (Gallimard) il a accepté d'aller plus loin, de livrer une parcelle de sa mémoire sur sa jeunesse, ses années de lycée et de Normale sup, les tranchées de 1917, les voyages en Turquie et en Suède, le Collège de France, l'Académie française...

Non plus seulement l'œuvre mais, pour une fois, l'homme derrière le chercheur.

Pierre Assouline. – *Encore un nouveau livre de vous, un an après le précédent. Quelle activité! Vous en avez publié combien en tout?*
Georges Dumézil. – Une soixantaine à peu près. Mais c'est sans garantie. Disons une cinquantaine pour être modeste...
P. A. – *Comment vous définissez-vous « professionnellement »?*
G. D. – Je suis un comparatiste. Mon plaisir en toutes choses, dans la vie, c'est d'essayer de repérer des concordances et des discordances. De temps en temps, j'ai envie de dire aussi que je suis historien, mais « ils » ne sont pas d'accord. Tant pis. La linguistique, je l'ai apprise sur le tas, je m'en sers, mais je ne suis pas linguiste. Philosophe? Encore faudrait-il que le mot ait un sens de nos jours... Alors, comparatiste!
P. A. – *A 87 ans, vous ne pouvez pas travailler comme avant...*
G. D. – Il m'est difficile d'aller en bibliothèque. Je reste chez moi n'usant que de mes propres livres, cherchant dans ma mémoire et mes tiroirs. De ce matériau je tire des esquisses, des projets que j'approfondirais certainement si j'avais trente ans de moins. Vous savez, autrefois, au Collège de France, on n'était jamais mis à la retraite. On don-

nait vingt-cinq conférences par an aussi longtemps qu'on pouvait. C'est ainsi que j'ai pu assister à la leçon inaugurale du quatrième titulaire de la chaire de physique depuis le XVIIIe siècle. Les différents chapitres de mon nouveau livre ne sont que le schéma détaillé de mes conférences, mais sans notes ni appareil critique. Ce sont des projets divers, des mûrissements parfois rapides, qui reprennent d'anciens sujets en réponse à des discussions. J'ai chez moi tout ce qu'il faut pour commencer un travail. Quand j'ai vraiment besoin de quelques livres, de jeunes collègues me les procurent. Exceptionnellement, je peux encore me rendre à la bibliothèque de l'École normale. En restant chez lui, un comparatiste ne peut qu'amorcer une recherche. Dès qu'elle devient sérieuse, il lui faut chercher l'état récent de la question, faire le point et le domaine est nécessairement très vaste.
P. A. – *Le comparatiste est finalement dans une position bien délicate : il doit à la fois manier quelque vingt langues et philologies et tâcher d'être aussi compétent et complet que les spécialistes de chacune d'entre elles! C'est un pari impossible!*
G. D. – Les spécialistes voient parfois des aspérités qui m'échappent. Mais sou-

vent, il nous arrive d'éclairer une question alors qu'ils croient être les seuls à posséder la lumière. Pendant longtemps le comparatiste qui apportait du neuf n'était pas écouté par les spécialistes : ils voulaient d'abord juger de l'ensemble de ses connaissances dans leur domaine, puis juger sur des détails avant de le noter et de refuser tout examen de ses thèses quel que fût leur caractère inédit s'ils y trouvaient une faute. Cela pourrait donner matière à un « livre blanc » plein d'anecdotes tout à fait édifiantes à l'usage des jeunes générations de chercheurs. Mais je ne le ferai pas, moi. Cela dit, je crois que le « hérissement du spécialiste » face au comparatiste a tendance à s'atténuer.

P. A. – *Vous avez longtemps souffert de ces « chasses gardées » ?*

G. D. – Autrefois, mais plus maintenant. Il y a fort longtemps, j'avais eu l'audace de mettre « Rome » dans le titre d'un de mes cours au Collège de France. Pendant l'assemblée plénière des professeurs, l'un d'entre eux protesta : « Un de mes collègues prend un sujet qui m'appartient ! » Il y eut un vrai débat et même un vote qui me fut favorable. L'intitulé de mon sujet resta intact.

P. A. – *On ne peut s'empêcher de penser à vos démêlés avant-guerre avec l'historien des religions André Piganiol, très virulent à votre endroit, et plus récemment depuis les années soixante avec l'Italien Arnaldo Momigliano...*

G. D. – Momigliano est malade dès qu'on parle d'Indo-Européens car il pense tout de suite à l'antisémitisme, oubliant d'ailleurs que les pionniers des études indo-européennes s'appelaient Sylvain Lévi, Jules Bloch, Émile Benveniste... De plus, il considère tout ce qui est en romain comme sa propriété ! Enfin, par bonheur, tout cela s'atténue...

P. A. – *Dans votre dernier livre, vous soulignez ce qui vous apparaît être un divorce fondamental : « Le royaume des comparatistes n'est pas de ce monde, ce que nous signalons ne donne aucune prise sur la réalité vécue », écrivez-vous...*

G. D. – Il faut bien comprendre que nous ne contribuons pas éclairer l'histoire. Nous ne pouvons appréhender que la manière dont les Romains voulaient être perçus, à partir sans doute de la seconde moitié du IVe siècle Après, la part de l'authentique domine dans le récit. Mais même sur un domaine aussi ancien, on peut encore découvrir des choses. Pas seulement des interprétations, mais des faits. Il y a tout le temps des fouilles. Certes, les archéologues posent plus de problèmes qu'ils n'en résolvent. Ah ! si on pouvait détruire Rome pour mieux fouiller dessous, quel beau rêve d'archéologue ce serait !

P. A. – *Depuis quand êtes-vous passionné par l'objet de votre étude ?*

G. D. – Depuis l'âge de six ans, la mythologie grecque me fait flamber. J'ai baigné là-dedans plus que dans la comtesse de Ségur. Quand j'étais gamin, je me passionnais pour l'histoire des Argonautes, les aventures d'Hercule... La pensée mythique m'a toujours habité.

P. A. – *N'y a-t-il pas une part de reconstruction dans ce souvenir ?*

G. D. – Peut-être. Mais j'ai tout de même des souvenirs précis, objectifs. En classe de quatrième, j'avais comme camarade de lycée le petit-fils de Michel Bréal, auteur d'un *Dictionnaire étymologique du latin* et de *Pour mieux comprendre Homère*, traducteur et introducteur en France de la *Grammaire comparée* de Franz Bopp. La notion d'« indo-européen », je l'ai découverte dans des livres de classe de Bréal ; c'est là que j'ai appris l'existence du sanskrit. J'ai eu ces éblouissements dès l'âge de treize ans. Puis mon ami Bréal m'a emmené chez son grand-père qui a corrigé les versions sanskrites sur lesquelles je peinais quand j'étais lycéen à Louis-le-Grand. Bréal m'a aussi poussé à apprendre en priorité l'anglais et l'allemand afin d'être en mesure de comprendre la plupart des livres consacrés à mon sujet. Et il m'a donné mon premier dictionnaire de sanskrit que j'ai transmis il y a peu à un jeune chercheur. Ainsi, sur la page de garde, il est écrit : Bréal, Dumézil, Dubuisson...

P. A. – *Quels autres souvenirs avez-vous*

gardés de votre passage à Louis-le-Grand?

G. D. – Je me souviens, par exemple, que Joseph Kessel était mon condisciple en classe philosophie. Alors que tout le monde parlait de l'affaire Caillaux – le grand débat de cette année-là – et se demandait si son épouse avait eu raison d'assassiner Calmette, le directeur du *Figaro*, Kessel nous disait : « Rien ne vaut la mort. » Il était contre toute exécution, toute mort violente, ce qui ne manque pas de sel quand on sait de quoi sera faite la matière romanesque de son œuvre.

P. A. – *Il y a des dates importantes dans votre vie, 1925 par exemple...*

G. D. – A partir de ce moment-là, je n'ai plus eu de velléités de changer le monde. J'ai décidé de me consacrer à la recherche et de rentrer dans les cadres universitaires. Ç'a été l'effet d'une maturation intérieure, bien sûr, mais extérieure aussi. 1925, ce n'était pas bien loin de 1918.

P. A. – *Vous êtes de la classe 18 : la guerre vous a beaucoup marqué?*

G. D. – Marqué? J'ai été mobilisé en avril 1917. En moins de cinq mois, on a fait de moi un officier d'artillerie. En août, je me suis retrouvé au front, au nord de l'Aisne, dans le prolongement du chemin des Dames un peu à l'ouest de Berry-au-Bac. C'était l'observatoire du secteur. Notre mission consistait à téléphoner chaque matin à la division un rapport sur les incidents de la nuit. Quand je m'ennuyais, j'apprenais le polonais avec un manuel car mon maître en Sorbonne, Fortunat Strowski, me faisait miroiter un poste à Varsovie après la guerre.

P. A. – *Et les batailles?*

G. D. – Elles m'ont beaucoup marqué. En 1914, pour le normalien que j'étais, la prise de Syracuse me semblait aussi importante que la bataille de la Marne. Mais en 1917, quand je me suis trouvé au feu, au coude à coude non plus avec des khâgneux mais avec des hommes de toute condition et de toutes origines, j'ai eu le sentiment que j'étais dérénavant en sursis. Pourquoi n'étais-je pas mort comme les autres? Pourquoi mes camarades et pas moi? Après une épreuve comme celle-là, on regarde la vie autrement, d'autant que j'étais plutôt peureux et que j'ai dû surmonter mes appréhensions. Cela dit, je ne me suis jamais inscrit dans une association d'anciens combattants. J'avais fait mon devoir, c'était tout. Je n'y voyais pas matière à revendication.

P. A. – *Votre rupture de 1925, c'est aussi l'abandon définitif, sans espoir de retour, de toute idée d'engagement politique...*

G. D. – La Chambre bleu horizon qui n'était pas très excitante, le bloc des gauches, l'occupation puis l'évacuation de la Ruhr... toute cette incohérence a achevé de m'éloigner de la politique et de la vie publique. Je ne suis pas un homme d'action. Si je m'étais lancé dans l'action politique, j'aurais fait plutôt des bêtises. Le jugement qui entraîne une décision ne se prépare pas comme celui qui résout un problème. Je ne conçois pas que j'aie pu faire de la politique. Je suis beaucoup trop sceptique de nature et je tiens trop à la faculté de modifier mon opinion en permanence selon mes découvertes. Pour moi qui suis le fils d'un général, Gascon et de tradition catholique, la catastrophe majeure de l'histoire de France c'est la révocation de l'édit de Nantes. En 1685, la France s'est coupée en deux et ne s'est jamais recollée. Dans d'autres pays, on a su concilier l'intelligence, la nouveauté, la liberté avec la tradition. Pas en France. Et quand je parle de la Révocation, je devrais remonter même aux guerres de religion.

P. A. – *Quelle a été la période la plus heureuse de votre vie?*

G. D. – Incontestablement les six années que j'ai passées en Turquie entre 1925 et 1931. En 1925, j'étais normalien, agrégé de lettres, j'avais été brièvement professeur au lycée de Beauvais puis lecteur de français à l'université de Varsovie. Je me suis marié et j'ai fait mon choix. Pour la première fois, j'étais libre de diriger mon travail comme je l'entendais. Je ressentais le besoin de quitter la France, pour bien vivre la rupture. Je cherchais un poste à l'étranger, ce qui était facile car à l'époque la France rayonnait. Je suis allé trouver Jean Marx que je connaissais, au Service des œuvres françaises à l'étranger, au Quai d'Orsay, et j'ai demandé le poste de lecteur à Uppsala, en Suède, pour pouvoir étudier les langues scandinaves utiles à mes recherches sur les Indo-Européens. Malheureusement pour moi, le lecteur qui l'occupait y était tellement heureux qu'il s'y accrochait et s'arrangeait pour faire renouveler son contrat tous les deux ans!

P. A. – *Ce fut donc la Turquie à défaut de la Suède...*

G. D. – ... Et j'en ai profité pour faire mon voyage de noces. Les Turcs étaient adorables. Au début j'enseignais en français avec l'assistance d'un interprète. Puis, au bout de trois ans, j'ai fait mes cours en usant alternativement du turc et du français. De toute façon, à cette époque, l'intelligentsia locale parlait notre langage. Même dans les tramways d'Istanbul, tout était écrit en français et en turc. Quand je suis arrivé, Mustapha Kemal était président de la République depuis deux ans. Il voulait moderniser son pays. Nous les Français, nous étions encore auréolés du prestige de la victoire de 1918. On fit appel à six professeurs de français. Kemal crut qu'il faisait une démocratie et, considérant que l'un des signes de la décléricalisation en France était l'existence d'une chaire d'histoire des religions, il en créa une à Istanbul qui me fut destinée. Dans son idée, mon enseignement consistait essentiellement à montrer que l'Islam était un accident de l'histoire. Je ne voulais pas le suivre dans cette voie que m'indiquaient les responsables du ministère de l'Éducation nationale. Pendant six ans, je n'ai parlé ni de judaïsme, ni de christianisme, ni d'Islam. Kemal n'a pas eu le temps d'être déçu.

P. A. – *Quels étaient vos rapports avec vos collègues?*

G. D. – Quand j'ai commencé, j'ai été bien accueilli à la faculté de théologie musulmane d'Istanbul par de vieux mollahs savants. Ils se tenaient tranquilles car la potence n'était pas loin. De toute façon ils n'étaient pas belliqueux. La seconde année, je me suis tout de même

arrangé pour être muté à la faculté des lettres où j'enseignais avec plus de liberté. La Turquie, ç'a été la grande chance de ma vie. J'y ai pris le temps de réfléchir. Et surtout j'ai découvert les langues caucasiennes : une des grandes révélations de ma vie. Vous savez, réussir sa vie, cela consiste à profiter des occasions, des opportunités. A cette époque donc, en Turquie, on trouvait beaucoup d'immigrés venus du Caucase après la conquête de 1864. Il était difficile de circuler car on avait besoin de laissez-passer pour se rendre d'une province à l'autre. Dès 1928, j'ai cherché les Ossètes, un peuple guerrier du Caucase d'origine iranienne. Ce faisant, j'ai trouvé les Tcherkesses qui venaient du nord du Caucase, de Circassie, et qui étaient islamisés. Les premiers m'intéressaient pour leur mythologie, les seconds pour leur langue. C'est de cette époque que date ma double vie : linguiste et historien des religions, deux activités parallèles.

P. A. – *C'est finalement grâce à ce séjour en Turquie que vous avez sauvé la langue oubykh de l'oubli...*

G. D. – Et aujourd'hui il n'y a plus qu'un seul homme au monde qui la parle. Il vit dans un village en Turquie à 25 km de la mer de Marmara. C'est un paysan âgé de plus de 80 ans qui s'appelle Tevfik Esenc. Je l'ai déjà fait inviter en France à quatre reprises au Collège de France et à l'Institut de phonétique comme témoin et pour l'enregistrer. Ce paysan devenu mon collègue est le dernier des oubykhophones. Aujourd'hui, grâce à ces travaux entrepris depuis des décennies, la langue est bien décrite, bien connue et, même s'il reste forcément des zones d'ombre, on a pu établir un dictionnaire d'oubykh.

P. A. – *Combien de langues avez-vous étudiées en tout?*

G. D. – Il y a une légende tenace selon laquelle j'en parlerais des dizaines. C'est faux. Je ne parle aucune langue étrangère. Celle que je connais le moins mal, c'est encore le turc. Mais, par exemple, quand je dois faire une conférence en anglais, je suis obligé de l'écrire avant. En fait je ne suis pas doué pour les langues. J'apprends vite à les lire mais pas à les parler. Et je les oublie aussitôt. Avec l'âge, ça ne s'est pas arrangé. Avant, je lisais des romans en hongrois. Aujourd'hui, ça me serait tout à fait impossible. Cela dit, j'ai dû étudier environ une trentaine de langues.

P. A. – *1938 aussi est un moment de rupture dans votre vie...*

G. D. – Jusqu'en 1938, j'ai pataugé. Puis la lumière est venue. Ça été le fruit d'une lente maturation de plusieurs semaines. Ça s'est passé pendant mes cours à l'Ecole pratique des hautes études. En relisant mon livre *Flamen Brahman*, je me suis dit : « Mais non, tu as tort ! » Ç'a été comme un éclair. Je n'étais pas satisfait de mon travail, conscient que le livre ne se tenait pas. Alors j'ai tout repris de zéro. Mais ça s'est développé progressivement, autant à coups de frein qu'à coups d'accélérateur. A la fin du cours en juillet 1938, j'ai commencé à me sentir tranquille. La découverte dans son principe a été rapide mais contrôlée, méthodique.

P. A. – *Qu'avez-vous découvert ?*

G. D. – L'idéologie trifonctionnelle, la conscience prise par toute société indo-européenne que tout s'organisait en elle et dans le monde autour du travail, de la guerre et du sacré. En 1938 j'ai eu un choc et une révélation : il me fallait sortir de la tradition grecque pour faire fructifier une évidence : l'accord entre la tradition romaine et ses trois dieux – Jupiter, Mars et Quirinus – avec la tradition indo-iranienne des trois castes. Je me suis alors intéressé de plus près à la souveraineté, à la force guerrière et à la fécondité. La coïncidence entre ces deux anciennes théologies a bouleversé et engagé ma vie. De même que la recherche de la triade, d'une structure hiérarchisée, de la théologie et donc de la société. Cette double révélation m'est apparue la même année, après avoir passé des mois à développer quantité d'hypothèses sur le papier et à les jeter au panier. Ce n'est qu'après avoir eu l'intuition que les triades romaine et indienne se correspondaient que j'ai pu enfin aller au-delà.

P. A. – *Vos intuitions fondamentales vous viennent-elles toujours après une lente incubation ?*

G. D. – Pas toujours. En 1945 par exemple, au cours d'une promenade dans un jardin à Pontoise, j'ai soudainement eu une idée : l'origine du système des archanges zoroastriens. Je me suis assis sur un banc et j'ai écrit. J'ai accouché sur le bord de la route comme les Indiennes du Pérou. Ça a donné un livre : *Naissance d'Archange*.

P. A. – *Vos travaux sont parfois récupérés par des gens dont l'idéologie, la plupart du temps, vous est complètement étrangère, ceux de ladite « nouvelle droite » par exemple. C'est gênant, non ?*

G. D. – La récupération est inévitable. Je proteste à ma manière, bien sûr. Mais je ne vais pas à chaque fois me lancer dans des polémiques. Quand j'étais jeune, je devais me battre pour m'imposer contre mes détracteurs. Aujourd'hui, j'ai suffisamment écrit dans mes livres qu'il était inexact et dangereux de mêler la notion de race à celle de langue et de civilisation, pour ne pas y revenir à chaque fois. Gobineau n'était pas dangereux, mais Hitler, lui, l'était. Je ne sais pas, moi, si les Indo-Européens avaient les cheveux blonds. Certains l'affirment. S'ils ont tort, ça se saura un jour ou l'autre. Cela dit, toute proportion gardée, que diraient Marx ou Hegel de leur postérité ? Et Lavoisier : n'a-t-il pas été récupéré par ceux qui ont fait la bombe atomique ? C'est pour cela que la question de la « finalité » de la recherche me paraît vaine.

P. A. – *Vous n'êtes pas un homme d'école : vous ne voulez pas en former une, pas plus que vous n'en avez suivi. On a l'impression que vous vous intéressez aux grands esprits pour eux-mêmes...*

G. D. – La fécondation est quelque chose de mystérieux. Je n'ai jamais suivi de cours régulièrement. Je dois tout à Granet, mais je ne sais pas quoi. Marcel Granet était un sociologue très personnel ; c'est l'individu et sa manière d'appréhender les textes – chinois, en l'occurrence – qui m'ont fasciné. Un autre sociologue, Marcel Mauss, qui, lui, était incapable de composer mais qui avait un monde dans la tête, m'a aussi beaucoup marqué. Mauss pour moi, c'est une longue fréquentation et des conversations à bâtons rompus qui aboutissaient toujours à quelque chose.

P. A. – *Deux autres hommes ont aussi beaucoup compté dans votre vie, je crois, mais pour des raisons différentes : il y a eu le polytechnicien Pierre Brisac, futur général, que vous avez connu dans les tranchées, et puis l'historien Pierre Gaxotte...*

G. D. – J'ai dédié mon premier livre sur l'épopée à Brisac et mon premier livre de mythologie à Gaxotte. J'ai connu Gaxotte à l'École normale, bien qu'une promotion nous séparât. Ne pouvant être mobilisé à cause de sa santé, il était en 1918 le secrétaire de nuit de Charles Maurras au quotidien *L'Action française*. Il publiait chaque jour des commentaires de la situation militaire qu'il ne signait pas mais qui révélaient un immense talent de géographe. Il pataugeait avec nous, dans le terrain crayeux sous les bombes, comme s'il y était. J'ai longtemps conservé la collection complète de ces bulletins de guerre avant de la déposer à la bibliothèque de l'Institut. Puis, après l'agrégation, il a fait toute sa carrière chez ses amis les éditeurs Fayard où il a dirigé l'hebdomadaire *Candide*...

P. A. – *... Je suis partout aussi, non ?*

G. D. – Oui, mais il a cessé bien avant l'Occupation. En bon Lorrain inflexible, il a su refuser les sollicitations de Vichy avant d'entrer dans la clandestinité après l'invasion de la zone libre. Il a publié de grands livres. Le premier m'était dédié et le troisième à ma femme. Enfin, il était le parrain de ma fille. C'est dire si Gaxotte était vraiment mon ami.

P. A. – *Il y a une expérience que vous n'avez finalement jamais faite : l'enseignement universitaire.*

G. D. – Jamais. Je suis un chercheur. Je n'ai jamais dirigé un travail, j'aurais trop peur, même si j'ai siégé quelquefois par complaisance dans des jurys de thèses ou si j'ai donné des conseils à de jeunes collègues. L'idée de mettre une note m'effraie.

P. A. – *N'étant pas un mandarin de l'Université, vous ne faites la carrière de personne mais vous êtes intervenu par exemple dans celle de Michel Foucault...*

G. D. – Cela commença au printemps 1954. Des amis de l'université d'Uppsala m'avaient demandé de leur proposer un lecteur de français. Le numismate et archéologue Raoul Curiel, frère du révolutionnaire, me recommanda un jeune normalien agrégé de philosophie qu'il décrivait comme « l'être le plus intelligent du monde ». Je ne connaissais pas Michel Foucault mais je le recommandai en toute confiance. Puis j'ai fait sa connaissance à Uppsala. Nous sommes devenus amis et nous le sommes restés pendant trente ans. Une fois, en 1970, je suis intervenu en sa faveur au moment de son entrée au Collège de France. J'ai écrit à des collègues électeurs pour leur préciser que, quoi qu'on ait pu en dire, Foucault n'était pas diabolique.

P. A. – *Vous considérez-vous comme un intellectuel ?*

G. D. – Je veux être un scientifique, je ne suis pas un littéraire. Pour moi, un intellectuel c'est... Je ne sais pas ce que c'est! J'ai horreur de ce mot. Il ne devrait être qu'un adjectif et non un substantif. Finalement, un intellectuel c'est quelqu'un qui fait de la gymnastique avec son cerveau comme le danseur-étoile Patrick Dupond en fait avec ses jambes. C'est splendide ce que fait Dupond, non? C'est un intellectuel à sa manière qui applique son intelligence à des dons différents de la nature. Pour moi, la danse c'est plus beau que la musique. C'est l'art le plus complet.

P. A. – *Que lisez-vous en dehors de ce qui vous est nécessaire dans le cadre de vos recherches ?*

G. D. – En ce moment j'ai peu de temps à consacrer à la lecture. Mais je reconnais que je suis assez ignare en littérature, moderne en particulier. Il y a deux ans, ayant dû rester trois semaines à l'hôpital à la suite d'une grosse alerte cardiaque, j'en ai profité pour relire Sophocle. Parfois je reprends Stendhal et, comme j'oublie vite, je relis *Le rouge* *et noir* toujours avec le même plaisir, le même intérêt et, comment dire ? le même... « suspense » que la première fois. Tous les grands auteurs du XIXᵉ siècle comme le vieux père Hugo me sont familiers. Ce sont mes amis de jeunesse. Au concours d'entrée à Normale, j'ai eu 19/20 en commentant l'inspiration d'un poème des *Châtiments* que je connaissais par cœur depuis ma jeunesse. Et en histoire j'ai eu 18/20 sur « les relations entre la France et l'Angleterre de 1763 à nos jours ». C'était passionnant à composer. On avait sept heures. Ces deux bonnes notes ont servi à compenser mes autres résultats...

P. A. – *Et les journaux ?*

G. D. – Pendant très longtemps j'ai lu un journal du matin et *Le Monde*. Aujourd'hui le lis encore régulièremet *Le Figaro, Libération, Le Nouvel Observateur*... Je suis frappé par la bonne qualité du français, par le nombre de gens qui savent composer, avec talent et intelligence.

P. A. – *Vous regardez souvent la télévision ?*

G. D. – Surtout les documentaires. Je suis ébloui par des gens comme le commandant Cousteau. J'aimerais bien le faire entrer à l'Académie française. Cousteau nous montre des choses prodigieuses : des plongeurs qui dialoguent avec des morses, ramassent des crânes dans des bateaux japonais coulés il y a bien longtemps... Il n'y a pas de roman qui vaille ça. C'est c'est la philosophie ! Quand un monsieur assis sur une chaise nous parle de l'intelligence et de l'instinct, je ris parce que je pense aux saumons de Cousteau.

P. A. – *Vous ne sortez presque pas ?*

G. D. – Tous les jeudis pour la séance de l'Académie, on m'envoie une voiture me chercher, on me pose dans un fauteuil, on me ramène. Sinon je ne bouge pas d'ici.

P. A. – *Vous n'êtes pas du tout sensible aux honneurs, vous les fuyez la plupart du temps, pourtant en 1978 vous vous êtes laissé séduire par l'habit vert et la vieille dame du Quai Conti...*

G. D. – A l'Académie, je rencontre des gens dont je n'aurais jamais pu faire la connaissance autrement. Je suis ravi d'avoir connu quelqu'un comme Jacques de Lacretelle. Ce qui me séduit là-bas, c'est moins la séance que ce qui se passe avant et après.

P. A. – *Mais la séance du jeudi consacrée au dictionnaire, par exemple, est-elle vraiment d'une grande utilité ?*

G. D. – Des gens qui viennent d'horizons très différents y confrontent leurs idées. Le dictionnaire ne veut plus être normatif mais indicatif. Notre avis est consultatif. Finalement le dictionnaire est le résultat d'un travail de comparatiste. Cela dit, je ne sais pas à quoi sert l'Académie. J'imagine un salon du XVIIIᵉ siècle ainsi : cela ne sert à rien de précis mais on est content d'y être. Le jeudi on se demande par exemple : peut-on accepter l'expression « un boom à la Bourse » ? Qu'en pensez-vous ? Moi, je suis d'avis de l'accepter. Les ennemis du franglais s'y opposent. Ils préfèrent « explosion à la Bourse ». Là je m'insurge car ça fait plutôt penser à un attentat terroriste... Le travail du dictionnaire est passionnant. Au moment de la dernière révision de la lettre B pour la prochaine édition, j'ai été ébloui par exemple par les dix pages que la génération précédente avait consacrées à l'article « bon ».

P. A. – *A quelle époque auriez-vous aimé vivre ? Si l'on se fie à vos constantes et à vos nostalgies, on pourrait avancer : le temps de Périclès...*

G. D. – Dans l'Athènes d'Eschyle et de Sophocle. C'est un grand moment de mutation de l'esprit humain. On conteste volontiers aujourd'hui le miracle grec, mais enfin, pendant un certain nombre d'années, un petit groupe d'hommes a conçu ce sur quoi nous vivons aujourd'hui. Ça devait être fascinant d'être un jeune homme athénien. Mais, par contre, je n'aurais pas du tout aimé vivre parmi les druides ou les Indo-Européens. Cela dit, je suis très content de vivre dans mon siècle, tout en constatant que les chercheurs qui ont eu raison ce sont ceux qui en 1913 ont choisi les sciences physiques ou naturelles. Sur le plan du cerveau, leurs découvertes sont bien plus fondamentales que les petits progrès des sciences humaines où l'on croit en faire de si grands.

P. A. – *Des regrets ?*

G. D. – Non, je mesure, simplement, et je me réjouis de ma descendance. Ma fille est agrégée de physique ainsi que son mari Hubert Curien, un de leurs fils est polytechnicien et l'autre normalien de sciences. Je me suis rattrapé à travers eux. Mon erreur s'est arrêtée à temps... J'exagère : je suis très heureux de ce que j'ai fait. Je ne regrette rien sinon que mes études m'aient éloigné de la Grèce d'où tout nous vient. Mais quand je vois certains de mes collègues hellénistes, enfermés dans leur discipline, je n'ai pas envie de vivre comme eux.

P. A. – *Et demain ?*

G. D. – Le temps de la métaphysique est fini, celui de la physique intellectuelle n'est pas encore venu. C'est mon collègue Jean-Pierre Changeux qui représente l'avenir, à condition d'être patient : nous ne savons pas encore ce qu'est la matière, par exemple...

P. A. – *Depuis votre grave accident cardiaque il y a deux ans, appréhendez-vous l'idée de la mort de la même manière ?*

G. D. – Vous savez, je vis avec l'idée de la mort depuis 1918. Aujourd'hui, ça m'est indifférent. Je n'ai pas peur, je ne suis pas matérialiste, je suis agnostique et j'ignorerai ce que recouvrent en réalité des mots tels que « inconscient » ou « esprit » tant que l'on ne saura pas exactement ce qui se passe dans chaque neurone, comment se fabrique la mémoire... Je n'imagine pas qu'il puisse subsister quelque chose d'un être organique après sa mort.

P. A. – *Et votre œuvre, est-ce qu'elle subsistera ?*

G. D. – Quelque temps seulement. Elle deviendra rapidement un document historique et sera vite dépassée. Cela dit, je n'ai pas demandé à naître ; je suis comme un cheval qui achève une vie d'attelage. Mais ça ne m'inspire aucune mélancolie. Pour moi le mystère ce n'est pas la mort mais la naissance. La destruction, c'est la

règle. Quant à mon travail et à ce qui reste dans mon cerveau et ma mémoire, cela servira de terreau à d'autres qui prendront la relève.

P. A. – *Imaginez-vous le destin de vos travaux ?*

G. D. – Une partie sera pillée, utilisée sans référence. Une partie tombera, une partie restera et passera dans les manuels.

P. A. – *Vous devez être un homme heureux car, si l'on considère rétrospectivement votre vie, on s'aperçoit que vous avez toujours fait ce que vous vouliez faire...*

G. D. – Mon seul mérite est d'avoir su saisir les occasions.

P. A. – *Vous n'avez jamais voulu écrire vos Mémoires ?*

G. D. – Jamais. Ma vie c'est mon œuvre. C'est la seule chose pour laquelle j'ai vécu. Et je n'ai été le témoin d'aucun événement important. Ce que j'avais à dire est dans mes livres et mes articles. Granet, Bréal, j'ai dit en quatre lignes ce que je leur devais. C'est tout.

P. A. – *Qu'est-ce qui vous frappe dans la société d'aujourd'hui ?*

G. D. – Cette fatalité de la France d'être coupée en deux. Cela absorbe beaucoup de ses forces.

P. A. – *L'avenir vous intrigue ?*

G. D. – Je souhaiterais vivre cent ans de plus pour voir ce que deviendra la science mais pas une minute de plus pour voir ce que deviendra l'histoire dont je n'attends rien.

P. A. – *Vous avez foi en quoi ?*

G. D. – En rien. Je suis un chercheur qui cherche, mais je ne crois en rien sinon en l'avenir de la science.

P. A. – *Pourquoi cherchez-vous ?*

G. D. – Parce que je suis un animal avec un certain nombre de neurones. La recherche doit être gratuite, désintéressée et nécessaire. On ne peut pas faire autrement. On se prend au jeu. J'ai envie de voir jusqu'où je peux aller, où me mèneront mes travaux, tout en étant persuadé que nous n'en sommes qu'aux premiers balbutiements de la science.

P. A. – *Quelle est la finalité de vos recherches ?*

G. D. – Il n'y en a pas.

P. A. – *Mais alors, à quoi bon ?*

G. D. – La science n'a pas quatre cents ans, qu'elle soit mathématique, physique, biologique... Newton ou Lavoisier ne se posaient pas de questions sur la finalité de leur recherche. Il travaillaient pour aider l'humanité à progresser. On fait marcher le cerveau pour la même raison que l'animal qui a de bonnes pattes galope. Les chercheurs se mettent tous sur les épaules les uns des autres. Je suis sur les épaules de Marcel Granet qui lui-même... Je suis un chaînon dans une science qui ne livrera pas ses secrets avant longtemps. Souvenez-vous de ce que disait Ernest Renan dans *L'avenir de la science :* « Que ne donnerais-je pas pour avoir entre les mains un livre d'école primaire de 1948... » Je dirais pareillement : que ne donnerais-je pas pour savoir ce qui sera... On n'est jamais qu'un moment, une étape.

P. A. – *Vous paraissez serein. Des projets ?*

G. D. – Continuez mes recherches. Quand je ne pourrai plus et que mon cerveau sera ramolli, je souhaiterais qu'on m'aide à partir. Mon seul mérite, ma seule raison de vivre, c'est de réfléchir et d'essayer de comprendre. Quand ce ne sera plus possible, je n'aurai plus de motif de rester. Le jour où j'aurai du yaourt à la place du cerveau, ce ne sera plus la peine de continuer. Dans ce cas précis et dans le cas où la fin de ma vie devrait entraîner des douleurs et me faire souffrir, je suis pour l'euthanasie. Pour l'instant, malheureusement, c'est encore illégal.

P. A. – *Et le suicide, y avez-vous pensé ?*

G. D. – Bien sûr. Je le comprends même comme un substitut à l'euthanasie, mais pas au cours d'une vie qui dispose encore de tous ses moyens. N'oubliez pas la vieille phrase : le désespoir est un manque d'imagination. J'ai pensé au suicide, en principe. Pratiquement, un problème se pose : quelle est la frontière, la limite au-delà de laquelle on peut considérer que le cerveau ne répond plus comme avant ? Mieux vaut disparaître trop tôt que trop tard. Qu'est-ce qu'on y perd ? Quelques « esquisses de mythologie »... Bof... C'est tout de même mieux que de n'être plus soi-même.

4.

... ET LA CHINE

INTERVIEW :
SIMON LEYS

SIMON LEYS

*« La Chine pour moi n'est pas une profession
mais un choix de vie. »*

Novembre 1983

Pour découvrir quelques vérités sur la Chine, ou, du moins, éviter de proférer trop de sottises, il faut prendre l'avion. Pas en direction de Pékin mais de Canberra en Australie. Dans la quiétude de cette capitale administrative et diplomatique vit et enseigne à l'université depuis une douzaine d'années Pierre Ryckmans. Si le nom de ce spécialiste de la Chine à qui l'on doit des études esthétiques ou des traductions de grandes œuvres littéraires n'est pas célèbre, en revanche nul ne peut ignorer quand on s'intéresse à ce pays celui de son pseudonyme choisi en hommage à Victor Segalen : Simon Leys.

Car Pierre Ryckmans c'est aussi Simon Leys. Et Simon Leys c'est la première voix ayant osé avec *Les habits neufs du Président Mao* (Champ Libre) transpercer le mur de l'idolâtrie et de l'imbécillité coupable érigé devant la tragique réalité chinoise. En plein délire maoïste de l'Occident, il clame, d'abord dans un silence total puis sous les calomnies, ce que les dirigeants actuels de la Chine reconnaissent eux-mêmes en partie : la soi-disant « Révolution culturelle » – dont la nouveauté la plus radicale reste encore d'avoir apporté une variante inédite dans l'ordre de la coercition totalitaire – fut un gigantesque massacre au sens propre comme au sens figuré. Maniant tour à tour l'analyse précise et la polémique avec un style aux pointes cinglantes dans la lignée de nos classiques, Simon Leys va poursuivre dans *Ombres chinoises* (Laffont), *Images brisées* (Laffont) et, tout récemment, *La forêt en feu* (Hermann) une entreprise d'hygiène qu'il qualifie de modeste témoignage en vue de rétablir des évidences, mais qui justifie plutôt le jugement de Jean-François Revel voyant dans son œuvre celle d'un « observateur, historien, penseur et écrivain chez qui la science et la clairvoyance se mêlent merveilleusement à l'indignation et à la satire ».

Aujourd'hui que ce travail exemplaire semble avoir eu quelques effets, ridiculisant bon nombre de courtisans travestis en sinologues de pacotille,

Simon Leys envisage de se taire pour laisser entièrement la place à Pierre Ryckmans, Belge d'origine devenu un véritable lettré chinois. C'est en 1955 – il avait alors presque vingt ans – que ce Bruxellois, fils d'un imprimeur, se voit en effet proposer un voyage en Chine. Une révélation, suivie d'une conversion. L'ancien Empire du Milieu comptera dès lors un nouveau citoyen par le cœur et l'esprit : Pierre Ryckmans part en Extrême-Orient – il séjournera à Hong Kong, Singapour et Taiwan –, épouse une Chinoise et consacre sa vie à l'exploration d'une civilisation et d'une culture plusieurs fois millénaires.

Confronté à « l'horreur de la politique », il est sorti de sa réserve naturelle pour combattre le scandale du mensonge et de la bêtise, mais son inclinaison naturelle le porterait à ne s'occuper que de peinture ou de la traduction de Confucius. L'un et l'autre, Simon Leys et Pierre Ryckmans, ont accepté pour *Lire* de s'expliquer et, surtout, de fournir quelques éléments de réflexion permettant de mieux approcher l'extraordinaire univers de la Chine.

Pierre Boncenne. – *Comment Simon Leys et Pierre Ryckmans cohabitent-ils ensemble ?*

Simon Leys. – L'idée de prendre un pseudonyme pour signer mon premier livre sur la politique chinoise, *Les habits neufs du Président Mao*, dont la substance est faite de notes quotidiennes écrites à Hong Kong pendant la Révolution culturelle, m'est venue à la toute dernière minute, alors que mon manuscrit était déjà à l'impression. C'était en 1971, j'étais arrivé ici en Australie et je me suis rendu compte qu'il fallait un pseudonyme pour pouvoir m'assurer quelque chance de retour en Chine. Puis, à cause de ce premier essai, le pseudonyme de Simon Leys m'est resté collé à la peau pour mes travaux polémiques sur la politique chinoise contemporaine, tandis que j'ai employé mon nom Pierre Ryckmans pour des études artistiques ou littéraires. Et maintenant, alors que ce pseudonyme n'a plus sa fonction pratique de protection de mon anonymat, les deux noms ont tendance à se confondre, et la division est devenue arbitraire.

P. B. – *Le choix d'un pseudonyme n'est jamais fortuit, il peut être un instrument de libération par rapport à votre « timidité naturelle », comme vous l'écrivez dans* Ombres chinoises.

S. L. – Je n'en étais pas du tout conscient

en 1971, mais il y a certainement un phénomène psychologique se manifestant avec le pseudonyme.

[Dans une étude inédite que Simon Leys vient de terminer sur George Orwell, dont le vrai nom était Éric Blair, on trouve cette observation d'un critique : « Quand un écrivain choisit un autre nom pour son moi qui écrit, il fait bien plus qu'inventer un pseudonyme : il nomme, et dans un sens il crée, son identité imaginaire. »]

P. B. – *Mais est-ce que le pseudonyme Simon Leys vous a véritablement protégé ? C'est le genre de mystère que le moindre service de police élucide rapidement.*

S. L. – Évidemment, les Chinois n'étaient pas dupes. Mais l'avantage du pseudonyme c'est qu'ils pouvaient garder la face, faire comme s'ils ne savaient pas : ils donnaient un visa à Pierre Ryckmans en feignant d'ignorer qu'il s'agissait aussi de Simon Leys. De toutes les manières, ils connaissaient très bien mon identité et mes activités, aidés en cela de façon précieuse et bénévole par mes collègues d'Europe comme d'Australie.

P. B. – *Que voules-vous dire par là ?*

S. L. – Qu'il est très curieux de constater l'existence d'une espèce d'instinct de la dénonciation à la fois lamentable et dérisoire. Ici par exemple, j'ai eu toutes sortes de petites aventures assez drôles avec des collègues qui font du zèle et qui se rendent à l'ambassade de Chine en Australie pour rapporter comme des petits écoliers.

P. B. – *Et ce genre de pratiques a eu des conséquences ?*

S. L. – Une seule fois, j'avoue avoir éprouvé non pas de l'étonnement amusé mais un sentiment de rage : quand la dénonciation n'a pas eu pour cible Simon Leys, mais des Chinois vivant en Chine. L'un des membres d'une délégation culturelle chinoise en visite officielle en Australie avait fait discrètement savoir qu'il souhaitait beaucoup me rencontrer. Je me suis arrangé pour l'inviter à dîner à la maison en tout petit comité. Il est venu, et nous avons eu une conversation délicieuse. Mais une collègue maoïste de l'université l'a appris et a été le dénoncer directement auprès des services culturels au ministère de l'Éducation à Pékin en disant qu'Untel, membre de la délégation officielle, avait profité de son passage à Canberra pour prendre des contacts avec l'ennemi de la Chine! C'est revenu aux oreilles de la personne en question qui, pour le moment, a une position assez élevée dans la hiérarchie et n'a donc rien à craindre. Mais le seul fait qu'il soit venu me voir est maintenant dans son dossier – car tout le monde, au pouvoir, a un dossier en Chine – et, un jour, c'est un élément de représailles que l'on pourra ressortir contre lui. Utiliser le système contre des gens qui sont dans le système me paraît un acte horrible.

P. B. – *En 1967, vous avez assisté, sur le pas de votre porte à Hong Kong, à l'assassinat de Lin Pin, un artiste de variétés, qui animait une émission où il se moquait des maoïstes. Lin Pin a été brûlé vif dans sa voiture. Est-ce qu'on peut dire que ce meurtre est l'acte de naissance de Simon Leys, comme une sorte de scène primitive ?*

S. L. – Ce fut certainement une scène très inoubliable. A cette époque, j'étais encore un observateur essayant de comprendre ce qui se passait et là il y a eu un contact avec l'horreur de la politique. J'ai compris alors qu'on est acculé, qu'il

n'est pas possible d'être seulement en dehors du monde, dans un poste d'observation privilégié, d'être au-dessus de la mêlée, en notant les événements se déroulant au-dessous. On est dedans, et il n'y a pas moyen de ne pas prendre position. Vous savez, quand j'ai commencé à m'intéresser à la Chine, je n'avais strictement aucun intérêt pour la politique et j'étais persuadé qu'on pouvait ne pas s'en occuper. Je croyais qu'il était possible de vivre en lisant les livres ou en regardant les peintures qu'on aime, en jouissant tranquillement de la culture chinoise.

P. B. – *Et pourtant vous avez écrit : « En Chine, depuis la première unification impériale des Qin, il y a plus de deux mille deux cents ans, les trois univers, politique, idéologique et culturel, n'ont jamais cessé de coïncider étroitement pour former une totalité monolithique. »*

S. L. – J'en étais ignorant, et j'ai mis du temps à m'en apercevoir. Les gens que je fréquentais dans les milieux de la culture chinoise étaient des ermites, des asociaux ayant abandonné toute carrière politique et s'adonnant à la poésie et à la peinture dans la quiétude, loin du monde. Le premier grand sujet sur lequel j'ai travaillé, c'est une étude sur un peintre de la fin du XVIIe siècle qui s'était improvisé moine bouddhiste pour des raisons de sécurité, pour être en dehors des affaires publiques.

P. B. – *Maintenant que vous savez qu'il est impossible d'ignorer la politique en Chine, presque à chaque fois où Simon Leys intervient, il dit plus ou moins : « C'est la dernière fois. » Une clause de style ?*

S. L. – Non, c'est que j'estime ne pouvoir m'engager dans les affaires contemporaines qu'avec le maximum de sérieux. Et je ne suis plus équipé pour le faire. Au moment où j'ai commencé à écrire sous le nom de Simon Leys, il était nécessaire de remplir un vide. La plupart des personnes s'occupant de la Chine savaient ce que je savais, et je me suis contenté de répéter des évidences. Le problème, c'est que personne ne les disait et ce scandale du silence me forçait à parler. Maintenant la situation est différente : il existe beaucoup de chercheurs, d'étudiants, de journalistes mieux placés que moi pour analyser la situation contemporaine de la Chine. Sans doute est-il temps que Simon Leys prenne sa retraite...

P. B. – *Je n'en suis pas sûr, mais pensez-vous vraiment vous taire ?*

S. L. – D'une certaine manière, si je ne me taisais pas, ce serait une mauvaise nouvelle : cela signifierait que la situation en Chine n'a pas changé.

P. B. – *Vous vous sentez isolé en Australie, et particulièrement à Canberra où, depuis 1970, vous enseignez, à l'université, la langue et la littérature chinoises ?*

S. L. – Ce que nous faisons ici du point de vue des études chinoises ne me paraît pas mal du tout. Notre bibliothèque, par exemple, est aussi bonne que celles que l'on trouve en Amérique et bien meilleure que la plupart des bibliothèques européennes. Et le département de chinois de l'université de Canberra est le plus important d'Australie. C'est un centre actif et vivant, si bien qu'il y a moyen d'avoir des échanges. Mais il est vrai que je suis beaucoup moins près de la Chine contemporaine qu'à Hong Kong. Quant à mon isolement par rapport à Paris, disons que je me porte très bien d'être à 17 000 kilomètres...

P. B. – *Vous avez dit à propos de René Viénet : « Avoir eu raison trop tôt est la pire manière d'avoir tort. » Mais n'est-ce pas de vous que vous parliez ?*

S. L. – J'avoue que j'en ai fait l'expérience. Après la Révolution culturelle, lorsque les victimes de l'épuration ont repris le pouvoir, les quelques vérités que j'avais pu dire sont devenues des vérités officielles. Mais je suis resté un personnage anathème. Ce n'est pas le tout d'avoir raison : il est nécessaire de dire ce qu'il faut au bon moment. Et les autorités chinoises – je songe par exemple à Deng Xiaoping et son équipe – préfèrent de loin soutenir des gens qui furent leurs ennemis autrefois, comme les suppôts de la « Bande des quatre » de Madame Mao, parce qu'ils sont certains de leur docilité. Car la seule chose que les autorités chinoises attendent des commentateurs, ce n'est pas d'avoir raison ou tort, mais c'est justement cette docilité, l'alignement sur la ligne officielle, le quart de tour au commandement. Avoir raison trop tôt, c'est aussi, dans le monde universitaire, montrer que l'on a des idées à soi, que l'on manifeste un esprit d'indépendance. Du coup, on ne sait plus comment vous considérer, vous êtes gênant et vous n'êtes plus fiable. Tout cela, je l'ai ressenti.

P. B. – *Il est vrai que vous avez été vilipendé. Mais, aujourd'hui, vous êtes beaucoup moins attaqué, vous êtes reconnu.*

S. L. – Vous voyez qu'il est temps pour Simon Leys de se retirer ! Mais je voudrais beaucoup vous dire, et il faut que vous le sachiez, que j'étais au départ d'une naïveté fabuleuse (je le suis resté un peu, mais pas autant). Quand j'ai fini d'écrire *Les habits neufs du Président Mao*, j'étais convaincu, dans mon insondable naïveté, qu'on pouvait trancher pour ou contre moi. Le choc que j'avais, avant de publier ce livre, c'est que, d'une part, je voyais sous mes yeux la réalité terrifiante et aveuglante de la Révolution culturelle et que, d'autre part, je lisais la presse française qui en brossait un tableau complètement différent. Je me suis vraiment dit : il y a quelque chose qui ne va pas, une communication qui n'est pas passée et il est donc important de mettre les choses au point pour dire la réalité. Et je me suis dit aussi qu'il ne pouvait y avoir que deux réactions : ou bien les gens qui me lisaient allaient effectivement voir qu'ils avaient été trompés, que la réalité est différente, et ils allaient réviser leur position; ou bien c'est moi qui, pour une raison m'échappant, me trompais complètement : alors, de l'autre côté, on allait me montrer où je faisais erreur, comment je négligeais tel point de la réalité et on discuterait. Je suis vraiment tombé de haut ! Rétrospectivement, je me trouve tout à fait idiot, mais j'ai été ahuri : il n'y a jamais eu le moindre élément de discussion, cela n'a pas changé d'un iota les vues de la presse française sur la Chine, et cela n'a pas suscité la moindre réfutation.

P. B. – *Sauf quelques insultes du genre :* « *Médiocre petit valet de la CIA!* »

S. L. – Oui. Et pourtant j'avais eu très peur avant de publier : pensant que l'on allait m'attaquer sur toutes sortes de points pour essayer de me prendre en défaut, je m'étais armé jusqu'aux dents avec d'innombrables dossiers; j'avais minutieusement préparé ma défense en prévision de l'inévitable débat qui allait avoir lieu. Résultat : rien! J'ai découvert avec un réel effroi que l'opinion existait et que son poids était plus lourd que celui de l'ignorance ou du malentendu. On ne m'a jamais reproché une seule erreur ou information fausse.

P. B. – *Et il y en avait?*

S. L. – Des fautes d'orthographe que j'ai corrigées dans des rééditions. Et, bien entendu, depuis lors nous avons eu des éclaircissements qui m'ont permis de combler des lacunes.

P. B. – *Sur vos autres livres, vous avez eu des démentis pertinents?*

S. L. – Non, jamais. Il y a eu seulement des critiques très générales dont malheureusement je me sens incapable de tirer parti, par exemple des arguments de type sociologique : on m'a fait remarquer que j'avais une vision simplifiée des processus historiques, que je réduisais tout à des querelles d'individus et qu'il y avait une dynamique des forces sociales et économiques non saisie dans mes livres. Je m'incline avec humilité : mais que voulez-vous qu'un malheureux historien d'art aille faire là-dedans!

P. B. – *Comment vous définissiez-vous, puisque vous refusez d'être considéré comme un expert et que vous dites n'être* « *ni un China-watcher, ni un enquêteur professionnel* »?

S. L. – Comme un historien d'art et un amoureux de la littérature attaché de manière décisive à la Chine pour des raisons profondes et très personnelles, comme quelqu'un qui veut se cultiver sans être classé parmi les sinologues même si leur travail scientifique est indispensable. Mais je suis très gêné de parler de moi. Disons alors que le cas de Robert Van Gulik, que j'ai eu la chance de rencontrer une fois à Kuala Lumpur quand il y était ambassadeur de Hollande, correspond pour moi à un certain idéal. Il avait accompli d'impeccables travaux de sinologie et il a fait progresser cette science. Mais, et c'est cela qui me le rend si proche, son objet profond n'était pas la sinologie : il satisfaisait ses propres besoins intellectuels, toute son œuvre est l'expression de la poursuite d'une recherche personnelle. Et à partir de la Chine comme mère nourricière, il était capable d'écrire aussi bien des romans policiers qu'une étude magistrale sur la peinture, un essai sur la vie sexuelle ou des traités sur la musique sans oublier une analyse sur le cri des gibbons (d'ailleurs Van Gulik, comme les Chinois lettrés, élevait des gibbons). Tout cela correspondait à une authentique pratique de vie : si Van Gulik composait des textes en chinois classique, ce qui est unique chez les sinologues, s'il était bon calligraphe, s'il gravait des sceaux, s'il jouait très bien de la cithare, ce n'était pas par snobisme, mais pour se cultiver. Et sa science allait de pair, comme on le voit dans ses écrits, avec le plaisir. Moi, je ne pourrais pas m'atteler à une spécialité étroite des études chinoises. Ce qui m'intéresse, c'est de suivre la pente de toutes mes curiosités, selon mes besoins à un moment donné, au risque de ne rien apporter d'original du point de vue scientifique mais avec l'avantage de pouvoir en tirer un bénéfice spirituel considérable pour soi-même. Pour moi, la Chine, c'est un choix de vie et non pas une profession.

P. B. – *Vous avez conçu les livres de Simon Leys comme des interventions ponctuelles, des* « *vignettes* », *et non pas comme des synthèses. Mais cette modestie du propos n'est-ce pas aussi une arme polémique qui vous permet d'exercer une ironie cinglante, par exemple quand vous vous dépeignez* « *imitant un peu le rôle de ces augustes de cirque qui amusent un instant le parterre de leurs indigestes pirouettes avant l'entrée des éléphants* »?

S. L. – C'est que je n'ai pas d'autre ambition dans ce domaine! Je pense sérieusement ne pouvoir apporter certaines choses qu'en esthétique et dans les traductions. Pour le reste, je me suis contenté, en amateur, d'en appeler au bon sens.

P. B. – *En rappelant qu'il y a un seul impératif pour un essayiste : les faits.*

S. L. – Exactement. Et comme ma formation n'est pas orthodoxe, je pouvais peut-être apporter un éclairage légèrement différent : je n'ai pas abordé la Chine à partir des perspectives occidentales, j'ai appris la Chine en milieu chinois, loin de la sinologie universitaire. Cela a des désavantages, et quelques avantages, me semble-t-il.

P. B. – *A ce propos, vous écrivez dans* La forêt en feu : ‹ *Pour l'Occident, le problème de la Chine est d'abord le problème de la connaissance de la Chine. La Chine est un de ces singuliers révélateurs que, semble-t-il, nul n'aborde impunément : rares sont les auteurs qui savent en traiter sans exhiber leurs fantasmes intimes; en ce sens, qui parle de la Chine parle de soi.* › *Pourquoi ?*

S. L. – Ce n'est pas pour parler d'eux-mêmes que ces auteurs parlent de la Chine. Mais en parlant de la Chine, inévitablement ils projettent leurs idéaux, intérêts, obsessions, croyances, ce que j'ai essayé de montrer en commentant les *Souvenirs d'un voyage dans la Tartarie et le Tibet* du Père Huc qui, de 1844 à 1846, effectua un périple dans l'Empire chinois. Dans d'autres cas, ceux de Claudel ou de Segalen, il y a eu une rencontre merveilleuse : on ne découvre que ce que l'on connaît déjà, et si l'un et l'autre ont si bien parlé de la Chine, c'est parce que là-bas, ils se sont découverts eux-mêmes. Dans la mesure où il y a des coïncidences entre leur nature profonde et la réalité de la Chine avec laquelle ils étaient en contact, ce qu'ils ont écrit est utile, enrichissant, vrai.

P. B. – *Et Malraux ?*

S. L. – Malraux est un farceur.

P. B. – *En Occident, la Chine a eu aussi une fonction d'utopie.*

S. L. – Oui, Voltaire et les philosophes du XVIII⁰ siècle ont fait appel à la Chine pour critiquer l'état de choses auquel ils étaient confrontés en Europe. L'idée du gouvernement par les lettrés était très stimulante par rapport à l'absolutisme. Le problème de ces philosophes n'était évidemment pas la découverte de la Chine mais la critique du régime politique en cherchant des munitions ailleurs, là où une solution aurait été trouvée par l'exercice du pouvoir. Il serait intéressant de comparer leur démarche avec celle de nos maoïstes, même si je ne crois pas que ceux-ci méritent une telle considération.

P. B. – *On peut comparer aussi les missionnaires et les maoïstes. Les missionnaires débarquant en Chine y découvrent une terre civilisée mais païenne, donc l'enfer. Inversement, les maoïstes voient dans la Chine de la Révolution culturelle le paradis.*

S. L. – Dans les deux cas, on a surimposé à la réalité une vision a priori. Et les maoïstes honnêtes et intelligents ont été obligés de faire des réajustements dramatiques et extrêmes. Ainsi les Broyelle qui, dans leur enthousiasme, s'étaient portés volontaires pour aller travailler, percevront sur place la réalité. Ils la raconteront tout en continuant à s'intéresser à la Chine. Pour les autres maoïstes, et c'est ce qui me scandalise le plus, du jour où la Chine n'a plus correspondu au mythe préfabriqué, la Chine pour eux a cessé d'exister. C'est une honte.

P. B. – *Il y a dix ans, dans* Ombres chinoises, *vous aviez consacré un chapitre aux étrangers en Chine populaire, en insistant sur le caractère extraordinairement étroit, monotone, répétitif, de ce qu'on leur montrait; leurs déplacements étaient totalement contrôlés. Est-ce que la situation a changé ?*

S. L. – Le système fondamentalement n'a pas changé, mais les possibilités de le connaître, de l'explorer, de le découvrir ont considérablement augmenté. Les possibilités de circuler sont nettement plus grandes, surtout pour des étudiants débrouillards, apprenant la langue chinoise et qui peuvent entrer en contact avec la population en voyageant en deuxième ou troisième classe dans les trains, ou en logeant dans de petites auberges. C'était inimaginable il y a dix ans. C'est à ces gens-là d'écrire maintenant, de témoigner avec honnêteté. Leurs premiers écrits, hélas, n'infirment nullement ce que je racontais.

P. B. – *Comment expliquez-vous qu'on ait assisté, avec la Chine, au même comportement de crédulité et d'idéalisation béate de la réalité qu'avec l'URSS, comme si la leçon d'histoire n'avait servi à rien ?*

S. L. – C'est un phénomène prodigieux, très inquiétant et très désespérant. Voir qu'à trente ans de distance la même histoire s'est répétée est quelque chose de terrifiant. J'ai l'impression que fondamentalement, il s'agit d'un phénomène religieux.

P. B. – *Dans toutes vos analyses, vous faites d'ailleurs un sort particulier aux ecclésiastiques fascinés par la Chine.*

S. L. – Oui, ce n'est pas par accident qu'ils ont été si nombreux. La violence de la réaction à laquelle on a droit quand on s'attaque comme moi au mythe maoïste, l'impossibilité d'un débat rationnel sur des événements où il suffirait d'étudier les sources et les documents pour les comparer, le refus de l'analyse rationnelle, tout cela c'est l'attitude du croyant dont la foi est mise en danger et qui sort avec désespoir ses griffes et ses dents pour protéger la valeur centrale de sa vie de peur que son Dieu ne soit renversé. Mais à l'intérieur de ce cadre, il faudrait établir des distinctions de comportements entre les différentes catégories d'apologie : le cynique, l'opportuniste, le naïf complet, le pèlerin pieux, l'idéologue froid, le politicien astucieux, l'amateur de paradoxes, le stupide, etc. Pour l'URSS comme pour le maoïsme, on trouvera le même éventail. Et c'est un amusant petit jeu de société auquel je vous convie : de placer chacun à la bonne place.

P. B. – *Han Suyin, vous la classez où ?*

S. L. – Dans une catégorie hors catégorie. C'est une personnalité tellement exceptionnelle à bien des égards, connaissant très bien la situation... Mais n'essayez pas de m'entraîner sur une voie où je ne laisserais pas chacun libre d'apprécier et de jouer.

P. B. – *Les apologies du maoïsme reposaient souvent sur le vieux thème : « la Chine est différente ».*

S. L. – Il y avait en effet beaucoup de broderie autour de ce thème raciste et colonial. Mais peut-être la leçon la plus amère du maoïsme, c'est de voir que le mensonge recommence toujours, qu'on ne le met jamais à mort, qu'il renaît toujours invariable sous des formes différentes, qu'il n'y a pas de solution et que tout le travail accompli pour démythifier est définitivement vain. Et la leçon la plus troublante est de voir des gens à l'égard de qui vous avez de la méfiance, du soupçon ou parfois un mépris total, venir vous féliciter maintenant pour votre travail alors qu'ils avaient été les premiers à vous dénoncer.

P. B. – *Très souvent dans vos analyses sur la Chine contemporaine, vous vous référez à des permanences historiques en disant par exemple : « Le présent régime perpétue pour lui-même les mœurs du féodalisme et d'une bureaucratie millénaire; la psychologie et les méthodes politiques de cette poignée de vieillards qui dirigent aujourd'hui la Chine relèvent tout entières du vieil empire. » Ou alors : « En Chine, il est particulièrement difficile d'inventer du neuf; à tout, l'histoire fournit des précédents. » Mais inversement vous insistez sur le caractère inédit pour la Chine du mao-communisme.*

S. L. – Il serait dangereux de voir dans le maoïsme, comme on est tenté ici ou là de le faire, une simple réincarnation des phénomènes chinois traditionnels. Pour les naïfs s'imaginent que le maoïsme est une révolution radicale il est important de leur mettre devant les yeux comment ont été retenus et perpétués certains des aspects les plus négatifs et rétrogrades de l'ancien empire. Mais après, il faut prendre conscience du caractère entièrement neuf du maoïsme dans sa spécificité totalitaire. Et c'est là que la lecture de George Orwell s'impose parce qu'il a été le premier à avoir découvert cette nouveauté radicale du totalitarisme, un totalitarisme n'ayant jamais existé dans le passé et exposant l'humanité à un danger sans précédent. Orwell me paraît être un guide de lecture très profond pour comprendre la Chine alors qu'il ne s'en est jamais occupé. Paradoxalement, ses écrits s'appliquent mieux à la Chine qu'à l'Union soviétique : là où le projet totalitaire a été le plus réussi, les Chinois ayant été victimes d'ailleurs du raffinement de leur civilisation et de leur équipement culturel très subtil. La comparaison de *L'archipel du Goulag* de Soljénitsyne et de *Prisonnier de Mao* de Pasqualini est révélatrice à cet égard. Le goulag apparaît comme un gâchis monstrueux, peu efficace, on y massacre des gens sans rentabilité économique ou idéologique, on n'y change pas la façon de penser des prisonniers, certains continuent même d'y écrire dans le silence de leur cellule et de leur cœur de grands textes littéraires. Dans les « lao gai » chinois, c'est-à-dire les « centres de rectification par le travail », le plus effrayant c'est que c'est efficace à un point que les prisonniers finissent par éprouver un sentiment de reconnaissance à l'égard des autorités et du temps qu'elles emploient pour sauver des vermines de leur espèce. On retrouve exactement Orwell et la dernière phrase de *1984* quand Wilson Smith, au moment d'être exécuté, réalise qu'il aime Big Brother.

P. B. – *C'est l'une des raisons pour lesquelles, jusqu'à preuve du contraire, ce « lao gai » chinois n'a pas produit en retour de grandes œuvres littéraires ?*

S. L. – Oui, je le pense. Notons tout de même que la corruption et la dégradation du système s'étendent aussi à la rectification par le travail. Pasqualini, qui continue de suivre de très près les affaires chinoises, a noté par exemple la référence à des sévices corporels, ce qui avant était très accidentel. A son époque, les geôliers manifestaient une grande pureté idéologique, c'étaient de vrais apôtres que l'on pouvait déranger de jour ou de nuit au cas où l'on avait des doutes ou des mauvaises pensées. Aujourd'hui, la perte de foi est évidente, reconnue par l'appareil du Parti. A un certain moment, la Chine de Mao est arrivée très près de l'idéal totalitaire. Mainte-

nant, c'est la lassitude, le cynisme quotidien plus proche de l'URSS. André Amalrik que j'avais rencontré m'avait du reste mis en garde contre un certain anachronisme historique consistant à ne pas voir l'évolution des systèmes totalitaires. La comparaison entre la Chine et l'URSS doit être faite en tenant compte de l'écart entre 1917 et 1949. Dans ce cas, les deux systèmes, passant par les mêmes phases, se rapprochent. Ce qui montre bien d'ailleurs l'existence d'une spécificité totalitaire, sinon comment expliquer que des pays aussi hétérogènes culturellement et historiquement que Cuba, la Corée du Nord, la Pologne, l'URSS, la Tchécoslovaquie ou la Chine se retrouvent façonnés dans le même moule, le même code. Et sont passibles des mêmes analyses. Je connais des intellectuels chinois qui iraient jusqu'à partager le terrifiant constat d'Alexandre Zinoviev sur la capacité du système à associer étroitement ses victimes à son développement.

P. B. – *La Chine, dit-on souvent, est peut-être un pays oppressif mais du moins les communistes ont-ils réussi à nourrir leur peuple. A cet argument employé pour excuser le régime de Pékin, vous avez répondu qu'il s'agit du « minimum que n'importe quel éleveur veut assurer à son bétail ». N'est-ce pas une formule excessive ?*

S. L. – Mais enfin tout de même : c'est bien le moins que l'on puisse attendre d'un gouvernement ! Si le pouvoir n'est pas même fichu de nourrir et de loger son peuple, qu'est-ce qui pourrait encore justifier son existence ? Je trouve incroyable qu'on aille s'en vanter alors que c'est la tâche minimum d'un gouvernement et qu'en plus il est douteux que l'argument soit tenable. Les sources chinoises officielles, qui dans les années 1979/1980 ont été assez franches, font état elles-mêmes de la régression du niveau de vie, de problèmes d'alimentation et de chômage. Et de grâce que l'on ne vienne pas retenir comme date de référence en vue d'une comparaison l'année 1949, juste au lendemain de la guerre civile. C'est exactement comme si le maire de Hambourg faisait une campagne électorale en se prévalant de constructions par rapport à 1945 quand la ville était rasée !

P. B. – *Vous semblez avoir une opinion ambiguë et contradictoire à l'égard de Mao. D'un côté, vous le décrivez comme un homme obsédé du pouvoir, comme le chef d'une bande de gangsters et comme la clé de voûte du système totalitaire. Mais, d'un autre côté, à la mort de Mao, vous écrivez : « Quels qu'aient été ses erreurs et ses crimes, Mao aura présidé à la restauration de l'ordre, de l'unité et du prestige de la Chine. Maintenant, pour que le prodigieux potentiel de génie et de créativité du peuple chinois trouve à nouveau à s'exercer et permette à la Chine d'offrir une fois de plus au monde une contribution à la mesure de son passé, il suffirait, semble-t-il, que saute enfin ce carcan idéologique dans lequel Mao finit par enfermer son pays. A cette condition, féconde dans la mesure où elle saura disparaître, son entreprise n'aura pas été vaine. »*

S. L. – J'accepte la contradiction, et s'il n'y en avait pas, il faudrait se méfier de mes écrits. Je n'ai pas voulu oublier qu'en 1949, au moment de la fondation de la Chine populaire, à l'exception d'une infime minorité, les 600 millions de Chinois d'alors ont eu un sentiment de fierté et de satisfaction à l'idée que le pays était à nouveau sur ses pieds et que l'on allait pouvoir construire après tant d'années de déboires, de pressions étrangères, de guerres civiles. Cela on le doit de façon indéniable à Mao. Les horreurs sont venues après. Et dans la mesure où le développement de l'histoire à très long terme permettrait de démanteler ces horreurs, j'ai écrit cette phrase que vous citez. En m'embarquant dans des considérations trop générales, j'avais également à l'esprit cette brève période de la dynastie des Qin (221-204 avant J.-C.) qui est un cauchemar à l'état pur dans l'histoire de la Chine et qui par ses persécutions se rapproche du totalitarisme maoïste. Mais après cette dynastie dont les Chinois essayent toujours d'effacer le souvenir, vous avez eu quatre

siècles d'édification impériale avec la brillante dynastie des Han. Un âge d'or qui n'aurait pas été possible sans l'existence des Qin.

P. B. – *Mais ce type de raisonnement historique est d'une logique cynique.*

S. L. – J'en ai conscience. Mais pour ceux qui ont été écrasés par cette abominable oppression du maoïsme, qu'est-ce qui serait le plus désespérant : de penser que leurs souffrances étaient absurdes ou vaines ? Ou de penser que, d'une certaine façon, peut-être quelque chose de différent sortira de ce sang et de ces larmes ? Ne vaut-il pas mieux donner un sens à ce qui serait sinon une pure démence ?

P. B. – *Et Deng Xiaoping ? D'un côté, vous n'arrêtez pas de rappeler qu'il est un « stalinien de stricte observance » et, de l'autre, vous marquez de la sympathie à son égard.*

S. L. – On a certainement d'abord de la sympathie pour celui qui a été dans la position de victime relative. Là encore, je me contente de transmettre et de refléter l'opinion des Chinois : à un moment, il n'y a pas de doute là-dessus, Deng a été l'homme le plus populaire de la Chine après que la « Bande des quatre » l'eut éliminé du pouvoir pour la seconde fois. Son retour a été salué avec enthousiasme et correspondait à une énorme espérance. Aujourd'hui, les Chinois s'aperçoivent de leur illusion et du nombre très étroit d'aménagements à l'intérieur du système. Dès que les réformes risqueront d'aller à l'encontre du système, on les arrêtera. En attendant, sans vouloir être trop naïf, j'espère qu'elles le mineront en sécrétant des anticorps.

P. B. – *Vous dites cela, mais en tant que commentateur et traducteur du grand intellectuel Lu Xun vous savez bien qu'il écrivait : « La façon finalement la plus simple et la plus adéquate de décrire l'histoire de Chine serait de distinguer entre deux types de périodes : 1. Les périodes où le peuple souhaite en vain pouvoir jouir d'une stable condition d'esclaves. 2. Les périodes où le peuple obtient pour un temps de jouir d'une stable condition d'esclaves. L'alternance de ces deux états constitue ce que nos* anciens lettrés appelaient « le cycle du chaos et de l'ordre ».

S. L. – La lecture de Lu Xun est désespérante. Mais il était justement déchiré par ses contradictions. Et quiconque parle de la Chine de façon non contradictoire, il faudrait s'en méfier. Lu Xun, cet esprit si raffiné, était partagé entre le désespoir de la raison et l'espoir de la volonté de vie.

P. B. – *« En Chine maoïste, c'est le passé qui est imprévisible »*, a remarqué Pasqualini. *La gestion du passé est toujours l'objet d'une attention extrême ?*

S. L. – C'est un problème devenu insoluble et que certaines factions ont délibérément cherché à rendre insoluble. Regardez la hâte fébrile avec laquelle Hua Guofeng a fait construire un gigantesque mausolée à Mao à l'intérieur de Pékin. Pas moyen d'abattre un monument pareil. Hua Guofeng a essayé ainsi de, littéralement, bétonner le passé pour empêcher ses modifications. Comment Deng Xiaoping doit se comporter à l'égard de ce mausolée, essayez seulement de l'imaginer. Le passé fuit de partout comme l'a bien montré le procès de Jiang Qing, conçu comme un procès modèle et qui a eu en définitive des effets très négatifs (Hatamen, observateur très perspicace de la situation, l'a bien expliqué dans *Un procès peut en cacher un autre*). Dans un domaine très différent, les passionnantes découvertes archéologiques spectaculaires et fabuleuses ont été utilisées par la Chine pour reprendre contact avec le monde extérieur, pour masquer le désert résultant de l'abominable dégradation de la Révolution culturelle. Depuis lors, les fouilles ont des finalités plus scientifiques. Et même si certaines excavations ont été réalisées à la hâte, sans l'équipement nécessaire, détruisant au passage quelques trésors, ne nous plaignons pas.

P. B. – *Les saccages de la Révolution culturelle vous paraissent révolus ?*

S. L. – Il sera difficile, je pense, de revenir à une situation aussi aberrante et monstrueuse. Mais le contrôle de l'activité artistique et littéraire restera avec des périodes plus ou moins strictes. 1979-1980 a été une période faste. Il y a eu alors de grandes possibilités d'expression jamais connues en Chine populaire mais peut-être sur une période trop courte pour permettre l'émergence de grandes œuvres. Il faut ajouter que, traditionnellement, la littérature est l'objet d'une surveillance plus sévère que la peinture ou la musique.

P. B. – *La réforme de l'écriture, cette simplification des pictogrammes qui, de nouveau, est à l'ordre du jour après plusieurs tentatives, n'est-elle pas le signe du déclin de la civilisation chinoise ?*

S. L. – C'est moins une question de déclin que de métamorphose. La Chine est la plus ancienne culture vivante, il y a là-bas une continuité certaine, profonde, essentielle, entre les toutes premières inscriptions connues qui datent de 1500 avant J.-C. et la langue chinoise telle qu'elle est employée encore aujourd'hui. La ligne n'a jamais été brisée même si les graphies se sont modifiées. Or, il se peut maintenant que l'on approche d'un point de rupture où la culture chinoise se transformerait radicalement. Si vous voulez, il ne paraît pas impossible que l'on arrive à une situation comparable à celle de l'Égypte où la population moderne descend du temps des pharaons mais où, culturellement parlant, elle est totalement étrangère à ce passé, par exemple aux hiéroglyphes.

P. B. – *Les caractères chinois n'ont-ils pas toujours évolué au cours de l'histoire ?*

S. L. – Il y a eu des transformations, mais à l'intérieur d'une continuité. Tandis que la réforme de l'écriture proposée maintenant est un saut qualitatif, une modification fondamentale. Transposer par exemple un chef-d'œuvre de la littérature classique chinoise en écriture phonétique, c'est exactement comme si on le traduisait dans une langue étrangère : l'écart est le même. Pour être juste, il faut préciser que cette volonté de transcription dans une écriture phonétique date d'il y a longtemps – déjà au XIXe siècle, on en parlait – et que, périodiquement, on a trouvé des esprits radicaux proposant ce genre de réforme. Les communistes qu'il serait absurde d'accabler par principe ont donc repris une idée chère notamment aux intellectuels progressistes des années 20. Les représentants de la première véritable révolution culturelle réunis dans le « mouvement du 4 mai » (1919) étaient d'un iconoclasme absolu par rapport à la tradition : répondant à une enquête d'un journal sur les conseils de lecture pour la jeunesse, Lu Xun avait dit d'abord qu'il n'était pas qualifié pour donner son avis, puisqu'il ne fallait surtout pas lire d'ouvrages chinois. Et Lu Xun précisait que les livres étrangers, même quand ils sont décadents et pessimistes, restent vivants tandis que les livres chinois, même optimistes, sentent le cadavre! Ce genre de déclaration était destinée à choquer le public, à le scandaliser, tant la culture littéraire est un élément capital de la vie chinoise. Mais le problème de Lu Xun n'était pas de respecter cette civilisation, c'était de vivre.

P. B. – *Lu Xun pourtant ne gardera pas toujours cette position radicale.*

S. L. – Toujours à cause de ses fascinantes contradictions. Un jour, son ami le plus intime, Xu Shouhang, lui a demandé conseil pour l'éducation de son fils. Et Lu Xun d'établir un merveilleux petit programme de lecture classique... D'un côté, il y a donc l'attitude publique de Lu Xun mais, de l'autre, quand il s'agit du fils de son meilleur ami, eh bien, il en revient à une éducation traditionnelle. Très curieusement, on retrouve la même contradiction chez George Orwell dont l'un des programmes socialistes était l'abolition de toutes les écoles privées, bastion des privilèges en Angleterre. Mais pour son propre enfant qu'il avait adopté, George Orwell l'avait inscrit, dès son plus jeune âge, à la Westminster School, l'une des meilleures écoles privées anglaises... Chez Lu Xun comme chez Orwell ce ne sont ni des compromissions ni des hypocrisies; c'est le signe de contradiction d'hommes vivants, partagés entre leurs points de vue abstraits et le monde concret. Contradiction qui existe d'ailleurs chez Mao lui-même en ce qui concerne précisément la réforme de

l'écriture : Mao détestait, trouvait répugnants les caractères simplifiés tout en poussant à la roue pour qu'on les impose. Et on imprimait même spécialement pour son usage personnel des livres aux caractères complexes, souvent imités de vieilles impressions très rares. Sa bibliothèque personnelle était ainsi constituée de merveilleux ouvrages édités de façon traditionnelle, cousus à la main et non brochés.

P. B. – *Dans* Images brisées, *vous écrivez :* « *La Chine est la religion des Chinois. La Chine est un concept culturel; elle ne se limite ni à une certaine race ni à un certain territoire, ni à un certain État.* » *Et dans* La forêt en feu, *vous dites aussi que* « *la Chine est une vision du monde* ». *Mais à des degrés divers, n'est-on pas en droit d'affirmer ce type de proposition à l'égard de n'importe quel pays?*

S. L. – On aurait pu le dire de la chrétienté européenne au Moyen Age : c'était un concept culturel, une vision commune du monde à l'intérieur de laquelle il y avait des différences provinciales et linguistiques entre la France, l'Italie, l'Angleterre, ou l'Irlande, etc. Tel serait pour moi un équivalent possible de la Chine comme vision du monde. Mais le problème c'est que cette civilisation a été forcée par l'Occident dans une voie nationaliste étroite avec toutes sortes de conséquences, la première étant que sa vocation d'universalité a été trahie même si l'on a assisté au cours du XXᵉ siècle à des efforts désespérés pour la retrouver. A l'origine, la Chine est une certaine vision du monde, un sens de l'universalité en harmonie avec l'ordre cosmique. Pourquoi ? Parce que le principe fondamental de la philosophie chinoise c'est que la mission de l'homme se définit par une série de cercles concentriques : il faut d'abord se cultiver soi-même; quand vous vous êtes cultivé vous-même, vous allez vers un cercle un peu plus large et vous mettez votre famille en ordre; quand ce clan familial est en ordre, vous élargissez encore le cercle de vos activités et vous gouvernez le pays; quand le pays est gouverné, le cercle peut s'agrandir et vous vous mettez en paix avec l'univers. Il y a donc une série de cercles concentriques comprenant l'individu, la famille, le pays et l'univers : le point de départ c'est le moi et le point d'aboutissement l'harmonie universelle. Dans ce schéma progressif, vous avez remarqué que le pays n'est qu'un maillon ayant une valeur tout à fait relative. Seulement voilà : dans la pratique historique, ce pays, la Chine, a tendu naturellement à se confondre avec l'univers. Les Chinois ont interprété la Chine comme étant l'univers pour la simple raison qu'il n'y avait pas d'autres pays à côté : au nord et à l'ouest, c'était le désert, avec une poussière de peuplades nomades, sans institutions étatiques fixes ni villes permanentes; à l'est, c'était l'océan, avec une petite île, le Japon, qui tenait de la Chine; au sud, des jungles insalubres. Quant à l'Inde, c'était trop loin pour opérer des échanges. Le Chinois cultivé qui circulait à travers l'immense diversité de son pays sans voisins avait l'impression de faire le tour du monde. Et il était conforté dans cette idée par le fait que les étrangers, comme les Coréens, les Japonais ou les Persans, venant en Chine semblaient y voir le centre de la culture mondiale. L'expansion chinoise n'était pas centrifuge mais centripète : la Chine attirait à elle comme un aimant; ce n'était pas la Chine qui s'imposait mais les autres qui arrivaient à la Chine comme à un noyau de civilisation. La vocation d'universalité, c'est la Chine qui l'incarnait.

P. B. – *Jusqu'au XIXe siècle, où le choc avec l'Occident européen va bouleverser cet ordre du monde.*

S. L. – Oui, la crise révolutionnaire dont la Chine aujourd'hui n'est pas sortie provient de ce choc. La première réaction des dirigeants conservateurs chinois fut d'ailleurs d'assimiler les Occidentaux aux autres étrangers qu'ils connaissaient, c'est-à-dire à des barbares nomades qui peuvent semer des troubles mais qui en définitive disparaîtront soit en rentrant chez eux soit en se disloquant. Subissons et attendons. Mais certains esprits plus lucides ont fini par comprendre que les

Occidentaux étaient vraiment des étrangers différents. Et dès lors, dans l'élite, il y a eu une division que l'on retrouve encore maintenant : pour les progressistes réformistes, la Chine doit adapter la technologie occidentale au risque de ne pas pouvoir survivre et de ne plus pouvoir défendre la culture chinoise traditionnelle; pour les conservateurs radicaux, il faut refuser absolument toute compromission. Cette dernière attitude est irréaliste sans doute, puisque, dans un monde industriel, elle condamne la Chine à mort, mais elle est lucide sur un point : on ne peut pas dissocier la technologie de la culture.

P. B. – *Emprunter à l'autre son savoir-faire, c'est changer sa façon de savoir, donc sa culture ?*

S. L. – Ne serait-ce qu'apprendre une langue étrangère, l'anglais par exemple, c'est, qu'on le veuille ou non, apporter un élément de contamination dans la culture chinoise.

P. B. – *De nombreux ethnologues nous ont montré que la cohabitation des cultures est sans doute impossible et qu'une culture a besoin pour subsister de fermeture sur elle-même. Pareillement, la cohabitation de la civilisation chinoise avec la civilisation occidentale serait impossible sans altération de l'une ou de l'autre ?*

S. L. – La question en tous les cas reste posée. Et à leur manière, les maoïstes radicaux l'avaient bien vu en ne se rendant peut-être pas compte qu'ils étaient les héritiers des ultra-réactionnaires mandchous : ils voulaient que la Chine conserve son identité originale, qu'elle se ferme à l'extérieur et soit isolée de toute contamination, la pureté idéologique maoïste se substituant à l'antique pureté confucéenne. Mais le problème, c'est que l'existence d'une culture vivant en autarcie quand on a la dimension de la Chine et que l'on doit affronter la réalité contemporaine paraît impossible. Il y a des exigences matérielles qui nécessairement demandent des échanges. Il est impératif pour la Chine de s'industrialiser. Mais cette civilisation essentiellement agricole va s'en trouver modifiée. Tel est le grand dilemme : si l'on adopte une attitude réaliste, c'est-à-dire d'ouverture au monde extérieur en reconnaissant son existence et en lui empruntant des choses, en acceptant de se transformer à son contact, alors la Chine cesse d'être un univers, la Chine devient un pays parmi d'autres pays, une nation confrontée à d'autres nationalismes; la Chine perd sa vocation, sa raison d'être, elle cesse de représenter un intermédiaire entre l'homme et le cosmos. Et cette Chine n'est plus la Chine. Inversement, si la Chine s'accroche à une identité, cela signifie que le monde extérieur n'existe pas et que l'Occident est un mythe. Et, en un certain sens, c'est là qu'intervient le communisme et c'est là probablement l'une des raisons profondes de son succès : d'un côté le marxisme, une philosophie étrangère, était le moyen d'occidentaliser la Chine mais, de l'autre aussi, un moyen de sauvegarder la vocation universelle de la Chine puisque la finalité de l'utopie communiste c'est, théoriquement, l'édification d'une harmonie universelle et l'abolition des États nationaux. Le communiste était une actualisation de la vocation permanente de la Chine à l'universalité.

P. B. – *Contrairement aux analyses marxistes classiques, c'est en Chine, avec son organisation très spécifique, que la greffe du communisme fut, si l'on ose dire, la plus naturelle?*

S. L. – Le milieu culturel chinois était en un sens préparé pour cette greffe. Je ne sais pas si elle est durable, mais je pense que si la civilisation chinoise peut survivre, elle le fera en continuant à se définir comme l'universalité. Reste à savoir comment cette universalité est réalisable dans un monde comme le nôtre où subsistent d'autres cultures.

P. B. – *Pour quelqu'un comme vous, pétri par cette culture, que la Chine ne soit plus en quelque sorte la Chine, c'est un scandale insupportable pour l'esprit?*

S. L. – C'est une question très difficile à laquelle on ne peut répondre que par une interrogation. Regardez l'attitude de ces lettrés chinois qui assistent souvent avec une incomparable impassibilité à des faits qui, normalement, devraient les glacer d'horreur, à la destruction des éléments de leur culture. Leur grande sérénité s'explique : pour eux, la réalité profonde de la Chine est de l'ordre de l'esprit, la Chine survit en eux et dans cette mesure l'avenir de la Chine paraît plus assuré que la culture directement liée à des objets matériels. Mais la Chine peut-elle vraiment se perpétuer de cette façon spirituelle sans une infrastructure et une incarnation dans le monde?

P. B. – « *Pour dominer l'univers naturel, écrivez-vous, l'homme occidental s'est séparé de lui... Les Chinois, eux, avaient renoncé à dominer la nature afin de demeurer en communion avec elle.* » *Et pour appuyer cette comparaison, vous vous référez à l'art des jardins, à celui de Versailles en particulier. Mais le jardin chinois ne serait pas lui aussi une composition et un arrangement de la nature?*

S. L. – D'abord, attention : il ne faut pas juger à partir des jardins chinois que l'on voit aujourd'hui et qui sont d'horribles déformations datant du XIXe siècle. Pour trouver de vrais jardins traditionnels chinois, il faut aller au Japon. Ensuite, je dirai que le jardin traditionnel chinois est un univers en miniature complètement opposé à cette déformation et cette soumission violente de la nature que représente le jardin de type versaillais. Quand les Occidentaux voudront en revenir à une glorification de la nature sauvage et spontanée, avec les jardins romantiques, ceux-ci précisément se développeront sous l'influence de la Chine. Ce n'est pas par hasard qu'il y a des pagodes chinoises dans le jardin romantique.

P. B. – *L'art est tout de même au départ un artifice. Alors en quoi l'art chinois et l'art occidental sont-ils fondamentalement différents?*

S. L. – Leur objet et l'intention concrète des artistes sont différents. Du côté chinois, il n'y a pas de doute : il s'agit de rejoindre la nature, d'être accordé à la nature. Les petits bonshommes se promenant au fond de la vallée, archétype classique de la peinture chinoise, ne sont pas écrasés par le paysage et se fondent dedans sans rien déranger : ils sont frères des bambous, des rochers et des arbres. La catégorie artistique suprême pour les Chinois c'est le naturel, c'est le but jamais atteint vers lequel il faut tendre. Et c'est pour cela que l'on cite toujours cette anecdote exemplaire datant du XIe siècle : Mi Fu, l'un des artistes exceptionnels de cette période, arrive dans un poste d'administration où il a été nommé; il met ses vêtements de cour mais, au lieu d'aller saluer les autorités provinciales, il va d'abord s'incliner devant un rocher aux formes fantastiques. Pour lui, le rocher c'est l'œuvre d'art par excellence non travaillée par les hommes. Un autre idéal de l'esthétique chinoise c'est une peinture où le pinceau ne laisserait pas de trace, peinture qui émanerait du papier lui-même sans être imposée de l'extérieur. A l'inverse, prenons la peinture occidentale classique, c'est-à-dire celle qui s'est imposée depuis la Renaissance et qui a tenu jusqu'au XIXe siècle. Considérons, comme l'a montré Pierre Francastel, cet espace qui s'élabore au Quattrocento et qui se désintègre avec l'impressionnisme : toute la peinture européenne est construite sur une grille géométrique reprenant grosso modo la perspective mono-oculaire; le monde est une scène de théâtre dont le personnage principal est l'homme, la nature n'est qu'un arrière-fond pour cette activité de l'homme qui en occupe le centre. La nature n'est organisée qu'en fonction de cette grille mathématique abstraite que l'homme pose sur elle.

P. B. – *Mais la peinture occidentale contemporaine a rompu avec cette manière de voir.*

S. L. – Bien sûr, mais justement l'Occident a retrouvé dans l'esthétique chinoise traditionnelle une confirmation de ses recherches et des nouvelles catégories qu'il essaye d'élaborer.

P. B. – *Vous établissez des comparaisons très subtiles entre l'art chinois et l'art occidental en vous référant par exemple à Flaubert ou à Paul Klee. Mais la Chine, pour les Occidentaux, c'est parfois malheureusement des divagations mystico-orientalistes.*

S. L. – C'est un domaine qui a le don d'attirer comme un aimant tous les hurluberlus de la planète. Un vieux maître m'avait dit qu'on y croise la plus fabuleuse collection de farfelus. L'existence même du sujet a la vertu d'attirer des gens bizarres, qui ont le sentiment d'accéder à un savoir ésotérique et de devenir membres de sociétés secrètes. Parler de la poésie et de l'art chinois est un champ d'expansion pour le brouillard artificiel. C'est un domaine dangereux. J'essaie quant à moi d'en parler par effraction, de biais, et non pas de manière directe, ce qui est la porte ouverte aux analyses frivoles et inutiles.

P. B. – *Vous travaillez depuis quelque temps à une nouvelle traduction de Confucius. Nous, Occidentaux, pouvons-nous apprécier vraiment Confucius et y découvrir aujourd'hui autre chose qu'une vénérable curiosité exotique ?*

S. L. – J'ai l'impression que nous devrions être touchés par la situation dans laquelle Confucius se trouvait. Il vivait dans une époque (au Ve siècle avant J.-C.) où la civilisation était en danger, il percevait un monde sur le point de s'effondrer. La rupture avec l'ordre féodal chinois, cette acceptation commune d'une autorité centrale, culturelle et politique avec ses rites et ses coutumes, aboutissait à une lutte de plus en plus bestiale, féroce, sanglante pour le pouvoir. Et dans ces secousses, c'était la civilisation qui pouvait s'engloutir. L'un des concepts centraux chez Confucius sera précisément cette notion de civilisation à sauver. Pour lui, il faut en venir à la décence des rapports humains au risque sinon de sombrer dans la barbarie. Car Confucius au départ est habité par un idéal politique, il a le sentiment d'avoir été choisi et appelé pour conseiller le souverain et l'aider à restaurer la civilisation. C'est progressivement qu'il se rendra compte que son rêve ne se réalisera pas. Et là est la tragédie de son destin : Confucius pensait avoir une sorte de vocation cosmique, et d'échec en échec il enseignera, faute de mieux. Mais on aurait tort de voir dans cet enseignement celui d'un sage béat en oubliant sa dimension éminemment politique. Il faut, me semble-t-il, lire Confucius dans cette perspective, comme la pierre angulaire de l'humanisme chinois. Et en le lisant, on peut ressentir une angoisse qui, je crois, doit répondre à l'angoisse éprouvée par les Occidentaux aujourd'hui et doit correspondre à ce sentiment d'être dans un monde qui va finir. Peut-être sommes-nous au bord de la fin d'un monde de même que Confucius vivait à une époque de transition où la culture qu'il connaissait se désagrégeait tandis que les lendemains étaient incertains. Confucius se voulait et se croyait un traditionaliste mainteneur du monde ancien. Mais en fait il était un prodigieux innovateur. C'est lui qui, sans s'en rendre compte, a apporté le ferment essentiel du monde nouveau, qui a sapé les valeurs anciennes et assuré les deux mille ans suivants de l'histoire de la Chine. L'idée principale de Confucius c'est la substitution du rôle d'honnête homme à celle du gentilhomme. Le pouvoir jusqu'alors était héréditaire aux mains de la noblesse et Confucius, lui, a posé l'idée selon laquelle l'homme le plus qualifié pour gouverner n'est pas celui qui est né mais celui qui est le plus compétent, c'est-à-dire l'homme éduqué. A partir de ce moment-là, dans l'empire chinois, le pouvoir était lié à la compétence intellectuelle par une sorte de méritocratie. Confucius a été un traditionaliste innovateur : c'est en croyant défendre ce qu'il y avait de plus ancien qu'il a été nouveau et c'est en cela qu'il devrait peut-être nous amener à nous interroger aujourd'hui. D'autant qu'il est l'auteur de réflexions d'une actualité évidente dont on ferait bien de tirer profit.

P. B. – *Pour fustiger ceux qui avancent tant de sottises sur la Chine en croyant la connaître après un voyage organisé de trois semaines, vous écrivez : « Confucius disait que le savoir véritable consiste à mesurer l'exacte étendue de son ignorance. »*

S. L. – Concluons, si vous le voulez bien, par cette paradoxale et très belle leçon d'humilité.

5.

DES VOIX VENUES
D'AILLEURS

La France aux étrangers!
par Pierre Boncenne

INTERVIEWS :

HEINRICH BÖLL

ANTHONY BURGESS

ALEXANDRE ZINOVIEV

GABRIEL GARCIA MARQUEZ

JORGE LUIS BORGES

ITALO CALVINO

MILAN KUNDERA

FREDERIC PROKOSCH

WILLIAM STYRON

RAY BRADBURY

Une journée dans la vie
d'ALEXANDRE SOLJENITSYNE

Troyat lecteur de Soljenitsyne

LA FRANCE AUX ÉTRANGERS!

par Pierre Boncenne

Comme toutes les idées répétées à satiété, on voudrait pouvoir examiner de plus près le manque d'intérêt établi des Français pour la littérature étrangère. Par horreur légitime de la xénophobie sous toutes ses formes, n'a-t-on pas noirci à l'excès le tableau du chauvinisme cocardier? Une enquête parue dans *Lire* au début de 1984 montrait l'importance du nombre d'écrivains « immigrés » dans l'Hexagone. Certains participent depuis longtemps à notre vie littéraire et intellectuelle, au point de s'y fondre (Beckett, Cioran, Ionesco); d'autres ont choisi l'exil français pour des raisons politiques ou par commodité personnelle : nous citions notamment James Baldwin, Alfredo Bryce-Echenique, Breyten Breytenbach, Anthony Burgess, Julio Cortazar (décédé depuis lors), Lawrence Durrell, Graham Greene, Milan Kundera, Victor Nekrassov, Frederik Prokosch, Augusto Roa-Bastos, André Siniavski. Tous à leur manière ne témoignent-ils pas de la permanence d'un certain climat d'ouverture?

On aimerait, de même, démontrer que dans l'édition française, malgré des négligences impardonnables doublées de réelles difficultés économiques, se perpétue un état d'esprit dont Valery Larbaud, le créateur de Barnabooth, « ce grand patriote cosmopolite », et le découvreur de tant d'auteurs étrangers, reste le modèle. Certes, en se référant aux prix Nobel attribués au cours de la décennie 1975-1985, le public français a eu de quoi se sentir pris en défaut : si Gabriel Garcia Marquez et Saul Bellow lui étaient connus, des écrivains comme Elias Canetti, Isaac Bashevis Singer ou William Golding, pourtant traduits, occupaient-ils, avant la récompense des jurés de Stockholm, une juste place dans sa bibliothèque? Quant à Eugenio Montale, Vicente Aleixandre, Odysseus Elytis, Czeslaw Milosz ou Jaroslav Seifert, la méconnaissance totale de leurs noms ne tient-elle pas de démonstration accablante? Mais sans compter que des questions similaires mériteraient d'être posées dans d'autres pays européens, voire aux États-Unis où l'extraordinaire ouverture d'une minorité masque un provincialisme radical, ce « mauvais » public français a su aussi, toujours au cours des années 75-85, manifester des curiosités tous azimuts. A des degrés divers, depuis le best-seller jusqu'au succès d'estime dont on aurait tort de négliger les vertus, on l'a vu ainsi porter par exemple de l'intérêt à des auteurs venus des États-Unis : William Styron, Norman Mailer, Saul Bellow, John Irving, John Updike, Philip Roth, Erica Jong, Joyce Carol Oates, Patricia Highsmith, Herbert Liberman, Chester Himes, William Burroughs ; d'Amérique latine : Gabriel Garcia Marquez, Mario Vargas Llosa, Jorge Luis Borges, Alejo Carpentier, Carlos Fuentes, Julio Cortazar, Jorge Amado, Juan Carlos Onetti, Manuel Scorza ; d'Afrique du Sud et de l'ex-Rhodésie : André Brink, Nadine Gordimer, Breyten Breyten-bach, J. M. Coetzee, Doris Lessing ; d'Italie : Umberto Ecco, Elsa Morante, Italo Calvino, Leonardo Sciascia, Alberto Moravia ; d'Allemagne ou d'Autriche : Gunter Grass, Heinrich Böll, Peter Handke, Thomas Bernard ; d'URSS et des pays de l'Est : Alexandre Soljenitsyne, Alexandre Zinoviev, Milan Kundera, André Siniavski, Bohumil Hrabal. Il faudrait également évoquer des personnalités telles qu'Anthony Burgess, John Le Carré, V. S. Naipaul ou le cas unique de Fritz Zorn avec *Mars* ; ou bien rappeler le formidable accueil réservé à la traduction dans la Pléiade de romans classiques chinois comme *Au bord de l'eau* ; ou encore, souligner les multiples initiatives courageuses de jeunes maisons d'édition pour favoriser la découverte des littératures brésilienne, suédoise ou japonaise ; ou enfin remarquer que de jeunes médias tels que *Libération* (mais *Lire* aussi, solide adolescent de dix ans...) accordent une place significative à la littérature venue d'ailleurs, et pour reprendre le titre de deux célèbres collections, continuent à hisser les « pavillons du monde entier ». Décidément oui, si l'on y regarde bien et avec quelques circonstances atténuantes, le tableau de la lecture des auteurs étrangers en France aurait peut-être de quoi désespérer Saint-Germain-des-Prés et ses querelles de chapelle !

HEINRICH BÖLL

« L'un des dangers du monde futur réside, selon moi, dans une bureaucratisation grandissante qui est une suite du fascisme. »

Octobre 1976

Heinrich Böll n'est pas seulement celui que beaucoup considèrent comme l'écrivain allemand contemporain le plus important : il est le porte-parole d'une Allemagne méconnue, celle des ruines et de la misère, du chaos et de la culpabilité. Aussi l'attribution du prix Nobel, en 1972, qui a consacré sa réputation mondiale est-il plus qu'un symbole littéraire. Par ce geste, c'est l'ensemble de la littérature allemande de l'après-guerre qui retrouve sa dignité. Auteur catholique qui a voué son œuvre à la défense de la liberté et à la compréhension de ce qui avait rendu possible l'Allemagne hitlérienne, Böll est un écrivain engagé, au sens où Sartre le définissait dans sa célèbre présentation des *Temps Modernes*. Ses prises de position souvent fracassantes – à propos du chancelier Kiesinger, de la bonne conscience qui a suivi le « miracle allemand », du climat de chasse aux sorcières qui a accompagné la lutte contre « la bande à Baader », des lois contre les extrémistes, en faveur des intellectuels soviétiques – lui ont souvent valu l'hostilité d'une partie de ses compatriotes, mais aussi le respect du monde entier.

Avec courage, Heinrich Böll a choisi une position peu confortable : celle d'être la mauvaise conscience de l'Allemagne, de juger sans sévérité mais aussi sans indulgence ses compatriotes, de mettre en question les valeurs prônées non seulement à l'époque d'Hitler, mais encore aujourd'hui au sein d'une démocratie qui se prétend libérale. Ce n'est pas seulement le passé qu'il veut éclaircir, mais le présent. Il n'a pas seulement redonné sa dignité à la littérature allemande qui, à l'époque nazie, s'était vautrée dans le jargon « sang et sol », mais il a voulu purifier le langage entier car il estime qu'il véhicule à lui seul tout le poids de l'idéologie.

Dans des romans au style réaliste, qui approche parfois celui du reportage, Böll ne cesse de s'interroger à travers ses personnages. Ses ouvrages principaux. *Où étais-tu Adam ?*, *Rentrez chez vous, Bogner*, *Les enfants des morts*, *Portrait de groupe avec dame* (romans traduits aux éditions du Seuil), sont la chronique de l'Allemagne après 1945, avec ses angoisses et ses espoirs. En République fédérale, il est l'auteur le plus lu. Traduits dans plus de vingt langues, ses romans dépassent le million d'exemplaires en URSS. Avec un humanisme teinté d'ironie et d'humour noir, Böll a choisi d'embrasser son temps, de se battre avec lui, de crier contre les loups. Car, comme Nietzsche, il considère que « le service de la vérité est le plus dur service ».

Son dernier roman, *L'honneur perdu de Katharina Blum*, est – comme le film qui en a été tiré – un réquisitoire contre la presse à sensation et le mécanisme de la violence dans notre société ; c'est un ouvrage né de l'expérience que vécut Böll après le scandale qu'il déclencha lorsque, dans l'hebdomadaire *Spiegel*, en 1972, il prit la défense de Baader et d'Ulrike Meinhoff.

Frédéric de Towarnicki. – *Vos premiers romans,* Le train est arrivé à l'heure, Où étais-tu Adam ?, *sont une sorte de constat, d'inventaire bouleversant de l'Allemagne en ruine à la fin de la Deuxième Guerre mondiale. Plus tard, en reconstituant l'histoire de familles entières à travers des générations – comme dans* Portrait de groupe avec dame –, *vous avez cherché à saisir les causes de ce qui était arrivé à votre pays. Après 1945, lorsque vous vous êtes mis à écrire, quelle était votre principale intention ?*

Heinrich Böll. – J'avais d'abord, je crois, le désir de trouver, de retrouver une langue ; de nettoyer en quelque sorte la langue allemande dévoyée, falsifiée par douze ans de fascisme ; un espoir que je partageais d'ailleurs avec les auteurs allemands qui commencèrent à écrire après 1945. M'en prendre dans mes livres à mes compatriotes n'était pas mon intention, alors que les raisons n'auraient certes pas manqué pour le faire. Ayant été confronté très jeune à la société fasciste, j'aurais pu me sentir dégagé de toute responsabilité, ce qui n'a pas été le cas.

Mon intention n'était nullement de faire de la « morale », mais de rechercher un mode d'expression pouvant traduire à la fois ce qui nous était arrivé avec Hitler et les réalités du monde présent. De tout cela, d'ailleurs, je n'avais pas une conscience très claire.

Ce dont je me souviens très bien, en revanche, c'est à quel point il était alors difficile d'écrire en allemand car nous n'avions pratiquement plus de langue pour nous exprimer d'une manière normale : il restait un jargon. Je suis persuadé que si les Anglais ou les Français, par exemple, devaient subir un jour les pressions d'un système autoritaire, leur langue en sortirait incomparablement moins entamée que la nôtre.

F.T. – Mein Kampf, *le livre d'Hitler, n'était-il pas le modèle même de cette langue falsifiée ?*

H. B. – J'en arrive à penser, en effet, que *Mein Kampf* fut – en un sens – la lecture la plus importante de ma vie. Contrairement à la plupart des Allemands, j'avais lu attentivement ce livre que chacun avait reçu en cadeau ou bien avait dû acheter dans son entreprise. Je l'avais lu à l'âge de dix-sept ans et le texte m'avait terrifié.

Je crois que je n'ai jamais raconté cette anecdote : au lycée, nous avions un professeur assez sec, peu doué pour la littérature (Kleist ou Hölderlin, ce n'était pas son affaire !), mais raisonnable. « Comme devoir, disait-il, allez de la page 150 à 180 de *Mein Kampf* et résumez-les en douze pages. » C'était très risqué !

Vous imaginez à quel point un travail de rédaction mettait en évidence les clichés douteux, les répétitions, les obscurités fallacieuses... Ainsi *Mein Kampf* représenta pour moi une lecture décisive : cette manière inouïe de dévoyer la langue et de tromper. Et pourtant, ce qu'allait vivre l'Europe était déjà annoncé dans ces textes, tout ce qui allait arriver aux Juifs, aux Tchèques, aux Russes, etc. Je crois qu'il est difficile de rencontrer avec plus d'intensité la langue du fascisme. Depuis la fin de la guerre, tous les matins, quand je me réveille ou que je prends mon petit déjeuner avec ma femme, je me réjouis de ce que les nazis ne soient plus là !

F. T. – *On a pu dire qu'une partie de votre œuvre a joué, vis-à-vis de beaucoup d'Allemands et de leur passé, le rôle d'une thérapeutique, d'une psychanalyse. Dans* Les deux sacrements *vous décrivez des familles bourgeoises qui n'ont pas su pressentir le drame. Dans* La grimace, *le clown Schnier dénonce l'hypocrisie de certains milieux bien pensants qui lui ont « enlevé » la femme qu'il aime. Comment votre satire de la société allemande a-t-elle été accueillie ?*

H. B. – L'impact exercé par un auteur sur son propre pays est une chose difficile à évaluer. J'ai été, bien sûr, critiqué. Pour certains Allemands les événements passés sont encore un point névralgique qui ne disparaîtra qu'avec eux. Au fond, tous mes romans se situent dans le présent, mais je n'y puis rien si, en décrivant une maison datant de cinquante ans, j'y trouve inscrite l'histoire du nazisme. Né en 1917, encore vivant pour l'instant, je rencontre naturellement autour de moi – bien que n'étant ni historien ni archéologue – les moments de notre histoire. Comment puis-je ne pas voir, par ailleurs, que les nazis sont arrivés au pouvoir grâce aux illusions ininterrompues de la bourgeoisie allemande ? Pour moi, la responsabilité du nazisme incombe à la bourgeoisie allemande qui a été attirée par son côté nationaliste et qui n'a pas voulu voir son côté barbare. Il suffisait pourtant de regarder autour de soi...

F. T. – *On a dit de vous tantôt que vous étiez « la conscience de la nation allemande » et tantôt sa « mauvaise conscience ». Votre attitude non conformiste a multiplié, en outre, les scandales. Dès votre premier roman vous étiez en difficulté avec la hiérarchie ecclésiastique. On a déclenché contre vous des attaques d'une violence inimaginable en France...*

H. B. – Certes, on m'a parfois accusé de donner une image déformée de l'Allemagne, en somme d'être un « Netzbeschmützer », un « souilleur de nids » ! Je dois dire que cette expression (qui a son équivalent dans tous les pays) me paraît être le statut naturel d'un auteur, si vous me permettez une pointe d'ironie ! A mon avis, un écrivain ne doit avoir aucun égard particulier pour son propre pays. Aucun non plus vis-à-vis de sa communauté religieuse ou de sa famille politique. En revanche, moi qui, bien que catholique, ai décrit sans indulgence certains milieux catholiques dans mes livres, j'attends la réciprocité de la part d'un athée, par exemple, qui, lui aussi, appartient somme toute à une Église. Bien des auteurs prudents cachent encore trop de choses et n'osent pas dire toute la vérité. Je souhaite donc dans ce domaine une réciprocité internationale, quel que soit le milieu auquel appartient l'écrivain – politique, économique, professionnel ou religieux – qu'il s'agisse d'auteurs communistes, socalistes ou libéraux. Il faut en finir avec les « secrets ».

F. T. – *On a parfois évoqué Swift et Dickens à votre sujet ; vous paraissez être à votre aise aussi bien dans le réalisme le plus minutieux que dans la farce et le grotesque. Quels sont les auteurs qui vous ont marqué ?*

H. B. – On croit toujours – à tort – qu'un auteur n'est influencé que par des auteurs, un peintre par des peintres, etc. C'est certainement faux. Un peintre peut être influencé par la littérature, un musicien par la peinture et un auteur par tout cela à la fois et même par l'architecture. L'atmosphère de l'architecture romane (qu'on croit gothique) de la ville de Cologne, par exemple, avec son matériau sombre de pierres sereines, grisâtres, fut et reste pour moi une sorte de livre d'images inépuisable de l'époque romane, et pas seulement au sens religieux ou spirituel.

Je me souviens qu'enfant déjà j'ai été

confronté dans les musées de Cologne avec l'ensemble de la peinture occidentale. Certaines toiles m'ont sans doute communiqué des sortes de mélodies, de rythmes, au même titre d'ailleurs que les musiques que j'ai entendues. Cézanne, par exemple, en particulier les *Joueurs de cartes*, certaines toiles de Modigliani, les premières époques de Picasso, m'ont excité davantage que bien des lectures. Oui, c'est sans doute tout cela qui a contribué à former ce qu'on peut appeler peut-être « mon style ».

La vérité, c'est que l'être humain se forme à partir du monde environnant tout entier, au sens le plus large du terme et pas seulement à partir du milieu quotidien dans lequel il vit, avec ses souffrances, ses épreuves et ses joies. Analyser le jeu complet des influences que subit chaque auteur me paraît d'ailleurs à jamais impossible. C'est un processus incontrôlable.

F. T. – *On a écrit parfois que vous étiez avant tout un auteur moraliste.*

H. B. – C'est certainement inexact. Ce qui m'intéresse dans l'écriture c'est le jeu. L'image que je me fais de moi-même, en tout cas, est celle d'un joueur. Ce qui me séduit, c'est de jouer avec les situations, les caractères, les personnages selon les formes littéraires qui se présentent à moi. Je n'aime guère ce qui est trop didactique.

Évidemment, un écrivain ne tombe jamais tout à fait du ciel ! Tout écrivain commence par être un lecteur. Je lisais beaucoup les classiques allemands, Hölderlin, Kleist, Büchner, Trakl, etc. Et puis, tout d'un coup, j'ai fait une sorte de saut en découvrant Dostoïevski : *Les possédés, L'idiot, Crime et châtiment, Les frères Karamazov...* je me suis dit : « Voilà un auteur qui ne ressemble à aucun autre et qui me fait voir le monde à une autre échelle ! » Cette rencontre fut, je crois, décisive. On pourrait ajouter les noms de Georges Bernanos qui exerça sur moi une véritable fascination ou bien celui de François Mauriac, ceux de Sigrid Undset ou Gertrud von Lefort. Et après ? Il restera toujours un fond inexpliqué. Comment aussi ne pas parler de

ma découverte plus tardive des poésies de Bertolt Brecht ! Aujourd'hui encore, je suis influencé par des livres, des peintures, des musiques. Au cours de ces dix dernières années, les œuvres de l'écrivain américain Jerome David Salinger (je l'ai d'ailleurs traduit) ont laissé certainement dans mon propre travail des traces que les critiques pourront facilement déceler.

Je ne crois d'ailleurs pas à l'auteur qui, à l'âge de trente ans, a définitivement trouvé son style et bâti toute son œuvre sur sa « trouvaille ». Pas plus que je ne crois à la notion de « maîtrise » que je trouve mortellement ennuyeuse. Quoi de plus ennuyeux qu'un « maître » ?

F. T. – *Né en 1917, vous avez lu vos premier livres en plein nazisme ?*

H. B. – Quand je vous dis que j'ai lu Dostoïevski, Bernanos, Chesterton, etc., il ne faut pas oublier en effet que je les ai lus à l'époque d'Hitler. C'était une lecture très différente, par conséquent, de celle qu'un jeune homme aurait pu faire dans une société relativement libre. Nous, nous étions plongés dans un système d'oppression et de terreur. Et dans une société opprimée, on s'identifie évidemment bien davantage à un livre. Il faudrait toujours se demander où et quand un tel a lu un livre.

Je me souviens que lorsqu'on m'a emprisonné dans un camp américain à la fin de la guerre, dans des conditions très dures, les prisonniers n'avaient rien à lire. Et soudain nous est tombé du ciel un roman norvégien, pas mauvais, littérairement assez faible, mais c'était le seul dont nous disposions. Nous avons immédiatement organisé des lectures collectives qui firent sur nous un effet énorme. Posséder dans un tel camp une mauvaise reproduction, une carte postale représentant un Picasso de la première époque, par exemple, eût été pour moi l'équivalent d'un trésor. De même, lire en 1936, dans l'Allemagne nazie, l'histoire de Raskolnikov dans *Crime et châtiment* de Dostoïevski, avait un poids inimaginable. Une lecture, la moindre reproduction plastique non conformiste, devenait alors le prétexte d'une contestation.

F. T. – *Comment, après 1945, avez-vous découvert l'existence de toute une littérature internationale et moderne ?*

H. B. – Depuis onze ans, nous avions été complètement coupés de la littérature moderne : imaginez ce que cela représente. Je n'ai découvert Kafka qu'en 1946 et je ne savais presque rien de Thomas Mann. Et soudain, après 1945, toute la littérature mondiale a déferlé sur nous : Hemingway, Faulkner, Greene, les Russes, Nekrassov, Simonov, etc. Sur nous qui voulions écrire, l'influence de Sartre et de Camus fut immense. Et pour nous, le « Nouveau Roman », les ouvrages de Nathalie Sarraute, Butor, Robbe-Grillet furent plus tard des événements importants.

F. T. – *Pourquoi le problème du langage vous paraît-il si important ?*

H. B. – Il est selon moi fondamental. Dans notre histoire, la plupart des conflits sont étroitement liés à des malentendus nés du langage. Au temps de la Réforme, par exemple, des guerres ont éclaté pour de simples questions de formulation. Les guerres de religion eurent souvent pour origine des problèmes de formulations, de définitions théologiques, bibliques, religieuses. Les guerres ne commencent-elles pas toujours au niveau du langage, avec la propagande, par exemple ? Et remarquez qu'une guerre qui repose en partie sur le langage est toujours difficile à finir. Un auteur véritable est donc nécessairement en quête d'un langage vrai et authentique, en concordance avec ce qu'il exprime. C'est même la chose essentielle.

F. T. – *En 1968, vous avez protesté contre l'intervention soviétique en Tchécoslovaquie. En 1972, vous avez soutenu la candidature de Willy Brandt et fait partie des comités d'action du Parti social-démocrate allemand. Vous considérez-vous, sur le plan littéraire, comme un auteur « engagé » ?*

H. B. – Le cliché « art et littérature engagés » ou « pas engagés » m'a toujours paru dérisoire et sans intérêt. Je ne l'ai jamais accepté. En fait, je distingue mal la frontière qui sépare littérature et politique. L'important, c'est ce qu'un écrivain sait exprimer et bien exprimer. S'il n'y parvient pas, tout est fichu, y compris son « engagement politique », aussi noble soit-il, en tout cas sur le plan littéraire.

F. T. – *Mais vous êtes toujours sur la brèche. Aujourd'hui, vous protestez contre le Décret sur les terroristes promulgué dans la République fédérale. Pourquoi en 1972 vous êtes-vous fait, un moment, l'avocat, dans une interview retentissante, du groupe anarchiste Baader-Meinhoff ?*

H. B. – Je ne voulais porter alors aucun jugement sur le groupe Baader mais me poser un problème que j'avais le droit de me poser en tant que citoyen allemand : d'où venait cette violence qui surgissait soudain parmi nous ?

Les cris d'indignation hystériques du groupe de presse Springer qui ameutaient soixante millions d'Allemands ne me fournissaient pas de réponse. Aujourd'hui je continue de me poser toutes sortes de questions de cet ordre. Je me demande souvent pourquoi je ne suis pas en prison, vous comprenez ? Celui qui n'est pas en prison devrait s'étonner chaque jour de ne pas y être et se demander pourquoi.

F. T. – *Vos œuvres sont tirées dans le monde à plus de dix millions d'exemplaires, mais que représente ce chiffre ? La littérature ne reste-t-elle pas encore un peu trop un privilège réservé à une minorité ?*

H. B. – Si l'on veut ouvrir la littérature et l'art au plus grand nombre, il faut donner aux gens le courage de s'en approcher, alors qu'on les décourage sans cesse. La plupart des « interprétations » de la littérature et de l'art telles qu'elles s'effectuent aujourd'hui dans les écoles ou dans les livres doivent être mises en question. Elles sont truffées de clichés bourgeois et d'une complexité inutile. Les gens sont découragés par une certaine manière acrobatique, faussement compliquée, de rendre compte de l'art et de la littérature.

Par ailleurs, on parle souvent de l'homme de la rue, de l'homme moyen, du simple citoyen. Quant à moi, ce

« simple citoyen », je ne l'ai encore jamais rencontré! Je crois même qu'il n'existe pas. Souvent ceux qui affirment qu'il faut rendre la littérature et l'art accessibles aux gens simples sous-entendent en réalité les « gens pauvres » qui ne sont pas simples du tout et qui sont même très compliqués! Les gens finiront par comprendre qu'il n'est absolument pas nécessaire de passer par quelque grande école pour comprendre une œuvre littéraire ou artistique (même moderne et abstraite) à partir du moment où ils auront le courage de l'aborder spontanément, sans idée préconçue, sans cliché reçu et sans même l'aide d'une « introduction » quelconque. Mais nous sommes encore bien loin d'un tel processus, bien difficile à mettre en route.

D'un autre côté, je crois que dans la mesure où la philosophie, la politique, l'Église, la technique, n'ont presque plus rien à « dire » aux gens, la littérature et l'art ont aujourd'hui tendance à prendre une place trop importante, sans doute exagérée, par rapport à tout le reste. Cette constatation ne me rassure pas : au contraire, elle m'inquiète. Dans tout art et littérature, un fond ambigu existe sur lequel il est difficile de tabler; la part du jeu, par exemple, y est considérable, l'élément anarchique aussi; ce caractère ludique, ce fut précisément l'erreur du réalisme socialiste de l'ignorer. On peut se poser la question et se demander si notre époque ne donne pas trop de responsabilités à la littérature. Le fait que tant d'hommes se précipitent aujourd'hui sur l'art, en délaissant d'autres domaines, constitue peut-être une sorte de nouveau danger.

F. T. – *Quel est pour vous le rôle essentiel de la littérature?*

H. B. – A long terme (pas dans l'immédiat), je crois que la littérature exerce sur l'homme un effet libérateur et cela par la force même de son expression propre : la forme, le style. Aujourd'hui d'ailleurs, la plupart des gens ressentent plus souvent cette force libératrice de la forme à travers la peinture et la musique qui permettent de saisir l'ensemble d'une œuvre plus rapidement, globalement. Ce pouvoir libérateur de la forme, ne le ressent-on pas avec une sorte d'évidence lorsqu'on est touché par la beauté d'un être humain, d'un animal ou d'un paysage? C'est d'ailleurs cela qui touche. Ceux qui ne savent pas encore lire, les analphabètes, ils ont la musique, la peinture, la danse. Ce n'est qu'ensuite que ces formes d'expression prennent parfois pour eux une signification politique. C'est le même genre d'effet que peut provoquer un roman, une nouvelle, un poème.

F. T. – *Dans un de ses opéras, Brecht faisait répéter à l'un de ses personnages : « Mais quelque chose manque. » Que manque-t-il à nos sociétés?*

H. B. – Ce que je redoute le plus, c'est un monde sans cœur où l'homme deviendrait un objet et un numéro totalement manipulé. C'est peut-être une certaine grâce qui manque le plus aujourd'hui à nos sociétés. Mais sans doute, parmi les jeunes, d'autres formes de spiritualité sont-elles déjà en route. Cette grâce a d'ailleurs beaucoup de composantes : le sens de l'humour, la compassion, la cordialité... En un sens, l'un des dangers du monde futur réside, selon moi, dans une bureaucratisation grandissante qui est une suite du fascisme. Songez à la bureaucratisation totale des camps de concentration : c'était là un phénomène nouveau car la terreur, elle, a toujours existé. A la limite, on pourrait imaginer que le principe d'une telle bureaucratisation se cacherait dans une quelconque chaîne d'ordinateurs. Il n'y aurait alors plus de coupables, de responsables à identifier en cas de catastrophe...

C'est pourquoi chacun aujourd'hui doit agir, penser et veiller dans tous les domaines pour chercher ensemble la bonne direction.

F. T. – *Vous avez manifesté plusieurs fois votre reconnaissance à l'égard du comportement de nombreux écrivains français après la fin de la guerre.*

H. B. – Je dois redire qu'être Allemand en 1945 n'était pas une situation enviable et cela dans le monde entier. Le moindre échange ou dialogue avec un étranger était un événement inappréciable. Vous imaginez quelle fut notre surprise lorsque nous apprîmes que l'intérêt pour ce qui se passait en Allemagne sur le plan littéraire ou philosophique était précisément très fort en France, le pays occidental qui avait peut-être le plus souffert de l'occupation allemande! Le fait que nos premières œuvres furent publiées presque toutes à Paris, grâce à Jean-Paul Sartre et à Albert Camus, au lendemain même de la guerre, mais aussi grâce à Jean Cayrol, Vercors, Luc Estang, les hommes de la revue *Esprit,* reste pour nous une chose inoubliable. Le pacte d'amitié entre l'Allemagne et la France, ratifié par de Gaulle et Adenauer, fut important sur le plan politique, certes, mais les intellectuels français et allemands l'avaient précédé depuis longtemps dans un domaine où rien ne peut s'imposer, se « réguler » : il est totalement impossible de forcer les créateurs d'un pays d'avoir de l'intérêt pour un autre!

ANTHONY BURGESS

« Je n'ai aucune prédilection pour la violence.
Mais sa représentation est nécessaire,
même si elle est douloureuse. »

Octobre 1977

« J'ai toujours pensé, dit Anthony Burgess, que si je devais avoir un public, il serait français. » Après *L'orange mécanique*, *La folle semence*, l'éblouissante *Symphonie Napoléon*, son dernier roman *L'homme de Nazareth* vient précisément d'être traduit en français aux éditions Laffont avant même d'avoir été publié en Angleterre. Un livre fort, bouleversant, où le personnage du Christ, comme celui de chacun de ses disciples, est saisi dans toute sa vérité d'être humain. Un livre profondément actuel aussi, où l'espoir se situe, au-delà du débat politique, dans la voie de l'amour et de la tolérance. Ce Christ d'Anthony Burgess, les Français le découvriront cette année à la télévision, dans un film de Zeffirelli, qui a été accueilli comme un chef-d'œuvre en Amérique, en Angleterre, en Italie.

Venu à la littérature à quarante ans, Anthony Burgess est l'un des écrivains les plus puissants, les plus originaux de notre temps. L'un des plus grands, dit-on déjà. Tout chez lui a des dimensions hors du commun : sa fécondité, la diversité de son inspiration et de ses dons, sa force de travail, sa prodigieuse culture – il a tout lu, généralement dans le texte, car il connaît sept langues – sa vision et son sens de l'universel. Anthony Burgess a la stature anachronique d'un homme de la Renaissance. Multiple. Inépuisable. Il aurait été peintre, s'il n'avait été daltonien. Il continue à dessiner. La musique, qu'il a apprise seul, est essentielle à sa vie. Non qu'il en écoute souvent : il lui suffit pour l'entendre de lire une partition. Ou de se mettre au piano. Mais, surtout, il compose : des symphonies, des concertos, un *Ulysse*, un *Cyrano de Bergerac* qui ont été donnés en première audition à Minneapolis, ou un *Moïse* pour la télévision. Et, depuis vingt ans, il écrit. Sans qu'aucun des trente-six livres qu'il a publiés – romans, essais, critiques, biographies – satisfasse son exigence d'artiste. « Ce n'est, dit-il, que la préparation d'autre chose. D'une œuvre qui est encore à venir. » Il n'y a, dans ce jugement qu'il porte sur lui-même, nulle affectation : il ne cesse de s'infliger la discipline. Obsédé par la fuite du temps, ce qu'il exprime là, dans sa totale sincérité, c'est l'angoisse de l'homme qui se confond avec celle de l'écrivain, dans la quête de sa vérité. Immense Burgess, aussi impressionnant par la qualité de l'âme que par celle de l'esprit...

Sophie Lannes. – *Un Anglais, qui depuis longtemps a quitté l'Angleterre. Un écrivain prolifique, qui est aussi un compositeur. Un amateur de bonne chère qui s'est toujours imposé l'ascèse du travail. L'auteur de* L'orange mécanique *mais aussi de* L'homme de Nazareth. *On aurait envie de vous demander :* « *Au fond, qui êtes-vous ?* »

Anthony Burgess. – Je ne sais pas. Un homme de soixante ans dont les cheveux grisonnent mais qui les a gardés. Un homme encore plein d'énergie et d'ardeur au travail. Qui boit peu mais fume beaucoup trop : vingt Schimmelpenninck par jour! C'est mon seul vice. Anglais? Oui, mais d'une espèce bien particulière. Un Anglais du Nord, de Manchester, avec du sang irlandais. Et catholique de surcroît. Ce qui explique que le sud de l'Angleterre me soit toujours apparu plus ou moins étranger, plus ou moins hostile. Je n'aime pas la voix, le ton de l'Establishment. Je n'ai jamais cessé de quitter l'Angleterre. En 1942, dans l'armée, pour Gibraltar et l'Europe. En 1954, comme fonctionnaire, pour la Malaisie et Bornéo. En 1968, pour Chypre, Rome et maintenant Monte-Carlo. Je ne pense pas retourner jamais y vivre. Je ne me sens aucun lien avec le pays qui m'a donné le jour.

S. L. – *Avez-vous le sentiment d'être un exilé?*

A. B. – Je le ressens profondément. Mais l'exil n'est-il pas la condition naturelle de l'écrvain? L'Angleterre, la langue anglaise me manquent d'une certaine manière. Je ne sais plus comment les gens parlent, de quoi ils parlent. Je ne pourrais plus écrire sur mon propre pays au présent. L'atmosphère des pubs, le théâtre anglais me manquent aussi, mais c'est bien tout. Au demeurant, cette condition d'exilé fait peut-être de moi un écrivain assez international? J'aspire à être membre de cette grande communauté qu'est l'Europe. Je pense qu'avoir écrit *La symphonie Napoléon* avait, à cet égard, valeur de symbole. Mais, cela dit, je me sens toujours parfaitement bien là où je me trouve.

S. L. – *Exilé, vous l'êtes aussi, en un sens, de l'Église catholique?*

A. B. – Je ne me sens pas réellement motivé sur le plan de la pratique religieuse. Sans doute le pape Jean XXIII et le concile Vatican II en sont-ils très largement responsables. Je suis d'ailleurs en train de travailler à un livre sur Jean XXIII. Je ne puis accepter l'Église catholique, telle qu'elle est devenue. Je me sens plus proche d'un Mgr Lefebvre que des clercs de ce nouvel aggiornamento. La nouvelle Église est celle d'un monde étroit, étriqué, plus préoccupé du vernaculaire que de l'universel. Le vieux monde international du catholicisme, où vous entendiez la messe en latin où que vous vous trouviez, avait le sens profond de l'unité. Il vous donnait le sentiment d'appartenir à un très vieil empire. Cette Église-là, oui, me manque terriblement. Peut-être suis-je au fond plus catholique que le pape! Je crois à l'existence du bien, je crois à l'existence du mal. Je crois que le sens de notre vie est ce choix qui nous est donné entre les deux. A cet égard, je suis, je reste un catholique. L'homme semble prédestiné au mal. En même temps il est libre. Comment concilier libre-arbitre et prédestination? Ce débat essentiel m'obsède, comme homme, comme écrivain. On retrouve ce thème dans la plupart de mes livres.

S. L. – *L'homme peut-il être encore un individu aujourd'hui?*

A. B. – Il faut se battre pour le rester,

j'en conviens. On est de plus en plus contraint de se voir comme une créature de l'État, comme une créature, aussi, en partie façonnée par les mass media, par tous les pouvoirs qui essayent de nous transformer en simples consommateurs. Il devient de plus en plus difficile de faire ses propres choix et de les considérer comme libres. Cela me frappe tout particulièrement dans un pays comme l'Angleterre qui a si longtemps donné l'exemple du respect de l'homme et des libertés. Aujourd'hui, on y décide de tout pour l'individu : du travail que vous ferez, du rythme auquel vous travaillerez, de l'argent que vous gagnerez, de la façon dont vous le dépenserez, de ce que vous laisserez à vos enfants, du médecin qui vous soignera... Sans doute cette évolution est-elle la même partout. Mais, concernant mon propre pays, où l'on pouvait imaginer que ne se manifesterait jamais cette pression, cette intervention autoritaire du pouvoir, je la ressens d'autant plus profondément. Je ne suis pas un philosophe, je ne suis qu'un romancier. Mais ce problème de la liberté de choix, du combat individuel qu'il suppose, est présent dans tout ce que j'écris, dans les personnages que je crée. L'homme, je le répète, est une créature capable de choix. C'est cela même qui le distingue des autres créatures et qui le définit.

S. L. – *Mais votre propre image de l'homme ?*

A. B. – Je pense qu'elle est essentiellement tragique... Non, tragique n'est pas le mot propre. L'homme n'est pas une créature destinée au bonheur. Voilà. Il est confronté à cette angoisse qui n'existe pas chez l'animal : la conscience du futur. Et, plus encore, celle de la mort. Il sait qu'inéluctablement il cessera d'être sans savoir pour autant ce qui se passe ensuite. Y a-t-il quelque chose ? N'y a-t-il rien ? Mais, précisément, parce qu'il peut prévoir, organiser sa vie, analyser, penser, l'homme est aussi un être étonnamment créatif et c'est en termes de créativité tout autant que de liberté qu'il faut le définir. Sa capacité de créer des choses qui n'existaient pas avant lui, que la nature n'avait pas songé à produire,

faire du langage, phénomène purement auditif et éphémère, une expression visuelle et permanente, cela nous semble aller de soi. Mais quel processus incroyable, quel miracle de l'homme ! Considérer l'homme comme un consommateur, c'est tout simplement lui faire perdre son identité, sa véritable image...

S. L. – *Et ôter tout sens à sa vie...*

A. B. – Cette capacité fondamentale de création, de création libre, spontanée, ne semble plus aujourd'hui aussi essentielle qu'autrefois. On peut charger un ordinateur de faire un livre, de composer une œuvre musicale, ce qui est évidemment en soi une entreprise remarquable. Mais l'art est autre chose et l'homme est autre chose. L'homme est cet être capable de créer des valeurs, de créer la beauté, de créer ce qui n'existait pas avant lui. Et je pense qu'aujourd'hui, cet instinct créateur doit se battre avec de plus en plus d'acharnement contre les forces qui cherche à l'étouffer, qui cherche à faire de l'homme un robot, parce qu'un robot dont les réactions sont connues, prévisibles, est plus facile à mener, à gouverner. Le créateur est considéré avec de plus en plus de méfiance, car il ne rentre pas dans les schémas préétablis, dans des catégories définies. Il n'appartient pas à un syndicat, il ne peut être contrôlé. Il représente un danger.

S. L. – *On ne peut attendre de l'auteur de* La folle semence *qu'il ait de l'avenir une vision très optimiste...*

A. B. – Ne croyez pas cela, justement. En dépit de tout ce que je viens de vous dire, je pense que l'homme est une créature si inventive et si surprenante qu'il serait très hasardeux d'imaginer à quoi il ressemblera dans cinquante ans. L'histoire n'est qu'une succession d'événements inattendus. Et il y en aura toujours. Quand George Orwell a publié, en 1948, son célèbre livre *1984*, il imaginait une Angleterre dominée par un État tout-puissant. Ce n'est pas ce qui s'est produit. L'Angleterre a un gouvernement faible, aux abois, et elle est entièrement dominée par des syndicats tout-puissants, ce qu'Orwell n'avait pas prévu. Personne ne peut dire de quoi l'avenir sera fait, ce que l'homme sera capable de réaliser. Et c'est bien cette inconnue, ce côté imprévisible de l'homme qui rend la vie si intéressante!

S. L. – *Vous n'avez commencé à écrire qu'à trente-cinq ans. Vous vouliez, en réalité, faire des études musicales...*

A. B. – Oui, mais est-ce assez absurde : je n'étais pas assez fort en physique! J'ai donc passé un diplôme d'anglais et je suis devenu professeur dans une école secondaire. Aller à l'université, pour moi, c'était déjà une véritable percée. D'abord parce que longtemps les catholiques n'ont pas eu le droit d'y entrer. Ensuite parce que je venais d'une famille d'amuseurs. Ma mère, la « Belle Burgess », était célèbre pour sa voix et sa beauté. Elle chantait et elle dansait. Mon père, lui, jouait du piano. Ma mère et ma sœur sont mortes de la grippe espagnole quand j'avais un an, à la fin de la guerre de 1914. Mon père s'est remarié avec une veuve irlandaise qui tenait un énorme pub à Manchester : « L'Aigle d'Or ». Trois immenses salles qui, tous les soirs, étaient bondées. Les gens buvaient, s'enivraient, chantaient, hurlaient, se bagarraient, les gosses couraient au milieu, les pieds nus. La police n'aimait pas beaucoup s'aventurer là-dedans. C'était un monde très rude, très rabelaisien. Il a donc fallu que je travaille pour payer mes études. J'ai été commis chez un marchand de tabac, j'ai joué du piano dans les pubs, j'ai donné des leçons. A onze ans, j'ai même gagné cinq livres sterling – une fortune à l'époque – pour une caricature que j'avais envoyée au *Guardian*!

S. L. – *On ne vous imagine pas très bien dans le « Civil Service » britannique. Comment avez-vous fini par devenir fonctionnaire?*

A. B. – Par hasard. Pour un instant de distraction! Cela ressemble au fond assez à la façon dont les Anglais ont constitué leur empire colonial. J'en avais assez de l'Angleterre où les professeurs étaient moins bien payés que le jardinier de l'école. J'aimais bien enseigner, à ceci près que mes élèves avaient lu des livres que je ne connaissais pas, parce qu'ils

avaient les moyens de les acheter et c'était pour moi une humiliation culturelle que je supportais mal. J'étais perpétuellement endetté. Un jour, j'ai vu une annonce dans le *Times* proposant un poste à Sark. J'ai posé ma candidature. Et un beau jour, j'ai été convoqué au ministère des Colonies. « Vous avez demandé un poste en Malaisie? – Moi? Pas du tout. Dans l'île de Sark! – Vous imaginez-vous, par hasard, que les îles Anglo-normandes sont sous administration coloniale? Voici votre lettre de candidature pour la Malaisie. » C'était bien mon écriture. J'avais probablement, ce soir-là, bu un peu plus qu'il n'aurait fallu. C'est ainsi qu'en 1954, je me suis retrouvé en Malaisie, puis, après l'indépendance, à Bornéo.

S. L. – *C'est dans ce bouillon de culture tropical qu'est née votre vocation d'écrivain?*

A. B. – Avant de quitter Londres j'avais écrit un premier roman qu'un grand éditeur anglais avait refusé, le jugeant d'inspiration trop catholique. J'en ai, là-bas, écrit trois autres qui n'étaient pas tendres pour l'administration coloniale. Aussi avais-je préféré les signer « John Wilson ». Mon premier prénom et le nom de ma mère. Mon pseudonyme avait-il été percé? C'est à cette époque, en tout cas, que s'est produit un incident assez bizarre. Je supportais mal le climat de Bornéo. Je souffrais de violents maux de tête. Au milieu d'un cours, je me suis évanoui. Les médecins diagnostiquèrent une tumeur au cerveau, inopérable. On me donna un an à vivre et l'on me renvoya en Angleterre. Je pense aujourd'hui que l'administration avait trouvé ce prétexte pour se débarrasser de moi. Pour essayer de laisser quelques ressources à ma femme, j'ai écrit, coup sur coup, cinq romans entre octobre 1959 et novembre 1960.

S. L. – *Dont* L'orange mécanique *et* La folle semence...

A. B. – Mais il a fallu treize ans pour que ces livres soient connus du public, qu'on les juge même « prophétiques »! A l'étranger, d'ailleurs, beaucoup plus qu'en Angleterre. J'ai toujours pensé que si je devais jamais avoir un public, il serait français. Il n'en demeure pas moins que lorsque l'on a décidé de vivre de sa plume, c'est une épreuve assez pénible.

S. L. – *Elle ne semble pas avoir affecté votre fécondité : trente-six livres en vingt-cinq ans, c'est une sorte de record.*

A. B. – Une fécondité qui n'est pas particulièrement appréciée outre-Manche. « Encore un Burgess »! disent les critiques quand je publie un nouveau livre. On semble considérer, là-bas, qu'une œuvre n'est grande que si elle est rare. Malgré Balzac. Et Hugo. Et Voltaire. Et Arnold Bennett.

S. L. – *Quelle est votre image du succès?*

A. B. – L'argent!... Je plaisante, mais le succès se mesure souvent aujourd'hui en termes financiers, comme s'il se résumait à la capacité de disposer de toutes sortes de biens et de facilités. Je ne suis apparemment pas très doué pour cela : les droits d'adaptation au cinéma d'*Orange mécanique* m'ont rapporté cinq cents dollars! La réussite est autre chose. On peut chercher à atteindre un certain but et y parvenir. Non pas dans la vie – la vie n'entre pas dans un schéma clair, bien défini, et elle a inexorablement un terme – mais dans l'art. Car par une œuvre d'art, on peut donner une configuration à sa vie. On peut peindre un tableau qui a du succès, composer une symphonie ou écrire un livre, qui ont du succès. Mais un artiste ne doit pas se faire d'illusions : exceptionnelles sont les œuvres totalement réussies.

S. L. – *Vous écrivez très vite?*

A. B. – Oh! pas du tout. J'écris très lentement au contraire. Mais je travaille beaucoup, huit à neuf heures par jour. Je n'attends pas d'être visité par la muse de l'inspiration. Ce qui finit pas faire une moyenne quotidienne de 1 000 à 1 500 mots. Je ne peux pas supporter une page raturée. Je la tape et la retape parfois jusqu'à vingt fois. Trois pages par jour, c'est *Guerre et paix* à la fin de l'année! Je me mets à ma machine vers huit heures du matin, après avoir avalé une tasse de thé. Pas de breakfast anglais,

pas de déjeuner, c'est trop dangereux. Et je ne m'arrête que vers cinq heures pour préparer le dîner.

S. L. – *Parce que vous faites aussi la cuisine?*

A. B. – Cela me plaît beaucoup. Je trouve cela très... créateur. Ma femme, Liana, qui est italienne, s'intéresse davantage à la linguistique. Mon fils, Andrea, qui a quatorze ans, commence à faire quelques plats. Les crêpes, que je ne réussis pas. Mais c'est encore un peu expérimental. Je crois que ce soir, je vais leur faire un bœuf bourguignon. Mais ma spécialité, naturellement, c'est le poulet Marengo!

S. L. – *Comment arrivez-vous à mener plusieurs œuvres de front? Il vous arrive de travailler dans la même journée à un scénario, à un roman et à une symphonie...*

A. B. – Oh! C'est une question d'organisation. Il suffit de bien répartir son travail entre les heures de la journée. Le problème, n'est-ce pas, c'est qu'il faut bien dormir un peu, manger, faire l'amour. Vivre, en somme. Si l'on se consacre entièrement à son métier d'écrivain, on ne vit plus, on ne goûte plus la vie. Où est le premier devoir? Envers l'art? Ou envers la vie? Cette question est lancinante. C'est l'art qui donne son sens à la vie. Pour moi, la vie n'existe pas sans la recherche esthétique. Mais je crains en même temps d'être entièrement dominé par la préoccupation artistique. J'ai beaucoup écrit jusqu'ici. Trop sans doute. Et pourtant aucun de ces livres ne me satisfait. Mon seul sujet de fierté est d'avoir, depuis vingt-cinq ans, vécu de ma plume sans compromission. Mais au détriment de trois œuvres, trois grands romans qu'il faut que j'écrive et dont un seul, celui sur Jean XXIII, est commencé. C'est que le temps pour les écrire, il faut que je l'achète. En acceptant de faire des articles, les scénarios de télévision, un film sur New York ou une biographie d'Hemingway. Scott Fitzgerald a connu ce même problème. Il est mort en laissant un roman inachevé. Et je crains, moi aussi, que cela m'arrive...

S. L. – *Vous avez peur de la mort?*

A. B. – Oh, terriblement, oui. Elle vous tombe dessus comme une note de gaz qu'on ne peut pas payer. Lorsque ma première femme est morte, tout ce qu'elle m'a laissé était un flacon de cent comprimés de barbituriques. Je l'avais conservé comme un talisman, le moyen, peut-être, de choisir le moment. Liana l'a découvert et l'a jeté dans le Pincio, le plus beau jardin de Rome. J'ai parfois envie d'annoncer ma mort pour savoir quelle sera mon oraison funèbre. Pouvoir vivre aussi, encore un peu, de façon posthume. Je ne peux pas supporter l'idée qu'un jour je ne serai plus, que les journaux sortiront comme d'habitude, que les gens iront prendre leur café au bistrot comme d'habitude. L'horreur absolue de la non-existence. La mort ne rentre dans aucun schéma. Il n'y a pas d'explication à la mort. Elle entre, elle vous arrête au milieu d'une phrase : « Non, c'est fini » et claque la porte. Sans doute la mort est-elle l'expérience humaine essentielle et faudrait-il s'y préparer à chaque minute de sa vie ? Sans doute faut-il se persuader aussi que si votre conscience disparaît, il subsiste quelque part une conscience de l'humanité, une conscience ultime, appelons-la Dieu, capable de se souvenir de ce que Mozart a été, de ce que Van Gogh a été, de ce que Beethoven a été, de ce qu'Anthony Burgess a essayé de faire... Heureux sont ceux dont la vie a été achevée, accomplie.

S. L. – *C'est la mort qui transforme la vie en destin, disait Malraux.*

A. B. – Shakespeare a volontairement cessé d'écrire bien avant sa mort, à cinquante-deux ans. Mais quand j'écoute les derniers quatuors de Beethoven, j'y découvre une nouvelle inspiration, un nouveau commencement. L'œuvre que nous connaissons n'était peut-être que la préparation d'autre chose, infiniment plus grand. Et Mozart ? Qui peut dire que sa vie était achevée ?

S. L. – *De ces trente-six livres que vous avez écrits, aucun, vraiment, ne vous satisfait ?*

A. B. – Aucun. Ce n'est que la préparation d'autre chose qui doit être meilleur, qui doit être différent.

S. L. – *Que faudrait-il pour qu'une de vos œuvres soit réussie à vos yeux ?*

A. B. – Le succès, pour moi, serait d'avoir produit une œuvre d'art, un peu meilleure que je ne l'espérais, mais qui sera toujours imparfaite. Une œuvre absolument sans défaut, qui exprime exactement ce que vous souhaitez exprimer et va même au-delà ? Ce serait trop espérer. La perfection en matière d'art est chose si rare, si totalement inattendue. Aucune des pièces de Shakespeare n'est sans défaut mais dans *Gatsby*, Scott Fitzgerald a atteint la perfection. Comme Flaubert dans *Madame Bovary*. Pourquoi ? Comment ? Ou Mozart dans la *Symphonie n° 40*. Ou Gainsborough, dans ce tableau, apparemment anodin de la National Gallery, qui représente un couple aristocratique : lui avec un tricorne et un fusil, l'air brutal; elle, avec sa robe de mousseline. Ce regard ironique qu'elle jette vers le peintre, cette rencontre tout à coup de la beauté et de la laideur, c'est la perfection. Bach ne me donne pas de ces chocs, sa perfection est trop attendue, trop prévisible, comme celle de Racine.

S. L. – *Ne pensez-vous pas que l'image de la perfection soit toujours subjective ?*

A. B. – On nous a appris à voir Dieu comme une sorte de père à longue barbe, infiniment bon, mais qui peut être, à l'occasion, inexplicablement injuste et cruel. Je pense que cette image anthropomorphique de Dieu est fausse. Je serais plus enclin à voir en Dieu ce qu'une œuvre d'art tend à être : une entité qui réconcilie tous les antagonismes, la beauté et la laideur, les forces du bien et celles du mal, la complexité et la simplicité, dans la plénitude de l'unité. La perfection totale de l'œuvre qui est un tout, un univers en soi et qui vous fait vous écrier : « Il doit y avoir un Dieu ! C'est Dieu qui s'exprime par cette œuvre ! » C'est si totalement inexplicable, la perfection...

S. L. – *C'est une quête de tous les instants...*

A. B. – Il faut essayer, sans cesse essayer... Les défauts, les erreurs, les imperfections, les sottises d'une œuvre littéraire sont un aspect de nous-mêmes, le reflet de ce que nous sommes. Les mots révèlent notre personnalité, l'œuvre littéraire exprime inexorablement notre moi. C'est pourquoi il est tellement plus facile d'écrire un chef-d'œuvre avec des notes qu'avec des mots. Songez à cet être jaloux, mesquin qu'était Beethoven, à l'affreux individu qu'était Wagner... Oui, il faut essayer. Cesser d'écrire serait pour moi déserter. Ce serait une trahison impardonnable. Je ne sais vis-à-vis de qui, s'il y a un Dieu quelque part qui estime que ce doit être là ma souffrance, mais c'est pour moi un « impératif catégorique ». Lorsque je ne travaille pas à ces trois œuvres dont je vous ai parlé, je me sens coupable. C'est damnation quotidienne d'Anthony Burgess!

S. L. – *Vous avez tout lu et souvent dans le texte, car vous connaissez sept langues. Quand trouvez-vous le temps de lire ?*

A. B. – Je lis beaucoup la nuit, parfois jusque vers trois, quatre heures du matin. Ou plus exactement je relis, car je n'arrive pas à être touché par les œuvres contemporaines. Je ne peux m'empêcher d'y projeter ma propre image : « Si j'avais écrit cela, je l'aurais fait autrement. » Je relis Shakespeare, Balzac, Joyce. Pas Flaubert, il est trop grand. J'ai peur en relisant *Madame Bovary* d'être découragé. Quand je me mets à ma machine, devant une page blanche, le fantôme de Flaubert est là, devant moi. Il semble dire, indigné : « Il ose! » Flaubert, Henry James, Proust sont les grands exemples de l'entière dévotion à l'art. Nous autres Anglais, nous ne sommes que des amateurs dans le domaine de l'art. Les vrais professionnels du roman, les grands maîtres du roman, ce sont les Français.

S. L. – L'homme de Nazareth *est votre dernier roman publié en France. La télévision française va également programmer un film de Zeffirelli,* Jésus de Nazareth, *dont vous avez écrit le scénario. L'auteur d'*Orange mécanique *écrivant une vie du Christ, cela peut surprendre...*

A. B. – Parce que le public n'a en mémoire que le film de Kubrick qui a complètement faussé le sens de mon livre. Je n'ai aucune prédilection pour la violence. Mais elle existe et il nous faut la connaître. C'est sans plaisir que j'ai montré ces images de violence, de viol... ma première femme avait été, en 1942, victime d'une de ces bandes de voyous. Elle avait été, dès lors, sujette à de fréquentes hémorragies et s'était mise à boire. Elle est morte vingt-six ans plus tard. En ce sens, je pense aujourd'hui que ce livre a été pour moi un exercice de pardon. Il faut montrer l'actualité du mal, la dramatiser. La représentation en est nécessaire, même si elle est douloureuse. Il faut que le mal existe pour que l'homme puisse choisir le bien. *L'orange mécanique* était, en fait, un livre tout à fait moral, profondément chrétien, très proche dans l'inspiration de *L'homme de Nazareth.*

S. L. – *Bien que votre Christ soit très éloigné de l'image traditionnelle...*

A. B. – Je suis resté très fidèle à la Bible. Mais je me suis interrogé sur ces quinze ans de la vie de Jésus – entre sa barmitzvah et le début de sa mission – dont on ne sait rien. Je me suis imaginé qu'il avait pu se marier. Sa femme est morte à Jérusalem lors d'une émeute. Depuis, veuf, il vit avec sa mère. Il est différent aussi physiquement de l'image frêle, émaciée que l'on donne généralement de lui. Pour parler aux foules, se faire entendre d'elles, il doit avoir une voix puissante. Dans mon roman, c'est donc un homme de haute stature, à la poitrine large. Il exerce le métier de charpentier, il connaît le bois et son travail. Ce qui lui permet de juger que la croix sur laquelle on va le clouer est mal faite, bâclée. Ce géant connaît sa force. Il pourrait d'une main soulever de terre ces prêtres qui le jugent. Mais c'est parce qu'il redoute les effets de cette puissance physique qu'il peut prêcher la vertu de la douceur. De même j'ai vu les apôtres comme des êtres de chair et de sang, qui ne sont pas des disciples aveugles et dociles. Ce sont des hommes avec leurs qualités, leurs défauts, leur tempérament, leurs faiblesses. Il leur arrive de ne pas comprendre, de protester, de contester.

S. L. – *Mais vous n'avez pas fait de votre Christ un personnage politique ?*

A. B. – Absolument pas. Ce n'est pas un révolutionnaire, une sorte de Che Guevara de la Palestine. Il tolère l'État romain parce qu'il y a mieux à faire qu'à lutter contre l'État. La solution aux problèmes des hommes se trouve dans le cœur de chacun et non dans l'organisation politique. Et cette doctrine-là est toujours actuelle. Le communisme manque totalement de qualité mystique. Bouddha n'existe pas en tant qu'homme, Mahomet ne représente rien. Le Christ, lui, est encore vivant, capable de nous troubler, susceptible, encore, d'apporter une solution, même aux non-chrétiens. Cette solution est en nous : l'amour et la tolérance sont la seule réponse au problème de la vie. Ce précepte, très simple, et infiniment difficile à appliquer peut être accepté, compris par quiconque, croyant ou non-croyant. C'est la seule voie. Cette voie dont les dogmes de l'Église se sont évertués à cacher la réalité, si claire si évidente ! Le personnage du narrateur, dans mon livre, explique d'ailleurs combien la vie peut devenir passionnante si l'on y joue à ce jeu de l'amour et de la tolérance.

S. L. – *Vous voyez l'amour comme un jeu ?*

A. B. – Sans l'amour, si difficile à pratiquer, la vie n'est qu'un combat incessant pour posséder et se défendre des autres. Mais s'il devient un jeu, tout prend un tour plus facile, l'ennui disparaît... Quoi de plus stimulant, de plus excitant que le jeu ? Une conception ludique de l'amour pourrait être le moyen d'en vaincre les difficultés...

ALEXANDRE ZINOVIEV

*« Les dissidents soviétiques sont
contre le gouvernement ou le pouvoir en place;
moi, je suis contre toute la société. »*

Novembre 1978

Un livre – mais quel livre! – a suffi à Alexandre Zinoviev pour s'imposer
comme l'un des plus importants écrivains soviétiques contemporains. Avec *Les
hauteurs béantes* (que *Lire* avait élu « meilleur livre de l'année 1977 ») on
peut considérer qu'il s'est révélé être à la fois un grand romancier, un grand
philosophe et un grand sociologue. Un grand romancier parce que, utilisant
tous les styles d'écriture possibles, du réalisme cinglant jusqu'au fantastique et
à la science-fiction, Alexandre Zinoviev a créé des personnages inoubliables se
nommant « Le Schizophrène » ou « Le Bavard », « Le Littérateur » ou « Le
Menteur », « Le Déviationniste » ou « Le Membre », et se promenant dans
une société hallucinante où la tragédie ne le cède en rien à la drôlerie. Un
grand philosophe parce que ce professeur de logique a renouvelé de manière
sensible, notamment par des analyses de la science et de l'idéologie, la critique
du marxisme. Un grand sociologue parce que, sous couvert d'une parodie, il a
sans doute brossé le premier tableau systématique de la vie quotidienne à
Moscou aujourd'hui.

La publication des *Hauteurs béantes*, puis celle de *L'avenir radieux* ont valu à
Alexandre Zinoviev une renommée internationale. Mais elles lui ont coûté
aussi d'être durement sanctionné par le gouvernement soviétique. Et déjà
privé du droit d'enseigner, Alexandre Zinoviev a vécu quelque temps dans
l'isolement complet sans aucun espoir de retrouver un jour un emploi dans
son pays. Au mois d'août 1978, il a tout de même été autorisé à quitter
l'URSS pour aller donner des cours de logique dans une université allemande.
Et après s'être installé à Munich, Alexandre Zinoviev a effectué un séjour à
Paris à l'occasion duquel nous avons pu l'interviewer.

Ce qui frappe chez cet homme réservé, c'est la rigueur du propos et une sorte
de volonté implacable pour tâcher de comprendre et expliquer la société
communiste d'où il vient et où il a vécu plus de cinquante ans. Si Alexandre

Zinoviev fait référence à son expérience personnelle, jamais il n'en tire la moindre gloire et toujours il essaye de l'intégrer dans une analyse globale de la situation en URSS. Son pessimisme est d'autant plus impressionnant qu'il est calme et se double souvent du sourire impitoyable de l'ironie.

Pierre Boncenne. – *Même s'il est difficile de retracer en quelques mots cinquante ans de votre vie, pourriez-vous me dire qui vous étiez avant de commencer à rédiger* Les hauteurs béantes?

Alexandre Zinoviev. – Bien sûr, il est difficile de répondre brièvement, mais je vais essayer. Je suis né en 1922, j'ai d'abord vécu à la campagne, puis je suis entré comme étudiant à l'Institut supérieur d'histoire et de philosophie. C'est à cette époque que ma conception du monde s'est vraiment formée, et si j'avais à en résumer les deux traits les plus caractéristiques, je dirais qu'il y avait chez moi, d'une part, la haine totale envers le stalinisme sous toutes ses formes et, d'autre part, le désir de comprendre l'essence même de la société dans laquelle je vivais. Et même si une grande partie de ma vie peut sembler en retrait par rapport à ce désir, je n'ai cessé en réalité d'y penser et d'y travailler, car j'ai toujours voulu analyser et expliquer la société.

En 1939, j'ai été mis à la porte de l'Institut d'histoire et de philosophie et j'ai été exclu des « Komsomols » (les jeunesses communistes) : j'avais eu l'honneur d'attirer l'attention du KGB à la suite d'un discours que j'avais prononcé contre le culte de Staline. Diverses circonstances m'ont permis malgré tout d'échapper aux « organes », c'est-à-dire au KGB, et finalement je suis parti faire mon service militaire. J'ai participé alors à la guerre de 39-45 et j'en suis sorti avec le grade d'officier de l'Armée de l'air. En 1946, j'ai été démobilisé et, après avoir terminé mes études en préparant un doctorat, je suis devenu professeur. C'est ainsi que j'ai travaillé plus de vingt ans à l'Institut de philosophie et à l'université de Moscou. Mon domaine était celui de la logique; j'ai publié de nombreux livres et articles sur ce sujet, et je peux dire que, d'une manière générale, mon activité et mes recherches en logique ont eu du succès.

P. B. – *Pourquoi vous êtes-vous intéressé à la logique?*

A. Z. – Dès ma jeunesse, j'ai été attiré par les mathématiques, et plutôt par l'aspect théorique des mathématiques. Or on peut dire que la logique, c'est justement la mathématique pensante. Mais il y a d'autres raisons qui m'ont poussé vers la logique. D'une certaine manière, la logique était le domaine le plus apolitique de la philosophie soviétique, et je pouvais ainsi travailler dans le secteur de la philosophie sans pour cela apporter une contribution au développement du marxisme.

P. B. – *Dans* Les hauteurs béantes, *l'un des narrateurs, évoquant des esprits brillants et originaux dont les recherches pourraient finir par déranger, écrit : « Pour des gens de cette espèce, notre formule est évidente : reste tranquille! » A partir de quel moment vous n'avez plus voulu « rester tranquille »?*

A. Z. – Mais toute ma vie, je ne suis pas resté tranquille! Et il ne faut pas croire que mes recherches en logique étaient une façon de m'endormir. Au contraire, je dirais presque que j'ai choisi le domaine de la logique en tant que moyen de ne pas rester tranquille. J'ai été le premier philosophe soviétique à publier des ouvrages non marxistes et ce fait a joué à mon avis un rôle très important dans tout ce qui m'est arrivé par la suite.

P. B. – *A quel moment avez-vous songé à rédiger* Les hauteurs béantes?

A. Z. – Dès 1974, grâce aux immenses efforts de mes collègues, que je salue au passage, je me suis retrouvé dans l'isolement le plus complet : je n'avais plus d'élèves, j'ai été privé du droit de donner des cours et des conférences, et il m'était pratiquement impossible de publier mes travaux de logique. J'ai donc eu ce que l'on pouvait appeler du « temps libre »... et c'est alors que j'ai commencé à écrire *Les hauteurs béantes* en retranscrivant ce qui s'était accumulé en moi au cours des années.

P. B. – *Vous avez écrit* Les hauteurs béantes *d'une seule traite ?*

A. Z. – Ah oui ! Ce livre a été une véritable explosion pour moi. Je n'ai fait que retranscrire sur le papier ce qui était déjà inscrit dans ma tête et j'ai écrit très vite : cela m'a pris environ six mois...

P. B. – *Six mois seulement pour 700 pages bien tassées ?*

A. Z. – Oui. Mais avant d'écrire *Les hauteurs béantes*, j'ai vécu plus de cinquante ans : j'avais accumulé des réserves...

P. B. – *En commençant à écrire* Les hauteurs béantes, *saviez-vous vers quoi vous vous dirigiez, et saviez-vous d'ailleurs ce que vous vouliez écrire ?*

A. Z. – Non, pas du tout. Je ne soupçonnais même pas que j'étais en train d'écrire un livre. Et ce n'est qu'à partir du moment où il était pratiquement achevé que j'ai commencé à comprendre qu'il s'agissait peut-être d'un livre.

Dans Les hauteurs béantes *comme dans* L'avenir radieux, *on trouve toujours un personnage écrivant un livre, réfléchissant sur ce livre qu'il écrit et s'interrogeant sur sa publication éventuelle. A sa manière, Alexandre Zinoviev a repris ainsi l'un des thèmes majeurs du roman moderne, celui du livre dans le livre.*

P. B. – *Il y a tous les morceaux d'écriture possibles et imaginables dans vos livres : de la logique, de la philosophie, de la science-fiction, du fantastique, de la poésie, du roman, du document, sans oublier des dizaines d'histoires drôles.*

A. Z. – Vous savez, j'avais déjà une certaine pratique de tous les genres que l'on peut trouver dans mes livres : je pouvais écrire des kilomètres de poèmes sans difficulté, j'avais participé à la publication de journaux muraux, j'inventais des « anecdotes » et je dessinais même des caricatures...

Je n'ai donc aucun mal à utiliser tous les styles littéraires. Mais ce n'est pas la littérature qui m'a inspiré pour écrire mes livres : c'est la vie elle-même et ma vie d'intellectuel. Lorsque j'étais en URSS, j'avais un genre de vie qui est tout à fait caractéristique de celui que mène l'intelligentsia moscovite depuis quelques années. Et si l'on doit parler des sources de mon œuvre, je considère que la plus importante, c'est la pratique de la conversation dans le milieu de l'intelligentsia moscovite.

P. B. – *L'un de vos personnages dans* L'avenir radieux *dit : « Chez nous, tout ce qui peut faire l'objet d'une littérature c'est une description impitoyable de notre réalité, qui exclut la véritable littérature... » N'est-ce pas une manière d'affirmer qu'à l'heure actuelle, la seule démarche possible est celle qu'emprunte votre œuvre ?*

A. Z. – Je ne jette aucune exclusive vis-à-vis de telle ou telle forme littéraire. Ceci dit, dans le passage que vous me citez, il est vrai que je visais les méthodes de la littérature traditionnelle. Car je pense que pour décrire de manière profonde et complète la vie contemporaine, il faut introduire dans la littérature des éléments de la science. D'autre part, en ce qui concerne la partie descriptive d'une œuvre, je pense qu'il faut avoir recours au style du synopsis : c'est-à-dire se montrer plus économe dans la description des détails ou des petites choses et plus généreux dans celle des choses essentielles. Et, en règle générale, je pense que la méthode littéraire la plus efficace consiste à montrer le sérieux d'une chose, d'un événement ou d'une situation sous une forme soi-disant « peu sérieuse ». Les « anecdotes » ou les histoires drôles sont l'exemple même de cette efficacité littéraire qui me semble nécessaire.

P. B. – *Vous m'avez dit qu'il faudrait introduire la science dans la littérature. Dans* Les hauteurs béantes, *l'un des principaux protagonistes, le Schizophrène, s'interroge : « Est-ce possible de tout* *ramener à des formules et à des nombres?* » *Et il répond :* « *Tout, si l'on veut bien.* » *C'est également votre avis?*

A. Z. – La science n'est pas seulement faite de formules et de nombres. Il y a aussi un style ou une démarche propre à la pensée scientifique et c'est cette démarche qui m'importe. Je ne prône pas du tout une substitution de la littérature par la science, mais l'introduction de la « scientificité » *dans* la littérature. A l'heure actuelle, la science joue un rôle tellement important dans notre vie de tous les jours qu'ignorer le mode de réflexion propre à la science est absolument impossible. La pensée scientifique est devenue un élément de la vie quotidienne, et c'est un fait que l'on ne peut pas contourner.

P. B. – *Mais n'y a-t-il aussi chez vous une sorte de vertigineuse fascination qui vous pousse à vouloir décrire toute la réalité comme pourrait le faire une science universelle?*

A. Z. – De toute évidence, j'ai eu, et j'aurai toujours le désir de décrire la société soviétique, et plus généralement la société communiste dans sa totalité. Mais je dois m'en tenir à une description littéraire qui a la forme scientifique. Car décrire de manière vraiment « scientifique », au sens propre du terme, un phénomène aussi complexe que celui de la société communiste, un homme seul ne le peut pas.

P. B. – *Du reste, vos deux livres ne décrivent finalement qu'une partie de la société soviétique : le monde de l'intelligentsia.*

A. Z. – C'est vrai. Mais il y a une certaine suite logique dans la description de la société que j'ai entamée. Et comme je n'ai pas encore terminé le tableau que je veux donner de la société soviétique, on peut avoir l'impression que je me limite à la description de l'intelligentsia. D'autre part, il existe dans toute société des couches bien déterminées qui reflètent de manière très précise l'essence même de cette société. Dans la société soviétique d'aujourd'hui, c'est l'intelligentsia qui est le reflet le plus parfait de la société. C'est pourquoi elle est au

centre de mes livres, ce qui ne veut pas dire que j'ignore les autres couches de la société : je les décris de manière indirecte, par rapport à l'intelligentsia, et je pense que c'est suffisant. J'ajouterais enfin ceci : le mode de vie d'un fonctionnaire soviétique, par exemple, est assez minable et n'a pas beaucoup d'intérêt d'un point de vue littéraire. Je pense même qu'écrire un roman sur la psychologie d'un fonctionnnaire soviétique serait ridicule pour la simple et bonne raison que cette psychologie n'existe pas.

P. B. – *Je ne sais pas comment l'on pourrait qualifier la psychologie des professeurs que vous décrivez, mais une chose est sûre : le monde universitaire soviétique tel qu'il apparaît dans vos livres est lui aussi sidérant de médiocrité. Tout n'est que piston, carriérisme et petites combines, et dans* L'avenir radieux, *on trouve même cette notation :* « *Qu'un intellectuel soviétique arrive à placer son fils à l'université tout de suite après l'école et sans aucun piston, c'est bien plus impressionnant qu'un lieutenant corse qui devient empereur de France.* » *Là, vous n'avez pas exagéré un peu pour le plaisir de faire un bon mot?*

A. Z. – Eh bien, je vais vous répondre en toute franchise. Une forme littéraire, si elle veut être efficace, ne peut pas coïncider exactement avec la réalité : il y a une certaine plastique de la forme littéraire qu'il faut manier pour elle-même. Je me suis donc permis parfois des exagérations, exclusivement dans l'intérêt de la littérature. Mais je pense que ma description de la réalité correspond à cette réalité sans en être le calque exact. Car, d'un autre côté, je vous assure que la vie soviétique réelle est bien pire que ce que j'en ai dit ou écrit. Et je suis sûr que si j'en avais fait une description à cent pour cent exacte, il aurait été impossible de lire mes livres : ils seraient devenus des livres d'horreur. Maintenant, en ce qui concerne le problème précis soulevé par votre question, je dirais que la vie de la société soviétique répond à des lois telles que la possibilité d'employer les meilleurs cerveaux, y compris pour renforcer l'idéologie officielle, cette possibilité-là est exclue. Si bien qu'en Union soviétique aujourd'hui, quelqu'un qui n'est absolument pas doué a beaucoup plus de chances de réussir que quelqu'un qui est doué. On le voit bien en philosophie : un philosophe même marxiste dont le niveau intellectuel ne se limite pas au niveau intellectuel des sections du comité central du Parti communiste est toujours balayé à plus ou moins long terme. Le niveau intellectuel de la société soviétique tend vers la nullité absolue.

P. B. – *Vers la fin des* Hauteurs béantes, *vous faites à ce propos une distinction entre le degré d'« instruction » d'une société et son degré « intellectuel ». Et vous dites : « Le degré d'instruction d'une société ne définit pas son degré intellectuel... Il peut exister une société supérieurement instruite mais faiblement intellectuelle. Nous possédons beaucoup de savants, de hauts fonctionnaires et d'hommes de lettres hautement instruits, mais absolument pas intellectuels et même hostiles à tout ce qui est intellectuel... » Pourriez-vous m'expliquer cette distinction ?*

A. Z. – C'est une question très complexe et très importante, et je me limiterai à quelques remarques. Il y a plusieurs années, l'instruction, chez nous, allait de pair avec l'intellectualité, la spiritualité, et je dirais même la moralité. Aujourd'hui, au contraire, l'instruction apporte tout à l'homme soviétique, sauf le niveau intellectuel, culturel, et un certain développement moral de l'esprit que l'on pourrait attendre. Pour aller vite, disons que l'instruction, maintenant, mène au professionnalisme, et à la stricte défense de petits intérêts professionnels. Si bien qu'une société peut avoir des dizaines de milliers de professeurs, d'ingénieurs, d'écrivains et rester tout à fait primitive sur le plan intellectuel. C'est d'ailleurs ce que disait mon personnage dans *Les hauteurs béantes.*

Voici un extrait de ces propos (Les hauteurs béantes, *p. 567*) : « *Le nombre de livres édités, d'expositions, de cinémas, de films produits, de théâtres, etc., ne sont pas non plus un indice du caractère intellectuel de la société. Ce sont des indices, mais qui caractérisent d'autres aspects de la société. Une société intellectuelle est une société qui est capable de se connaître objectivement et de s'opposer aux tendances aveugles et élémentaires qui existent en elle. C'est une société qui est capable de perfectionnement et de progrès spirituels. »*

Et, voyez-vous, si la question que vous m'avez posée est tellement complexe, c'est qu'elle touche à l'essence même de la société soviétique telle que je voudrais la décrire. Car l'une de mes préoccupations principales est de montrer que si le niveau d'instruction de cette société est peut-être très élevé quantitativement parlant, son développement intellectuel et spirituel est primaire. Au début, au moment de se former, je crois que cette société a eu besoin d'une certaine spiritualité. Aujourd'hui, cette spiritualité a été étouffée, et la société se développe comme un système parasitaire, la tendance prédominante du système étant l'étouffement progressif et systématique de tout talent.

P. B. – *Voilà pourquoi vous dites dans* L'avenir radieux *que Soljénitsyne aurait été banni d'URSS non pas tant en raison de ce qu'il écrivait, mais parce qu'il était un excellent écrivain ?*

A. Z. – Bien sûr, c'est un peu exagéré, mais il y a une grande part de vérité dans cette hypothèse. Le talent de Soljénitsyne était insupportable pour la majorité de ses confrères, et ce fait a beaucoup plus compté qu'on ne le pense.

P. B. – *En transposant, on peut dire la même chose d'Alexandre Zinoviev ?*

A. Z. – Oui, dans une certaine mesure : comme je vous l'ai raconté, c'est bien avant la parution des *Hauteurs béantes* que je me suis trouvé dans l'isolement le plus complet grâce aux immenses efforts de mes collègues. Mais il y a un exemple encore plus évident et que j'ai relaté dans *L'avenir radieux* : celui du sculpteur Ernst Neizvestny qui aurait pu être un sculpteur particulièrement brillant à l'intérieur de la société soviétique. Ernst Neizvestny n'avait jamais fait de politique et jouissait même d'une certaine bienveillance des pouvoirs à son égard. Et pourtant, voyez ce qui est arrivé : il a été obligé de quitter l'URSS car il ne correspondait pas à son milieu professionnel et d'une manière générale aux milieux artistiques. Il gênait les artistes médiocres plus que le pouvoir. Je pense que le cas du musicien Rostropovitch peut s'expliquer de la même manière. Et ne parlons pas des innombrables cas des ballerines, de tous ces danseurs ou danseuses obligés de s'expatrier, et pas pour des raisons politiques!

P. B. – *Dans* L'avenir radieux, *l'un de vos personnages remarque que le flair de la censure pour la vraie littérature est assez étonnant. Peut-on retourner la proposition et dire qu'aujourd'hui la vraie littérature et la véritable création artistique ne peuvent pas ne pas être censurées (le terme « censure » étant pris au sens large) ?*

A. Z. – Je suis tout à fait d'accord sur cette proposition. Un art et une œuvre véritablement créateurs ne peuvent pas exister dans les conditions actuelles de la société soviétique. Bien entendu, il y a des cas particuliers, et l'on peut citer quelques véritables artistes ayant réussi à se faire une place. Mais ces exceptions sont toujours des phénomènes temporaires. En tant que tradition solide et sûre, l'existence d'un art authentique est tout à fait exclue. Pourquoi ? Parce que les innombrables personnes travaillant dans les arts, la littérature et le théâtre ne le permettent pas : ils n'admettent pas l'épanouissement d'un art véritable et, croyez-moi, ils ont une force d'inertie énorme pour l'empêcher par tous les moyens. Si jamais quelque chose a réussi à échapper à leur contrôle une fois, l'aventure ne se reproduit pas une seconde fois. Et si les dirigeants les plus hauts placés du Parti communiste sortaient un décret demandant que les hommes de lettres et les artistes les plus talentueux soient aidés et reçoivent un appui, ce décret n'aurait aucun effet et tomberait à l'eau.

P. B. – *La vie soviétique n'est plus régie que par les desiderata de toute une série de castes de fonctionnaires ?*

A. Z. – Ce serait superficiel que de s'arrêter à ce seul niveau d'analyse. Il faut fouiller plus profondément dans la vie quotidienne des gens au sein de leur collectif. Le principe même de la société soviétique, c'est que l'individu est mis sous l'entière dépendance du collectif dans lequel il vit et mène son activité. Et c'est là que réside le plus grand pouvoir sur l'individu, dans cette présence permanente du collectif sur la personne privée. Il est très important de comprendre ce point-là. Les analyses qui sont faites de la société soviétique ne prennent en compte que les hauts pouvoirs et les grands dirigeants, comme s'il existait un petit noyau d'oppresseurs et une masse énorme d'opprimés. Mais c'est beaucoup plus compliqué que cela! De même, on parle toujours du KGB, en oubliant que cet organisme n'est qu'un des rouages de l'État et que c'est la société dans son ensemble, dans ses aspects les plus quotidiens, qui est une société de surveillance. Et dans la plupart des cas, pas besoin de policiers ou de représentants du pouvoir pour que cette société soit contrôlée. Prenons un exemple très clair : lorsque mon livre est paru, mes collègues de l'Institut l'ont immédiatement condamné sans l'avoir lu. Ils ont exigé que l'on me licencie, que l'on me prive de tous mes titres scientifiques, et certains même ont exigé que je passe en jugement alors qu'avec beaucoup d'entre eux j'avais des relations amicales depuis plusieurs années. Or cette réaction d'un collectif dans lequel j'ai travaillé plus de vingt ans n'est pas artificielle ou suscitée par des autorités supérieures. Au contraire, cette réaction est *naturelle* dans la société soviétique. Pourquoi ? Parce que je me suis permis d'enfreindre l'une des lois fondamentales de la société communiste : je me suis opposé au collectif, je me suis placé au-dessus de lui et, du coup, j'ai conquis mon indépendance. Or cela, le collectif ne le tolère pas.

P. B. – *Et c'est à partir du moment où quelqu'un se met en dehors du collectif que l'on tient à son égard les propos qui sont tenus à l'égard du Barbouilleur dans* Les hauteurs béantes : *« Chacun sait que* *le Barbouilleur est un ivrogne, un drogué, un coureur, un homosexuel, un lesbien, un trafiquant, un spéculateur, un combinard, un requin ›...*

A. Z. – Je ne vous le fais pas dire! Et la liste n'est pas complète... Oui, c'est alors que le collectif s'efforce par tous les moyens de discréditer cette personne et de la détruire. Pour ma part, l'action que j'ai accomplie a eu une assez large résonance, et c'est ce qui m'a sauvé. Si mon action avait été de moindre importance, je ne serais pas ici en train de parler avec vous : j'aurais été éliminé d'une façon ou d'une autre. Au passage, je voudrais en profiter pour dire que ma famille et moi, nous avons été aidés durant cette période difficile par mes parents et par des amis, certains de longue date, d'autres que les circonstances ont révélés. Et je trouve que ce fait n'est pas négligeable : notre société, malgré tout, engendre encore un certain nombre de gens capables de résister.

P. B. – *Dans vos deux livres, il y a des personnages qui reviennent souvent en arrière-fond : les clochards, les poivrots. Les gens qui échappent au collectif et qui ne sont pas exilés ou emprisonnés tendent vers la clochardisation?*

A. Z. – Ah, certainement! J'ai rencontré des dizaines de personnes qui sont le prototype de ces personnages de mes livres. Et pourquoi sont-ils devenus ainsi? Parce qu'aujourd'hui en URSS, le talent des gens et leurs forces spirituelles sont interdits et se perdent dans des proportions effrayantes. Alors commence l'alcoolisme... Si quelqu'un trouvait une méthode pour mesurer le gaspillage absurde du talent d'un peuple, il serait horrifié par les résultats de son enquête dans notre pays. Notre société est profondément hostile à toute forme de talent intellectuel et spirituel. Et si je devais résumer d'une seule traite le sens général de mon œuvre, je dirais qu'elle est le reflet de cette situation tragique : la mort inéluctable du talent.

P. B. – *Quelles fonctions jouent dans la société soviétique les ‹ anecdotes › ou histoires drôles qui pullulent dans vos livres?*

A. Z. – Un rôle colossal dont vous ne vous rendez peut-être pas compte ici. A mon avis, les anecdotes, les plaisanteries, les jeux de mots, les courts récits satiriques sont la *principale* forme de création littéraire en Union soviétique. Et jamais, me semble-t-il, n'est apparu dans l'histoire de l'humanité un phénomène de cette ampleur. Cette forme d'activité littéraire est en adéquation parfaite avec la société communiste et rien ne saurait l'exprimer mieux. La vie va de telle manière qu'il n'est pas besoin de beaucoup de mots pour l'exprimer : beaucoup de mots, ce serait faux, alors qu'une seule pointe d'humour peut expliquer en totalité un problème et clore la question.

P. B. – *Y a-t-il des gens qui croient vraiment aux slogans de l'idéologie officielle?*

A. Z. – De tels gens existent, mais si l'on peut dire, leur existence n'est pas... essentielle.

Jeu de mots intraduisible à partir du mot russe ‹ existence ›. Le seul équivalent possible en français : leur essence n'est pas essentielle.

En réalité, pour répondre à votre question, il faudrait faire une distinction : contrairement à la religion, on ne croit pas à l'idéologie, on l'accepte. Et dans ce sens-là, je dirais que l'écrasante majorité de la population soviétique, même si elle n'y croit pas, accepte l'idéologie officielle parce qu'elle lui convient. L'idéologie est une disposition ou plutôt une orientation particulière de la conscience. Et l'orientation particulière de la conscience que s'efforce d'imposer l'idéologie marxiste, elle n'empêche pas les gens de vivre. Au contraire, non seulement elle leur convient, mais, en plus, une grande partie d'entre eux, elle les aide à vivre.

P. B. – *En quel sens?*

A. Z. – Oh, c'est très simple! Une grande quantité de gens, des millions de personnes à mon avis, vit directement de l'idéologie : d'une part, les journalistes, les écrivains, les professeurs, tous ceux qui font partie de l'immense appareil de propagande et, d'autre part, toute une série de fonctionnaires, de directeurs de magasins, de militaires, etc. Toute cette masse de gens ne croit peut-être pas à l'idéologie, mais celle-ci les fait vivre ne serait-ce qu'en leur donnant des privilèges et des avantages. Et puis, à l'autre extrémité, il y a plusieurs dizaines de millions de personnes, ouvriers, paysans, petits employés qui, en URSS, mènent une vie très simple. Tous ces gens-là ont une technique de vie des plus primaires, et l'idéologie officielle qui est justement très primaire leur convient parfaitement. Car la grande force de l'idéologie marxiste est d'être très simple et assimilable par n'importe qui.

P. B. – *L'autre force de l'idéologie marxiste étant de se présenter comme scientifique?*

A. Z. – Exactement.

P. B. – *C'est l'une des constantes de vos deux livres que de confronter idéologie et science. Et, en résumant rapidement, on pourrait dire que vous voulez montrer: 1. que le marxisme, contrairement à ses allégations, est une idéologie; 2. que la particularité de cette idéologie est de se présenter sous le couvert de la science et de faire alliance avec la science.*

A. Z. – Je suis d'accord avec ce résumé. Qu'est-ce qui distingue la science de l'idéologie? Prenons un exemple très simple : soit une proposition à caractère scientifique. On peut ou bien démontrer qu'elle est vraie, ou bien qu'elle est fausse. Soit maintenant une proposition à caractère idéologique. Eh bien, dans ce cas-là, on ne peut pas du tout opérer ce genre d'analyse car une proposition idéologique, on ne peut ni démontrer qu'elle est vraie, ni qu'elle est fausse. L'approche est complètement différente. Vous pouvez toujours vous amuser à examiner l'opportunité d'une proposition idéologique pour ce qui est de diriger la conscience des larges masses populaires. Mais cet examen n'a rien de scientifique! La science et l'idéologie sont des choses tout à fait différentes. Pourquoi alors l'idéologie marxiste veut-elle se faire passer pour une science? A cette question, je dirais qu'il y a trois réponses. Premièrement : l'idéologie marxiste est apparue dans l'histoire comme une science et il est vrai que le marxisme naissant empruntait beaucoup d'éléments à la science. Deuxièmement : le rôle énorme que joue la science dans la société contemporaine. Troisièmement enfin : faire passer l'idéologie marxiste pour une science donne aux couches dirigeantes de la société soviétique la possibilité d'accréditer l'idée selon laquelle leur domination résulte nécessairement des lois de la nature ou de la matière. Les dirigeants ne voulant pas que leur pouvoir soit assimilé à la poursuite de buts égoïstes tentent de se faire passer pour les représentants des lois de l'univers. Ils ne peuvent pas gouverner au nom de Dieu puisque Dieu n'existe pas, alors ils gouvernent au nom des lois de la nature et le tour est joué. Il y a d'autres raisons expliquant l'alliance entre idéologie marxiste et science, mais les trois que je vous ai données me semblent les plus importantes.

P. B. – *Vous, en tous les cas, vous ne voulez pas vous battre avec les textes du marxisme, mais avec les faits?*

A. Z. – Oui : se battre avec les textes du marxisme n'a aucun sens et ce genre de lutte ne ferait que renforcer le marxisme en tant qu'idéologie. Je ne veux pas appeler les autres, les philosophes par exemple, à cesser leur lutte avec des textes. Chacun agit comme il l'entend. Mais, pour ma part, j'ai choisi les faits, j'ai choisi de raconter la réalité, et je pense que la description méticuleuse d'une file d'attente devant un magasin a beaucoup plus d'intérêt qu'une discussion idéologique. On peut toujours se battre avec des textes, on ne se bat pas avec des faits! Mon but est donc très simple : je raconte ce qu'il en est de la réalité, aux lecteurs d'en tirer des conclusions.

P. B. – *Et comment vous situez-vous par rapport aux actions du mouvement dissident? Vous semblez reprocher à la dissidence soviétique son intolérance?*

A. Z. – Écoutez, il faut bien faire une distinction : moi, je suis un homme tolérant et j'ai le plus grand respect pour le mouvement dissident en URSS. Ce sont certains de mes personnages qui reprochent à la dissidence son intolérance. Et ce que disent ces personnages, on ne peut pas feindre de l'ignorer. Les réactions vis-à-vis de la dissidence ne sont pas uniformes, en URSS : tout le monde n'approuve pas le mouvement dissident, beaucoup le condamnent et parmi ces derniers pas forcément les plus mauvais. Alors quoi ? Il faut taire ce fait-là ? Moi, je ne crois pas. Le peuple est impitoyable et prononce toutes sortes de condamnations qui méritent d'être connues et examinées. En règle générale, il est d'ailleurs tout à fait naïf de croire que celui qui choisira la voie de la lutte pour la vérité sera aussitôt approuvé par la majorité de la population. Moi-même, je sais pertinemment que la plupart de ceux qui me connaissent en Union soviétique me condamnent. Je pense que c'est naturel et je pense que je ne dois pas l'oublier, à moins d'être dupe. Donc, j'en tiens compte à travers mes personnages parce que je me refuse à des positions simplistes : ici les bons, là les mauvais, ici les gentils, là les méchants.

Ceci dit, je pense avoir été très prudent dans mes livres à propos de la dissidence, parce que précisément je ne voulais pas lui faire du tort, aussi minime soit-il. Et chaque fois qu'il le faut, je la défends.

P. B. – *D'accord. Mais vos deux livres font plus qu'amorcer une discussion approfondie sur la dissidence. Je pense en particulier à ce passage des* Hauteurs béantes *où vous parlez de la publication des livres de « Père la Justice », c'est-à-dire Soljénitsyne. Et dans* L'avenir radieux, *elles sont innombrables les pages qui se réfèrent à la dissidence où vous dites que, stratégiquement, ce n'est pas l'heure de l'attaquer, mais que la discussion est inévitable et nécessaire.*

A. Z. – Oui, parce qu'il y a quelque chose que l'on ne peut pas ignorer : le mouvement dissident s'est formé comme une opposition au régime existant. La forme de critique de la dissidence dépend donc des circonstances prévalant à une période donnée. Et par là même, ces circonstances jouent un rôle : il y a une interaction. En d'autres termes, on peut dire qu'il s'est accumulé en URSS une certaine pression et que cette pression a eu besoin d'un petit tunnel pour s'échap-

per. Les gens qui s'engouffrent dans le tunnel, ce sont les dissidents. Mais ils oublient parfois que la forme du tunnel détermine leur fuite. Et ils oublient souvent d'examiner la manière dont s'est formé le tunnel.

P. B. – *Voilà pourquoi vous ne vous considérez pas comme un dissident ?*

A. Z. – Vous savez, le concept de dissident est très flou. Si l'on considère comme dissident toute personne ayant la force d'exprimer sous quelque forme que ce soit une protestation, alors, bien entendu, je suis un dissident. Mais faites attention : en Union soviétique, on désigne par dissidence un phénomène beaucoup plus restreint. Sont considérés comme dissidents les membres du groupe Sakharov, du groupe Orlov, du groupe Tourtchine, etc. Autrement dit, les « dissidents » sont des gens faisant partie d'un groupe précis et menant des actions considérées comme illégales par rapport à la conception effective du droit en Union soviétique. Très bien. Quant à moi, je suis écrivain... Et si vous voulez une formule pour résumer tout cela, disons ceci : les dissidents sont contre le gouvernement ou le pouvoir en place; moi, je suis contre toute la société.

P. B. – *Vous allez bientôt publier deux nouveaux livres, je crois ?*

A. Z. – Oui, je vais publier d'abord *Notes d'un gardien de nuit* : il s'agit de la reconstitution d'un chapitre perdu des *Hauteurs béantes*. Et puis un peu plus tard paraîtra *L'antichambre du Paradis*, qui est un gros ouvrage où j'analyse justement ce dont nous avons parlé aujourd'hui : la science, l'idéologie, la morale, etc. Mais ces deux nouveaux livres ne sont pas différents des précédents, car chacun de mes livres n'est qu'une étape d'un seul et même grand livre. Je dirais seulement que *L'antichambre du Paradis* est ma vengeance contre les autorités qui, en 1977, ne m'ont pas donné l'autorisation de me rendre à l'étranger.

P. B. – *Lorsqu'au mois d'août 1978 vous êtes arrivé en Allemagne, vous pensiez sérieusement pouvoir rentrer un jour en URSS ?*

A. Z. – Je savais que j'avais besoin d'au moins trois ans pour remettre au point mes recherches en logique. Donc, je partais avec l'idée de faire prolonger mon visa. D'autre part, je ne pouvais avoir beaucoup d'illusions, car il y avait un problème crucial non résolu : en URSS, je ne peux avoir du travail. Sans moyen d'existence et ne pouvant pas abuser trop longtemps de l'aide de mes parents ou de mes amis, comment retourner là-bas ?

Cette interview a été réalisée à la fin du mois d'août. Depuis lors, les autorités soviétiques ont répondu à cette dernière question : fin septembre, Alexandre Zinoviev a été déchu de sa nationalité...

GABRIEL
GARCIA MARQUEZ

*« Je me sens totalement américain
avec un petit côté latino-américain
venu des Caraïbes. »*

Novembre 1979

C'était en 1967. Le Colombien Gabriel Garcia Marquez – « Gabo » pour ses amis –, qui approchait de la quarantaine, avait déjà publié plusieurs contes et deux romans. Sans oublier d'innombrables articles car il était journaliste depuis près de vingt ans, aussi bien chroniqueur que courriériste ou reporter. En 1955, envoyé par le quotidien *El Espectador* en Europe, il s'était retrouvé bloqué pour quelque temps à Paris, logeant dans un petit hôtel de la rue Cujas et vivant d'expédients : son journal avait tout simplement fermé boutique. Mais les affaires avaient fini par s'arranger et, après un voyage dans les pays de l'Est avec un groupe de musique folklorique, Gabriel Garcia Marquez avait repris ses activités journalistiques, tout d'abord au Venezuela, puis en Colombie pour ouvrir le bureau de l'agence de presse cubaine « Prensa Latina ».

Bourlingueur et touche-à-tout, on le retrouva par la suite à La Havane, New York et Mexico, encore journaliste mais également scénariste de cinéma, ou rédacteur publicitaire. Quant à ses œuvres littéraires... eh bien! justement : à partir de 1961 il était entré dans une période de longue rumination n'aboutissant à aucune publication. Bref, en 1967, s'il était considéré comme un des bons écrivains de la nouvelle génération latino-américaine et si le succès rencontré par ses précédents ouvrages avait été plus qu'honorable, on s'interrogeait, sauf quelques-uns de ses proches, sur son apparente stérilité littéraire. La réponse à cette question vint au mois de juin de cette année-là : ce fut *Cent ans de solitude*. Aujourd'hui, on le sait, cet extraordinaire roman-épopée, racontant la naissance, la gloire, puis la décrépitude de Macondo, un petit village latino-américain, est connu par des millions de lecteurs et Gabriel Garcia Marquez est considéré comme un des plus grands écrivains de son temps. Parmi tant d'autres, Pablo Neruda n'y a pas été par quatre chemins en déclarant que *Cent ans de solitude* était l'œuvre la plus importante jamais publiée en espagnol depuis le *Don Quichotte* de Cervantès. De quoi vous stériliser cette fois-ci pour de bon... Un peu abasourdi par sa célébrité – on le serait à moins et on imagine mal ici le personnage qu'il peut représenter dans son pays comme dans toute l'Amérique latine –, Garcia Marquez s'en va à Barcelone et rentre à nouveau dans une période de silence littéraire. Dont il sortira en 1975 avec la publciation de *L'automne du patriarche,* un roman d'une forme très élaborée et une sorte d'hallucinante litanie contre la dictature et le pouvoir. Parallèlement, Gabriel Garcia Marquez, socialiste depuis sa jeunesse, ce qui ne l'a pourtant jamais entraîné à cautionner l'aberrante esthétique du réalisme socialiste, poursuit un travail de journaliste politique. Il réalisera par exemple un reportage sur l'intervention des soldats cubains en Angola : *Opération Charlotte.*

De passage à Paris, où il vient parfois plutôt incognito, Garcia Marquez a accepté de réaliser l'entretien que l'on pourra lire ci-dessous. S'il est difficile à approcher, l'homme, une fois avec vous, essaye d'établir une sorte de relation amicale. Et dans son espagnol un peu chantant, il se montre un prodigieux conteur, tour à tour rieur, grave ou tendre.

Pierre Boncenne. – *J'ai entendu dire que vous n'aimez parler ni de ce que vous êtes en train d'écrire, ni de ce que vous avez écrit, et surtout pas de* Cent ans de solitude [1]. *On m'a dit aussi que vous êtes plutôt rebelle aux interviews. C'est vrai ?*
Gabriel Garcia Marquez. – Oui, tout est vrai. D'abord, c'est exact, je n'aime pas parler de ce que je suis en train d'écrire. Par superstition. J'ai l'impression que si je racontais ou que si je montrais beaucoup ce que j'écris, à force de le tripatouiller à l'endroit et à l'envers, je finirais par ne plus y trouver aucun intérêt. Donc, par un réflexe de défense personnelle, ce que j'écris je le protège avec la superstition. Il n'empêche que je parle tout de même de ce que j'écris : à certains de mes amis. Le seul problème, c'est que c'est un mensonge! Je leur dis vaguement ce que j'écris et, d'après leurs réactions littéraires ou humaines, je me rends compte sur quel chemin je me suis engagé dans le travail. Cela m'est très utile. Seulement voilà : lorsque plus tard ces amis lisent ce que j'ai effectivement écrit et qu'ils le comparent avec ce que je leur ai raconté, ils disent que je les ai

trompés... Pour préparer et penser un livre, mes amis peuvent m'aider comme un radar dans l'obscurité. Mais écrire est un travail très intime, très solitaire. Au moment où je m'assois devant une machine à écrire, je suis absolument seul, personne ne peut m'aider. Et mon matériau est tellement délicat et je suis tellement peu sûr de moi qu'en parler réellement pourrait, me semble-t-il, le perturber, le pervertir et l'abîmer à jamais. Ensuite je n'aime pas parler de ce que j'ai publié. Par pudeur. Parler de moi-même comme dans un spectacle, alors que je me suis déjà dénudé dans mes livres, me gêne. Sans compter que parler d'un livre c'est à la limite écrire un autre livre, construire le livre du livre. Et puis je sais peu de chose de mes livres. La dernière fois que j'ai lu *Cent ans de solitude* c'était pour en corriger les épreuves. Depuis lors, j'ai constaté que les critiques ont trouvé dans ce roman une quantité effarante de choses dont je n'avais pas la moindre idée. Tant mieux pour eux, mais moi je préfère de pas en parler car tout ce que je sais de *Cent ans de solitude* c'est précisément ce qui est écrit dans ce roman. Enfin, les interviews, j'essaye vraiment de ne pas en donner. Mais il se trouve que je suis

_____
1. Traduit par Cl. et C. Durand au Seuil.

journaliste depuis toujours. J'ai toujours gardé une grande affection pour cette profession et je crois, comme je l'ai souvent dit, que c'est là ma véritable vocation. Il m'est donc pénible de refuser les interviews aux journalistes. Mais, hormis les interviews à caractère politique qu'il m'arrive de donner si je le juge utile, je fais tout ce qui est possible et imaginable pour que les journalistes ne me trouvent pas, je me débrouille pour ne pas avoir le temps de les rencontrer. Si dans ces conditions on réussit quand même à me trouver et que, honnêtement parlant, j'ai le temps, alors je me prête au jeu comme avec vous en ce moment. Dans ce type de rencontre j'essaye toujours d'établir une relation personnelle avec celui qui m'interroge, je mets à sa place, je me préoccupe pour son travail, je m'efforce de lui fournir des éléments lui permettant peut-être d'aboutir à un résultat original. Du coup, je n'arrête pas d'y penser : comment vais-je faire cet entretien ? Que vais-je y dire pour ne pas trop me répéter ? A force, l'entretien journalistique est devenu pour moi un travail d'invention et presque, si j'ose dire, de fiction.

P. B. – *Je ne trouve pas cela choquant. Au contraire, il me semble plaisant de considérer l'interview comme une sorte de fiction.*

G. G. M. – Moi, je pense très sincèrement que l'interview est un genre de fiction et qu'il faut l'établir comme tel. Le problème c'est que cette conception n'est pas courante. D'habitude on croit que la fiction c'est le roman et que le journalisme n'a rien à voir avec le roman. De plus il y a un problème lié à l'utilisation du magnétophone. La plupart des journalistes, ceux qui ne posent pas l'interview comme une fiction, laissent travailler le magnétophone et pensent que le respect envers celui qu'ils interrogent consiste à retranscrire mot à mot ses paroles. Ils ne se rendent pas compte que cette méthode de travail est en fait assez irrespectueuse : lorsqu'on parle on tourne en rond, ou vagabonde, on ne termine pas ses phrases, on dit des bêtises. On parle et, précisément, on

n'écrit pas. Pour moi le magnétophone doit juste servir à engranger des éléments que le journaliste sélectionnera après, qu'il interprétera et qu'il choisira de présenter à sa manière. En ce sens il est possible de réaliser une interview comme on écrit un roman ou de la poésie.

P. B. – *Comme journaliste vous n'avez jamais réalisé des interviews ?*

G. G. M. – Jamais jusqu'ici. Maintenant que je suis plus vieux et que l'interview est devenue tellement à la mode, mes amis de la revue *Alternativa* [2] me demandent d'en réaliser. J'accepte parfois et le résultat me paraît exécrable. J'ai très envie d'avoir une longue conversation avec mon interlocuteur mais, lorsqu'il s'agit de lui poser des questions dans le cadre d'une interview enregistrée, je n'ai plus rien à lui demander... Je ne suis pas fait pour réaliser des interviews au sens où on l'entend maintenant. Mon domaine à moi c'est la conversation. Et le résultat d'une de ces longues conversations c'est *Récit d'un naufragé*.

[*Récit d'un naufragé vient tout juste d'être traduit en français chez Grasset. En février 1955, huit marins naviguant en mer des Caraïbes sur un destroyer colombien tombèrent accidentellement à l'eau. L'un d'entre eux, L. A. Velasco, après avoir dérivé dix jours durant sur un radeau, sans manger ni boire, fut retrouvé sur une plage. Gabriel Garcia Marquez, alors journaliste au quotidien* El Espectador, *eut de longues conversations avec L. A. Velasco et publia son reportage sous forme d'un récit d'aventures à la première personne.*]

Dans *Récit d'un naufragé* il n'y a pas une seule phrase que l'on puisse attribuer littéralement au marin Velasco. Je me suis entretenu pendant des heures avec lui. Il me racontait son histoire et moi, je l'écoutais à la manière d'un psychanalyste. Je savais où il y avait des trous du point de vue littéraire dans son histoire. S'il me parlait par exemple

---

2. La revue colombienne *Alternativa*, une revue d'analyses, a été fondée par Gabriel Garcia Marquez.

d'une matinée, je lui demandais :
« Quelle odeur y avait-il ce jour-là ?
Quelle était la couleur du ciel ? » Comme
il avait une bonne mémoire, il se souve-
nait de l'odeur, de la couleur du ciel, de
ses sentiments à ce moment-là. A partir
de toutes mes notes, j'ai ensuite reconstitué son aventure. Aucune phrase dans
Récit d'un naufragé n'est de Velasco,
mais toutes les informations viennent de
lui. Voilà pourquoi ce récit, écrit à la
première pesonne, est cosigné par
Velasco et moi. Mon travail a consisté à
élaborer de façon littéraire son histoire, à
lui donner une structure, des trucs et
l'ambiance nécessaires pour intéresser le
lecteur. A travers mon récit on pouvait
savoir qui était le marin Velasco, quel
était son caractère, ses sentiments, ses
opinions politiques, etc. Il m'apportait
un matériau auquel je donnais progressivement vie. *Récit d'un naufragé* comprend quatorze chapitres écrits en quatorze jours à raison d'un article par jour,
ce dont je serais incapable aujourd'hui.

P. B. – *Même si votre situation matérielle
n'était pas rose, loin de là – à un moment,
faute d'argent, le seul refuge que vous
aviez trouvé pour vous loger était un
bordel –, avez-vous la nostalgie de cette
période où vous étiez journaliste dans un
quotidien ?*

G. G. M. – A vrai dire, non. Je considé-
rais ma situation comme vraiment trop
injuste. Mon travail, je crois, valait beaucoup plus que ce que l'on me payait et, si
aujourd'hui les articles que j'écrivais
intéressent beaucoup les critiques, en ce
temps-là seuls quelques-uns de mes amis
les lisaient... Mais passons : ce genre
d'aventures a dû arriver à pas mal d'écrivains. Pour répondre à votre question je
dirais donc d'abord que, n'étant pas porté
à idéaliser le passé, je n'ai pas la nostalgie de mes débuts dans le journalisme :
c'était trop dur, trop injuste et trop
angoissant d'avoir à se dire tous les jours
qu'il fallait écrire quelque chose. En
revanche, vous avez raison sur le fond.
Le matériel que j'ai pu accumuler avait
une grande valeur littéraire et, sans cette
expérience, je crois que je n'aurais rien
pu écrire par la suite.

P. B. – *Vous souvenez-vous tout particulièrement de certains de vos reportages ?*

G. G. M. – Très curieusement le *Récit
d'un naufragé* a fini par devenir un bon
souvenir. Car au début je n'estimais pas
du tout intéressant ce travail et trouvais
très ennuyeux qu'on me l'ait confié,
d'autant plus que c'était du réchauffé et
que je n'étais pas le premier à interroger
le marin Velasco. A part cela il y a
quelques petits reportages, qui à la relecture ne me semblent pas formidables,
mais dont je me souviens avec un réel
plaisir. Par exemple cet article intitulé
Le cimetière des lettres perdues. Un jour
je me suis demandé : « Mais, au fait, que
se passe-t-il avec les lettres qui n'arrivent
jamais ? » Je suis parti au bureau des
rebuts de la poste. C'était une petite
maison dans la banlieue de Bogota et je
suis tombé sur un extraordinaire retraité
qui s'occupait de chaque pli comme d'un
trésor, en essayant de trouver tous les
moyens imaginables pour faire parvenir
les lettres à bon port. Et pourtant il
s'agissait de lettres sans destinataire
identifiable ou dont l'adresse était libellée
de façon démente. Il y avait par exemple
une lettre en provenance d'un hôpital
pour lépreux et destinée à « la dame qui
va à la messe de 5 heures du matin à
l'église de Las Nieves ». Ce retraité se
rendait alors tous les jours à 5 heures du
matin à l'église de Las Nieves pour
demander aux dames de l'assistance si
l'une d'entre elles n'attendait pas une
lettre venant d'un hôpital pour lépreux !
J'ai été tellement fasciné que je suis resté
une semaine avec ce retraité au grand
dam de mon journal qui ne comprenait
vraiment pas ce que je pouvais fabriquer
au bureau des rebuts de la poste... Ce que
je veux vous faire comprendre à travers
cette petite aventure, c'est que mes satisfactions dans le journalisme n'ont pas été
les grands reportages et encore moins les
éditoriaux mais les plongées dans les
petites choses de la vie quotidienne. Je
me souviens aussi d'un voyage assez
comique dans le département du Choco
en Colombie. Le correspondant de notre
journal nous transmettait des informa-

tions selon lesquelles il y avait là-bas des grèves, des manifestations depuis dix jours et des morts sur la place publique parce qu'il était question de diviser ce territoire du Choco. Croyant qu'il y avait là matière à un grand reportage, je suis parti pour découvrir, à mon arrivée, qu'il ne se passait strictement rien sauf dans l'imagination de notre correspondant! Furieux, j'ai dit alors que ce n'était pas possible, que je n'avais pas fait pour rien ce voyage en avion avec un orage épouvantable au-dessus des forêts et qu'en conséquence j'exigeais que l'on organise illico une manifestation pour pouvoir ramener des photos. La manifestation bidon se fit et, lorsque les photos furent publiées à Bogota, les représentants politiques du Choco qui, effectivement, ne croyaient pas beaucoup à l'existence de troubles, durent constater le contraire. Ils partirent alors pour le Choco, et il y eut de véritables manifestations, des protestations contre la nouvelle répartition du Choco et le gouvernement dut pour de bon renoncer au projet...

P. B. – *Mais, dites-moi, puisque l'interview est une fiction, comment prouver que vous ne venez pas d'inventer ces reportages?*

G. G. M. – Ah! mais tout est publié aux dates précises. C'est prouvable avec la collection complète du journal *El Espectador*. Il est vrai qu'une partie des archives a brûlé...

P. B. – *Tiens, tiens...*

G. G. M. – Non, détrompez-vous. Ce qui a brûlé correspond à une période où je ne travaillais pas dans ce journal.

P. B. – *Passer d'une écriture journalistique qui, dit-on, doit être rapide et concise, à l'écriture romanesque a-t-il été difficile pour vous?*

G. G. M. – Les professeurs de journalisme – qui sont rarement de bons journalistes – vous contraignent en effet dans des lois et des normes d'écriture. Et pendant beaucoup de temps on est obligé d'obéir. Mais dès que l'on devient connu, ces foutaises n'ont plus cours et, si votre talent est réel, vous pouvez publier tout ce que vous voulez, on vous l'arrache même des mains. Voilà pourquoi je prétends que la chose la plus importante en ce monde est d'acquérir la renommée : pour pouvoir faire enfin ce qui vous plaît.

P. B. – *Mais aujourd'hui n'est-il pas difficile d'être journaliste et de s'appeler Garcia Marquez?*

C. C. M. Le problème, il est vrai, c'est que l'on ne prête pas attention à ce que j'écris comme journaliste. Parce que je m'appelle Garcia Marquez, on publie parfois mes articles sans s'interroger en bien ou en mal sur leur contenu. Mais l'avantage de mon nom c'est que je peux en faire un usage politique et m'exprimer dans certains journaux où ce serait impossible si je ne m'appelais pas Garcia Marquez.

P. B. – *Vous vous considérez comme un journaliste politique?*

G. G. M. – Je me considère comme un journaliste qui s'intéresse de plus en plus à la politique parce qu'à chaque instant il est confronté à des thèmes politiques. En Amérique latine à l'heure actuelle, la politique prend le pas sur tout. Là-bas, quoi que vous fassiez comme journaliste, vous ne pouvez pas ne pas déboucher sur la politique.

P. B. – *En quel sens avez-vous déclaré en 1975 que vous ne publieriez plus de textes littéraires tant que la dictature du général Pinochet au Chili ne serait pas tombée? Vous aviez ajouté aussi que la littérature peut attendre face à des situations urgentes.*

G. G. M. – Je voulais dire que les résultats politiques du travail journalistiques sont beaucoup plus immédiats que les résultats du travail littéraire (auquel je ne dénie pas une influence en profondeur). Or, comme la situation en Amérique latine me semble être un cas d'urgence, je pense qu'il faut pour le moment recourir à des armes d'urgence. Dans mon cas, et parce que je ne sais pas empoigner un bazooka, cette arme se trouve être le journalisme. Mais si je ne publie pas de littérature tant que Pinochet sera au pouvoir, cela ne veut pas dire que je n'écris pas de la littérature. J'écris depuis quelque temps des contes, à propos des Latino-Américains en

Europe et, si demain Pinochet est renversé, dans les vingt-quatre heures mon manuscrit est prêt.

P. B. – *Sartre a soulevé un tollé en déclarant un jour : « en face d'un enfant qui meurt, La nausée ne fait pas le poids. » D'une certaine manière, vous, aujourd'hui, vous dites qu'en face de Pinochet la littérature ne fait pas le poids. Mais, en suivant cette théorie, n'y a-t-il pas malheureusement toujours trop de raisons pour ne pas publier ? Et après tout, pourquoi Pinochet et pas Videla en Argentine ?*

G. G. M. – Je reconnais l'objection mais, à ce compte-là, je ne publierais jamais. Il ne faut donc pas extrapoler. Ma déclaration date d'un meeting pour le Chili et d'un contexte précis où, d'une part, la pression était centrée sur Pinochet et, d'autre part, je venais tout juste de publier un livre, *L'automne du patriarche*. Si je n'avais pas publié depuis quinze ans on aurait pu prétendre que ma déclaration contre Pinochet s'expliquait parce que je n'avais sûrement plus rien à écrire. Cela n'était et n'est pas le cas et j'ai précisément voulu me servir de la publication de *L'automne du patriarche* [3] pour faire une « grève littéraire ». Je n'ai pas du tout voulu proposer une théorie, ni condamner la littérature qui, bien entendu, ne peut être jugée sur le même plan. Comme j'avais déjà vendu plusieurs millions d'exemplaires de mes livres, j'ai seulement essayé d'en appeler à mes lecteurs en leur disant : je ne publierai pas tant que Pinochet ne sera pas renversé. J'avais l'impression ainsi que, d'une certaine façon, je compromettais mes lecteurs contre Pinochet. C'est une grève littéraire comme il peut exister une grève de la faim ou une grève du zèle.

P. B. – *Mais cette grève ne gêne nullement Pinochet.*

G. G. M. – Je suis plus optimiste que vous. Bien entendu Pinochet ne sera pas renversé à cause de ma grève littéraire. Mais cela, ajouté à beaucoup d'autres choses, peut y contribuer un peu. Pour

des raisons de sécurité je ne peux pas vous en apporter la preuve patente, mais je peux vous assurer que ma grève va peut-être avoir des effets politiques précis dans quelque temps. Et puis, la meilleure preuve que ma grève a un certain impact, c'est que depuis lors, dans les interviews que j'ai pu accorder, on m'a toujours et sans exception interrogé à ce sujet, me donnant du coup la possibilité de dénoncer le régime de Pinochet.

P. B. – *Vous souhaitez que votre attitude soit imitée par d'autres écrivains latino-américains ?*

G. G. M. – Pas du tout. Je l'ai dit à titre personnel et je ne veux pas que l'on me prenne comme un exemple, comme un modèle à suivre. Cela dit, je me demande ce qu'il adviendrait si tous les écrivains latino-américains disaient un jour : « Nous n'écrirons plus tant que Pinochet ne sera pas tombé. » Cette action aurait sans doute un retentissement considérable.

P. B. – *A un moment, dans* L'automne du patriarche, *vous écrivez à propos de votre vieux dictateur : « ... après le cyclone, il accorda une nouvelle amnistie aux prisonniers politiques et autorisa le retour de tous les exilés, à l'exception, bien entendu, des hommes de lettres, ceux-là pas question, dit-il, ils ont la fièvre dans les plumes comme les coqs de race quand ils font les leurs, croyez-moi, ils sont bons à rien sauf quand ils sont bons à quelque chose, ils sont pires que les politiciens, pires que les curés... » En attribuant ce jugement sur les écrivains à votre patriarche-dictateur, n'est-ce pas une manière détournée pour vous, Garcia Marquez, d'affirmer avec orgueil la puissance de la littérature ?*

G. G. M. – En l'occurrence, je ne le crois pas. Il est traditionnel, l'acharnement des dictateurs contre les écrivains et les artistes, et l'avoir rappelé ne me semble pas être de l'arrogance. Je pense au contraire que, dans l'histoire de l'humanité, les dictateurs ont toujours surévalué l'art et la littérature, et ce à tel point qu'une phrase ou un livre d'un écrivain pourraient, estiment-ils, en finir avec leur

_____

3. Traduit par Cl. Couffon chez Grasset.

pouvoir. Moi je ne le crois pas mais eux, ils le croient. D'où ce passage que vous me citez de *L'automne du patriarche*. Entre l'écrivain et l'homme du pouvoir il y a une espèce de tension permanente parce que le premier interprète la situation d'un point de vue moral, que le second a un point de vue politique et qu'il y a des moments où c'est incompatible. Mais cela dit, si je suis certain d'avoir écrit cette phrase dans *L'automne du patriarche* pour montrer que les dictateurs surévaluent la littérature, il est vrai que nous, les écrivains, avons aussi cette illusion et cette prétention de croire à la force politique des mots. Moi-même, ne suis-je pas en grève littéraire contre Pinochet ?

P. B. – *Vous seriez plutôt d'accord avec les paroles du sage catalan retournant vers son pays natal à la fin de* Cent ans de solitude *: « Le monde, dit-il, aura fini de s'emmerder le jour où les hommes voyageront en première classe et la littérature dans le fourgon à bagages »?*

G. G. M. – Oui, parce que le sage catalan était justement un homme qui surévaluait la littérature. C'était un « homme de lettres » comme on dit en français. Mais à un moment donné il s'est rendu compte qu'il ne fallait pas charrier, qu'il fallait savoir oublier Plutarque, Homère ou Horace. C'était, je pense, un instant de vraie lucidité. Nous, les écrivains, avons tendance à croire que nous sommes le centre du monde et la conscience de la société. Et les dictateurs le croient aussi et l'illusion de la force de la littérature persiste. Tenez, prenez la situation en URSS. En Occident, très souvent, on pense que les problèmes autour des écrivains dissidents sont dus à un mépris des autorités envers la littérature. Je me demande si ce n'est pas tout le contraire, si le gouvernement soviétique ne surévalue pas la littérature au point de croire qu'un livre peut ébranler le système et qu'il faut donc en interdire la publication. Je ne nie absolument pas un certain pouvoir à la littérature, mais il me semble encore plus important de ne pas se bercer d'illusions.

P. B. – L'automne du patriarche *est-il interdit au Chili ?*

G. G. M. – Pendant un très court laps de temps, me semble-t-il, il a été interdit, mais cette mesure a été levée. Le gouvernement chilien, qui n'est pas sot, préfère ne pas provoquer un scandale inutile en l'interdisant. Car après tout, *L'automne du patriarche* est un livre difficile, pas très public, et les lecteurs susceptibles de lire ce roman en savent déjà beaucoup sur le dictateur avant de l'avoir lu. Et ce n'est pas dans *L'automne du patriarche* que ces lecteurs vont apprendre quelque chose sur les dictateurs. Évidemment je me demande ce qu'il adviendrait si je publiais maintenant un livre de très grande diffusion et ayant différents niveaux de lecture comme *Cent ans de solitude*.

P. B. – *Dans votre activité journalistique actuelle – vous revenez par exemple d'un voyage d'études au Vietnam – avez-vous cette difficulté à écrire que vous avez dit être toujours la vôtre pour vos romans ?*

G. G. M. – Oh oui! Même si elle n'est pas tout à fait semblable. Au fur et à mesure des années, je me suis forgé des manies et je me suis créé des conditions de travail de plus en plus difficiles et spécifiques. Je n'arrête pas d'inventer des raisons pour ne pas écrire. Pour moi, l'acte d'écrire, en journalisme comme en littérature, est de plus en plus terrorisant, et il m'arrive souvent, le matin, d'avoir des nausées et des vomissements jusqu'au moment où, par devoir que je m'impose, je m'assieds devant ma machine. Il y a dans l'écriture une espèce de vertige contradictoire : d'un côté, une fascination pour la satisfaction que peut donner le résultat du travail, de l'autre, une intense résistance physique à ce travail. Et même si je finis par les vaincre, je ne cesse d'inventer des prétextes. J'ai besoin de ma machine à écrire, dans ma maison, à tel endroit, à telle heure, avec un papier d'un grammage donné, etc. Il est vraiment loin le temps de ma jeunesse lorsque j'écrivais dans n'importe quelle chambre d'hôtel ou dans les trains avec une machine à écrire sur les genoux. Avant je pouvais écrire un conte en une journée. Maintenant il me faut un mois au minimum. Lorsque je suis dans ma maison à Mexico, je travaille habituellement de neuf heures du matin à deux heures de l'après-midi et si, au bout du compte, j'ai rempli une feuille de papier avec un double interligne, je suis satisfait. Pendant la rédaction de *L'automne du patriarche* c'était encore pire : je me sentais heureux de pouvoir écrire cinq lignes par jour, cinq lignes qui d'habitude se retrouvaient le lendemain à la poubelle...

A l'heure actuelle, parce que les contes que j'écris sont moins dramatiques et de facture plus classique, ma moyenne est heureusement remontée. Je ne veux pas me plaindre mais j'ai l'impression que ceux qui n'écrivent pas ne se rendent pas compte du drame que cela représente. Ce n'est pas de la démagogie de dire que c'est un travail d'ouvrier, un travail artisanal très dur. D'ailleurs, pour écrire, je m'habille avec une salopette de mécanicien. Mes proches disent parfois que je mets cette salopette pour des raisons psychiques, parce que je suis convaincu que le travail d'écriture s'apparente à celui d'un ouvrier. Mais pas du tout : c'est parce que c'est une tenue commode, que la salopette est le vêtement le plus pratique jamais inventé pour travailler. On l'enfile le matin, une simple fermeture éclair et hop...

P. B. − *Nous nous rencontrons aujourd'hui à Paris en 1979, vous connaissez la gloire et vous avez gagné beaucoup d'argent avec vos livres. Mais, il y a plus de vingt ans à Paris, vous viviez une extrême pauvreté. Quelle influence attribuez-vous à l'argent et aux conditions matérielles dans votre travail d'écrivain ?*

G. G. M. − Ce que je considère comme injuste, voyez-vous, c'est que tous les écrivains n'aient pas eu aussi l'argent dont je peux disposer. Je suis absolument opposé à l'idée romantique selon laquelle plus l'écrivain est contraint, mieux il écrit. Pour un véritable écrivain, c'est tout le contraire qui se passe. Quand à mon expérience à Paris de 1955 à 1957, si elle fut difficile d'un point de vue

matériel − j'étais sans travail puisque mon journal avait fermé −, il ne faut pas oublier qu'il y avait beaucoup de Latino-Américains dans ma situation. Nous étions une véritable bande, toute une génération, qui succédait d'ailleurs à une autre étant passée par les mêmes épreuves, et cette communauté comptait beaucoup. Ceci compensait cela. Je n'ai aucune amertume dans le souvenir de cette époque, la vie n'était pas désagréable. Bien sûr, il m'arrivait de ne pas manger pendant deux ou trois jours mais, au quatrième jour, je me retrouvais à la table de Maxim's...

P. B. − *Maxim's !*

G. G. M. − Mais bien sûr. Il y avait toujours un riche Latino-Américain arrivant à Paris et désirant bien connaître cette capitale. Comme je me débrouillais pour parler en français, je le promenais dans Paris et, au moment où il le fallait, je lui suggérais que pour bien manger le restaurant Maxim's était parfait. Et il m'invitait... Cette vie à Paris était certes aventureuse mais nullement dramatique. Disons plutôt qu'on ne l'assumait pas comme un drame. On se débrouillait toujours pour trouver un toit où dormir, on gagnait un peu d'argent en vendant des bouteilles ou en faisant du ramassage de vieilles choses, on finissait entre l'un et l'autre à joindre quelques francs et cela donnait un plat de spaghetti. Je n'oublie pas non plus mes amies qui travaillaient et qui étaient très généreuses. Cela dura jusqu'au jour où je pris conscience que cette expérience ne pouvait pas durer toute la vie, qu'il fallait savoir en finir, et je suis parti vers d'autres horizons... Et il ne m'est pas indifférent maintenant de ne pas avoir à me préoccuper constamment pour des questions d'argent. Je peux choisir un meilleur hôtel, je peux le payer, je n'ai pas à descendre de ma chambre sur la pointe des pieds pour que le portier ne m'intercepte pas avec une facture, etc. Il n'en reste pas moins qu'au fond, je finis par avoir ici, à Paris, les mêmes rituels qu'il y a vingt ans : je vois pratiquement les mêmes amis latino-américains, je vais quasiment dans les mêmes restaurants, et je mange les mêmes plats, comme le cassoulet par exemple. Soit dit au passage, je suis néanmoins un farouche partisan de la « nouvelle cuisine » qui me semble être une espèce de raffinement final, une espèce de synthèse de beaucoup d'expériences. La grande cuisine française traditionnelle ne m'indiffère pas – cela va de soi – mais, à l'époque de l'automobile, elle me fait l'effet d'un carrosse tiré par des chevaux.

P. B. – *Contrairement à d'autres villes, je crois tout de même que vous n'aimez pas Paris ?*

G. G. M. – C'est vrai. On a présenté cela comme du ressentiment mais c'est faux, comme je vous l'ai expliqué. Même si mes meilleurs amis je les ai rencontrés à Paris, même si le soleil certains après-midis sur Paris est extraordinaire, je n'ai jamais réussi à aimer cette ville. Je préfère de très loin Londres ou, dans un autre genre, le terrifiant sentiment de danger que peut procurer New York. Car j'aime les villes et leurs dangers. Et contrairement à la légende résultant de *Cent ans de solitude* je n'aime pas particulièrement les villages, sauf le village où je suis né, Aracataca. Je serais enchanté d'y posséder une maison où, pendant six mois de l'année, je pourrais écrire. Mais c'est impossible : chaque fois que je me rends à Aracataca, cela devient un événement.

P. B. – *Vous vous sentez plutôt un Colombien, un Latino-Américain, ou un homme des Caraïbes ?*

G. G. M. – Dans ma tête, j'ai complètement gommé les frontières et pas seulement en ce qui concerne l'Amérique latine. Je me sens Américain, États-Unis compris. Pour moi, l'Amérique est un énorme bateau avec ses premières classes, ses secondes classes, sa classe touriste et sa cale à marchandises. Suivant sa situation chaque Américain habite et vit dans telle ou telle classe. Si le bateau coule, il coulera toutes classes confondues et, de même, s'il flotte dans la tempête ou par beau temps, il flottera toutes classes confondues. Je me sens donc totalement américain avec un petit côté latino-américain venu des Caraïbes. Mais ce petit

côté spécifique n'implique pas que je me sente exclusivement colombien. Moi, je suis nationaliste continental ! L'autre jour, justement, je me trouvais avec des Latino-Américains qui discutaient à propos de l'expansionnisme brésilien, de son danger et de la nécessité pour la Colombie et le Venezuela de s'en défendre. J'avoue avoir été surpris car je n'ai jamais perçu cette question sous cet angle-là. Je connais pratiquement le monde entier et il se trouve que le pays qui me passionne le plus est le Brésil. Il est possible que le Brésil, ce pays extraordinaire lancé vers le futur, nous mange tous. Ce sera toujours l'Amérique latine, toujours les mêmes racines culturelles et je ne suis pas tellement préoccupé ni effrayé par cette perspective.

P. B. – *Et vous ne craignez pas l'expansionnisme culturel des USA vers l'Amérique latine ?*

G. G. M. – L'expansionnisme culturel, pas du tout. Il y a effectivement un travail culturel des USA vers l'Amérique latine qui passe à travers des programmes très sophistiqués, disons, pour aller vite, à travers les ordinateurs. Mais en réalité, si l'on observe attentivement ce qui se passe, on se rend compte que c'est l'Amérique latine qui opère une pénétration souterraine vers les USA. Regardez New York, tout le monde désormais y parle espagnol. Mais je ne conçois pas cela comme une guerre : mon patriotisme américain trouve très bien tous ces échanges et ces mélanges.

P. B. – *Au fait, que pensez-vous des déclarations de Carlos Fuentes d'après qui Paris est la capitale intellectuelle de l'Amérique latine ?*

G. G. M. – La formule est un peu rapide mais elle n'est pas fausse. Si je me réfère à mon expérience, je suis obligé de constater qu'ils étaient pratiquement tous à Paris avec moi il y a vingt ans, ceux qui sont devenus les écrivains, les peintres, les musiciens actuels de l'Amérique latine. Il y a une tradition qui s'est perpétuée selon laquelle il faut faire « l'école » de Paris. Ce qui ne veut pas du tout dire que ce sont les Français qui nous enseignent comment faire de la littérature, de

la peinture ou de la musique. La cour-
toisie extrême de mon ami Carlos Fuentes ne va pas jusque-là, je pense. Nous
trouvons plutôt ici un climat propice
pour prendre conscience de certaines
choses. Moi, c'est à Paris que j'ai pris
conscience de ce qu'est l'Amérique latine.
Avant d'arriver à Paris, j'étais moins que
Colombien, j'étais « costeno [4] » Une fois
ici, où dans un seul café se retrouvaient
des Vénézuéliens, des Chiliens, des Uru-
guayens et des Colombiens, j'ai commencé à exister selon une perspective
latino-américaine.

P. B. – *Je voudrais terminer en vous
demandant pourquoi vous parlez peu de
la musique qui me semble pourtant avoir,
sous différents aspects, un rôle essentiel
dans vos livres?*

G. G. M. – J'ai envie de vous dire que je
fais peu de déclarations sur la musique
parce que c'est ce qui compte le plus
pour moi! En réalité on ne m'interroge
pas beaucoup à ce propos. Et, à ma
connaissance, seul le critique uruguayen
Angel Rama, qui a mené une enquête
approfondie pour trouver l'origine de
mon œuvre, a noté l'influence des chansons de la côte colombienne sur mes
livres. Il avait raison : ces chansons, qui
représentent une forme de littérature
primitive, ont eu sur moi une influence
décisive que j'ai longtemps tenue secrète.
D'une manière générale, et depuis toujours, j'aime mieux la musique que la
littérature. A Mexico j'ai une petite
bibliothèque et une grande discothèque,
beaucoup plus de disques que de livres.
J'aime le jazz mais je n'ai pas de con-

naissances précises en jazz. Je ne suis pas
comme Julio Cortazar qui, une nuit,
dans un train pour Prague, nous parla
jusqu'à l'aube à Carlos Fuentes et à moi
du piano dans le jazz. C'était fascinant.
Par contre, je connais très bien la musique des Caraïbes et assez bien la musique classique.

P. B. – *Votre composition de prédilection?*

G. G. M. – C'est une question difficile
parce que, du point de vue émotionnel,
Brahms est mon compositeur préféré.
Mais d'un point de vue intellectuel je
comprends que Bela Bartok – qui à mon
avis est un romantique – est beaucoup
plus important.

P. B. – *Vous ne regrettez tout de même
pas d'être écrivain et non pas compositeur!*

G. G. M. – J'aurais voulu être les deux.
Et soyez sûr que je suis heureux que l'un
de mes fils fasse des études de musique.
Moi, j'ai essayé de faire de la musique, je
n'ai pas eu les moyens de continuer, mais
la musique a eu une influence considérable sur ce que j'ai écrit. A l'origine de
mes livres, comme je l'ai souvent dit, il y
a toujours une seule image obsédante :
par exemple, pour *Cent ans de solitude*,
l'image du grand-père emmenant l'enfant au cirque, ou, pour *L'automne du
patriarche*, un monsieur très, très vieux
avec un palais rempli de vaches. Ce que
je n'ai pas souvent dit, par contre, c'est le
rôle de la musique dans mes livres.
Longtemps je l'ai caché, mais je crois que
cela se sent dans la structure et le style de
L'automne du patriarche. D'ailleurs j'ai
failli dédier *L'automne du patriarche* à
Bela Bartok. Et peut-être est-elle là la
clef de ce que j'ai pu écrire : essayer
d'assembler une image et une musique.

---

4. « Costeno » : natif de la côte colombienne. Peut
prendre une connotation dépréciative comme « provincial » en France.

JORGE LUIS BORGES

« J'ai imaginé un objet impossible :
un livre qui serait comme le sable,
sans commencement ni fin. »

Septembre 1980

Même si son existence a été présentée par certains, en hommage à ses légendaires mystifications, comme une pure hypothèse, jusqu'à preuve du contraire il est Argentin, il est né en 1899, il est devenu progressivement aveugle et il s'appelle Jorge Luis Borges. On lui doit des contes (*Fictions, L'Aleph, L'auteur, Le livre de sable*, etc.), mais aussi des poèmes, des essais (*Histoire de l'éternité, Enquêtes, Evaristo Carriego*, etc.) sans oublier des chroniques cinématographiques. Au travers de fantastiques jeux de miroirs, de voyages imaginaires dans les labyrinthes d'une poursuite obsédante de la mémoire et du temps, son œuvre balaye tout le champ de la spéculation humaine, de la métaphysique jusqu'aux mathématiques. L'érudition de Borges est prodigieuse, ce qui peut le conduire à se référer tout aussi bien aux subtilités grammaticales de plusieurs langues qu'aux littératures scandinaves, à des poésies de Verlaine qu'à la zoologie dans la Chine ancienne, aux philosophies d'Aristote ou de Schopenhauer qu'à des textes musulmans, aux théologiens du Moyen Age qu'à l'univers de la science-fiction. Début septembre paraît chez Gallimard un recueil de ses *Préfaces* suivi d'un *Essai autobiographique*. Et il suffit de citer quelques-uns des auteurs préfacés par Borges pour prendre conscience de la diversité de sa culture : Bradbury, Carlyle, Carroll, Cervantes, James, Kafka, Melville, Shakespeare, Swedenborg, Valéry, Whitman. De ceux-là et de bien d'autres il pourrait vous citer des pages *in extenso* alors que depuis de nombreuses années déjà il ne peut plus lire... Qu'à l'époque des images électroniques l'un des plus illustres écrivains vivants soit aveugle, il y a d'ailleurs là comme un vertigineux symbole et un paradoxe dont il soulignerait lui-même l'ironie si son authentique modestie ne l'empêchait précisément de se considérer comme un grand auteur. Car Borges, cet homme du livre au sens sacré du terme, connaît trop les livres pour ne pas mesurer la relativité de ses écrits dans l'immense mer littéraire. Exemplaire leçon d'humilité que ce vieux sphynx, dans sa nuit, nous délivre non sans humour, concluant sur une énigme pour rêver : après tout, si nous n'étions qu'une simple illusion?

A l'occasion de son récent passage à Paris où il venait recevoir le prix mondial Cino del Duca, le voici au cours d'une conversation. Des heures et des heures durant on aimerait pouvoir l'écouter et le suivre dans les arcanes de sa bibliothèque intérieure. De sa cécité, jamais il ne se plaint (« Ma cécité, écrit-il dans son *Essai autobiographique*, avait progressé graduellement depuis mon enfance. C'était comme un lent crépuscule d'été. Il n'y avait rien là de particulièrement pathétique ou dramatique »). Il demande seulement qu'on lui décrive la pièce où il se trouve, qu'on lui dise la couleur des fauteuils et de la table. Et tout le reste, ou presque, n'est que pour la littérature.

Pierre Boncenne. – *En Argentine, vous êtes beaucoup interviewé, à tel point qu'un journal humoristique de Buenos Aires a tiré un jour : « Dans ce numéro pas d'interview de Borges. » Vous n'êtes jamais lassé par les interviews?*

Jorge Luis Borges. – Pas du tout : c'est que j'aime la conversation, qu'elle est très agréable pour moi. La conversation est un art en train de se perdre, aux États-Unis notamment. Là-bas, la conversation est remplacée par des monosyllabes du style « OK », « Oh », « Hey ». C'est très dommage pour la langue anglaise si belle et si riche. Quant aux interviews, j'oublie que ce sont des interviews. Je préfère parler d'une façon, disons, innocente. Et c'est ce que nous pouvons faire ensemble, avoir une conversation comme des amis en tâchant d'être sincères, sans chercher des phrases ingénieuses ou dramatiques.

P. B. – *Mais vous êtes connu comme un adepte des canulars. Et je me demandais si vous n'aviez pas envie parfois de composer une interview-canular, pleine de mystifications.*

Dans son Essai autobiographique, *Jorge Luis Borges présente l'un de ses fameux canulars : « L'approche d'Al-Mutasim, écrite en 1935, était à la fois un canular et un pseudo-essai. Elle prétendait être la critique d'un livre publié pour la première fois à Bombay trois ans auparavant. J'attribuai une imaginaire seconde édition à un véri-*

table éditeur, Victor Gollancz, et sa préface à un écrivain réel, Dorothy L. Sayers. Mais l'auteur et le livre sont pure invention de ma part. Je donnai, dans ma critique, le sujet et les détails de quelques chapires – empruntant à Kipling et faisant référence à Farid-ud-Din Attar, un mystique persan du XIIᵉ siècle – et je signalai ensuite minutieusement les faiblesses du livre. L'histoire parut l'année suivante dans un recueil de mes essais, Histoire de l'Éternité, *enterrée à la fin du volume avec un article sur « L'art de l'insulte ». Les gens qui lurent* L'approche d'Al-Mutasim *prirent ce conte au sérieux, et un de mes amis commanda même un exemplaire de l'ouvrage à Londres. »*

J. L. B. – Tous ces jeux-là ont cessé, ils sont loin derrière moi. A présent je suis un vieux monsieur qui ne joue plus. Ou plutôt, je joue d'une autre façon. Je ne veux plus mystifier les gens, j'essaie tout simplement de me faire comprendre en parlant surtout de littérature.

P. B. – *Eh bien, si nous parlions, par exemple, de Flaubert puisque 1980 marque le centenaire de sa mort? Or, je me souviens que dans l'un de vos textes, vous parliez justement de Flaubert comme du pionnier de la littérature moderne, vous disiez que « son destin est exemplaire ».*

J. L. B. – Effectivement, parce que Flaubert signifie d'abord pour moi une vie consacrée aux lettres. Et ce fait est plus important que son œuvre elle-même. Concevoir la littérature comme une religion et une foi est quelque chose de capital. Flaubert n'a pas été le premier à vivre la littérature comme cela, mais il est sans doute le premier à l'avoir voulu de façon aussi consciente. Dans la littérature grecque ou la littérature latine, le poète était comme un instrument des dieux et il devait attendre l'inspiration. Seul Pindare, qui avait comparé ses odes à des édifices et des sculptures d'or et d'ivoire, considérait peut-être le métier d'écrivain comme une véritable profession sacerdotale.

Mais c'est avec Flaubert, avec sa recherche permanente du mot juste et son ambition de créer une œuvre d'art en prose – car avant le modèle indépassable était la poésie et plus précisément la poésie épique d'Homère dans *L'Iliade* et *L'Odyssée* –, que se forge le modèle de l'auteur moderne. Voilà pourquoi son destin est exemplaire pour les écrivains. Moi-même, c'est seulement à présent que je découvre ma destinée littéraire. Très jeune, je pressentais que j'aurais une destinée littéraire, celle que mon père n'a pas eue, mais je n'en avais pas la conscience et la certitude absolue. Je me rends compte maintenant que toute ma vie a été consacrée à la littérature, au rêve et à la pensée. Ou à la tentative de pensée : je ne sais pas si j'ai vraiment pensé et si je ne me suis pas plutôt rappelé les ouvrages que j'ai lus.

P. B. – *Les flaubertiens sont en général très divisés. Certains estiment par-dessus tout* Madame Bovary, *d'autres* L'éducation sentimentale, *d'autres encore la* Correspondance. *Et vous?*

J. L. B. – Dans l'œuvre de Flaubert, si j'avais à choisir un ouvrage, j'élirais sans hésitation son roman inachevé *Bouvard et Pécuchet*. Non pas en raison de toutes ses blagues sur la science et le savoir, mais surtout à cause du premier chapitre où l'on voit la naissance de l'amitié. Je ne crois pas que le sujet de l'amitié ait été traité dans la littérature avec autant de tendresse et d'ironie que par Flaubert dans ce premier chapitre de *Bouvard et Pécuchet*. C'est d'autant plus touchant

que Flaubert, reprenant une tradition séculaire, a conçu une réelle amitié entre deux personnages apparemment assez bêtes. Selon l'Écriture, Dieu se servirait des pauvres d'esprit, des idiots pour faire honte aux gens sages. Et au cours de l'histoire, nombreux sont les empereurs et les rois à s'être servis des bouffons pour qu'ils disent la vérité. Une amitié entre deux bouffons comme dans *Bouvard et Pécuchet* c'est donc un thème magnifique. Un beau sujet, l'amitié, qui a beaucoup compté dans ma vie. Je pense à l'amitié comme à une vertu argentine, la seule vertu argentine. Nous sommes capables d'amitié, c'est déjà important.

P. B. – *Lorsque vous dites de Flaubert qu'il est le premier représentant « d'une espèce nouvelle, celle de l'homme de lettres comme prêtre, comme ascète et comme martyr », c'est que vous vous situez, vous, Jorge Luis Borges, dans la descendance directe de cette nouvelle espèce?*

J. L. B. – Bien sûr, sauf que le mot martyr est trop fort à moins que vous ne le preniez dans le sens étymologique, celui de témoin, *martur* en grec. La littérature, ou tout du moins la lecture, n'a pas été une souffrance mais une joie dans ma vie. Je dirais d'ailleurs que ce n'est pas tant la lecture que le souvenir de la lecture qui m'a apporté la félicité. Plus qu'un livre, c'est le souvenir d'un livre qui compte. Lorsqu'on commence à le changer, à le modifier, à l'imaginer d'une autre façon. Toute cette rêverie autour d'un livre fait partie de sa lecture et compte beaucoup plus en définitive.

P. B. – *Vous avez dit un jour : « Il m'est arrivé peu de chose et j'ai beaucoup lu. »*

J. L. B. – En réalité, je crois que cette phrase est erronée. Puisque j'ai beaucoup lu, bien des choses me sont donc arrivées. Les lectures sont de véritables événements de la vie. Certains sont même devenus fous à force de lire, comme l'a montré Cervantes avec le personnage de Don Quichotte.

P. B. – *Mais c'est bien vous qui avez dit cette phrase que je vous citais?*

J. L. B. – Oui. Mais parfois je ne suis

pas responsable de ce que j'écris ! Je peux me repentir et varier. Aujourd'hui je dis : bien des choses me sont arrivées parmi lesquelles la lecture de bien des livres envers qui je suis profondément reconnaissant. La lecture d'un livre de Cervantes, de Flaubert, de Schopenhauer, de Melville, de Whitman, de Stevenson ou de Spinoza est une expérience aussi forte que de voyager ou d'être amoureux. La plupart des gens divisent la vie en deux : d'un côté, les choses réelles, de l'autre, le rêve et l'imagination ; d'un côté, les voyages, de l'autre, la littérature. Je ne suis pas du tout d'accord. La vie est un tout et il n'est même pas impossible que finalement ce tout ne soit qu'un rêve.

P. B. – *Est-ce que vous vous repentez alors d'avoir dit aussi : « Je suis infesté de littérature » ?*

J. L. B. – Infesté est un mot beaucoup trop fort dont je me repens à présent.

P. B. – *Encore !*

J. L. B. – Pourquoi ne pas se repentir ? Après tout, mon œuvre n'est sans doute qu'une illusion. J'ai écrit des fragments, des petits textes très éparpillés, des contes, jamais de romans (je n'ai d'ailleurs pas beaucoup lu de romans sauf ceux de Conrad que j'aime beaucoup). Et je ne crois pas qu'on puisse parler d'une œuvre à mon sujet.

P. B. – *Vous avez souvent dit que le mot œuvre n'était qu'une métaphore.*

J. L. B. – Là je n'ai pas à me repentir... Jusqu'à la fin, personne n'a une œuvre. C'est le temps qui compose une œuvre comme on compose une anthologie. En ce qui me concerne, j'ai écrit trop de pages et si quelques-unes seulement pouvaient rester, je serais déjà bien content. J'ai accepté un jour que l'on publie mes œuvres complètes dans la mesure où cette édition me permettait de supprimer des écrits ridicules. Mais je n'ai certainement pas assez coupé. Ainsi, j'ai écrit bien des poèmes et si deux ou trois d'entre eux pouvaient perdurer, ce serait déjà beaucoup. Ma seule ambition serait celle-là : que l'on pense à moi comme un poète ayant écrit quelques vers acceptables.

P. B. – *Lesquels par exemple ?*

J. L. B. – J'ai écrit un poème très bref

sur la lune. Je voudrais bien qu'il reste :

« Il y a tant de solitude dans cet or.
La lune des nuits
N'est pas la lune que vit le premier
   Adam
Les longs siècles de la vigile humaine
   l'ont comblée d'un antique chant.
Regarde-la : elle est ton miroir. »

Et puis il y a un long poème sur le mythe juif du golem, cette figurine d'argile qui parvient à être animée grâce aux rites cabalistiques d'un rabbin et qui provoque des catastrophes. Le vrai sujet de mon poème c'est que le golem est au rabbin ce que le rabbin est à Dieu ou ce que l'œuvre est au poète. De même que le rabbin a honte de sa créature d'argile qui est assez maladroite, de même Dieu a peut-être honte de sa création, l'humanité, et de même encore, le poète a honte de ses vers. Le rabbin voulait créer quelque chose de très beau ; Dieu et le poète aussi. Ils n'ont obtenu qu'une parodie ridicule de leurs désirs. A la fin de mon poème qui se passe à Prague, il y a une strophe où je parle du rabbin et de sa créature, le golem :

« A l'heure où passe un doute à travers
   l'ombre vague
Sur le pénible enfant son regard s'arrêtait
Saurons-nous quelque jour ce que Dieu
   ressentait
Lorsque ses yeux tombaient sur son
   rabbin de Prague ? [1]

Ce poème, *Le golem*, j'aimerais bien qu'il reste. Et peut-être parmi mes textes en vers pourrait-on aussi sauver un troisième poème que je laisse à votre choix. Après tout les lecteurs ont autant de droit que moi sur ce que j'ai pu écrire.

P. B. – *Pourquoi ne pas « sauver » également certains de vos contes ? Ainsi il me paraît difficile d'oublier que vous êtes, entre autres, l'auteur de* La bibliothèque de Babel, *ce conte assez vertigineux ima-*

---

1. *Le golem*, mis en vers français par Ibarra, in *Œuvre poétique* de J. L. Borges, p. 116 (Gallimard).

ginant une bibliothèque gigantesque et totale où seraient consignés « toutes le combinaisons possibles des vingt et quelques symboles orthographiques (nombre quoique très vaste non infini), c'est-à-dire tout ce qu'il est possible d'exprimer dans toutes les langues. » Ce quasi-mythe de La Bibliothèque de Babel, *vous ne voudriez pas qu'on s'en souvienne ?*

J. L. B. – Je ne sais pas... C'est un exercice à la manière de Kafka. Or, Kafka est tellement supérieur à moi qu'à présent je trouve un peu bête d'avoir tâché de l'imiter. Mais si vous trouvez que je n'ai pas démérité excessivement dans cet exercice d'imitation, alors tant mieux. Avec *La bibliothèque de Babel* comme avec d'autres contes qui sont dans mon recueil *L'aleph* ou dans *Fictions*, j'ai acquis une petite notoriété. Très injustifiée j'en conviens. Mais, du coup, j'ai dû me méfier d'un certain mécanisme : j'ai eu l'impression d'être pour le public une sorte de machine-gadget à produire des histoires de miroirs, de labyrinthes, de mémoires troubles, de perte d'identité. Je suis content que vous aimiez *La bibliothèque de Babel*. Vous me feriez plaisir si vous vous souveniez aussi de certains contes de mon dernier recueil *Le livre de sable* et, par exemple, de celui qui s'intitule *Ulrica*.

P. B. – *C'est un texte surprenant :* Ulrica *est une nouvelle d'amour écrite à partir de vos souvenirs personnels, ce qui est très rare dans votre œuvre.*

J. L. B. – Je suis assez timide et ce qui me touche de trop près, je n'arrive pas à l'écrire. Mais j'ai essayé une fois avec *Ulrica* et j'aimerais avoir réussi. Et puis il y a le conte qui a donné son titre au recueil, *Le livre de sable*, où j'ai imaginé un objet impossible : un livre dont le nombre de pages serait exactement infini et qui serait comme le sable, sans commencement ni fin. Un autre conte que j'aime bien, qui se trouve dans *Fictions*, s'appelle *Funes ou la mémoire :* c'est le cas d'un homme très ignorant, mort très jeune accablé par une mémoire infinie. Il ne pouvait rien oublier, le moindre détail qu'il voyait restait gravé à jamais dans sa mémoire. Il n'arrivait pas à penser puis-

que penser c'est généraliser, c'est abstraire et donc éliminer, supprimer. Il n'avait qu'une seule possibilité ou faculté, ne rien oublier. C'est une histoire très triste et une métaphore de l'insomnie. Je crois que *Funes ou la mémoire* est un conte honorable bien que ce soit moi qui l'aie écrit. Mais si vous considérez que j'ai plus de quatre-vingts ans, il n'est pas improbable après tout que j'aie écrit quelques pages valables.

P. B. – *Un jour vous avez déclaré : « J'ai écrit une quarantaine de livres; c'est évidemment un abus. » C'est de la provocation un peu feinte ?*

J. L. B. – Mais non, je le pense vraiment.

P. B. – *Un abus, la plupart de vos livres ?*

J. L. B. – D'une certaine manière. Mais d'un autre point de vue, je vous le concède, il est probable que ces quarante livres étaient les trublions nécessaires pour arriver à quelques pages, à quelques vers. Peut-être fallait-il que j'écrive tant de livres pour arriver à réussir l'équivalent d'un seul livre valable. D'ailleurs, je ne suis même pas sûr d'avoir réussi à écrire un seul livre.

P. B. – *A force d'élaguer dans vos livres, vous ne garderiez finalement que quelques lignes voire une seule phrase ou quelques mots ?*

J. L. B. – Ce devrait être l'ambition de tous les écrivains. Dans l'un de mes contes qui s'intitule *Undr*, c'est-à-dire merveille en islandais, ou bien dans un autre, *Le miroir et le masque,* je vais plus loin encore : je pense à la poésie comme étant comprise tout entière dans un seul mot. La destinée du poète serait alors de trouver ce mot unique. C'est le contraire même de *La bibliothèque de Babel :* au lieu d'un nombre infini de livres, un seul mot infini.

P. B. – *Remarquez que* Le livre de sable *peut être lu aussi comme le contraire de* La bibliothèque de Babel : *d'un autre côté, la bibliothèque infinie, de l'autre, un seul livre infini.*

J. L. B. – Vous avez raison, c'est une observation qui me plaît. Et lu de cette manière, je vous concède volontiers que

La bibliothèque de Babel est sans doute l'un de mes contes qui mérite de rester.

P. B. – *Votre ami Roger Caillois, dans son autobiographie intellectelle,* Le fleuve Alphée, *le dernier titre qu'il ait publié, considérait le pullulement des livres et des idées comme un poisson risquant de nous asphyxier.*

J. L. B. – On ne m'a pas lu *Le fleuve Alphée*. Il faudrait examiner de près l'argumentation de Caillois mais je crains fort d'être en désaccord avec lui. D'ailleurs, lorsque j'ai rencontré pour la première fois Caillois à Buenos Aires, nous nous sommes brouillés tout de suite. J'affirmais qu'Edgar Poe était l'inventeur du genre policier. Caillois n'acceptait pas : il avait un autre candidat.

P. B. – *Et vous vous êtes brouillés pour cette seule raison ?*

J. L. B. – C'était une raison suffisante qui nous paraissait très grave. Plus tard, j'ai appris que Caillois avait fondé la collection « La croix du Sud » dont le premier titre était l'un des miens. C'était très généreux de sa part étant donné notre brouille. Je lui ai envoyé une lettre pour mettre fin à cette querelle un peu ridicule. Et puis, lorsqu'en 1961 j'ai obtenu le prix international Formentor, j'ai su que c'était grâce à Caillois. Je suis venu à Paris, nous sommes redevenus des vrais amis et nous nous estimions beaucoup littérairement même si nous pouvions être en désaccord. Je crois toujours avoir raison dans ma querelle avec Caillois au sujet de Poe mais aujourd'hui que je suis plus vieux, j'accepte les opinions contraires omme étant plus vraisemblables que les miennes.

Dans son Essai *autobiographique, Jorge Luis Borges écrit non sans un diabolique humour :* « *Chaque fois que je lis quelque article me critiquant, non seulement je suis d'accord avec son auteur, mais je pense que j'aurais pu faire moi-même beaucoup mieux son travail. Peut-être devrais-je conseiller à mes prétendus ennemis de m'envoyer leurs critiques avant de les publier, en leur garantissant mon aide et mon assistance. J'ai même souvent désiré secrètement écrire sous un pseudonyme un article sans pitié contre moi-même. Ah! quelles vérités sans fards je tiens en réserve! A mon âge on connaît ses limites et cette connaissance peut tenir lieu de bonheur.* »

Lorsqu'on est jeune, comme lorsque je faisais partie du mouvement ultraïste qui était une imitation tardive de l'expressionnisme allemand et du cubisme français, on cherche à avoir raison envers et contre tout. C'est une horreur.

P. B. – *Vous ne vous seriez donc pas brouillé avec Roger Caillois à cause du* Fleuve Alphée *tout en étant en désaccord avec lui ?*

J. L. B. – J'aurais été peiné d'être en désaccord avec Caillois qui était si intelligent et qui fut si bon pour moi. Mais je lui aurais simplement dit que les mots, la poésie, la littérature sont essentiels à la vie. Sauf si vous prenez la littérature au sens où Verlaine à écrit :

« que ton vers soit la bonne aventure
Eparse au vent crispé du matin
Qui va fleurant la menthe et le thym...
Et tout le reste est littérature. »

Encore que ce vers « Et tout le reste est littérature » est un bel exemple de littérature. Verlaine fait de l'excellente littérature en dénonçant la littérature. Je suis persuadé qu'il en va de même avec Caillois.

P. B. – *Il est vrai que Caillois dénonce les livres à travers un livre magnifique.*

J. L. B. – J'en suis persuadé. En tous les cas, la littérature, celle que je connais à travers différentes langues et à différentes époques, a été l'un des grands bonheurs de ma vie. J'ai aimé les mots, j'ai aimé les livres, et je me plais toujours à souligner que la bibliothèque de mon père a été ce qui a compté pour moi. J'ai été élevé dans cette bibliothèque et je crois bien n'en être jamais sorti. Alonso Quixano avait beaucoup lu avant de prendre son nom de bataille Don Quichotte de La Manche et de connaître toutes ses aventures. Moi je pense que je suis un Quixano qui n'a pas eu le courage d'être Don Quichotte. C'est une destinée comme une autre qu'il faut accepter.

P. B. – *C'est peut-être que vous croyez encore plus que Don Quichotte à la force des mots, à leur action et à leur pouvoir ? L'un de vos recueils de textes a été traduit en français sous le titre* L'Auteur. *En réalité, il aurait fallu traduire « Celui qui fait »* (El hacedor).

J. L. B. – C'est cela. Le mot « el hacedor » (du verbe « hacer » faire), je l'ai utilisé en songeant à l'anglais parce qu'en Écosse au XIVᵉ siècle, et en se référant au grec, au lieu de dire « poet », on disait « maker », celui qui fait. J'ai voulu me souvenir de cette nuance importante en désignant le poète comme « el hacedor ». La traduction rigoureuse en français aurait été « le faiseur ». Mais l'inconvénient c'est que l'on pense alors à une personne qui agit d'une façon un peu légère et qui se fait valoir. Il était donc préférable d'employer le mot « auteur ». En précisant bien que pour moi l'auteur est un « maker », quelqu'un qui agit, qui fait avec les mots.

P. B. – *Dans ce recueil,* L'Auteur, *il y a justement un texte-dédicace à Leopoldo Lugones sur les livres et la bibliothèque...*

J. L. B. – Ah oui. Je crois que c'est l'une de mes belles pages.

P. B. – *Encore une page de sauvée !*

J. L. B. – Si je continue à ce rythme, je vais finir par tout sauver. Quel excès ! Mais, après tout, puisque la France est si généreuse avec moi, pourquoi ne serais-je pas aussi généreux avec moi-même ?

P. B. – *Dans ce texte-dédicace, vous écriviez notamment cette phrase : « D'une manière presque physique je sens le poids des livres, l'ambiance calme d'un ordre, le temps par magie disséqué et conservé. » Les livres ont autant compté pour vous par leur physique que par leur contenu ?*

J. L. B. – Bien sûr. J'ai grandi entouré par les livres de mon père. Puis j'ai longtemps été bibliothécaire jusqu'au jour où un monsieur s'appelant Peron me renvoya pour me nommer inspecteur des poulets et des lapins sur les marchés. Et même lorsque je suis devenu aveugle,

j'ai continué à vivre avec des livres et à acheter des livres que je ne pouvais plus lire. Pour la seule présence des livres, pour sentir qu'ils sont là et qu'ils sont miens. La cécité ne m'a pas éloigné des livres. J'ai juste considéré comme une somptueuse ironie de Dieu de m'offrir, d'un côté, des centaines de millions de livres à lire en étant bibliothécaire et, de l'autre, la cécité. Ce destin ne fut d'ailleurs pas seulement le mien : deux de mes prédécesseurs à la direction de la Bibliothèque nationale devinrent aussi aveugles. Vous connaissez peut-être mon texte *Poème des dons* qui commence ainsi :

« Que nul n'aille penser que je pleure ou t'accuse,
Mon Dieu : la place est juste où ta main me conduit.
Un dessein magistral, une splendide ruse
Me donne en même temps les Livres et la Nuit.

Illettré, je régis une ville de livres,
Ironique présent à des yeux effacés
Tout juste bons pour les chapitres insensés
Qu'en rêve à leur désir, aube noire, tu livres [2]. »

Aujourd'hui, je continue donc à acheter des livres et je suis ravi d'avoir acquis dernièrement une grande encyclopédie allemande que des visiteurs pourront à l'occasion me lire... En attendant, elle est là et sa présence est importante.

P. B. – *Les dictionnaires ne sont-ils pas précisément vos livres préférés ? Tout ce que vous avez écrit relève un peu du genre encyclopédique.*

J. L. B. – Je crois que l'encyclopédie est l'un des meilleurs genres littéraires. J'aime tellement les mots et tellement les étymologies que, pour moi, la joie suprême c'est un dictionnaire étymologique.

Chaque mot donne à Jorge Luis Borges l'occasion de se révéler être une encyclopédie vivante. A propos d'un détail, j'emploie le mot « hasard ». « Au fait, me demande-t-il, connaissez-vous l'origine du mot hasard ? »

Moi : « ? » Borges : « Eh bien, figurez-vous que le mot « hasard » nous vient de l'arabe « az-zahar » qui signifie les dés. Cela donne une étrange résonance au vers de Mallarmé : Un coup de dés jamais n'abolira le hasard. » On nous apporte deux cafés. Borges demande un peu de lait, ce qui est l'occasion pour lui d'évoquer tout aussi bien une image de Shakespeare : « The milk of human kind » (le lait de la bonté humaine) que le « Dulce de leche », son plat favori : « Une spécialité succulente d'Amérique latine que nous devons aux jésuites. C'est dans l'un de leurs couvent qu'un pot de lait aurait été oublié un jour sur le feu. Le premier « dulce de leche » était né. Le seul vrai miracle des jésuites ! »

Je n'ai pas honte d'avoir écrit selon le genre encyclopédique surtout si l'on songe à des exemples illustres : Pline, Diderot et d'Alembert, l'*Encyclopædia Britannica*... Mais je n'ai pas été aussi ambitieux que ces glorieux prédécesseurs. J'ai juste composé une petite somme toute modeste et personnelle.

P. B. – *Vous croyez que les dictionnaires et les encyclopédies ont encore beaucoup d'avenir à l'ère de la télévision et des archives audio-visuelles ?*

J. L. B. – C'est un danger que je trouve très inquiétant, et pourtant je crois que le livre, n'importe quel livre, est en lui-même quelque chose de sacré. Je peux difficilement en expliquer la raison mais je sens le livre comme un objet sacré que nous ne devons pas détruire. « Le monde existe pour aboutir à un livre », disait Mallarmé. Ce qui est une reconnaissance du caractère théologique des livres. Pour les musulmans, le Coran, qu'ils appellent aussi *Al Ketab* (Le Livre) est un attribut de Dieu. Les Juifs voient dans les lettres de l'alphabet et leurs combinaisons une œuvre divine. D'après un traité du VIᵉ siècle, le *Sefer Yetsirah*, ils pensent même que telle lettre a un pouvoir sur le feu, telle autre lettre sur l'air et telle autre encore sur le soleil. Quant aux chrétiens et leurs philosophes, par exemple Bacon au XVIIᵉ siècle, ils pensent que Dieu a écrit deux livres : les Écritures saintes qui expriment sa volonté et l'univers qui exprime sa puissance.

P. B. – *Vous venez de recevoir le prix mondial Cino del Duca et, en Espagne, l'important prix Cervantes. Que pense un écrivain comme vous des prix, des distinctions, des honneurs ?*

J. L. B. – Ce sont chaque fois des petits miracles inattendus. Je ne sais pas si j'ai besoin de ces distinctions mais je reconnais que ce sont des stimulants, un peu comme l'alcool ou le café. Ces prix me font plaisir même si je ne crois pas les mériter.

P. B. – *Et si l'on vous donnait le Nobel, vous diriez que vous ne le méritez pas ?*

J. L. B. – Tout dépend. Le Nobel a été donné à de très grands écrivains, par exemple André Gide ou Bernard Shaw. Mais aussi à des écrivains très insignifiants, par exemple la Chilienne Gabriella Mistral. Si je pense à Gide ou à Shaw, je me dis qu'évidemment je ne mérite pas le prix Nobel. Mais si je pense à d'autres messieurs ou dames qui ont obtenu cette illustre récompense, je me dis qu'ils n'étaient pas beaucoup plus forts que moi... Alors...

P. B. – *Alors, vous ne dédaigneriez pas le Nobel ?*

J. L. B. – Je le recevrais avec une grande avidité. Cela me permettrait de faire un tas de choses et d'abord de voyager. On croit que parce que je suis aveugle, je n'ai aucune raison de voyager. mais au contraire. J'ai passé dernièrement cinq semaines au Japon que je ne connaissais que par sa littérature. Le fait de me sentir au Japon, de me réveiller chaque matin en me disant : je suis à Nagayo, ou je suis à Yokohama, ou je suis à Tokyo, j'ai parlé hier avec un moine bouddhiste, je vais parler aujourd'hui avec un prêtre shinto, je vais parcourir des palais et des jardins, tout cela signifie beaucoup.

P. B. – *Et où voudriez-vous voyager ?*

J. L. B. – Il y a deux pays qui me manquent beaucoup : l'Inde et la Chine. Une partie de l'Orient me manque. Je connais les deux bouts de l'Orient : d'un côté, l'Andalousie (qui est l'Orient pour nous, Argentins) et l'Égypte; de l'autre côté, le Japon. Alors que je voudrais connaître l'Inde. J'ai passé une partie de ma vie à étudier ses philosophes et à lire Kipling. Et je voudrais connaître la Chine. Je voudrais me sentir en Chine, me sentir près de la Grande Muraille ou à Pékin.

P. B. – *Aujourd'hui, je vous rencontre à Paris. Qu'est-ce qui vous fait sentir que vous êtes à Paris ?*

J. L. B. – Eh bien, je me suis promené hier soir boulevard Saint-Germain et avant-hier soir rue des Beaux-Arts. Et chacune de ces nuits-là, j'ai eu la constante impression de me retrouver un 31 décembre. Il y avait comme une rumeur de fête permanente que l'on ne retrouve pas dans d'autres villes. Je crois que c'est très spécifique à Paris. C'est une ville qui semble avoir été créée pour le bonheur humain, en croyant à sa possibilité. Alors que d'autres villes semblent avoir été construites pour la pénitence. Ainsi Buenos Aires est une grande ville un peu morne, résignée, et grise. Et pourtant, malgré son animation et sa vie étonnante, je ne me suis jamais vraiment acclimaté à Paris.

Dans son Essai autobiographique, *Borges précise : « En 1914, nous partîmes pour l'Europe avec l'intention de nous y installer... Nous passâmes d'abord quelques semaines à Paris, une ville qui ni alors ni depuis ne m'a particulièrement séduit, contrairement à ce qui se passe avec presque tous les Argentins. Il se peut que, sans m'en douter, j'aie toujours été un peu britannique; il est de fait que, pour moi, Waterloo est toujours une victoire. »*

P. B. – *Il y a d'autres villes françaises qui vous attirent ?*

J. L. B. – J'ai un souvenir assez vague d'un voyage vers 1920 à Montpellier, Nîmes, Avignon. Mais comme mes ancê-tres étaient Normands, je voudrais maintenant beaucoup connaître Rouen, la patrie de Corneille et de Flaubert. Et je voudrais beaucoup aussi connaître Bordeaux parce que l'un de mes meilleurs amis s'appelle Michel de Montaigne. Il y a chez lui quelque chose de si peu littéraire au mauvais sens du mot, de si direct qui n'a pas d'équivalent : vous lisez les *Essais* et vous avez l'impression d'être en conversation avec Michel de Montaigne. L'intimité de ce livre est d'autant plus étrange qu'il est truffé de citations latines. J'ai écrit un poème dédié à la France :

« Je ne dirais pas l'amitié
Je dirais Montaigne
Je ne dirais pas le feu
Je dirais Jeanne
Je ne dirais pas le ciel et le soir
Je dirais Verlaine. »

Je dois beaucoup à la France et, chaque fois que j'y viens, j'y découvre des amis. On y lit mes textes, on me reconnaît dans la rue. C'est grâce à la France que j'ai été connu en Argentine. Car Buenos Aires est une ville très snob et ce n'est qu'à partir du moment qu'on a su que j'étais lu à Paris que l'on m'a lu dans mon pays. Remarquez que, si j'ai été reconnu en France, c'est grâce à d'excellents traducteurs comme Nestor Ibarra. Et pour tout dire, les traductions de mes textes sont bien meilleures que les textes originaux.

P. B. – *Là, vous exagérez.*

J. L. B. – Mais non, mais non. Cette idée me plaît et doit certainement contenir une part de vérité dont je ne doute pas. En étant traduit, mes textes se sont améliorés et, à force d'être traduits, ils finiront bien par être dignes de rester dans quelque bibliothèque...

Borges et la politique

A moins de les partager, les admirateurs de Borges sont bien obligés de reconnaître que ses positions politiques sont assez troublantes : elles l'ont conduit à approuver le coup d'État militaire argentin de 1976 qui a porté à la présidence le général Videla; ou encore, elles ne l'ont pas empêché de se rendre au Chili juste après la chute de Salvador Allende et l'arrivée au pouvoir du général Pinochet. Plus qu'un conservateur, Borges est surtout un homme d'ordre. Témoin ses propos sur les grèves qu'il m'a tenus : « Je ressens les grèves comme une menace. Et je n'aime pas les menaces. Un vieil assassin que j'ai connu à Buenos Aires m'a dit un jour : « Il y a deux choses qu'un homme ne doit jamais permettre : se laisser menacer et menacer. » Tout assassin qu'il était, cet homme avait une certaine sagesse. » Son aversion pour les désordres, les troubles sociaux et les révolutions politiques, mais aussi ses sentiments pro-anglais avaient conduit Borges à s'opposer au général Peron plutôt partisan des Allemands pendant la guerre et élu président d'Argentine en 1946 avec le soutien des « Descamisados » (les pauvres « sans chemise ») et les mouvements « justicialistes » de gauche. Attitude courageuse de la part de Borges d'autant que sa notoriété internationale n'était pas établie et qui lui a valu des représailles : on lui retira son poste de bibliothécaire pour le nommer, par dérision, inspecteur des volailles sur les marchés publics tandis que sa mère et sa sœur furent emprisonnées. Son opposition farouche au régime péroniste, Borges l'a justifiée par des raisons morales : « Ce n'était pas seulement une question politique. Le gouvernement de Peron était tellement canaille que c'était une question d'honnêteté ». On observera que c'est aussi pour des « raisons éthiques » que Borges vient, au mois de juin dernier, de critiquer le régime Vileda, responsable de milliers de morts et de disparitions en Argentine : « Je ne peux rester silencieux au sujet de ces morts et disparitions. Non, je ne peux donner mon accord à cette forme de lutte par laquelle la fin justifie les moyens. La fin ne justifie jamais les moyens. » Bien que préférable au silence complice, une prise de position très tardive ? Sans aucun doute. Volonté d'amadouer les jurés du Nobel ? C'est là un procès d'intention qui ne résiste pas à l'analyse. « J'ai adhéré au parti conservateur, ce qui est une façon d'être sceptique », a pu écrire Borges en 1970 dans sa préface au *Rapport de Brodie* (Gallimard). Et on peut le croire lorsqu'il précisait notamment : « Je n'ai jamais caché mes opinions même durant les années difficiles mais je ne les ai pas laissées intervenir dans mon œuvre littéraire. »

ITALO CALVINO

*« J'écris des romans à la puissance 2,
où je prends le lecteur et la lectrice
comme sujet d'un autre roman. »*

Avril 1981

« Tu vas commencer le nouveau roman d'Italo Calvino, *Si par une nuit d'hiver un voyageur*. Détends-toi. Concentre-toi. » Une adresse au lecteur qui est justement la première phrase du nouveau roman d'Italo Calvino *Si par une nuit d'hiver un voyageur* (Seuil, traduction de D. Sallenave et F. Wahl). Or, à peine a-t-on lu quelques pages d'un étrange suspense – l'arrivée dans une gare de chemin de fer d'un voyageur muni d'une valise à roulettes qu'il devra échanger discrètement avec celle d'une mystérieuse personne – que tout s'arrête. Il y a une erreur technique dans le brochage, nous explique-t-on, et les feuillets du volume d'Italo Calvino ont été mélangés avec un livre du Polonais Tadzio Bazakbal, *En s'éloignant de Malbork*. Comme la lecture involontaire de ce roman polonais nous a mis en appétit, nous, lecteurs insatiables, nous ne pouvons pas nous empêcher de vouloir poursuivre. Qu'à cela ne tienne, voici donc *En s'éloignant de Malbork*. Au bout de quelques pages, patatras : à nouveau un problème et nous voilà embarqués dans le roman d'un auteur cimmérien, *Penché au bord de la côte escarpée*. Et ainsi de suite selon des mécanismes de plus en plus sophistiqués et de plus en plus hilarants. Le temps, pour Italo Calvino, d'écrire dix débuts de roman, aussi bien japonais que sud-américain, érotique, métaphysique, fantastique ou d'espionnage, dix romans fictifs qui à la fois forment le roman de tous les romans possibles et sont la parodie de tout romanesque. Un livre étonnant dont le sujet est le Livre et le lecteur comme la lectrice les héros. Et un roman où l'univers de l'édition, de l'imprimerie, de la librairie, des bibliothèques est en proie à une agitation insensée parce qu'un dénommé Italo Calvino est venu brouiller les cartes en imaginant des faux récits qui ont toute l'apparence du vrai et qui d'ailleurs le sont puisque l'on vient de lire *Si par une nuit d'hiver un voyageur*.

Présenter ce livre des livres, ce roman des romans dans le premier numéro de

Lire nouvelle formule, c'est, il va de soi, un choix symbolique. C'est aussi aller à la rencontre de l'une des figures majeures de la littérature italienne contemporaine : Italo Calvino, 58 ans, l'auteur de l'inoubliable *Baron perché*, du *Vicomte pourfendu*, de *La journée d'un scrutateur*, de *Marcovaldo*, de *Cosmicomics*, des *Villes invisibles*. Calvino ou la virtuosité intellectuelle alliée à la fantaisie et au charme, Calvino imaginant des contes philosophiques sans verser dans l'esprit de sérieux, Calvino regardant les temps présents avec scepticisme et ironie, Calvino curieux de la science-fiction comme de la linguistique ou du cinéma et pétri par-dessus tout de littérature sur le destin de laquelle il ne cesse de réfléchir. Un écrivain exigeant, secret, avare de confidences mais qui a ce don de savoir faire rêver à partir de presque rien. Et dont les recherches esthétiques et formelles n'ont jamais entravé le simple et éternel plaisir de raconter.

Pierre Boncenne. – *Dans* Si par une nuit d'hiver.... *j'ai relevé cette phrase :* « *Les auteurs il vaut mieux ne pas les connaître parce que leur personne réelle ne correspond jamais à l'image qu'on se fait en les lisant.* » *D'une certaine manière, j'aurais mieux fait de ne pas chercher à vous connaître, de ne pas vous interviewer ?*

Italo Calvino. – En réalité cela dépend des auteurs. Proust a écrit des pages très belles pour montrer la déception du narrateur d'*A la recherche du temps perdu* après sa rencontre avec Bergotte qu'il avait toujours admiré. Dans un premier temps l'image ne correspondait pas à la réalité de l'homme. Mais après, le narrateur revient sur sa déception et il comprend que le Bergotte de la vie est vraiment pareil que le Bergotte des livres. Reste qu'il y a toujours des décalages, et qu'il n'est pas facile de faire correspondre l'écrivain lu et l'écrivain comme personne.

P. B. – *Je crois tout de même que vous n'aimez pas trop les interviews ?*

I. C. – J'écris parce que je n'ai aucune facilité avec la parole. Si je parlais sans difficulté, peut-être n'écrirais-je pas. Et, lorsque j'accepte une interview, très souvent c'est seulement quelques heures après que je commence à découvrir les réponses que j'aurais voulu donner aux questions.

P. B. – *Je vous comprends mais, si vous*

voulez, je peux vous poser des questions et revenir demain...

I. C. – Non, il faut parfois faire l'effort de parler. D'ailleurs, ne croyez pas qu'il ne s'agisse que de la parole. Écrire aussi est pour moi un acte difficile. La phrase écrite est toujours le résultat d'un effort, de tentatives successives d'approximations, de ratures. On peut aller jusqu'à dire que plus une phrase a l'air spontanée, plus il y a derrière un réel travail, un travail interminable.

P. B. – *Vos romans sont parfaitement bouclés sur eux-mêmes et en même temps ils n'ont l'air jamais fini, ils continuent à* « *travailler* » *en quelque sorte :* Si par une nuit d'hiver... *est l'exemple par excellence avec sa série de dix récits inachevés et s'enchaînant entre eux.*

I. C. – J'essaye de construire des livres qui ont une forme accomplie. En ce sens, *Si par une nuit d'hiver...* est une machine autonome avec des engrenages très précis. Je crois aux livres qui ouvrent un espace intérieur, où dedans il y a un espace infini mais qui, du dehors, se présentent comme une figure fermée.

P. B. – *Nous nous rencontrons aujourd'hui à Paris, vous y avez habité longtemps avant de retourner récemment en Italie. Vous qui dites regarder le monde* « *au balcon* », *un peu à distance comme le* « *Baron perché* », *comment voyez-vous Paris ?*

I. C. – Depuis longtemps je partage mon

temps entre l'Italie et Paris. Mais, ces derniers temps, je vis plutôt en Italie. Ma situation dépend du taux de change respectif de la lire et du franc! On s'est très rarement demandé pourquoi j'étais bien à Paris. C'est une ville où presque tout fonctionne, ce qui pour un Italien n'est pas banal. Paris est aussi une ville avec une épaisseur historique, une sorte de continuité dans le temps, tandis que l'Italie est plutôt une superposition d'histoires différentes. Et puis Paris est une ville où il me semble naturel de vivre, surtout pour un écrivain. Pas tellement en raison de la culture française actuelle mais par une sorte de tradition : les écrivains du monde entier semblent avoir vécu toujours naturellement dans ce lieu de la mémoire. J'ajouterais que Paris est une ville où je suis beaucoup moins connu que chez moi, où je suis tranquille et sûr de ne pas recevoir des coups de téléphone.

P. B. – *La culture française actuelle ne semble pas vous attirer spécialement.*

I. C. – Il est vrai que j'ai toujours été plutôt intéressé par la littérature anglo-saxonne, par exemple. Mais j'admire beaucoup de savants comme Lévi-Strauss, Dumézil ou le linguiste Greimas. De même, j'admirais beaucoup Barthes.

> *Barthes, qui dans une émission de France Culture consacrée à Italo Calvino et retranscrite dans* Le Monde, *disait notamment après avoir analysé la beauté quasi mathématique de ses récits :* « *Dans l'art de Calvino et dans ce qui transparaît de l'homme, en ce qu'il écrit, il y a – employons le mot ancien – une sensibilité, on pourrait dire aussi une humanité, je dirais presque une bonté, si le mot n'était pas trop lourd à porter, c'est-à-dire qu'il y a à tout instant une ironie qui n'est jamais blessante, qui n'est jamais agressive, une distance, un sourire, une sympathie.* »

J'ai surtout eu beaucoup d'admiration et d'amitié pour Raymond Queneau dont j'ai traduit en Italie *Les fleurs bleues*.

P. B. – *Vous avez d'ailleurs fait partie avec lui du groupe « Oulipo », l'Ouvroir de littérature potentielle.*

I. C. – Raymond Queneau m'avait introduit dans ce groupe qui, à la différence de la plupart des autres groupes littéraires auxquels d'ailleurs je n'ai jamais appartenu, ne se prenait pas au sérieux, étudiait des choses sérieuses avec un esprit d'amusement. Et je partage encore cette idée fondamentale de l'Oulipo : chaque œuvre littéraire se construit sur la base de contraintes que l'on se pose.

P. B. – *Par exemple comme un théorème qu'il s'agit de démontrer.*

I. C. – Un peu comme cela, oui. On pose des contraintes difficiles et c'est un défi qu'il s'agit de résoudre. Les contraintes techniques sont souvent une source d'art.

P. B. – *En lisant* Si par une nuit d'hiver... *où par dix fois vous commencez un roman tout en écrivant le livre de ces dix livres inachevés, j'ai parfois pensé aux* Exercices de style *de Raymond Queneau.*

I. C. – C'est une comparaison qui me fait vraiment plaisir. Nos deux livres ne se ressemblent pas. Mais, de même que Queneau a écrit 99 fois et dans un style chaque fois différent un épisode de la vie quotidienne dans un autobus, de même j'ai écrit 10 débuts de romans apparemment très différents mais qui, on ne le remarque pas d'abord, ont un schéma commun. J'ai cherché une situation romanesque exemplaire et dix fois je l'ai appliquée. Il s'agit toujours d'un homme se trouvant face à une menace d'une puissance mystérieuse. Il est pris dans cette situation dangereuse à cause d'une femme ou d'une image féminine. Chacun de mes dix romans inachevés est une variation à partir de cette situation romanesque type et chacun répond à l'idée évoquée par le personnage clé de la lectrice. Celle-ci dit en général : « Oui, mais le roman que je voulais lire c'était en réalité celui-ci, correspondant à cette attitude envers le monde, etc. » Le roman qui suit alors est celui qu'a souhaité lire la lectrice.

P. B. – *En écrivant ces débuts de romans d'espionnage, érotique, métaphysique,* *belge, japonais, sud-américain, etc., vous vous êtes beaucoup amusé.*

I. C. – C'était indéniablement la partie la plus divertissante que de pouvoir rentrer dans la peau de l'écrivain fictif, d'être l'auteur imaginaire de ces romans. Le plaisir c'était de changer de peau perpétuellement, de passer de la série noire à un roman sur la révolution, puis à un roman japonais, de me déguiser. Parfois, j'étais tellement pris que j'avais envie de terminer l'histoire commencée. Parfois, j'étais content de ne pas avoir à poursuivre. L'un de mes dix romans, intitulé *Dans un réseau de lignes entrelacées* et racontant l'histoire d'un homme obsédé à l'idée d'être appelé au téléphone, c'est du reste le début d'un roman que j'avais dans la tête depuis longtemps. Je ne l'avais jamais écrit car je ne savais pas comment le continuer.

P. B. – *Mais tous ces débuts de romans, quelle frustration chez le lecteur de ne pas pouvoir les continuer!*

I. C. – Ma thèse c'est que la force de tout roman se concentre dans son début. Et je crois que dans la plupart de mes dix débuts il y a déjà tout. Alors 20, 100, 200 pages supplémentaires, cela ne nous apprendrait pas grand-chose de plus. A quoi bon continuer?

P. B. – *Parmi toutes les excentricités de* Si par une nuit d'hiver... *il est fait allusion à des ordinateurs complétant n'importe quel roman à partir de son début, des ordinateurs « programmés pour développer chacun des éléments d'un texte avec une fidélité parfaite aux modèles stylistiques et conceptuels de l'auteur ». Et je ne parle pas de l'inquiétante OEPHLW, l'« Organisation pour la production électronique d'œuvres littéraires homogénéisées... » Dans le fond, vous qui vous intéressez à la science-fiction, je me demande si vous ne croyez pas vraiment à des inventions de ce genre, à des ordinateurs poursuivant des romans à partir de leur début?*

I. C. – Je pense que de nombreux romans sortant actuellement en librairie auraient pu être écrits par des ordinateurs. Et je pense d'ailleurs que, s'ils avaient été écrits par un ordinateur, sans doute auraient-ils été meilleurs. Quant à savoir si ces prévisions se réaliseront... Ce qui est amusant dans la littérature c'est l'imprévisible, et l'imprévisible, impossible de le programmer.

P. B. – *Tout d'un coup on lit dans* Si par une nuit d'hiver... *: « Voici que l'auteur se croit obligé de recourir à l'un de ces exercices de virtuosité qui désignent l'écrivain moderne. » Cette ironie sur vos propres livres n'est-ce pas aussi une manière d'affirmer qu'aujourd'hui le romanesque est piégé, que plus personne ne peut vraiment croire aux romans?*

I. C. – En tous les cas, c'est certainement vrai pour moi. Je vis toujours dans l'espoir de rencontrer un romancier qui soit simple, naïf, et disant quelque chose de vraiment nouveau. Mais je n'en rencontre pas parmi les contemporains. Même chez un auteur qui est un pur et magnifique narrateur comme l'Autrichien Thomas Bernard, on se rend compte que les récits sont très construits et très intellectuels.

P. B. – *Souvent vous faites allusion à une ligne de partage : « d'un côté ceux qui font les livres, de l'autre ceux qui les lisent ». Vous dites aussi : « Depuis que je suis devenu un forçat de l'écriture, le plaisir de la lecture a disparu pour moi. »*

I. C. – Eh oui, que voulez-vous! Il y a une certaine nostalgie... J'essaye le plus possible de lire de façon désintéressée, mais je dois me construire des espaces spéciaux. Vous devez le savoir, dès que l'on est plongé dans la vie de l'édition, dans la littérature comme profession, on est passé de l'autre côté : on ne regarde plus les textes de la même manière. Souvent alors j'ai la profonde nostalgie de la condition de lecteur n'ayant pas à lire un livre pour écrire des fiches de lecture, un prière d'insérer en quatrième de couverture, une introduction, etc.

P. B. – *Mais vous pourriez sans regret contresigner la phrase de Sartre dans* Les mots *: « J'ai commencé ma vie comme je la finirai sans doute : au milieu des livres. »*

I. C. – Sans regret. De toutes les façons, vu où je suis arrivé, il me paraît difficile de changer de direction.

P. B. – *Vous avez longtemps travaillé chez l'éditeur Einaudi. Il y a visiblement beaucoup de souvenirs professionnels dans* Si par une nuit d'hiver... *: toutes ces histoires de cahiers mélangés, de fausses couvertures, d'impressions défectueuses. Sans oublier l'extraordinaire Dottore Cavedagna, l'homme à tout faire d'une maison d'édition, du manuscrit jusqu'au stock, l'homme qui « voit des livres naître et mourir tous les jours ».*

I. C. – L'intrigue de mon livre m'a appelé à traverser le monde de l'édition et donc mon expérience. Et vous avez raison : le Dottore Cavedagna est un personnage issu de la réalité. C'était un de mes collègues chez Einaudi, mort malheureusement quelques mois avant la parution de mon roman. Il avait cette double nature extrêmement rare dans le métier : d'être à la fois un formidable professionnel du travail rédactionnel et de garder en même temps le goût naïf de la lecture populaire. Il était capable d'une lecture non intellectuelle.

P. B. – *Dans votre travail d'éditeur vous n'avez jamais rêvé de tout brouiller, de publier des livres de X sous le nom de Y, d'inverser les cahiers, de faire paraître des faux ?*

I. C. – Votre question est des plus embarrassantes. en tant que cadre éditorial, je suis d'une conscience professionnelle qui m'interdit même d'imaginer des choses pareilles...

P. B. – *Je n'en crois pas un mot, bien entendu, ne serait-ce que parce que vous êtes un lecteur de Borges, l'inventeur de fausses préfaces à de faux livres.*

I. C. – Borges a conféré une dimension littéraire extraordinaire à l'idée de fausse bibliographie. Mais il faut reconnaître qu'avant Borges il existait un écrivain qui avait des idées de ce genre et il se trouve qu'il s'agit précisément de l'un des écrivains français que j'aime le plus : Marcel Schwob. C'est un érudit extraordinaire, curieux de tout et connaissant tout. Schwob, qui a écrit *Les vies imaginaires* où, grâce à sa culture, il nous promène à travers les siècles, a été aussi un merveilleux inventeur de livres imaginaires.

P. B. – *En vous lisant j'ai aussi pensé à* La bataille des livres *de Swift.*

I. C. – Oui, à cette bataille entre l'armée des livres anciens et l'armée des livres modernes dans la bibliothèque royale. Ce n'est pas par hasard si Swift est l'un de mes auteurs favoris.

P. B. – Si par une nuit d'hiver... *c'est d'abord la physique du livre, le livre en tant qu'objet.*

I. C. – J'ai voulu que le livre soit perçu comme un véritable objet matériel. Je parle souvent de ces cahiers dont est constitué un livre, de la reliure, de la couverture. Je parle du plaisir du coupe-papier. Un plaisir qui se perd, mais je reconnais que lire un livre de poche dans le métro avec un coupe-papier ne serait pas très commode. Quoique, après tout, on pourrait imaginer un métro avec plein de gens coupant des pages de livres, ce ne serait pas mal...

P. B. – *Vous avez une expression que j'aime bien : vous parlez de la « beauté du diable » d'un livre qui vient de paraître.*

I. C. – Vous ne trouvez pas que c'est vrai ? Comme la « beauté du diable », la beauté d'un livre qui vient de paraître dure très peu. Elle est d'autant plus fascinante. Savez-vous qu'en Italie la beauté du diable se dit « bellezza del asino », beauté de l'âne ? Mais les livres usés aux pages jaunies ont aussi un charme inouï.

P. B. – *Vous intéressez-vous aux recherches sur les livres telles que peut les pratiquer quelqu'un comme Michel Butor ?*

I. C. – Même si je ne le suis pas toujours, je m'intéresse beaucoup au travail de Michel Butor. Mais moi, ma seule tentative de livre différent a été celle que j'ai bâtie autour du jeu de tarot dans *Le château des destins croisés*. Il y a là une histoire racontée à la fois avec un répertoire d'images et avec un texte. D'une manière générale, les recherches comme celle de Michel Butor vers des nouveaux types de livres, disons que je n'y crois pas tellement. J'aime beaucoup l'art graphique mais très vite, si on se laisse prendre, le livre devient de l'art visuel, ce qu'à mon avis il n'est pas. Pour moi le livre reste une surface plate de papier. Je ne crois pas, par exemple, au livre tridimensionnel ou au livre sur écran de télévision. Les seules expériences que j'ai pu faire, je les ai accomplies sur la structure du récit, expériences que j'ai projetées après sur la page traditionnelle.

P. B. – *J'ai remarqué que votre livre commençait dès le premier paragraphe par ce geste symbolique du lecteur : éteindre la télévision. Comme si le livre et la télévision étaient complètement antinomiques.*

I. C. – J'avoue que ce début n'était pas voulu consciemment. C'est une réaction spontanée mais qui correspond bien à la réalité : chaque soir la télévision et la lecture sont en concurrence dans ma vie. J'éprouve une sorte de soulagement s'il n'y a rien à la télévision que je sois tenté de voir. Je peux lire alors l'esprit tranquille. Les films ou les reportages d'actualité, je les regarde souvent, mais je ne peux m'empêcher de les considérer comme du temps volé à la lecture. J'appartiens à la civilisation du livre et je ne peux pas réagir autrement. Si l'expérience en concurrence avec le livre c'était la vie, les voyages, connaître des gens, peut-être ne la concevrais-je pas comme opposée. Mais entre la télévision et le livre, il y a vraiment opposition puisqu'il s'agit de deux produits culturels. Et sans établir de hiérarchie, je suis obligé d'admettre que le livre est mon moyen d'expression, mon métier tandis que la télévision m'apparaît plus comme une distraction ou une source d'information complémentaire. Pour connaître exactement la nouvelle autoroute de la forêt amazonienne au Brésil, je préférerais la télévision. Mais pour la poésie, la littérature, vraiment quoi d'autre que le livre ?

P. B. – *Mais la littérature ne peut pas pour autant ignorer la civilisation de l'image.*

I. C. – Je me demande si la raison pour laquelle dans *Si par une nuit d'hiver...* le lecteur de roman est devenu un personnage n'est pas à chercher dans la télévision ou le cinéma. Le livre vu du dehors, peut-être est-ce aussi un effet de l'âge audio-visuel. Pour tout dire, il y a dans ma vie une concurrence terrible pour le livre : le cinéma, qui est l'une de mes passions. De manière générale, entre le film et le roman, il y a une concurrence dangereuse. Parce que la forme narrative du film vient en grande partie du roman. Et le danger c'est justement de croire à l'homogénéité film-roman. Voilà pourquoi tant d'écrivains publient des romans qui ne sont que des films. Ils se fourvoient, je pense. Garder la spécificité du travail littéraire en face du cinéma, ne pas confondre les mots et les images tout en faisant voir par des mots est très important. L'écriture, c'est une autre syntaxe de l'imaginaire.

P. B. – *Mais, aujourd'hui, le romanesque populaire, le roman d'action, de cape et d'épée ou d'espionnage a été volé par le cinéma.*

I. C. – Malheureusement. Et voilà pourquoi j'écris des romans à la puissance 2, des sortes d'hyper-romans où je prends le lecteur et la lectrice du roman comme sujet d'un autre roman. Je pense que je retrouve ainsi une certaine veine populaire tout en restant dans la littérature.

P. B. – *Deux fois au moins, vous faites allusion aux* Mille et une nuits. *Les récits de Schéhérazade, ces récits à suspense lui permettant de reculer sa mort indéfiniment, c'est pour vous l'exemple même de la littérature ?*

I. C. – C'est du moins l'exemple parfait du récit. *Les mille et une nuits* restent un livre très mystérieux qui ouvre sur cette potentialité de récits s'engendrant les uns les autres. Et cette idée de prolifération de récits m'a toujours fasciné. La prolifération dans *Les mille et une nuits*, comme dans Balzac, dans Boccace ou dans Simenon. Moi qui suis un écrivain constipé, qui écrit peu, j'ai une réelle admiration pour des gens comme cela.

P. B. – *D'où la fable dans* Si par une nuit d'hiver... *présentant, d'un côté, « l'écrivain productif », de l'autre, « l'écrivain tourmenté ».*

I. C. – Regardez : j'ai commencé à publier en 1947 avec *Le sentier du nid* *d'araignée* et je dois juste atteindre les quinze livres, parfois très minces. Quand je pense à Balzac ou à d'autres écrivains de son temps, ma production me paraît dérisoire. Le rythme de travail des écrivains du XIXᵉ siècle est d'ailleurs un vrai mystère de la nature pour moi. Balzac écrivait un gros roman dans le temps qu'il me faut pour écrire une petite nouvelle. Même Stendhal, qui avait peu publié, écrivait très vite. Moi, je ne suis jamais sûr de ce que j'écris, je travaille et je retravaille jusqu'au moment où j'en ai marre. Si je n'arrêtais pas pour publier, je deviendrais fou à force d'incertitude. Ma méthode de pensée, c'est le doute systématique. Mais, à un moment, il faut décider de ne plus douter sinon c'est la folie.

P. B. – *Dans* Si par une nuit d'hiver... *vous abordez le problème de la censure, soit pour évoquer des machines capables d'accomplir le travail des censeurs, soit pour dresser le planisphère de la censure avec, à une extrémité,* « *les pays où les livres sont systématiquement saisis* » *et, à l'autre extrémité,* « *les pays où l'on produit tous les jours des livres pour tous les goûts et toutes les idées mais dans l'indifférence* ». *Et l'un de vos personnages ajoute ceci qui, en effet, est troublant :* « *Personne n'attache aujourd'hui autant de valeur à l'écriture que les régimes policiers.* »

I. C. – Ce sont, je le reconnais, des considérations pessimistes. Mais sont-elles fausses ? Personnellement, j'ai toujours été frappé par l'importance que l'on donne en URSS aux romans tandis que chez nous on peut publier n'importe quoi dans l'indifférence. Chez nous, l'effet de la parole écrite est minime.

P. B. – *Gabriel Garcia Marquez pense que les autorités soviétiques* « *surévaluent la puissance de la littérature au point de croire qu'un livre peut ébranler le système* ».

I. C. – C'est sans doute vrai en pratique. Mais il ne faudrait pas que des considérations de ce genre aboutissent à des jugements positifs sur ces gens-là. Moi, je ne crois pas que les autorités soviétiques se font une idée très haute de la littérature. Je crois surtout qu'elles ont peur de tout, même de la littérature dont le pouvoir immédiat est pourtant assez faible. Le pouvoir de la littérature est indirect sur l'ensemble de la culture, elle est un moyen de façonner le regard et la pensée des hommes. Son action est donc lente, elle n'est pas immédiate. Qu'il s'agisse de l'histoire ou de l'individu, les mutations sont extrêmement lentes, toujours indirectes. Et si le pouvoir de la littérature apparaît de manière plus évidente dans les régimes policiers, je ne voudrais pas qu'il y ait d'ambiguïté sur mon propos : je préfère bien entendu publier dans l'indifférence générale que de ne pas publier du tout. Par « indifférence générale » j'ai surtout voulu souligner que chez nous, à l'inverse des régimes à censure, l'expression d'une critique politique ou bien les écrits à caractère érotique n'impressionnent plus personne.

P. B. – Si par une nuit d'hiver... *paru en 1979 en Italie a été un véritable best-seller là-bas.*

I. C. – Et pourtant, lorsqu'il a été publié, je pensais que c'était un livre réclamant un certain effort de la part des lecteurs. Mais le public n'a pas semblé réticent. Et ce livre qui est écrit pour les lecteurs de roman a eu une certaine audience. Des gens qui aiment lire en outre des auteurs comme John Le Carré ou Graham Greene ont eu des réactions très positives. *Si par une nuit d'hiver...* est un livre problématique, compliqué mais qui a aussi, je l'espère, des côtés très romanesques, qui est aussi un de ces romans qu'on peut lire pour s'amuser. Dans chaque page j'ai essayé de relancer l'intérêt de la lecture, j'ai essayé de ne pas me laisser de points morts. Ce que le public reproche avec raison à la littérature d'avant-garde ce n'est pas d'être difficile, compliquée, mais de ne pas fournir assez de stimulation à l'attention, à l'imagination. Je ne pense pas qu'on puisse reprocher cela à *Si par une nuit d'hiver...* Quant à l'expression best-seller, à mon avis elle ne s'applique pas à moi. Je suis plutôt l'un de ces écrivains que l'on définit dans le jargon de la profession éditoriale comme un « long-seller ».

P. B. – *D'excellentes ventes mais étalées sur une très longue période.*

I. C. – C'est cela. En Italie, presque tous mes livres sont réimprimés chaque année. *Le baron perché,* publié en 1957, a dépassé le million d'exemplaires. De même *Marcovaldo,* qui est beaucoup lu dans les écoles. Je reconnais que le succès de *Si par une nuit d'hiver...,* qui est un livre tout de même plus difficile, m'a un peu étonné mais ce livre a bénéficié tout de suite de critiques très chaleureuses et d'un accueil très favorable du public puisque 150 000 exemplaires ont été vendus en six mois.

P. B. – *Il faut dire aussi que les journalistes politiques en particulier vous on fait une formidable publicité en ne cessant de parodier votre livre : « Si par un jour d'été un député »,* titrait par exemple un journal.

I. C. – Ce n'est pas seulement le titre du livre mais aussi les titres des chapitres qui correspondent à mes débuts de romans qui ont été pastichés. « En s'éloignant de Malbork » ou « Penché au bord de la côte escarpée » ou « Sans craindre le vertige ou le vent », toutes ces expressions étaient employées par les journalistes comme des clins d'œil. Mes titres ont souvent été pastichés. C'est un peu facile mais c'est la gloire, non ?

P. B. – *Auriez-vous accepté de publier sous une fausse couverture ou sous un pseudonyme ?*

I. C. – J'y ai souvent pensé en me demandant : que serait-il arrivé si, au lieu de commencer à publier sous mon nom, j'avais pris un pseudonyme puis j'avais chaque fois changé de pseudonyme ? N'aurais-je pas été plus libre ? Mais l'effet d'accumulation de la renommée littéraire, ce qui fait qu'un auteur est reconnu comme auteur n'aurait pas existé. Et tout auteur, je crois, en a besoin.

P. B. – *Vous n'avez jamais envoyé un manuscrit de façon anonyme dans une maison d'édition ?*

I. C. – Si je l'avais fait, je ne le dirais pas!

P. B. – *Et qu'est-ce qui peut prouver qu'on ne vient pas de lire une fausse interview d'Italo Calvino ?*

I. C. – C'est tout simple : une fausse interview d'Italo Calvino serait beaucoup plus brillante...

MILAN KUNDERA

« L'Europe est aujourd'hui encerclée
de toutes parts, et l'histoire du monde
se fait sans elle, sinon contre elle. »

Février 1984

Né en 1929 à Brno en Tchécoslovaquie, Milan Kundera a trouvé en France, et dès son premier livre traduit, *La plaisanterie,* un public fidèle et enthousiaste : « l'un des plus grands romans de ce siècle, une preuve de ce que le roman est indispensable à l'homme comme le pain », écrivait Aragon dans la préface à l'édition française. C'était en 1968, les chars russes entraient dans Prague. *La Plaisanterie, Risibles amours* sont les deux seuls livres que Milan Kundera publia dans son pays. Après la guerre, il avait été tour à tour étudiant, ouvrier, puis pianiste de bar (son père déjà était un grand pianiste) avant de pouvoir se consacrer à la littérature et au cinéma. Il écrivit des poèmes, des pièces de théâtre et enseigna à l'Institut des hautes études cinématographiques de Prague où il eut pour élèves Milos Forman et les futurs cinéastes de la nouvelle vague tchèque. Lors de l'invasion soviétique et la liquidation du printemps de Prague, sa situation devient vite insupportable : ses livres sont retirés des bibliothèques, on lui interdit et d'enseigner et de publier. Quand il quitte enfin la Tchécoslovaquie pour la France en 1975, l'Occident, dira-t-il, peut contempler à Prague le spectacle de sa propre destruction.

Aujourd'hui naturalisé français, Milan Kundera poursuit une œuvre romanesque interdite dans son pays d'origine. Une œuvre d'humour et d'intelligence, d'ironie et de philosophie, qui, peu à peu, s'impose comme une des plus importantes de notre époque. On entend souvent parler de l'épuisement, sinon de la mort du roman. Non, répond Kundera, même s'il a raté un certain nombre d'occasions, même s'il est très vulnérable, le roman reste plus que jamais irremplaçable. Car c'est l'esprit du roman qui, depuis Cervantès, Diderot et Kafka, protège l'homme de « l'oubli de l'être » et lutte contre les menées réductrices du progrès aveugle, de la technologie triomphante et la toute-puissante raison d'État. L'homme, tel que le décrit l'univers littéraire de Milan Kundera, n'est qu'ambiguïté, paradoxe, hasard, contradiction.

Dans son nouveau roman, *L'insoutenable légèreté de l'être* (Gallimard), l'écrivain nous raconte une histoire d'amour : Teresa et Tomas se rencontrent par hasard et meurent ensemble par accident; leur destin, en définitive, n'est que l'accumulation de décisions sur lesquelles on ne peut revenir, d'événements fortuits et de contraintes plus ou moins acceptées. Et pourtant, cette sinueuse chute vers la mort, cette lente destruction mutuelle de deux êtres qui s'aiment sera pour chacun d'eux – éternelle ambiguïté des choses – la récupération d'une certaine paix intérieure. En toile de fond, les épreuves qui secouent la Tchécoslovaquie des années 60 et l'Europe des années 70. Une Tchécoslovaquie désormais lointaine mais qui reste plantée au cœur de l'œuvre de Milan Kundera comme si elle en était la figure centrale. Pays plus mythique, plus universel que réel, comme si l'exil et la distance permettaient de mieux voir encore l'essentiel : la complexité des êtres déchirés entre la fidélité et la trahison, la réalité et le rêve, le passé et le présent, mais aussi le drame du monde et de l'Europe coupés en deux et la schizophrénie fondamentale de l'écrivain.

Antoine de Gaudemar. – *Vos premiers livres, écrits quand vous habitiez encore à Prague, sont tout entiers imprégnés de l'univers des pays sous domination soviétique. Depuis votre exil et votre installation en France, vos romans sont traversés d'allers et retours entre l'Est et l'Ouest, vos héros se partagent entre ceux qui sont restés et ceux qui sont partis, entre l'oubli et la mémoire, entre ici et là-bas. Écrirez-vous un jour un livre d'où la Tchécoslovaquie sera absente?*

Milan Kundera. – Je ne sais pas. Tout ce qui fait la conscience d'un homme, son univers imaginaire, ses obsessions, se construit pendant la première moitié de sa vie et y reste pour toujours. Donc tous les thèmes qui me préoccupent sont d'une manière ou d'une autre liés à Prague et à tout ce que j'y ai vécu. D'autre part, je vois de moins en moins Prague comme Prague mais de plus en plus comme une ville imaginaire qui représente l'Europe. Prague devient comme un modèle imaginaire du destin européen. Cela fait longtemps que je sens cela. Déjà, dans *La vie est ailleurs*, je comparais le destin du jeune poète Jaromil à celui de la poésie européenne, et en particulier à Rimbaud. Jaromil était pour moi l'achèvement grotesque de

l'histoire de la poésie européenne. Quand je parle de Prague, je parle de l'Europe. Ici, à Paris, cet aspect-là de Prague me semble encore plus clair. D'ailleurs, dans mon livre, le narrateur ne parle pas depuis Prague, mais de quelque part en Europe. Et ses réflexions passent librement de Paris à Vienne, de Prague à Genève, de Nietzsche à Descartes et de Tolstoï à Parménide. Prague devient ainsi une ville de plus en plus imaginaire. La preuve en est que je commence à oublier la topographie de la ville, les noms des rues...

A. G. – *Dans quelles conditions avez-vous été amené à quitter la Tchécoslovaquie?*

M. K. – Après l'invasion russe de 1968, j'ai perdu mon emploi à l'Institut des hautes études cinématographiques de Prague, où j'enseignais la littérature et le scénario. J'avais alors déjà publié *La plaisanterie* et *Risibles amours* : on m'a interdit de publier quoi que ce soit en Tchécoslovaquie. J'ai dû par conséquent faire éditer mes livres à l'étranger. Je pus venus à Paris en 1973, quand je reçus le prix Médicis étranger pour *La vie est ailleurs*. En 1975, l'université de Rennes me proposa un poste de professeur associé. Nous sommes partis, ma femme et moi, en voiture, avec quatre valises et quelques cartons de livres. C'est tout ce que nous avons emmené. Les années à Rennes furent très heureuses : c'est plus facile de découvrir la France par la province. On apprend plus vite la langue et les habitudes. En 1978, nous nous sommes installés à Paris et je travaille maintenant à l'École pratique des hautes études.

A. G. – *Quels étaient, avant votre exil, vos liens avec la France et la culture française ?*

M. K. – La Tchécoslovaquie est, par tradition, un pays francophile. J'ai été élevé dans la culture française, Paris était pour moi la capitale européenne de l'art et la littérature française est une de celles qui l'ont beaucoup influencé. D'un côté, Rabelais, que j'ai eu la chance de lire dans une excellente traduction en tchèque moderne, Montaigne et Diderot. Et de l'autre, Baudelaire, Rimbaud et tous les poètes surréalistes. Avec l'occupation russe, nous avons été isolés, comme la plupart des intellectuels. Cependant, j'ai eu la chance de recevoir pendant ces années noires de nombreux amis venus de Paris : ces visites créèrent entre la France et moi des liens très profonds de telle sorte qu'a grandi peu à peu et très logiquement l'idée de m'y installer en exil.

A. G. – *Vos romans ont tout de suite été bien accueillis en France. On se souvient de la chaleureuse préface d'Aragon à votre premier livre,* La plaisanterie. *Ce succès vous a-t-il surpris ?*

M. K. – Tout à fait. Il faut dire que le changement était brutal. Jusqu'en 1968, j'étais un écrivain tchèque non traduit. Ensuite, j'ai commencé à être traduit mais je n'existais plus comme écrivain dans mon propre pays. Alors j'ai choisi de faire de la France mon pays d'écrivain : c'est à Paris que sont d'abord publiés mes livres et je tiens beaucoup à ce symbole.

A. G. – *On parle souvent de la France comme terre d'exil. Cette réputation est-elle justifiée ?*

M. K. – C'est à cause de gens comme Malraux qu'on connaît le roman américain des années 30, c'est grâce à Caillois qu'on a découvert la littérature sud-américaine et c'est la France, et en particulier Maurice Nadeau, qui a fait la gloire mondiale d'un Gombrowicz ou qui remet aujourd'hui à l'honneur un Musil par exemple. En ce qui me concerne, les interprétations de mon travail les plus intelligentes ont été faites en France : c'est ici qu'elles ont été le moins politisées et le plus littéraires. Après avoir été longtemps le cerveau de l'Europe, Paris est encore aujourd'hui la capitale de quelque chose de plus que la France. Malheureusement, je pense qu'elle est la capitale en train de disparaître d'un monde en train de disparaître.

A. G. – *En 1979, après la publication du* Livre du rire et de l'oubli, *vous êtes déchu de votre nationalité tchèque et, en 1981, le nouveau président de la République française, François Mitterrand, vous octroie, à vous et à l'écrivain Julio Cortazar, la nationalité française...*

M. K. – Oui, et j'en suis encore tout étonné. Mais mon étonnement n'a rien de mélancolique.

A. G. – *Pensez-vous retourner un jour en Tchécoslovaquie ?*

M. K. – Même si l'occasion m'en était donnée, j'hésiterais beaucoup. Je craindrais trop de déception et d'amertume. Je pense souvent Gombrowicz, revenu d'Argentine en 1962, et qui a toujours refusé de retourner en Pologne alors qu'il en avait la possibilité. Et puis, de toute façon, la question ne se pose pas ! Mon vrai problème aujourd'hui, c'est que je ne connais pas assez la France...

A. G. – *Votre nouveau roman,* L'insoutenable légèreté de l'être, *est centré sur l'histoire d'un couple, Teresa et Tomas, de leur rencontre fortuite à leur mort accidentelle. Avez-vous voulu écrire avant tout un roman d'amour ?*

M. K. – A travers l'histoire de Teresa et de Tomas, j'ai voulu écrire un roman sur l'amour, le hasard, la jalousie, la fidélité, la légèreté, la trahison... Autant de thèmes différents qui s'ordonnent autour des figures centrales de Teresa et de Tomas. J'ai hésité entre plusieurs titres, j'ai failli choisir « La planète de l'inexpérience ».

A un moment, Tomas dit : « Tout ce qui fait l'essence de la vie humaine, c'est que les événements qui la composent n'ont lieu qu'une fois. » Il n'y a jamais de répétition, ni avant, ni après, et il est impossible de vérifier la justesse de ses propres décisions. La vie de l'homme n'est qu'une esquisse, elle est marquée par une inexpérience, une immaturité essentielles. C'est une banalité mais qu'on a trop tendance à oublier. Le personnage de Tomas est bâti autour de ce thème-là : il ne saura jamais s'il a agi bien ou mal puisqu'il n'a qu'une vie et qu'il ne peut revenir en arrière. J'ai donc hésité mais j'ai finalement choisi cette *Insoutenable légèreté de l'être,* autre thème central du roman qui concerne Tomas et surtout sa maîtresse Sabina. Sabina est une artiste qui mène sa vie d'abandon en abandon, d'exil en exil, de trahison en trahison, jusqu'à la solitude absolue, jusqu'à cette légèreté totale à laquelle elle aspire depuis toujours. Même sa mort aura lieu sous le signe de la légèreté et ses cendres seront dispersées au vent...

A. G. – *Que signifie cet adjectif « insoutenable ? »*

M. K. – Ce n'est pas une proclamation. Je ne dis pas : la légèreté de l'être est insoutenable, je lis : l'insoutenable légèreté de l'être... On est dans l'ambiguïté. Si le roman a une fonction, c'est de faire découvrir l'ambiguïté des choses. J'ai intitulé toute une partie du livre : *Les mots incompris,* qui montre comment les mêmes mots recouvrent des réalités bien différentes pour les uns ou les autres, même s'ils sont très proches comme Teresa et Tomas, ou comme Franz et Sabina. Le roman doit détruire les certitudes. C'est d'ailleurs une source constante de malentendus entre l'auteur et son lecteur. Celui-ci demande souvent : Que pensez-vous exactement ? Que voulez-vous dire ? Quelle est votre conception du monde ? Questions très embarrassantes pour le romancier dont la sagesse réside précisément dans l'absence de certitudes et dont l'obsession est de transformer toute affirmation en interrogation. Le romancier doit montrer le monde tel qu'il est : une énigme et un paradoxe.

A. G. – *L'ennemi de l'ambiguïté et du doute, c'est ce que vous appelez l'univers du kitsch, royaume des certitudes et du conformisme esthétiques, dont l'aboutissement est le kitsch totalitaire. A plusieurs reprises dans votre roman, vous dénoncez cet esprit kitsch qui, écrivez-vous, « exclut de son champ de vision tout ce que l'existence humaine a d'essentiellement inacceptable ».*

M. K. – Le kitsch est un mot né en Allemagne au XIXe siècle, dont le sens s'est peu à peu transformé pour ne plus désigner en France aujourd'hui qu'un certain style esthétique, l'art de pacotille. Mais c'est bien plus que cela : c'est une esthétique qui est soutenue par une vision du monde, c'est presque une philosophie. C'est la beauté en dehors de la connaissance, c'est la volonté d'embellir les choses et de plaire, c'est le conformisme total. Je reprends là les thèses célèbres d'Hermann Broch qui, dans son texte *Création littéraire et connaissance,* réglait son compte à l'esprit kitsch enraciné dans le romantisme allemand et qui va, selon lui, jusqu'à Wagner. Pour moi, ce serait plutôt Tchaïkovski : une musique efficace, qui veut émouvoir et parfois y réussit, mais très conventionnelle, une sorte de démagogie sentimentale de l'art. Cette démagogie existe aussi bien à l'Ouest qu'à l'Est. Bien sûr, les pays totalitaires cultivent ce kitsch parce qu'ils ne tolèrent ni individualisme, ni scepticisme, ni ironie. Le réalisme socialiste, c'est le triomphe de l'esprit kitsch. En Union soviétique après la guerre, on expliquait tranquillement aux étudiants des Beaux-Arts que la société soviétique était déjà si avancée que le conflit fondamental n'y était plus le conflit entre le bien et le mal mais entre le bon et le meilleur ! A l'Ouest, cet esprit kitsch est surtout véhiculé par les partis politiques : voyez une campagne électorale américaine...

A. G. – *Voulez-vous dire que la politique engendre le kitsch ?*

M. K. – Elle ne l'engendre pas, elle l'exige. Tout mouvement politique est fondé sur le kitsch, sur la volonté de séduire. En politique, le monde est blanc ou noir. Il n'y a aucune place pour l'ambiguïté, la contradiction, le paradoxe. Aucun politicien qui se respecte ne dira : je crois que... mais je ne suis pas sûr d'avoir raison... Ou encore : il faut faire ceci bien que nous puissions aussi faire cela. Il dira : je connais la route de l'avenir, je sais que j'ai raison, etc.

A. G. – *Vous vous en prenez également au kitsch de gauche en décrivant de manière très voltairienne le voyage que fait Franz à la frontière khmère en compagnie d'une cinquantaine d'intellectuels européens pour imposer aux occupants vietnamiens du Cambodge des missions médicales humanitaires. Là, tel Candide, Franz, un chercheur scientifique suisse amoureux de Sabina, assiste à la fin en quelque sorte de la Grande Marche de la gauche européenne : un commando mené par des stars américaines et précédé d'une nuée de photographes se jette sur une armée d'occupation communiste...*

M. K. – Dans cet épisode cambodgien, je parle du kitsch de gauche qui consiste à croire que l'histoire n'est qu'un immense progrès, une marche en avant sans fin. Soudain, à la frontière khmère, Franz et à travers lui bien d'autres prennent conscience d'un des grands paradoxes de notre époque : c'est qu'à force de toujours vouloir aller de l'avant, on va à la fin. C'est ce qui arrive aujourd'hui à l'Europe et à la gauche, qui est une idée européenne. Alors qu'elle pensait faire l'histoire mondiale à elle seule, l'Europe est aujourd'hui encerclée de toutes les parts, et l'histoire du monde se fait sans elle, sinon contre elle. Toutes les illusions de la gauche européenne tombent et cette marche sur le Cambodge en est la révélation dérisoire : d'une part, la machine publicitaire, médiatique, occidentale transforme tout geste, si courageux soit-il, en spectacle, en kitsch et, d'autre part, ce spectacle est arrivé à son paradoxe terminal : il n'y a plus de fuite en avant possible, il n'y a plus de progrès, il n'y a qu'une frontière hostile, qui restera hermétiquement close et silencieuse.

A. G. – *Tout cela est très polémique...*

M. K. – Pas du tout. Je n'ai pas l'intention de polémiquer avec qui que ce soit, mais le roman en tant que tel peut apparaître comme polémique parce que son ambition la plus profonde est de dévoiler les choses et de montrer ce qui se cache derrière nos certitudes et nos représentations.

A. G. – *Tomas et son fils Simon ont eu tous les deux des ennuis avec les autorités tchèques après l'invasion soviétique. Tomas, célèbre chirurgien, devient un intellectuel déclassé comme il y en eut beaucoup en Tchécoslovaquie après 1968 et son fils Simon part s'installer à la campagne et se convertit au catholicisme militant. Est-ce à dire qu'on assiste en Tchécoslovaquie à un phénomène religieux de type polonais ?*

M. K. – Je ne pense pas, même s'il existe en Tchécoslovaquie une réaction religieuse authentique. En Pologne, le catholicisme fait partie de l'identité nationale alors que l'identité nationale tchèque est liée à un certain scepticisme religieux. Mon pays a été « recatholicisé » par la force au XVIIᵉ siècle et cela a laissé des traumatismes. Aujourd'hui, l'Église est plus ou moins persécutée, et du coup les réflexes anticléricaux traditionnels d'une partie des Tchèques ont disparu. Entre les laïques et les religieux, s'est instaurée une compréhension réciproque car le totalitarisme communiste menace à la fois la tradition athée rationaliste et sceptique européenne et la tradition chrétienne. C'est ainsi qu'est née la fraternité des ébranlés, pour reprendre la belle expression de Jan Patocka.

A. G. – *Votre héroïne Teresa est une serveuse de café qui devient photographe avant d'être à son tour déclassée (elle aura fait trop de photos de l'invasion russe) et de redevenir serveuse. Dans votre précédent roman, l'héroïne Tamina était déjà serveuse de café. Est-ce là un hasard ?*

M. K. – Je ne l'ai pas du tout fait exprès et c'est vous qui me le faites découvrir. Cela tendrait à prouver que l'image de serveuse de café m'obsède. Voilà en tout cas un exemple d'intervention de l'inconscient dans le travail romanesque. Même quand on ne veut pas parler de soi, on finit tôt ou tard par se dévoiler. Et pourtant, ma définition personnelle du romancier est celle de quelqu'un qui a horreur de se raconter, qui en a honte. Mais finalement vos obsessions prennent un malin plaisir à vous persécuter ?

A. G. – *De manière plus générale, pensez-vous que le hasard joue un rôle dans la création romanesque ?*

M. K. – J'ai écrit la dernière partie de mon livre en Normandie, à la campagne. Nous rendions souvent visite à un agriculteur qui avait dans son jardin deux cochons. Ces deux cochons qui venaient toujours nous saluer m'étaient éminemment sympathiques. C'est ainsi qu'est né dans la dernière partie du roman qui se déroule dans un village de Bohême ce personnage de cochon, que j'aime beaucoup. Et cela à cause de ces promenades normandes, au hasard desquelles j'ai rencontré ce paysan. Le hasard est devenu nécessité, à tel point que je ne pouvais plus imaginer le village où se retirent Teresa et Tomas à la fin du roman sans ce cochon. Cet animal est devenu le motif du village. Vous savez, il est très difficile dans un roman de décrire la réalité sans se laisser submerger par elle, mais je crois possible de créer un univers romanesque avec une très grande économie de moyens. Un ou deux motifs suffisent, parfois, comme ce cochon. Mais pour répondre autrement que par une anecdote, je pense que, dans le travail de l'écriture, la sensibilité aux coïncidences qui arrivent à l'auteur est réveillée. D'ailleurs, chaque romancier pose, depuis toujours, la question du hasard parce que l'existence est impensable sans hasard, elle est hasard. J'ai souvent parlé du rôle des coïncidences dans *Anna Karénine,* par exemple : au début du livre, elle rencontre Vronski à la gare de Saint-Pétersbourg alors qu'un cheminot vient de se faire écraser par une locomotive et, à la fin du roman, elle se jette sous un train pour mettre fin à son existence perdue. Cette symétrie paraît très artificielle mais, si vous observez la réalité, vous trouvez les mêmes symétries, les mêmes coïncidences dans votre propre vie. Un événement n'est pas disqualifié par son caractère accidentel, au contraire c'est le hasard qui lui donne sa beauté, sa poésie. Mais les gens ne font plus attention à cela, ils sont devenus aveugles à leur propre vie. Ils vivent le jour, le soir ils oublient. Nous vivons de plus en plus dans l'oubli de l'être. Reconstituer cette sensibilité à la vie, cette attention aux coïncidences, tel est aussi le sens du roman.

A. G. – *Dans* L'insoutenable légèreté de l'être, *vous reprenez une technique définitivement mise au point dans votre dernier livre,* Le livre du rire et de l'oubli. *Une technique à la fois de variations autour d'un même thème et de contrepoint, comme si plusieurs regards se posaient sur la même histoire...*

M. K. – Cette technique a d'abord été inconsciente puis je l'ai expérimentée, comme vous l'avez dit, dans *Le livre du rire et de l'oubli.* Le principe est le suivant : dans le même récit, vous racontez plusieurs histoires qui ne sont liées ni par des personnages ni par des rapports de causalité, et qui de plus constituent chacune un genre littéraire différent (essai, récit, autobiographie, fable, rêve). Unifier tous ces éléments exige une alchimie véritable de telle manière que tous ces éléments, si disparates, soient finalement perçus comme un seul ensemble conduit de façon tout à fait naturelle. L'unité est produite par des thèmes et des interrogations récurrentes, la plupart du temps d'ordre métaphysique. Cette manière d'écrire est chez moi très profonde, elle est en germe dès mes premières proses.

A. G. – *Ce jeu entre les différentes versions d'une même réalité, ce retour sur certains événements, ces allées et venues du romancier dans son propre roman, ne sont-ils pas facilités par l'existence d'un narrateur, présent tout au long du livre et qui peut ainsi jouer lui-même avec le récit ?*

M. K. – Tout à fait. Le narrateur est là dès la première page et le livre commence par une réflexion d'ordre philosophique.

On peut dire *grosso modo* qu'il existe trois sortes de romans : le roman de narration (Balzac, Dumas), celui de description (Flaubert) et celui de réflexion. Dans ce dernier cas, le narrateur est celui qui pense, qui pose des questions et toute la narration est subordonnée à cette méditation. Le narrateur est invisible chez Flaubert; ici, vous entendez, en lisant, la voix de quelqu'un. Il s'agit là de mon ambition de lier le roman à la philosophie. Mais qu'on me comprenne bien : je ne veux pas faire de la philosophie à la façon d'un philosophe mais à la façon d'un romancier. Et je n'aime pas trop le terme de roman philosophique. C'est une expression dangereuse car elle présuppose des thèses, des partis pris, des volontés de démonstration. Je ne veux rien prouver, j'examine seulement les questions : qu'est-ce que l'Être ? Qu'est-ce que la jalousie ? La légèreté ? Le vertige ? La faiblesse ? L'excitation amoureuse ?

A. G. – *Votre roman est composé de chapitres très courts, les plus longs n'excèdent jamais une dizaine de pages. Pourquoi ?*

M. K. – J'aime que chaque chapitre soit un tout, comme un poème, avec une attaque et une chute. Je voudrais que chaque chapitre ait un sens en lui-même et ne soit pas seulement le maillon d'une chaîne narrative. Mais, plus encore, ce choix correspond à mon esthétique du roman : il me semble que des chapitres courts, formant chacun un tout, incitent le lecteur à s'arrêter, à réfléchir, à ne pas se laisser emporter par le torrent de la narration. Trop de suspense dans un livre et il se consume et se consomme. Le roman est ennemi de la vitesse, la lecture doit être lente et le lecteur doit rester sous le charme d'une page, d'un paragraphe, d'une phrase même.

A. G. : *Page 280, vous abordez le problème des rapports entre le roman et l'autobiographie, entre l'auteur et ses personnages, et vous écrirez ceci : « Les personnages de mon roman sont mes propres possibilités qui ne sont pas réalisées. C'est ce qui fait que je les aime tous et que tous m'effrayent pareillement. Ils ont, les uns et les autres, franchi une frontière que je n'ai fait que contourner. Ce qui m'attire, c'est cette frontière qu'ils ont franchie (la frontière au-delà de laquelle finit mon moi). De l'autre côté, commence le mystère qu'interroge le roman. Le roman n'est pas une confession de l'auteur, mais une exploration de ce qu'est la vie humaine dans le piège qu'est devenu le monde. »*

M. K. – Tant de romans d'aujourd'hui sont des confessions ou des autobiographies déguisées que j'éprouve le besoin de prendre mes distances avec cette conception du roman. On me dit toujours : vous avez vécu tel ou tel événement... Mais non, je réponds, mais non ! Mais si, me rétorque-t-on alors, vous l'avez forcément vécu puisque vous le racontez dans votre livre... J'ai d'abord vu, dans ces bavardages agaçants, des comportements bien naïfs, mais, à la réflexion, je me suis rendu compte qu'il s'agissait là d'une façon contemporaine et très à la mode de lire, de comprendre et même d'écrire les romans. L'autobiographie envahit le roman et tout le monde veut écrire. La passion moderne de tout un chacun est de parler de soi, de s'exprimer. On sacralise cette passion de la graphomanie, alors que, selon moi, il s'agit là de la manifestation la plus grotesque, la plus dérisoire de la volonté de puissance d'aujourd'hui : imposer son moi aux autres. Tout cela n'a rien à voir avec le roman. Bien sûr, tout ce que vous écrivez est lié à votre vie. Le roman naît de vos passions personnelles mais il ne peut réellement prendre son essor que lorsque vous avez coupé le cordon ombilical avec votre vie et que vous commencez à interroger non pas votre vie mais la vie même. Un romancier qui écrit sur la jalousie doit la comprendre comme un problème existentiel non comme un problème personnel, même s'il vit dans la jalousie. Pour écrire, j'ai besoin d'imaginer des situations que je n'ai pas vécues et de faire appel à des personnages qui sont pour moi autant d'ego expérimentaux. C'est pourquoi un roman, bien que pas du tout autobiographique, est toujours extrêmement personnel : vous voyez dans vos personnages vos possibilités, des êtres que vous auriez pu être ou que vous pourriez devenir. Cela concerne aussi bien les personnages féminins que masculins mais cela n'a rien à voir avec l'autobiographie.

A. G. – *Vous pensez donc que le monde dans lequel nous vivons est une menace pour le roman ?*

M. K. – Nous sommes tous marqués par l'influence démesurée des médias. Il y a cinquante ans déjà, les écrivains les plus lucides, Robert Musil, par exemple, se sont rendu compte que la voix de la culture pourrait disparaître dans le vacarme du journalisme. Ils avaient raison. L'esprit des médias est contraire à celui de la culture telle au moins que l'Europe des temps modernes le connaît : la culture est basée sur l'individu, les médias mènent vers l'uniformité; la culture éclaire la complexité des choses, les médias les simplifient; la culture n'est qu'une longue interrogation, les médias ont une réponse rapide à tout; la culture est la gardienne de la mémoire, les médias sont chasseurs de l'actualité. Aujourd'hui, si on veut faire plaisir à un romancier, on lui dit : « Votre livre, c'est un événement. » Mais qu'est-ce que l'événement ? L'actualité si importante qu'elle attire l'attention des médias. Or, on écrit le roman non pas pour faire un événement mais pour faire quelque chose de *durable*. Mais est-ce que les choses durables peuvent encore exister dans un monde si exclusivement concentré sur l'actualité ? Regardez les journaux, les hebdomadaires, même les revues ! On ne peut y publier aucun texte qui ne soit pas accroché à telle ou telle actualité. Vous faites une interwiev avec un écrivain parce que son livre va paraître la même semaine. La semaine suivante, il n'est plus « interviewable », il est hors de l'ac-

tualité, et hors de l'actualité, pas de salut. Être possédé par l'actualité, c'est être possédé par l'oubli. C'est créer un *système de l'oubli* où la continuité culturelle se transforme en suite d'événements éphémères et séparés comme le sont les hold-up ou les matches de rugby.

A. G. – *Vous êtes très pessimiste, comme d'ailleurs tous les personnages de votre dernier roman.*

M. K. – Non, je ne suis ni pessimiste ni optimiste. Tout ce que je dis est très hypothétique. Je suis romancier et le romancier n'aime pas les attitudes trop affirmatives. Il sait bien qu'il ne sait rien. Il veut exprimer d'une façon on ne peut plus convaincante les vérités *relatives* de ses personnages. Mais il ne s'identifie pas à ces vérités. Il invente des histoires dans lesquelles il interroge le monde. La bêtise des gens consiste à avoir une réponse à tout. La sagesse d'un roman consiste à avoir une question à tout. Quand Don Quichotte est sorti de sa maison dans le monde, le monde se transforma devant ses yeux en questions. C'est le message légué par Cervantès à ses héritiers : le romancier apprend à ses lecteurs à comprendre le monde comme une question. Dans un monde bâti sur des sacro-saintes certitudes, le roman est mort. Ou bien il est condamné à être l'illustration de ces certitudes, ce qui est la trahison de l'esprit du roman, la trahison de Cervantès. Le monde totalitaire, qu'il soit basé sur le léninisme, ou sur l'islam ou sur quoi que ce soit, c'est le monde des réponses et non pas des questions. Le monde investi totalement par l'esprit des mass media est lui aussi, hélas, le monde des réponses et non pas des questions. Dans ce monde, le roman, l'héritage de Cervantès, risque de n'avoir plus de place.

FREDERIC PROKOSCH

*« Mon ambition de jeunesse : le tennis,
les livres, la chasse aux papillons. »*

Juillet 1984

Il y a quelques mois, dans une enquête sur les écrivains immigrés, *Lire*
rappelait que la France était devenue la terre d'élection, entre autres, de
Frederic Prokosch, l'un des plus grands écrivains américains contemporains et
pourtant quelque peu oublié, malgré quinze de ses romans traduits. La
parution récente d'un passionnant volume de souvenirs, *Voix dans la nuit*
(Fayard, traduction de Léo Dilé), va sans doute permettre de resituer à sa
vraie place cet auteur qui vit près de Grasse.
Né en 1909 dans le Wisconsin de parents autrichiens (son père est un savant
linguiste et sa mère est pianiste), Frederic Prokosch va très vite, grâce à son
milieu familial, rencontrer des célébrités. A Thomas Mann qui lui demande
s'il a une ambition, il répond : « Le tennis. Les livres. La chasse aux
papillons. » Projet accompli : Frederic Prokosch est devenu un excellent
joueur de tennis et un champion de squash, il a parcouru le monde à la
recherche de papillons (il en possède plus d'un millier rangés amoureusement
dans des boîtes vitrées) et enfin il a composé des livres dont, dès leur parution,
on apprécia l'absolue originalité. Le premier, *Les Asiatiques* (1935), fit
sensation. On y suivait le vagabondage d'un jeune homme à travers une Asie
(Turquie, Perse, Inde, Cambodge) admirablement décrite où pourtant
l'auteur n'avait pas encore mis les pieds. Deux ans après, Prokosch explore à
nouveau ce continent dans l'un de ses chefs-d'œuvre, *Sept fugitifs*, à propos
duquel Albert Camus nota : « Prokosch a inventé ce qu'on pourrait appeler le
roman géographique, où se mêlent la sensualité et l'ironie, la lucidité et le
mystère. » (Marguerite Yourcenar a traduit cet ouvrage, mais cette traduction
s'est perdue lors de l'invasion de Paris par les Allemands...)
Romancier peignant le destin solitaire de personnages aux prises avec une
nature et des mœurs dont l'étrangeté garantit la poésie, c'est à l'Europe,
néanmoins, que l'homme Prokosch reste attaché, sans doute parce qu'elle

représente pour lui le monde de la culture. Et c'est dans cette Europe, à Paris, Londres, Rome ou Venise, qu'il fera les innombrables rencontres qu'il nous rapporte dans *Voix dans la nuit*. De Gertrude Stein à T.S. Eliot, de James Joyce à Chirico, de Dylan Thomas à Gide, d'Ezra Pound à Somerset Maugham, de Malraux à Nabokov, de Virginia Woolf à Chagall, elles sont rendues présentes par les vertus d'un art qui n'est simple qu'en apparence et avec une acuité souvent moqueuse. Tous ces créateurs de premier ordre, Prokosch nous les montre sans remettre en doute son admiration mais avec une salubre lucidité. Et au fond, le personnage qui reste le plus en retrait ici, c'est l'auteur lui-même, assez avare de confidences même si on le devine à sa façon très particulière d'envisager les autres et de traquer leurs vérités.

En allant le rencontrer nous avons donc essayé de mieux cerner cet écrivain hors du commun tout en nous souvenant que Frederic Prokosch, comme tout véritable romancier, affectionne cette zone d'ombres que nous portons en nous. « La brousse intérieure de l'homme, lit-on dans *La tempête et l'écho*, est plus impénétrable et plus obscure que le cœur du Congo! » Frederic Prokosch nous accueille au rez-de-chaussée de sa belle villa entourée de cyprès, lieu privilégié préservé de l'agitation du monde. Et il n'esquive pas les questions auxquelles il répond en souriant avec cette politesse exquise de quelqu'un dont la culture immense, guère soucieuse des modes, semble, en définitive, ne lui avoir apporté qu'une seule certitude : rien ne vaut la beauté fugace d'un papillon.

Pierre Boncenne
Christian Giudicelli

Lire. – Voix dans la nuit *est un volume en grande partie constitué de rencontres avec des écrivains et artistes célèbres du XXᵉ siècle. Or on a l'impression que dans les années trente comme après guerre, il était assez facile, presque naturel, de les rencontrer et de bavarder avec eux.*

Frederic Prokosch. – Oh oui! A Londres, Paris ou Rome, c'était sans doute beaucoup plus facile. Il y avait une telle soif de culture! Par exemple à Rome, après-guerre, nous étions nombreux, les Américains, à nous promener dans les rues et à croiser des peintres, des sculpteurs, des poètes...

Lire. – *Non seulement à Rome, mais partout où vous passez, vous suscitez des rencontres. Et vous nous les rapportez maintenant autant, semble-t-il, pour brosser une étonnante galerie de portraits que pour vous raconter vous-même, vous dépeindre à travers eux.*

F. P. – Je suis heureux que vous fassiez

tout de suite cette remarque parce qu'aux États-Unis, quand mon livre est paru l'année dernière, certains critiques n'y ont vu qu'un travail journalistique. Mais on ne s'est pas posé la question : pourquoi cette collection de portraits? Quelle est sa vraie raison d'être et le secret se cachant peut-être derrière?

Lire. – *Derrière le portrait se dessine votre autoportrait.*

F. P. – Mais, reconnaissez-le, de façon très furtive, toujours en me cachant, parfois pour des raisons délibérées, parfois pas.

Lire. – *Dans l'un de vos romans les plus étranges,* Le manuscrit de Missolonghi, *vous imaginez le journal que Lord Byron aurait écrit avant de mourir. Par Byron interposé, vous vous êtes surtout approché de vous, Frederic Prokosch, avec plus d'audace et de confidences que dans vos* Mémoires.

F. P. – Ah! vous savez, tout est une

question de masque... Dans *Le manus-crit de Missolonghi*, en effet, il y a, d'une part, Byron mais, d'autre part, derrière lui, une ombre qui est un autre Byron. Peut-être est-ce moi mais vous n'en savez rien. Et je ne crois pas être un cas unique. Proust, par exemple, faisait tout son possible, dans sa phrase si belle, pour toucher à la vérité et la dire. Mais Swann, est-ce bien le portrait-masque de Proust, ou bien n'a-t-il pas, dans ce personnage, un autre masque?

Lire. – *Il n'empêche que dans* Le manuscrit de Missolonghi, *vous mas-quant sans aucun doute derrière Byron qui détestait la pudibonderie, vous êtes assez impudique. Tandis qu'au contraire, dans vos Mémoires comme dans la plu-part de vos romans, on sent comme un puritanisme révolté.*

F. P. – Je n'aime pas le mot, et pourtant je reconnais qu'il y a chez moi du « puritanisme ». Mais pas nécessairement pour des raisons de caractère. Je trouve surtout qu'il n'est pas très artistique et pas très bon pour un livre que la réalité soit racontée de façon trop nue. Elle devient par là moins intéressante, et je dirai même moins vraie. Mon purita-nisme c'est seulement une façon de ne pas vouloir franchir les frontières de l'art. Un livre devient moins bon si l'auteur se met trop à nu devant ses spectateurs ou si un personnage vous révèle trop ses secrets, s'il ne reste pas opaque comme nous le sommes tous. Un artiste cherche à toucher la vérité, mais les plus grands artistes comme Thomas Mann ou Proust ont compris que cette vérité était impossible à cerner, qu'elle reste dans un semi-mystère, dans une lumière fugace. Exactement comme cette lumière fugace éclairant certains papil-lons et qui donne des couleurs chaque fois différentes.

Lire. – *Prenant prétexte d'une plaquette de poèmes, vous vous racontez dans* Voix dans la nuit *que vous vous êtes débrouillé pour rencontrer Virginia Woolf. Et comme vous finissez par lui avouer que vos poèmes n'étaient qu'un prétexte et n'étaient pas le véritable motif de la visite, elle vous demande : « Vous vouliez*

me regardez, je suppose? » Au fond, pourquoi alliez-vous voir des écrivains?

F. P. – C'est une petite habitude que j'ai eue pendant une dizaine d'années : par volonté intense d'entrer dans l'ambiance littéraire et sans doute par désir d'absor-ber un peu de la grandeur et du caractère de ceux que j'admirais. Mais aussi par simple curiosité : puisque j'étais dans la même ville que tel ou tel écrivain, il me semblait absurde de ne pas le voir!

Lire. – *Oui, mais beaucoup plus tard, dans la présentation de* Voix dans la nuit, *vous avez cette phrase étrange : « Je me suis efforcé de saisir la vérité de mes diverses victimes », et vous ajoutez : « tout comme j'ai tenté de saisir la fugace irisation de mes papillons ».*

F. P. – Oh! ne prenez pas le mot « victime » au sens littéral, d'abord parce que, croyez-moi, j'étais très timide. C'est juste dans ma mémoire que tous ces gens sont devenus des « victimes » parce qu'ils sont étalés comme des papillons avec des épingles dans leur boîte. Reste que quel-ques personnes, c'est vrai, ont fait la remarque : « Vous êtes très méchant. » Je ne le pense pas. Je crains au contraire d'être un peu trop flatteur.

Lire. – *En fait, c'est que, derrière l'image statufiée de l'homme de lettres, vous insis-tez toujours sur l'homme tout simple-ment. Quitte à choquer, par exemple en nous montrant Joyce s'empiffrant d'éclairs et s'inquiétant pour ses flatulen-ces.*

F. P. – Vous savez, dans le cas de Joyce, on avait l'impression que cet homme tellement exalté dans ses ambitions litté-raires voulait, dans ses contacts, délibéré-ment rabaisser le niveau au stade le plus trivial, je dirai même ordurier. Ce n'était pas seulement par exhibitionnisme ou pour dire : « Voyez, je suis un grand écrivain et pourtant je parle de choses très ordinaires. » C'était aussi pour lui-même : comme pour échapper au risque d'être une statue, comme par refus pro-fond d'être un grand homme dans sa vie privée.

Lire. – *André Gide, au contraire, à qui vous rendez une visite assez extraordi-naire, colle parfaitement à son image, il* *précède même vos questions et vous fait des déclarations sur Proust, Dostoïevski ou l'homosexualité très intelligentes mais très programmées.*

F. P. – Oui, c'est exactement ce que je voulais suggérer dans mon portrait. Avec Gide, les mots devenaient presque automatiques, et sans même que je l'interroge sur son refus d'éditer *La recherche du temps perdu*, il se justifiait.

Lire. – *Mais brusquement vous lui demandez : « Vous vous souvenez encore de Staline, monsieur Gide ? » Et alors, « serrant ses pouces l'un contre l'autre », il vous répond : « Ne manqueriez-vous pas un tout petit peu de tact ? Vous parlez presque comme un journaliste ! Il ne faut jamais devenir journaliste ! »*

F. P. – Ah! là, là, il n'était pas confortable, là! Oh non! Après un certain moment, dans chaque rencontre, je me sentais suffisamment moi-même pour oser, ayant une espèce de charme de jeune homme, être moins distant et plus insolent. Déjà avec Virginia Woolf, même si j'étais très intimidé, j'avais commencé.

Lire. – *Quant à Ezra Pound, vous nous le décrivez jouant au tennis avec une dame et la traitant de « connasse efflanquée » ou vous confiant : « Elle essaie de me castrer ! C'est une louve déguisée en cigogne... Elle mène sa guerre privée contre les testicules. »*

F. P. – Ezra Pound, lui aussi, avait une vulgarité voulue un peu artificielle. C'était une façade, un peu comme la façade de la masculinité chez Hemingway : l'exhibition de sa poitrine velue, dont je me moque, cachait sans doute quelque chose de plus délicat.

Lire. – *Et pourquoi, en allant rencontrer Colette dans son appartement du Palais Royal, au bout d'un moment lui avouez-vous : « C'est curieux, mais je m'aperçois que je n'ai aucune question à vous poser ! »*

F. P. – Colette, lorsque je l'ai vue, était déjà une sorte de fantôme, un être tellement délicat. Et à la différence de la baronne Blixen (l'auteur des *Sept contes gothiques*) qui était devenue un spectre fantomatique pour des raisons délibérées,

on avait l'impression que Colette, malgré son caractère tellement fort et vif, n'était plus une vraie personne. Elle paraissait si fragile qu'on n'avait presque plus le désir de la questionner.

Lire. – *En fait, on sent bien que la majorité des personnalités que vous avez rencontrées, Virginia Woolf ou André Gide, Joyce ou T.S. Eliot, Ezra Pound ou Colette, Moravia ou Somerset Maugham, Dylan Thomas ou Gertrude Stein, vous les admiriez. Mais dès que vous êtes en leur présence, vous vous efforcez de saisir le détail qui replace leur génie éventuel dans un cadre humain, très humain.*

F. P. – Je suis romancier, et j'essaie de voir dans un caractère les bonnes qualités mais aussi la vérité. Et donc les faiblesses, sans penser d'ailleurs que c'est une faiblesse. Le seul auteur que je n'ai pas du tout trouvé sympathique, c'était le poète américain Robert Frost...

Lire. – *Qui, racontez-vous, pestait continuellement contre les critiques encensant T. S. Eliot : « Les stupides salauds, s'exclamait-il, toujours à parler d'Eliot. Il les a tous bien eus. Quelle bande de charlatans maniérés ! S'il y a au monde quelque chose que je déteste, c'est bien un charlatan maniéré ! »*

F. P. – Une obsession chez Frost. Et le seul auteur envers lequel j'éprouve une espèce d'amertume, c'est Auden. J'admirais vraiment beaucoup sa poésie de jeunesse, mais il l'a reniée. De plus, il m'a déclaré tout d'un coup exécrer les francophiles, Verlaine, Rimbaud et tous les bardes gaulois. Et il me considérait comme un francophile.

Lire. – *Dans votre amertume à l'égard d'Auden, comme du reste dans votre déception devant les dernières toiles de Chirico, on retrouve peut-être un thème constant de vos romans : l'obsession de la vieillesse et de ce qui se flétrit.*

F. P. – C'est très exact et je fais justement allusion dans mon livre à un essai de Cyril Connolly, intitulé *Enemies of promise*, c'est-à-dire « Les ennemis des promesses » d'un jeune artiste. C'est que je n'ai jamais accepté l'idée qu'un artiste puisse diminuer en vieillissant. Je ne supporte pas ce flétrissement. Comme il est touchant de voir en France le public rester fidèle à Simone Signoret ou même Jean-Pierre Aumont... Aux États-Unis, je me demande si ces acteurs auraient osé paraître à la télévision : là-bas, on y encense beaucoup trop non seulement la jeunesse, mais aussi ce qui est à la mode, le dernier cri. Puis après, c'est l'oubli. Les artistes le savent et cela contribue à leur vieillissement, parfois même cela les entraîne à boire et à rester bloqués dans leur image de jeunesse. Il est très rare de voir quelqu'un aux États-Unis dont la réputation continue à être fraîche ou à s'améliorer après l'âge de la première réussite. Les deux seules exceptions durent peut-être Henry James et T. S. Eliot qui, tous deux, justement, ont décidé de partir pour l'Angleterre. Et pour Henry James comme pour T. S. Eliot, on peut dire que leurs dernières œuvres furent les meilleures, malgré leur défaite devant le public américain. C'est que tous deux ont d'abord choisi la voie de l'art.

Lire. – *Vous paraissez avoir beaucoup de ressentiment à l'égard de l'Amérique. C'est à se demander même si vous n'êtes pas d'accord avec ce que vous a dit un jour Ezra Pound :* « *Je ne souhaite nullement désacraliser cette vénérable vache, les États-Unis d'Amérique. Mais une chose est sûre, et j'espère que vous l'aurez présente à l'esprit. Tout artiste, qu'il soit un capitaliste ou bien un foutu faux cul de marxiste, est certain d'aller à vau-l'eau dans les merveilleux États-Unis d'Amérique. Ils deviennent corrompus, tous, et finissent par se transformer en putains, en castrats ou en alcooliques.* »

F. P. – Il y a là beaucoup de vérité. Les trois grands risques pour un écrivain ou un artiste, c'est : premièrement, l'excès de publicité; deuxièmement, le succès; troisièmement, la difficulté à vieillir de façon constructive. L'Amérique vous expose en permanence à tous ces risques. Comment voulez-vous alors que je l'apprécie vraiment ? Mes meilleurs amis, les plus intelligents, les plus artistes, quand je publiais un roman, n'étaient pas tellement intéressés par son style ou par ce que je pouvais raconter, mais plutôt par

les critiques favorables et négatives que j'avais ou le nombre d'exemplaires vendus. Ils étaient plus intéressés par l'accueil réservé à mon livre que par ses éventuelles qualités.

Lire. – *Franchement, ce n'est pas un défaut spécifiquement américain.*

F. P. – Bien sûr, cela existe aussi sur le boulevard Saint-Germain, au Café de Flore, mais avec une petite ironie qui est fondamentale. Les Français m'ont toujours paru conscients de la valeur littéraire d'un livre, c'est pour eux une valeur sacrée même s'ils font très attention aux histoires de critique ou de librairie. Aux États-Unis, les conversations littéraires n'existent pas parce que les valeurs artistiques n'y sont pas suffisamment importantes dans la vie. Et ce n'est pas pour rien que la plupart des écrivains américains contemporains ont été découverts par l'Europe.

Lire. – *Vous faites, dans* Voix dans la nuit, *un portrait de Bertolt Brecht qui se termine par une phrase, c'est le cas de le dire, meurtrière :* « *Il se mira avec un sourire minaudier, satisfait, et prit son verre avec ses doigts courtauds d'assassin.* » *Un peu dur, non ?*

F. P. – Écoutez : Brecht était lui-même un homme très dur. Il n'y avait aucune souplesse chez lui. Quant à ces « doigts d'assassin », je dis aussi une chose similaire d'Alberto Moravia dont le regard m'a paru menaçant, mais qui en réalité est une personne très gentille. Ce genre de détail physique n'est donc pas nécessairement une question de caractère, même si Berthot Brecht m'a semblé quelqu'un d'assez antipathique.

Lire. – *Il est vrai que vous détestez par-dessus tous les idéologues en littérature.*

F. P. – Presque chaque jour, je pense à cela avec dégoût ! Il y a quelques années, j'ai fait partie du jury accordant un prix littéraire, l' « Aigle d'or de la ville de Nice ». Je me rappelle qu'un membre du jury avait proposé comme lauréat Garcia Marquez en nous disant à peu près ceci : « C'est un ami et nous avons la même idéologie. » Mon admiration pour Garcia Marquez est tombée à l'instant même!

Mais je continue à penser que *Cent ans de solitude* (que j'ai lu trois fois) est, sans contestation aucune, un chef-d'œuvre, à la différence de ses autres livres qui ne sont pas tout à fait réussis, un peu comme des gâteaux que l'on aurait laissés trop longtemps ou pas suffisamment dans le four...

Lire. – *D'après vos Mémoires, les événements politiques mondiaux, même les plus dramatiques, ont l'air d'être passés très loin de vous, comme une agitation qui ne vous concernait pas.*

F. P. – Comme individu solitaire, je ne voulais pas être troublé par les événements extérieurs. Et de plus, dans le monde que côtoient, disons, les journalistes, il n'y avait pas d'élément pour m'aider dans la suite de ma recherche personnelle. Bien sûr, j'ai jugé avec horreur Hitler ou Staline. Mais si je devais être très franc, je dirais que toute idéologie politique me répugne, d'abord parce que les gens qui s'en réclament n'ont aucun charme et sont toujours antipathiques. Quand j'avais vingt-six ans, j'ai enseigné pendant quelque temps la littérature à l'université de New York. Presque tous les membres de la faculté de littérature étaient gauchistes. Un jour, un monsieur très laid m'a invité à déjeuner puis il a commencé à me parler, et je sentais qu'il voulait m'amener à devenir communiste. C'était pour moi aussi bizarre que si l'on m'avait invité à devenir un danseur folklorique!

Lire. – *« Le sens du mystère, dites-vous, m'a toujours paru constituer la racine même de tout grand art », ce qui est effectivement antinomique avec l'idéologie.*

F. P. – Introduire une idéologie dans un livre c'est tout de suite expulser le mystère. Moi, j'ai peut-être une certaine idéologie, une espèce d'opinion sur la cuisine française, sur le tennis ou sur la manière d'élever un rosier. Mais en littérature, en peinture, en poésie, ou en musique, citez-moi un seul cas où un artiste ait été guidé, voire amélioré par le fait d'avoir une idéologie. Le secret de la grandeur de Shakespeare – et Dieu sait qu'il a écrit beaucoup de pièces très

médiocres méritant juste le pardon de l'oubli –, c'est peut-être qu'il était invisible lui-même, sans idéologie. Shakespeare, c'est la grande énigme, le plus grand mystère de toute l'histoire de l'art : je peux à la rigueur m'imaginer Homère en personne, mais pas Shakespeare. Comment a-t-il écrit *Hamlet* ? Avait-il un crayon ? Était-il tout seul dans une chambre avec du papier ? Essayez donc de le visualiser : impossible. Voilà pourquoi on a beaucoup prétendu que ce n'est pas Shakespeare qui a écrit lui-même ses pièces, opinion en fait un peu ridicule : c'est précisément le fait qu'on ne puisse pas visualiser Shakespeare qui explique la grandeur mystérieuse de ses pièces.

Lire. – *Vous insistez d'ailleurs sur la notion de magie dans l'art, à propos de Shakespeare et de Mozart.*

F. P. – Shakespeare nous échappe complètement, c'est un fantôme. Sur Mozart, nous avons plus de renseignements, grâce à ses lettres et à différents témoignages. Mais son art est magique effectivement, il écrit de la musique pure. Lui-même ne semble pas faire entrer ses émotions personnelles dans la musique, bien que les émotions de *Don Giovanni* soient très intenses, et c'est là le miracle. Beethoven au contraire se livre tout entier dans ses derniers quatuors.

Lire. – *En réalité, on a l'impression que le désir qui vous a le plus obsédé, c'est d'accéder à ce monde de l'art. Au Portugal, pendant la guerre, vous écrivez : « Je ne souhaitais ni la richesse, ni la gloire, ni l'amour, mais la chance qui m'aiderait à écrire un chef-d'œuvre. »*

F. P. – Dès l'âge de six ans, j'ai fait un petit livre, une sorte de conte, l'histoire d'un roi et de trois filles, conte de quatre pages que j'ai reliées et attachées avec un ruban. Ma mère avant de mourir me l'a laissé et, le regardant, je me suis mis à comprendre certaines choses que l'on ne peut découvrir qu'en vieillissant : c'est bizarre, je n'avais pas seulement le désir d'être un artiste, mais aussi de faire des livres qu'on puisse toucher, une occupation de solitaire, sans doute.

Lire. – *La solitude revient dans vos Mémoires un peu comme un thème de* musique. *Vous écrivez :* « *Je tentais d'exploiter cette solitude en devenant un genre d'éponge afin d'absorber l'essence de la vie des autres.* » *En somme, plus vous rencontrez de gens et traquez les autres, plus vous devenez solitaire.*

F. P. — Quelqu'un qui sent en soi la possibilité d'être un artiste développe en lui-même presque instinctivement les qualités qui protègent son talent. Je ne voulais pas dissiper mon énergie dans les contacts émotionnels... Mes contacts sexuels, par exemple, étaient toujours très furtifs, très rapides : ils ne duraient même pas une nuit. Pas question d'être attrapé dans une relation continue.

Lire. — *D'où l'errance de vos personnages, qui vont tous vers des aventures les conduisant sinon à la mort, du moins à l'anéantissement.*

F. P. — Oui, on m'a fait ce reproche, ce ne sont pas des personnages stables.

Lire. — *Mais la différence entre vos personnages et vous, c'est qu'ils se lancent dans des aventures, par exemple en Orient, alors que votre vagabondage vous l'avez surtout accompli en Europe.*

F. P. — J'ai d'abord écrit des romans sur les États-Unis que je n'ai pas publiés. Des romans réalistes. Ce n'était pas mon domaine : la feuille de papier demeurait laide, et mon crayon ne pouvait pas marcher. La vérité commençait à m'échapper chaque fois que je mettais le nez dans mon expérience personnelle.

Lire. — *Cette expérience, vous avez besoin qu'elle soit transformée en rêverie.*

F. P. — Exactement, une rêverie plutôt lointaine géographiquement, je ne peux pas expliquer pourquoi. Peut-être cela me vient-il de ma jeunesse, quand j'étais tout petit garçon, et que la source de mon imagination, c'étaient les contes de Grimm et d'Andersen, c'est-à-dire l'Europe. Quand j'étais enfant, dans le Texas, pendant la Première Guerre mondiale, je me suis senti assez malheureux, parce que j'étais un peu considéré comme un Allemand. Ce n'était certes pas un cas de persécution, mais déjà à cet âge-là, vers six/huit ans, je me trouvais dans une sorte d'exil, rêvant à d'autres lieux et pourtant sans illusion.

Lire. — *Plus tard, l'un des personnages des* Asiatiques *dira :* « *Vous êtes asiatique dans l'âme. Un vrai Asiatique n'est jamais très heureux. Il a renoncé à l'espoir dans la vie.* » *en fait, l'espoir c'est l'imaginaire. Or, vous êtes un romancier d'aventures, mais d'aventures imaginaires. Par exemple vous avez écrit* Les Asiatiques *ou* Les sept fugitifs *sans jamais avoir été en Chine. Et plus tard, alors que vous connaissiez les États-Unis, vous avez écrit un roman,* Mon immense Amérique, *où un jeune orphelin semble découvrir un pays imaginaire.*

F. P. — Mais cette Amérique-là, de rêve, existe aussi. Personne aux États-Unis, quand mon livre est paru, ne semblait habitué à ce genre de traitement de l'Amérique, l'Amérique comme un mythe. *Le grand Meaulnes,* d'Alain Fournier, se voulait un traitement mythique de la France; en tout cas, ce n'est pas un roman réaliste. Je crois qu'il était possible de faire la même chose à propos de l'Amérique.

Lire. — *L'exil est donc devenu un thème central de votre œuvre. Mais est-ce que, vraiment, votre vie a été telle que vous la racontez : fuyant d'un endroit à l'autre, au gré des circonstances comme des désirs, et vous en remettant au hasard ? Est-ce que ce n'est pas de la littérature d'écrire notamment sur le Portugal où vous arrivez au début de la dernière guerre au volant de votre Ford décapotable :* « *Je pris une chambre au Palacio Hotel d'Estoril. J'avais eu l'ambition d'y passer deux semaines; j'y passai deux ans.* » ?

F. P. — Mais non, c'est vrai, je n'avais aucune idée préconçue. Et puis ne vous méprenez pas sur ce « Palacio Hotel » : la vie à Estoril n'était pas chère du tout, c'est l'une des raisons pour lesquelles je suis resté.

Lire. — *Cette villa, tout près de Grasse où nous nous rencontrons, c'est une nouvelle étape dans vos errances ?*

F. P. — Non, je resterai ici jusqu'à la fin de mes jours.

Lire. — *Et pourquoi avez-vous décidé de vous y fixer ?*

F. P. — Les endroits que j'adore comme

Venise, on ne peut pas y vivre en permanence. La Rome que j'ai connue, à la meilleure époque, après-guerre, me semble avoir disparu. Et la seule ville où je pourrais envisager d'habiter, Paris, est devenue insupportable avec la circulation. En réalité, je n'ai plus le désir de voir les grandes villes et je vis près de Grasse, au milieu d'une nature que j'aime, sans être tout à fait isolé.

Lire. – *Si l'on regarde votre itinéraire, on se dit que vous avez eu beaucoup de chance peut-être parce que vous n'attendiez rien. Tenez, alors qu'un jeune auteur a toujours quelque difficulté pour faire étudier son premier roman, vous racontez que votre premier manuscrit,* Les Asiatiques, *a été accepté le même jour par trois éditeurs à quelques heures d'intervalle et, chaque fois, avec une offre d'argent supérieure. Là, c'est le romancier qui parle?*

F. P. – Non, je vous promets, c'est tout à fait exact. Il y a juste un petit détail sur le montant de la somme proposée par les éditeurs que j'ai changé pour avoir un effet artistique.

Lire. – *Vous devenez célèbre en 1935 avec* Les Asiatiques, *qui a du succès dans le monde entier. Mais de quoi avez-vous vécu, matériellement, depuis lors? Vos livres vous ont-ils rapporté beaucoup d'argent?*

F. P. – Pas suffisamment pour être indépendant. Alors, pendant quelque temps, j'ai été par exemple attaché culturel, notamment en Suède où, comme je le raconte, j'ai exercé des activités d'espionnage! Puis j'ai reçu plusieurs bourses d'université.

Lire. – *Mais on a parfois l'impression, dans* Voix dans la nuit, *que vous avez un brillant train de vie de dandy, fréquentant les artistes et roulant dans une belle voiture américaine.*

F. P. – Oui, je reconnais que cela doit sembler être le cas, parce que juste après-guerre j'ai vécu – pour la seule fois de ma vie, je vous rassure – dans un état presque luxueux. Cette belle voiture, c'était une occasion pas chère, et la vie dans les palaces à Rome, franchement, ne coûtait presque rien : proportionnelle-

ment, je suis sûr que ce n'était pas dix pour cent de ce que l'on paie aujourd'hui. Alors, moi qui n'avais jamais connu cela, pourquoi ne pas en profiter même si, croyez-moi, je ne passais pas mon temps dans les boîtes de nuit. Et puis, pendant ces années merveilleuses que j'ai vécues à Rome où, sur la Via Veneto, on rencontrait les écrivains, les peintres, les cinéastes, je n'avais pas besoin de dépenser beaucoup d'argent, parce que j'étais beaucoup invité par les dames.

Lire. – *A ce propos, un jour, Lady Cunard qui en Amérique organisait beaucoup de thés vous a déclaré cette phrase à double tranchant : ‹ ... Laissez-moi vous dire une chose, Frederic. Vous êtes un beau jeune homme, et voilà pourquoi nous vous aimons. Ce n'est pas à cause de votre esprit ou de votre sensibilité artistique. ›*

F. P. – Cette chère Lady Cunard pouvait dire des choses tellement sottes, mais aussi tellement intelligentes... Sur le moment, j'ai trouvé épouvantable que des sentiments humains en puissent reposer que sur des attraits physiques. Je ne comprenais pas que l'on puisse établir comme ça des séparations.

Lire. – *Mais la vie littéraire vous a-t-elle donné l'occasion de réconcilier la beauté physique et la beauté artistique?*

F. P. – Quand j'étais à l'université, à Yale puis à Cambridge, mes amis étaient tous très beaux, d'agréables athlètes, des gens charmants. Et quand j'ai rencontré des poètes comme Auden ou Dylan Thomas, c'était très intéressant, j'étais enchanté et pourtant ils n'étaient ni beaux ni charmants. Dylan Thomas était affreusement sale, habillé n'importe comment et d'une humeur insupportable. Comme je ne voulais renoncer à aucun des deux mondes, je n'ai pas cherché à les réconcilier, j'ai continué à être sportif d'un côté et à rencontrer des artistes de l'autre. Du temps de l'université, il y avait déjà une distinction entre, disons, d'un côté les intellectuels et les artistes et, de l'autre côté, les sportifs, la combinaison des deux étant extrêmement rare. Pour ma part, quand j'étais petit, je crois pouvoir dire que j'ai eu d'abord l'esprit artistique en rêvant de poésie ou de contes de Grimm. Puis, vers dix-sept ans, j'ai commencé à jouer passionnément au tennis, et j'ai découvert que j'avais un corps. Ce fut pour moi une nouvelle approche de la vie, mais cela ne m'a pas empêché de continuer à lire des poèmes. Si vous voulez, je suis devenu littéralement deux personnes, double, et cela a toujours continué.

Lire. – *En fait, vous avez tout simplement été fidèle à un programme de jeunesse. Un jour, en effet, Thomas Mann vient dîner chez vos parents et il vous demande quelle est votre ambition ; vous lui répondez : « Le tennis. Les livres. La chasse aux papillons. » Ce goût pour le tennis (puis le squash) ne vous a jamais quitté ?*

F. P. – Ah, jamais! J'adorais jouer au tennis sur gazon et voir la balle passer sur la ligne du filet. C'était très gracieux. D'ailleurs, je jouais au tennis plutôt pour des raisons esthétiques, ce qui m'a empêché de devenir un grand joueur. Je préférais le joli coup à l'efficacité, contrairement au squash.

Lire. – *Le champion Bill Tilden, avec qui vous avez eu l'occasion de jouer, vous a dit un jour : « Le tennis est plus qu'un simple sport. C'est un art comme le ballet. Ou comme une représentation théâtrale. » Et vous-même, dans le portrait émerveillé que vous brossez de Tilden, vous le comparez au danseur Nijinsky.*

F. P. – Un champion comme McEnroe a sans aucun doute un jeu assez esthétique. Mais personne aujourd'hui ne joue comme Tilden, avec une telle précision. Tilden, si vous voulez, c'était une combinaison, d'une part, de Wilander, avec sa régularité et ses balles très liftées vers le centre de telle sorte que l'adversaire ne peut rien faire d'autre que renvoyer et, d'autre part, du brillant et de l'agressivité nerveuse d'un Noah. Et le service de Tilden sur la ligne! Oui, sur la ligne : on ne voyait pas la balle, mais juste une petite poussière blanche... Que voulez-vous, un tel joueur – et je suis sûr que ceux qui ont vu Tilden m'approuveront – relève de la beauté et de l'art.

Lire. – *Et le squash, que vous avez beaucoup pratiqué ?*

F. P. – C'est d'abord différent du tennis parce qu'il n'y a pas de galeries ou de tribunes, donc pas de spectacle. Cela se pratique dans une cage assez petite, c'est un jeu très rapide, un peu brut où l'on sent énormément l'odeur de la transpiration. Le squash a correspondu pour moi à un moment de ma vie où j'avais besoin d'exprimer toute mon agressivité. J'étais beaucoup plus fort au squash qu'au tennis certainement parce que je n'y jouais pas pour des raisons esthétiques particulières. C'était un sport seulement, pour moi.

Lire. – *Et comment jugez-vous le tennis des années quatre-vingt, qui connaît une telle vogue ?*

F. P. – Bien sûr, en regardant la télévision, Wimbledon ou Roland-Garros, je suis impressionné par la masse des joueurs capables de disputer des tournois d'un tel niveau. Mais je suis frappé tout de même par le manque de variété entre les différents joueurs. Dans ma jeunesse, chaque joueur avait sa manière bien à lui : toujours vite au filet, ou complètement par la force, ou la régularité, etc. D'autre part, s'il est évident qu'en quantité les bons joueurs sont beaucoup plus nombreux, notamment en France, comment expliquez-vous qu'il n'y ait pas plus de Cochet, Borotra ou Lacoste ?

Lire. – *Vous avez sûrement une opinion ?*

F. P. – Pour moi, la seule explication, c'est qu'un Cochet, un Borotra ou un Tilden est une chose qui arrive par hasard, exactement comme un Rimbaud. De tels êtres, on peut les aider, comme on le fait aujourd'hui avec les jeunes, mais on ne peut pas les produire artificiellement. Il faudrait écrire des essais sur le rôle du hasard en tennis comme en poésie. Il a fallu par exemple à Tilden une espèce de morphologie extraordinaire, une construction mystérieuse, idéalement adaptée pour le tennis. Il n'était pas trop haut, fort mais pas avec excès, souple mais juste assez. A l'arrivée, cela donnait un champion jouant au tennis avec des réflexes parfaitement naturels, comme aujourd'hui McEnroe, au filet, semble avoir des réactions d'une vitesse électrique.

Lire. – *Impossible de venir vous voir sans parler, enfin, de ce qui tient une place capitale dans votre vie : les papillons. Quand on lit* Voix *dans la nuit, on remarque d'ailleurs que vous n'arrêtez pas de rapporter des conversations littéraires dont le sujet, en simplifiant, est le suivant : quel est le plus grand écrivain ? le plus grand romancier ? comment trouvez-vous Un tel par rapport à Un tel ? etc. Bref, on a l'impression que vous essayez de classer les artistes comme on classe des papillons.*

F. P. – J'admets cette remarque. Il est vrai que l'on range des papillons en se disant que c'est le plus joli, le plus précieux, le plus rare, exactement comme on s'interroge sur les œuvres d'art et sur leur mystère. Mais regardez ces papillons du Brésil et de Colombie que j'ai dans cette boîte : eh bien! leur couleur change dans la lumière et on ne peut pas porter un seul jugement. Méfiez-vous, je pourrais vous parler des papillons pendant des heures...

Lire. – *A un moment de votre vie, vous avez vraiment parcouru le monde en avion à la recherche d'un seul papillon rare ?*

F. P. – N'exagérons pas. Dans ma collection, il n'y a qu'un papillon sur trois que j'ai pris, les autres je les ai achetés. Mais il est est vrai que je suis parti me promener avec mon filet dans les alentours de Saigon, Bangkok ou Singapour et qu'avec beaucoup d'enthousiasme j'ai attrapé parfois des papillons assez rares. Les plus belles heures de ma vie, je les ai passées ainsi, seul dans une forêt avec un filet. Cette solitude parmi les arbres et les oiseaux et éventuellement un papillon dont on pouvait fixer la beauté fugace, c'était idyllique. Je sais qu'on trouve cruel d'épingler des papillons dans une boîte. Mais ne pensez-vous pas que ces papillons ont de la chance en étant préservés pour l'éternité ?

Lire. – *Un jour pourtant, nous dites-vous, vous avez décidé de ne plus attraper de papillons ?*

F. P. – Non, c'est fini, j'ai une collection assez complète. Hier, près du canal, j'ai vu un très joli petit papillon bleu, d'un bleu très fort. Le papillon était nouveau, juste sorti de sa chrysalide, je l'ai pris pour voir de près ce bleu profond, mais je l'ai laissé...

Lire. – *Et vous regardez souvent votre collection de papillons ?*

F. P. – Hélas, pas suffisamment.

Lire. – *A Vladimir Nabokov – que, bien sûr, vous avez rencontré pour parler de papillons –, vous dites : « Toute cette beauté ne peut manquer d'avoir une raison d'être. Le papillon est en soi la preuve que la nature a le culte de la beauté! » Mais Nabokov vous dit : « Toute cette beauté, j'en ai la conviction, n'est qu'un jeu d'esprit de la nature. »*

F. P. – Il n'y avait pas que Nabokov qui était fasciné par les papillons : on peut citer aussi Colette, Thomas Mann ou Ernst Jünger. Il me semble en tous les cas impossible de ne pas développer une philosophie en regardant les papillons, peu importe laquelle. Car pourquoi la nature a-t-elle produit quelque chose comme un papillon ? Roger Caillois, avec qui j'en parlais, prétendait qu'il était impossible de l'expliquer, qu'il n'y avait là aucune raison. On peut soutenir le contraire. En fait, c'est encore un mystère. La beauté des papillons est peut-être la chose la plus parfaite que je connaisse au monde, c'est une beauté sans aucune justification ni aucune utilité. Leur beauté gratuite est un cadeau de la nature qui semble nous dire : « Voilà, et expliquez-le comme vous le voulez. » alors, à défaut de pouvoir expliquer, on commence à classer les papillons. Il y a huit familles à l'intérieur desquelles on peut avoir des préférences, certains étant plus rares ou plus beaux que d'autres. Mais il n'existe pas de papillon qui soit faux, c'est la différence avec l'écrivain, puisqu'il existe de très mauvais auteurs!

Lire. – *En 1937, lors d'un voyage à Prague, vous aviez déclaré : « En ce moment, mes principales préoccupations sont le tennis, le squash, l'architecture baroque, l'archipel grec, la poésie latine*

du Moyen Age et le souci d'éviter la
vulgarisation de l'argent et de la publicité. » Près de cinquante ans plus tard,
quelles sont vos principales préoccupations?

F. P. – Regarder mes papillons, lire (même si j'ai de plus en plus de difficultés à trouver des livres nouveaux qui me
plaisent) et écrire. Je n'ai jamais perdu
l'espoir d'écrire quelque chose de mieux
qu'auparavant. En ce sens, je me sens
très jeune encore.

WILLIAM STYRON

« Le désir de toucher le monde par des mots
a quelque chose à voir
avec la puissance d'une nation. »

Novembre 1984

Un homme, grand, aux cheveux gris, son pull-over troué aux coudes attend, debout dans le vent, à quelques mètres du petit avion qui vient de se poser. Un physique à la John Wayne, en plus paysan peut-être, en plus sympathique certainement, Il me sourit : « Je suis William Styron, je suis venu vous chercher, les taxis sont rares ici. »

Ici, c'est une île, Martha's Vineyard, au large de la côte nord-est des États-Unis. Des baleines viennent parfois s'échouer sur les plages. Dans les sous-bois, des maisons de planches peintes en blanc sont d'une simplicité trompeuse. On ne compte plus le nombre de vedettes du Tout-New York ou du Tout-Washington qui ont leur résidence d'été dans l'île. A cinquante-neuf ans, William Styron est un écrivain arrivé.

Dès son premier roman, *Un lit de ténèbres*, paru chez Gallimard en 1963, Styron s'impose comme un colosse de la plume. On le compare à Faulkner, sudiste comme lui. Il est vrai que ce jeune homme a du souffle. Ses ouvrages suivants, *La marche de nuit*, *La proie des flammes* et surtout *Les confessions de Nat Turner*, le placent aux premiers rangs des écrivains américains contemporains. Avec *Le choix de Sophie*, publié en France en 1981, il connaît un succès mondial. Le film tiré du roman, avec Meryl Streep dans le rôle du personnage principal, ajoute encore à sa célébrité.

Styron a une particularité pas si rare chez les Américains de sa génération : la littérature française a joué un rôle important dans sa formation d'écrivain. Il aime Flaubert, Zola, Jules Renard et Gide. Il apprécie Sartre, Camus, Malraux. Il admire François Mitterrand dont il a été le préfacier pour l'édition américaine de ses essais. Il adore la France où il vient souvent en vacances ou pour travailler. Mais pourquoi est-il francophile et, plus généralement, qu'est-ce qui est important pour l'Américain William Styron aujourd'hui ?

Claude Servan-Schreiber. – *William Styron, le public français vous aime, il aime vos livres...*
William Styron. – *(Sourire.)* Cela me fait très plaisir. Vous savez, ce n'est pas vrai partout. En Angleterre, je n'ai jamais eu de succès. En revanche, je suis très lu en Pologne, en Yougoslavie, en Hongrie. En Hollande également. Et au Brésil. Mais nulle part je ne reçois l'accueil qui m'est fait en France. C'est une surprise moi, que je dois peut-être au concours de traducteurs d'une qualité exceptionnelle, Maurice-Edgar Coindreau, Michel Mohrt et Maurice Rambaud. Ils ont beaucoup fait pour mes livres.
C. S.-S. – *Vous venez souvent en France, parfois même pour participer à des cérémonies officielles...*
W. S. – *(Rire)*. Ah oui, je vois ce que vous voulez dire, l'Arc de Triomphe, le Panthéon...
C. S.-S. – *... en 1981.*
W. S. – Ça aussi, quelle surprise! Je ne me souviens plus exactement par quel canal est passée l'invitation. Il me semble que c'est mon éditeur, Gallimard, qui a été contacté. On m'a téléphoné. Deux amis très proches ont été invités en même temps que moi : Carlos Fuentes, et Arthur Miller, qui est mon voisin dans le Connecticut. Tout cela était très agréable, et il ne me serait pas venu à l'idée de décliner l'invitation. D'autant plus que ce n'est pas l'actuel président des États-Unis qui aurait pensé à convier des écrivains aux cérémonies de son inauguration!
C. S.-S. – *Quel souvenir gardez-vous de cette journée?*
W. S. – Très heureux, vraiment très heureux. On nous a conduits en voiture jusqu'à l'Arc de Triomphe. Et nous avons attendu l'arrivée du Président, au milieu des détachements militaires, des généraux. J'ai vu Chirac, juste de l'autre côté de l'Arc, qui souriait d'un air sardonique. Nous avons déjeuné à l'Élysée, à la table du Président. L'après-midi, nous sommes allés au Panthéon, Carlos Fuentes, Arhur Miller et moi. nous nous sommes perdus du côté du boulevard Saint-Michel. Il y avait tant de monde! Impossible de retrouver son chemin, de passer à travers la foule. Soudain, nous avons aperçu Melina Mercouri, accompagnée de Papandréou, qui essayait elle aussi de gagner le Panthéon. Elle est hautement visible, comme vous savez! Nous avons formé un petit groupe, Elie Wiesel était là aussi. Et nous avons remonté le boulevard sous les ovations de la foule. Melina avait une longue rose rouge à la main, qu'elle agitait. On aurait dit une reine... Le lendemain, nous avons appris qu'une des premières décisions de Mitterrand président avait été de donner la nationalité française à Milan Kundera et à Julio Cortazar. Ça, c'était quelque chose, non?
C. S.-S. – *Vous utiliserez ces souvenirs dans un roman?*
W. S. – Peut-être pas dans un roman. Mais dans un petit livre, de courts Mémoires, oui, probablement. J'y songe parfois.
C. S.-S. – *Vous avez revu François Mitterrand depuis?*
W. S. – Plusieurs fois. Au printemps dernier quand il s'est rendu en voyage officiel aux États-Unis j'ai même été invité à la Maison-Blanche, à un dîner organisé en son honneur. Je me suis rendu à cette réception dans un état d'esprit lugubre, sachant que je serais entouré, pour l'essentiel, par une brochette de sénateurs très ennuyeux et très riches. La soirée se présentait d'ailleurs plutôt mal : je me suis retrouvé au milieu d'une centaine de lourdauds accompagnés de leurs épouses. J'étais au désespoir. Mais quand nous sommes passés à table, j'ai découvert à mon immense soulagement que je serais assis auprès du président Mitterrand. J'ai passé une soirée merveilleuse.
C. S.-S. – *De quoi avez-vous parlé?*
W. S. – Mais de littérature! Le président ne parle pas anglais, mais je comprends le français et je me débrouille à peu près si on s'adresse à moi distinctement. J'ai peiné, mais nous nous sommes bien compris malgré ce handicap.
C. S.-S. – *Que pensez-vous de l'homme?*
W. S. – Comment ne pas être séduit? Ce

qui l'intéresse est également ce qui m'intéresse. Il est rare de rencontrer un homme politique capable de parler de Soljenitsyne au plan littéraire comme il l'a fait avec moi. Ou de Nabokov. C'est rare dans n'importe quel pays. Je doute même que Reagan ait jamais entendu parler de Nabokov. Je ne crois pas qu'il soit important qu'un homme politique soit également un intellectuel. Franklin Roosevelt fut un grand président et ce n'était certes pas un intellectuel. Néanmoins, il importe qu'un homme politique fasse preuve de cette sensibilité humaniste qui vient du respect de l'écrit, du mot écrit, ce que Reagan n'a certainement pas. Il y a un monde entre lui et Mitterrand.

C. S.-S. – *Le second se défend beaucoup moins bien dans les sondages que le premier. Le savez-vous ?*

W. S. – Oui, mais n'est-ce pas inévitable, de nos jours, quand la situation économique d'un pays est vulnérable, difficile ? L'homme qui se trouve aux commandes ne peut qu'avoir de mauvais sondages, devenir impopulaire. Prenez l'exemple de Jimmy Carter, un homme d'une grande intelligence, je crois. Il s'est trouvé confronté à des difficultés qui ne sont pas exactement celles que connaît Mitterrand, mais tout de même : une situation économique peu brillante, toutes sortes de crises et notamment celle provoquée par l'Ayatollah... Les événements historiques qui accompagnent chaque mandat présidentiel et qu'un président ne peut d'aucune manière contrôler à sa guise portent nécessairement atteinte à sa popularité. Le peuple électeur imputera toujours, à celui qu'il a élu, la responsabilité des difficultés, même passagères, qu'il subit. La même chose se serait produite même si Mitterrand n'était pas socialiste.

C. S.-S. – *Vous ne croyez pas que la personnalité du président joue un rôle ?*

W. S. – Oui, peut-être. Je ne sais pas. Ce qui aide évidemment, c'est d'exercer un attrait charismatique, d'avoir ce « je ne sais quoi » qui leur confère une image forte. Cela manque peut-être à Mitterrand, comme cela a manqué à Carter. De plus en plus, dans l'histoire, les leaders apparaissent comme les victimes des circonstances, plutôt que comme les façonneurs des événements. Ils tombent victimes de l'opinion publique, et pour des raisons qui échappent à leur contrôle. La face opposée de ce portrait, de cette réalité, c'est un homme comme Ronald Reagan qui, à mon avis, est totalement dépourvu de substance. Voilà une indication de la direction terrifiante vers laquelle évolue l'histoire que de voir la manière dont cet homme projette, à son profit, son image de star de cinéma.

C. S.-S. – *On vous dit socialiste. Est-ce vrai ? Et qu'est-ce que cela signifie pour un Américain, être socialiste ?*

W. S. – Pour moi, c'est un attachement sentimental, une fidélité au souvenir de mon père, qui était sudiste et socialiste. Avant la guerre, le Parti socialiste américain était plus symbolique qu'autre chose, aujourd'hui aussi d'ailleurs. Pour les hommes de la génération de mon père, le socialisme était une manière d'être à gauche tout en étant anticommuniste, antisoviétique. Au fond, les mêmes principes que ceux du socialisme en France, en Italie, en Grèce. La première fois que j'ai voté dans une élection présidentielle aux États-Unis, c'était en 1948, pour un candidat socaliste. J'étais très jeune alors, et je n'ai pas voté pour Truman, le président sortant démocrate, qui a été réélu. Après cela, je me suis rendu compte qu'il était futile dans mon pays de voter pour un candidat socialiste. Depuis je vote pour le candidat du parti démocrate.

C. S.-S. – *Vous étiez jeune, également, la première fois que vous êtes venu en France ?*

W. S. – C'était en 1952. Je suis venu vivre plusieurs mois à Paris. J'y ai écrit *La marche de nuit,* dans un hôtel de la rue de la Grande-Chaumière. Depuis, je reviens régulièrement, une fois par an, parfois deux. J'aime la manière dont on vit en France. Mon cœur y est content.

C. S.-S. – *Pourquoi ?*

W. S. – C'est difficile à dire. La beauté des lieux sans doute. L'architecture d'une ville comme Paris est pour moi stupéfiante de beauté. Je sais que pour les gens qui y vivent tout n'est pas parfait, mais pour moi, c'est une ville éminemment civilisée. Je pourrais y vivre alors que je ne pourrais pas vivre à New York qui est une ville formidablement stimulante, mais avec quelque chose de brutal, de haineux. A New York, je déprime, ce qui m'arrive rarement ailleurs. A Paris, je me sens bien. J'apprécie la cuisine. Je vais au restaurant. Je me promène, je vois des amis. Et même, dans certaines occasions, on m'a vu écrire!

C. S.-S. – *Vous connaissez le reste de la France?*

W. S. – Je voyage beaucoup à travers tout le pays. J'aime les paysages de la campagne française – et c'est vrai de toutes les régions – à un degré que vous imaginez difficilement. Parce qu'on ne trouve pas l'équivalent aux États-Unis, sauf peut-être dans la Nouvelle-Angleterre, où j'habite, et dans certaines contrées du Sud. J'aime l'Amérique et je ne voudrais pas avoir l'air de dénigrer mon pays, mais les espaces immenses du Middle West, du Texas... Très peu pour moi... Dans les provinces françaises, il y a une qualité d'homogénéité, de plénitude, que je retrouve ici, dans cette petite enclave de Martha's Vineyard.

C. S.-S. – *Vous avez besoin de solitude pour travailler?*

W. S. – J'ai besoin de pouvoir marcher sans être dérangé. Écrire m'est très difficile, c'est une lutte, les mots ne me viennent pas tout seuls, et la composition ne se fait pas seule non plus. Je n'ai aucune facilité. Je rassemble les morceaux à travers un processus très, très lent. Les pensées me viennent, comment dire, avec précaution. Je trouve presque impossible d'écrire spontanément.

C. S.-S. – *Cette lutte se passe à l'intérieur de votre tête, ou sur le papier, quand vous avez déjà aligné des mots, des phrases*

W. S. – Dans ma tête. Quand les mots atteignent la feuille de papier, cela va déjà mieux.

C. S.-S. – *Et c'est au début d'un livre que les choses vous sont aussi difficiles, ou tout le temps?*

W. S. – Tout le temps. Jusqu'à ce que le livre soit fini.

C. S.-S. – *C'est pour cela que vous allez marcher, pour voir clair dans ce que vous allez écrire?*

W. S. – Oui. Je le fais chaque fois en compagnie de ma chienne. Pendant une heure et quart, je peux ainsi prendre du recul, contempler mon travail. Marcher sans rencontrer personne, libre de toute distraction, me permet de penser. Ensuite, je suis capable de me remettre à écrire. Je crois avoir un sens hyperdéveloppé de l'ordre dans l'écriture. Ce dont je n'ai pas honte car, pour moi, l'ordre en littérature est une chose remarquable. Il permet de sentir comment les mots ont été assemblés. J'admire le travail bien assemblé, bien construit. J'aime l'architecture d'une œuvre et j'ai peur du chaos dans mon propre travail. De mon point de vue, l'architecture est primordiale. Je n'ai jamais écrit un livre qui ne satisfasse pas mon sens des proportions, mon goût de la forme et de la symétrie.

C. S.-S. – *Vous consacrez plusieurs années à chacun de vos romans?*

W. S. – Oui. Je préférerais aller plus vite, mais c'est comme ça. C'est une lutte intérieure perpétuelle. Faulkner, qui était pourtant un homme modeste, a dit quelque chose que je cite de mémoire : « Quand on s'assied à sa table pour écrire un roman, on a l'ambition non pas d'écrire un meilleur roman que le précédent, mais un roman meilleur que le meilleur Dostoïevski. » On veut faire chanter les mots comme Shakespeare les faisait chanter. Vous voyez ce que je veux dire? Je ne veux pas écrire simplement un autre roman, un roman de plus que le lecteur lira et oubliera. Je n'ai rien contre cette attitude, par principe, mais ce n'est pas ce que je veux pour moi. Je veux rendre compte de mon temps de la manière la plus mémorable possible et cela exige de moi un labeur douloureux, et lent. Je ne sais pas faire autrement.

C. S.-S. – *Les grands événements du monde tiennent une place importante dans votre œuvre : l'esclavage, le nazisme...*

W. S. – Pour *La confession de Nat*

Turner, qui raconte la seule révolte d'esclaves au XIXᵉ siècle qu'aient connue les États-Unis, j'ai commencé à y travailler bien avant l'éclosion du mouvement des droits civils. Lorsque le livre est sorti, en 1967, nous étions en plein dedans. Il est vrai que mes livres font un constat politique. Dans *Le choix de Sophie,* si l'on considère le nazisme comme l'expression d'une attitude politique, alors, en effet, mon livre est politique. Je pense que la plupart des livres qui espèrent être remarqués à l'époque actuelle ont au moins une coloration politique.

C. S.-S. – *Que se passe-t-il dans le monde aujourd'hui qui influence votre travail ?*

W. S. – Cet aspect très particulier de l'esprit américain qu'est la terreur du communisme. Le caractère américain réagit devant le communisme comme s'il s'agissait d'une horreur diabolique. Cela fait partie du caractère national depuis la révolution de 1917. Et c'est là à mes yeux le moteur le plus puissant de la politique étrangère américaine et, pour une part, de notre politique intérieure. Il y a eu des mutations. Des moments d'accalmie, mais également d'hystérie, tel que celui que nous connaissons actuellement. Cela m'a toujours fasciné. Pourquoi cette férocité dans notre réaction ? Je mets de côté le fait que l'on puisse, à juste titre, détester ce qui se passe en Union soviétique. Je n'ai évidemment aucun désir d'habiter là-bas et je me sens tout à fait antisoviétique. Là n'est pas la question. La question, c'est l'hystérie et la terreur qui nous ont placés dans des situations impossibles : au Viêt-nam, peut-être aussi en Corée. Je crois que cette réalité pèse sur notre avenir, sur le risque d'une guerre nucléaire.

C. S.-S. – La confession de Nat Turner *est dédié à l'écrivain Lillian Hellman, une jeune femme très proche du Parti communiste. Vous n'avez jamais été communiste ?*

W. S. – Non, parce que j'étais trop jeune. Si j'avais eu dix ans de plus, bien que j'aie été élevé dans le Sud où l'on n'aimait pas les communistes, j'aurais peut-être été tenté. Mais cela m'est passé à côté. Nous étions presque des gamins au

moment de la guerre. Ce sont plutôt nos frères aînés, ceux qui avaient huit ou neuf ans de plus que nous et qui ont connu l'avant-guerre et ont été touchés. Quand la chasse aux sorcières de McCarthy s'est déclenchée, au début des années cinquante, j'ai bien sûr détesté ce qui se passait, mais je n'avais aucun lien avec ceux à qui McCarthy a fait beaucoup de mal. Comme Lillian Hellman par exemple.

C. S.-S. – *Vous écrivez donc en ce moment sur l'hystérie anticommuniste ?*

W. S. – Je ne suis pas prêt à dire trop de choses sur le livre auquel je travaille. Simplement, qu'il s'agit d'une métaphore sur la mort en temps de guerre.

C. S.-S. – *Vous prépariez déjà un roman il y a quelques années sur les « Marines », vous qui avez fait la campagne du Pacifique pendant la Seconde Guerre mondiale. Vous aviez interrompu ce travail pour écrire* Le choix de Sophie, *n'est-ce pas ?*

W. S. – C'est exact. J'ai repris ce que j'avais fait, mais en le transformant. J'ai écrit le tiers du livre environ, j'espère le terminer à la fin de l'année prochaine, peut-être. La guerre, la mort... Nous connaissons une paix relative depuis quelques années. Et pourtant, nous avons eu le Viêt-nam, où 55 000 Américains ont été tués. Ça fait beaucoup de morts, ça, sans compter tous ceux qui sont encore dans les hôpitaux la tête éclatée en morceaux. Sans compter les victimes de l'autre bord. Même avec la paix et la prospérité que nous connaissons, le mal continue son œuvre, le mal avec lequel nous devons composer. Pour revenir à ce que je vous disais tout à l'heure, le mal, dans ce pays, vient de cette peur, obsessionnelle, satanique de l'Autre, à savoir le communisme soviétique. C'est cette peur qui fait que des pasteurs se dressent en chaire pour dénoncer le communisme comme s'il s'agissait de l'œuvre du diable, qui fait que Ronald Reagan parle de l'Union soviétique comme de l'« Empire du Mal ». Cette forme de paranoïa dans un pays incroyablement riche et fort tel que les États-Unis jaillit d'une source bizarre et souterraine. Je sens que c'est mon devoir, en tant qu'écrivain, de comprendre ce phénomène qui domine notre temps, cette guerre sainte contre le démon.

C. S.-S. – *Le livre sur lequel vous travaillez se situe pendant la Seconde Guerre mondiale. A cette époque, l'adversaire des États-Unis était véritablement démoniaque...*

W. S. – Absolument. Mais quand le livre sera achevé, on comprendra ce que je viens de vous dire. Pour ce qui est du nazisme, il y a une question que l'on m'a souvent posée sur Sophie. Pourquoi ne pas l'avoir fait aimer un gentil psychanalyste au lieu de ce fou de Nathan, qui a pris possession de sa vie? Parce que la folie de son amant était une nécessité pour que la métaphore du livre soit comprise. Sans Nathan, je n'aurais pas pu conduire Sophie jusqu'à sa perte, je n'aurais pas pu montrer les ravages faits par Auschwitz, même après qu'Auschwitz est devenu... un musée. Ce que j'ai voulu exprimer c'est qu'Auschwitz a été si atroce, si indescriptiblement atroce que même les survivants n'ont pas survécu. C'est cela le mal ultime, absolu.

C. S.-S. – *L'irréductibilité du mal vous obsède. On le retrouve dans tous vos romans. Je dirai même de plus en plus.*

W. S. – Je reconnais que mes livres sont teintés par la folie et la violence. Mais c'est la vision que j'ai de la vie.

C. S.-S. – *Un peu comme Hemingway... Vous lisez beaucoup quant vous écrivez?*

W. S. – Tenez, je viens de finir le livre le plus curieux et le plus déconcertant, mais que j'ai trouvé passionnant par ailleurs : *Le plaisir du texte* de Barthes. Cet étrange pastiche de la perception à propos du langage. J'ai trouvé ce livre exaspérant, mais, honnêtement, tout à fait fascinant. Je ne suis pas d'accord avec la moitié de ce que dit Barthes, mais il me sidère!

C. S.-S. – *Peu de Français semblent toucher un vaste public aux États-Unis?*

W. S. – La littérature et la langue françaises sont des éléments très impor-

tants de la formation intellectuelle dans ce pays. Seulement celui-ci est si vaste que l'influence de la France se fait surtout sentir dans le monde intellectuel et les universités. Je ne crois pas qu'il soit raisonnable d'espérer que Camus batte tout les records de vente dans l'Oklahoma!

C. S.-S. – *Quels sont les écrivains aujourd'hui considérés comme les plus grands par les Américains?*

W. S. – Tout dépend bien sûr de la personne à qui vous posez la question. Je dirai tout de même qu'il faudrait mettre Mailer dans cette catégorie avec Updike et Saul Bellow...

C. S.-S. – *Et quels étrangers?*

W. S. – Actuellement les auteurs étrangers les plus admirés sont des écrivains comme Garcia Marquez, Carlos Fuentes, Vargas Llosa, et les Latino-Américains en général. Votre question est difficile. Il faudrait un catalogue pour parler de tous les grands auteurs appréciés ici, de Graham Greene à Heinrich Böll. Et je n'ai pas parlé des poètes, qui ne sont pas lus par un très vaste public mais qui font une œuvre d'une très grande distinction comme James Dickey ou James Merrill.

C. S.-S. – *Quels écrivains ont exercé sur vous une influence?*

W. S. – Mais des Français justement : Camus, que j'ai connu, Malraux, Sartre que j'ai lus alors que je formais ma propre sensibilité littéraire, mon propre jugement. Ils ont joué un grand rôle pour moi, au même titre que Faulkner ou Hemingway que vous avez cités. J'ai pour ces auteurs français la même dévotion filiale que pour, disons, Scott Fitzgerald.

C. S.-S. – *Trouvez-vous qu'aujourd'hui la littérature américaine exerce un impérialisme culturel sur le reste du monde, comme le font les séries télévisées ou la musique rock made in USA?*

W. S. – Non. Parce que, pour qu'il y ait un impérialisme, il faut que le public n'ait pas d'autre choix. Ce qui, à l'évidence, n'est pas le cas. Mais il est vrai que l'Amérique est aujourd'hui le pays le plus puissant du monde et que cela explique sans doute pourquoi sa littérature est aussi vivante et intéressante. Au XIXe siècle, le roman s'est développé au sein des nations les plus puissantes : la France, la Russie, la Grande-Bretagne. Quant les États-Unis sont devenus puissants, le pays a pu jouer ce rôle créateur, maternel. Je ne sais pas pourquoi la littérature renaît ou ne renaît pas à certains moments de l'histoire des sociétés, mais cela a sûrement un lien avec le rôle joué par la nation dans les affaires mondiales. Le désir de toucher le monde par des mots a quelque chose à voir avec la puissance d'une nation.

C. S.-S. – *Si vous écriviez en français, un danger terrible vous guetterait. Celui de devoir porter une épée et un habit vert. Enfin, peut-être... et seulement si vous le vouliez.*

W. S. – ? ? ?

C. S.-S. – *L'Académie française, voyons...*

W. S. – Vous parlez sérieusement ? Ils s'habillent comme ça ? Je ne voudrais sûrement porter ni un uniforme, ni une épée, si honorifiques soient-ils ! C'est amusant les honneurs, mais il ne faut pas les prendre avec trop de sérieux.

C. S.-S. – *Vous en avez reçu pourtant, et d'importants : le prix Pulitzer, l'American Book Award, ce qui se fait de mieux, et qui entraîne les gros tirages.*

W. S. – Oui, et ça fait plaisir. De même que je serai très heureux de monter en grade dans l'Ordre des arts et lettres. On va me faire commandeur ces jours-ci, à Paris.

C. S.-S. – *Cela vous donnera l'occasion de revoir vos amis français... D'ici là, avez-vous quelque chose à ajouter ?*

W. S. – *(en français)* Mais oui... Vive la France !

RAY BRADBURY

*« Aujourd'hui, la religion s'insère
entre les fissures du mur de la technologie
tel du lierre. »*

Décembre 1984

Ray Bradbury, c'est un pilier et un phare. Grâce à cet Américain, un genre souvent dénigré, la science-fiction, a pu sortir du ghetto où on le tenait enfermé. Grâce à Bradbury, la S-F, nantie de nouvelles lettres de noblesse, a fait son apparition dans les manuels scolaires... Sous la plume de cet écrivain, les extraterrestres ont cessé d'être les traditionnels et inquiétants « petits hommes verts ». Avec le succès que lui valurent, à la fin des années quarante, les *Chroniques martiennes*, Bradbury a réussi à imposer l'image de Martiens intelligents et surtout pourvus de ces qualités qui manquent tant aux hommes : la poésie et la bonté. Aujourd'hui, les *Chroniques martiennes* sont devenues l'un des grands « classiques » de la S-F et les tirages atteignent des chiffres extraordinaires : 500 000 exemplaires pour la France, et plusieurs millions dans le monde entier.

Bradbury a systématiquement refusé les écrits pseudo-scientifiques. Il leur a toujours préféré des textes fantastiques souvent empreints de poésie. Il a malgré tout conquis la ferveur d'un public spécialisé jusque-là plus épris d'horreur que de rêve, et a attiré l'attention de lecteurs qui n'avaient guère fréquenté la science-fiction.

Ray Bradbury, qui a maintenant 64 ans, a écrit ses premières nouvelles de S-F à la fin de son adolescence. Il n'a pas cessé depuis, et est resté fidèle à un genre qui le fascinait depuis l'enfance. Certains écrits de jeunesse ont été au fur et à mesure repris par l'auteur dans les pièces de théâtre dont Bradbury a assuré lui-même la mise en scène, se contentant souvent de budgets très restreints. D'autres histoires, parmi les meilleures, ont été exploitées par le cinéma. *L'homme illustré* a été porté à l'écran en 1968, succédant ainsi à la remarquable adaptation cinématographique que François Truffaut, l'année précédente, avait faite de *Farenheit 451*. D'autres recueils, comme *Les pommes d'or du soleil* ou *Le pays d'octobre*, sont presque aussi célèbres.

Qu'il s'agisse de l'univers totalitaire, proche de celui du *1984* d'Orwell, où l'on brûle tous les livres *(Farenheit 451)* ou d'étranges contrées dans lesquelles des êtres vivent cachés dans des caves et des cryptes *(Le pays d'octobre)*, Ray Bradbury a voulu créer l'image d'un monde futur où le naturel l'emporte sur la technologie. Les menaces qui pèsent sur ce monde ne viennent pas de civilisations lointaines ou de mondes parallèles : ce sont les erreurs des hommes qui en sont responsables. En refusant les gadgets habituels de la science-fiction, Bradbury est devenu non un « auteur de S-F », mais un écrivain tout court.

Récemment, Ray Bradbury est venu passer quelque temps en France. Le motif de la visite ? Non pas, comme on pourrait le croire, des conférences sur la futurologie, mais un itinéraire autour des... châteaux de la Loire! Bradbury en effet avoue être fasciné par les cheminées de Chambord... Mieux même! Pour venir en France, Ray Bradbury a délaissé l'avion et a choisi un gros transatlantique, sa confiance dans la technique restant très limitée!

Alain Grousset. – *L'enfance d'un auteur de science-fiction, c'est quelque chose de fantastique, voire de merveilleux?*

Ray Bradbury. – Pas du tout! Je suis né dans l'Illinois, en 1920, et j'ai eu une enfance tout à fait ordinaire. Mais mon père recevait chaque semaine des « pulp-magazines »...

A. G. – *C'est-à-dire ces revues très bon marché de l'époque?*

R. B. – C'est cela. Dans ces magazines des années 20, écrivait – entre autres – Edgar Rice Burroughs. J'ai commencé à lire ses récits à l'âge de 8 ou 9 ans. Puis j'ai découvert chez ma tante les premiers exemplaires d'*Amazing stories*.

A. G. – *C'était l'un des premiers magazines de science-fiction?*

R. B. – En effet. Il était dirigé par Hugo Gernsback, qui passe pour être l'inventeur du mot « science-fiction ». Chacune des couvertures de ce magazine est devenue un classique. Lorsque je les regardais, remplies de magnifiques architectures du futur, j'avais envie de pénétrer dans ces villes pour y disparaître. C'est grâce à cela que je suis devenu écrivain. Je m'imaginais que je devais vivre dans le futur : la meilleure façon d'y parvenir était d'écrire soi-même un livre.

A. G. – *Vous étiez un garçon fragile?*

R. B. – Oui, et cela m'a coupé des autres de plusieurs manières. Ma vue était assez mauvaise, et m'empêchait de pratiquer certains sports. Mon frère, au contraire, était un professionnel de football. L'ennui d'être à moitié aveugle, c'est qu'il faut toujours tout deviner dans un brouillard permanent. Cela ne m'a pas empêché de lire, malgré la moquerie des autres enfants qui, eux, préféraient de loin le sport!

A. G. – *Et qu'est-ce que vous lisiez? Des bandes dessinées?*

R. B. – Ah oui! j'en faisais des collections entières! Buck Rogers, Flash Gordon, Tarzan... J'ai gardé toutes ces BD jusqu'à aujourd'hui. J'ai toujours pensé que sans ces histoires, je ne serais jamais devenu écrivain, et je déteste cette sorte de snobisme littéraire qui rejette ces merveilleux récits de l'enfance. Ensuite, je me suis tourné vers la magie. Je me mêlais à d'autres magiciens qui venaient en ville. C'est ainsi que j'ai fréquenté Blackstone, le plus grand magicien de l'époque. Je montais avec lui sur scène et je l'aidais à faire disparaître des éléphants.

A. G. – *Vous faisiez disparaître des éléphants? Mais vous voyez bien que vous avez eu une enfance merveilleuse!*

R. B. – De ce point de vue-là, c'est peut-être l'une de ces différentes influences qui m'ont porté à écrire mes premières nouvelles. J'allais voir ma jeune voisine qui se servait de la machine à écrire de son père, et je lui dictais des histoires horribles! J'avais alors seize ou dix-sept ans, et je ne connaissais rien à l'écriture.

A. G. – *Vos parents ont-ils compris cet engouement pour la S-F?*

R. B. – Il l'ont bien accepté, en tout cas. Ils pensaient que j'étais un peu fou, mais cela ne les a pas gênés. J'ai eu beaucoup de chance, car ils ont fait preuve d'une grande tolérance. Ils ont admis par exemple que je devienne magicien amateur. J'ai certainement été la source de grandes préoccupations, mais quand j'ai commencé à gagner 30 dollars par semaine grâce à mes récits, ils ont compris que j'avais réussi.

A. G. – *Mais cette passion pour la littérature vous a tout de même détourné de vos études?*

R. B. – Dans ma dernière année de lycée, je me suis inscrit au club de S-F de Los Angeles. C'est là que j'ai rencontré de grands écrivains : Robert Heinlein, Edmond Hamilton, Leigh Brackett, Jack Williamson, E.E. Smith. Tous sont devenus mes amis et mes maîtres. J'ai toujours eu assez de bon sens (même si je suis devenu un auteur de science-fiction) et lorsque j'eus terminé le lycée, j'ai compris que l'université, pour moi, cela ne servirait à rien. Je me suis mis alors à fréquenter des groupes d'artistes de théâtre, d'écrivains et d'amis qui m'ont énormément appris et ont nourri mes rêves.

A. G. – *Et pour vous nourrir tout simplement, comment vous êtes-vous débrouillé? La science-fiction n'était pas encore pour vous un métier?*

R. B. – J'ai commencé par vendre des journaux dans la rue, pendant trois ans! Je gagnais 10 dollars par semaine, juste assez d'argent pour ne pas dépendre de mes parents. Quand j'ai commencé à gagner 11 dollars, j'ai cessé ce job. Cela m'a tout de même permis de rencontrer Julius Schwartz, un agent littéraire qui est aujourd'hui l'un des plus grands éditeurs de comics aux USA. Il avait loué à Los Angeles, avec Edmond Hamilton, un appartement près de l'endroit où j'officiais. Lorsque j'avais fini de vendre

mes journaux, je grimpais chez eux et les regardais boire... du whisky, pendant que je sirotais un Coca-Cola. A ce moment-là, j'avais vingt ans et je ne connaissais pas l'alcool. Ni les filles d'ailleurs!

A. G. – *Comment alors avez-vous commencé à vivre de vos histoires?*

R. B. – A cette époque, je me privais de déjeuner pour économiser un peu d'argent. En dix semaines, j'ai pu réunir 20 dollars et m'offrir une machine à écrire. Ce fut un vrai sacrifice! J'ai alors créé une revue amateur (un « fanzine ») appelée *Futuria Fantasia*. Je connais un grand nombre de ces jeunes rédacteurs en chef qui, comme moi, ont démarré de cette façon et sont aujourd'hui des écrivains professionnels.

A. G. – *Mais enfin, vous auriez pu aussi ne pas devenir cet écrivain. Lorsque vous fréquentiez des gens de théâtre, n'avez-vous pas été tenté de devenir comédien?*

R. B. – Oui, sûrement, mais en fin de compte j'ai satisfait mes désirs de comédien en faisant des conférences une fois par semaine. Je me lève devant les foules, j'agite les bras et je déclame mes poèmes! Je suis devenu une sorte de comédien. En y réfléchissant, j'aimerais être un très bon artiste : mais combien y a-t-il de véritables artistes à travers le monde? Je touche aussi à la peinture, cela me permet de trouver des sujets de nouvelles.

A. G. – *Vous avez écrit plusieurs nouvelles qui retracent l'histoire de la colonisation par l'homme de la planète Mars. Mais vous avez voulu détruire l'image de l'extraterrestre méchant et violent, et vous avez mis l'accent sur l'action négative de l'homme envahisseur. Ces récits sont réunis dans les* Chroniques martiennes *qui vous ont valu, outre la gloire, le titre de « poète de la S-F »...*

R. B. – C'est une jolie définition! J'aime particulièrement le terme de poète. Passionné de poésie, j'ai toujours voulu en écrire. Pendant des années, je n'ai pu le faire, si bien que ma poésie s'est répandue à l'intérieur de mes livres. Et puis, ces derniers temps, j'ai commencé à en écrire vraiment. C'est très difficile d'en vivre. On écrit de la poésie pour soi-même, et puis on renonce car la plupart des gens n'en lisent pas.

A. G. – *Et Ray Bradbury « Shakespeare de la S-F » ?*

R. B. – Mon Dieu, ne me tentez pas! Ça, c'est une merveilleuse définition. J'adore Shakespeare, j'emporte ses œuvres partout avec moi. Je lis beaucoup de livres sur lui. De plus, je dévore les écrits de son fils spirituel, Bernard Shaw.

A. G. – *En cette année 1984, George Orwell a été à l'honneur. Mais entre les mondes de* 1984 *et de* Farenheit 451, *lequel vous paraît le plus proche de nous ?*

R. B. – Celui de *1984*, naturellement! Sauf en Chine et en URSS, où *Farenheit 451* est toujours en vigueur, parce qu'ils brûlent encore les livres. Il faudra au moins quarante ans aux Chinois pour surmonter les effets de la révolution culturelle, puisqu'ils ont détruit les livres, les écoles et les professeurs.

A. G. – *Dans l'Amérique d'aujourd'hui, là où la télévision a pris un essor considérable, le pompier de* Farenheit 451 *n'a-t-il pas été remplacé par le petit écran ?*

R. B. – Non, je crois que c'est l'inverse. Les imbéciles resteront des imbéciles, les gens intelligents resteront des gens intelligents. Je veux dire par là que si nous voyons à la télévision quelque chose qui excite notre curiosité, nous courons acheter un livre. Par exemple, *L'homme illustré* – l'histoire de cet homme tatoué dont les motifs sont autant de scènes du futur – a été porté à l'écran. Lorsque le film est sorti, il n'était pas bon. Mais mon livre, l'année suivante, s'est beaucoup mieux vendu. Les gens ont pensé qu'il ne pourrait être aussi mauvais que le film... et ils avaient raison!

A. G. – *Cela s'applique-t-il au théâtre et à la peinture ?*

R. B. – Mais oui, assurément! Tous ces arts sont des portes qui s'ouvrent sur des livres. Personnellement, j'ai une fille qui ne lit pas, mais qu'y puis-je? La France a un meilleur système éducatif que les USA, mais est-ce que cela veut dire que les gens ne lisent que des livres excellents?

A. G. – *Vous sentez-vous un écrivain de science-fiction ou un écrivain de littérature générale utilisant la S-F comme décor ?*

R. B. – J'aimerais me considérer comme un écrivain de littérature générale ou plutôt comme un écrivain d'idées – n'importe quelle idée dans n'importe quel domaine. Dans les journaux on peut trouver chaque jour un sujet de S-F. Il y a deux ans, un article rapportait que la recherche génétique permettra, un jour, de reproduire tous les animaux qui sont en voie de disparition. Imaginez que l'on retrouve un petit bout de la chair d'un mammouth, il sera possible d'en reconstruire un entier. C'est excitant comme sujet, j'en ferai peut-être une nouvelle. De science-fiction, bien entendu. Parce qu'elle évite d'être ennuyeux. Il y a tant d'écrivains soporifiques. Ils me disent toujours des choses que je sais déjà. Il faut trouver une autre façon de capter l'attention du lecteur.

A. G. – *Par exemple ?*

R. B. – Eh bien! ces derniers temps, j'ai écrit plusieurs histoires d'amour. Comment écrire quelque chose de différent? L'une s'appelle *The Laurel and Hardy Love Affair*. Ma femme et moi adorons Laurel et Hardy. Je l'appelle Stan, elle me nomme Hardy. Basée sur notre histoire personnelle, cette nouvelle met en scène ces deux personnages qui, après s'être séparés, prennent l'accord de se rencontrer tous les ans, sur l'escalier d'un studio de Hollywood où Laurel et Hardy descendaient le piano...

A. G. – *Vous parlez de l'escalier du film* Les déménageurs ?

R. B. – Oui, c'est celui-là. Une année, il y va, elle n'est pas là. Elle a déposé au pied de l'escalier un bouquet de fleurs. Il sait qu'elle a disparu à jamais. Dix ans pus tard, en descendant les Champs-Élyses, ils se rencontrent. Elle est avec sa famille, lui est avec la sienne. Ils se croisent, ils se regardent; il lui fait un signe de reconnaissance avec sa cravate (Hardy a une façon bien particulière de tripoter cet accessoire). Et c'est la fin d'une histoire fraîche et renouvelée. Je ne peux pas travailler autrement pour ne pas rebuter le lecteur.

A. G. – *Vous êtes considéré comme un antiscientifique, cela tient-il au fait que vous ayez exprimé l'idée que l'homme, où qu'il aille, tendra toujours à recréer la civilisation terrestre et, par là même, toutes ses erreurs ?*

R. B. – Aux regards de mes premiers écrits on peut penser cela. Maintenant que j'ai vieilli, je vois les choses différemment. Prenons la recherche agricole, par exemple, qui permettrait, si on le voulait, de nourrir tous les êtres humains. Les USA ont maintenant chaque année des tonnes de surplus de nourriture. Le problème n'est pas cet excédent mais comment réaliser la même chose dans les autres pays. L'Inde pourrait le faire demain, mais elle n'est pas éduquée. Ses dirigeants s'en foutent !

A. G. – *Il faudrait peut-être les aider...*

R. B. – Nous l'avons déjà fait pour d'autres pays. A la fin de la Seconde Guerre mondiale, au lieu de détruire l'Allemagne et le Japon, les États-Unis les ont reconstruits et en ont fait leurs concurrents. Combien de fois trouve-t-on une attitude comme celle-là dans l'histoire de l'humanité ? Maintenant, le Japon est le cinquante et unième État des États-Unis.

A. G. – *Votre dénonciation de la mauvaise utilisation de la science ne vient-elle pas du fait qu'elle tue petit à petit la religion ?*

R. B. – Cela aussi, je le pensais lorsque j'étais plus jeune. Aujourd'hui, je m'aperçois que la religion s'insère entre les fissures du mur de la technologie tel du lierre. Quel que soit l'état de la science, la question de la naissance de l'univers se posera toujours.

A. G. – *Nous en sommes aux balbutiements de la conquête spatiale. N'avez-vous pas envie de vous endormir pour deux cents ans, par exemple ?*

R. B. – Non ! c'est parfait maintenant ! J'ai eu une vie formidable. J'ai commencé à rêver à toutes ces choses quand j'avais neuf ans, et puis j'ai vécu suffisamment pour les voir se produire. Désormais, je peux dire à tous ceux qui doutent : « Vous voyez, je vous l'avais bien dit. »

A. G. – *Seriez-vous d'accord avec cette maxime (que l'on a forgée à propos du journalisme) : « La S-F mène à tout à condition d'en sortir » ?*

R. B. – Je ne sais pas s'il est possible d'en sortir. Avec un peu de chance, on place sa prose dans de meilleures revues. Pour mon cas personnel, il y a eu des gens, extérieurs à la S-F, qui ont remarqué mes textes, en ont fait des éloges. Et cela fut très utile. Désormais, il vaut mieux sensibiliser les enfants au genre, car, plus tard, ce seront eux les intellectuels. C'est ainsi que la science-fiction progressera.

A. G. – *Vous avez également écrit pour le cinéma. Comment s'est passée votre rencontre avec John Huston, lors de la réalisation de* Moby Dick *?*

R. B. – John n'est pas du tout le personnage sérieux qu'on imagine. Un jour, alors que nous travaillions sur le scénario du film – j'avais déjà écrit 80 pages du script –, Huston m'a lu un télégramme de la société Warner. Il disait à peu près ceci : « Après lecture du texte partiel de M. Bradbury, nous insistons sur le fait que, si un rôle féminin n'est pas introduit dans le scénario, nous ne pourrons financer le film. » De colère, j'arrache le télégramme des mains de John, je le jette par terre et le piétine avec rage. En plus, je déverse des mots tellement grossiers que je n'ose pas les répéter ici. Et là, pendant que je trépigne comme un fou, je me rends compte que John se roule par terre de rire : c'est lui qui avait envoyé le télégramme !

A. G. – *Avez-vous eu l'occasion de vous venger ?*

R. B. – Naturellement ! Le jour où j'apportais le script définitif à John Huston dans sa grande maison à Dublin, il m'a demandé de rester dîner. Il donnait une grande réception. Je lui rétorquai que je n'étais pas habillé pour la circonstance. Il m'a répondu avec des railleries : « Mon petit, va voir si ma femme n'a pas une robe écossaise pour t'en faire un kilt ! » Un ami qui était là me dit : « Viens, nous allons lui montrer ce dont nous sommes capables. » Nous sommes montés dans les étages, avons transformé une robe en kilt : j'ai mis une chemise et une veste noires, un petit sac sur le devant. Lorsque la soirée a commencé, il y avait tous ces lords et ladies irlandais, j'ai descendu l'escalier pendant que mon ami annonçait à cette distinguée compagnie : « Ladies and Gentlemen, Lord Mac Bradbury ! » Huston est passé près de nous et a murmuré : « Vous êtes des salopards ! » J'ai imité l'accent irlandais toute la nuit et tout le monde n'y a vu que du feu !

A. G. – *Que pensez-vous des films comme* E.T. *et* La guerre des étoiles ?

R. B. – J'aime beaucoup ces deux films, je les ai vus plusieurs fois chacun. Cependant, il devrait y avoir plus de recherche en ce qui concerne le scénario. Aussi, je leur préfère le film *Rencontres du troisième type*.

A. G. – *Vous dites être un admirateur de Simenon. N'avez-vous jamais été tenté par le polar ?*

R. B. – C'est mon épouse surtout qui adore Simenon. Personnellement, j'aime beaucoup Raymond Chandler et Julia Simmons. Quant au polar, c'est assez drôle que vous me posiez cette question, car je viens d'en terminer un qui devrait sortir l'année prochaine. Mais je n'en dirai pas plus.

A. G. – *Vous êtes venu pour la dernière fois en France en 1978. Comment voyez-vous ce pays et ses habitants ?*

R. B. – Difficile de répondre car le problème est avant tout génétique et sexuel !

A. G. – *Quoi ?*

R. B. – Mais oui, c'est très simple ! Les femmes sont meilleures linguistes que les hommes, elles lisent aussi plus qu'eux. Mon épouse parle français couramment, moi pas. Je crois que nous sommes un couple typique. A l'étranger, les femmes se sentent à l'aise et les hommes embarrassés. J'ai constaté cela avec bon nombre de mes amis. Ils pensent que les Français sont des gens inamicaux, mais c'est à cause de leur propre inaptitude. Ceci dit, j'ai toujours été bien accueilli en France, non en tant qu'auteur, mais tout simplement comme un citoyen ordinaire qui aime à flâner dans la capitale.

A. G. – *N'avez-vous pas une crainte pour l'avenir de vos récits ? Les* Chroniques martiennes *sont en effet datées de janvier 1999 à octobre 2026... Pensez-vous que ces nouvelles mourront avec le siècle ?*

R. B. – Oh non ! On changera les dates !

Une journée dans la vie d'Alexandre Soljenitsyne

par Bernard Pivot

Décembre 1983

Voilà dix ans bientôt – c'était le 13 février 1974 – qu'Alexandre Soljenitsyne aura été expulsé d'URSS. Le plus grand, ou du moins le plus prestigieux écrivain d'un pays jeté hors des frontières pour le seul crime d'avoir employé des mots : une mesure policière qui en dit déjà long. Loin de sa patrie, en Suisse d'abord, puis aux USA, Soljenitsyne a continué son œuvre, se tenant en marge des controverses et des polémiques.

Bernard Pivot raconte dans quelles conditions il a réalisé un numéro exceptionnel d'« Apostrophes » tourné chez Alexandre Soljenitsyne dans le Vermont.

Lire a aussi demandé à Henri Troyat, compatriote de Soljenitsyne, de présenter et commenter *Août 14* dont une nouvelle édition considérablement augmentée vient de paraître chez Fayard et qui constitue le premier « Nœud » de *La roue rouge*.

La nuit était tombée depuis longtemps quand nous sommes entrés en voiture dans la propriété des Soljenitsyne. Il n'était pas prévu que nous prendrions contact le soir même de notre arrivée. Mais Mme Soljenitsyne, prénom Nathalie, à un coup de fil de Nikita Struve, éditeur en langue russe de l'œuvre du prix Nobel de littérature 1970 et qui sera le précieux traducteur de toutes les conversations, avait insisté pour que nous passions tout de suite. Nous ne verrions pas son mari, mais nous pourrions discuter avec elle du programme du lendemain – le reportage sur la vie de la famille Soljenitsyne et le travail de l'écrivain – et du surlendemain – l'entretien.

On en a parlé autour d'une bouteille de châteauneuf-du-pape – du vrai et du bon. Nathalie Soljenitsyne n'est pas seulement l'épouse d'Alexandre et la mère de leurs trois garçons, mais aussi son unique collaboratrice, qui classe, qui tape, qui répond, qui organise et qui conseille. De très beaux yeux marron sous des cheveux gris coupés court, un superbe sourire dont elle n'est pas avare, toujours en mouvement, en interrogation, en disponibilité, et pourtant, aidée de sa mère Catherine Svetlova (qui était physicienne en URSS, Nathalie mathématicienne), c'est elle qui fait le ménage et la cuisine. C'est peu dire que Nathalie est la maîtresse de maison puisqu'elle en est aussi la cheville ouvrière. Alexandre Soljenitsyne peut se consacrer totalement à son œuvre. Il sait qu'à côté de lui, grâce à sa femme, énergique et gracieuse, ça marche.

En sortant, elle nous montre, dans les arbres, une lumière. C'est là-haut que travaille l'auteur du *Premier cercle* et de *L'archipel du Goulag*. Alors que je vais avoir le privilège de passer plusieurs heures en compagnie de Soljenitsyne et que demain, au grand jour, la maison n'aura plus de secret pour les caméras d'Antenne 2, cette lumière qui éclaire le sommet des arbres et qui, en même temps, me montre et me cache l'écrivain, me séduit par son allégorie et sa beauté. Si, aujourd'hui, je ne devais retenir qu'un moment de cette visite à celui qui, il y aura bientôt dix ans, mémoire scandaleuse, voix terrible, présence insupportable, était expulsé de son pays, je crois bien que je privilégierais ce mouvement de la tête et des yeux que je fais pour regarder une fenêtre violemment éclairée qui me dissimule Alexandre Soljenitsyne que, pourtant, je vois.

Sitôt rentré à Paris, non pas une question parmi d'autres, mais *la* question : « Il s'est vraiment construit un petit goulag ? » Des imbéciles ont en effet raconté que la propriété des Soljenitsyne est entourée de barbelés, qu'il a fait percer un long et mystérieux souterrain, et qu'il se complaît dans une atmosphère lugubre de camp retranché. J'ai vu, de mes yeux vu, le grillage qui clôt le morceau de forêt qui lui appartient : c'est un grillage tout simple et tout bête comme on en voit des multitudes en Amérique et en Europe. Le fameux souterrain n'est qu'une cave prolongée

d'une dizaine de mètres pour lui permettre, les jours où la neige empêche toute sortie, de passer de la maison où il vit à la maison où il travaille. Et si, depuis un an, il a un grand chien alors qu'il n'en voulait pas, c'est parce qu'un photographe s'est introduit chez lui et est resté des heures planqué derrière les arbres pour prendre des clichés, jugés détestables non pas par ce qu'ils donnent à voir, mais par ce qu'ils supposent de cynisme et d'affairisme. Et de menaces. Pour d'évidentes raisons de sécurité, parce qu'il craint autant les fous dont l'Amérique est prodigue que les agents du KGB, Soljenitsyne ne veut pas qu'on photographie ou filme les quatre maisons de sa propriété : celle tout en bois où il vit en famille, celle où il travaille, en briques et en bois, qu'il a fait construire selon ses plans (nous y reviendrons), la maison des amis et une sorte de petite datcha, au bord d'un étang, où il écrit, parfois, l'été.

Si cette magnifique propriété à flanc de montagne où, comme dans toutes les forêts de l'État du Vermont, l'écorce blanche des bouleaux contraste sous le soleil d'automne avec le feuillage vert des pins et des sapins et tous les tons de rouge et de roux des érables, si, aussitôt le portail électrique ouvert, ce petit chemin qui conduit à trois garçons joufflus qui tapent dans un ballon ovale de football américain, si cette maison où se prépare une excellente cuisine russe, riche en calories, qu'ont appréciée tous les techniciens de l'équipe de tournage, si cette grande salle de séjour, simple, accueillante, pleine de livres, c'est le goulag, alors vive le goulag!

Ce sont des journalistes américains qui ont lancé cette calomnie. Voici un exemple précis de désinformation. Quand, en 1976, Soljenitsyne, sur les conseils d'un avocat de ses amis, choisit de vivre à l'écart du petit village de Cavendish, dans l'État du Vermont, toute la presse des États-Unis accourt. Mais, peu enclin aux mondanités et soucieux de préserver sa solitude, l'écrivain refuse de les recevoir. Certains entrent cependant en voiture sans autorisation. En attendant l'installation du portail, un collaborateur de l'architecte prend alors la malheureuse initiative de barrer l'entrée du chemin avec un fil de fer barbelé. Les photographes en font des gros plans qui sont diffusés dans toute la presse occidentale avec cet aimable commentaire : quand on a pris goût aux fils de fer barbelés et au goulag, on ne peut décidément plus s'en passer...

Ce n'est pas par dédain de l'Europe et par amour de l'Amérique qu'Alexandre Soljenitsyne a choisi de s'installer de l'autre côté de l'Atlantique. Au cours des mois qu'il a passés à Zurich après son éviction d'URSS, il était sans cesse dérangé par des quémandeurs de toute nature. Or il n'avait dès ce moment qu'une ambition : trouver le temps nécessaire à l'écriture de *La roue rouge*, histoire monumentale de la Révolution soviétique. S'exiler dans son exil était indispensable. C'est pourquoi il a opté pour les espaces immenses et peu fréquentés des « Green Mountains ». Cette région de forêts et de neige, au climat rude, avait de surcroît l'avantage de lui rappeler sa chère Russie. Certains hivers, les loups descendent du Canada, très proche. Les cerfs abondent au point que l'un s'est jeté sur la voiture que conduisait Catherine Svetlova, sa belle-mère. Mais les sous-bois le déçoivent. Il y a beaucoup de taillis – dessous, c'est de la roche – et non pas de la bonne terre bien épaisse, comme dans les forêts autour de Riazan.

– Il existe une autre raison pour laquelle je suis venu vivre ici, m'a dit Soljenitsyne. C'est l'extraordinaire richesse des bibliothèques américaines en manuscrits russes, en livres et documents sur la révolution de 1917. J'y ai accès, ce qui facilite mon travail.

Travail, voilà le grand mot lâché. Alexandre Soljenitsyne aura soixante-cinq ans le 11 décembre prochain et il a des milliers de pages encore à écrire avant de mettre le point final à *La roue rouge*. Il espère que Dieu lui accordera assez de temps et de force pour mener à terme son vaste projet. La perte d'une journée d'écriture pour « Apostrophes » est donc un royal cadeau.

Pourquoi a-t-il accordé à la télévision française ce qu'il refuse depuis plusieurs années aux autres télévisions occidentales, aux chaînes américaines notamment ? Pourquoi a-t-il enfin accepté l'intrusion de deux caméras vidéo dans son intimité et jusqu'à sa table de travail ? D'abord, parce qu'il aime la France et les Français. C'est ici qu'au prorata de la population, on l'a le plus lu. C'est chez nous qu'il a trouvé les critiques les plus sérieux de ses livres. Il souffre que les Américains le considèrent plus comme un homme politique que comme un écrivain. Il s'étonne que les journalistes de là-bas n'aient envie de lui poser que des questions du genre : « Que pensez-vous de l'installation des fusées Pershing en Europe ? » ou « Préférez-vous les fromages du Vermont à ceux du Massachusetts ? »

Ensuite, les deux éditeurs auxquels il a confié les droits de son œuvre sont français : Nikita Struve, directeur d'Ymca Press, pour la langue russe et Claude Durand, président-directeur général des éditions Fayard – présent lui aussi pendant le reportage –, pour la langue française et toutes les traductions.

Enfin, parce qu'il a gardé un bon souvenir d'« Apostrophes » du 11 avril 1975 et s'amuse encore des polémiques qui avaient opposé Jean d'Ormesson et Jean Daniel, sous son regard étonné.

Aux exigences de la télévision, il s'est prêté, avec une simplicité et une bonne grâce qui ont conquis les techniciens d'Antenne 2 dirigés par le réalisateur Jean Cazenave. La seule chose qu'il ne voulait pas, c'est qu'il eût à recommencer des gestes ou à redire des paroles. Écrivain saisi dans son particulier, d'accord, mais pas comédien. *Da* à la spontanéité, *niet* à l'artifice. D'où cette extraordinaire aisance devant les caméras, son naturel qui pourrait faire croire justement qu'il a raté une grande carrière d'acteur... Il sourit rarement, mais alors quel charme ! Et surtout, comme il sait bien accompagner ses propos, dits d'une voix rapide et forte, de gestes aussi vifs qu'évocateurs ! Il y a du pédagogue dans sa manière de raconter et d'expliquer. N'a-t-il pas commencé sa carrière comme professeur de physique et de mathématiques?

Il est d'accord, sans même que j'aie à le lui demander, pour avoir devant les caméras les activités de délassement qui sont habituellement les siennes : fendre du bois, marcher avec son épouse et jouer au tennis contre l'un de ses fils. Mc Enroe n'a pas de crainte à avoir. Mais on sent bien, alors qu'il frappe sur des balles trop usées qui rebondissent mal sur un sol trop mou, qu'il éprouve un grand plaisir, jambes nues, barbe au vent, à tenir une raquette.

Un peu essoufflé, il explique :

– Quand j'étais enfant, j'ai rêvé de jouer au tennis, toute ma vie s'est déroulée de telle façon que je n'ai jamais eu d'argent pour acheter une raquette; et dans les conditions de ma vie en Union soviétique, il était très difficile d'avoir accès aux courts de tennis. Ensuite la guerre, la prison, les camps... Arrivé à cinquante-sept ans, j'ai pu enfin me faire construire un court de tennis, chez moi. Depuis sept ans, j'ai réussi à jouer et ça me donne vraiment un sentiment de bien-être.

Nous voici maintenant dans la maison familiale. L'aîné, Yermolay, treize ans, tape sur une machine imprimante – non, il n'y a pas d'ordinateur chez les Soljenitsyne – une page manuscrite de son père. Il aide de plus en plus souvent Nathalie dans ce travail. Grâce à cette machine, Alexandre Soljenitsyne obtient une première version propre de ses textes sur laquelle il est très agréable de faire des ratures ou des rajouts, car on croirait déjà un livre.

Le second fils, Ignat, onze ans, joue au piano le deuxième concerto de Beethoven. Dans quelques jours, à Brattleboro, il fera ses débuts de concertiste dans un grand orchestre professionnel du Vermont. Lui ne va pas au lycée. Hormis le piano dont il prend des cours deux fois par semaine loin de Cavendish, il étudie seul à la maison.

Enfin, Stephan, dix ans, qui apprend le français et joue au soccer (nom américain du football), tape sur une machine à écrire un dictionnaire de mots russes oubliés, que son père établit peu à peu,

sur des fiches, et qu'il compte un jour publier.

Manque Dimitri, vingt et un ans, fils d'un premier mariage de Nathalie. Il est étudiant à Boston où il apprend les techniques du cinéma et de la communication.

Si Alexandre Soljenitsyne ne parle pas anglais, ses trois enfants sont bilingues. Ce sont en apparence de vrais petits Américains blonds, dodus et casse-cou, sauf que lorsqu'ils s'interpellent dans les jeux de ballon ou dans leurs devoirs, c'est en langue russe.

Mais s'ils sont tous les trois nés sur la terre russe, ils l'ont quittée trop jeunes pour en garder des souvenirs profonds. J'ai demandé à Alexandre Soljenitsyne si ses enfants, en devenant de vrais Américains par leurs études, par leur mode de vie, ne risquaient pas de perdre l'ambition et le désir de rentrer un jour dans leur pays.

– Ma femme et moi, m'a-t-il répondu, prenons toutes les mesures pour qu'ils sachent la langue russe de façon parfaite, pour qu'ils connaissent et aiment la poésie russe et pour qu'ils aient l'esprit de la culture russe. Cela n'empêche pas qu'ils apprennent l'américain, qu'ils assimilent la culture américaine, et nous en sommes contents, mais pas aux dépens de la culture russe. S'ils venaient à s'en échapper, évidemment ce serait dur. Mais je ne crois pas. Certes il y a le risque que je sois enterré dans cette terre, le risque que nous mourrions tous ici, mais je suis persuadé que mes enfants reviendront volontiers en Russie et qu'ils y seront très nécessaires.

Nous voici maintenant dans la maison de travail, construite, selon les directives de l'écrivain, pour lui permettre de mener à bien, dans les meilleures conditions, la rédaction de *La roue rouge*. Cette imposante maison, avec ses grandes baies vitrées du deuxième étage et son toit à chiens assis, a cette particularité, unique au monde, d'avoir été bâtie autour d'un projet d'écriture. Quelle construction serait sortie de l'imagination de Balzac pour abriter la gestation et l'accouchement de *La comédie humaine*?

Au rez-de-chaussée, une immense salle bibliothèque qui contient, entre autres, les manuscrits de tous ceux dont Soljenitsyne a suscité le témoignage sur la révolution de 1917. A côté, une toute petite et jolie chapelle inondée du soleil du matin. Un prêtre orthodoxe procure une grande joie aux Soljenitsyne chaque fois qu'il vient y dire la messe. Parmi les nombreuses icônes, deux sont l'œuvre de Mme Nikita Struve.

C'est dans la salle du premier étage que Soljenitsyne bâtit son œuvre. Actuellement *Avril 17*, quatrième volume de *La roue rouge*. Sur de grandes tables sont placés des petits tas de fiches et de feuilles recouvertes de la fine écriture de l'ancien pensionnaire des camps et des prisons soviétiques. Lignes serrées, pas ou peu de marge : l'écrivain a gardé l'habitude du papier recouvert en totalité avec une méticuleuse application. Chaque tas correspond à une scène, à un personnage, à un événement, à l'amorce d'un chapitre. C'est là le condensé de tout ce qu'il a lu, retenu et déjà organisé, et qui lui servira quand il sera à la rédaction.

La rédaction, c'est au-dessus, au deuxième étage, dans un vaste bureau qui doit son agrément et sa beauté aux immenses baies vitrées et aux impostes par où déferle la lumière. La table de travail, poussée contre une baie, est encombrée d'objets familiers et de pages manuscrites. Devant Soljenitsyne des arbres, notamment un bouleau très haut et très effilé, son préféré. Dans un meuble baroque, bien rangés, les cahiers sur lesquels, à l'âge de dix-huit ans, il avait commencé d'écrire *Août 14*; et quelques feuillets rescapés du goulag qu'il montre à la caméra.

Il y a encore une cuisine et une chambre qui lui permettent de ne pas rompre avec son travail plusieurs jours d'affilée. Et dans une autre pièce des tableaux et des cartes pour l'enseignement à ses fils de la physique et de l'astronomie.

Par-ci par-là, de petits volumes où ses œuvres sont imprimées en petits caractères sur du papier bible : ce sont ces livres qui entrent clandestinement en URSS. Mais lui, Alexandre Soljenitsyne, quand pourra-t-il y retourner ? Il répond :

– Bien que la situation en Union soviétique n'offre aucun signe réconfortant, j'ai en moi le sentiment, la conviction, que je reviendrai, vivant, dans ma patrie. Et pourtant, comme vous le voyez, je ne suis pas jeune...

Troyat lecteur de Soljenitsyne

A l'occasion de la nouvelle édition considérablement augmentée d'*Août 14* (Fayard), « Lire » a demandé à Henri Troyat de parler de son... compatriote.

Henri Troyat, quelle est la vision historique de Soljenitsyne dans « Août 14 » ?

Il s'agit d'un livre hybride, à la fois roman et document historique. C'est de l'histoire romancée, merveilleusement documentée, très juste. Cela commence par une partie stratégique, extrêmement fouillée. Puis il y a une évocation des terroristes qui m'a d'abord choqué : j'ai trouvé surprenant que Soljenitsyne en parle avec tant de chaleur et d'enthousiasme. Il est exact qu'il y avait beaucoup de gens de gauche en Russie, qui tenaient le tsar pour une nullité et ne voyaient de salut que dans un changement de régime. Ils exaltaient le courage des premiers terroristes, qui avaient sacrifié leur liberté, parfois leur vie, pour le triomphe de la liberté des peuples. Arrivé là, j'ai pensé : Soljenitsyne est d'accord avec les assassins! Mais c'est qu'en vrai romancier, il se met tour à tour dans la peau de ses principaux personnages, avec une intuition, une impartialité tout à fait louables. Dire que je me suis laissé prendre à ce piège, moi qui suis bien placé pour savoir ce qu'il en est! J'ai révisé mon jugement quand je suis parvenu au passage sur Stolypine, car Soljenitsyne donne une dimension extraordinaire à cet ancien gouverneur de Saratov, devenu en 1906 ministre de l'Intérieur et, deux mois après, Premier ministre. Il le peint comme un homme de raison, sincèrement attaché à la tradition tsariste, plein de bon sens, de conviction, très courageux physiquement. Il trouve normal que Stolypine commence par rétablir l'ordre avec énergie, instituant des cours martiales pour les attentats les plus graves, tout en favorisant une émancipation réelle des paysans. Il veut les aider à s'enrichir, défend les libertés individuelles, étudie la condition ouvrière à l'étranger pour s'en inspirer et améliorer le sort des ouvriers russes. Il penche vers le parlementarisme et souhaite réduire le pouvoir du tsar. Ce vaste programme ne lui vaut que des ennemis. Les conservateurs sont contre les réformes, tandis que les libéraux ne lui pardonnent pas sa fermeté envers les révolutionnaires. Soljenitsyne mentionne les « cravates » de Stolypine : c'était la corde de la pendaison. Mais il montre bien ses efforts pour moderniser l'appareil administratif et institutionnel, améliorer le bien-être du peuple.

Ensuite, Soljenitsyne change encore de peau...
En endossant celle de Bogrov, un personnage ahurissant, qui prépare un attentat contre Stolypine. Le récit prend soudain l'allure haletante d'un roman policier écrit par Dostoïevski. Bogrov est un être falot, souffreteux, myope, qui ne peut supporter la réussite de Stolypine et décide de l'exécuter sans l'aide de personne. Pour s'infiltrer dans les milieux officiels, il devient agent de l'Okhrana, la police secrète, et donne des renseignements anodins. Il y a un étonnant passage sur la manière dont il se procure un billet de théâtre pour une représentation de gala à Kiev, à laquelle vont assister la famille impériale et Soljenitsyne, je veux dire Stolypine! Lapsus intéressant! Au deuxième entracte, Bogrov décharge son revolver sur le ministre. La seule chance d'éviter la révolution vient de s'évanouir. Soljenitsyne écrit : « Comme il s'est révélé peu compliqué de changer le cours de l'histoire : se faire donner un billet de théâtre, franchir dix-sept rangs de parterre – et appuyer sur la gâchette. » *Le tsar entre en scène...*
Nicolas II, pris par le programme des fêtes et des parades, ne trouve pas une minute pour aller voir Stolypine agonisant, qui attend sa visite comme la récompense suprême. C'est un moment très émouvant du livre. On comprend qu'en réalité Stolypine – jugé « trop libéral » par l'entourage du tsar – est déjà en disgrâce. Insensible, le tsar dit : « Ce ne serait pas arrivé s'il avait présenté sa démission. » Pour Soljenitsyne, Stolypine a été « le meilleur chef de gouvernement que la Russie ait eu depuis deux cents ans ». C'est clair et net. Pourtant, il meurt dans l'indifférence générale, couvert de quolibets, sinon d'opprobre, tandis que de l'étranger affluent les télégrammes, plaignant le pays de cette « perte nationale ». Le tsar, lui, n'assiste même pas aux obsèques. Retour à Bogrov et à son procès. On a l'impression d'une anguille qui glisse entre les doigts. Il change constamment ses déclarations. L'analyse de cette âme trouble est vraiment digne de Dostoïevski; c'est un abîme qu'on

explore. Puis Soljenitsyne revient sur la jeunesse de Nicolas II, écrasé par la personnalité de son père, Alexandre III. C'est un petit jeune homme écervelé, superficiel, d'une intelligence très moyenne. Il aime les soirées théâtrales, les parades militaires. A la mort de son père, il est terrifié devant les responsabilités qui lui échoient. Il y a aussi ce mariage d'amour, qui comble ses aspirations à un bonheur calme. Il souffre constamment d'en être tiré par ses obligations d'homme d'État. Il est hésitant, capricieux, mal conseillé. Devant sa faiblesse, les troubles s'aggravent, manifestations, grèves, assassinats politiques. La répression ne fait qu'augmenter la résistance. La guerre désastreuse avec le Japon alourdit encore le climat et on en arrive à ce fatal dimanche du 9 janvier 1905; une manifestation populaire veut « porter une pétition au tsar », qui n'est même pas là, retenu par ses proches. L'armée tire sur la foule, c'est le massacre. L'insurrection fait rage à Saint-Pétersbourg et Moscou. Nicolas II est contraint de commettre « un coup d'État contre lui-même » en créant une Douma (chambre) élue.

Le tsar montre la même indécision avant la guerre...

Soljenitsyne explique bien qu'il la redoute, s'efforce inlassablement de sauver la paix par un échange de télégrammes avec Guillaume II. Mais il se laisse convaincre que l'affrontement est inévitable, conforme aux intérêts slaves, qu'il rétablira l'unité intérieure. Signant l'ordre de mobilisation, il soupire pourtant : « Ce sera le jour le plus pénible de ma vie. » L'élan patriotique escompté se produit, mais accompagné très vite de doutes profonds sur la valeur des armes, des généraux, de la préparation russes. Tout au long du livre, on a l'impression d'une fatalité en marche, comme dans la tragédie antique. Les rouages sont prêts à broyer les héros. Le mécontentement grandit dans le peuple et l'intelligentsia. Le tsar est trop faible, dépassé par les événements. Entre les deux, il n'y a plus de Stolypine, éliminé en 1911.

La révolution pouvait-elle vraiment être évitée ?

Je suis persuadé que si Stolypine avait vécu, il y avait une chance d'éviter ce déchirement du pays, et certain que, sans la guerre de 14-18, la révolution n'aurait pas eu lieu. Après la guerre avec le Japon, l'État s'était rétabli, les finances assainies. L'industrie était en plein essor, le redressement – au moins matériel – était incontestable. La guerre a précipité les armées au combat dans une impréparation totale, pour répondre aux appels désespérés de la France. La mobilisation a été bâclée et les troupes sont allées au massacre. Un sacrifice dont plus personne ne se souvient, hélas...

Mais il y avait aussi l'incompétence d'une bureaucratie et d'un état-major pour lesquels Soljenitsyne est sans pitié.

Bien sûr. Sa description de certains généraux carriéristes, ne pensant qu'à éviter les ennuis, est consternante. Une fois les troupes démoralisées, la propagande bolchevique a facilement pris sur les nouvelles recrues, les incitant à déposer les armes. Pour les Allemands, il était clair que la révolution était inévitable quand ils ont laissé Lénine se rendre en Russie dans son fameux wagon plombé. Le bref portrait que fait Soljenitsyne de Lénine est lui aussi remarquable...

Que pensez-vous de son portrait du tsar ?

Il est très impartial, tout à fait conforme à ce qu'on sait de sa personnalité par son journal intime, sa correspondance avec sa femme. C'est celui qu'on évoque dans les livres d'histoire. Les livres occidentaux, bien sûr, car les soviets l'ont présenté comme un monstre sanguinaire. Soljenitsyne le rend humain dans sa faiblesse. Cela, il ne pouvait sans doute pas l'écrire en URSS. La figure de Stolypine, en revanche, est beaucoup plus documentée que dans la majorité des ouvrages disponibles. Même chose pour Bogrov, un personnage jusqu'ici très peu connu.

Pour Soljenitsyne, la révolution est « une destruction insensée et durable »...

C'est sa pensée profonde, et aussi la mienne. Je suis pour une évolution normale, nécessaire, mais la révolution a quelque chose de violent, de fanatique et d'obtus, qui me fait peur.

Soljenitsyne établit une rupture nette entre la Russie d'avant 1917 et celle d'après, contrairement à la théorie assez courante d'une sorte de « barbarie russe » congénitale, d'une vocation naturelle pour l'asservissement.

L'histoire a malheureusement prouvé que la Russie n'a été solide et prospère que sous un gouvernement fort. Soljenitsyne veut expliquer que la Russie pourrait vivre sous un régime libéral. C'était le rêve de tout modéré cultivé. Mais il est toujours apparu que les troubles commençaient dès que l'étreinte se relâchait. Alexandre II, le tsar qui a mis fin au servage, qui — comme Nicolas II — voulait apporter un peu de liberté à son peuple, est mort assassiné à la septième tentative, après six échecs. Après lui, tout est rentré dans l'ordre sous Alexandre III, un homme à poigne. J'ai hélas l'impression que la Russie n'est toujours pas mûre pour un régime libéral. Mais il n'y a aucune comparaison possible entre la dictature d'un Staline et celle des tsars qui l'ont précédé...

Quelle place donnez-vous à Soljenitsyne dans la littérature russe ?

Par son style, il s'apparente aux « Trois T », Tolstoï, Tourgueniev, Tchekhov, bien que la composition diffère. Le début de ce livre, c'est du pur Tolstoï ; ces personnages avec tous leurs antécédents, les paysages, les caractères sociaux.

J'ai lu tous ses livres depuis *Ivan Denissovitch* et *Le pavillon des cancéreux*. J'ai tout de suite reconnu en lui un grand écrivain, dans la meilleure tradition russe. Il a une langue très belle, vigoureuse, haute en couleur. Cela se sent même dans la traduction, où l'on retrouve ce débit torrentueux. *Août 14* se présente comme un premier tome : si la suite est de la même qualité, l'ensemble jettera sur l'histoire de la Russie un éclairage éblouissant et se placera au niveau des plus grandes œuvres littéraires.

*Propos recueillis
par Tamara Thorgevsky*

6.

AUTOUR
DE LA LITTÉRATURE

INTERVIEWS :

FRANÇOIS MITTERRAND ÉCRIVAIN
HERGÉ ET TINTIN
FRANÇOIS TRUFFAUT ET LA LITTÉRATURE
JEAN-FRANÇOIS REVEL ET LA POÉSIE

FRANÇOIS MITTERRAND

*« Par son rythme,
mon écriture est un peu provinciale. »*

Septembre 1978

C'est au cours de l'été, dans le Paris plus apaisé d'une fin de mois de juillet, que François Mitterrand m'a reçu. Une heure et quart durant, à propos de *L'abeille et l'architecte* [1] dont il m'avait communiqué le manuscrit et qui paraît ces jours-ci chez Flammarion, il a répondu à mes questions. En venant le voir au nom de *Lire*, mon intention n'était évidemment par de l'interroger sur la crise de l'union de la gauche ou sur les élections au Parlement européen. Il s'agissait d'abord de rencontrer une personnalité qui écrit – fort bien, nul ne peut en disconvenir –, qui, avec *L'abeille et l'architecte* publie son neuvième livre, qui aime la lecture et qui est attiré par le monde des écrivains.

Mieux vaut le préciser toutefois : cette interview n'a rien à voir avec les appels pour les moins curieux entendus ici ou là, après les récentes législatives perdues par la gauche, enjoignant (!) François Mitterrand de troquer sa carrière politique contre un destin d'écrivain. Proposition tellement absurde dans sa formulation qu'il m'a d'ailleurs semblé inutile de l'évoquer. Présenter ici un entretien avec François Mitterrand portant sur des problèmes plus culturels que politiques, encore que la distinction reste formelle, n'est donc pas du tout une manière d'opposer deux comportements antinomiques d'un même homme. On verra au contraire que, parlant du langage ou d'un roman, il y a toujours dans les propos de François Mitterrand un arrière-fond « politique ». Et inversement.

Dans la préface de son précédent livre, *La paille et le grain,* il nous prévenait : « Je ne classe pas la paille parmi les matières viles tandis que le grain serait noble. A chacun son usage. » Une mise en garde qui vaut aujourd'hui pour *L'abeille et l'architecte.* Suite chronologique d'articles, de notes et de réflexions, ce livre nous parle aussi bien et avec autant de naturel de Gabriel Garcia Marquez que de Henry Kissinger, d'une forêt de chênes que du Parti socialiste. Et le mot de Stendhal selon lequel « la politique est une pierre attachée au cou de la littérature. La politique au milieu des intérêts d'imagination, c'est un coup de pistolet au milieu d'un concert », ce mot trop souvent justifié ne s'applique pas à François Mitterrand. Sans doute parce qu'il a trouvé cet équilibre assez rare chez un homme politique qui l'incite à se servir de l'imagination littéraire sans jamais vouloir l'asservir.

Pierre Boncenne. – *Dans votre préface à* La paille et le grain, *vous disiez : « Ce livre n'a d'autre plan que celui du hasard, et d'autre obligation que d'en traduire la nécessité. J'y pratique un genre hybride, ni exactement un journal ni précisément une chronique. » On peut dire exactement la même chose de* L'abeille et l'architecte?
François Mitterrand. – J'aurais pu rééditer en effet la préface de *La paille et le grain* pour présenter mon nouveau livre. Car, au sens littéraire du terme, ils appartiennent au même genre. S'il s'agissait d'un journal, je parlerais de ma vie privée ou intime qui deviendrait du coup l'objet même du livre. Or, dans *La paille et le grain, L'abeille et l'architecte* comme dans *Ma part de vérité,* il est rare que je traite de problèmes qui me soient tout à fait personnels. Ce n'est donc pas un journal. Et ce n'est pas non plus une chronique, car une chronique écrite par un homme politique devrait tenir compte de tous les faits utiles ou remarquables. Or, il est des événements très importants dont je ne parle pas ou sur lesquels j'écris tout en réservant pour plus tard l'essentiel : dans *L'abeille et l'architecte,* je ne parle pas, par exemple, de la rencontre Sadate-Begin à Jérusalem. J'ai pris à son propos beaucoup de notes que je publierai un jour ou l'autre. Mais je ne suis pas pressé. De même lorsque je rencontre un chef d'État, un homme politique responsable, je ne vais pas à la sortie de ces rendez-vous donner le compte rendu de nos entretiens. Je m'estime tenu par la nécessaire discrétion, la nécessaire politesse à l'égard de ceux qui m'ont reçu et j'entends rester juge du moment où j'en parlerai. Dans *L'abeille et l'architecte,* je ne prétends pas rendre

compte de l'ensemble des événements que le temps m'a proposés pendant ces quatre dernières années. Celui qui chercherait à y retrouver une relation des grands événements de l'époque et mes réactions à leur égard ne les trouverait pas toujours. De même celui qui souhaiterait connaître ma façon d'être devant les joies, les chagrins, les espérances de ma vie personnelle risquerait d'être déçu. Voilà pourquoi j'ai qualifié *L'abeille et l'architecte* et *La paille et le grain* de « genre hybride ». Ce que cela donne au bout du compte, c'est au lecteur de l'apprécier.
P. B. – *Disons que ces deux livres sont à mi-chemin entre le journalisme et la littérature.*
F. M. – Non. Ce n'est pas du journalisme. Pas du tout. Bien entendu, je tiens le fil de l'événement quotidien et je me conforme à l'obligation qui est mienne de m'exprimer sur les grands et petits sujets que je crois bon d'aborder pour mes lecteurs de *L'Unité.* Mais, même là, je refuse de m'enfermer dans l'impératif catégorique de ce qu'il faut écrire et ne pas écrire, de ce qui plaira ou ne plaira pas et je m'évade selon mon goût des lois du genre.
P. B. – *Prenons un ou deux cas concrets : parmi les inédits que l'on trouve dans* L'abeille et l'architecte, *il y a le compte rendu d'une conversation avec Henry Kissinger datant du 18 décembre 1975 et le compte rendu d'une conversation avec Willy Brandt datant du 17 février 1976; pourquoi les publiez-vous maintenant?*
F. M. – Parce que, justement, je ne suis pas un journaliste. Si Henry Kissinger me reçoit, ce n'est pas pour que, dans les quarante-huit heures suivantes et comme le ferait un journaliste auquel Henry Kissinger aurait accordé une interview,

je révèle la teneur de nos entretiens. Moi, je suis un homme politique qui vient discuter avec le responsable d'un grand pays : je ne juge pas sain, et je ne crois pas qu'il serait acceptable que je puisse utiliser cette conversation tout aussitôt – simplement pour l'intérêt publicitaire qu'elle représenterait. Quelques années après et selon l'évolution des événements – Henry Kissinger n'étant plus responsable des affaires des États-Unis d'Amérique – je me sens autorisé, tout en restant fidèle aux termes de l'entretien, à le publier. En ce qui concerne Willy Brandt, je rapporte effectivement deux ou trois conversations d'un tour assez personnel. Mais avant de publier ce que vous avez trouvé dans *L'abeille et l'architecte*, je lui ai demandé son autorisation car il y a des jugements qui l'engagent et qui pourraient, après tout, le gêner.

P. B. – *Auriez-vous publié* L'abeille et l'architecte *(comme* La paille et le grain *du reste) si vous aviez été au gouvernement ?*

F. M. – Certainement. *L'abeille et l'architecte* était d'ailleurs quasiment prêt au moment des élections.

P. B. – *Tous les écrivains ont en quelque sorte des manies : ils ont des lieux de prédilection pour écrire, ils écrivent à certaines heures avec un certain matériel, etc. Et vous, où, quand et comment écrivez-vous ?*

F. M. – Je peux écrire n'importe où. J'écris beaucoup en avion pendant les campagnes électorales, j'écris très agréablement dans le train, j'écris commodément à la terrasse d'un café, j'écris dans mon lit tard le soir et, d'une manière tout de même plus habituelle, j'écris à ma table de bureau. Je ne suis pas gêné par le mouvement ni le bruit alentour. Ce qui ne veut pas dire que je ne travaille pas mieux dans le silence ! D'autre part, je suis minutieux, c'est-à-dire que je travaille beaucoup. J'aurais pu publier *L'abeille et l'architecte* à la fin de 1977. Il avait un volume suffisant pour l'être. Mais, comme je l'avais fait pour *La paille et le grain*, j'ai mis le livre de côté parce que je voulais le relire à tête reposée. Et en le relisant, trois mois plus

tard, j'ai aperçu de multiples fautes, des à-peu-près, et dépisté ce qui me déplaisait avec la même acuité que si j'avais lu le livre d'un autre. Je n'aurais pas pu le lâcher à mon éditeur dans ces conditions, c'eût été impossible. Le temps passant, j'ai naturellement ajouté un certain nombre de textes qui sont passés, comme le reste, par un filtre serré.

P. B. – *Qu'entendez-vous par ce « filtre serré » ?*

F. M. – Qu'il n'y a pas une page qui n'ait été revue, corrigée, sinon réécrite sept ou huit fois.

P. B. – *Vous avez effectivement la réputation d'être d'une extrême méticulosité. Dans* L'abeille et l'architecte, *vous écrivez d'ailleurs : « Dès que* L'Unité *me parvient (...), je ne puis m'empêcher de corriger à la plume les erreurs de tournure de la dernière page. L'imprimé ne me trompe pas. Je lis mon texte comme s'il m'était étranger, et il l'est, démuni de la ressemblance qu'il avait avec moi tant qu'il épousait la forme de mon écriture, la couleur de mon encre et les ratures surajoutées à la feuille dactylographiée. »*

F. M. – Oui, je supporte mal les erreurs de style, les fautes de grammaire, surtout les miennes. Jusqu'à l'âge de quarante ans, j'ai beaucoup redouté de publier quoi que ce fût à cause de cette crainte : le froncement de sourcils d'un puriste. Maintenant je suis plus humble... et je prends mes risques.

P. B. – *Aujourd'hui, votre chronique hebdomadaire dans* L'Unité *doit vous obliger parfois à écrire vite ?*

F. M. – Oui, il me faut la remettre le mercredi soir vers 18 heures (parce que le journal est imprimé dans la nuit). Je suis souvent surpris par le mardi soir avant d'avoir écrit la première ligne et, le mercredi, j'ai, dans mon emploi du temps, le matin, le secrétariat du Parti socialiste et, l'après-midi le bureau exécutif...! Or, si je veux écrire correctement ce que j'ai envie de dire, il me faut environ deux heures par page dactylographiée. La moyenne de mes chroniques à *L'Unité* étant de quatre pages, voyez à quoi je suis exposé! Bref, je mords sur mes nuits – et je n'aime pas ça!

P. B. – *Mais vous aimez écrire, je crois. Dans* La paille et le grain *vous disiez : « Écrire pour* L'Unité *me délasse. »*

F. M. – C'est dur, mais j'aime cette difficulté. Exactement comme l'artisan – j'écris tout à la main, je ne sais pas dicter – qui trouve plaisir tout en souffrant à tirer de l'effort de ses mains un objet. Et je peux rester plusieurs heures, je vous l'ai dit, à écrire sans faire attention à ce qui se passe autour de moi, sans remarquer que je saute un repas, que la journée s'achève.

P. B. – *Vous faites souvent allusion à vos origines provinciales et, dans* L'abeille et l'architecte, *vous dites même, qu'étant de votre province, votre écriture « s'en ressent comme on a un accent ». En quel sens votre écriture est-elle provinciale ?*

F. M. – Eh oui, par son rythme, mon écriture est un peu provinciale, le style de gens pas trop pressés et formés par des études classiques – comme on disait classique au temps de ma jeunesse –, c'est-à-dire par la structure latine. Cela donne à la langue un mouvement un peu ample avec le risque permanent d'un ennuyeux académisme. Je dois m'en méfier, je le sais. Je le note quelque part : il faut casser le moule, à l'occasion, pour libérer le don d'invention. Pas facile !

P. B. – *Il y a un problème qui revient continuellement chez vous, c'est celui du langage. A ce propos, vous écrivez dans* L'abeille et l'architecte : « *L'artifice du langage représente à mes yeux un symptôme majeur du mal dont souffre l'Occident. » Pourquoi ?*

F. M. – J'ai toujours été intéressé par les problèmes du langage. Quand j'étais étudiant en droit et en sciences politiques, je m'étais, un moment, emballé pour d'autres études, les études de lettres. Inscrit à la Sorbonne, j'ai passé quelques certificats de lettres et me suis passionné pour la philosophie. L'histoire des mots, on le sait, a une signification qui va beaucoup plus loin que les mots eux-mêmes. Cela dit, je ne suis pas de ceux – ils sont légion – qui ne s'intéressent plus qu'au laboratoire du langage. Et, par exemple, j'ai été déçu par le journal de Paul Valéry que je considère pourtant comme l'un des plus grands écrivains du siècle. Dans les notes de son journal il opère constamment un retour sur soi par le chemin des mots, leur structure et leur composition, alors qu'après tout le problème du langage ne se pose que par rapport à quelque chose qui vient de plus loin. Et combien de plus petits que lui, qui ont asséché notre littérature. D'où le jugement que je porte dans *L'abeille et l'architecte*. Certes, il y a des arabesques de langage que j'aime. Delteil, Giraudoux, entre autres, ou des exigences admirables, Étiemble, Leiris : là il ne s'agit plus de mettre la phrase en éprouvette mais d'obéir aux lois d'un mouvement intérieur où le mot a la force de la nécessité. J'aime Mallarmé dont l'obscurité prétendue (l'un de mes professeurs de français le disait illisible) tient à une extrême précision où se perdaient bien des lecteurs de ma génération qui ne possédaient pas ses connaissances philologiques. Ils étaient en réalité rebutés par la rectitude d'une langue qui paraissait moderne et frisait l'archaïsme. Il y a quelques années j'ai voulu réveiller ma mémoire, la remodeler. J'ai donc appris ou réappris certains poèmes par cœur. Or je me suis aperçu avec stupeur qu'avec Baudelaire je pouvais constamment mettre un mot à la place d'un autre : son langage n'avait aucune nécessité et cette faiblesse de langue m'a beaucoup gêné, m'a éloigné de lui. En revanche, j'ai découvert que Verlaine, c'était d'une justesse merveilleuse. Cette connaissance de la langue m'est apparue comme l'une des sources de sa poésie.

P. B. – *Voilà pourquoi vous écrivez : « Je suis de ceux qui croient qu'il n'est de bonne écriture qu'exacte. » Qu'est-ce qu'une écriture exacte, pour vous ?*

F. M. – Ah, vous me lancez dans des considérations délicates ! Je ne prétends pas qu'il faille être savant pour écrire, mais du moins faut-il bien connaître sa langue. Cela donne une chance supplémentaire d'éviter l'amphigouri, l'emphase ou ce goût de l'abscons qui n'est qu'une façon de dissimuler le vide de la pensée. Un mot exact, voire technique, pour décrire une fleur est plus porteur de poésie que n'importe quelle habileté de style. Si l'on dit du safran sa couleur violette et les trois petites lances de rouge orangé qui sortent de sa gorge, cela m'émeut. Bien entendu, je ne passe pas mes soirées à lire des livres de sciences naturelles. Je force seulement le trait pour vous montrer ce que j'attends de l'exactitude des termes.

P. B. – *Oui, et vous dites bien dans* L'abeille et l'architecte : *« Je tire fierté d'appeler les arbres par leurs noms, les arbres, les pierres, les oiseaux. Ma science me suffirait si je savais identifier tout être et toute chose. »*

F. M. – Ma compétence est limitée et, même dans le domaine des arbres ou des oiseaux, elle reste très courte par rapport à celle des vrais savants. Mais il est vrai que je m'efforce d'être précis, que je prends appui sur cette précision.

P. B. – *C'est l'une des raisons pour lesquelles vous semblez être fasciné par l'exactitude du poète Saint-John Perse ?*

F. M. – Oui, il y avait chez lui une formidable rigueur. Saint-John Perse avait l'amour des mots et une imagination poétique qui l'entraînait à parler d'objets souvent insolites, exotiques ou extraordinaires. Mais il ne se laissait pas entraîner par le chatoiement de la phrase et il vérifiait l'authenticité des mots. Dans *L'abeille et l'architecte*, je raconte que Saint-John Perse ayant, au cours d'une croisière, aperçu un oiseau, a persécuté plusieurs de ses amis, écrit des lettres un peu partout pendant plusieurs semaines pour arriver à savoir quel était le nom de cet oiseau. Cette rigueur est certainement l'une des raisons qui m'ont fait aimer Saint-John Perse, mais pas la seule assurément ! Ses brouillons (terme impropre !) sont absolument prodigieux. On se croirait en présence d'une page de calligraphie chinoise : chaque lettre est travaillée et, malgré des corrections infinies, tout est disposé harmonieusement. En vous disant cela, j'aperçois, bien entendu, le côté insupportable de tout excès en ce domaine !...

P. B. – *Non seulement vous êtes attiré par le langage exact, mais vous voudriez aussi, comme l'écrivait Jacques Chardonne, « tout dire en peu de mots ».*

F. M. – Le style d'écriture que j'aime suppose en effet un rythme cursif et rapide. Je sais que, moi, je succombe souvent, de prime abord, au défaut contraire, ce qui m'irrite. Dès lors, mon travail consiste à réduire ce que j'ai initialement écrit. Je n'en arrive pas pour autant au procédé employé par Erckmann et Chatrian que je racontais dans *La paille et le grain* : n'utiliser que deux cents mots connus de tous et en définitive écrire sous forme de « digest ». Le digest n'est qu'une caricature !

P. B. – *Parmi les défauts auxquels vous succombez ?*

F. M. – Le style oratoire, oui...

P. B. – *J'allais vous demander aussi si vous ne succombez pas un peu trop souvent au plaisir de la belle formule sentencieuse. Ainsi, dans* L'abeille et l'architecte, *j'ai noté, entre autres, ce terrible portrait de M. Giscard d'Estaing : « Un vieux jeune homme, cousin germain, on en jurerait, des petites filles modèles de Madame de Ségur. »*

F. M. – Vous trouvez que c'est sentencieux ? Moi, pas. J'ai ressenti un discours de Valéry Giscard d'Estaing et ses mimiques, comme cela, un jour, à la télévision. Alors, je l'ai dit. Je reconnais que le trait, lorsqu'il est poussé trop loin, défigure et j'en ai beaucoup supprimé. Les traits que j'ai laissés, c'est qu'il m'amusait de les laisser. Mais, je le répète, j'ai élagué !

P. B. – *Il en reste pas mal, tout de même.*

F. M. – Je ne peux pas négliger cette forme d'expression, car je suis un homme politique et la polémique fait partie du carquois. Dire en quatre mots ce qu'il faudrait une page pour exprimer est de bonne méthode. Je veille seulement à ne pas trop me faire plaisir à moi-même au risque d'être injuste. Je résume à ma façon, façon parfois un peu cruelle, ma vraie pensée. Ce que je crois être la vérité.

P. B. – *Vous m'avez parlé de votre manière d'écrire et, en vous lisant, j'ai remarqué que votre souci d'exactitude vous amenait souvent à citer le dictionnaire. Mais il m'a semblé aussi que les* *dictionnaires, les encyclopédies ou les atlas n'étaient pas seulement des instruments pour vous. Ce sont presque vos lectures favorites?*

F. M. – N'exagérons pas. Mais j'ai beaucoup de goût pour les dictionnaires, les encyclopédies, les livres, qui, à la fois, fournissent l'information dont on a besoin et donnent à rêver. Bien que je sois un lecteur assidu, j'aime ouvrir une encyclopédie en me disant que je n'aurai pas la fatigue de lire tout un livre, j'aime l'ouvrir à n'importe quelle page, et au travers d'un mot être projeté dans l'histoire, voyager dans un continent, avec un fleuve pour compagnon... Je rêve sur des mots qui sont des noms communs, je rêve en examinant la petite parenthèse qui, dans le dictionnaire, explique leur origine et leur composition... Vous connaissez, bien sûr, ce jeu qui consiste à vous demander ce que vous emporteriez si vous alliez sur une île déserte. Je répondrais : un dictionnaire.

P. B. – *Dans* L'abeille et l'architecte *vous dites que « le nom, simplement le nom des forêts de Chaource et de la Dombe, de Brocéliande et de La Chaise-Dieu » vous font rêver. Pourriez-vous me citer d'autres noms de lieux géographiques qui vous font ainsi rêver?*

F. M. – J'aimais bien que mes deux pays d'origine – je suis né juste à leur frontière – pussent s'appeler l'Angoumois et la Saintonge... avec tout à côté la Guyenne. Et il y a d'autres noms pour lesquels j'ai de l'antipathie, certains noms de fleuves, par exemple.

P. B. – *Lesquels?*

F. M. – Ah, c'est difficile à dire : je ne voudrais pas me brouiller avec des fleuves! Pour parler plutôt des noms que j'aime, il y a les noms sonores qui cognent comme des écus : ainsi Guadalquivir, qui est à la fois beau et un peu agaçant. Nil, Euphrate, Meuse, Orénoque, Rhône, et la Vilaine et l'Amazone, le Potomac et la Dordogne, la Volga, le Mississippi, de quoi faire un poème. Aragon a bien écrit ce vers « Vézelay, Vézelay, Vézelay, Vézelay ». La plupart des noms de la géographie sont chargés de poésie, et il est rare qu'ils soient laids.

P. B. – *Vous aimez, je crois, visiter les lieux où ont vécu des écrivains et des artistes?*

F. M. – Oui, et même leurs cimetières. N'en tirez pas de conclusions d'ordre psychanalytique. Non, ce n'est pas une manie! Mais il me semble que lorsqu'un écrivain choisit le lieu où il se mêlera à la terre cela donne une clé de son œuvre. Je trouve par exemple touchant que Bernanos soit enterré auprès de sa mère dans un petit cimetière perdu à Pellevoisin, dans l'Indre. De même, lorsque j'ai visité le cimetière où est enterré Mallarmé dans un petit village, Samoreau, près de Fontainebleau, j'ai vu sur sa tombe modeste un vase cassé que personne n'avait touché, une fleur desséchée depuis longtemps... Et Van Gogh à Auvers, et Romain Rolland à Brèves et Braque à Varangeville, ça vaut mieux que le Panthéon! Où sont allés les corps de ceux qui ont inventé des mondes, la question m'intéresse. Qui aime la mort, aime la vie.

P. B. – *Vous avez tout de même rencontré beaucoup d'écrivains... de leur vivant. A cet égard, vous racontez dans* L'abeille et l'architecte *que, montant à Paris en 1934, vous aviez deux ambitions : 1) aller au « Vel'd'Hiv' »; 2) rencontrer des écrivains. Mais vous ajoutez : « Mon ambition se bornait au désir de les voir et de les entendre sans être connu d'eux. »*

F. M. – J'ai connu bien des camarades qui avaient une sorte de génie pour, trois mois après leur arrivée à Paris, entrer dans l'intimité des écrivains qu'ils admiraient. Je n'avais pas ce don-là : trop de timidité, pas assez d'entregent. Je me contentais donc d'écouter. J'allais beaucoup aux réunions d'un petit groupe qui s'appelait « l'Union pour la Vérité ». Il y avait quarante personnes dans une pièce où l'on ne pouvait loger qu'à vingt, et passaient là quelques-uns des écrivains importants de l'avant-guerre : Gide, Bernanos, Mauriac, etc. Je me souviens d'avoir assisté au cours inaugural de Valéry au Collège de France. Gide y était aussi : il était très ami avec Valéry. Le meilleur ami du monde, s'il s'agit d'aller à une conférence embêtante, il essaie d'y échapper, mais Gide était tout de même là pour la leçon inaugurale de Valéry. Et ce ne fut pas embêtant.

P. B. – *A propos de Malraux, vous revenez dans* L'abeille et l'architecte, *sur une idée déjà exprimée dans* La paille et le grain : « *Je ne crois pas, dites-vous, qu'il sera jugé par la postérité sur son œuvre... Il lui fallait parler, non écrire, pour transmettre. » Ce qui revient à dire, finalement, que Malraux est un écrivain mineur ?*

F. M. – Malraux est important sur le plan de l'histoire littéraire parce qu'il a été le romancier de l'action et de l'engagement à un moment où, sans doute, on en avait besoin. *La condition humaine* a ainsi rencontré un formidable succès très justifié. Mais, malgré *La condition*, malgré *L'espoir*, Malraux ne me semble pas être un grand écrivain. Il y a chez lui trop de fausse éloquence, de complaisance – d'inexactitude de langage, justement. Ses grandes synthèses d'histoire – et ses antithèses – sont factices, et je ne marche pas du tout. Ne parlons pas de ses œuvres sur l'art qui ne tiennent pas debout, sont des compilations embêtantes relevées par une emphase littéraire qui les embrouille. A vingt ans, Malraux m'a soufflé mais, à quarante ans, quand j'ai relu *La voie royale*, j'ai éprouvé un profond ennui. Autrefois on parlait des « chevilles » d'un poète qu'il logeait dans un vers quand lui manquait la cadence ou l'inspiration. Eh bien, l'œuvre de Malraux m'apparaît comme une énorme cheville. Malraux était un homme génial par ses perceptions : il procédait par « flashes ». C'était un homme plein de séduction, merveilleusement doué pour la conversation et je pense que sa personnalité puissante a plus compté pour sa carrure et sa réputation que ses dons d'écrivain.

P. B. – *Dans* L'abeille et l'architecte *comme dans* La paille et le grain, *vous parlez de Malraux et d'Aragon, mais il y a un écrivain que vous n'évoquez quasiment jamais, c'est Sartre.*

F. M. – Tiens, c'est vrai... Je ne fais que le citer dans *L'abeille et l'architecte...*

P. B. – *Tout juste une petite citation.*

F. M. – Oui, c'est vrai... Vous avez raison et vous me surprenez en disant cela. Pourtant Dieu sait si j'ai aimé *Le mur*, *La nausée*, *Le diable et le bon Dieu*. Remarquez qu'à partir de mes chroniques de *L'Unité* certains critiques ont établi la hiérarchie de mes goûts littéraires sur la base des noms d'écrivains que j'ai cités. Ce n'est pas toujours très juste. Car, poussé par la nécessité d'écrire sur les sujets qui me sollicitent d'une semaine à l'autre, je ne développe pas forcément les thèmes qui me tiennent le plus à cœur. C'est ce qui se produit quand j'ai envie d'approfondir une analyse, de pousser plus loin ma réflexion. Sartre est un écrivain sur lequel j'ai envie de m'attarder. Reste que dans votre observation il doit y avoir une part de vérité : Sartre n'a sans doute pas assez occupé ma pensée. Pourtant je donnerais toute l'œuvre de Malraux pour *Les mots*. Il ne faut donc pas se méprendre sur mon silence à l'égard de Sartre.

P. B. – *Deux des écrivains contemporains pour lesquels vous semblez avoir une vive sympathie sont sud-américains : le Chilien Pablo Neruda et le Colombien Gabriel Garcia Marquez.*

F. M. – C'est bizarre : là, juste au moment où vous avez dit « sud-américains », j'ai pensé à un poète injustement traité par la postérité, Jules Supervielle, qui était franco-uruguayen. A mes yeux, Supervielle est vraiment un très grand poète qui va refaire surface et, vous voyez, je n'en ai pourtant pas parlé dans mes livres... En revanche, j'évoque Pablo Neruda et Gabriel Garcia Marquez parce que j'ai eu la chance de les rencontrer et que mon livre, même s'il n'est pas tout à fait une chronique, comme je vous l'expliquais tout à l'heure, évoque en priorité mes rencontres. J'ai connu Pablo Neruda assez bien et je connais Gabriel Garcia Marquez assez bien (je dis « assez bien » parce que je ne peux pas me prévaloir d'amitiés qui n'ont été, ne sont que des sympathies, des affinités, d'heureuses relations). Par rapport à ce que je peux connaître, et je n'en ai qu'une vue imparfaite, de la littérature d'Amérique latine, Garcia Marquez m'apparaît comme l'écrivain contemporain le plus important.

P. B. – *Mais si nous parlions plutôt par rapport à la littérature française contemporaine : ne pensez-vous pas qu'une œuvre comme celle de Garcia Marquez est sans commune mesure avec les œuvres produites par nos écrivains, aussi intéressants soient-ils ?*

F. M. – Nous avons des écrivains de ce souffle et de ce niveau. Faut-il citer, parmi les vivants, Albert Cohen ou Aragon romancier? Mais l'œuvre de Garcia Marquez est une œuvre épique, et les Français – on l'a dit avant moi! – n'ont pas la tête épique. *Cent ans de solitude,* avec l'histoire de cette famille construisant sa maison, puis un village qui grandit, grandit et finit par décrépir, tandis qu'ailleurs d'autres maisons, d'autres villages, d'autres villes grandissent, meurent, renaissent, c'est l'épopée de l'Amérique latine ou, si vous voulez, *L'Iliade* de l'Amérique latine. On y trouve quantité d'histoires véridiques muées en mythe grâce à la puissance d'imagination, d'expression, grâce à la poétique de Garcia Marquez. Régis Debray me disait récemment que *L'automne du patriarche* était en espagnol d'une rigueur de langue inégalée, qu'il s'agissait presque d'un manuel de bon langage. Mais, pour revenir à votre question, je dirai que l'époque de Valéry Giscard d'Estaing ou de Georges Pompidou, en France, ne se prête guère à l'épopée...

P. B. – *Et si l'on changeait d'époque, alors ?*

F. M. – Michelet, d'abord. Mais, à notre époque, le sentiment de l'épopée, ça vous paraîtra surprenant, je l'ai éprouvé avec *Argile et cendre* de Zoé Oldenburg, notre *Autant en emporte le vent.*

P. B. – *Aujourd'hui, les épopées, on les trouve peut-être dans certains livres d'histoire comme* Montaillou, *d'Emmanuel Le Roy Ladurie, que vous considérez comme un chef-d'œuvre ?*

F. M. – Ce n'est pas une épopée, mais c'est bien un chef-d'œuvre.

P. B. – *Quelles réflexions vous inspire le succès de* Montaillou ?

F. M. – Montaillou est un village d'Occitanie. En ce sens, le livre de Le Roy Ladurie nous touche pas tous les bord : la société urbaine qui regarde avec de grands yeux l'ancienne civilisation pastorale; le besoin d'affirmation de soi; la quête spirituelle; l'écologie; la monographie comme un des Beaux-Arts, etc. A bien des égards, Montaillou reste proche de l'époque présente. L'Inquisition, la perquisition des âmes et des esprits, reste, vous en conviendrez, affaire d'actualité. A partir d'un document qui était dans les archives du Vatican, et qui a été plusieurs fois exploité, Le Roy Ladurie donne une épaisseur historique à des thèmes sur lesquels l'esprit contemporain s'interroge de façon angoissée : nos origines, la vie en société, comment les gens se connaissent, se parlent, le dialogue, la communication. On voit dans ce livre un berger traverser les Pyrénées, aller aisément de son petit patelin de Montaillou jusqu'en Aragon, en Catalogne : il n'y avait pas de frontières en fait, et cela répond à une aspiration profonde de la jeunesse d'aujourd'hui. Vraiment, tout y est. En somme, ce *Montaillou* de Le Roy Ladurie, expression typiquement française, pénétrée de la connaissance scientifique de l'histoire, raconte des errances et des transhumances à la Kerouac. Aussi étonnant que cela puisse paraître, Montaillou, c'est peut-être cela : Jack Kerouac, en Sabarthès, et parlant un langage revu et corrigé par les disciplines scientifiques de la Sorbonne. On ne peut pas faire mieux.

P. B. – *Montaillou est le genre de livre d'histoire que vous aimeriez écrire ?*

F. M. – Sans aucun doute si j'en avais le temps... et le talent. Certes, l'école d'historiens à laquelle appartient Le Roy Ladurie a parfois tendance à virer vers l'esprit de système et vous expliquera le 14 juillet 1789 par une hausse du prix du blé à Pithiviers, ou bien parce que la grêle était tombée à Bar-sur-Aube. On l'aperçoit chez Le Roy Ladurie lui-même, dans *Le territoire de l'historien.* Mais pas dans *Montaillou.* Il a réussi, là, à ne pas tomber dans l'excès qui consiste à raconter l'histoire sans les « faits » historiques. Préparant pour Gallimard un livre – que j'essaie d'achever maintenant – sur le coup d'État du 2 décembre, je m'étais adressé à un chercheur américain fort précieux pour ma documentation. Un jour il est venu me dire ceci : « Excusez-moi, mais je ne peux pas vous aider. » Comme je lui demandai pourquoi, il m'a répondu : « Vous voulez écrire sur le coup d'État du 2 décembre, eh bien, depuis que je travaille sur ce sujet, au bout du compte, je ne suis pas sûr qu'il y ait eu un coup d'État le 2 décembre ! » Prenez-le comme une boutade, mais je vous jure que ça n'en était pas ! Cela dit, quel formidable apport les historiens modernes tels que le Roy Ladurie, Duby, Goubert, Manceron, Agulhon, chacun dans son genre – je cite ceux que j'ai lus et aimés – donnent à la connaissance historique – et à la littérature !

P. B. – *Comment êtes-vous en contact avec la vie littéraire ? Même si vous recevez beaucoup de livres, je crois que vous aimez fréquenter les librairies ?*

F. M. – A Paris je viens très souvent à pied de chez moi, à côté de la place Maubert, jusqu'à la place du Palais-Bourbon où se trouvent l'Assemblée nationale et le siège du Parti socialiste, et les libraires du quartier me connaissent comme un visiteur très habituel. Je recherche aussi les livres pour l'objet-livre. J'avoue même que le plaisir que j'ai de lire tient pour une part à la satisfaction que m'apporte le filet de la couverture ou le caractère typographique.

P. B. – *« A la télévision je préfère la lecture et la conversation, ces plaisirs oubliés », dites-vous dans* L'abeille et l'architecte. *Dans l'opposition maintenant traditionnelle entre le monde de l'écrit et le monde de l'image, vous avez choisi la « galaxie Gutenberg » ?*

F. M. – Je voudrais vous faire comprendre que je suis un homme très occupé. J'ai acquis une sorte de méfiance, voire de répulsion pour tout ce qui me paraît, non pas le temps inemployé – lorsque je me promène, après tout, je ne perds pas mon temps – mais pour toute occupation qui me paraît gâcher mon temps. Je ne peux plus toucher une carte et j'ai cessé de jouer aux échecs alors que j'adorais y consacrer mes soirées. Or j'éprouve vis-à-vis de la télévision, que je ne mésestime aucunement, le même sentiment. Je redoute l'habitude de la télévision.

Je suis un lecteur assidu de bandes dessinées. Je connais très bien Mandrake, Juliette et « le Fantôme », personnage merveilleux, totalement irréel et qui se donne pour mission de dénoncer l'irrationnel ! J'aime les bandes dessinées et je suis donc sensible à la littérature par l'image. Mais je n'appartiens pas à la civilisation de l'image. Déjà très jeune, lorsque je lisais un roman, je ne supportais pas qu'il fût illustré parce que je ne pouvais pas admettre que quelqu'un d'autre représentât à ma place le visage des personnages, le décor des maisons, les paysages. Le secours de l'image m'irritait et faisait baisser la valeur du livre...

P. B. – *Même s'il s'agissait des illustrations que l'on trouve dans les éditions Hetzel de Jules Verne ?*

F. M. – D'accord, il y a toujours des exceptions. Mais ce qui dans les œuvres de Jules Verne excitait mon imagination, c'était l'aventure des héros et non pas les héros eux-mêmes, leur comportement psychologique : les situations m'intéressaient plus que les personnages. Voir représenté un sous-marin ne me gênait donc pas. Mais, pour revenir à notre propos, j'ai établi une hiérarchie, bonne ou mauvaise, peu importe, où la conversation et la lecture m'apparaissent comme des moyens de communication supérieurs à l'image reçue sans dialogue et sans possibilité de retour. Je n'en tire pas des conclusions philosophiques ! Chacun possède sa capacité d'échange avec les moyens culturels disponibles. Et, de ce point de vue, la lecture m'apporte plus que la télévision.

P. B. – *Parler devant une caméra de télévision (« ce gros œil dont la rétine alimente la mémoire collective de nos contemporains », selon une de vos expressions que l'on trouve dans* L'abeille et l'architecte) *n'a pas été non plus facile pour vous ?*

F. M. – En effet. Lorsqu'on parle à la télévision, on s'adresse à une machine même si l'on est censé savoir qu'il y a derrière des millions de gens. Et j'ai mis longtemps à ne voir que la machine. Sans doute quelqu'un de votre âge ferait le saut plus facilement. Pour moi, ce fut un obstacle physique et psychique très dur à surmonter... C'est difficile à expliquer mais, regardez, nous sommes là tous les deux et nous parlons depuis quelque temps. Or je ne crois pas que nous parlerions ainsi s'il y avait un écran entre nous...

P. B. – *Vous comptez parmi vos amis des écrivains et des artistes. Que peuvent-ils apporter à un homme politique ?*

F. M. – Des instruments de mesure inhabituels en politique. Leur sensibilité, l'aigu de leurs perceptions sont pour moi comme des raccourcis dans la forêt des faits.

Même ceux qui ne participent pas à mon action, s'ils me donnent leur amitié, m'aident plus qu'ils ne pensent. D'une conversation consacrée aux grands problèmes que pose le seul fait de vivre mais apparemment étrangère à l'activité politique je sors souvent, comment vous dire, renouvelé, plus proche de mes sources, avec en moi, plus vive, cette petite lumière sans laquelle nul ne serait capable d'avancer dans la nuit. Ainsi en va-t-il du choc que provoque un mouvement musical, une harmonie de couleurs, un volume d'architecture ou tout simplement un coucher de soleil.

P. B. – *En même temps vous admettez l'idée selon laquelle les écrivains et les artistes sont par définition des sources d'anti-pouvoir ou de contre-pouvoir ?*

F. M. – Hum! Difficile de généraliser. Que d'écrivains concourent au prestige du pouvoir et s'établissent avec bonheur dans les offices qu'il leur consent. Mais si l'art est d'inventer, de créer, d'exprimer à l'avance les besoins, les désirs, les aspirations des hommes, il est alors et par définition, oui, source d'anti-pouvoir. Une littérature vraiment libre ne peut que se mettre en question, et avec elle la société qui l'a produite. Quand elle me heurte, elle m'oblige à m'interroger. Bon

exercice. Mais je connais des intellectuels théoriciens du contre-pouvoir qui ne rêvent que de pouvoir et ne supportent que le leur. On trouve à tous les coins de rue des Paul Bourget de la Révolution qui se prennent pour l'anti-Marx.

P. B. – *« La guerre politique impliquant la guerre des cultures », notait Julien Benda. Cette phrase est-elle toujours d'actualité ?*

F. M. – Bien entendu. Les choix politiques importants sont des choix de civilisation. Ma mère – je le raconte dans mon livre – m'apprenait autrefois que toute guerre était de religion. Elle ignorait sans doute le poids des structures et des rapports de production. Mais, si l'on considère les ressorts de la domination d'une classe sur l'autre, on ne peut s'en tenir aux seules causes économiques. Le socialisme ne triomphera du capitalisme qu'autant qu'il proposera ses propres valeurs culturelles. L'époque moderne nous en offre divers modèles. Là où le système qui se dit socialiste écrase toute pensée originale, hétérodoxe ou marginale et expédie les créateurs en prison, il y a maldonne et usurpation de titre. Là où meurt la liberté, le socialisme ne peut vivre. Bref, le socialisme auquel je crois doit se vivre comme un moyen supplémentaire de développer les capacités d'expression des écrivains et des artistes.

P. B. – *Dans* La paille et le grain, *vous disiez : « Si j'avais le temps, j'écrirais l'histoire des fleuves que j'ai connus. » Et, dans* L'abeille et l'architecte, *« j'aimerais écrire l'histoire chimique des sociétés ». C'est quoi, au juste, « l'histoire chimique des sociétés » ?*

F. M. – Paul Guimard se souviendra des bonnes soirées passées où je parlais de ce projet parfaitement irréalisable! J'ai vécu des moments au cours de ces quarante dernières années où la société, les nations, les peuples étaient traversés de courants qu'aucune volonté humaine ne pouvait réprimer, comme il existe des humeurs dans le sang, des pulsions, des maladies, des tensions organiques qui déterminent la vie physique des individus. Que de secrets gardés sur la naissance du monde, ses lois profondes, et le sens de sa marche, une fois dits, analysés, compris les phénomènes dont nous avons parlé d'ordre moral, culturel, économique et de pouvoir.

La nature des aliments, les sécheresses, le froid, le flux des mers, les cataclysmes naturels, les épidémies m'intéressent dans la Bible ou *L'Iliade* tout autant que les passions des hommes et les décrets du ou des dieux. Qui racontera cet obscur élan qui meut le corps social, la terrible indifférence des organes pour la conscience qui prétend les juger ?

P. B. – *Quel livre aimeriez-vous écrire si vous en aviez le temps?*

F. M. – Je travaille, avec un retard qui me remplit de confusion à l'égard de l'éditeur Gallimard, sur *Le coup d'État du 2 décembre* pour la collection « Les trente journées qui ont fait la France » et j'amorce un livre, promis à Grasset, sur, pour paraphraser une formule célèbre, une certaine image, que j'ai, de la France. Sans arrêter mes chroniques qui donneront, chez Flammarion, une suite à *L'abeille et l'architecte*. Mais le livre que j'aimerais encore écrire ne le sera sans doute jamais.

HERGÉ ET TINTIN

« Le visage de Tintin est un schéma avec lequel n'importe qui peut s'identifier. »

Décembre 1978

L'anecdote est devenue célèbre, mais il est difficile de ne pas la citer tellement elle est significative. André Malraux rapporte dans *Les chênes qu'on abat* cette boutade du général de Gaulle : « Au fond, vous savez, mon seul rival international, c'est Tintin ! Nous sommes les petits qui ne se laissent pas avoir par les grands. On ne s'en aperçoit pas à cause de ma taille... » Libre à chacun d'apprécier la valeur et l'exactitude de la comparaison. Une chose est sûre toutefois : en Europe au moins, le succès de la bande dessinée racontant les aventures du reporter – boy-scout Tintin est unique en son genre. Sans doute (encore faudrait-il vérifier) certaines BD ont-elles suscité à un moment donné un engouement similaire – on songe en particulier à Astérix. Mais aucune ne peut se prévaloir d'une telle longévité au faîte de la gloire. Car, tenez-vous bien, le toujours jeune et sémillant Tintin aura dans quelques semaines 50 ans d'existence. Un demi-siècle que le dessinateur belge Hergé (de son vrai nom Rémi Georges, d'où R.G.) a imaginé ce personnage dont la figure est familière à des millions de personnes : l'événement méritait d'être salué par *Lire*. A l'occasion de cet anniversaire peu banal Hergé, le père de Tintin, a accepté de se prêter à un jeu : parler au nom de son fils. Père et fils, Hergé et Tintin, parlent exactement le même langage, nous dira-t-on. Pas tout à fait, pensons-nous. Et c'est précisément l'autonomie comme la dépendance du personnage illustre par rapport à son créateur que nous avons voulu mettre en valeur. Voici donc Tintin qui s'explique : sur ses origines – même les mythes ont commencé un jour, Tintin aussi –, sur ses amis – Milou, Haddock, Tournesol, Castafiore, ou Dupond et Dupont –, sur l'évolution de ses aventures, etc. Mais qui parle ?

Pierre Boncenne. – *Tintin, vous allez avoir cinquante ans d'existence dans quelques semaines. Vos aventures sont universellement connues mais, au fait, d'où vient votre nom : « Tintin »?*
Tintin. – Ah! je n'en sais rien. Lorqu'on naît ce sont vos parents qui vous donnent un nom. Il en a été de même pour moi et c'est donc Hergé qui m'a appelé Tintin. Où a-t-il été chercher ce nom-là? Figurez-vous qu'il ne s'en souvient pas lui-même. C'était il y a très longtemps, c'était un jeu pour lui dont il était bien loin d'imaginer qu'il durerait cinquante ans et sans doute a-t-il choisi les premières sonorités se présentant à ses oreilles.
P. B. – *Après de nombreuses recherches, des universitaires comme Pierre Fresnault-Deruelle[1] ont effectivement abouti à cette conclusion : votre nom Tintin comme celui de Milou sont tout simplement le fruit de sonorités.*
Tintin. – Oui, c'est cela. Tintin et Milou sont nés le même jour. Hergé m'a raconté qu'il nous avait créés en moins d'une journée parce que tout d'un coup le directeur du journal dans lequel il travaillait a voulu faire un supplément pour la jeunesse. Hergé en a été chargé et le malheureux a dû créer instantanément quelque chose. Je suis né ainsi : par hasard. Et pour mon nom, Tintin, pour celui de Milou aussi, c'est la même chose : le hasard des sonorités.
P. B. – *Et le nom du capitaine Haddock, d'où vient-il?*
Tintin. – Le capitaine Haddock est né beaucoup plus tard que moi. Hergé a choisi ce nom sur le conseil de l'un de ses amis à la fois pour sa sonorité et pour sa signification. Le capitaine Haddock est un marin. Or le haddock est un poisson fumé et Hergé a trouvé tout naturel de donner ce nom à un marin. Mais il y a mieux encore : dans un livre paru il y a quelques années en Grande-Bretagne, il est question d'une petite localité anglaise où l'on trouve un monument érigé à la mémoire d'une famille Haddock qui a

compté en un siècle sept capitaines et un amiral.
P. B. – *Et ce cher professeur Tournesol, à quoi doit-il son nom?*
Tintin. – A la fantaisie. Le professeur Tournesol est un personnage poétique et je pense qu'Hergé a voulu lui donner un nom léger, celui d'une fleur qui tourne avec le soleil...
P. B. – *Vous m'avez dit que vous ne vous souveniez pas du jour de votre naissance.*
Tintin. – ...Ah! ce n'est pas moi qui vous ai dit cela et, du reste, qui se souvient du jour de sa naissance? Je sais bien qu'il existe, paraît-il, des méthodes pour s'en souvenir, mais enfin...
P. B. – *Je me suis trompé! Je voulais vous demander bien entendu si Hergé votre père n'avait plus de souvenirs de votre naissance?*
Tintin. – Non, presque plus. Pour lui c'était vraiment sans importance, ce n'était pas un événement capital, et il ne pensait pas que j'existerais plus de six mois. Hergé se destinait au journalisme et à la photographie et c'est pourquoi il a fait de moi un reporter. A l'époque l'archétype du journaliste, c'était quelqu'un s'embarquant sur un grand paquebot à destination de l'Asie, le journaliste c'était un grand voyageur, c'était Albert Londres ou Joseph Kessel et mon père a voulu que je sois un peu leur sosie rêvé. Mais pour lui mon existence n'avait pas plus d'importance qu'un rêve et jamais, au début, il n'a pensé qu'il vivrait de mes aventures. Je suis né comme on fait une blague entre copains oubliée le lendemain. Et ce n'est que quatre ou cinq ans après ma naissance que mon père m'a vraiment pris « au sérieux » si j'ose dire.
P. B. – *Et quand vos aventures ont-elles réellement commencé à avoir beaucoup de succès?*
Tintin. – Encore plus tard, après la dernière guerre, lorsque mes aventures ont été imprimées en couleurs et que la France s'est intéressée à moi. Jusqu'à ce moment-là mes aventures n'existaient qu'en noir et blanc et n'étaient quasiment pas diffusées hors de Belgique. A

---

1. *La bande dessinée, essai d'analyse sémiotique*, Hachette.

partir des années 1946-1949 mes aventures ont commencé à avoir du succès, en particulier grâce à la création de l'hebdomadaire *Tintin*.

P. B. – *Aujourd'hui, dans combien de langues vos aventures sont-elles traduites et à combien de millions d'exemplaires ont-elles été diffusées ?*

Tintin. – Je suis connu dans 17 langues différentes, la dernière en date étant le coréen et mes aventures ont été vendues à plus de 55 millions d'exemplaires. Peut-être 60 millions d'exemplaires : cela change tellement rapidement !

P. B. – *Et quelle est celle de vos aventures qui a suscité le plus d'engouement ?*

Tintin. – En tenant compte du décalage du temps, puisque les premières ont une avance sur les autres, c'est pratiquement la même chose et le même tirage pour tous les albums. Seul *On a marché sur la Lune* semble se détacher un peu, mais pas de beaucoup. Sans doute parce que c'est plus frappant qu'une aventure se passant sur terre.

P. B. – *Que pense votre père Hergé de tous les commentaires savants qu'il y a eu sur Tintin ? Au fond, il doit en sourire ?*

Tintin. – Il est toujours étonné et votre présence ici l'étonne. Comment peut-on s'intéresser à cela ? Pour mon père mes aventures, si elles représentent un gros travail, restent un amusement et il est vrai comme vous l'avez dit que les études savantes qui me sont consacrées non seulement le font sourire mais surtout l'étonnent beaucoup. De même que mon père continue à être stupéfié par la correspondance lui parvenant des quatre coins du monde, de toutes les classes sociales et de tous les âges. Il y a là une boîte arrivant du Bangladesh. Un petit garçon a pris la peine de graver et de sculpter cette boîte puis de l'envoyer à mon père en lui disant son amitié. Qu'est-ce que mon père né à Bruxelles a de commun avec ce garçon né au Bangladesh ? Et, pour employer un grand mot, quel contexte culturel commun y a-t-il entre mes aventures et l'univers de ce garçon du Bangladesh ? Étonnant mystère...

P. B. – *On écrit à vous, Tintin, ou à votre père Hergé ?*

Tintin. :– Voilà quelque chose qui a beaucoup changé. Au début on écrivait plutôt à moi, maintenant on écrit plutôt à mon père. Lorsque j'ai commencé à exister, il y a donc cinquante ans, l'information circulait beaucoup moins bien qu'aujourd'hui : il y avait très peu de postes de radio, pas de télévision, les journaux étaient moins diffusés et l'on ne voyait donc pas la personne qu'il y avait derrière moi, Tintin. Maintenant, même les jeunes savent que derrière mon personnage il y a un homme à qui l'on peut écrire et poser des questions. C'est une différence très importante. Mais certaines choses n'ont pas changé : avant je recevais beaucoup de lettres où il n'y avait marqué sur l'enveloppe que « Tintin, Bruxelles » ; maintenant, c'est plutôt « Hergé, Bruxelles ». Et l'on pose toujours des questions précises du genre : « Pourquoi les Dupontd ont-ils des moustaches comme ceci ou comme cela ? » Mon père qui lit toutes ces lettres essaye chaque fois de répondre.

P. B. – *Il tient compte aussi des erreurs que l'on peut lui signaler ?*

Tintin. – Ah oui ! Au début mon père se laissait aller à des petites fantaisies, commettant des erreurs de coloriage ou de trait, voire même des erreurs comme celle-ci dans mon aventure *Tintin au Tibet* : lorsque mon père a décidé de me faire partir au Tibet, il a dessiné les premières planches en me faisant porter des chaussures à clous. Immédiatement un enfant a écrit à Hergé pour lui dire : « Vous vous êtes trompé, on ne fait plus de semelles à clous, maintenant, mais des chaussures à semelles de fibranne et, d'ailleurs, si Tintin perd un clou qu'est-ce qu'il va faire ? Il ne peut tout de même pas porter un sac de clous avec lui. » Mon père m'a donné de nouvelles chaussures sans clous...

P. B. – *Votre première aventure a eu lieu au « pays des Soviets », pourquoi ?*

Tintin. – N'oubliez pas que je suis un reporter et, à l'époque, exactement comme maintenant la plupart des journalistes ne rêvent que d'aller en Chine, les journalistes voulaient partir en Russie parce qu'il se passait des choses là-bas. Il y avait déjà eu la Révolution de 1917, le massacre de la famille impériale, la guerre entre les Russes blancs et les Bolcheviks, la famine, etc. La Russie était vraiment dans l'actualité et mobilisait toutes les imaginations. Comme mon père travaillait dans un journal catholique, ayant violemment pris parti contre les Bolcheviks, il était tout à fait normal qu'il m'envoie là-bas, m'informer. Mon, père s'est servi d'un livre, *Moscou sans voile,* dans lequel un consul belge relatait tout ce qu'il avait vu. On a dit que c'était un livre de propagande. Peut-être. Mais c'est aussi un livre de reportage, de choses vues que l'on ne peut pas ignorer. Dans toutes les révolutions, aussi justifiées soient-elles, il y a des côtés épouvantables et, vu l'ambiance du journal dans lequel travaillait mon père, il était normal que moi, Tintin, le redresseur de torts, je raconte surtout ces côtés-là. Alors, d'accord, c'était de l'anticommunisme primaire. Mais il était tout à fait logique que je me rende en Russie.

P. B. – *Et Hergé regrette cet anticommunisme primaire ?*

Tintin. – Non, il ne le regrette pas, même s'il n'est plus le sien. C'est ainsi, il faut accepter ce qui a été fait comme on accepte un péché de jeunesse.

P. B. – *Et pourtant, pendant très longtemps* Tintin au pays des Soviets *n'a pas été réédité, ce qui pouvait laisser supposer un certain remords de la part d'Hergé.*

Tintin. – Eh bien! je vais vous dire : le seul et vrai remords qu'Hergé avait, était dû à des raisons esthétiques. Je ne voudrais pas faire de la peine à mon père, mais *Tintin au pays des Soviets* c'était les premiers dessins qu'il avait faits et c'était de très mauvais dessins! Et c'est pour cela surtout que cet album n'a pas été réédité. Quand au reste, il était tout de même difficile de rééditer cet album après la guerre sans que cela apparaisse comme une prise de parti, et ce d'autant plus que les Russes étaient devenus nos alliés. Peu à peu, le temps a passé et mon père comme son éditeur ont pensé qu'il était possible de faire une réédition « his-

torique » sous forme d'album-archives. Cet album existe maintenant, il montre que *Tintin au pays des Soviets* existe et voilà : tirez ou ne tirez pas sur le pianiste...

P. B. – *Si l'on s'interroge sur votre première aventure, on s'interroge encore plus sur votre âge. Quel âge avez-vous en réalité, Tintin ?*

Tintin. – Question difficile. Lorsque mon père m'a créé j'avais quatorze ans : mon père ayant été scout, quatorze ans était l'âge d'être scout. Aujourd'hui cinquante ans ont passé et je dirais que j'ai dix-sept ans. C'est assez rare cela, vous ne trouvez pas : au bout de cinquante ans je n'ai vieilli que de trois ans!

P. B. – *Vous êtes plutôt un boy-scout ou plutôt un reporter ?*

Tintin. – Je suis un journaliste qui a l'esprit boy-scout. Avoir l'esprit boy-scout c'est avoir une certaine curiosité pour la vie, la nature, les animaux et les êtres humains; c'est aussi un certain sens de la débrouillardise; et c'est enfin une certaine fidélité dans l'amitié. Tout cela est peut-être un peu naïf, mais c'est ainsi et je ne le regrette pas.

P. B. – *De quoi vivez-vous ?* Tintin *n'a jamais de problèmes d'argent et du reste, si vous êtes reporter, on ne vous voit jamais écrire un article.*

Tintin. – De quoi je vis? De l'air du temps! La Providence et mon père veillent sur moi et je n'ai donc pas de problèmes d'argent, ce qui est très réjouissant. Mon père s'occupe de tout, il règle mes factures, j'ai de la chance (et lui aussi parce que je suis très raisonnable). Quant au fait que l'on ne me voit pas écrire un article, ou dormir ou manger, c'est tout simplement parce que dans une aventure il ne faut pas ralentir l'action, il ne faut montrer que les points forts.

P. B. – *Vous avez un père mais en réalité pas de famille ?*

Tintin. – C'est vrai. Je n'oserais pas rependre la parole de Jules Renard qui disait : « Tout le monde ne peut pas être orphelin. » Moi j'ai cette chance. Enfin presque : je n'ai qu'un père. Je suis libre d'aller où je veux (certes avec l'accord de mon père, mais il est toujours d'accord avec moi) et je ne dépends d'aucune autorité, ce en quoi je suis différent des adolescents.

P. B. – *Vous avez été dans le monde entier et même sur la Lune. Mais vous n'avez jamais été au centre de la Terre ou tout simplement en France?*

Tintin. – Ce qui compte pour moi c'est l'exotisme. Et la France ce n'est pas l'exotisme, même s'il est vrai qu'on peut trouver de l'exostime partout, par exemple dans certains quartiers de Bruxelles. Mais, d'une manière générale, ce qui était important pour moi et pour mon père c'était le voyage : toujours cet esprit de reportage d'un Joseph Kessel ou d'un Albert Londres partant au bout du monde pour voir ce qui s'y passe. Voilà pourquoi en ce qui concerne la Lune, je dirai la même chose : ce qui comptait là, c'était le voyage en soi et non pas l'arrivée. Hergé, qui aime bien la philosophie zen, s'intéresse plus au voyage qu'au but du voyage et il n'a pas du tout l'esprit science-fiction. M'envoyer sur la Lune ce n'était pas de la science-fiction (d'autant plus qu'aujourd'hui on y a été sur la Lune). Et pour Hergé, m'envoyer au centre de la Terre aurait un caractère plus scientifique qu'aventureux, ce qui l'intéresse moins.

P. B. – *Il m'a semblé que vous couriez plus dans vos premières aventures alors que vous réfléchissez plus dans les dernières.*

Tintin. – C'est un problème qui m'a effectivement inquiété. Je crois que l'âge de mon père (soixante-dix ans) joue un rôle là-dedans. Je suis le reflet de mon père. Or, sans le savoir ni le vouloir, mon père a l'impression que dessiner quelqu'un en train de courir le fatigue plus. Pourquoi? Sans doute parce que mon père, à soixante-dix ans, pense moins à courir et que ses centres d'intérêt sont plus la réflexion que le sport.

P. B. – *Vous m'avez dit n'avoir vieilli que de trois ans en cinquante ans, ce dont je vous félicite. Mais votre caractère a-t-il évolué?*

Tintin. – Je dois avoir évolué comme mon père a dû évoluer au cours de ces cinquante ans. J'ai évolué d'abord dans le sens du dessin : il y a une maturité qui s'est effectuée du point de vue graphique. D'autre part, et comme je vous l'ai rappelé, au début de mon existence mon père ne pensait pas du tout que j'allais devenir un métier pour lui. Le journal où il travaillait sortait le mercredi après-midi à cinq heures – comme la marquise! – et parfois mon père arrivait le mercredi matin sans avoir rien fait : il sautait sur sa plume et ses dessins partaient immédiatement à la photogravure puis au tirage. Il ne réfléchissait donc pas à mes aventures, c'était un jeu. Et ce jusqu'au jour où mon père a annoncé que moi, Tintin, j'allais me rendre en Chine. Alors il a reçu une lettre d'un abbé, aumônier des étudiants chinois de l'université catholique de Louvain. Cette lettre disait en substance ceci : « Vous allez envoyer Tintin en Chine. Faites attention parce que tout le travail que nous faisons ici pour rapprocher la Chine de la Belgique, pour arriver à plus de compréhension, risque d'être réduit à néant si vous commencez à caricaturer les Chinois. Vous allez très probablement leur mettre des tresses alors que, depuis des années, les Chinois ne portent plus de tresses, le signe d'esclavage. » Cette lettre a attiré l'attention d'Hergé. Il a rencontré cet abbé qui l'a mis en rapport avec un étudiant dont il s'occupait. Ce jeune garçon s'appelait Tchang Tchong-jen et était étudiant à Bruxelles à l'Académie de sculpture et de peinture. C'est lui qui a ouvert les yeux de mon père sur la culture chinoise et, depuis ce jour capital, mon père apporte plus de soins à ce qu'il fait. Il a considéré qu'il avait une sorte de responsabilité, qu'il voulait toujours raconter des histoires amusantes mais qu'il ne fallait quand même pas raconter n'importe quoi. C'est *Le lotus bleu* qui est le grand tournant de mes aventures.

P. B. – *Vous êtes un héros et en tant que tel les enfants qui vous lisent doivent s'assimiler à vous...*

Tintin. – Je me permets de vous interrompre parce que je crois, vu mes cinquante ans d'existence, que la majorité de mes lecteurs sont... des adultes. Ceux qui m'ont aimé lorsqu'ils avaient quinze ans n'ont pas décroché et, même s'ils sont devenus des grandes personnes, ils continuent à m'aimer. Et comme j'ai aussi beaucoup de lecteurs enfants dans les nouvelles générations, mes aventures ont de plus en plus de succès si j'en juge par le tirage de mes albums. Mon père rougirait s'il m'entendait dire cela!

P. B. – *Est-ce que vous croyez que l'on vous aime, vous Tintin, en comparaison de vos autres amis? Vous êtes un héros très neutre alors que le capitaine Haddock est peut-être plus sympathique parce qu'il a des défauts.*

Tintin. – C'est une question très difficile. C'est vrai, je suis neutre alors que du point de vue graphique notamment, tous mes comparses, le capitaine Haddock, Tournesol, Castafiore, etc., sont de terribles caricatures. Moi, mon visage est un schéma, un véritable schéma avec lequel n'importe qui peut s'identifier. Peut-être m'aime-t-on moins que mes comparses, mais le fait que mon visage soit neutre est une des raisons de mon succès car beaucoup de lecteurs jeunes peuvent s'identifier dans ce visage qui est assez malléable. Mon visage rond avec des yeux ronds est presque un masque, pas un masque pour se cacher mais au contraire pour s'identifier. Au moment où l'on préparait un film de Tintin on cherchait des comédiens pouvant incarner le rôle. On avait mis des annonces dans la presse et on a reçu, à l'époque, la lettre d'un petit Noir qui, photo à l'appui, disait : « Moi je veux jouer le rôle de Tintin. » Pas une seconde il ne pensait à la couleur de sa peau et il s'était approprié mon visage sans aucune difficulté.

P. B. – *Un sociologue, Jean-Bruno Renard [2], a justement fait remarquer que vos aventures sont graphiquement d'un genre hybride : un dessin très caricatural pour les visages et, au contraire, une précision quasi démoniaque pour le monde alentour. C'est l'une des clefs de votre succès?*

Tintin. – Peut-être. Mon père pense que

la précision du décor donne beaucoup plus de crédibilité aux personnages et qu'ils prennent d'autant plus de poids et d'épaisseur que les engins qu'ils utilisent ou les pays qu'ils visitent sont proches de la réalité. Et j'ajouterai un point important : pour que mon père lui-même croie à mes histoires et à mes aventures il faut qu'il m'entoure d'un maximum de crédibilité. Mon père s'est servi de moi découvrant le monde pour se découvrir lui-même.

P. B. – *On a beaucoup parlé de l'une de vos aventures qui est justement une non-aventure :* Les bijoux de la Castafiore. *Est-ce que cette non-aventure correspondait chez votre père ou chez vous à un besoin de repos?*

Tintin. – C'était surtout un besoin de réflexion ou un besoin de revenir chez soi. Le besoin de mettre ses pantoufles et de se dire : « Je vais voyager autour de ma chambre, là aussi il peut se passer quelque chose aussi bien qu'à Tombouctou ou Vladivostok. » *Les bijoux de la Castafiore* c'est à la fois une anti-aventure et une aventure intérieure où l'exotisme vient à domicile sous la forme des romanichels.

P. B. – *Et c'était une aventure difficile à mener à son terme?*

Tintin. – Ah oui! *Les bijoux de la Castafiore* a commencé à paraître dans l'hebdomadaire *Tintin* à raison d'une page par semaine. Tenir l'attention pendant 62 semaines, c'est-à-dire plus d'un an, avec une histoire où il ne se passe rien c'était assez excitant mais c'était un dur exercice.

P. B. – *Certaines de vos aventures ont-elles été plus difficiles que d'autres et y en a-t-il qui ont compté plus que d'autres?*

Tintin. – Toutes mes aventures, sauf les premières, où jouait la merveille de l'inconscience, ont été difficiles à mener à bien, toutes. Mais il y en a qui ont été plus importantes que d'autres pour mon père, et surtout *Tintin au Tibet*. Comme je vous l'ai raconté, mon père avait rencontré un jeune Chinois et il l'a d'ailleurs mis en scène dans *Le lotus bleu* sous le nom de Tchang. Le vrai Tchang,

---

2. *Clefs pour la bande dessinée*, Seghers.

un garçon très fin et très cultivé, est rentré chez lui à Shangai et il a écrit quelques lettres à mon père. La guerre est arrivée, puis la révolution chinoise avec Mao et Tchang n'a plus donné de nouvelles. Mais mon père pensait toujours à lui parce que Tchang Tchong-jen lui avait ouvert les portes de ce monde oriental dont la philosophie et la langue l'attirent beaucoup depuis. Il m'a donc envoyé au Tibet et cette aventure a correspondu à une période très difficile de sa vie. *Tintin au Tibet* c'était à la fois une épreuve pour mon père – d'où l'importance tout à fait inconsciente de la couleur blanche – et un hymne à l'amitié car, dans cet album, moi Tintin, malgré tous ceux qui me disent que mon ami est mort dans un accident d'avion, je pars et je finis par le retrouver.

P. B. – *Mais dans la réalité Hergé, votre père, a-t-il retrouvé Tchang Tchong-jen?*

Tintin. – Eh bien, oui, il y a seulement trois ou quatre ans. C'est une histoire extraordinaire si l'on songe qu'il y a 800 millions de Chinois. Or, tenez-vous bien : une amie d'Hergé a été dans un restaurant chinois à Bruxelles et le frère du propriétaire de ce restaurant est un ami intime de Tchang qui est aujourd'hui directeur d'une académie de sculpture. Des dizaines d'années après *Tintin au Tibet* Hergé a retrouvé son ami Tchang, c'est prodigieux.

P. B. – *Votre grand ami, Tintin, c'est le capitaine Haddock. Mais le capitaine Haddock n'est-il pas plutôt un oncle pour Tintin?*

Tintin. – Vous avez sans doute mis l'accent sur la bonne filiation. Effectivement le capitaine Haddock est pour moi plus qu'un ami, il est plutôt un parent ou un oncle. Le capitaine Haddock m'amuse parce qu'il est truculent, spontané, colérique, parce qu'il a des défauts et que moi, Tintin, je n'en ai pas, hélas. Remarquez toutefois que lorsque Hergé a créé Haddock le capitaine était une pauvre épave, un alcoolique triste au point d'être désagréable. Et petit à petit, grâce à mon influence j'espère, son caractère s'est modifié et il a acquis certaines caractéris-tiques qui sont celles des amis d'Hergé, notamment d'Edgard Jacobs (auteur de *La marque jaune*).

P. B. – *Mais le capitaine ne vous a jamais transmis l'un de ses défauts?*

Tintin. – Il semble que non.

P. B. – *Parlons de la quasi-absence des femmes dans vos aventures. Il y a très peu de femmes autour de vous et les seules que l'on voit sont de terribles caricatures.*

Tintin. – Mais c'est justement parce qu'il ne veut pas faire de caricatures de femmes que mon père en a mis très peu dans mes aventures. Reprenons au début. Lorsque Hergé m'a créé, le monde de Tintin était celui des boys-scouts. Et à l'époque les boys-scouts et les girls-guides ne se connaissaient pratiquement pas : il y avait d'un côté les garçons et les filles de l'autre. Dès le début les filles ou les femmes étaient donc absentes de mon univers à moi, Tintin. Petit à petit quelques femmes sont entrées dans mes aventures mais ces femmes ne pouvaient pas être jolies et ne pouvaient être que des caricatures parce que justement tous les personnages m'entourant, de Haddock jusqu'à Tournesol, sont des carica-tures. Tous ils sont des personnages très laids...

P. B. – *Mais ils sont sympathiques. Et qu'est-ce qui empêchait votre père de créer des femmes caricaturées mais sympathiques?*

Tintin. – La Castafiore n'est pas antipa-thique...

P. B. – *Ah! vous trouvez? Et Peggy, la compagne du général Alcazar que l'on rencontre dans votre dernier album* Tintin chez le Picaros, *vous reconnaîtrez que c'est une épouvantable enquiquineuse.*

Tintin. – Oui, elle est épouvantable. Hergé a vu cette personne-là à la télévi-sion, c'était une Américaine, secrétaire d'une association abominable que je ne nommerai pas. Et il a trouvé amusant dans mes aventures de lui faire épouser un dictateur, le général Alcazar, pour « dictatorifier » le dictateur.

P. B. – *Donc Hergé ne peut vraiment pas faire la caricature d'une femme sympa-thique.*

Tintin. – Non, il n'y parvient pas. S'il

dessinait une jolie femme il introduirait alors une dimension amoureuse dans mes histoires, ce qui n'est pas son but...

P. B. – *Excusez-moi, mais vous m'avez dit tout à l'heure que vous aviez dix-sept ans. A dix-sept ans on peut être amoureux?*

Tintin. – Attention, j'ai la forme de quelqu'un de dix-sept ans mais moralement j'ai encore quatorze ans! Mon père, je vous l'accorde, n'a pas compris que j'ai vieilli!

P. B. – *Alors nous ne verrons jamais autour de Tintin des femmes avec des défauts sympathiques?*

Tintin. – Je ne sais pas et je ne pourrai pas le promettre au nom de mon père. Ce n'est pas de la misogynie de la part d'Hergé. Mais il pense que la présence des femmes dans mes aventures créerait des ambiguïtés auxquelles il ne tient pas.

P. B. – *Tintin, je voudrais vous demander maintenant ce que vous pensez, au fond, des savants. Il y en a quelques-uns dans vos aventures mais, à l'image de ce cher Tournesol, ils sont tous lunatiques et un peu cinglés ou alors dangereux. Vous avez peur de la science?*

Tintin. – J'aime bien la science et la bande dessinée m'est très utile de ce point de vue puisque sous cette forme-là n'importe quelle invention se justifie. On peut inventer ce que l'on veut. Et cela ne rate pas forcément. La preuve : nous avons été avec mes amis sur la Lune beaucoup plus vite qu'avec une fusée Apollo de la NASA parce que Tournesol est arrivé à construire une fusée à accélération constante. Mais il est vrai que dans le fond j'ai une sorte de défiance non pas vis-à-vis de la science en soi mais vis-à-vis des applications de cette science. Je suis un peu inquiet des expériences que l'on fait pour vérifier une invention, celle d'une bombe ou d'un médicament.

P. B. – *Autour de vous, les policiers, dont les plus célèbres sont Dupont et Dupond, sont bêtes ou méchants ou les deux à la fois.*

Tintin. – Il est vrai qu'il y a beaucoup de policiers bizarres et véreux autour de moi. C'est peut-être une méfiance à l'égard d'une sorte de pouvoir. L'un de mes commentateurs a dit que j'étais un anarchiste rose. C'est vrai : un boy-scout face à la police ou au monde politique est forcément un peu contestataire.

P. B. – *Hormis les Chinois peut-être, les étrangers que vous rencontrez sont tous présentés comme un peu sauvages.*

Tintin. – Non. Vous exagérez là et votre remarque ne s'applique qu'aux Indiens. Les étrangers sont des êtres différents qui font partie du décor de mes aventures exotiques et rien de plus. Je ne peux pas être un psychologue ni un militant fraternisant, même si j'ai souvent pris parti pour eux.

P. B. – *Et si nous parlions de ces personnages importants que sont les animaux? Je crois que votre père aime beaucoup les chats. Or votre ami à vous Tintin est un chien, Milou...*

Tintin. – Il est beaucoup plus facile de se promener avec un chien qu'avec un chat. Lorsque mon père m'a fait naître il a donc pensé au chien car c'était un animal plus facile à faire voyager et peut-être plus facile à faire parler. Reste que Milou parlait beaucoup plus à l'époque que maintenant parce qu'aujourd'hui le capitaine Haddock vitupérant l'a remplacé. Milou était un peu mon Sancho Pança disant : « Restons tranquilles dans nos pantoufles. » C'est le capitaine Haddock qui remplit ce rôle aujourd'hui et donc Milou est moins important qu'il ne l'était au début.

P. B. – *Les autres animaux que vous rencontrez sont très souvent des animaux agressifs. Il n'y a pas de fraternité avec eux.*

Tintin. – C'est curieux! Il y a du vrai dans ce que vous dites... Mais ce n'est pas le reflet de ce que pense mon père. Il se fait qu'il m'arrive des aventures. Or rarement vous allez avoir une aventure avec un chat ou un animal domestique. L'aventure ne peut arriver qu'avec un animal qui vous agresse : le tigre, la panthère, le moustique, le serpent. Mon père a une très grande estime pour les animaux, moi j'ai des aventures avec les animaux. Il y a une dualité, là, et il ne faut pas confondre la vie privée de mon père et ce qu'il me fait faire. Et puis j'oublie de vous dire aussi qu'il est pétri de contradictions. Vous l'avez remarqué d'ailleurs.

P. B. – *Votre père adore le monde du langage, les jeux de mots?*

Tintin. – Oui, Hergé aime les calembours. Tous les matins en arrivant à son bureau c'est un rituel pour mon père de dire à son secrétaire : « Comment va tuyau de poêle? », lequel répond invariablement : « Et toiture de zinc? ». Mais mon père n'utilise presque jamais les calembours dans mes aventures parce qu'il est freiné chaque fois par les problèmes de traduction. Alors il se venge avec les injures sonores et sans signification du capitaine Haddock.

P. B. – *Vous, Tintin, contrairement aux autres personnages vous avez un langage sans failles. Tournesol a un problème fondamental de langage, il est à moitié sourd, Haddock invente des injures inouïes, la Castafiore déforme tout le temps les mots et notamment celui de Haddock, quant aux Dupondt ils ont un défaut de prononciation.*

Tintin. – Oui, moi je m'exprime correctement et je ne cherche pas à inventer des mots. Au fond, moi, je suis le meneur de jeu et je suis là pour faire le point, pour indiquer le chemin. Mon langage doit être clair pour faire comprendre à mes lecteurs ce qui se passe. Je suis le fil conducteur.

P. B. – En somme vous représentez l'ordre. Vous êtes partisan de l'ordre en toutes choses?

Tintin. – Oui, je n'aime pas le désordre même si je sais que c'est utopique et qu'il faut du désordre dans la vie.

P. B. – *Que pensez-vous de l'alcoolisme du capitaine Haddock?*

Tintin. – D'abord, c'est un alcoolisme de papier. Et puis grâce à mon influence, vous avez vu, il s'est calmé, il a nettement appuyé sur le frein : ce n'est plus 100 litres au 100 kilomètres. Alors l'alcoolisme du capitaine Haddock je le juge avec un sourire indulgent.

P. B. – *Mais c'est un désordre pourtant.*

Tintin. – Je n'aime pas l'ivrognerie et au début j'ai fait la morale au capitaine Haddock parce qu'il y allait trop fort. Mais maintenant, s'il a envie de boire un verre ou même deux, pourquoi pas? Au début il avait l'alcool triste et maintenant il est plutôt colérique. Et si jamais il lui arrive de trop boire, son ivrognerie tourne mal : elle est à chaque fois sanctionnée et il lui arrive des malheurs.

P. B. – *Vous êtes croyant, Tintin?*

Tintin. – Non, mon père ne m'a pas élevé dans une religion bien précise.

P. B. – *La religion catholique est évoquée dans vos aventures mais elle n'est jamais moquée.*

Tintin. – Je ne me moque ni de la religion catholique ni des autres. Mon père s'informe toujours beaucoup pour me faire courir à travers le monde et, par exemple, il s'est beaucoup documenté sur la religion des Incas pour faire *Le temple du Soleil*. Mais il ne se moque pas : il s'amuse. On a reproché un jour à mon père de se moquer de la religion musulmane parce que les deux Dupondt débarquant dans le désert voient un type agenouillé et lui flanquent un coup de pied dans le derrière. Ce n'est pas se moquer de la religion musulmane mais se moquer des deux Dupondt! C'est tout à fait différent : c'est une atteinte à l'intégrité physique et non à la religion.

P. B. – *Quels sont vos rapports avec votre père et inversement?*

Tintin. – Génétiquement je dépends de mon père, de ses rêves comme de sa situation. Mon père aurait voulu être reporter et je suis reporter. Mon père aurait voulu être un héros, et moi je le suis (mais pas lui, c'est évident).

P. B. – *Vous n'avez jamais eu de difficultés avec votre père?*

Tintin. – Oh si! j'en ai eu. Je dirai par exemple que nos rapports sont toujours distendus entre chacune de mes aventures. Hergé ne veut plus s'occuper de moi. Il veut m'abandonner, il en a un peu marre et il me dit : « Tintin, ça suffit, laisse-moi tranquille. » Et puis chaque fois l'envie le reprend de raconter une aventure et il repense à moi. Pourvu que ça dure!

P. B. – *Est-ce que vous aimeriez, Tintin, rencontrer certains de vos comparses appartenant à d'autres bandes dessinées ?*

Tintin. – Ce sont des mondes différents et je ne crois pas que j'aurais envie de les connaître. Nous sommes faits pour ne pas nous rencontrer, nous sommes des parallèles qui ne se rejoignent jamais.

P. B. – *Est-ce que votre père lit beaucoup de BD ?*

Tintin. – Il n'aime pas tellement lire de la bande dessinée, tout au moins celles qui se rapprochent de mes aventures parce que mon père est une espèce d'éponge s'imbibant des choses et les restituant sans se douter qu'il les a vues ailleurs. Il se méfie beaucoup de cela. Mais je sais qu'Hergé a beaucoup d'admiration pour Claire Bretécher, Wolinski, Fred ou Reiser.

P. B. – *Vous appartenez totalement à votre père ? En d'autres termes, est-ce que vous pouvez lui survivre ?*

Tintin. – Non, là je suis formel. Si Hergé a des collaborateurs travaillant pour lui, collaborateurs qui ont un grand talent (et souvent plus que lui dans certains domaines), je crois que malgré tout l'œuvre de mon père a un caractère profondément personnel. Tintin ne peut pas survivre à Hergé.

FRANÇOIS TRUFFAUT

*« Mon ambition c'est de faire des films
qui ressemblent à des romans. »*

Avril 1982

Une pièce tapissée de livres, voilà pour le plan d'ensemble. Travelling ensuite sur les rayonnages des bibliothèques où s'alignent en rangs serrés des collections entières. Gros plan sur les piles d'ouvrages qui recouvrent les tables et le sol. On est dans le bureau de François Truffaut, aux Films du Carrosse. Le cinéaste est amoureux de la littérature. Sa passion ne se révèle pas seulement par cette abondance de papier imprimé, mais surtout à travers ses 22 films.

On connaît bien François Truffaut grâce à la série des cinq films dont le personnage principal est Antoine Doinel – joué par Jean-Pierre Léaud –, double cinématographique de l'auteur. Truffaut charge Doinel de ses souvenirs, de ses ambitions et de ses rêves. Dès *Les 400 coups*, le petit Antoine élève religieusement un autel à Balzac dont il vient d'achever la lecture de *La recherche de l'absolu*. Dans *L'amour en fuite*, devenu correcteur, Antoine Doinel a publié son premier roman, chez Flammarion, sous le titre *Les salades de l'amour*. Roman autobiographique qui est en quelque sorte l'aveu par Truffaut que le film l'est aussi un peu.

Dans *Fahrenheit 451*, les personnages principaux sont les livres. Quand il adapte les deux romans d'Henri-Pierre Roché, *Jules et Jim*, *Les deux Anglaises et le continent*, Truffaut lit en voix off le texte original pour que le ton et le style de Roché, qu'il admire beaucoup, entrent vraiment dans ses films. Quel cinéaste a rendu plus bel hommage à un écrivain ? Dans *L'homme qui aimait les femmes*, le héros écrit le roman de sa vie. A quoi bon multiplier les exemples ? Il n'existe pas un film de Truffaut sans allusion directe à l'écriture ou à la littérature.

Lecteur affamé et fureteur, il nous ouvre aujourd'hui sa bibliothèque où sont réunis Audiberti, Cocteau, Genet et Queneau, ses auteurs favoris. Des amours de toujours. Pourtant, il ne les adaptera pas. Pas plus que *Le petit ami de*

Paul Léautaud dont il vient d'abandonner le projet pour diverses raisons. Aujourd'hui, du reste, François Truffaut préfère écrire des scénarios originaux. Sans doute pour provoquer les rencontres de ses personnages, inventer ses histoires, créer à la manière d'un écrivain. Au fait, derrière les images, ne se cache-t-il pas un de nos meilleurs romanciers?

Franck Maubert. – *D'où vient votre passion pour la littérature et les livres?* **François Truffaut.** – C'est familial. Ma grand-mère maternelle, qui m'a élevé dans ma petite enfance, aimait beaucoup les livres. A cette époque, je passais de longs moment rue Laffitte, chez un libraire, où elle achetait et louait des livres. J'avais six ou sept ans, c'était l'avant-guerre. Il y a quelques années, un jour, à un moment de nostalgie, je suis retourné rue Laffitte, mais la librairie avait disparu, remplacée par des buildings. Ma grand-mère avait écrit un roman sur la bigoterie qu'elle n'a pas osé publier pour des raisons familiales. Elle était littéraire, c'est elle qui a commencé par me lire des livres et qui m'a appris à lire. J'étais trop malade pour aller à la maternelle. Ensuite, j'ai vécu avec ma mère qui ne supportait pas le bruit et qui me demandait de rester sans bouger, sans parler, des heures et des heures. Donc, je lisais, c'était la seule occupation que je pouvais adopter sans l'agacer. J'ai lu énormément pendant la période de l'Occupation. Comme j'étais seul assez souvent, j'ai pris le goût de lire des livres d'adultes. Ceux que ma mère lisait, je les empruntais durant ses absences.
F. M. – *Quel est le premier livre qui vous a marqué?*
F. T. – L'impression la plus forte que j'ai retirée d'une lecture, ce fut, pendant la guerre, avec *Thérèse Raquin* de Zola, à cause du côté très violent du meurtre du mari par la femme et son amant. La découverte de Zola me choqua autant que celle des films expressionnistes allemands. En même temps, je commençais à découvrir le cinéma et, assez vite, j'ai établi le lien entre littérature et cinéma.
F. M. – *A cette époque, pensiez-vous à devenir écrivain ou déjà cinéaste?*

F. T. – Écrivain quand je lisais *Thérèse Raquin* en 1943, cinéaste en 1946, dès que j'ai vu *Citizen Kane*. Entre les deux, j'ai pensé que le métier de cinéaste serait difficile et que je serais peut-être scénariste.
F. M. – *Vous êtes-vous identifié un jour à un personnage de roman?*
F. T. – Oui, à Félix de Vandenesse du *Lys dans la vallée*, l'adolescent amoureux d'une femme plus mûre! J'ai d'ailleurs blagué avec ce personnage dans un des films de la série des Doinel, *Baisers volés...*
F. M. – *Hormis Balzac et Zola, quelles furent vos premières lectures?*
F. T. – Il y avait une collection formidable – je ne pense pas que l'on pouvait trouver des livres moins chers que ceux-là –, la collection des classiques Fayard qui regroupait 400 ou 500 volumes. Ils étaient très mal imprimés, la couverture n'était même pas rigide. Les petits fascicules allaient, par ordre alphabétique, d'Aristophane à Zola. Je les lisais, carrément par ordre alphabétique. C'est une démarche d'autodidacte. J'ai lu toute la collection, tout Musset, tout Vigny. Victor Hugo avait droit à une section spéciale de trente ou quarante volumes! Pendant deux ou trois ans, je n'ai donc lu que les classiques Fayard que je collectionnais.
F. M. – *C'était en quelque sorte une discipline...*
F. T. – Non, c'était le manque de renseignements, c'est un tour d'esprit. Quand on a un élan de collectionneur, un peu systématique – c'est encore le tour d'esprit autodidacte – on se dit qu'on va faire le tour de toute la question et que, plus tard, on triera. Après les classiques Fayard, toujours pour des raisons économiques, il y a eu la découverte de la

bibliothèque municipale. Je ne sais pas si elles ont autant d'importance aujourd'hui. J'y ai découvert Proust, deux volumes par deux volumes. Adolescent, j'ai aussi essayé d'entrer à la Bibliothèque nationale. Je ne savais pas qu'il fallait une autorisation. Je n'ai pas pu franchir la deuxième porte.

F. M. – *Dans un grand nombre de vos films apparaissent des librairies ou des bibliothèques. Que représentent ces lieux pour vous?*

F. T. – Oui, c'est rare que l'on ne voie pas ces lieux dans mes films. Je préfère une bibliothèque dressée contre un mur, à un tableau. Depuis mon enfance, j'aime mieux écrire un mot que téléphoner. Dans mes films, on retrouve mon goût pour les lettres et la lecture.

F. M. – *Vous avez aussi une réelle passion pour des publications quasi secrètes...*

F. T. – Oui, c'est vrai. Pour des ouvrages souvent publiés chez des éditeurs de province comme « Fata Morgana » à Montpellier ou des francophones comme « L'Age d'Homme » en Suisse ou « Stanké » au Canada. A Paris, « Champ libre » fait un travail superbe. Il faut fouiner, il faut se tenir aux aguets. *Victor,* le roman laissé inachevé par H.-P. Roché, a été publié par le « Centre Pompidou » sans doute parce qu'il était consacré à Marcel Duchamp. Roché aimait beaucoup Duchamp et l'appelait Totor.

Le problème de la librairie, aujourd'hui, est que l'on apprend la publication de certains livres seulement par des bulletins spécialisés. Il faut se donner du mal pour trouver des ouvrages confidentiels. Au Plan-de-la-Tour, dans le Var, des gens sauvent des livres oubliés en les réimprimant à 300 exemplaires sous le titre de collection « Les Introuvables ». On y découvre, par exemple, le bouquin de Fescourt (un metteur en scène du muet), *La foi et les montagnes,* un des meilleurs livres de cinéma, ou bien *Les 36 situations dramatiques* de Georges Polti.

F. M. – *Aujourd'hui, que lisez-vous avec plaisir?*

F. T. – Je lis avec passion les biographies; avec plus de réticence et d'ennui, les scénarios qu'on m'envoie. Je lis peu de romans, peut-être quatre ou cinq par an seulement. Récemment, j'ai adoré *L'intérimaire* de Brigitte Lozerec'h. Mes lectures habituelles sont des livres de cinéma ou des ouvrages concernant la vie littéraire du début du siècle. Toute la période de Léautaud, de Proust et de leurs contemporains m'intéresse. J'aime particulièrement lire la *Correspondance* de Proust, éditée chaque année chez Plon, chronologiquement. Les lettres deviennent de plus en plus belles, de plus en plus profondes contrairement à ce qu'en disent les échotiers qui expédient chaque volume en trois lignes condescendantes. Je lis très peu de littérature étrangère, sauf la Danoise Blixen et le Japonais Tanizaki.

F. M. – *Vous avez tourné des films comme* L'enfant sauvage, Histoire d'Adèle H, *et* Le dernier métro, *qui demandent une grande documentation. N'y a-t-il pas avant tout un aspect purement utilitaire à vos lectures?*

F. T. – A partir du moment où j'ai fait des films, ça a été plus difficile de lire des romans. Alors que mes premiers films, comme *Tirez sur le pianiste* ou *Jules et Jim,* sont inspirés de romans qui m'avaient enthousiasmé, même avant que je ne fasse du cinéma. Maintenant, à cinquante ans, je subis une loi qui se vérifie : en avançant dans la vie, on se détache beaucoup du roman pour se rapprocher du réel, à travers les documents, les biographies. Dans mes films aussi, je suis passé de la fiction pure au réel reconstitué. Par exemple, avec *L'enfant sauvage.* Cinq ou dix ans avant, cette histoire vraie ne m'aurait pas passionné, non plus que l'*Histoire d'Adèle H.* Il y a, bien sûr, un aspect utilitaire à mes lectures. Pour le tournage de *L'enfant sauvage,* mes lectures étaient ardues. J'ai dû lire le *Traité des sensations,* de Condillac. Ces lectures, je les partage avec mon ami Gruault, scénariste de plusieurs de mes films. Pour *Le dernier métro,* ce fut passionnant, l'Occupation étant une période que j'aime particulièrement. J'ai lu une centaine de livres sur la collaboration, des souvenirs d'acteurs. Depuis, je me suis définitivement attaché aux biographies d'acteurs. C'est un genre très critiqué, peu de livres sont bons car ils sont souvent écrits dans des conditions déplorables. Mais on découvre toujours quelque chose dans chaque vie.

F. M. – *Vous lisez peu de romans mais y a-t-il des auteurs que vous aimez relire?*

F. T. – J'ai eu une passion pour les deux livres d'Henri-Pierre Roché, *Jules et Jim* et *les deux Anglaises et le continent*. Je les lisais chaque année sans avoir l'idée d'en faire un film, seulement pour mon plaisir. A force de les lire, je me suis dit que je devais les tourner. Je n'ouvre pratiquement jamais de recueils de poésie et pourtant, les écrivains que je préfère sont des poètes dont j'aime la prose : Audiberti, Cocteau, Genet, Queneau, je les préfère à des écrivains décrétés plus intelligents, plus profonds ou plus engagés. De Queneau, j'aime surtout *Odile*, le roman le plus sincère qu'il ait écrit, un roman d'amour déchirant et drôle. C'est l'histoire de sa rencontre avec sa femme et sa rupture avec le mouvement surréaliste. D'Audiberti, j'aime les histoires d'amour, principalement *Marie Dubois*, surnom que j'ai donné plus tard à une jeune actrice. De Cocteau, je lis souvent *Les enfants terribles* et tout ce qu'il a écrit sur le music-hall. Il avait le don de très bien décrire les gens. On a été sévère avec lui. C'était un homme extraordinairement généreux, passionnant, ouvert et compréhensif. Il n'a jamais été ni mesquin ni envieux. Il comprenait tout du travail des autres et, surtout, en parlait très bien.

Si je n'avais pas été capable, physiquement, de tourner *La femme d'à côté* (qui est un scénario original), je suppose que je l'aurais écrit sous la forme d'un roman. *Les 400 coups*, mon premier film sur ma jeunesse, était conçu comme un premier roman. Mais maintenant, si j'écrivais, mon style ne serait pas très pur; je penserais toujours au cinéma. J'aime beaucoup *La rhubarbe*, le premier roman de René-Victor Pilhes, mais on ne peut pas écrire ce roman si on est cinéaste. Il est plein de scènes intournables! Et pourtant, le travail de l'écrivain est proche en bien des points de celui du cinéaste. Quand on est au laboratoire pour l'étalonnage d'un film (pour homogénéiser les couleurs), c'est la même chose que relire son livre, polir les phrases. Qu'on écrive un roman ou un scénario, on organise des rencontres, on vit avec des personnages; c'est le même plaisir, le même travail, on intensifie la vie.

F. M. – *Et Genet?*

F. T. – J'ai énormément aimé son livre le plus autobiographique, *Le journal du voleur*. Genet est l'écrivain le plus discret, le plus orgueilleux, le plus rigoureux, le plus meurtri sûrement. Cette comédie sociale que sont obligés de jouer les gens quand ils deviennent connus, il est celui qui l'a jouée le moins. Il l'a jouée un peu pendant dix ans à partir de 1944, quand il a été découvert. Depuis *Les paravents*, son grand silence m'attriste. J'ai toujours une appréhension en ouvrant un livre de Genet car ce sera grave pour moi le jour où je serai déçu.

F. M. – *Il devient banal de faire la relation entre le cinéma et la littérature. Mais aujourd'hui, les films restent-ils encore liés aux livres?*

F. T. – De moins en moins, en particulier pour le cinéma américain. Spielberg et Lucas doivent tout à leurs lectures d'enfance mais ce sont des lectures visuelles, comme la bande dessinée, d'une manière générale. Le cinéma est un art de fiction; il est forcément en relation avec la littérature. Les personnages qui ressemblent à des personnages de romans sont plus vivants et passionnants. Mon ambition, quand je fais un film, c'est qu'il ressemble à un roman.

F. M. – *Peut-on comparer le travail du montage d'un film à celui de l'écrivain quand il bâtit son intrigue?*

F. T. – Les ressemblances sont frappantes. Dans le livre *Préface à la vie d'écrivain*, Geneviève Bollème a eu l'idée de regrouper toutes les lettres de Flaubert écrites pendant la rédaction de *Madame Bovary*. La vie de Flaubert pendant quatre ans correspond à celle d'un cinéaste pendant un tournage. Une semaine avant d'attaquer la scène des comices agricoles, Flaubert disait : « Je vais commencer par de grandes visions d'ensemble et me rapprocher peu à peu des détails, je décrirais les bruits, les sons, les couleurs. » On est obligé de penser au cinéma en lisant cela, c'est le même travail.

F. M. – *Vous avez déclaré à Tay Garnett (dans son livre* Un siècle de cinéma, Hatier*) : « Un film de 90 minutes dit beaucoup moins de choses qu'un article de journal de 3 000 mots. » Et par rapport au roman ?*

F. T. – C'est l'éternel problème du contenu et du contenant. Il est plus facile d'écrire un roman qu'un scénario. En revanche, il est plus difficile de construire une pièce de théâtre qu'un scénario. Le roman est plus facile à créer parce qu'on ne vous reproche jamais de ne pas avoir écrit un « vrai » roman. Tandis que d'un film, on dit souvent : ce n'est pas un film.

F. M. – *Pourquoi donc ?*

F. T. – Il y a une grande tolérance à l'égard du roman. Vous pouvez avoir des descriptions et aucun dialogue, ou l'inverse, toutes les formes sont acceptées et l'on ne vous dira pas que ce n'est pas un roman. Si, dans un film, vous faites beaucoup de commentaires, on vous dira que ce n'est pas « cinématographique ». Le cinéma est plus rigide. Que ce soit un gros roman ou une nouvelle, au cinéma, vous devez avoir une espèce d'égalité de traitement. Vous avez droit à quatre-vingt-dix minutes! La lutte avec la durée, c'est la lutte du cinéaste, pas celle du romancier.

F. M. – *Vous avez dit de Fritz Lang au sujet de* Règlement de comptes *qu'il était un cinéaste balzacien. Auriez-vous envie d'associer Orson Welles ou Hitchcock à un romancier ?*

F. T. – Non. Parce qu'Orson Welles est plus poétique que romanesque. Pour Hitchcock, le propre d'un scénario est d'être absurde. Du très bon roman de Patricia Highsmith, *L'inconnu du Nord-Express*, Hitchcock a tiré un script

invraisemblable et un film magistral. C'est cela le génie d'Hitchcock. Il comprend que, même si on prend un très bon roman, il faut écrire un mauvais scénario pour qu'il en résulte un bon film. Si quelqu'un d'autre, obéissant à une démarche littéraire, avait sélectionné tout ce qu'il y a de bien dans le livre, le résultat aurait été un film médiocre. Hitchcock est le cinéaste qui a le mieux réalisé qu'on ne doit pas analyser un film pendant qu'on le voit, pendant qu'il se déroule sous vos yeux.

F. M. – *Adapter un roman a toujours créé des problèmes aux cinéastes. Visconti a été un des rares à réussir deux adaptations,* Le guépard, *d'après Lampedusa, et* Mort à Venise, *d'après Thomas Mann. Pourquoi avez-vous refusé en 1966* Un amour de Swann *?*

F. T. – Je n'ai pas lu Lampedusa mais je peux dire que Visconti s'est contenté de poser les décors. Je préfère le Visconti des débuts, celui de *Nuits blanches*. En 1966 et encore récemment, on m'a proposé Proust mais j'ai refusé d'y toucher. J'ai refusé aussi *Le Grand Meaulnes*, *L'étranger* de Camus. Comme je refuse à peu près tous les livres connus. *L'étranger* c'est comme un Simenon qui serait devenu un peu prétentieux. Il y a quelque chose de gonflé dans *L'étranger*, peut-être que je me trompe. Plutôt que d'adapter des livres célèbres, je préfère la démarche inverse. Avec *Jules et Jim*, je faisais découvrir un auteur et un livre. Le film a fait accéder le roman à un gros tirage ainsi qu'au livre de poche et à des traductions dans le monde entier, y compris au Japon.

F. M. – *Quand vous adaptez un livre, partagez-vous la paternité de l'œuvre avec l'écrivain ?*

F. T. – Dans le cas de *Jules et Jim*, j'étais gêné et confus devant les compliments parce que, selon moi, ils devaient s'adresser à Roché. Je n'ai jamais laissé quelqu'un me faire l'éloge du film sans lui offrir un exemplaire du livre pour qu'il puisse découvrir Roché.

F. M. – *Y a-t-il eu des cas où vous avez transformé l'œuvre ?*

F. T. – Parfois, j'ai eu l'impression de

trouver des solutions, des constructions qui amélioraient le livre. Par exemple, ma fin de *La mariée était en noir* est plutôt meilleure que celle du livre de William Irish. C'est la même chose avec le finale d'*Une belle fille comme moi*, d'après Henry Farell.

F. M. – *Pourquoi préférez-vous bâtir un scénario original plutôt qu'adapter un livre ?*

F. T. – Quand j'ai débuté, j'ai pensé qu'il me serait difficile d'inventer. Avec *Les 400 coups*, je n'avais qu'à classer mes souvenirs dans un ordre croissant d'intérêt. Avec *Tirez sur le pianiste*, le livre m'offrait des situations fortes que je n'aurais pas osé inventer moi-même. *Jules et Jim*, c'était une histoire d'amour idéalisée, vécue par des personnages plus âgés que moi. A partir de *Baisers volés*, j'ai pris confiance en moi, avec des scénarios originaux. Je me suis dit : je peux créer des personnages, je m'en sortirai, je peux même en faire mourir un! J'ai pris confiance ; j'ai construit le scénario de *La nuit américaine* à partir d'une très grande feuille punaisée sur une table de cuisine. A ce moment-là, mon plaisir devient très proche de celui d'un romancier.

Un scénario original présente une plus grande cohérence que l'adaptation. Ce qui est incohérent dans l'adaptation, c'est qu'en supprimant des pans entiers d'un livre, on perd de vue que certaines scènes conservées étaient en relation avec des scènes coupées. Si bien qu'il y a souvent quelque chose de mystérieux dans un film tiré d'un roman, où le propos n'est pas toujours clair. On s'exprime avec plus de franchise, caché derrière un autre, derrière un livre. Il m'est arrivé de me confier de manière plus intime à travers une adaptation qu'à travers un scénario original, où je me sens surveillé.

F. M. – *Qu'est-ce qui détermine vos choix pour un livre plutôt qu'un autre ?*

F. T. – Pour *Jules et Jim*, c'était une très forte envie que j'avais avant de faire du cinéma. J'étais journaliste, j'avais cité le livre dans un article, j'ai rencontré Roché et je lui ai dit : « Si un jour je fais un film, ce sera *Jules et Jim*. » Ce projet m'a fait peur et je ne l'ai réalisé qu'en troisième film, Roché étant mort, hélas.

F. M. – *Comment procédez-vous au découpage d'un roman pour l'adaptation à l'écran ?*

F. T. – En général, je commence par couvrir le livre de notes mais ma manière de faire diffère selon les livres. Dans le cas de *Jules et Jim*, j'aimais tellement le style et la prose de Roché que je voulais faire entendre ses phrases. Je les ai donc introduites dans mes commentaires. Je choisis plus un livre pour son ton que pour son action. Par contre, pour *Fahrenheit*, d'après le roman de Bradbury, j'ai choisi le livre uniquement pour les faits : « Nous sommes dans une société où l'on brûle les livres. » L'écrivain doit rester présent à travers les images.

F. M. – *Dans les films d'Hitchcock, la caméra raconte une histoire pendant que les dialogues en racontent une autre. A-t-on cet avantage en littérature ?*

F. T. – Rarement, mais il existe. Dans *Odile*, de Queneau, vous avez une narration imperturbable, neutre, dépassionnée. C'est un cas formidable parce que ce qui n'est pas dit dans les dialogues ou la narration, on le devine. Le lecteur devine que le narrateur est en train de devenir amoureux, alors qu'il ne s'en rend pas compte lui-même. Je suis étonné que, lorsque l'on parle de Queneau, on oublie toujours ce livre. *Odile* est pour moi un des plus beaux livres d'amour qui soient, dans une écriture moderne qui n'imite pas celle du XIXᵉ siècle. Mais je n'ai pas envie de l'adapter.

F. M. – *Y a-t-il des films que vous estimez aussi réussis qu'un grand livre ?*

F. T. – Rares sont les exceptions où le cinéma arrive au niveau de la littérature. Des films comme *Le carrosse d'or* ou *Fenêtre sur cour* sont aussi réussis qu'un grand livre parce qu'ils sont homogènes. Mais, même dans un film d'Hitchcock, il y a des scènes moins intéressantes que d'autres. Il est difficile d'atteindre à la perfection dans un film. Ce qui est beau dans la lecture, c'est quand on pose un livre et qu'on a oublié dans quel endroit on était, s'il faisait jour ou nuit, si on était dans une chambre ou dans un salon. C'est la même chose au cinéma, si les spectateurs ne se rappellent plus dans quel cinéma ils sont, s'ils ne se rappellent plus le jour de la semaine. Il y a des livres, comme des films, qui vous embarquent.

F. M. – *Vous avez été critique de cinéma. Auriez-vous aimé être critique littéraire ?*

F. T. – Je ne m'en serais pas senti capable, de même que je ne me sentirais plus capable d'être critique de cinéma aujourd'hui, car les films sont devenus trop compliqués. A l'époque où j'étais critique, tous les films étaient conçus pour le grand public, je n'avais pas une impression d'imposture. Il m'arrivait d'être troublé quand un film était trop subtil. Il y a vingt ans, les films étaient faits intelligemment, mais l'intelligence se trouvait *derrière la caméra*, dans la façon de raconter une histoire. Aujourd'hui, l'intelligence est *sur l'écran* mais, souvent, il y a une grande maladresse *derrière la caméra*. Le critiques ne savent pas rendre compte de l'exécution; ils savent bien rendre compte des intentions, ils sont aidés en cela par des dossiers de presse généreux. Pourtant, l'exécution, c'est ce que ressent le public. Je trouve superficiels la plupart des comptes rendus de films ou de livres; ils se recopient les uns les autres, c'est dommage.

F. M. – *Peut-on comparer le milieu du cinéma à celui de l'édition ?*

F. T. – Curieusement, les gens pensent au milieu du cinéma comme corrompu ou impur. Or, il y a une plus grande pureté dans le cinéma que dans la littérature, une plus grande vanité chez les écrivains que chez les cinéastes. Le cinéma est une aventure risquée, il y a l'argent investi et surtout l'idée qu'un film peut stopper une carrière s'il est manqué. Les cinéastes traversent de plus grands dangers que les écrivains. Les ravages du copinage sont moins évidents dans le milieu cinématographique. J'ai aimé *Les intellocrates* qui dénonçaient tout cela et j'ai été déçu par la réaction fuyante et sans courage des intellectuels devant ce livre. Notre milieu du cinéma est plus sain, moins tordu, parce que nous rencontrons une seule sanction, celle du public, trop vaste pour se laisser manipuler par la presse, par les prix, les distinctions, les jurés, les décorations, les académies de tout poil... Rien de tout cela, qui est bien réel, ne doit affecter notre amour des mots et des livres.

JEAN-FRANÇOIS REVEL
et la poésie

*« Il peut très bien s'écouler mille ans
sans vraie poésie. »*

Janvier 1985

Que parallèlement à un essai politique, *Le rejet de l'État* (Grasset),
Jean-François Revel ait publié aussi cet hiver *Une anthologie de la poésie
française* (Bouquins/Laffont) a pu déconcerter certains lecteurs ayant oublié
ses débuts dans la presse comme critique littéraire. Mais la vraie surprise
réside dans le contenu de cette anthologie, un genre où se sont illustrés avec
des réussites diverses aussi bien André Gide que Georges Pompidou. Partant
d'un principe strict : « Il y a très peu de grands poètes, et la plupart des
grands poètes ont le plus souvent écrit très peu de beaux poèmes », Revel a
sélectionné la « fleur » de notre poésie en présentant des auteurs non pas de
façon chronologique, mais alphabétique. Ses choix, très subjectifs, peu
soucieux des conventions comme des réputations, et sans complaisance à
l'égard de l'époque contemporaine, étonneront parfois. A se plonger dans
l'anthologie de Revel, retrouvant au passage une musique connue et
découvrant quelques merveilleux vers ignorés jusqu'alors, on est pourtant
frappé par la justesse de son goût, qui nous mène droit vers la Beauté, ce « dur
fléau des âmes » (Baudelaire). Difficile d'ailleurs de ne pas voir aussi se
dessiner en filigrane l'image d'un Revel dont l'extrême sensibilité se cache
sans doute derrière une rugosité apparente ou l'âpreté des polémiques. En sa
compagnie, c'est sûr, vous vous laisserez envoûter par ces phrases – citons
encore Baudelaire – « qui chantent les transports de l'esprit et des sens ».

Pierre Boncenne. – *On s'étonne ici ou là
de voir le philosophe et l'essayiste politique que vous êtes publier une* Anthologie
de la poésie française. *Mais n'est-ce
pas cet étonnement qui vous étonne ?*
Jean-François Revel. – Oui, tout à fait,
parce que j'ai toujours été déterminé
d'abord par la littérature. Je ne com-

prends pas la séparation des genres, et je ne vois pas pourquoi on s'étonne de la multiplicité des intérêts.

P. B. – *Votre goût manifeste pour la poésie remonte à très loin?*

J.-F. R. – A l'âge de sept ans, exactement. Je me rappelle très bien qu'alors, ayant lu les premiers vers d'*Athalie* : « Oui, je viens dans son temple adorer l'Éternel », j'ai ressenti un choc extraordinaire.

P. B. – *Ce fut vraiment votre première émotion poétique?*

J.-F. R. – Je m'en souviens avec précision : c'était près d'un court de tennis. Mes parents avaient une maison aux environs de Marseille, et ce tennis était au milieu d'une forêt où je me promenais en lisant. A cette époque, même en classe de 9ᵉ, on préparait des explications de textes. Et en lisant les premiers vers d'*Athalie*, j'ai tout de suite ressenti une sorte d'émotion musicale très particulière. Plus tard, disons entre douze et dix-sept ans, je n'ai pas cessé de lire de la poésie. D'ailleurs, presque tous les poèmes que je cite dans l'*Anthologie*, je les connaissais avant l'âge de dix-sept ans.

P. B. – *Voilà pourquoi il y a dans votre* Anthologie *tant de poèmes d'amour?*

J.-F. R. – Probablement. Mais la plupart des poèmes ne sont-ils pas des poèmes d'amour?

P. B. – *Entre douze et dix-sept ans, quels sont les poètes français qui vous touchaient le plus?*

J.-F. R. – Surtout les poètes que l'on enseignait, mais cela s'arrêtait pratiquement à la fin du romantisme : Baudelaire, Verlaine, Rimbaud, Mallarmé n'étaient pas encore tout à fait admis et les grandes valeurs restaient Lamartine, Vigny, Musset, Hugo et naturellement les poètes du XVIIᵉ siècle, ceux de la Pléiade et d'avant. En classe de troisième, nous avions passé un trimestre entier à expliquer *Le grand testament* de Villon, qui m'avait beaucoup touché. Si bien qu'aujourd'hui encore, je le connais presque par cœur. Malgré les difficultés de la langue, Villon est un phénomène exceptionnel, inouï pour moi. C'est extraordinaire dans le mépris, l'ironie, la gouaille

et à la fois la sensibilité et le rythme de la langue.

P. B. – *Votre* Anthologie *est d'abord un livre « scolaire » mais, bien sûr, pas au sens péjoratif du terme?*

J.-F. R. – Exactement, et la plupart des poèmes que j'ai choisis, je n'ai pas eu besoin d'aller les chercher : je les connaissais. Les études littéraires ont pratiquement disparu en France. On n'enseigne pas la littérature, mais des sujets généraux ou des problèmes abstraits que l'on peut traiter en apprenant des phrases toutes faites. A l'époque où j'étais en classe, l'enseignement de la littérature consistait à apprendre les textes, disponibles, notamment dans les fameux « classiques » Hachette à couverture verte cartonnée. Et à l'examen de passage, à la fin de la troisième, on vous posait des questions sur des points précis du *Grand testament* de Villon. Par exemple on pouvait avoir comme sujet à l'oral : « Les rapports de Villon avec sa mère », parce

---

FRANÇOIS VILLON
1431-1463

LE TESTAMENT

En l'an trentieme de mon âge
Que toutes mes hontes j'eus bues,
Ne du tout fol, ne du tout sage[1],
Non obstant maintes peines eues,
Lesquelles j'ai toutes reçues
Sous la main Thibaut d'Aussigny...
S'évêque il est, seignant[2] les rues,
Qu'il soit le mien je le regny!

. . . .

Je plains le temps de ma jeunesse
(Ouquel j'ai plus qu'autre galé[3]
Jusqu'a l'entree de vieillesse)
Qui son partement[4] m'a celé.
Il ne s'en est a pied allé
N'a cheval : helas! comment don?[5]
Soudainement s'en est volé
Et ne m'a laissé quelque don.

---

1. Ni tout à fait fou ni tout à fait sage.
2. Bénissant.
3. Pendant lequel je me suis plus qu'aucun autre amusé.
4. Son départ.
5. Donc.

qu'il y a certaines strophes dans ce poème où le sujet est abordé. Mais je pourrais vous raconter la même chose à propos de poèmes de Musset ou de Ronsard que je cite.

P. B. – *Tous les poètes de cette* Anthologie *qui sont postérieurs au romantisme, vous les avez découverts après dix-sept ans ?*

J.-F. R. – De Baudelaire au surréalisme, ce sont des lectures non scolaires. Il se trouve que mon père aimait beaucoup la poésie, et qu'il avait dans sa bibliothèque de nombreux recueils, par exemple d'Apollinaire. En plus, j'ai découvert beaucoup d'auteurs contemporains quand j'étais en khâgne pendant la guerre, qui fut une période d'intense activité poétique.

P. B. – *Y a-t-il des poètes que vous avez pu apprécier un moment, et qui ne figurent pas dans cette* Anthologie ?

J.-F. R. – Très peu. Par exemple, j'avais beaucoup aimé *Plain chant* de Cocteau, mais en le relisant, je n'ai pas retrouvé la même émotion. Je ne l'ai donc pas retenu. En revanche, quand j'avais une vingtaine d'années, j'étais assez sévère pour Lamartine ou Vigny, ne fût-ce que parce que mon goût s'était fixé sur Baudelaire ou Rimbaud. Leur poésie me paraissait trop explicative. En relisant Vigny, j'ai ressenti son extrême musicalité et j'ai été amené à le citer plus que je ne l'aurais imaginé. Vigny permet d'ailleurs de faire revivre un genre pratiquement disparu depuis Lucrèce : la poésie philosophique.

P. B. – *On se pose inévitablement cette question : et vous, avez-vous écrit de la poésie ?*

J.-F. R. – Oui, très jeune, et j'ai même publié des poèmes dans la revue lyonnaise *Confluences*. Je crois qu'ils ne sont pas bons et que ce sont des pastiches. La poésie, comme la peinture, est un genre où l'on imite sans se rendre compte que l'on imite. J'ai dû faire du sous-Mallarmé, du sous-Éluard ou du sous-Michaux, de même que lorsqu'on visite des musées, on voit d'innombrables sous-copies de Manet, Monet ou Pissarro. Mes quelques poèmes ne comptent pas dans ma vie.

P. B. – *La poésie actuelle, vous la lisez beaucoup ?*

J.-F. R. – Je m'efforce, sans pouvoir suivre les innombrables revues existantes. Mais je voudrais profiter de cette question pour préciser ceci : depuis que j'ai annoncé, il y a huit ans environ, mon intention de publier une anthologie de la poésie française, je suis frappé par le fait que la plupart des questions qui me sont posées ont trait à la période contemporaine. Or, moi je ne suis pas très partisan du narcissisme de notre propre époque. Nous sommes évidemment très intéressants, mais peut-être moins que nous le pensons.

P. B. – *Mais on affirme que la place des poètes aujourd'hui est bien moindre qu'autrefois.*

J.-F. R. – Ah, je ne trouve pas du tout ! Tenez, les œuvres de Nerval ou de Rimbaud sont pratiquement posthumes. A l'inverse, Éluard, Aragon ou Claudel ont été des monuments de notre époque, on les a vénérés, célébrés ou interviewés dans les magazines féminins.

P. B. – *Mais maintenant, dans les années 80 ?*

J.-F. R. – Maintenant, Yves Bonnefoy est professeur au Collège de France, et René Char est l'objet d'apothéoses sur apothéoses. Je vous le demande : en quoi est-ce que René Char est moins encensé que ne l'était Lamartine ?

P. B. – *Cette* Anthologie de la poésie française, *vous l'avez conçue non pas comme des morceaux choisis, mais en respectant l'étymologie d'« anthologie » : un choix de « fleurs ».*

J.-F. R. – C'est cela. Et en plus, il s'agissait bien d'*une* anthologie, donc de la mienne. Supposons un directeur de musée ayant des moyens illimités et que l'on charge de composer une collection de peintures destinée à refléter d'un point de vue didactique les principaux aspects de l'évolution de l'art. Ce directeur aurait le devoir d'inclure dans sa collection même les œuvres qu'il n'aime pas personnellement, parce qu'elles ont représenté un moment historique important. En revanche, un amateur de peinture disposant aussi de moyens illimités, lui, il n'achètera que ce qui lui plaît. Cette anthologie de la poésie, je tiens à le redire, est donc bien celle de l'amateur recueillant ce qu'il estime le meilleur. Et qui suscite chez lui l'émotion. Voilà pourquoi aussi je n'ai retenu que la poésie « lyrique », au sens où on l'entend depuis Baudelaire. Il y a des textes en vers, et que l'on peut aimer beaucoup en tant que littérature, mais dont la place n'est pas dans une anthologie de la poésie. Ainsi *Les femmes savantes* ou les *Satires* de Boileau.

P. B. – *Oui, mais il est étonnant alors que vous ayez retenu deux extraits des* Épîtres *de Boileau, chaque fois un seul vers. Le premier :* « *Le moment où je parle est déjà loin de moi* », *et le second :* « *Mes défauts désormais sont mes seuls ennemis* ».

J.-F. R. – Quand Jorge Luis Borges est passé à « Apostrophes », il a dit à un moment donné : « Il est évident que je sacrifierais toute mon œuvre pour avoir écrit ou bien ce vers de Virgile *Ibant obscuri sub nocte*, ou bien *Le moment où je parle est déjà loin de moi.* » Or, je ne savais absolument pas que ce vers était de Boileau. Je l'ai donc recherché et, après l'avoir trouvé, je suis tombé sur cet autre vers : *Mes défauts désormais sont mes seuls ennemis.*

P. B. – *Et j'ai remarqué d'ailleurs que, comme Borges, vous aimez beaucoup un poète pas assez connu, Paul-Jean Toulet, l'auteur des* Contrerimes.

PAUL-JEAN TOULET
1867-1920

L'immortelle, et l'œillet de mer
 Qui pousse dans le sable,
 La pervenche trop périssable,
 Ou ce fenouil amer

Qui craquait sous la dent des chèvres
 Ne vous en souvient-il,
 Ni de la brise au sel subtil
 Qui nous brûlait aux lèvres ?

J.-F. R. – Oui, mais j'ai découvert Toulet bien avant de savoir que Borges existait ! Pour Boileau, en revanche, je lui dois tout.

P. B. – *Votre principe de base – il y a très peu de grands poètes et chez eux y compris, la poésie est rare – vous conduit à couper les textes.* « *En arrêtant la citation avant, expliquez-vous, on s'autorise à dire que le texte n'est pas terminé, mais le poème l'est.* »

J.-F. R. – J'ai opéré très peu de coupes.

P. B. – *Oui, mais allons aux textes justement. Par exemple, vous coupez un passage de l'acte I, scène 3 de* Phèdre. *Pourquoi ?*

JEAN RACINE
1639-1699

PHÈDRE

Mon mal vient de plus loin. A peine au fils
 d'Égée
Sous les lois de l'hymen je m'étais engagée,
Mon repos, mon bonheur semblait être affer-
 mi.
Athènes me montra mon superbe ennemi.
Je le vis, je rougis, je pâlis à sa vue ;
Un trouble s'éleva dans mon âme éperdue ;
Mes yeux ne voyaient plus, je ne pouvais
 parler ;
Je sentis tout mon corps et transir et brûler.
Je reconnus Vénus et ses feux redoutables,
D'un sang qu'elle poursuit tourments inévita-
 bles !
Par des vœux assidus je crus les détourner :
Je lui bâtis un temple, et pris soin de l'or-
 ner ;
De victimes moi-même à toute heure entou-
 rée,
Je cherchais dans leurs flancs ma raison
 égarée :
D'un incurable amour remèdes impuissants !
En vain sur les autels ma main brûlait
 l'encens :
Quand ma bouche implorait le nom de la
 déesse,
J'adorais Hippolyte ; et, le voyant sans cesse,
Même au pied des autels que je faisais
 fumer,
J'offrais tout à ce dieu que je n'osais nom-
 mer.
[Je l'évitais partout. Ô comble de misère !
Mes yeux le retrouvaient dans les traits de son
 père.
Contre moi-même enfin j'osai me révolter :
J'excitai mon courage à le persécuter.
Pour bannir l'ennemi dont j'étais idolâtre,
J'affectai les chagrins d'une injuste marâtre ;
Je pressai son exil ; et mes cris éternels
L'arrachèrent du sein et des bras paternels.

Je respirais, Œnone ; et, depuis son absence,
Mes jours moins agités coulaient dans l'inno-
  cence :
Soumise à mon époux, et cachant mes
  ennuis,
De son fatal hymen je cultivais les fruits.]
Vaines précautions ! Cruelle destinée !
Par mon époux lui-même à Trézène ame-
  née,
J'ai revu l'ennemi que j'avais éloigné :
Ma blessure trop vive aussitôt a saigné.
Ce n'est plus une ardeur dans mes veines
  cachée :
C'est Vénus tout entière à sa proie attachée.
J'ai conçu pour mon crime une juste ter-
  reur :
J'ai pris la vie en haine, et ma flamme en
  horreur ;
Je voulais en mourant prendre soin de ma
  gloire,
Et dérober au jour une flamme si noire :
Je n'ai pu soutenir tes larmes, tes combats ;
Je t'ai tout avoué ; je ne m'en repens pas,
Pourvu que, de ma mort respectant les appro-
  ches,
Tu ne m'affliges plus par d'injustes repro-
  ches,
Et que tes vains secours cessent de rappeler
Un reste de chaleur tout prêt à s'exhaler.

Acte I, scène 3.

J.-F. R. – Parce que cela me paraissait
en trop, une cheville, quelque chose
d'explicatif et de vain, bien que peut-être
nécessaire pour l'action de la pièce. L'intensité dans le sublime de la poésie, le
chant profond m'y sont apparu s'achever
avec ces vers et recommencer plus loin.
Le problème, c'est qu'en principe une
tragédie, même en vers, n'est pas destinée
à fournir un texte de poésie lyrique
isolable. Une œuvre dramatique est une
totalité où les éléments sont liés les uns
aux autres et la « poésie pure », pour
parler comme l'abbé Bremond, doit y
être, en fait, une sorte d'accident presque
à l'insu de l'auteur. Découper de la
poésie lyrique dans une œuvre dramatique est aussi discutable, je le conçois, que
Malraux isolant, dans une reproduction
d'une fresque de Véronèse, un détail lui
faisant penser à Cézanne.

P. B. – *Autre exemple intéressant. Voici*
Moesta et Errabunda *de Baudelaire. Or,*
vous coupez les trois premières strophes et
vous ne retenez que les trois dernières.
Pourquoi ?

J.-F. R. – La magie totale ne me paraît
s'élever qu'à partir de ce vers : « Comme
vous êtes loin, paradis parfumé. » Ces
vers, par exemple, « Emporte-moi, wagon, emporte-moi, frégate », me parais-

CHARLES BAUDELAIRE
1821-1867

MOESTA ET ERRABUNDA

[*Dis-moi, ton cœur parfois s'envole-t-il, Aga-*
  the,
Loin du noir océan de l'immonde cité,
Vers un autre océan où la splendeur éclate,
Bleu, clair, profond, ainsi que la virginité ?
Dis-moi, ton cœur parfois s'envole-t-il, Aga-
  the ?

La mer, la vaste mer, console nos labeurs !
Quel démon a doté la mer, rauque chan-
  teuse
Qu'accompagne l'immense orgue des vents
  grondeurs,
De cette fonction sublime de berceuse ?
La mer, la vaste mer, console nos labeurs !

Emporte-moi, wagon ! enlève-moi, frégate !
Loin ! loin ! ici la boue est faite de nos
  pleurs !
– Est-il vrai que parfois le triste cœur d'Aga-
  the
Dise : Loin des remords, des crimes, des
  douleurs,
Emporte-moi, wagon, enlève-moi, frégate ?]

Comme vous êtes loin, paradis parfumé,
Où sous un clair azur tout n'est qu'amour et
  joie,
Où tout ce que l'on aime est digne d'être
  aimé,
Où dans la volupté pure le cœur se noie !
Comme vous êtes loin, paradis parfumé !

Mais le vert paradis des amours enfantines,
Les courses, les chansons, les baisers, les
  bouquets,
Les violons vibrant derrière les collines,
Avec les brocs de vin, le soir, dans les bos-
  quets,
– Mais le vert paradis des amours enfanti-
  nes,

L'innocent paradis, plein de plaisirs furtifs,
Est-il déjà plus loin que l'Inde et que la
  Chine ?
Peut-on le rappeler avec des cris plaintifs,
Et l'animer encor d'une voix argentine,
L'innocent paradis plein de plaisirs furtifs ?

sent à la limite presque comiques tellement ils sont mauvais. D'ailleurs, je n'ai jamais lu ce poème autrement qu'en commençant à la quatrième strophe. Et il est curieux que vous m'en parliez parce que précisément j'avais eu un jour une discussion avec André Breton au café où se réunissait le groupe surréaliste. Je disais à Breton : « Au fond, il n'y a rien de plus beau que les *Amours enfantines* de Baudelaire. » Et Breton me répondit : « Vous voulez dire *Moesta et Errabunda* ? » A ma stupéfaction, et bien que je connaisse presque par cœur *Les fleurs du mal*, je ne savais pas que ce poème s'appelait *Moesta et Errabunda*.

P. B. – *A propos de ces coupes dans Baudelaire, difficile de ne pas vous demander de réagir à ce jugement de... François Mitterrand : « Je me suis aperçu avec stupeur qu'avec Baudelaire je pouvais constamment mettre un mot à la place d'un autre : son langage n'avait aucune nécessité et cette faiblesse de langue m'a beaucoup gêné, m'a éloigné de lui. En revanche, j'ai découvert que Verlaine, c'était d'une justesse merveilleuse. Cette connaissance de la langue m'est apparue comme l'une des sources de sa poésie. »*

J.-F. R. – Je connais cette phrase stupéfiante. Ce n'est pas du tout ce que je veux dire. Au contraire. Pour Baudelaire, tout était d'une nécessité extraordinaire. Je me rappelle une lettre qu'il avait envoyée à un directeur de revue s'étant permis de changer quelques mots dans l'une de ses critiques d'art : « Apprenez, monsieur, lui disait en substance Baudelaire, que depuis que j'ai douze ans, il y a une seule chose que je sache faire, c'est une phrase. » Baudelaire, en vers ou en prose, est l'un des écrivains dont il est difficile de dire que sa nécessité à la fois terminologique et grammaticale ne soit pas absolue. C'est un écrivain presque infaillible sur la justesse du terme. Mais dans les symphonies de Mozart, n'y a-t-il pas certains moments qui auraient pu être écrits par n'importe quel musicien du XVIIIe, et d'autres, à côté, qui ne peuvent avoir été inventés que par le génie mozartien ? Il en va de même en poésie et

le poète lui-même n'est pas toujours conscient de ce qu'il apporte. Parmi les plus beaux poèmes de Ronsard que je cite, l'un faisait partie des *Pièces retranchées* qu'il avait lui-même retirées de ses œuvres complètes.

P. B. – *Vous voulez tordre le cou à un cliché assez répandu selon lequel « le français ne serait pas une langue poétique ». Il n'y a pas de langue poétique ou non poétique, il y a des poètes et des poèmes ou il n'y en a pas. Et vous ajoutez qu'il est absurde de prétendre à la « clarté » intrinsèque du français. En somme, vous prenez le contre-pied de la fameuse proposition de Rivarol : « Tout ce qui n'est pas clair n'est pas français. »*

J.-F. R. – Rivarol prend l'effet pour la cause. Il y a eu en France, au milieu du XVIIe siècle, toute une école de pensée et de style ayant tendu à l'expression précise et concise : les moralistes, La Bruyère, La Rochefoucauld, puis, au début du XVIIIe, Montesquieu. La langue française a été ainsi de plus en plus travaillée par de grands écrivains au point de devenir un extraordinaire instrument. Le choix des termes, leur propriété, la précision des subordinations sont tous d'une subtilité extrême. Au moment donc où Rivarol a écrit son *Discours sur l'universalité de la langue française*, il a recueilli le fruit de plusieurs décennies de travail dans ce sens. C'est un résultat et non pas une cause inhérente à la langue française. Pour moi, aucune langue n'a de propriété indépendante de l'usage qu'on en fait : le français n'est pas en soi plus « clair » que l'italien n'est « musical ». Je me suis souvent opposé à ce sujet à l'opinion de Cioran pour qui l'usage logique qui a été fait du français se heurte à l'exercice poétique. Or, la littérature française compte un nombre de poètes exceptionnellement élevé. Je lis couramment l'anglais, l'italien et l'espagnol et il y a de très grands poètes dans ces trois langues, cela va sans dire, mais je ne vois pas en quoi il y en a moins chez les Français. Quand je compare les textes de Pétrarque à ceux de Ronsard, qui est censé l'avoir imité, je prétends que le Français a apporté parfois un admirable sentiment du charnu et du charnel de la vie absent chez l'Italien. Pétrarque est souvent abstrait dans son expression de l'amour total et malheureux, alors que chez Ronsard on sent les parfums, les

---

PIERRE DE RONSARD
1524-1585

L'an se rajeunissoit en sa verte jouvence,
Quand je m'épris de vous, ma Sinope
cruelle ;
Seize ans estoyent la fleur de vostre âge
nouvelle,
Et vostre teint sentoit encore son enfance.
Vous aviez d'une infante encor la contenan-
ce,
La parolle, et les pas ; vostre bouche estoit
belle,
Vostre front et vos mains dignes d'une Immor-
telle,
Et vostre œil, qui me fait trespasser quand j'y
pense.
Amour, qui ce jour là si grandes beautez
vit,
Dans un marbre, en mon cœur d'un trait les
escrivit ;
Et si pour le jourd'huy vos beautez si parfai-
tes
Ne sont comme autresfois, je n'en suis
moins ravy,
Car je n'ay pas égard à cela que vous estes,
Mais au dous souvenir des beautez que je
vy.

Pièces retranchées

---

saveurs, on voit la couleur de la peau des femmes, du ciel, des rivières. Quant à la révolution poétique moderne, n'est-ce pas des poètes français qui l'ont accomplie ?
P. B. – *Même si cette anthologie est votre choix personnel, impossible de ne pas vous demander de justifier quelques absences notables. Et d'abord Lautréamont.*
J.-F. R. – Lautréamont est un phénomène littéraire étonnant et très énigmatique dont l'influence sur les surréalistes apparaît évidente. Mais je ne pense pas qu'il s'agisse de poésie. Son originalité est prodigieuse, mais je crois chez lui à une très grande part de canular. Bien que je n'aime pas du tout M. Faurisson, pour toutes les raisons que vous pouvez

imaginer, je pense que son étude sur Lautréamont a mis le doigt sur un point important, en parlant de mystification. Ce n'est pas de la poésie, même si la mystification est un très grand genre littéraire.
P. B. – *Parmi les contemporains, quatre absents de marque. D'abord Aragon.*
J.-F. R. – Des vers de mirliton.
P. B. – *Vous avez toujours pensé cela ?*
J.-F. R. – Toujours. Du toc. Quand j'étais en khâgne, on lisait *Le crève-cœur* : c'est grandiloquent, et très bien pour faire des paroles de chansons. Pas plus. Dans ses poèmes comme dans ses romans, Aragon m'est toujours apparu comme un fabricant de faux meubles anciens. Je préfère, si j'ose dire, le vrai Louis XVI ! Et l'on ne peut pas m'accuser d'anti-communisme, puisque j'ai beaucoup cité, peut-être trop, Éluard qui, convenez-en, s'est effondré à la bourse des valeurs poétiques.
P. B. – *Deuxième absent : Péguy.*
J.-F. R. – Autant compter les moutons pour s'endormir. J'ai parfois des insomnies, mais en matière de poésie, cet exercice ne m'intéresse pas.
P. B. – *Troisième absent : Pierre-Jean Jouve.*
J.-F. R. – Il m'a toujours laissé indifférent. Ni chaud, ni froid.
P. B. – *Enfin, quatrième absent : Paul Claudel.*
J.-F. R. – C'est pour moi l'anti-poésie par excellence. C'est phraseur et verbeux. Il braille, il hurle, il mugit. Sa grandiloquence me semble une rhétorique creuse. Claudel est à la poésie ce que les peintres pompiers sont à la peinture. Et je mourrai sur la croix ou au goulag, mais jamais je ne reviendrai sur mes positions à propos de Claudel ou d'Aragon !
P. B. – *Deux absences m'ont personnellement troublé : celle de Jules Supervielle et celle de Léon-Paul Fargue.*
J.-F. R. – Ajoutez aussi celle d'Audiberti. Car voilà des poètes qui m'ont posé un problème : je les aime beaucoup tous les trois, mais les ayant lus et relus en quasi-totalité, j'ai constaté chez eux le phénomène d'une poésie diffuse à travers

toute une œuvre. Si tout Mallarmé est perdu sauf *Le tombeau d'Edgar Poe*, on saura, grâce à cette pierre précieuse, ce qu'était la poésie de Mallarmé. Ce n'est pas le cas pour ces trois auteurs, pour qui je ne suis pas arrivé à isoler un poème plus qu'un autre parce que leur poésie circule à travers tous leurs textes. Le paysage de Supervielle est plein de charme, mais comment y découper un jardin ? Son absence ne vaut donc pas une exclusion : c'est une injustice objective, parce que son talent particulier va vers une sorte d'humeur, de tonalité générale qui ne se prête pas à l'anthologie.

P. B. – *A plusieurs poètes dont la célébrité n'est pas démesurée, vous accordez une place de choix dans cette anthologie. Ainsi, Paul-Jean Toulet, Jules Laforgue, Henry Jean-Marie Levet ou Olivier Larronde. Mais vous exhumez aussi des poètes comme Chennevière, Cravan ou Pierre de Marbeuf qui, je l'ai noté, sont par exemple absents du tout récent Dic-*

HENRY JEAN-MARIE LEVET
1874-1906

LA PLATA

Ni les attraits des plus aimables Argentines,
Ni les courses à cheval dans la pampa,
N'ont le pouvoir de distraire de son spleen
Le Consul général de France à La Plata!

On raconte tout bas l'histoire du pauvre
*   homme :*
Sa vie fut traversée d'un fatal amour,
Et il prit la funeste manie de l'opium;
Il occupait alors le poste à Singapoore...

– Il aime à galoper par nos plaines amères,
Il jalouse la vie sauvage du gaucho,
Puis il retourne vers son palais consulaire,
Et sa tristesse le drape comme un poncho...

Il ne s'aperçoit pas, je n'en suis pas trop
*   sûre,*
Que Lolita Valdez le regarde en souriant,
Malgré sa tempe qui grisonne, et sa figure
Ravagée par les fièvres d'Extrême-Orient...

---

tionnaire des littératures de langue française *chez Bordas. Des quasi-inconnus ?*
J.-F. R. – Mais moi je les ai toujours connus! Sauf Pierre de Marbeuf, qui m'a

---

PIERRE DE MARBEUF
1596-1635

Et la mer et l'amour ont l'amer pour par-
*   tage*
Et la mer est amère, et l'amour est amer,
L'on s'abîme en l'amour aussi bien qu'en la
*   mer*
Car la mer et l'amour ne sont point sans
*   orage.*
Celui qui craint les eaux, qu'il demeure au
*   rivage,*
Celui qui craint les maux qu'on souffre pour
*   aimer*
Qu'il ne se laisse pas à l'amour enflammer,
Et tous deux ils seront sans hasard de naufra-
*   ge.*
La mère de l'amour eut la mer pour ber-
*   ceau,*
Le feu sort de l'amour, sa mère sort de
*   l'eau,*
Mais l'eau contre le feu ne peut fournir des
*   armes.*
Si l'eau pouvait éteindre un brasier amou-
*   reux,*
Ton amour qui me brûle est si fort doulou-
*   reux*
Que j'eusse éteint son feu de la mer de mes
*   larmes.*

été révélé par Arrabal : c'était un poète baroque de la première moitié du XVIIᵉ siècle. Soit dit au passage, un de mes regrets est d'avoir négligé, dans la même période, Théophile de Viau.

P. B. – *Vous qui avez écrit un* Festin en paroles, *cette histoire de la sensibilité gastronomique, et qui maintenant publiez cette* Anthologie de la poésie française, *comment réagissez-vous à cette réflexion de Baudelaire :* « *On peut se passer de manger pendant deux jours, mais de poésie, jamais ?* »

J.-F. R. – A priori, je suis d'accord avec ce paradoxe, parce que la gastronomie est quelque chose de facultatif! Si la poésie n'existait pas, nous ne saurions pas qu'elle est possible. Alors que la nourriture, même sans la gastronomie, nous sommes bien forcés d'en passer par elle. La poésie, comme toute manifestation de la beauté, est quelque chose dont l'existence n'est pas obligatoire. Un grand poème est imprévisible, inattendu. Un peuple aussi mélomane que l'Angleterre n'a eu aucun grand compositeur depuis Purcell : il ne suffit donc pas que les amateurs existent pour que l'art apparaisse. En ce sens-là d'ailleurs, la phrase de Baudelaire, si elle est juste comme manifeste, se révèle fausse : il peut très bien s'écouler mille ans sans vraie poésie, même si des milliers de personnes essaient, pendant cette période, d'écrire de la poésie.

INDEX

IMPRIMÉ EN FRANCE PAR LA SOCIÉTÉ NOUVELLE FIRMIN-DIDOT
Dépôt légal : septembre 1985
Nº d'édition : 30986 – Nº d'impression : 8575